OLJE SELECTIONS
32

카라마조프네 형제들 1

사단법인 olje

올재의 꿈

올재는 지혜나눔을 위해 2011년 9월 설립된 비영리 사단법인입니다. 올재는 설립 이래로 인문 고전과 문화 예술에 담긴 지혜와 아름다움을 나눔으로 세상을 변화시키기 위해 지혜나눔의 행렬을 이어 왔습니다.

첫 번째 지혜나눔은 인문 고전 도서 출간 프로젝트였습니다. 올재는 인문 고전을 종이책 〈올재 클래식스〉에 담아 2,900원가로 한정 보급해 왔으며, 전체 발행 부수의 20%는 전국 도서관과 고전을 접하기 어려운 취약 계층에 기부하며 고전 대중화에 앞장서 왔습니다. 지난 11년간 올재는 100만 권의 고전 출간과 20만 권의 도서 기부로 지혜나눔의 사명과 비전을 실천해 왔으며, 현재는 〈올재 셀렉션즈〉 및 〈올재 전자책〉으로 도서 출간 사업을 이어가고 있습니다.

두 번째 지혜나눔은 인문 고전 오디오북 및 영상을 제공하는 지혜플랫폼 프로젝트입니다. 올재는 출간을 넘어 영상·오디오북·강연·모임 등 더욱 확장된 매체를 통해 지혜와 세상을 연결합니다. 올재 유튜브 채널 〈지혜공작소〉에서는 양질의 인문학 도서를 오디오북 콘텐츠로 제작해 무료 배포하며, 문학·역사·예술·철학 등 인문학 소재를 토대로 제작된 영상 콘텐츠를 공개하고 있습니다.

올재는 모든 세대와 모든 일상에 부합하는 인문 지혜 콘텐츠를 제공함으로 모두가 함께 더 지혜로워지는 세상을 꿈꿉니다.

유튜브에서 '올재 지혜공작소'를 검색해 보세요.
인문 고전 오디오북 및 영상을 만나실 수 있습니다.

Share the wisdom. Change the world.

사단법인 olje

올재의 벗

〈올재 셀렉션즈〉《카라마조프네 형제들 1》 발행에 소요되는 제반 비용 상당액은 지혜나눔 취지에 적극 공감한 후원자 여러분의 도움으로 마련됐습니다. 국내 최대의 서점 교보문고는 유통에 도움을 주셨습니다. 표지 제호를 재능 기부해 주신 캘리그라피연구소 술통 대표 강병인 님께 감사드립니다. 귀한 번역본을 남겨 주신 고 이동현 선생님께 감사를 전하며, 아울러 선친의 글을 올재에서 펴낼 수 있도록 허락해 주신 자제분들께도 깊이 감사드립니다.

〈올재 셀렉션즈〉는 판매 수익금이 전액 지혜나눔에 쓰이는 시리즈로, 〈올재 클래식스〉로 한정 발행된 도서 가운데 독자들의 재발간 요청이 뜨거운 책들을 선별해 다시 편집하고 손질하여 펴내는 책들입니다. 지혜나눔을 위해 각종 후원을 받아 2,900원이란 낮은 가격으로 판매되었던 〈올재 클래식스〉 시리즈보다는 다소 높은 가격에 판매하는 대신 판매로 얻어지는 수익이 모두 공익을 위해 다시 쓰입니다. 〈올재 셀렉션즈〉를 통해 주옥 같은 고전도 읽으면서 지혜나눔에도 동참하시기 바랍니다.

정기 후원과 일반 후원으로 올재의 지혜나눔에 참여하세요.
올재의 벗들이 심은 작은 홀씨가 전국 곳곳에 인문 고전의 꽃으로 피어납니다.

올재 후원함 | 예금주 사단법인 올재
하나은행 162-910013-46904

후원 문의처 | 올재 사무국
ⓣ 02)720-8278 ⓗ www.olje.or.kr ⓔ oljeclassics@olje.or.kr @olje.official

지혜나눔을 함께한 벗들

KYOBO 교보문고

강병인글씨연구소 Kang Byung In Calligraphy Institute

차 례

카라마조프네 형제들 1

올재의 벗

〈올재 셀렉션즈〉《카라마조프네 형제들 1》 발행에 소요되는 제반 비용 상당액은 지혜나눔 취지에 적극 공감한 후원자 여러분의 도움으로 마련됐습니다. 국내 최대의 서점 교보문고는 유통에 도움을 주셨습니다. 표지 제호를 재능 기부해 주신 캘리그라피연구소 술통 대표 강병인 님께 감사드립니다. 귀한 번역본을 남겨 주신 고 이동현 선생님께 감사를 전하며, 아울러 선친의 글을 올재에서 펴낼 수 있도록 허락해 주신 자제분들께도 깊이 감사드립니다.

〈올재 셀렉션즈〉는 판매 수익금이 전액 지혜나눔에 쓰이는 시리즈로, 〈올재 클래식스〉로 한정 발행된 도서 가운데 독자들의 재발간 요청이 뜨거운 책들을 선별해 다시 편집하고 손질하여 펴내는 책들입니다. 지혜나눔을 위해 각종 후원을 받아 2,900원이란 낮은 가격으로 판매되었던 〈올재 클래식스〉 시리즈보다는 다소 높은 가격에 판매하는 대신 판매로 얻어지는 수익이 모두 공익을 위해 다시 쓰입니다. 〈올재 셀렉션즈〉를 통해 주옥 같은 고전도 읽으면서 지혜나눔에도 동참하시기 바랍니다.

정기 후원과 일반 후원으로 올재의 지혜나눔에 참여하세요.
올재의 벗들이 심은 작은 홀씨가 전국 곳곳에 인문 고전의 꽃으로 피어납니다.

올재 후원함 | 예금주 사단법인 올재
하나은행 162-910013-46904

후원 문의처 | 올재 사무국
ⓣ 02)720-8273 ⓗ www.olje.or.kr ⓔ oljeclassics@olje.or.kr @olje.official

지혜나눔을 함께한 벗들

KYOBO 교보문고

강병인글씨연구소
Kang Byung In Calligraphy Institute

차 례

카라마조프네 형제들 1

차 례

카라마조프네 형제들 2

일러두기

1. 번역은 한글을 원칙으로 하나, 역자의 의도를 존중하여 필요한 경우 외래어 표기를 남겨 둔다. 대신 일부 외래어 이해를 돕기 위해 원어와 한자 등을 병기했다.

2. 본문 중에 다음과 같은 부호를 사용한다.
   - 번역 저본에서 본문에 쓰인 괄호는 그대로 표기하였고, 역자 주는 본문 안의 작은 고딕체 글씨 또는 각주로, 편집자 주는 *로 표시
   - 대화나 직접 인용은 " "으로, 부분 인용이나 강조하고자 하는 말은 ' '으로 표시
   - 장편의 시·소설 등의 도서명과 일간지·문예지명 따위는 《 》으로, 단편의 시·소설·희곡 등의 도서명과 오페라·발레·그림 등 예술 작품명 따위는 〈 〉으로 표시
   - 동격의 개념을 가진 단어는 ( )으로 작게 표시하고, 음이 다른 단어는 〔 〕으로 표시

작품 해설

《카라마조프네 형제들》은 도스토옙스키(1821-1881)의 마지막 작품으로서 그의 예술과 사상의 집대성이자 총결산이라는 데 특별한 의미가 있다. 이 작품의 웅대한 구상과 소설 구성의 복잡성, 철학적 달관의 심오함은 괴테의 《파우스트》를 능가하며, 그 뜨거운 인간애와 종교적 신앙의 고매함은 단테의 《신곡》과도 비견할 만하다는 평판이 긍정적으로 받아들여져 온 것으로 보아, 이 작품은 세계문학사상 최고의 장편 소설이라 해도 과언이 아닐 것이다.

1878년 초부터 도스토옙스키는 《카라마조프네 형제들》의 창작에 착수하여, 1879년 1월부터 《루스키 베스트니크》(러시아 잡지)에 연재하기 시작, 1880년 11월에 완결했다. 그러나 이것을 완결한 후 불과 3개월 만에 도스토옙스키는 세상을 떠났기 때문에, 《카라마조프네 형제들》의 속편(머리말에서 예고한 바 있는 '둘째 이야기')은 유감스럽게도 햇빛을 못 보고 말았다. 그렇지만, 그 사실이 《카라마조프네 형제들》의 위대한 가치를 결코 감소시킬 수 없음은 물론이다. 인간성의 모든 면을 샅샅이 규명한 영혼의 투시자 도스토옙스키는 자기의 마지막 작품에서, 불안한 시대에 태어난 러시아인의 고뇌를 밑바닥까지 남김없이 파헤침으로써 인간과 신神 사이에 귀중한 다리를 놓는 데 성공했던 것이다.

《카라마조프네 형제들》은 흔히 톨스토이의 《전쟁과 평화》와 대비되곤 한다. 두 작품이 각각 러시아 문학의 쌍벽을 이루는 두 문호의 필생의 대작이라는 점, 그리고 러시아와 러시아의 국민성을 연구하고 이해하는 데 없어서는 안 될 값진 자료를 무진장하게 내포하고 있다는 점에서 공통점을 찾아볼 수 있기 때문이다. 그러나 두 작품 사이에는 근본적인 차이가 있다. 톨스토이는 러시아인의 생활을 있는 그대로의 모습으로, 더욱이 입체적으로 그려 보였기 때문에, 그 하나 하나의 장면과 심리 묘사는 작품을 떠나서도 훌륭한 현실로서 독자의 상상 속에 생동할 수가 있다. 그래서 우리는 이것이야말로 현실 그대로의 러시아라고 생각하게 된다.

그러나 《카라마조프네 형제들》에서는, 비단 러시아뿐만 아니라, 그 밖의 다른 나라에서도, 일상생활에서는 도저히 볼 수도 들을 수도 경험할 수도 없을 듯싶은 비정상적인 감정과 비상식적인 욕망, 인간의 한계를 넘어선 것 같은 사상과 숨 가쁘게 중첩되는 기이한 사건의 소용돌이가 독자를 사로잡아 현기증을 느끼게 하고, 꿈속과 같은 경지로 끌고 들어간다. 우리는 그의 작품을 대하고 있는 동안만은, 그러한 사건이나 심리가 모두 흠잡을 데 없는 필연성을 지니고 있으며, 거기에는 아무런 불합리도 초자연성도 없는 것같이 느껴지지만, 일단 그 작품의 세계를 떠나서 되돌아보면, 거기 묘사된 하나하나의 장면이나 인물이 러시아의 현실 생활에서 그대로 따온 것이라고는 도저히 생각할 수가 없는 것이다. 예를 들어, 이 방대한 장편의 거의 3분의 2에 해당하는 부분이 불과 사흘 동안에 일어난 일이라는 것만 보아도, 여기서는 일반적인 현실 생활에 있어서의 시간관념이 전혀 무시되고 있음을 알 수 있다.

그러나 도스토옙스키 자신의 가장 큰 관심사는 언제나 러시아의 운명 그것이었다. 러시아인이 지니는 모든 결점과 환부를 파헤치고 도려내어, 그 속에서 빛나는 참된 본질을 발견하는 것이 그의 창작의 근본적인 의도였다. 그는 끊임없는 긴장으로 자기 조국 러시아를 동요케 하는 외적·내적 원인을 규명하고, 러시아인의 불안한 영혼을 날카로운 눈길로 응시함으로써, 그 국민성의 깊은 근본을 확실히 파악할 수 있었다.

다만 그 심오한 근본을 파악하고 표현하는 데는 일반적인 의미의 리얼리즘

Realism으로는 불가능했다. 언뜻 보기엔 환상적인 것 같은 그의 독특한 창작 형식은, 그가 너무나도 철저한 리얼리스트였다는 데서 비롯되는 결과에 지나지 않는다. 그는 곧잘 자기의 창작 형식을 가리켜, '나의 리얼리즘은 차원이 높은 리얼리즘이다'라고 말하곤 했다. 그러므로 《전쟁과 평화》에 나타난 러시아가, 눈으로 볼 수 있는 러시아를 대표하는 것이라면, 《카라마조프네 형제들》의 러시아는 눈에 보이지 않는, 숨겨진 러시아의 모습을 구상화한 것이라고 할 수 있다.

《카라마조프네 형제들》의 등장인물들은 러시아인이 지니는, 아니, 모든 인간이 지니는 온갖 인간적 특성을 인격화한 데 지나지 않는다. 카라마조프네 가장인 표도르 파블로비치는 뭐라고 한마디로 규정할 수 없는 독특한 인간형이다. 그의 인생관은 매사에 부정적이고 냉소적인 데다가, 그 생활 태도는 뻔뻔스럽기 짝이 없는 어릿광대식이었다. 인생 자체를 무의미하고 공허한 것으로 판단해 버린 그가, 그 공허를 메우기 위해 육체적 쾌락을 유일한 목적으로 삼고, 그것을 얻는 방편으로서 재력을 축적하기에 수단 방법을 가리지 않았다는 것은 당연한 일이기도 하다. 그는 나이 50이 지나 인생의 내리막길에 있으면서도 목숨이 붙어 있는 한 그 더러운 쾌락의 술잔을 입에서 떼지 않으려고 안간힘을 쓴다. 본시 그는 인생의 목적이나 신神, 내세 등의 문제에 대하여서는 심각하게 생각하기를 포기하고, 모든 신성한 것을 신랄하게 조소하면서도 기실 사상적인 면에서 부정과 신앙의 어느 쪽으로도 철저한 신념에 도달하지 못하고, 한낱 '짓궂고 감상적인 인간'으로서 끝나고 말았다. 결국 그는 서유럽 문명의 씨앗이 러시아의 황무지에 떨어져, 기형적으로 성장한 결과에 지나지 않지만, 그 퇴폐한 피 속에는 놀랄 만큼 강한 효모가 포함되어 있어서, 그것이 세 아들 속에 거인적인 발육을 이루었다. 즉, 그의 무기력하고 퇴폐적인 정욕에서는 남성적이고 정력적이고 진지한 드미트리가 태어났고, 그의 천박하고 교활한 시니즘Cynicism에서는 이반의 악마적인 대부정大否定이 생겨났으며, 그의 감상주의에서는 알료샤의 빛나는 인류애가 성장했던 것이다.

표도르의 맏아들 드미트리는 이 소설의 주인공이라 할 수 있는 인물이어서, 모든 사건은 그의 주위에 집중되고 있다. 난폭할 만큼 왕성한 생활력과 강렬한 정열, 시적詩的으로 민감하면서도 어디까지나 정직한 마음, 영원한 것에 대한 순진한 동경, 이런 상반된 분자가 뒤섞여 항상 동요하는 그의 성격은, 그야말로 철두철미한 러시아적인 기질이라 할 수 있다. 그는 왕성한 생활력의 충동을 받아, 아무런 반성 없이 방종한 생활을 보내지만, 그의 영혼 속에는 이러한 찰나적 충동에 사는 광포한 악마적 요소 이외에, 또 하나 막연한 것이기는 하지만 뿌리 깊이 박혀 있는 신성의 싹눈이 움트고 있었다. 일찍이 거만하기 짝이 없는 카체리나가, 자기 아버지를 구하기 위해 그의 뻔뻔스런 제의를 받아들여, 처녀의 긍지를 돈과 바꾸려 했을 때에도, 그는 자기의 비열한 계획을 끝까지 밀고 나갈 만큼 담대할 수가 없었다. 그리하여 그는 최후의 순간에 말없이 여자에게 돈을 주고 손끝 하나 건드리지 않은 채 그대로 돌려보내고 만다.

그 후 그루셴카를 만나 '벼락이라도 맞은 듯싶은' 충격을 느끼자, 어엿한 약혼녀의 존재조차 무시하고, 이 여자에게 미친 듯이 열중하여, 마침내는 경쟁적 위치에 있는 자기 아버지를 살해하려고까지 하지만, 그의 영혼 속 깊이 자리 잡고 있는 순결성이 그러한 야수적 충동을 억제하여 무서운 죄악으로부터 그를 구해준다.

표도르의 둘째 아들 이반은 카라마조프 기질의 사상적인 대표자이다. 그는 아버지에게서 물려받은 교활하고도 탐욕스런 이기주의와 자부심이 이지적인 면으로 무한히 발전한 인간이다. 최고 학부에서 서구적 교육을 받은 그는, 신이라든가 영생이라든가 양심이라든가 하는 신비적 분자의 존재를 허용하지 않는다. 그런 것이 존재하지 않는 이상, 남을 사랑해야 한다는 자연율도 이 세상엔 존재할 수 없고, 따라서 '무슨 짓이든 허용된다'는 결론에 도달했던 것이다.

이반 카라마조프는 《죄와 벌》의 라스콜리니코프, 《악령》의 스타브로긴과 동일한 계열에 속하는 인물이기는 하지만, 이반의 부정은 라스콜리니코프의 경우보다 훨씬 대담하다. 라스콜리니코프의 경우는, 전全 인류의 복지를 위해, 소수의 선택된 인간(超人) 내지는 영웅英雄의 특권으로서의 범죄를 긍정한다. 그렇지만 이반의 경우는, 오직 순수한 논리적 귀결로서 '무슨 짓이든 허용된다'는 결론에 도달했을 뿐이므로, 이런 의미에서 그는 어디까지나 악마적인 존재라고 해야 할 것이다. 말하자면 그것은 현대적 합리주의와 자유사상에 근거를 둔, 개인주의로 무장된 악마이다. 하지만 이반은 도스토옙스키가 창조한 다른 주요한 주인공들과 마찬가지로 복잡하고도 분열된 이중인격의 소유자이기 때문에, 자기가 도달한 결론에 안주할 수 없는 운명을 지니고 있다. 도스토옙스키 자신도 자기의 창작 노트 속에, '이반 표도로비치는 심각한 인물이다.' 그는 '종교는 아편이다'식의 허술한 정의를 내세우는 그런 무신론자는 결코 아니다. 인류의 불행이 지상에 충만된 피와 눈물은 끊임없이 그를 괴롭혔고, 이것은 곧 그의 모든 비극의 원인이 되는 것이다.

표도르의 사생아 스메르쟈코프는 이반의 분신이라기보다는 거의 자아와도 같은 존재이다. 스메르쟈코프도 이반과 마찬가지로 표도르의 시니즘과 탐욕성을 물려받았기 대문에, 이반의 무신론과 초인철학을 스메르쟈코프는 완전한 동감으로 받아들인다. 다만 이반이 고매한 철학적·논리적 사색의 결과로서 획득한 '무슨 짓이든 허용된다'는 결론에, 스메르쟈코프는 자기 본위의 안이하고 저속한 해석을 가하여, 자신의 저주할 출생에의 복수와 사소한 이기심의 만족을 위해, 사실상의 아버지인 주인 표도르를 살해하기에 이른다.

여러 가지 외부적인 증거가 겹치고 겹쳐서 드미트리가 아버지를 살해했다는 혐의를 벗을 수 없게 되자, 이반도 세상 사람들과 마찬가지로 형의 범행을 확신하고 있었다. 그러나 스메르쟈코프한테서, 범인은 바로 스메르쟈코프 자신이며, 그것은 이반한테서 표도르의 살해를 암암리에 교사받아서 한 일이기 때문에 이반 역시 공범이라는 말을 듣게 된다. 아버지의 유산에 대한 타산 때문에 이반 역시 아버지의 죽음을 은근히 바랐을 것이라는 스메르쟈코프의 노골적인 지적을 이반은 단호히 부정했지만, 자기 자신의 양심에 대해서는 쉽사리 부정할 수 없음을 느끼게 된다. 그리하여 마침내는 의식의 장애를 일으켜 환상과 악몽에 시달린 끝에 완전히 자기 자신을 상실하기에 이른다.

맏아들 드미트리가 그 시대의 러시아를, 둘째 아들 이반이 서유럽을 상징하고 있는 데 반해 셋째 아들 알료샤는 러시아의 강렬한 국민적 특성을 지니고는 있으나, 그 때문에 다른 나라 사람들을 배척하기는커녕 오히려 그 국민적 특성으로 전 인류를 포옹하는, 미래의 러시아를 상징한다. 주위 사람들로부터 천사라고 불리는 알료샤는 조용한 수도원에 들어가 살면서, 천박한 세속적 번뇌에 미쳐서 서로 으르렁거리고 있는 가족들 사이를 열심히 찾아다니며, 서슬이 시퍼런 그들의 마음을, 자기의 순결하고 따뜻한 손길로 부드럽게 어루만져 준다. 정직하고, 진지하고, 털끝만 한 악의도 없으며, 타인에 대한 끝없는 동정심을 지닌 알료샤는, 두 형처럼 특이하고 뚜렷한 개성적인 성격은 지니지 못했다. 그는 작자가 현실에서 취해다가 예술적으로 완성한 성격이라기보다는 작자 자신이 마음속으로 동경해 온 이상적인 전형의 하나라고 할 수 있다. 그러나 도스토옙스키는 이 추상적 성격에 살아 있는 인간으로서의 현실성을 부여하는 데 성공했다. 다만 거기에 생동성이 부족한 것은 다만 이 소설 속에서 알료샤 자신이 능동적으로 사건의 중심이 될 수 없는 위치에 있기 때문이다. 그러므로 이 소설의 속편에서 알료샤가 카라마조프적인 생활 본능과 그리스도교적인 겸허를 어떻게 조화시킬 것인가는 참으로 흥미 있는 문제로서 바로 거기에 이 대장편 집필의 근본 동기가 있었을 것인데 유감스럽게 그것은 영원한 수수께끼로 남고 말았다.

《카라마조프네 형제들》의 사상적 꼭짓점을 이루는 것은, 작자 자신이 말한 바와 같이 제5편 〈찬贊과 반反〉과 그다음의 〈러시아의 수도사〉에 있다 할 것이다. 이것은 이반과 조시마 장로의 이데올로기적 대립인데, 그 중요성은 양쪽이 거의 비등하다. 이반은 논리적·변증법적으로 부정론·허무주의를 주장하지만, 조시마 장로는 그것을 정면으로가 아니라 간접적으로 반박한다. 즉 논증으로가 아니라, 자기 자신의 존재로 분쇄하는 것이다. 따라서 조시마 장로의 인간상을 창조한다는 것은 도스토옙스키에게도 결코 수월한 일이 아니었을 것이다. 그러나 그는 이 장중한 은자의 모습을 완전히 그려내는 데 성공했다. 조시마 장로의 가장 두드러진 특색은, 그가 흔히 있는 고행자형 수도사와는 달리, 교회적인 음울함이나 준엄함 같은 면은 전혀 찾아볼 수 없는 밝고도 밝은 마음의 소유자라는 데 있다. 도스토옙스키가 일찍이 다른 작품 속에서 그 일부만을 보여 준 러시아 수도사의 이상적인 모습은 조시마에 이르러 비로소 완성된 것이다. 이상으로 주요 등장인물들을 대강 훑어보며 작품 해설을 갈음하기로 한다.

2017년 새해 벽두에

역자 이동현

등장인물

표도르 파블로비치 : 카라마조프네 가장
드미트리(미챠, 미첸카, 미치카) : 맏아들
이반(바냐, 바네치카, 반카) : 둘째 아들
알료샤(알렉세이, 알료쉬카) : 셋째 아들

아젤라이다 이바노브나 미우소바 : 표도르의 첫 아내
소피야 이바노브나 : 둘째 아내

그리고리 바실리예비치 쿠투조프 : 하인
마르파 이그나치예브나 : 그리고리의 아내
스메르쟈코프(파벨 표도르비치) : 요리사
라자베타 스메르쟈시차야 : 스메르쟈코프의 어머니

카체리나 이바노브나 베르호프체바(카챠, 카첸카, 카치카) : 드미트리의 약혼자
호흘라코바 부인 : 과부
리자(리즈) : 딸
그루셴카(아그라페나 알렉산드로브나 스베틀로바, 그루샤, 그루쉬카) : 드리트리의 애인
라키친(미하일 오시포비치, 미샤, 라키트카) : 신학생. 그루셴카의 사촌
삼소노프(쿠지마 쿠지미치) : 그루셴카의 보호자

조시마 : 수도원 장로
입폴리트 키릴로비치 : 검사
니콜라이 파르페노비치 넬류도프 : 예심 판사
페츄코비치 : 변호사

표트르 일리치 페르호친 : 관리
스네기료프(니콜라이 일리치) : 퇴역 대위

아리나 페트로브나 : 스네기료프의 아내
바랴(바르바라), 니나(니노치카), 일류샤 : 스네기료프의 아이들
다르다넬로프 : 일류샤의 학교 선생님
콜랴 크라소트킨, 스무로프, 카르타셰프 : 일류샤의 학교 친구들

러시아의 인명

《카라마조프네 형제들》을 비롯한 러시아 장편 소설을 처음으로 대하는 한국 독자들은, 하나의 등장인물에 대한 호칭이 책 한쪽 안에서조차 두세 가지 다른 이름으로 표기되어 나오는 데 당혹감을 느낄 것이다. 러시아인의 정식 인명은 이름(세례명), 아버지의 이름을 나타내는 부칭父稱, 성씨의 순으로 표기한다. 이와는 별도로 세례명의 변형인 애칭愛稱이라는 것도 널리 사용되고 있다. 이 소설의 주요 등장인물들을 예로 들어 인명 사용의 실제를 간단히 적기로 한다.

애칭	이름	부칭	성	가족관계
폐챠, 폐치카	표도르	파블로비치	카라마조프	카라마조프네 가장
미챠, 미첸카	드미트리	표도로비치	카라마조프	맏아들
바냐, 바첸카	이반	표도로비치	카라마조프	둘째 아들
알료샤, 알료쉬카	알렉세이	표도로비치	카라마조프	셋째 아들
카챠, 카첸카	카체리나	이바노브나	성씨는 작품에 미기재	드미트리의 약혼녀
그루셴카, 그루쉬카	아그라페나	알렉산드로브나		드미트리의 애인

1) 정식·공식 호칭으로는 이름·부칭·성을 다 붙여서 부른다.
2) 사적으로 예의를 갖춰 존대해야 할 대상은 이름과 부칭을 함께 부른다. 우리말의 '씨'나 '님' 같은 것은 없다.
3) 특별히 배려할 필요가 없는 대상은 이름만 부른다.
4) 사랑스럽거나 친밀감을 느끼게 하는 어린이와 젊은이는 부칭 없이 애칭만 부른다. 세례명마다 조금씩 다른 뉘앙스를 지닌 애칭이 두세 가지씩 있다.

카라마조프네 형제들

Brat'ya Karamazovy

Dostoevsky, Fedor Mikhaylovich

저자의 머리말

나의 주인공 알렉세이 표도로비치 카라마조프의 전기傳記를 시작함에 있어, 나는 몇 가지 의혹을 품게 된다. 그것은 다름 아니라, 내가 비록 알렉세이 표도로비치를 주인공으로 내세우기는 하지만, 그가 결코 대단한 인물이 못 된다는 것을 나 자신이 잘 알고 있는 터이고, 따라서 '당신의 알렉세이 표도로비치는 대체 어떠한 점이 뛰어났으며, 무엇 때문에 당신은 그를 자기의 주인공으로 선택했는가? 그가 도대체 무슨 일을 했다는 건가? 그리고 누구에게, 무엇으로 알려진 인물인가? 무엇 때문에 우리 독자가 그의 생애를 연구하느라고 시간을 허비해야 하는가' 따위 질문이 반드시 던져지리라는 것을 나 자신이 예측할 수 있기 때문이다.

대답하기가 가장 난처한 것은 마지막 질문이다. 이에 대해서는 다만 '직접 이 소설을 읽어 보면 알게 될 것입니다'라고밖엔 대답할 길이 없으니 말이다. 그런데, 만일 이 소설을 다 읽고 나서도, 여전히 납득이 안 간다면서, 알렉세이 표도로비치의 뛰어난 점을 시인하려 들지 않는다면? 유감스럽게도 나는 그런 독자가 나타나는 것을 예측하고 있기 때문에 이런 말을 늘어놓고 있는 것이다. 그는 내가 보기엔 분명히 주목할 만한 가치가 있는 인물이다. 그러나 과연 그것을 독자에게 증명해 보여 줄 수 있을지는 전혀 자신이 없다. 문제는 그가 틀림없는 주인공이라는 것은 틀림없는데도, 그 성격이 매우 모호하고 분명치가 못하다는 데 있다. 그렇다고는 하지만, 요즘 같은 시대에 사충들에게 분명함을 요구한다는 것 자체가 오히려 무리일는지 모른다. 다만 한 가지 점만은 어느 정도 분명하다. 그것은 그가 이상한, 아니 괴상하다고까지 할 수 있는 인간이라는 사실이다. 그러나 이상하다거나 괴상하다거나 하는 것은, 특히 부분을 하나로 묶어 전체적인 혼돈 속에서 어떤 공통적인 의미를 발견하려고 애쓸 때, 거기에 가능성을 부여하기보다는 오히려 그것을 어렵게 만드는 법이다. 대부분의 경우 괴상한 인간이란 특수하고도 고립적인 존재이기 때문이다. 그렇지 않은가?

그런데 만일 독자가 이 마지막 명제命題에 반대하여 '그렇지 않다'든가, '언제나 그런 것은 아니다'라고 대답한다면, 나는 오히려 나의 주인공 알렉세이 표도로비치의 가치에 대해서 자신을 얻을 수도 있을 것이다. 왜냐하면, 괴상한 인간이란 '언제나' 특수하고 고립적인 존재인 것은 아니며, 그러한 인간이야말로 때로는 전체의 핵심을 지니고 있기 때문이다. 다만 그와 동일한 시대의 다른 모든 사람들이 무엇 때문인지 세찬 바람에 불려 일시적으로 그의 곁에서 떨어져 나간 데 지나지 않는 것이다.

하기는 이따위 무미건조하고 흐리멍덩하기 짝이 없는 설명을 늘어놓을 게 아니라, 머리말도 없이 대번에 본문부터 시작하는 편이 무난했을 것이다. 마음에 들면 끝까지 다 읽어 줄 테니까. 그러나 곤란한 것은, 내가 쓰려는 전기傳記는 하나인데, 이야기는 두 가지라는 점이다. 그중에서 보다 중요한 이야기는 둘째 것인데, 그것은 현재 우리가 살고 있는 바로 이 시대에 있어서의 나의 주인공의 행동이다. 첫째 이야기로 말하면, 이미 30년 전의 일인 데다가 소설이라기보다는 나의 주인공의 어린 시절의 한 토막 에피소드라고 하는 편이 옳을 것이다. 그렇다고 첫째 이야기를 생략하고 넘어갈 수는 없는 일이다. 그렇게 하면, 둘째 이야기 속의 많은 부분을 이해할 수 없게 될 것이기 때문이다. 이렇게 나의 첫 난관은 더욱더 복잡해지기만 한다. 만약에 내가, 다시 말해서 전기 작가인 나 자신이, 그처럼 대수롭지 않고 모호한 주인공을 위해서는 한 가지 이야기만으로도 과람過濫할는지 모른다고 생각한다면, 이야기를 굳이 두 가지씩이나 들고 나와야 할 필요는 어디 있으며, 또 나의 이런 주제넘은 시도를 무엇이라 해명해야 할 것인가?

이러한 문제들에 대한 해답을 얻지 못한 채, 나는 아무런 설명도 없이 그냥 넘어가기로 했다. 물론 선견지명이 있는 독자는, 내가 처음부터 이런 식으로 나오려는 속셈이었음을 이미 간파하고, 무엇 때문에 공연히 실없는 소리로 귀중한 시간을 허비하느냐고 몹시 나를 못마땅히 여길 것이다. 여기에 대해서 나는 명백히 밝혀 두겠다. 내가 실없는 소리를 늘어놓으며 귀중한 시간을 허비한 것은, 첫째는 예의 때문이고, 둘째로는 '그래도 역시 저자는 무언가 미리 복선을 깔았군' 하는 말을 들으려는 교활한 속셈 때문이다. 그러나 나는 이 소설이 '전체의 본질적인 통일을 유지하면서' 저절로 두 개의 이야기로 갈라진 것을 오히려 다행으로 생각한다. 첫째 이야기를 다 읽은 독자는 둘째 이야기를 읽을 만한 가치가 있는지 없는지를 스스로 결정할 수 있을 것이다. 그야 물론, 누구나 아무런 속박도 받고 있지 않으니까, 첫째 이야기를 두어 페이지쯤 읽다가 책을 내던지고 다시는 펼쳐 보지 않을 수도 있다. 그러나 공평한 판단에 그르침이 없도록 하기 위해 끝까지 꼭 읽어야겠다는 세심한 독자들도 있을 것 아닌가. 예를 들어, 우리 러시아의 평론가들과 같은 분들 말이다. 아무튼 그런 독자들 앞에서는 한결 마음이 가벼워진다. 하지만 그들의 세심하고 성실한 태도에도 불구하고, 나는 소설의 첫 장면에서 책을 내던질 수 있는 가장 적당한 구실을 그들에게 제공해 준 셈이다. 이상이 머리말의 전부이다. 이따위 머리말은 불필요하다는 데 나는 전적으로 동의한다. 그러나 이미 다 쓴 것이니 그대로 둔다.

그럼 이젠 본문으로 들어가기로 하자.

제1부

제1편 어느 집안의 내력

1. 표도르 파블로비치 카라마조프

알렉세이 표도로비치 카라마조프는 우리 군郡의 지주 표도르 파블로비치 카라마조프의 셋째 아들이다. 그런데, 아버지 표도르 파블로비치로 말하면, 바로 13년 전에 일어난 그의 비극적이고도 음침한 죽음으로 해서, 한때는 꽤 유명했던(하기는 아직까지도 이 고장 사람들의 입에 가끔 오르내리고는 있지만) 인물이다. 그러나 그의 죽음에 대해서는 앞으로 적당한 곳에서 이야기하기로 하고, 여기서는 다만 이 '지주'(일생을 통해 자기 영지領地에서 거주한 적은 없는데도, 이 고장에서는 그를 이렇게 불렀다)가 아주 괴팍한 성질의 인간이었다는 것만을 말해 두겠다. 즉, 언행이 착실하지 못한 데다가 음탕할 뿐만 아니라, 그러면서도 한편으로는 머리가 둔한, 바로 그런 종류의 인간이었는데, 그것은 가끔 우리 주위에서도 만나 볼 수 있는 인간형이다. 그러나 그는 우둔하다고는 해도, 재산 관리에 관한 여러 가지 자질구레한 일만은 제법 처리할 줄 아는 그런 인간들 중의 하나였다. 아마도 그것이 그의 유일한 재능이었던 것 같다. 예를 들면, 표도르 파블로비치는 거의 무일푼으로 출발했고, 지주라고는 해도 아주 보잘것없는 존재에 지나지 않아서, 곧잘 남의 집에 식사를 얻어먹으려고 쫓아다녔고, 부잣집 식객 노릇을 할 수 있는 기회만 엿보며 살아왔지만, 죽을 때는 현금으로 10만 루블이나 가지고 있었다. 그런데도 그는 일생 동안 우리 군에서 가장 우둔한 반미치광이 중의 하나로 통했다. 다시 되풀이하거니와, 결코 바보라는 뜻은 아니다. 이러한 반미치광이들의 대부분은 꽤 영리한 편인 데다가 교활한 면까지 지니고 있다. 그들의 우둔함이란 일종의 독특한 러시아인 고유의 성질을 띠고 있는 것이다.

그는 두 번 장가를 들어 아들 셋을 두었는데, 맏아들 드미트리 표도로비치는 전처 소생이고, 나머지 두 아들, 이반과 알렉세이는 후처 소생이었다. 표도르 파블로비치의 전처는 역시 우리 군의 지주인 미우소프라는 꽤 부유하고 이름 있는 귀족 가문의 출신이었다. 상당한 지참금까지 소지한 미인으로 게다가 약삭빠르고 영리한 처녀—요즘 세대에는 이런 처녀들이 꽤 흔하지만, 그전에도 더러는 볼 수 있었다—가 도대체 어떻게 되어 그런 하잘것없는 '헐렁이'(그때만 해도 모두들 그를 이렇게 불렀다)한테 시집을 가게 되었는지, 거기 대해서는 구태여 설명하려 들지 않겠다. 나는 지나간 '낭만적' 시대에 살았던 처녀를 하나 알고 있었는데, 그녀는 어떤 남자에게 몇 해 동안에 걸쳐 수수께끼와 같은 사랑을 바친 끝에, 그와 언제든지 가장 온당한 방법으로 결혼할 수 있었음에도 불구하고, 그녀 자신이 일부러 극복할 수 없는 장애를 생각해 내 가지고는, 폭풍우가 몰아치는 밤에 절벽을 이룬 높은 강 언덕에서, 꽤 깊고 물살이 빠른 강물에 몸을 던져 자살해 버리고 말았다. 그녀가 죽은 것은 전혀 자기 자신의 변덕 때문에, 다시 말해서, 단지 셰익스피어의 오펠리아 흉내를 내고 싶어서였다. 만일, 그녀가 몹시 좋아해서, 미리부터 점찍어 놓았던 그 절벽이 그다지 아름답지 못한, 그저 평범하고 펑퍼짐한 강기슭에 지나지 않았다면, 필시 이 자살 사건은 처음부터 일어나지도 않았을 것이다. 지금 말한 사건은 어디까지나 실제로 있었던 일이다. 그리고 우리 러시아의 생활 속에서 지난 두서너 세대 동안에 이와 똑같은, 또는 이와 유사한 사건들이 적지 않게 발생했다는 것을 염두에 둘 필요가 있을 것이다. 표도르의 전처 아델라이다 이바노브나 미우소바의 행동 역시 앞에서 말한 사건과 마찬가지로, 딴 사람들의 사조思潮에 대한 맹목적 공명空名으로서, 그러한 '사조의 노예가 된 사고방식'에서 오는 정신적 반발이었다는 것은 의심할 여지도 없다. 아마도 아델라이다는 여성의 독립을 선언하고, 제반 사회적 환경과 자기 가문의 억제에 항거하여 용감히 나아가고 싶었을 것이다.

또한 그녀의 왕성한 상상력은, 표도르 파블로비치가 비록 남의 식객이라는 지위에 있었다고는 하지만, 향상 발전으로의 과도기적 시기에 있는 가장 용감하고 가장 냉소적인 인간들 중의 하나라고 일시적이나마 그녀를 확신케 하였는지도 모를 일이다. 하지만, 그 당시의 그는 심술궂은 어릿광대 이상의 아무것도 아니었다. 이 혼인의 매력은 그것이 빵소니 결혼이라는 점에 있었다. 이것 또한 아델라이다 이바노브나의 마음을 극도로 매혹했다. 표도르 파블로비치로 말하면, 언제든지 서슴지 않고 어떠한 수단이라도 취할 수 있는 위인인 데다가, 그 당시의 그의 사회적 지위로 보아, 오히려 잘되었다고 생각할 지경이었다. 그도 그럴 것이, 그는 무슨 방법으로든 출세의 기반을 닦을 수 있는 기회가 오기를 열망하고 있는 터였으므로, 명문가와 관계를 맺고, 게다가 지참금까지 갖고 온다는 것은 지극히 솔깃한 조건이 아닐 수 없었다. 상호 간의 애정으로 말하면, 그런 건 전혀 없는 것 같았다. 여자 편에도 없었고, 남자 편에도 아델라이다 이바노브나의 미모에도 불구하고 역시 없었던 모양이다. 그러니까 어떤 여자든 추파를 조금 던지기만 하면, 금방 들러붙는 음탕한 성품의 표도르 파블로비치에게는, 평생을 통하여 단 한 번밖에 없었던 특이한 경우였다 할 것이다. 오직 그녀 한 사람만이 정욕적인 면에서 그의 내부에 아무런 특별한 흥미도 불러일으키지 않은 여자였으리라.

아델라이다 이바노브나는 빵소니 결혼을 하자마자, 자기가 남편을 경멸하고 있을 뿐, 그 밖의 아무런 감정도 그에게 느끼지 못한다는 것을 곧 깨닫게 되었다. 그리하여 이 결혼의 결과는 너무나 빨리 나타나고 말았다. 여자의 집안에서는 얼마 안 있어 이 결혼을 용인하고, 집을 뛰쳐나간 딸에게 지참금을 떼어 주었음에도 불구하고, 이들 부부 사이에서는 무질서하기 짝이 없는 생활과 끊임없는 소동이 벌어지기 시작했다. 사람들의 말에 의하면, 그 당시 젊은 아내 편이 표도르 파블로비치보다는 비교적 점잖고 고상하였다고 한다. 지금은 잘 알려진 일이지만, 남편은 그녀가 친정에서 지참금을 받기가 무섭게 2만 5천 루블이라는 돈을 한꺼번에 가로채 버렸기 때문에, 그녀는 영영 그 돈을 잃어버리고 말았다. 또한 그녀가 지참금과 함께 받은 조그만 영지와 제법 훌륭한 시내의 집 한 채도, 그는 무슨 문서를 만들어 자기 명의로 바꾸어 버리려고 오랫동안 무진 애를 썼다.

아마도 그는 자기의 염치없는 강요와 애원으로 해서, 아내의 마음속에 싫 새

없이 불러일으킨 멸시와 혐오감만으로도, 그리고 남편의 끈덕진 요구를 더 이상 거절할 수 없게끔 되어 버린 아내의 정신적 권태만으로도, 기어이 자기 목적을 달성하고야 말았을 것이다. 그러나 다행히도, 아델라이다의 친정에서 이 문제에 개입해 그의 탐욕을 꺾어 버렸다. 부부 사이에 자주 손찌검이 오가곤 했다는 것은 잘 알려져 있는 사실이지만, 들리는 말에 의하면, 표도르 파블로비치가 아내를 때린 것이 아니라, 주로 아델라이다 이바노브나가 남편을 때렸다는 것이다. 아델라이다는 살갗이 가무스름하고, 성미가 급하고도 대담한 부인으로, 완력 또한 여간내기가 아니었다. 마침내 그녀는 세 살 난 어린 아들 미차(드미트리의 애칭)를 표도르 파블로비치의 손에 남겨 둔 채, 가정과 남편을 버리고, 어느 신학교 출신 가난뱅이 교사와 함께 도망을 쳐 버렸다. 표도르 파블로비치는 곧 자기 집을 색주가나 다름없이 만들어 가지고는, 주색으로 세월을 보내기 시작했다. 그리고 이따금씩 온 고을을 돌아다니며 만나는 사람마다 붙잡고는, 자기를 버리고 달아난 아델라이다 이바노브나에 대해서 눈물을 흘리며 호소했다. 뿐만 아니라, 남편으로서는 입에 담기조차 부끄러운 자기 결혼 생활의 내막을 상세한 점에 이르기까지 털어놓는 것이었다.

여기서 특히 주목할 만한 것은, 그가 모든 사람 앞에서, 버림받은 남편으로서의 자기의 우스꽝스런 연기를 보여 주면서, 심지어는 자기의 재난을 윤색까지 해 가며 늘어놓는 것에, 어떤 쾌감과 만족까지 느끼고 있었다는 사실이다. "이거 봐요, 표도르 파블로비치. 그러한 불행을 당하고서도 지극히 만족하는 걸 보니, 무슨 큰 벼슬이라도 한 것처럼 생각하는 모양이군요" 하고, 놀리기 좋아하는 친구들은 말했다. 많은 사람들의 말을 들어보면, 그는 자기의 어릿광대짓을 좀 더 새롭게 꾸며 가지고 나타나기를 좋아할뿐더러, 보다 많은 효과를 거두기 위하여 일부러 자기의 희극적인 처지를 미처 깨닫지 못하고 있는 듯한 표정을 지어 보인다는 것이었다. 그러나 그것은 오히려 마음이 순진한 탓이었는지도 모른다. 마침내 그는 도망친 아내의 행방을 알아내는 데 성공했다. 이 가련한 여인은 그 신학교 졸업생과 함께 페테르부르크에 가서, 아무런 구속도 받지 않는, 이른바 자유 생활에 빠져 있다는 것이었다. 표도르 파블로비치는 갑자기 분주하게 돌아다니며 페테르부르크로 떠날 채비를 하기 시작했다. 무엇 때문이냐? 물론 자기 자신도 잘 몰랐다. 아무튼 그는 그때 정말로 떠날 것같이 보였으나, 그렇게 결심하자마자, 그는 여행 전에 원기를 돋우기 위해 다시 한번 질탕치게 술을 마시는 것이 당연한 권리라고 생각했다. 그런데 바로 그때, 그의 처가에, 페테르부르크에서 그 여자가 죽었다는 기별이 왔다. 어느 지붕 밑 방에서 갑자기 죽어 버린 모양인데, 장티푸스로 죽었다는 말도 있고, 굶어서 죽은 것 같다는 말도 있었다. 표도르 파블로비치는 자기 아내의 죽음을 전해 듣고는, 술에 만취해서 한길로 뛰어나가 두 손을 높이 들고 기뻐서 어쩔 줄 모르겠다는 듯이, "이젠 해방이다!"라고 큰 소리로 외쳤다는 것이다. 그러나 또 다른 사람들의 말에 의하면, 어린애처럼 목 놓아 울어대는 꼴이, 그를 싫어하던 사람들까지도 보기에 민망스러울 지경이었다고도 한다. 필시 두 가지 이야기가 다 사실이었을 것이다. 즉, 그는 자기의 해방을 기뻐한 동시에 자기를 해방시켜 준 아내의 죽음을 서러워한 것이다. 대부분의 경우, 인간이란 비록 악한일지라도, 우리가 일반적으로 생각하는 것보다는 훨씬 순진하고 단순한 마음을 갖고 있는 법이다. 우리들 자신도 역시 그러하다.

2. 맏아들을 버리다

물론, 그와 같은 위인이 아버지로서 어떻게 자식을 길렀겠느냐는 것은 쉽사리 짐작할 수 있는 일이다. 과연, 그는 예측했던 대로 아버지였고, 의당 그러리라 생각했던 대로 일이 일어났다. 다시 말해서, 그는 아델라이다 이바노브나의 소생인 자기 아이를 아주 돌보지 않게 되고 말았는데, 그것은 아이에 대한 무슨 원한 때문이나 배신당한 남편으로서의 어떤 감정 때문이 아니라, 단지 자기 아이의 존재를 완전히 잊어버린 데서 오는 결과에 지나지 않았다. 그가 눈물과 하소연으로 모든 사람에게 귀찮게 굴면서, 한편으로는 자기 집을 방탕의 소굴로 만들어 버리는 동안, 세 살짜리 미챠를 맡아서 길러 준 것은 이 집의 충직한 하인 그리고리였다. 그때 만일 이 하인이 아이를 돌봐 주지 않았더라면, 아마 아이의 속옷 한 벌 갈아입혀 줄 사람도 없었을 것이다. 게다가 외가에서도 웬일인지 처음에는 이 아이의 일을 아주 잊고 있었다. 아이의 외할아버지, 다시 말해서 아델라이다 이바노브나의 아버지인 미우소프 씨는 그때 이미 세상을 떠나 버렸고, 과부가 된 외할머니는 모스크바로 이사 가서 중병에 걸려 있었으며, 이모들은 모두 시집을 갔기 때문에, 미챠는 거의 1년 동안을 하인 그리고리가 사는 머슴 집에서 살며 지내야 했다. 그렇지만 혹시 아버지가 미챠를 상기했다 하더라도(사실 표도르가 정말로 자기 아이의 존재를 기억하지 못했을 리는 만무하다), 다시 머슴 집으로 돌려보냈을 것이다. 아무래도 어린애는 그의 방탕한 생활에 방해가 될 것이기 때문이다. 그런데, 죽은 아델라이다 이바노브나의 사촌 오빠인 표트르 알렉산드로비치 미우소프가 파리에서 돌아왔다. 이 사람은 그 후에도 여러 해를 계속 외국에서 살았지만, 그 당시엔 아직 매우 젊은 나이였다. 그러나 주로 수도 모스크바와 외국에서 교육을 받은 사람이었으므로, 미우소프네 가문에서는 특이한 존재였다. 그는 만년에 이르러 4, 50년대(19세기)의 전형적인 자유주의자가 되었다. 자기의 일생을 통하여, 국내외를 막론하고 동시대의 가장 자유주의적인 사람들과 접촉했고, 프루동[1*]이니, 바쿠닌[2*]이니 하는 사람들과도 개인적으로 친분이 있었다. 그리고 자기의 방랑 생활의 말기에 이르러서는, 1848년의 파리 2월 혁명의 사흘 동안을 회상하며, 그때의 이야기를 하기 좋아했다. 그는 자기 자신도 혁명에 가담하여 시가전에 참가했음을 은연중에 암시하곤 했다. 이것은 그의 청춘 시절의 가장 즐거운 추억 중의 하나였던 것이다. 그는 옛날식으로 따져서, 농노農奴 천 명 정도에 해당하는 재산을 자

1* 피에르 조제프 프루동Pierre Joseph Proudhon(1809~1865). 프랑스의 상호주의 철학자이자 언론인. 스스로를 '아나키스트'라고 칭한 최초의 인물.

2* 미하일 알렉산드로비치 바쿠닌Mikhail Aleksandrovich Bakunin(1814~1876). 러시아 출신의 아나키스트 혁명가이자 철학자.

기 앞으로 소유하고 있었다. 그의 비옥한 토지는 바로 우리가 사는 조그만 도읍 어귀에 있었는데, 유명한 수도원의 땅과 인접해 있었다. 표트르 알렉산드로비치는 아직도 새파랗게 젊은 나이에 이 유산을 상속받자마자 하천의 어로권漁撈權 때문인지 산림의 벌목권伐木權 때문인지 정확한 것은 알 수 없지만, 어쨌든 이 수도원을 상대로 끝없는 소송을 제기했다. 그는 '교권주의자들'과 싸우는 것이 시민으로서의, 또는 개명한 문화인으로서의 의무라고까지 생각했다.

그는 자기가 잘 기억할 뿐 아니라 한때는 특별한 관심까지 가졌던 아델라이다 이바노브나에 대한 얘기를 듣고, 또한 미챠가 남아 있음을 알고, 표도르 파블로비치에 대한 자기의 청년다운 의분과 경멸에도 불구하고, 이 문제에 자기가 직접 나서기로 했던 것이다. 바로 이때 그는 표도르 파블로비치와 처음으로 만나서 인사를 하게 되었다. 그는 단도직입적으로 표도르 파블로비치에게 아이의 양육을 맡고 싶다고 했다. 이것은, 후에 그가 표도르의 성품을 단적으로 표현하기 위해 두고두고 이야기한 것이지만, 그가 처음 표도르에게 미챠의 얘기를 꺼냈을 때, 표도르는 잠시 동안 어리둥절한 얼굴로, 대체 어느 아이를 두고 하는 말인지 모르겠다는 듯이, 자기 집 어느 구석에 그런 어린 아들이 정말 있었던가 몹시 놀라는 표정을 지어 보이더라는 것이었다. 물론 표트르 알렉산드로비치의 이야기에는 과장이 섞였을 수도 있겠지만, 어느 정도 사실에 가까운 점도 있었을 것이다. 사실 표도르 파블로비치는 일생 동안 사람들을 놀라게 해 줄 연극을 꾸며 보이기를 좋아했고, 때로는 아무런 필요도 없는 경우에, 심지어는 이번 일처럼 자기에게 불리한 경우에도 곧잘 그런 짓을 했다. 그러나 이런 종류의 행위는 상당히 많은 사람들에게서, 아니, 때로는 표도르 파블로비치와는 비슷하지도 않은 영리한 사람들에게서도 흔히 볼 수 있는 일이다. 미우소프는 일을 열심히 처리하여, (표도르를 상대로) 아이의 재산상의 후견인이 되기까지 했다. 미챠에게는 어머니가 남겨 준 재산으로 조그마한 영지와 집 한 채가 있었기 때문이다. 그리하여 미챠는 자기 외종숙한테로 옮아갔으나, 미우소프는 자기의 가정이라는 것을 갖고 있지 않은 사람이어서, 자기 영지에서 나오는 수입을 정리하여 안전하게 처리하자마자, 급히 파리로 떠나가 버렸으므로, 아이는 미우소프의 누이들 중에 모스크바에 사는 어느 부인에게 맡겨졌다. 그 후 미우소프는 파리 생활에 아주 젖어 버려, 이 아이를 잊고 말았다. 특히 이 무렵에, 평생을 두고도 잊을 수 없을 만큼 그의 마음에 깊은 인상을 남겨 준 2월 혁명이 일어났던 것이다. 모스크바의 그 부인도 세상을 떠나서, 미챠는 다시 출가한 그 부인의 딸한테로 넘어갔다. 그 후에도 미챠는 또 네 번째로 거처를 옮겼다는 말이 있는데, 여기 대해서는 길게 늘어놓지 않기로 하겠다. 그렇지 않아도 표도르 파블로비치의 맏아들에 관해서는 앞으로 많이 이야기하게 될 것이므로, 지금은 다만 이 소설을 시작하는 데 없어서는 안 될 가장 요긴한 자료만을 제시하는 데 그치기로 하겠다.

첫째로, 미챠, 즉 드미트리 표도로비치는 표도르의 세 아들 중에서, 유독 혼자만이 자기 앞으로 얼마간의 재산을 소유하고 있었으므로, 성인이 되기만 하면 능히 독립할 수 있게 되리라는 신념을 갖고 성장했다. 그는 소년기와 청년기를 불규칙적인 생활로 흘려보냈다. 중학교를 채 마치지도 않고 어떤 군사 학교에 들어가, 후에 카프카스Caucasus(코카서스)로 부임하여 장교로 임관되었는데, 결투를 해서 병졸로 강등되었다가 다시 복관復官되었다. 그동안 줄곧 방탕한 생활을 하여 꽤 많은 돈을 썼다. 성년이 되기까지는 자기 아버지 표도르 파블로비치한테서 돈을 받을 수 없었기 때문에, 그때까지는 빚만 지고 있었다. 아버지 표도르를 처음으로 만난 것은 그가 성년이 된 다음의 일인데, 그때 그는 아버지와 자기 재산 문제를 해결 지으려고 일부러 이 고장에 찾아왔었다. 그는 아버지가 비위에 맞지 않았던지, 얼마 머무르지도 않고, 다만 약간의 돈을 받은 다음, 앞으로 자기 토지에서 들어올 수입에 관해 아버지와 합의를 보고는 황급히 떠나 버리고 말았다. 그때 그는 자기 토지에서 들어오는 수입이 얼마며 그 토지의 가격이 얼마나 나가는지 아버지한테서는 알아낼 수가 없었다. (이것은 주목할 만한 사실이다) 처음 만났을 때부터 표도르 파블로비치는 (이것도 기억해 둘 필요가 있다) 미챠가 자기 재산에 관해 정확지 못한 과장된 생각을 품고 있음을 알아챘다. 그는 자기대로의 속셈이 있었으므로, 이 점에 특히 만족했다. 그는 이 청년이 경솔하고, 난폭하고, 정욕이 많고, 성미가 급한 난봉꾼에 불과하다는 결론을 내렸다. 그래서 이런 난봉꾼에게는 그때그때 현금만 조금씩 쥐여 주면, 물론 짧은 기간이기는 하지만, 금세 아무 불평도 없어지리라 생각했다. 표도르 파블로비치는 바로 이 점을 이용하기 시작했다. 즉 짐승에게 모이를 주듯, 이따금 조금씩 떼어 돈을 부쳐 주는 것이다. 그리하여 결국은 4년 후에, 미챠가 더 이상 참지를 못하고 아버지와 자기 재산 문제를 아주 청산해 버리려고 다시 이 고장을 찾아왔을 때, 놀랍게도 자기 재산이 한 푼도 남지 않아서, 이제는 계산해 볼 것까지도 없게 되었다는 것, 이미 자기 재산 전부보다도 더 많은 돈을 아버지한테 받아 써서 오히려 빚이 있을 지경이라는 것, 그리고 자기 스스로가 희망해서 맺어진 여러 가지 약속에 의해서 그렇게 되었으므로 이제는 한 푼도 요구할 권리조차 없다는 것을 알게 되었다. 청년은 하도 어이가 없어서, 거짓이나 아닌가, 자기가 속은 것이나 아닌가, 하고 의심을 품었고, 그리하여 거의 정신이 돌 지경으로 격분했다.

바로 이러한 사정이 결국은 비극적 결말을 초래하고야 말았지만, 이 비극적 결말의 서술이 나의 첫째 이야기의 주제보다 적절하게 말해서, 그 외곽적 부분을 형성하게 될 것이다. 그러나 그 이야기에 들어가기 전에, 표도르 파블로비치의 나머지 두 아들, 즉 미챠의 동생들에 대해서, 그들의 내력에 대해서 약간 설명해 두어야 하겠다.

3. 후처와 그 소생

네 살짜리 미챠를 남의 손에 넘겨주기가 무섭게, 표도르 파블로비치는 곧 두 번째 결혼을 했다. 그의 두 번째 결혼 생활은 8년 간 계속되었다. 그는 소피야 이바노브나라는 아주 젊은 처녀를 재취로 맞았는데, 이 혼인은 그리 대단치 않은 무슨 청부請負 일 때문에 어떤 유대인과 동행하여 다른 현縣에 들렀을 때 이루어진 것이었다. 표도르 파블로비치는 주색에 빠져 온갖 못된 짓을 다하고 다니면서도, 자기 자본을 운영하는 일만은 한시도 중지한 적이 없었다. 그리고 거의 언제나 떳떳치 못한 방법을 써 온 것은 사실이지만, 어쨌든 자기 사업은 훌륭히 처리했다. 소피야 이바노브나는 어떤 이름 모를 보제補祭[3]의 딸이었는데, 어릴 때부터 사고무친의 '고아'나 다름없는 처지가 되어, 자기의 은인이며 양육자인 동시에 박해자이기도 한, 이름 있고 부유한 장군 미망인 보로호프네 집에서 자라난 처녀였다. 자세한 것은 알 수 없으나, 다만 이 상냥하고 온순하고 수줍은 고아 처녀가 무엇 때문인지 광 속에서 못에다 노끈을 걸어 목을 매어 자살하려는 것을 사람들이 구출했다는 얘기만은 들은 적이 있다. 그토록 이 처녀는 늙은 부인의 변덕과 끊임없는 잔소리를 참아 내기가 힘들었던 것이다. 이 노파는 겉보기엔 그리 심술궂은 여자인 것 같지 않았으나, 무위도식을 일삼는 나태한 생활로 말미암아, 고집불통인 폭군이 되고 말았다.

표도르 파블로비치가 청혼을 했을 때, 이 노파는 여러 가지 뒷조사를 해 본 결과 퇴짜를 놓아 버렸다. 그러자 표도르는 첫 번째 결혼 때와 마찬가지로 이번에도 이 고아 처녀에게 뺑소니를 치자고 제의했다. 만일 이 처녀가 미리부터 그의 행적을 조금만 더 자세히 알고 있었더라도, 결코 그와 결혼하려 들지는 않았을 것이다. 그러나 이것은 다른 현에서 있었던 일이고, 더욱이 자기 은인의 집에 남아 있기보다는 차라리 강물에 뛰어드는 편이 나을 것이라 생각하고 있던 열여섯 살짜리 소녀인 그녀가, 대체 어떻게 세상을 알 수 있었겠는가. 이 가련한 소녀는 단지 여자 은인을 남자 은인으로 바꾼 데에 지나지 않았다. 표도르는 이번 뺑소니로는 한 푼도 받아 내지 못했다. 그도 그럴 것이, 장군 부인은 몹시 노하여 아무것도 주지 않았을 뿐만 아니라, 그들 두 사람을 저주하기까지 했으니 말이다. 하지만, 표도르도 이번만은 돈을 탐내서 결혼한 것은 아니었다. 그는 이 순진한 처녀의 눈부신 아름다움에, 특히 여태까지 난잡한 창녀만을 상대

3 러시아 정교회의 하급 성직자를 뜻함.

해 온 음탕한 호색한인 그에게 강렬한 인상을 준 이 처녀의 천진난만한 미모에 완전히 매혹되어 버렸던 것이다.

'그때 그 티 없이 순진한 두 눈이 마치 면도날 모양의 내 영혼을 싹 자르는 것 같더군.' 후에 그는 자기의 그 징그러운 웃음소리를 섞어 가며 곧잘 이렇게 말하곤 했다. 하기는 색정밖엔 모르는 사내에겐 이 순진성 역시 성적 매력으로밖엔 보이지 않았을 것이다. 표도르 파블로비치는 그녀가 아무것도 가져온 것이 없고, 따라서 자기 앞에선 '죄인'의 입장에 있을뿐더러, 자기가 '구출'해 준 것이나 다름없다는 생각에서, 그녀에겐 최소한도의 예절조차 지키려 하지 않았다. 그리고 그녀의 수줍고 온순한 성격을 기화로 하여, 부부간의 가장 평범한 예의까지도 아예 무시해 버렸다. 자기 아내가 집안에 있는데도, 그는 못된 여자들을 집에 잔뜩 불러들여 부어라 마셔라의 난장판을 벌이곤 했다. 여기서 특히 소개할 만한 점은, 침울하고 고집이 세어 따지고 들기를 잘하는 이 집 하인 그리고리가 전의 주인마님 아델라이다는 미워했으면서도, 이번에는 새 마님의 편을 들어, 하인으로서는 합당치 않은 말투로 표도르 파블로비치에게 대들기까지 했다는 사실이다. 그리고 한 번은 집에 모여들어 난장판을 벌이고 있는 탕부蕩婦들을 강제로 쫓아 버린 일도 있었다. 어릴 때부터 한 번도 기를 펴고 살아 보지 못한 이 불행한 젊은 부인은 결국 일종의 정신병에 걸리고 말았는데, 그것은 농촌 아낙네들에게서 흔히 볼 수 있는 병으로, 이 병에 걸린 사람들은 클리쿠샤(큰 소리로 고함을 지르는 여자라는 뜻)라는 호칭을 받고 있었다. 그래도 그녀는 표도르 파블로비치한테 아들 둘—이반과 알렉세이를 낳아 주었다. 큰아들은 결혼하던 해에 낳았고, 작은아들은 결혼 후 3년이 지나서 낳았다. 그녀가 죽었을 때, 알렉세이는 겨우 네 살밖엔 안 되었는데, 이상한 일은—이것은 내가 잘 알고 있는 일이지만—알렉세이가 평생을 두고 자기 어머니를 기억하고 있었다는 사실이다. 물론 꿈에서 본 것처럼 희미한 기억이기는 하겠지만. 어머니가 죽은 후 두 아이는 그들의 형 미챠가 겪은 것과 거의 똑같은 일을 당했다. 그들은 아버지에게서 완전히 버림을 받고, 역시 하인 그리고리의 손에 맡겨져 머슴 집에 옮아가서 살게 되었다. 어머니의 은인이며 양육자이기도 한 고집쟁이 노파 보트호바 부인이 그들을 처음 본 것도 이 머슴 집에서였다. 부인은 그때까지도 아직 살아 있었지만, 자기가 받은 모멸을 8년 동안 한시도 잊을 수가 없었다. 지난 8년 동안 부인은 소피야의 생활 상태에 대한 가장 정확한 정보를 남몰래 얻고 있었는데, 소피야의 병과 엉망진창인 가정 환경에 대해서 알게 되었을 때에는, "그런 년은 그래 싸지, 하느님께서 그년의 배은망덕을 벌하시는 거야"라고 자기 집 식객들에게 큰 소리로 두 번 세 번 말했다고 한다.

소피야 이바노브나가 죽은 지 꼭 석 달 후에, 보트호바 부인은 갑자기 우리 읍에 나타나서, 곧장 표도르 파블로비치네 집을 찾아갔다. 그녀는 이 읍에 단지 30분간을 머물렀을 뿐이지만, 그러나 많은 일을 하고 돌아갔다. 그것은 저녁녘에 있었던 일이었다. 8년 동안 한 번도 만난 일이 없는 표도르 파블로비치가 잔뜩 취해 가지고 장모님 격인 부인을 맞으러 나왔다. 사람들의 말에 의하면, 그녀는 그를 보자마자 한마디 말도 없이 다짜고짜 그의 뺨을 철썩철썩 두어 번 후려갈기고는, 머리털을 움켜쥐고 아래위로 서너 번 흔들어 주었다. 그다음에도 역시 한마디 말도 않은 채, 곧장 아이들이 있는 머슴 집으로 갔다. 몸을 씻겨 주지 않아 꾀죄죄한 꼴을 한 아이들이 더러운 옷을 걸치고 있는 것을 한눈에 보자마자, 부인은 그리고리의 뺨도 한 대 갈기고는, 두 아이를 자기 집으로 데려가겠노라고 선언했다. 그러고는 아이들을 그대로 담요 조각에 둘둘 말아 가지고 마차에 태워, 자기 고장으로 데려가 버렸다. 그리고리는 충직한 노예처럼, 이 봉변을 꾹 참고, 불손한 말 한마디 하지 않았을뿐더러, 늙은 부인을 마차에까지 배웅했을 때는, 허리를 굽혀 공손히 인사를 하면서 감동 어린 목소리로 "당신의 자선은 하느님께서 갚아 주실 겁니다"라고 했다. "그런 소릴 해 봐야 자넨 어디까지나 멍청이야!" 하고 장군 부인은 떠나가면서 소리쳤다.

표도르 파블로비치는 여러 가지로 곰곰이 생각한 끝에, 오히려 잘된 일이라는 결론을 얻었으므로, 얼마 후 장군 부인으로부터 아이들의 양육에 관한 정식 요청이 있었을 때에도 부인이 제시한 조건들을 한 가지도 거절하지 않았다. 그리고 부인한테 뺨을 얻어맞은 데 대해서는, 표도르 자신이 온 읍내를 돌아다니며 선전했다.

이런 일이 있은 후 얼마 안 되어 장군 부인은 세상을 떠났으며, 유언장에는 두 아이에게 교육비 조로 각각 1천 루블씩 주라고 적혀 있었다. 그리고 "이 돈은 반드시 두 아이들을 위해서만 쓰여야 할 것이나, 그들이 성년에 도달할 때까지 모자라는 일이 없도록 절약해서 사용해야 할 것이다. 왜냐하면, 이런 아이들에게는 이만한 돈이면 충분하고도 남을 정도니까. 그러나 만일 돈을 던져 줄 독지가가 있다면, 굳이 그것을 말리고 싶지는 않다. 운운" 이런 말도 쓰여 있었다. 나는 이 유언장을 직접 읽어 보지는 못했지만, 전해 들은 말에 의하면, 이처럼 괴상하고도 지극히 독특한 표현으로 쓰여 있었다고 한다. 노파의 주요한 상속자는 그 현의 귀족 회장貴族會長으로, 정직한 인간이란 평을 듣고 있는 예핌 페트로비치 폴레노프였다. 그는 표도르 파블로비치와 편지 연락을 해 본 결과 아이들의 양육비를 표도르한테서 끌어낼 수 없음을 대번에 알아채고, (그렇다고 표도르가 노골적으로 거절한 일은 한 번도 없었지만, 이런 경우엔 언제나 그렇듯이 질질 끌기만 하고, 때로는 우는 소리를 늘어놓기까지 했다) 그 후부터는 이 고아들을 직접 돌봐 주게 되었다. 그는 특히 막내 아이 알렉세이를 귀여워했고, 오랫동안 자기 집에 데려다 기르기까지 했다. 나는 처음부터 이 사실에 주목해 줄 것을 독자에게 간청하고 싶다. 만일, 이제는 청년이 된 이 아이들이 자기들의 양육과 교육에 대해 한평생 감사해야 할 사람이 있다면, 그것은 세상에 드물 만큼 고결하고도 인정 많은 예핌 페트로비치 폴레노프 바로 그 사람일 것이다. 장군 부인이 아이들을 위해 각각 1천 루블씩 남겨 준 돈에는 손을 대지 않고 고스란히 보관해 두었기 때문에, 그들이 성년에 도달할 무렵에는 그 이자가 쌓이고 쌓여서 배액으로 불어났던 것이다. 아이들의 양육비로는 폴레노프 자신의 돈을 썼는데, 물론 한 아이 앞으로 1천 루블보다 훨씬 많은 금액이 소비되었다.

나는 그들의 유년기와 소년기에 관한 자세한 이야기는 잠시 보류하고, 여기서는 다만 가장 중요한 점만을 몇 가지 적기로 하겠다. 큰아이 이반에 대해서는, 그가 돋시 수줍은 성격이라고는 할 수 없는데도 자라남에 따라서 무뚝뚝하고 말수가 적은 침울한 소년이 되었다는 것, 이 아이가 열 살 때부터는 자기들이 남의 집에서 남의 혜택을 받고 자라고 있으며, 자기들의 아버지라는 사람은 입에 담기도 부끄러운 인간이라는 것 등을 깨닫게 되었다는 것만을 말해 두기로 하자. 이 아이는 아주 어려서부터, 거의 유년기부터 (적어도 그렇다는 소문이다) 학술 방면에 비상하게 뛰어난 재능을 나타내기 시작했다. 정확한 것은 알 수 없지만, 어찌 된 일이었는지 그는 만 13살이 되자마자, 폴레노프네 집을 떠나 모스크바의 어느 중학교에 입학하여, 폴레노프의 옛 친구이며 경험 많은 유명한 교육가의 기숙사에 들어갔다. 후에 이반 자신이 이야기한 바에 의하면, 이러한 모든 일은, 천재적 소질을 가진 소년은 천재적 교육가한테서 교육을 받아야 한다는 생각에 사로잡혀 있던 폴레노프의 이른바 '선행에 대한 열광' 때문에 이루어진 일이라는 것이었다. 그러나 이반이 중학교를 졸업하고 대학에 입학했을 때는, 폴레노프도 그 천재적 교육가도 이미 이 세상에 살아 있지 않았다. 고 집쟁이 장군 부인이 아이들을 위해 남겨 주고 간 돈은 이자가 붙어서 이젠 3천 루블씩이나 차례가 가게 되었지만, 폴레노프가 처리를 잘못해 놓았기 때문에, 우리나라에선 불가피한 것으로 되어 있는 여러 가지 복잡한 수속 절차로 말미암아, 그 돈을 타 쓰는 데는 굉장히 오랜 시일이 걸렸다. 그래서 대학에 들어가 처음 2년 동안, 그는 밥벌이를 해 가며, 한편으로는 공부를 하느라고 많은 고생을 하지 않으면 안 되었다. 그때 그가 아버지한테 한 번도 편지 연락을 취하려 한 일조차 없다는 것은 주목할 만한 사실이다. 아마도 오만한 마음에서 아버지를 멸시했기 때문인지도 모르지만, 그보다도 그는 냉철한 상식적 판단으로, 자기 아버지한테서는 아무런 실제적인 도움도 받을 수 없으리라 단정했기 때문이었을 것이다. 어쨌든, 젊은 이반은 조금도 굴하지 않고 끝내 일자리를 구해 냈다. 처음에는 시간당 25코페이카Kopeck[4*]짜리 학습 지도를 하다가, 후에는 '목격자'라는 제목 하에 시정市井에서 일어난 일들을 열 줄씩 쓴 짤막한 기삿거리를

4* 러시아 통화로서 1루블은 약 100코페이카.

각 신문사 편집국에 제출하며 돌아다녔다. 이 기사들은 재미있고도 통쾌한 내용으로 엮어 있어 곧 신문에 실리게 되었다. 그는 이것 한 가지만으로도, 항상 빈궁 속에서 벗어나지 못하고 비참하게 지내는 수많은 남녀 학생들에 비하여, 실제적인 면에서나 지적인 면에서나 훨씬 우월하다는 것을 나타냈다. 사실 다른 학생들은 아침부터 저녁까지 각 신문 잡지사의 문턱이 닳도록 찾아다니기는 하지만, 프랑스어 번역이나 서류 정리 같은 일거리를 졸라대는 것 이외엔 어떠한 좋은 방법도 생각해 내지 못했다. 편집인들과 가까이 사귀고 나서부터, 이반 표도로비치는 대학을 마칠 무렵까지 그들과의 관계를 끊지 않고, 각종 전문 서적에 관한 매우 재치 있는 비평을 발표하기 시작했고, 그리하여 문단에까지도 알려지게 되었다. 그러던 것이 극히 최근에는, 우연한 기회에 훨씬 넓은 독자층의 특별한 주의를 끌어, 갑자기 많은 사람들로부터 인정을 받고 기억되게 되었다. 이것은 상당히 흥미 있는 일이었다. 이미 대학을 졸업하고, 앞서 말한 2천 루블로 외국 여행을 떠날 준비를 하고 있을 무렵, 이반 표도로비치는 어느 큰 신문에 기묘한 논문 하나를 발표했는데, 그 때문에 그 방면의 전문가가 아닌 일반 대중의 주의까지도 한꺼번에 끌게 되었던 것이다. 그 원인은 주로 그에게는 아무 인연도 없어 보이는 제목 때문이었다. 그는 자연과학을 전공했지만, 그가 발표한 논문은 당시 도처에서 토론의 중심이 되고 있던 교회 재판에 관한 것이었다. 그는 이 문제에 관하여 이미 발표된 몇 가지 의견을 상세히 분석하고 나서, 자기 자신의 견해를 피력했다. 중요한 점은 논문 전체의 논조와 기발한 결론이었다. 교회 관계자 중 많은 사람들은 논문의 필자가 자기들 편을 옹호하는 것으로 인정했다. 그런데 그들과 똑같이, 일반 시민층뿐만 아니라, 심지어는 무신론자들까지도 필자에게 갈채를 보내기 시작했다. 마침내 통찰력을 가진 몇몇 사람들은, 이 논문이 불손하고도 냉소적인 희화戱畵에 지나지 않는다고 단정해 버렸다. 내가 여기서 이 이야기를 꺼낸 것은, 당시에 떠들썩하게 논의되었던 교회 재판 문제에 관심을 갖고 있던 우리 읍 교외의 유명한 수도원에까지도 이 논문이 제때에 들어와서 커다란 파문을 일으켰기 때문이다. 또한 논문의 필자의 이름을 보고, 그가 이 고장 출신이며, '그 유명한 표도르 파블로비치'의 아들이라는 점에 모두들 관심을 갖게 되었다. 바로 이런 때에 그 필자 자신이 갑자기 이 고장에 나타난 것이다.

무엇 때문에 그때 이반 표도로비치가 돌아왔는지, 나는 이미 그 당시에 일종의 불안 같은 것을 느끼며 자문하던 일을 기억하고 있다. 나중에 여러 가지 사건의 실마리가 된 이 숙명적인 귀향은, 그 후에도 오랫동안 내게는 하나의 수수께끼로 남아 있었다. 전체적으로 생각해 보더라도, 그처럼 학식 있고, 그처럼 자존심이 강하고, 그처럼 모든 일에 신중한 청년이, 한평생 자기를 거들떠보지도 않고, 알지도 못하며, 기억조차 하고 있지 않은 아버지의 추잡스런 집에 별안간 찾아왔다는 것은 참으로 이상한 일이었다. 물론 표도르는 자기 아들들이 돈을 좀 주십사고 간청했다 하더라도, 사정 여하를 불문하고 절대로 내줄 위인이 아니었지만, 그래도 언제든지 이반과 알렉세이가 돌아와서 돈을 요구하지나 않을까 하고 항상 두려워하고 있었다. 그런데 이 청년은 그러한 아버지 집에 와서 벌써 두 달이나 머물러 있었을 뿐만 아니라, 아버지와도 더할 수 없이 사이좋게 지냈다. 특히 이 사실을 보고는 나뿐만 아니라 다른 사람들도 모두 놀랐다. 앞에서 이미 언급한 바 있는 표트르 알렉산드로비치 미우소프—표도르의 전처의 사촌 오빠도 이때 자기의 영주지로 정한 파리에서 다시 이 고장으로 돌아와서, 교외에 있는 자기 영지에 머무르고 있었다. 바로 이 미우소프가 누구보다도 이 사실에 대하여 놀랐던 것으로 나는 기억하고 있다. 그는 자기의 흥미를 끈 이 청년과 서로 사귀게 되어, 논쟁도 좀 해 보았지만, 내심으로는 이따금 자기 지식이 그만 못하다는 것을 뼈저리게 느끼곤 했다.

'그 청년은 자부심이 강하더군' 하고 그는 우리한테 말한 일이 있었다. '언제든지 돈푼이나 벌 수 있겠고, 또 지금도 외국에 갈 만한 돈은 가지고 있는데, 뭣하러 이런 곳에 와 있을까? 아버지한테서 돈을 얻어 쓰려고 온 것이 아니라는 것쯤은 누구나 다 알 수 있는 일이지. 그 애비는 세상없는 일이 있어도 돈을 내놓을 리는 만무하니까. 그렇다고 애비처럼 주색을 좋아할 청년도 아니고……

그런데도 그 집 노인은 그 아들 없이는 하루도 못 살 것처럼 그들은 사이가 좋아졌다니까!' 이 말은 어디까지나 사실이었다. 청년은 노인에게 눈에 보일 만한 영향력을 가지고 있었다. 표도르는 이따금 심술궂으리만큼 완고할 때도 있기는 했지만, 더러는 이 아들의 말을 듣는 것 같기도 했고, 또 언어 행동이 전보다 훨씬 점잖아질 때도 있었다.

이반이 이 고장에 온 이유의 하나가, 자기 형 드미트리의 요청 때문이었다는 것을 내가 알게 된 것은 훨씬 후의 일이었다. 그는 자기 형 드미트리가 직접 관련된 어떤 중대한 사건으로 귀향하기 전부터 형과 편지 연락이 있기는 했지만, 형의 얼굴을 보기는 이번이 처음이었다. 그 중대한 사건이 무엇인지 독자들은 앞으로 상세히 알게 될 것이다. 그러나 후에 그 특별한 사정에 관하여 내가 알게 되었을 때에도, 내게는 이반 표도로비치가 여전히 수수께끼의 인물로 느껴졌고, 그가 이 고향에 온 이유 역시 불가사의한 의문으로 남아 있었다. 한 가지 덧붙여 말해 둘 것은, 그 당시 아버지와 대판 싸움을 하여, 심지어는 정식 재판까지 계획하고 있던 드미트리와 아버지 사이에서, 이반이 중재자의 입장에 서 있었다는 사실이다.

이야기가 되풀이되는 것 같지만, 이 일족은 이번에 생전 처음으로 한자리에 모였기 때문에, 어떤 식구들은 처음으로 서로의 얼굴을 알았다. 다만 막냇동생 알렉세이만은 1년 전부터 이 고장에 와서 살고 있었다. 그러니까 형제들 중에서는 제일 먼저 온 셈이었다. 이 알렉세이에 관해서는, 본론의 무대에 그를 끌어내기 전에 이런 서론적인 이야기 속에서 설명하기는 참으로 힘든 일이다. 그러나 그에 대한 서론도 여기서 쓰지 않으면 안 되겠다. 왜냐하면, 나는 본론의 첫 무대에서 나의 주인공을 견습 수도생의 제복을 입혀 독자들에게 소개해야만 할 텐데, 최소한 나의 이 괴이한 처사에 대해서만은 미리 해명해 둘 필요가 있기 때문이다. 사실, 그때 그는 이미 이 고장 수도원에서 1년가량을 살았고, 앞으로 한평생 그곳에 은거할 생각으로 있는 것 같았다.

4. 셋째 아들 알료샤

그는 그때 겨우 스무 살(그의 형 이반은 24살, 맏형 드미트리는 28살)이었다. 무엇보다 먼저, 알료샤(알렉세이의 애칭)라는 이 청년은 절대로 무슨 광신자도 아니고, 적어도 내가 보기에는 신비주의자도 아니라는 점을 밝혀 두어야겠다. 미리 나의 의견을 단적으로 말한다면 그는 단순히 나이 어린 박애주의자에 지나지 않았다. 그가 수도원 생활을 시작하게 된 것은 단지 그런 생활만이, 말하자면 세계 악의 암흑으로부터 사랑의 광명을 향해 탈출하려고 노력하고 있는 그의 영혼을 위한 이상적인 출구로서 그에게 감동을 주었기 때문이다. 또한 그런 생활이 그를 감동시킨 이유는, 당시 그가 비상하게 뛰어난 인물이라 생각하고 있던 유명한 장로 조시마를 거기서 발견했기 때문이다. 그는 마치 뜨거운 첫사랑과도 같이, 자기의 열렬한 심정을 송두리째 이 장로에게 바쳤던 것이다. 그러나 그가 갓난아이 때부터 매우 색다른 인간이었다는 데 대해서는 나도 이의가 없다. 말이 나왔으니 말이지만, 이미 앞에서도 언급한 바와 같이, 그는 겨우 네 살 때 어더니를 잃었는데도, 그 어머니의 얼굴과 사랑을 '마치 자기 앞에 어머니가 살아서 서 계신 것처럼' 일생 동안 머릿속에 기억하고 있었다. 이것은 누구나 다 아는 일이지만, 이런 기억은 아주 어릴 적부터, 심지어는 두어 살 때쯤부터 기억에 새겨질 수 있는 법이다. 그러나 이런 기억은 흡사 어둠 속에 스며든 몇 개의 밝은 점 모양, 또는 형체조차 분간할 수 없게 퇴색해 버린 커다란 화폭에서, 아직도 선명하게 그대로 남은 한쪽 귀퉁이를 찢어 낸 그 그림 조각 모양, 한평생 마음속에 떠오르는 것이지만, 알료샤의 경우도 이와 똑같았다. 그는 기억하고 있었다—어느 고요한 여름날 저녁을, 열어젖힌 창문을 비스듬히 흘러드는 저녁 햇빛을, (그는 무엇보다도 이 저녁 햇빛이 기억에 선명했다) 방 안 한구석에 안치된 성상聖像이며, 그 앞에 켜져 있던 등불을, 그리고 두 팔로 그를 껴안고 성상 앞에 꿇어앉아 히스테리를 일으킨 듯 흐느껴 울던 어머니를, 으스러지게 껴안고 성모 마리아에게 그의 장래를 기원하기도 하고, 또한 성모에게 위탁이라도 하려는 듯이 두 팔로 그를 성상 앞에 내밀기도 하던 그 어머니를…… 그러고 있을 때, 별안간 유모가 놀란 듯이 달려들어 와, 그를 어머니 팔에서 빼앗아 갔다—이것이 화면畵面의 전부였다! 알료샤는 그 순간의 어머니의 얼굴을 잘 기억하고 있었다. 그의 기억에 의하면, 그 얼굴은 미친 듯한 흥분에 휩싸여 있기는 했지만, 말할 수 없이 아름다웠다고 한다. 그러나 그는 이 추억을 남에게 털어놓기를 그다지 좋아하지 않았다. 유년 시대나 소년 시대를 막론하고, 그는 자기의 심정을 토로하는 일이 별로 없었을뿐더러, 대체로 말수가 적은 편이었는데, 그것은 타인에 대한 불신 때문도 아니고, 수줍음이라든가 타인과의 상종을 싫어하는 무뚝뚝한 성격 때문도 아니며, 오히려 그와는 정반대로, 딴 사람에겐 아무 관계도 없는, 자기 혼자만이 속으로 곰곰이 생각해야만 하는 매우 중요한 문제들이 쌓여 있어서, 남의 일은 저절로 잊게 되기 때문인 것 같았다. 그러나 그는 사람들을 사랑했다. 그는 일생 동안 사람들을 완전히 신용하고 살아갔지만, 그렇다고 해서 누구도 결코 그를 바보라거나 순진해 빠진 어수룩한 인간이라고 생각지는 않았다. 남의 옳고 그름을 따지는 사람이 되고 싶어 하지도 않고, 무슨 일이 있어도 남을 탓하거나 비난하는 일을 좋아하지도 않는 사람이라고 믿게 하는 그 무엇이 그에게는 있었다. (그는 일생을 통해서 그러했다) 비록 깊은 비애를 느끼는 일은 자주 있었다고 하더라도, 그는 조금도 누구를 탓하지 않고 오히려 모든 것을 너그럽게 용인하고 있는 것 같았다. 뿐만 아니라, 이런 의미에서 아무도 그를 놀라게 한다든가 위협한다든가 하는 일은 거의 불가능할 정도였는데 이런 경향은 벌써 어릴 때부터 있었던 일이다. 스무 살 때, 그야말로 음탕의 소굴이나 다름없는 아버지 집에 돌아와서도, 순결무구한 그는 차마 눈으로 볼 수 없는 광경을 목격하게 되었을 때도 그저 묵묵히 그 자리를 피했을 뿐, 누구를 멸시하거나 비난하는 기색은 털끝만큼도 보이지 않았다. 일찍이 남의 집에서 눈칫밥을 얻어먹고 다닌 일이 있는 아버지는, 모욕이나 멸시에 대해 지극히 민감한 인간이어서, 처음엔 이 아들을 불신하는 눈으로 무뚝뚝하게 대하며, "그 녀석은 속으론 별생각을 다 하고 있으면서도 도무지 말이 없거든!" 하고 뇌까리곤 했으나, 두 주일도 채 지나지 않아 곧잘 아들을 포옹하고는, 물론 취중의 흐릿한 감상의 결과이기는 했겠지만, 눈물까지 흘리며 무섭게 입을 맞춰 대는 것으로 보아, 일찍이 다른 누구에게도 느껴 보지 못한 진실하고도 깊은 애정을 비로소 이 아들에게 느끼게 된 것 같았다.

정말 이 청년은 어디를 가나 모든 사람한테 사랑을 받았다. 어릴 때도 역시 마찬가지였다. 그의 은인이며 양육자인 예핌 페트로비치 폴레노프네 가정에 들어갔을 때에도, 그는 마치 친자식이나 다름없는 사랑을 받았다. 그러나 그가 그 집에 들어간 것은 아주 어릴 때의 일이었으므로, 그러한 어린애가 남의 호감을 사서 귀염을 받으려고 무슨 교활한 타산이나 술책, 혹은 잔꾀를 썼다고는 도저히 생각할 수 없는 일이다. 따라서 누구한테나 사랑과 호감을 살 수 있는 능력은, 무슨 기교나 조작이 아니라, 선천적으로 타고난 그의 본성이었다. 그는 동료들한테 의혹과 조소와 때로는 증오까지 살 만한 성질의 소년처럼 생각되기도 했지만, 학교에 들어가서도 남의 호감을 사기는 매한가지였다. 하기는 곧잘 깊은 생각에 잠기며 사람을 피하는 버릇이 있었다. 아주 어릴 때부터 방구석에 혼자 들어박혀 책 읽기를 좋아하는 버릇도 있었다. 그런대로 그는 학교에 다니는 동안, 모든 학우들의 공동적인 총아寵兒라 불릴 수 있으리만큼 사랑을 받았다. 그는 떠들썩하게 장난을 친다든가, 재미있게 노는 일이 별로 없었지만, 누구든지 그를 보면 벌써 첫눈에, 그가 침울하고 무뚝뚝한 성격이기 때문에 그런 것이 아니고, 오히려 그와는 반대로 원만하고 명쾌한 인간이라는 것을 곧 깨닫게 된다. 그는 동료들 사이에서 결코 잘난 체하지를 않았으며, 자기를 두드러지게 내세우려 하지도 않았다. 아마도 바로 이러한 성격 때문이겠지만, 그는 여태까지 아무도 무서워해 본 일이 없었다. 그런데도 동료들은 그가 결코 자기의 용기를 자만하는 것이 아니라, 오히려 자기가 얼마나 겁이 없고 대담한지를 전혀 알지 못하고 있는 것이라고 곧 깨달았다. 그는 모욕을 당해도 원한을 품는 법이 없었다. 모욕을 당하고도 한 시간쯤 지나면, 아무 일도 없었다는 듯이 신뢰 어린 명랑한 표정으로, 자기를 모욕한 상대방에게 말을 걸기도 하고 대답하기도 했다.

그것은 그가 어쩌다 그 모욕을 잊었다든가, 일부러 용서했다든가 하는 표정이 아니라, 그저 그런 일을 모욕으로 생각하지 않는다는 표정이었기 때문에, 이 점이 또한 동료들의 마음을 완전히 정복하고 사로잡았다. 다만 그에게는 한 가지 특성이 있어서, 중학교 하급반에서 상급반에 이르기까지 누구나 그를 놀려 주고 싶은 욕망을 일으키게 했는데, 이것도 물론 악의에 찬 조소에서 우러나온 것이 아니라, 단순히 재미가 있어서 그러는 것이었다. 이 특성은 거의 병적인 수치심과 결백증이었다. 그는 여자에 대한 어떤 말이나 어떤 이야기는 옆에서 듣지도 못했다. 불행하게도 이 '어떤' 말이나 이야기는 학교에서도 근절할 수 없는 것이다. 마음과 정신이 순결한, 아직 머리의 피도 채 마르지 않은 소년들이, 병정들조차 때로는 입 밖에 내기를 꺼려 하는 일이나 장면이나 모양 등을 교실 안에서 저희들끼리 큰 소리로 지껄이기를 좋아하는 형편이니 말이다. 뿐만 아니라, 병정들로 말할 것 같으면, 우리나라의 지식층을 이루는 상류 사회의 이러한 자제들이, 이미 알고 있는 일들을 잘 알지 못하거나 이해하지 못하고 있는 수가 많은 것이다. 이런 소년들에게는 정신적 타락이라든가, 진정한 의미의 음탕한 파렴치 같은 것은 아마 없었을 것이다. 만일 있다면, 그것은 외관만의 파렴치에 지나지 않는 것인데, 이것이 흔히 멋지고 미묘하고 사내다운 것이라 생각되어서, 그들은 한번 모방해 보고 싶은 충동을 느낀다. '그 이야기'를 할 때마다 '알료샤 카라마조프'가 황급히 귀를 틀어막는 것을 보고, 가끔 그들은 일부러 그의 곁에 몰려들어, 귀를 틀어막는 그의 손을 억지로 떼어 놓고는, 두 귀에 대고 마구 더러운 소리를 지껄여 댔다. 그러면 그는 기를 쓰고 뿌리치면서, 마룻바닥에 뒹굴며 두 손으로 얼굴을 감싸 버리곤 했지만, 그러나 말 한마디 욕 한마디 안 하고, 입을 다문 채 이런 모욕을 꾹 참아 내는 것이었다. 나중에는 그들도 그에게 귀찮게 구는 것을 그만두고, 숫제 '계집애'라 점을 찍어 버리고는, 더 이상 놀리지도 않게 되었을뿐더러, 이런 의미에서 그를 가련한 인간이라 동정하기까지 했다. 말이 나왔으니 말이지, 그는 자기 반에서 늘 우등생이었으나 일등을 한 적은 한 번도 없었다.

폴레노프가 죽고 나서도, 알료샤는 현립縣立 중학에 2년을 더 다녔다. 폴레노프의 미망인은 슬픔을 이길 길이 없어, 남편이 죽은 직후에, 전부가 여자들뿐인 자기 가족을 죄다 이끌고, 이탈리아로 장기 여행을 떠나 버렸고, 그래서 알료샤는 폴레노프의 먼 친척이 되는 생면부지인 두 부인의 집으로 옮아가게 되었지만, 어떠한 약속들이 있어 그렇게 되었는지는 알료샤 자신도 몰랐다. 자기가 대체 누구의 돈으로 살아가는지 생각해 보려고도 하지 않는 것 역시 그의 성격의 뚜렷한 특징이었다. 이 점에 있어서, 그의 형 이반이 대학에 들어가서 2년 동안을 제힘으로 밥벌이를 하며 빈궁한 생활을 한 것이라든지, 어려서부터 남의 도움으로 살아가는 자기 처지를 쓰라리게 느낀 것과 비교한다면, 그의 경우는 정반대였다. 그러나 알료샤의 이 기괴한 성격은 과히 탓할 것이 못 된다고 보아야 할 것이다. 왜냐하면, 그를 조금이라도 아는 사람이면, 누구든지 이러한 문제가 제기되었을 때, 그가 틀림없이 유로디비Yurodivy[5]와 비슷한 종류의 청년이라는 것을 확신하게 되기 때문이다. 즉, 이런 인간은 갑자기 거액의 돈이 자기 수중에 굴러 들어온다 해도, 누가 달라고 손을 내밀기만 하면 서슴지 않고 죄다 내줘 버리든가, 그렇지 않으면 자선 사업에 기부하든가, 또는 약삭빠른 사기꾼한테 걸려들어 몽땅 잃어버리고 말든가 할 것이다. 대체로 알료샤는 돈의 가치라는 것을 몰랐다(물론 문자 그대로의 의미로 하는 말은 아니지만). 그 자신이 누구에게 용돈을 청한 일은 한 번도 없지만, 혹시 누가 돈을 좀 주면 몇 주일씩 쓸 곳을 몰라 그대로 간직해 두는 일이 있는가 하면, 또 어떤 때는 무섭게 낭비를 하여 금세 죄다 없애버리는 경우도 있었다.

금전과 세상의 명예에 관해 몹시 예민한 미우소프는, 언젠가 한 번 알료샤를 만나보고 나서 다음과 같은 익살 섞인 말을 한 적이 있었다. "그 청년은 정말 세상에 둘도 없는 인간일 거야. 인구 백만의 낯선 대도시 한복판에 돈 한 푼 없이 혼자 버림을 받는다 해도, 절대로 굶어 죽거나 얼어 죽는 일은 없지. 사람들이 곧 먹을 것을 주고, 거처도 마련해 줄 테니까. 거처를 마련해 주는 사람이 없으

5 방랑 생활을 하며 기괴한 언행을 하고 다니는 일종의 정신병자. 신神의 사자使者로 존대를 받음.

면, 자기 자신이 이내 몸 둘 곳을 찾아내겠지. 그런 것쯤 그에겐 어려운 일도 아니고 굴욕도 아니거든. 그리고 그를 돌봐 주는 사람 역시 그것을 귀찮게 여기기는커녕 오히려 만족하게 생각할는지도 모르지."

그는 중학교를 다 마치지 않았다. 졸업을 1년 앞둔 어느 날, 별안간 부인들에게 갑자기 생각난 일이 있어 그 일 때문에 아버지한테 가 봐야겠다고 말했다. 부인들은 무척 섭섭히 생각하여, 그를 놓아주려 하지 않았다. 여비는 그다지 많이 필요하지는 않아서, 폴레노프네 가족이 외국 여행을 떠날 때 선물로 준 시계를 저당 잡히려 했더니, 부인들이 이를 만류하고 여비를 충분히 대주었을뿐더러, 새 의복과 속옷까지 장만해 주었다. 그러나 그는 굳이 3등 차로 가겠다면서, 그 돈의 절반을 부인들에게 돌려주었다. 우리 읍에 도착하자, 왜 학교를 마치지 않고 돌아왔느냐고 하는 아버지의 물음에, 그는 무언가 깊은 생각에 잠긴 얼굴로 아무런 대답도 하지 않았다고 한다. 얼마 후, 그가 자기 어머니의 무덤을 찾고 있다는 것이 드러났다. 알료샤 자신도 그때, 이 고장에 온 목적이 실은 그것 한 가지뿐이라고 시인했다. 그러나 오직 그것이 그가 여기 온 이유의 전부라고는 생각되지 않는다. 그보다는, 그의 마음속에 무엇인가가 불현듯 고개를 쳐들고 일어나서, 그를 어떤 새롭고 신비로운, 불가피한 길로 끌어들였다는 것을, 그때는 그 자신도 미처 깨닫지 못하고 있었으며, 또 설명할 수도 없었다고 하는 편이 보다 적절할 것이다. 표도르 파블로비치는 자기의 후처를 어디다 묻었는지 아들에게 가르쳐 줄 수가 없었다. 그도 그럴 것이, 관에다 흙을 뿌리고 나서는 한 번도 무덤에 가 본 일이 없어서, 오랜 세월이 흐름에 따라 그 장소를 까맣게 잊어버리고 말았기 때문이다.

표도르란 말이 나왔으니 말이지만, 그는 오랫동안 이 고장을 떠나 있었다. 후처가 죽고 3, 4년이 지나자, 그는 러시아 남부로 떠났는데, 나중엔 오데사에 나타나 거기서 몇 해를 살았다. 표도르 자신의 표현을 빈다면, 처음엔 '수많은 유대 놈, 유대 년, 유대 자식, 유대 계집'들과 사귀었지만, 나중엔 유대 연놈들뿐 아니라 좀 더 의젓한 '유대 사람들과도' 상종했다고 한다. 그가 돈을 거둬 모으는 데 특별한 수완을 발휘한 것은 일생 동안에 바로 이 시기였다고 해도 과언이 아니다. 그가 이 고장에 다시 돌아와서 살게 된 것은 알료샤가 오기 불과 3년 전의 일이다. 옛 친지들은 그가 무척 늙었다고 느꼈지만, 그렇다고 아주 노인이 되어 버린 것은 아니었다. 그의 언동은 좀 더 점잖아졌다기보다는 어쩐지 더 뻔뻔스러워진 것 같았다. 예를 들어, 예전부터의 그 어릿광대짓에는, 이번엔 딴 사람들까지 어릿광대로 만들려는 오만한 요구가 나타났다. 여자에 대한 추잡한 태도는 예전 정도가 아니라 더욱 혐오를 일으키게 하는 것이었다. 얼마 지나지 않아서, 그는 군내郡內 여러 곳에 새로 술집들을 차렸다. 아마 그의 재산은 거의 10만 루블 정도는 되었던 모양이다. 읍내와 군내의 많은 사람들이 이내 그에게 빚을 지게 되었는데, 물론 확실한 저당이 있어야만 했다. 최근에 와서 얼굴이 부석부석해진 그는 어쩐 일인지 모든 일에 일관성이 없고 무책임할뿐더러 경솔한 행위만 일삼고, 이랬다저랬다 하기를 좋아하며, 술주정은 더욱 심해지기만 해서, 만일 가정교사 모양 늘 붙어 다니며 돌봐 주는 그의 하인 그리고리가 없었다면 (이제는 그도 나이가 꽤 지긋해졌다) 표도르는 밤낮 시끄러운 일만 저질렀을 것이다. 알료샤의 귀향은 정신적인 면에서 분명히 그에게 영향을 준 듯싶었다. 그것은 이미 까마득한 옛날에 표도르의 영혼 속에서 시들어 버렸던 그 무엇이 이제야 다시 이 노인의 내부에서 갑자기 눈을 뜬 것과도 같았다.

'얘, 너는' 하고 그는 알료샤의 얼굴을 들여다보며 곧잘 이렇게 말했다. '어쩌면 그렇게도 닮았니. 그 '미치광이'를 말이야!' 그는 자기의 후처, 즉 알료샤의 어머니를 이렇게 부르곤 했다. 알료샤에게 그 '미치광이'의 무덤을 가르쳐 준 사람은 하인 그리고리였다. 그리고리는 알료샤를 우리 읍 공동묘지로 데리고 가서, 한쪽 구석에 있는, 값싼 것이긴 하지만 제법 말쑥한 묘비를 보여 주었다. 묘비에는 죽은 사람의 이름과 나이와 사망 연월일이 적혀 있고, 그 밑에는 구식 중류계급의 무덤에서 흔히 볼 수 있는 애도시哀悼詩 같은 것이 넉 줄가량 새겨져 있었다. 놀랍게도 알료샤는 이 묘비가 그리고리의 정성으로 이루어진 것임을 알게 되었다. 그는 자기의 돈을 들여, 가련한 '미치광이'의 무덤 위에 이 묘비를 세웠던 것이다. 그보다 앞서 그는 표도르 파블로비치에게 무덤을 잘 돌보라고 몇 번이나 귀찮게 타일렀으나, 표도르는 무덤은 고사하고 자기의 모든 추억까지도 죄다 내동댕이치고, 오데사로 떠나가 버리고 말았었다. 알료샤는 어머니 무덤 앞에서 아무런 특별한 감정도 표시하지 않았다. 다만, 묘비 세우던 일에 대해 그리고리가 엄숙한 어조로 차근차근 설명하는 말에 귀를 기울이며 머리를 숙이고 얼마 동안 서 있다가, 말 한마디 없이 무덤 앞을 떠났다. 그러고 나서는 1년이 다 지나도록 묘지에는 다시 나타나지 않았다. 그러나 이 조그만 에피소드 역시 표도르 파블로비치에게 어떤 영향을, 그것도 아주 색다른 영향을 주었다. 그는 별안간 1천 루블이나 되는 돈을 가지고, 죽은 아내의 영혼을 위로하기 위해 이 고장 수도원을 찾아갔는데, 그것은 후처인 '미치광이' 즉 알료샤의 어머니를 위해서가 아니라, 자기를 그처럼 구박하던 전처 아델라이다 이바노브나를 위해서였다. 그러고는 그날 저녁 술이 잔뜩 취해 가지고, 알료샤에게 수도사들의 욕을 마구 퍼부었다. 그는 신앙이라는 것과는 거리가 먼 인간이었다. 아마 5코페이카짜리 양초 한 가락도 성상 앞에 세워 놓아 본 일이 없을 것이다. 이런 인간에게는 이따금 급작스런 감정과 사상의 괴이한 돌발을 볼 수 있는 법이다.

앞에서 나는 표도르의 얼굴이 부석부석해졌다고 말한 바 있다. 그의 용모는 근래에 와서 그가 여태까지 살아온 생활 전체의 특징과 본질을 뚜렷이 증명하고 있었다. 언제나 거만하고 의심 많고 냉소적인 두 눈 밑에는, 흐느적흐느적 기다란 살주머니가 늘어졌고, 자그마하기는 하지만 살찐 얼굴에는 깊은 주름살이 수없이 잡혔을 뿐 아니라, 뾰족한 턱 아래로는 마치 커다란 가죽 지갑과도 같은 길쭉한 혹이 매달려 있었는데, 그것이 그의 얼굴에 징그럽도록 음란한 인상을 부여하고 있었다. 게다가 탐욕스러워 보이는 기다란 입, 부풀어 오른 듯한 입술, 그리고 그 사이로는 거의 다 썩어 빠진 조그만 이빨 그루터기들이 꺼멓게 보였다. 무슨 말을 할 때면 그 입에서 침이 이리저리 튀었다. 그는 자기 얼굴로 웃음거리 삼기를 좋아했지만, 그래도 내심으로는 그 얼굴을 만족하게 여기고 있는 것 같았다. 그리 크지는 않지만 묘하게 꼬부라진 자기의 가느다란 매부리 코를 가리키며, 그는 '진짜배기 로마 코'라고 말하곤 했다. '요것이 내 목의 혹과 어울려 가지고 퇴폐기頹廢期의 고대 로마 귀족의 진짜 모습을 나타내 주고 있거든.' 그는 이것을 자랑으로 삼고 있는 모양이었다.

어머니 두덤을 찾고 나서 얼마 되지 않아, 알료사는 갑자기 아버지에게, 자기는 수도원에 들어가고 싶다, 수도사들도 자기를 견습 수도생으로 받아 줄 것을 허락했다, 라고 언명했다. 그리고 이것은 자기의 간절한 소원이므로, 아버지로서의 정식 허락을 청하는 것이라고 설명했다. 표도르는 수도원 암자에 살고 있는 조시마가 자기 아들 '얌전이'한테 깊은 감명을 주었다는 것을 벌써부터 알고 있었다.

"그 장로는 물론 누구보다도 성실한 수도사야" 무언가 생각에 잠긴 얼굴로 묵묵히 알료사의 말을 듣고 나서, 그는 이렇게 말문을 열었다. 그러나 아들의 청을 듣고 놀란 기색은 조금도 없었다. "흠, 그러니까 우리 얌전이가 거기 들어가고 싶단 말이지!"

그는 얼근히 취해 있었다. 갑자기 그는 이죽거리며 웃기 시작했는데, 그 웃음은 반쯤 취한, 그러나 여전히 교활하고 능청스런 느낌을 주는 웃음이었다. "흠, 나도 결국에 가서는 네가 그렇게 될 줄 알고 있었다. 어떠냐, 그렇지 않니? 너는 언제나 그런데 들어갈 기회가 오기를 기다리고 있었던 거야. 아무튼 좋아. 너는 자기 앞으로 2천 루블이나 가지고 있으니까, 그것을 지참금으로 하면 되겠구나. 하지만 나도 너를 절대로 모른 체하지는 않을 테니, 필요하다면 거기서 내라는 돈은 지금이라도 다 내주마. 그러나 내라는 소릴 하지 않는다면, 구태여 자진해서 낼 것까진 없지 않니, 그렇지 않아? 하긴 네가 돈 쓰는 건 카나리야 같아서, 기껏해야 일주일에 낟알 두어 알 정도면 되겠지……. 흠, 그런데 말이다. 어디든지 수도원이 하나 있으면, 반드시 그 근처에 마을이 하나 붙어 있게 마련인데, 누구나가 다 아는 일이지만, 거기에는 '수도사의 여편네들'만 살고 있거든. 아마 한 서른 명쯤은 될 거야……. 나도 한 번 가 본 일이 있는데, 거긴 또 거기대로의 독특한 재미가 없는 것도 아니더라. 다만 한 가지, 아직은 순러시아 판이어서 프랑스 여자가 하나도 없는 게 흠이더군. 돈은 많이들 가지고 있으니까 프랑스 여자쯤 얼마든지 불러올 수 있을 텐데 말이다. 아마 소문을 들으면 금세 몰려올걸. 하지만 여기는 괜찮아. 여긴 그런 수도사의 여편네 같은 건 하나도 없고, 수도사들만 2백 명가량 있을 뿐이니까. 그들이야 깨끗한 사람들이지. 대재大齋·소재小齋 다 잘 지키고. 암, 그렇고말고……. 흠, 그래. 넌 수도원에 들어가고 싶단 말이지? 하지만 알료샤야. 그럭하면 내가 섭섭해서 어떡하지? 넌 곧이듣지 않을는지 모르지만, 난 정말로 너를 좋아했어……. 어쨌든 좋은 기회다. 넌 우리 같은 죄인들을 위해 기도해 주겠지? 우린 여기 속세에서 너무나 죄를 많이 지었으니까. 나는 늘 생각해 왔다—앞으로 나를 위해서 누가 기도해 줄까, 과연 그런 사람이 세상에 있을까 하고 말이야. 애야, 넌 곧이듣지 않을지 모르겠지만, 나는 그 방면에 관해선 전혀 바보나 다름없어. 아주 깜깜이란 말이다. 그러나 아무리 바보라도 늘 생각은 하고 있지. 늘이라고 해도 물론 날마다 생각하는 건 아니니까, 가끔이라고 하는 편이 옳겠군. 어쨌든 내가 죽은 뒤에, 악마들이 나를 갈고리로 꿰어 지옥으로 끌고 가는 걸 좀 잊어 주기를 바랄 수는 없는 일이거든. 나는 이렇게 생각하지. 그런데 문제는 그 갈고리야. 악마들은 어디서 그것을 구했을까? 무엇으로 만든 것일까? 쇠로 만들었을까? 그러면 대체 어디서 두들겨 만들었을까? 지옥에도 무슨 대장간 같은 게 있을까? 수도원의 수도사들은 지옥에도 천장이 있다고 생각하는 모양이야. 나는 지옥이 있다고 믿을 용의는 있지만, 천장만은 없는 게 좋겠어. 그래야만 지옥이 좀 더 아름답고, 개화되고, 루터식으로 될 테니까 말이야. 하지만 실제에 있어서 천장이 있건 없건 매한가지 아니냐? 그런데 바로 여기에 난처한 문제가 하나 있거든! 만일에 천장이 없다면, 갈고리란 물건도 있을 수 없겠지. 그리고 갈고리가 없다고 한다면, 생각이 모두 뒤집혀져서 결국 거짓말이 되고 말지 않겠느냐 말이야. 그렇게 되면, 대체 어느 놈이 나를 끌고 갈 것이냐? 만일 나 같은 놈을 지옥으로 끌고 가지, 세상 어디에 공의公義가 있단 말이냐? Il faudrait les inventer(꼭 갈고리를 만들어 낼 필요가 있어). 그 갈고리는 나를 위해 일부러라도 만들어야 해. 나 한 사람만을 위해서라도. 넌 잘 모르겠지만, 나야말로 추악하기 짝이 없는 인간이니까!"

"그렇지단 지옥엔 갈고리 같은 건 없습니다." 알료샤는 정색을 하고 잔잔한 눈으로 아버지를 바라보며 이렇게 말했다.

"그렇지, 그래. 갈고리의 그림자가 있을 뿐이지. 나도 잘 알고 있어. 어느 프랑스 사람이 지옥을 묘사한 그대로야. 'J'ai vu l'ombre d'un cocher, qui avec l'ombre d'une brosse frottait l'ombre d'une carrosse(나는 솔의 그림자로 마차 그림자를 닦는 마부의 그림자를 보았노라).' 그런데, 애야, 넌 어떻게 갈고리가 없다는 걸 알았니? 이제 수도사들과 같이 있게 되면, 그때는 너도 다른 소리를 하게 될 게다. 그렇지만 어서 거기 들어가서 진리를 붙잡아 봐라. 그리고 나한테 와서 얘기해 주렴. 어쨌든 내세라는 게 어떤 것인지 똑똑히 알게 되면, 거기 가기도 쉬울 게 아니냐. 그리고 너도 이 집에서 이 주정뱅이 애비와 못된 계집년들 옆에 있는 것보다는 수도사들과 함께 지내는 편이 훨씬 좋을 게다……. 하긴 천사처럼 순결한 너를 건드릴 수 있는 건 이 세상에 없겠지만. 아마 거기서도 역시 너를 건드리진 못할 거야. 그러니까 내가 너의 청을 들어주는 것이고, 또 내가 기대하는 것도 바로 그거야. 너의 지혜는 아직 악마한테 죄다 먹혀 버리지는 않았어. 나쁜 것은 홀랑 불살라 버리고, 완전히 깨끗한 사람이 되어 돌아오너라. 나는 너를 기다리겠다. 이 세상에서 나를 비난하지 않는 사람은 오직 너 하나뿐이라는 걸 나는 느끼고 있어. 내 귀여운 아들아, 나는 그렇게 느끼고 있단 말이다. 내 어찌 그걸 느끼지 않을 수 있겠니!"

이렇게 말하며 그는 흑흑 느껴 울기 시작했다. 그는 다감한 인간이었다. 그는 모질고도 다감한 인간이었던 것이다.

5. 장로

혹시 독자들 중에는, 이 청년이 병적이고, 광신적이고, 발육 상태가 좋지 않은, 여윌 대로 여위어 빠진 창백한 몽상가라고 생각할 사람도 있을 것이다. 그러나 그와는 정반대로, 그 당시 알료샤는 잘 자란 체구에 불그레한 뺨, 맑은 눈동자를 가진, 건강에 빛나는 20세 청년이었다. 보통 이상으로 아름다운 용모, 알맞은 키에 늘씬한 몸매, 암갈색 머리에 달걀 모양, 좀 길어 보이는 단정한 얼굴, 게다가 시원하게 벌어진 가무스름한 두 눈이 항상 광채를 띠고 있어, 무척 생각이 깊고 침착한 청년으로 보였다. 어떤 사람들은, 뺨이 붉다고 해서 그것이 광신자나 신비주의자가 아니라는 무슨 증거가 될 수는 없지 않으냐고 할는지 모른다. 하지만 내게는, 알료샤야말로 그 누구보다도 현실주의적 인간이라고 생각된다. 물론 그는 수도원에서 종교적 기적이라는 것을 믿고 있었지만, 그러나 내 생각으로는, 기적이 결코 현실주의자를 당황케 하는 것은 아니라고 본다. 현실주의자를 신앙으로 이끄는 것은 기적이 아니다. 진정한 현실주의자라면, 그가 불신자인 경우, 항상 자기가 기적을 믿지 않고 힘과 능력을 갖추고 있다고 생각하여 기적이 자기 눈앞에서 부정할 수 없는 사실로 나타났을 때, 그것을 사실로 시인하기보다는 오히려 자기 자신의 감각을 믿지 않으려 든다. 만일 기적을 인정한다 하더라도, 그는 다만 그것을 여태까지 자기가 모르고 있던 하나의 자연적인 사실로서 받아들인다. 따라서 현실주의자에 있어서는, 기적이 신앙을 낳는 것이 아니라 신앙이 기적을 낳는다. 만일 현실주의자가 일단 신앙을 갖게 되면, 그 현실주의로 말미암아 그는 기적을 인정하지 않을 수 없게 된다. 사도使徒 도마도, 자기 눈으로 직접 보기 전에는 믿지 않겠다고 했지만, 보고 나서는 "오, 내 주여, 내 하느님이여!"라고 감격했다. 그러면, 기적이 그로 하여금 억지로 신을 믿지 않을 수 없게 한 것일까? 그렇지 않다고 하는 것이 가장 정확한 대답일 것이다. 그는 스스로 믿기를 원했기 때문에 믿은 데 지나지 않는다. 아마도 그는, '보기 전에는 믿지 않겠다'라고 말했을 때, 이미 자기 마음속 깊은 곳에서 완전히 신을 믿고 있었을는지도 모를 일이다.

혹시 어떤 사람들은 알료샤가 우둔하고 발육이 덜된 인간이라느니, 중학교조차 제대로 나오지 못했다느니 하는 말을 할지 모른다. 중학교도 졸업하지 못했다는 것은 사실이다. 그러나 그가 어리석고 우둔한 인간이라고 말한다는 것은 지나친 편견일 것이다. 여기에 대해서 나는 이미 앞에서 말한 것을 되풀이하는 데 그치겠다. 그가 이 길에 들어서게 된 것은, 그 당시 이 길만이 암흑으로부터 광명에의 탈출을 갈망하는 그의 영혼을 위한 이상적인 출구로서 그에게 깊은 감동을 주었기 때문이다. 한 가지 더 지적해 두어야 할 것은, 그가 어느 면으로는 우리나라의 근대 청년, 즉 천성이 정직하고 진리를 요구하며, 그것을 탐구하는 가운데 드디어는 그것을 믿게까지 되지만, 이로써 만족하지 않고, 자기의 온 정력을 기울여 진리를 섬길 뿐만 아니라, 그것을 실천에 옮기려고 서두르는 동시에, 그 성취를 위해서는 무엇이든지, 심지어는 생명까지도 아낌없이 희생하려는 염원에 불타는 그러한 청년이었다는 점이다. 그러나 이런 청년들은 불행하게도 생명을 희생한다는 것이, 많은 경우에 있어 다른 어떠한 희생보다도 쉬울 것이라는 사실을 깨닫지 못하고 있다. 예를 들면 비록 그들 자신이 좋아서 자기의 목표를 정해 놓은 진리와 그 실천을 위해 자기의 힘을 열 배로 늘리기 위한 것이라 할지라도, 화려한 청춘기에서 5, 6년이나 떼어 내어 그것을 어렵고 지루한 학습이나 연구에 바친다는 그런 희생은 대부분의 청년에게는 거의 불가능한 일이다. 알료샤도 자기 진리의 조속한 성취를 갈망하는 점에서는 다른 청년들과 조금도 다를 바 없었으나, 다만 그는 모든 사람들과 정반대되는 길을 택했을 뿐이었다. 그는 심사숙고한 끝에, 신과 영생이 존재한다는 확신을 얻자마자, 곧 본능적으로 자기 자신에게 말했다. '영생을 위해 살고 싶다. 어중간한 타협 같은 건 결코 받아들이지 않으련다'라고. 이와 마찬가지로, 만일 그가 신과 영생은 없다고 정해 버렸다면, 그는 곧 무신론자나 사회주의자가 되고 말았을 것이다. (왜냐하면 사회주의는 단순한 노동 문제라든가, 이른바 제사 계급第四階級의 문제일 뿐만 아니라, 무신론의 현대적 구현의 문제이며, 지상에서 하늘에 도달하기 위해서가 아니라, 하늘을 지상으로 끌어내리기 위해서 하느님 없이 쌓고 있는 바벨탑의 문제이기 때문이다) 알료샤에게는 전과 같이 살아간다는 것이 괴이하고도 불가능한 것처럼 생각되었다. 성경에도, '그대가 완전해지기를 원할진대, 그대가 소유한 모든 것을 가난한 자에게 나누어 주고 나를 따를지니라'[6*]라고 쓰여 있다.

알료샤는 자기 자신에게 이렇게 말했다—"나는 '모든 것' 대신 2루블만 내고, '그를 따르는' 대신에 미사에만 참례하는 그따위 짓은 할 수 없다." 아마도 그의 어린 시절에 대한 기억 속에는, 어머니가 미사에 가끔 데리고 가곤 하던 이 고장 수도원에 관한 것이 고이 간직되어 있었는지도 모른다. 혹은, 그의 미친 어머니가 그를 양손으로 내어 미는 성상 앞으로 비스듬히 비쳐 들던 저녁 햇빛이 그의 마음에 작용했는지도 모른다. 아마도 그때 그가 이 고장으로 돌아온 것은 모든 것이냐, 아니면 2루블이냐를 가려내기 위해서였을 것이다. 그리하여 그는 여기 수도원에서 그 장로를 만났던 것이다. 그 장로는, 앞에서 내가 이미 언급한 바와 같이, 조시마라는 장로였다. 여기서 나는 우리나라 수도원의 '장로'가 대체 어떤 것인지 몇 마디 설명할 필요를 느끼지만, 유감스럽게도 이 방면에 관해 별로 자신이 있는 것은 아니다. 그러나 피상적인 설명이나마 간단히 해 보기로 하겠다. 우선, 권위 있는 전문가들의 주장에 의하면, 장로와 장로 제도가 우리나라 수도원에 나타나기 시작한 것은 그다지 오래되지 않은 일로, 아직 백 년도 못 되었지만, 그리스 정교를 믿는 동방 제국, 특히 시나이와 아도스에서는 이미 천여 년 전부터 있던 제도라고 한다. 우리 러시아에도 예전엔 장로 제도가 있었는데, 러시아의 국난, 즉 타타르족의 침입이라든가, 내란이라든가, 콘스탄티노플 함락 후의 동방과의 교통 단절 등으로 말미암아 이 제도가 자취를 감추고 말았다는 주장도 있다. 이 제도가 우리나라에서 부활한 것은 전세기前世紀 말엽부터의 일인데, 그것은 이른바 위대한 고행자苦行者 중의 하나인 파이시 벨리치콥스키와 그 제자들의 노력의 결과였다. 그러나 거의 백 년이 지난 오늘날까

6* 《신약 성경》〈마태복음〉 19장 21절 참고.

지도, 장로 제도는 극히 소수의 수도원에서밖엔 볼 수 없을뿐더러, 때로는 러시아에서는 전례가 없는 제도라 하여 박해를 당한 일까지 있었다. 그것이 우리 러시아에서 특히 융성한 곳은 코젤리스카야 옵티나의 어느 유명한 수도원이었다. 이 제도가 언제 누구에 의해서 이 고장 수도원에 도입되었는지는 확언할 수 없으나, 여기서도 이미 이런 장로가 삼대三代나 계속되어, 조시마는 그중 맨 마지막 장로였다. 그는 이미 노쇠하여 거의 죽어 가고 있었는데 그 뒤를 이을 만한 사람이 없었다. 이것은 이 수도원으로선 중대한 문제였다. 왜냐하면, 이 수도원은 그때까지 특히 유명한 것이라곤 아무것도 가진 것이 없었기 때문이다. 성자聖者의 유체遺體도 없었고, 기이한 행적이 있는 성상도 없었고, 우리의 역사와 관련된 영광스러운 전통도 없었고, 조국에 대한 역사적인 공훈도 없었다. 이 수도원이 융성하여, 온 러시아에 이름을 떨친 것은 다름 아닌 바로 장로들의 덕분이었다. 러시아의 방방곡곡, 수천 리나 되는 곳에서까지, 그들을 보고 그들의 말을 들으려고 순례자들이 떼를 지어 이 고장으로 모여들었던 것이다.

그러면 장로란 대체 무엇인가? 장로는 다른 사람의 영혼과 의지를 자기의 영혼과 의지 속에 위탁받는 사람이다. 어떤 사람이 일단 장로를 택하게 되면, 그는 절대 복종과 완전한 극기克己의 정신을 가지고, 자기의 자유의지를 떼어 그것을 장로에게 바친다. 자기부정, 자아 정복의 오랜 시련 끝에, 복종의 생활을 통하여 마침내는 완전한 자유, 즉 자기 자신의 속박에서 벗어나는 참된 자유를 획득할 수 있도록, 그는 이러한 시련과 무서운 인생 수업을 자진해서 받아들인다. 그리하여, 자기 자신을 발견 못 한 채 일생을 헛되이 보내야 하는 운명에서 벗어나게 된다. 이 장로 제도는 이론적으로 안출된 것이 아니라, 이미 천 년에 걸친 실지 경험을 통하여 동방에 설립된 것이었다. 장로에 대한 의무는 우리나라 수도원에서 흔히 볼 수 있었던 보통 '복종'과는 질이 다른 것이다. 그 의무는 복종하는 사람들의 끊임없는 참회, 그들과 장로와의 사이에 맺어진 끊을 수 없는 관계를 의미한다.

예를 들면, 이런 이야기가 있다. 그리스도교 초창기에 어느 견습 수도사가 자기 장로의 명령을 이행하지 않은 채 시리아에 있던 그 수도원을 버리고 이집트로 갔다고 한다. 거기서 그는 오래고도 위대한 고행 끝에, 마침내는 모진 고문을 이겨내고 순교자로서 죽음을 당하게 되었다. 교회에서는 벌써 그를 곧 성자로 받들어서 장례식을 거행하였는데, 장례식에서 보제補祭가 '비교도非教徒는 사라질지어다!'라는 경문을 외자, 그 순교자의 관은 그 자리를 떠나서 교회당 밖으로 나가떨어졌다. 이렇게 세 번이나 똑같은 일이 되풀이되었다. 그래서 원인을 조사해 본 결과 이 순교자는 복종의 서약을 파기하고 자기의 장로한테서 도망쳤기 때문에, 그 장로의 용서가 없는 한 아무리 위대한 공적을 쌓았다 할지라도 죄 사함을 받을 수 없다는 것을 알게 되었다. 그리하여 그 장로가 그의 복종의 서약을 풀어 주었을 때에야 비로소 장례식을 거행할 수가 있었다. 물론 이것은 옛 전설에 지나지 않지만, 여기 또 하나 최근에 일어난 일이 있다.

우리 러시아의 어떤 수도사가 아도스에서 도를 닦고 있었는데, 그는 아도스를 자기의 성스러운 은둔처로 정하고서 마음속 깊이 사랑하고 있었다. 그런데, 그의 장로가 갑자기 그에게 명령하기를, 아도스를 떠나서 성지순례를 하러 우선 예루살렘으로 갔다가, 다시 러시아로 돌아와서, 그다음엔 북방으로, 시베리아로 가라고 했다. '네가 있을 곳은 여기가 아니라 거기다'라는 것이었다. 그 수도사는 너무나 서러워서, 콘스탄티노플에 있는 총대주교總大主教한테 가서 자기 의무를 풀어 달라고 애원했다. 그러나 총대주교는 그에게 대답하기를, 자기에게도 그럴 권리는 없지만, 그 명령을 부과한 장로 이외에 그 의무를 풀어 줄 수 있는 사람은 이 세상에 한 사람도 없다고 했다는 것이다. 이처럼 장로에게는 어떤 경우에 있어서는 무한하고도 불가사의한 권세가 부여되어 있다. 우리나라의 많은 수도원에서 처음에 장로 제도가 거의 박해를 받다시피 한 것도 이 때문이었다. 그러나 장로들은 곧 민중 속에서 깊은 존경을 받게 되었다. 우리 고장 수도원의 장로한테도 상하 귀천의 구별 없이 모두들 모여 와서는 그 앞에 엎드려 자기들의 회의와 죄와 번뇌를 참회하고, 충고와 교훈을 청했다. 이것을 보고 장로를 반대하는 자들은, 장로들이 제멋대로 경솔하게 고해성사를 더럽히고 있다고 비난하며 시끄럽게 떠들어댔다. 그러나 수도사나 일반 신도들이 장로한테 수시로 자기 마음을 털어놓는다는 것은 성사도 아무것도 아니다. 결국 장로 제도는 그대로 유지되어 차차 러시아의 여러 수도원에 퍼지게 되었다. 하기는, 노예적 상태로부터 정신적인 자유와 완성에로의 도덕적 재생을 위한 무기로서의 이 제도도 벌써 천 년 동안이나 시험해 내려온 셈이지만, 그럼에도 불구하고 때로는 양쪽에 날이 선 흉기가 되어, 사람을 완전한 자아 극복과 겸손으로 이끌기는커녕, 오히려 가장 악마적인 오만으로, 즉 자유가 아닌 속박으로 이끌 수도 있다는 것은 아마 사실일지 모른다.

조시마 장로는 65세가량 된 노인이었는데, 지주 계급 출신인 그는 젊었을 때에 군대에 들어가서, 위관급 장교로서 한때 카프카스 지방에서 복무한 일이 있는 사람이었다. 그가 자기 영혼이 지니는 어떤 특성으로 하여 알료샤에게 깊은 감명을 주었다는 것은 의심할 여지도 없는 일이다. 알료샤는 바로 장로의 암자에서 기거하고 있었다. 장로가 그를 몹시 사랑하여 자기 암자에 받아들인 것이다. 그러나 여기서 한 가지 말해 둘 것은, 비록 그때 알료샤가 수도원에 들어가 살고는 있었지만, 그렇다고 무슨 의무에 메어 있는 것은 아니어서, 어디든지 마음대로 나다닐 수 있었고, 며칠씩이나 수도원에 들어가지 않아도 무방하였다는 점이다. 그가 약식 법의를 입고 다니는 것도, 사실은 수도원 안에서 다른 사람들과 색다르게 보이고 싶지가 않아서, 자진해서 한 행동에 지나지 않았다. 그야 물론 그 옷이 알료샤 자신의 마음에 든 것도 사실이다. 어쩌면 장로의 그러한 권력과 명성이 알료샤의 젊은이다운 상상력에 강하게 작용했는지도 모를 일이다. 조시마 장로한테 자기 심정을 고백하고 그로부터 충고와 위안의 말을 들으려고 찾아온 사람들이 헤아릴 수 없을 만큼 많다고들 했다. 장로는 오랫동안 이런 사람들의 고백과 하소연을 하도 많이 들어 왔기 때문에, 이제는 자기한테 오는 사람의 얼굴을 보면 첫눈에 벌써 그 사람이 무슨 일로 왔는지, 무엇이 필요한지, 어떤 종류의 고민이 그 사람의 양심을 가책하고 있는지 추측할 수 있을 만큼 예민한 통찰력을 지니게 되었고, 그래서 본인이 미처 입을 떼기도 전에 그 마음의 비밀을 알아맞혀, 그 사람을 놀라게 하고, 당황하게 하고, 때로는 공포를 느끼게까지 하는 수도 있었다.

그러나 이것은 알료샤가 거의 언제나 느끼는 일이었는데, 장로와 조용히 이야기를 하려고 처음으로 찾아오는 사람들의 대부분이 공포와 불안을 품고 들어가지만, 장로를 만나고 나올 때는 그 어둡기만 하던 얼굴이 행복스런 얼굴로 변하여 명랑하고 기쁨에 찬 표정을 띠우곤 하는 것이었다. 알료샤는, 장로가 조금도 엄격하지 않을뿐더러, 늘 유쾌한 빛으로 사람을 대하고 있다는 사실에 특히 감동되었다. 수도사들의 말에 의하면, 장로는 죄 많은 사람을, 그중에서도 가장 죄 많은 사람을 누구보다도 사랑하여, 그런 사람을 진심으로 귀여워한다는 것이었다. 수도사들 중에는 장로의 생애가 거의 끝날 무렵이 되어서까지 그를 미워하고 시기하는 자들도 있었다. 그러나 이제는 그 수효가 극히 적어졌고, 장로를 비난하는 소리도 들리지 않게 되었다. 그런 자들 중에는 수도원 내에서 상당히 유명한 몇몇 중요한 인물들도 섞여 있었는데, 예를 들면 이들 고참 수도사들 중의 한 사람은, 이름 있는 침묵 수행자로서 보기 드문 단식주의자였다. 그러나 역시 절대 다수는 완전히 조시마 장로 편이었고, 또한 그들의 대부분이 온 열정을 기울여 진심으로부터 열렬히 그를 사랑했다. 어떤 사람들은 거의 광신적으로 그에게 헌신하면서, 아주 드러내 놓고 말하지는 않지만, 장로는 틀림없는 성인이라고 자신 있게 말하곤 했다. 그리고 멀지 않아 그가 세상을 떠날 것을 예견하고, 가장 가까운 장래에 이 수도원을 위해 위대한 영광이 될 기적이 그로 인하여 반드시 일어날 것이라 기대하고 있었다. 알료샤도 장로의 기적적인 능력을 믿어 의심치 않았다. 이것은 옛날에 순교자의 관이 교회에서 뛰쳐나갔다는 얘기를 굳게 믿는 것과 똑같은 믿음이었다. 그는 수많은 사람들이, 앓는 아이들과 친척들을 데리고 와서 장로한테 안수按手 기도를 간청하는 것을 보았다. 그들은 얼마 안 있다가, 어떤 사람은 바로 다음 날, 다시 찾아와서는 눈물을 흘리며 장로 앞에 엎드려 병을 고쳐 준 것을 감사하는 것이었다.

정말로 장로가 병을 고쳐 준 것인지, 아니면 병이 자연적인 과정을 거쳐 낫게 된 데 지나지 않는 것인지, 이런 의문은 알료샤에겐 존재할 수조차 없었다. 왜냐하면, 알료샤는 자기 스승의 정신력을 전적으로 믿고 있었기 때문이다. 그는 스승의 영예가 마치 자기 자신의 승리가 되는 것처럼 생각했다. 특히, 장로를 만나 축복을 받으려고 러시아 방방곡곡에서 몰려온 하층 계급 순례자들이 암자 문 앞에 기다리고 있는 곳으로 장로가 걸어 나갈 때면, 알료샤의 가슴은 고동치고 얼굴은 광채를 발하듯 환하게 빛나는 것이었다. 순례자들은 장로 앞에 엎드려 눈물을 흘리며 그 발에 입 맞추는가 하면, 그가 서 있는 땅에 입을 맞추면서 흐느껴 울기도 했다. 그리고 아낙네들은 자기 아이를 그에게 내밀기도 하고, 사귀 들린 병자를 그의 앞으로 끌어내기도 했다. 장로는 그들과 말을 주고받고, 간단한 기도를 드리며 그들을 축복해 주고는 그들을 돌려보내곤 했다. 최근에 와서 장로는 병의 발작 때문에 이따금 암자 밖으로 나올 수 없을 만큼 몸이 쇠약해질 때가 있었다. 이럴 때면 순례자들은 그가 나올 때까지 며칠이고 수도원 안에서 기다리고 있기가 일쑤였다. 무엇 때문에 그들이 장로를 그처럼 사랑하는지, 무엇 때문에 그들이 장로의 얼굴을 보자마자 감격의 눈물을 흘리며 그 앞에 엎드리는지, 알료샤는 털끝만 한 의혹도 일어나지 않았다. 오, 그는 너무나도 잘 알고 있었다—힘든 노역과 비애 때문에, 아니, 그보다도 일상적인 불공평과 죄과 때문에, 자기 자신의 죄과와 온 누리의 죄과 때문에 지칠 대로 지쳐 버린 러시아 평민의 겸허한 영혼을 위해서는 성물聖物이나 성인을 찾아 그 앞에 몸을 던져 경배하는 것 이상으로 강한 요구와 위안은 있을 수 없다는 것을.

'우리들에겐 죄악과 거짓과 유혹이 있는 대신에, 이 세상 어딘가에는 거룩하고도 고상한 사람이 있어, 그 사람에게는 진리가 있고, 또한 그 사람은 진리를 알고 있을 것이다. 그렇다면 진리는 지상에서 사라져 가고 있는 것이 아니라, 언젠가는 우리들에게도 찾아와서, 하느님의 약속대로 반드시 온 세상을 지배하게 될 날이 오고야 말 것이다.' 알료샤는 백성들이 이렇게 느끼고, 이렇게 판단한다는 것을 알고 있었다. 그리고 조시마 장로야말로 바로 그들이 생각하는 그 성인이요, 하느님의 진리의 수호자라는 것을 믿어 의심치 않았다. 이에 대한 그의 믿음은, 감격의 눈물을 흘리는 농부들이나, 자기의 아이를 장로 앞으로 내미는 병든 아낙네들의 믿음과 똑같은 것이었다. 그리고 장로가 세상을 떠나면서 이 수도원에 더없이 큰 영광을 베풀어 주리라는 확신은, 수도원 내의 어느 누구보다도 알료샤가 가장 강했다. 최근에 와서는 어떤 심오한, 불꽃과도 같은 내부적인 환희가 그의 가슴속에서 더욱더 세차게 타오르고 있는 것 같았다. 진리의 수호자로서 자기 앞에 서 있는 사람이 조시마 장로 오직 한 사람밖엔 없다는 사실에도 그는 별로 불안을 느끼지 않았다.

'걱정할 건 없어! 장로는 거룩한 분이어서, 그분의 가슴속에는 모든 사람을 갱생시키는 비결을, 마침내는 이 세상에 진리를 확립하게 할 힘을 간직하고 계시니까. 그렇게 되면 누구나가 다 거룩하게 되어 서로 사랑하게 될 것이고, 따라서 부자도 가난뱅이도, 높은 사람도 낮은 사람도 없이 모두가 똑같은 하느님의 자녀가 되어, 진정한 그리스도의 왕국이 실현되는 거야.' 이것이 바로 알료샤의 마음에 항상 떠오르곤 하는 꿈이었다.

그때까지 생면부지의 사이나 다름없던 두 형의 귀향은 알료샤에게 깊은 인상을 준 것 같았다. 드미트리가 이반보다 늦게 왔음에도 불구하고, 그는 친형인 이반보다도 배다른 형 드미트리와 더 빨리 친해졌다. 그는 작은형 이반에 대해 굉장한 관심을 갖고 있었으나, 이반이 돌아온 지가 이미 두 달이나 되었고 그동안 꽤 자주 만났는데도, 두 사람은 좀처럼 친밀해질 수가 없었다. 알료샤는 원래 말수가 적은 편이어서, 무언가를 기다리고 있는 듯, 무언가를 부끄러워하는 듯한 태도로 시종했고, 또 그의 형 이반은, 처음엔 알료샤도 느낄 수 있을 만큼 오랫동안 호기심에 찬 눈으로 동생을 바라보았지만, 곧 그 동생에 대해 생각조차 하지 않게 된 듯싶었다. 알료샤는 그러한 형의 태도에 약간 어리둥절했으나, 곧 두 사람의 연령과 특히 교육의 차이 때문에 그런 것이라고 결정해 버렸다. 그러면서도 한편으로는, 자기에 대한 형의 호기심과 동정의 결핍은, 어쩌면 자기가 전혀 알 수 없는 무슨 다른 이유 때문인지도 모른다고 생각하기도 했다. 이반 형은 무엇인가 내적인 중요한 일에 열중하고 있다. 아마도 지극히 어려운 어떤 목표를 향해서 온 힘을 기울이고 있기 때문에, 그래서 자기 같은 건 거들떠볼 겨를이 없을 것이다. 이것이 자기를 무관심한 태도로 대하는 유일한 원인일지 모른다—알료샤는 어쩐지 자꾸만 이런 생각이 드는 것이었다. 알료샤는 또한, 형의 그러한 태도 속에 자기 같은 우둔한 견습 수도생에 대한 유식한 무신론자의 경멸이 숨어 있는 것이나 아닌가 하고 곰곰이 생각해 보기도 했다. 그는 자기 형이 무신론자라는 것을 확실히 알고 있었다. 설사 그런 경멸이 숨어 있었다 하더라도, 알료샤로서는 화를 낼 수도 없는 일이었다. 그러나 그는 자기 자신도 알 수 없는 어떤 불안을 느끼면서 형이 자기에게 가까이 접근해 오기를 기다리고 있었다. 맏형인 드미트리는 이반에 대하여 깊은 존경을 표시하면서, 일종의 특이한 감동이 섞인 어조로 이반의 얘기를 하곤 했다. 알료샤는 드미트리한테서, 최근에 그들 두 형을 그처럼 밀접하게 결합시킨 그 중대한 사건의 자초지종을 들었다. 이반에 대한 드미트리의 열광적인 평가는, 알료샤의 눈에는 매우 이상한 것으로 보였다. 왜냐하면, 드미트리는 이반에 비해 거의 아무런 교육도 받지 못한 인간이라 해도 과언이 아니었고, 인격으로 보나 성격으로 보나 그처럼 서로 닮지 않은 사람들을 찾아보기도 어려우리만큼 극단적인 대조를 이루고 있었기 때문이다.

바로 이러한 때에, 알료샤에게 비상한 영향을 끼친 조시마 장로의 암자에서, 이 뒤숭숭한 가족의 회합, 이라기보다는 이들 가족 전원의 모임이 이루어졌던 것이다. 이 모임의 구실은 실제에 있어서 거짓된 것이었다. 당시 재산 정리와 상속 문제로 인한 드미트리와 아버지 표도르 사이의 불화는 이미 막다른 골목에까지 이르렀었다. 서로의 관계는 극도로 첨예화하여 그대로는 도저히 버티어 나갈 수 없을 만큼 되어 버렸다. 그래서 표도르 파블로비치가 먼저 농담 삼아 조시마 장로의 암자에서 다 함께 만나보면 어떻겠느냐는 말을 꺼낸 모양이었다. 그렇다고 장로의 직접적인 중재를 청하는 것은 아니지만, 장로라는 존재가 화해의 분위기를 조성하여 서로 원만히 타협할 수 있는 길을 열어 줄는지 모른다는 희망도 섞여 있었던 것만은 사실이다. 여태까지 장로를 찾아가 본 일도 없을뿐더러, 먼빛으로나마 그를 본 일조차 없는 드미트리는, 아버지가 장로를 내세워 자기한테 위압감을 느끼게 하려는 속셈일 것이라고 생각했지만, 요새 와서 아버지와 다투며 너무 과격한 언동을 자행한 데에 스스로 가책을 느끼고 있었기 때문에 아버지의 제의를 그대로 받아들였다. 여기서 한 가지 말해 둘 것은, 그가 이반처럼 아버지의 집에서 살지 않고, 우리 읍의 반대 쪽 끝에 혼자 떨어져 살고 있었다는 점이다. 그런데 당시 이 고장에 체류하고 있던 표트르 알렉산드로비치 미우소프도 표도르의 이 제의를 전적으로 지지하고 나섰다. 4, 50년대의 자유주의자이며 자유사상가인 동시에 무신론자인 그는, 권태로운 생활 때문이었는지, 아니면 단순한 심심풀이를 위해서였는지는 몰라도, 이 일에 대해서 굉장한 관심을 표시했다. 그는 갑자기 수도원과 그 '성인'이 보고 싶어 견딜 수가 없었다. 아직도 그는 소유지의 경계선 문제와 산림 벌채권 및 하천 어로권 문제 등과 관련된, 수도원을 상대로 한 오랜 소송 사건을 결말짓지 못하고 있었으므로, 이 기회에 직접 수도원장과 만나 쌍방이 좋도록 원만히 끝을 맺고 싶다는 구실 아래, 표도르와 동행하겠다고 나섰다. 그처럼 훌륭한 뜻을 품고 찾아오는 손님이라면, 물론 수도원에서도 단순한 구경꾼보다는 훨씬 친절하게 맞아줄 것이다. 그리고 이러한 점들이 고려된다면, 최근에 병환으로 인하여 일반 방문객들도 만나지 않고, 암자에서 한 걸음도 떠나지 않고 있는 장로에 대해 수도원 측에서 그 어떤 정신적인 영향은 줄 수도 있는 일이었다. 결국 장로도 그들을 만나기로 승낙하고, 날짜까지 결정되었다. "누가 나를 그 사람들의 재판관으로 임명했지?" 하고 그는 미소를 지으며 알료샤에게 말했을 뿐이었다.

알료샤는 자기 가족이 한자리에 모인다는 얘기를 듣고 몹시 당황했다. 이 쟁의爭議에 관계가 있는 사람들 중에서 이번 회합을 심각하게 생각할 사람이 있다면, 그것은 드미트리 한 사람뿐이었다. 그 밖의 사람들은 모두 심심풀이 삼아 장로를 모욕하기 위해서 오는 것이라 해도 과언이 아니었다. 알료샤는 이것을 잘 알고 있었던 것이다. 작은형 이반과 미우소프는 단순한 호기심에서, 그것도 아주 무례한 호기심에서 이 회합에 참석할 것이고, 아버지는 무슨 해괴한 어릿광대짓을 생각하고 있는지도 모를 일이었다. 알료샤는 아무한테도 말은 하지 않았지만, 자기 아버지의 사람됨은 너무나 잘 알고 있었다. 다시 되풀이하거니와, 이 청년은 남들이 생각하는 것처럼 그렇게 단순한 청년은 아니었다. 그는 무거운 마음으로 그날을 기다렸다. 물론 그는 마음속으로 어떻게 하면 자기 가족의 불화를 없앨 수 있을까 항상 궁리하며 애를 태우고 있었다. 그렇지만 그가 무엇보다 염려한 것은 장로의 일이었다. 그는 장로의 명예가 근심스러웠다. 장로에게 가해질 모욕, 특히 미우소프의 세련되고 은근한 냉소, 유식한 이반의 거만한 암시적인 말투, 이러한 것들이 무서웠다. 그는 장로에게 이들에 대하여서 미리 무슨 경고라도 해 주고 싶었지마는, 다시 생각해 보고는 아무 말도 하지 않기로 했다. 다만 만나기로 된 전날에, 그는 아는 사람을 통해서 드미트리에게, 자기는 형을 깊이 사랑하고 있으니 약속은 이행해 주기 바란다는 뜻을 전했다. 드미트리는 아무런 약속도 한 기억이 없었으므로 좀 이상하게 생각했지만, 곧 답장을 써서, 자기는 '아무리 비열한 언행'을 보고 듣게 되더라도 힘을 다하여 자기 자신을 억제하겠노라고 했다. 또한, 자기는 장로와 이반을 깊이 존경하고는 있지만, 아무래도 이 회합은 자기를 위해 파놓은 함정이거나, 아니면 좋지 못한 어릿광대짓에 지나지 않음을 확신한다고 했다. '그렇지만 나는 혀를 깨물고서라도 네가 존경하는 그 거룩한 분에 대해 실례가 될 말은 절대 하지 않겠다'라고 그는 편지를 끝맺었다. 그러나 이 편지를 받고도 알료샤는 그다지 반가워하지 않았다.

제2편 어색한 회합

1. 수도원에 도착하다

8월 말, 맑게 갠 따뜻한 날이었다. 장로와의 회견은 낮 기도식이 끝난 직후인 열한 시 반경으로 정해져 있었다. 그러나 이날 모일 사람들은 기도식엔 참석하지 않고, 그것이 다 끝날 무렵에야 도착했다. 먼저 미우소프가 표트르 포미치 칼가노프라는 스무 살가량의 먼 친척뻘 되는 청년과 함께, 두 마리의 값진 말이 끄는 멋진 마차를 타고 왔다. 이 청년은 대학에 입학할 준비를 하고 있었는데, 무엇 때문인지는 몰라도 얼마 동안 미우소프네 집에 와서 함께 살고 있었다. 미우소프는 그에게 외국 유학을 권하여, 자기와 함께 취리히나 예나로 가서, 거기서 대학 과정을 마치는 게 좋을 것이라고 종용하고 있었으나, 이 청년은 아직 결정을 못 짓고 있었다. 그는 곧잘 무슨 생각에 잠기곤 하는 버릇이 있어, 어딘지 멍청한 데가 있어 보였다. 그래도 용모는 단정했고 체격도 좋았으며 키도 꽤 큰 편이었다. 이따금 그의 시선은 이상하리만큼 한군데 머물러 있을 때가 있었다. 좀 멍청한 데가 있는 사람이란 모두가 그렇듯이, 그는 오랫동안 남의 얼굴을 뚫어지게 바라보는 버릇이 있기는 했지만, 실은 다만 그쪽으로 시선을 향하고 있는 데 지나지 않는 것이었다. 그는 말수가 적은 데다가 사람을 대하는 태도는 약간 어색하기까지 했으나, 어떤 사람과 단둘이 있을 적에는 갑자기 언동이 대담해지고 굉장히 수다스러워져서, 걸핏하면 까닭 없이 웃어 대기도 했다. 그러나 이러한 활기도, 그것이 일어날 때 돌발적으로 일어나는 것과 마찬가지로, 사라질 때 역시 순식간에 사라져 버리고 만다. 그는 항상 값진 옷을 멋지게 입고 다녔다. 그는 이미 자기 앞으로 상당한 재산을 가지고 있었는데, 장차는 그보다 훨씬 많은 유산을 상속받기로 되어 있었다. 알료샤와는 친구지간이었다.

미우소프의 마차보다 훨씬 뒤떨어져서, 불그죽죽한 늙은 말 두 필이 끄는 낡아 빠진 대형 전세 마차를 타고 표도르 파블로비치가 아들 이반과 함께 나타났다.

드미트리는 전날 저녁에 미리 시간을 알려 주었는 데도 불구하고 늦게야 도착하였다. 일행은 수도원 밖에 있는 여관 앞에서 하차하여, 걸어서 정문을 통과했다. 표도르를 제외한 나머지 세 사람은 아직 한 번도 수도원이라는 것을 구경해 본 일이 없는 모양이었다. 특히 미우소프 같은 사람은 벌써 30년이나 교회에 나간 일조차 없었다. 그는 별반 흥미를 느끼지 않는 체하면서도, 호기심 어린 눈으로 연방 주위를 두리번거렸다. 그러나 수도원 경내에 들어가서도, 평범하기 짝이 없는 교회 건물과 그 밖의 부속 건물 이외에는 그의 관찰력의 대상이 될 만한 것이라곤 아무것도 없었다. 교회당에서 맨 나중에 나온 신도들이 모자를 벗고 성호를 그으면서 옆을 지나갔다. 이 평민들 속에는 비교적 상류계급에 속하는 사람들, 즉 2, 30명의 귀부인과 무척 늙은 장군 한 사람이 섞여 있었는데, 그들은 모두 여관에 묵고 있었다. 거지들이 일행을 둘러쌌지만, 아무도 적선하려 들지 않았다. 다만 페트루샤(표트르의 애칭) 칼가노프만이 지갑에서 10코페이카짜리 은전 한 닢을 꺼냈으나, 어찌 된 셈인지, 별안간 당황하여 허둥거리면서 황급히 어느 늙은 여자 거지의 손에 돈을 쥐여 주고는 "똑같이 나눠 가져요"라고 했다. 여기 대해 일행 중에서 뭐라고 말한 사람은 아무도 없었다. 그러니까 그가 그처럼 허둥거릴 이유는 조금도 없었던 것이다. 이런 생각이 들자 그는 한층 더 당황했다.

그런데 참으로 이상한 일이었다. 실제에 있어 수도원에서는 이 일행이 오기를 기다리고 있어야 했고, 어느 정도의 존경까지도 마땅히 표시했어야 옳았을 것이다. 왜냐하면 이들 중 한 사람은 바로 얼마 전에 1천 루블이라는 돈을 기부했었고, 또 한 사람은 상당히 부유하고 교양 있는 지주로, 소송의 결과 여하에 따라서는 하천의 어로권 문제와 관련하여 수도원 내의 모든 사람들을 능히 좌우할 수 있는 인물이었기 때문이다. 그런데도 정식으로 그들을 맞아 준 사람은 아무도 없었다.

미우소프는 물끄러미 교회당 근처의 묘비들을 바라보면서, 이런 '성스러운' 곳에 묻힐 권리를 얻기 위해서 아마 돈도 꽤 많이 들었을 것이라고 말하려다가 그냥 입을 다물고 말았다. 그의 자유주의적인 냉소는 어느새 거의 분노로 화하고 있었기 때문이다.

"한데 이건 도대체 어느 놈한테 물어봐야 할지 알 수가 없군. 이러다간 공연히 시간만 허비하겠는걸" 하고 그는 불쑥 혼잣말처럼 뇌까렸다.

이때 갑자기 일행을 향하여 폭 넓은 여름 외투를 입은 나이 지긋한 대머리 신사 한 사람이 애교 있는 눈을 하고 다가왔다. 그는 모자를 조금 쳐들면서, 자기는 툴라 현에서 온 막시모프라는 지주라고 소곤거리는 것 같은 달콤한 말투로 자기소개를 했다. 그러고는 곧 일행을 돕겠다고 나섰다.

"조시마 장로님께선 암자에 거처하고 계십니다. 수도원에서 4백 보쯤 떨어진 호젓한 암자지요. 저기 저 조그마한 숲을 지나서……."

"숲 저쪽이라는 건 나도 압니다" 하고 표도르가 말을 받았다. "하지만 그리로 가는 길을 잃어버렸어요. 가 본 지가 하도 오래돼서요."

"이 문으로 나가서 곧장 숲을 통과하면 됩니다. 자 가십시다. 나도 마침…… 뭣하면 내가 안내해 드리죠……. 이쪽으로 오세요, 이쪽으로."

그들은 문을 통과하여 숲 쪽으로 걷기 시작했다. 60세 전후로 보이는 막시모프는 대단한 호기심을 가지고 일행을 흘끔흘끔 바라보면서, 걷는다기보다는 그들의 옆에서 거의 뛰어가다시피 하고 있었다. 그의 눈은 흡사 개구리 모양처럼 툭 불거져 나와 있었다.

"우리는 특별한 용무가 있어 장로한테 가는 길입니다" 하고 미우소프가 위엄 있는 어조로 말했다. "다시 말해서, 그분과 회견할 허락을 받고 가는 길이지요. 그러니까 당신이 길을 안내해 주시는 건 고맙지만, 우리를 따라 들어올 수는 없을 테니 그리 아십시오."

"난 그분을 뵈었습니다. 벌써 뵈었어요……. Un chevalier parfait(더할 수 없이 훌륭한 기사騎士더군요)!" 하며 지주는 손가락을 탁 튀겨 보였다.

"누가 Chevalier(기사)란 말입니까?" 미우소프가 물었다.

"장로님 말입니다, 훌륭하신 장로님 말이에요……. 조시마 장로님…… 그분은 이 수도원의 명예요 영광이지요. 그분으로 말하면……"

그러나 그의 횡설수설은 그때 일행을 뒤쫓아 달려온 젊은 수도사에 의해 중단되었다. 두건이 달린 승복을 입고, 작은 키에 얼굴이 여윈 창백한 수도사였다. 표도르와 미우소프는 걸음을 멈췄다. 수도사는 허리를 깊숙이 굽혀 정중하게 인사를 하더니,

"암자에 가셔서 장로님을 만나보고 나오시면, 수도원장님께서 여러분께 점심 대접을 하시겠답니다. 늦어도 1시까진 원장님한테로 와 주십시오. 그리고 당신도 함께 와 달라고 하시더군요" 하고 그는 막시모프한테도 말했다.

"암 가고말고요!" 초대를 받은 것이 어찌나 반갑던지 표도르는 이렇게 소리쳤다. "틀림없이 가겠습니다. 우린 여기 있을 동안 되도록 점잖게 행동하기로 약속했거든요……. 한데 미우소프 씨, 당신도 가시겠죠?"

"물론 가야죠! 내가 여기 온 건 수도원의 모든 관습을 구경하자는 것이었으니까요. 하지만 한 가지 곤란한 건 바로 당신과 같은 사람과 동행이라는 점입니다."

"그런데 드미트리가 아직도 오지 않는군요."

"만일 그가 일부러 오지 않는다면 일은 참 멋있게 되는 건데. 결국 당신의 연기가 서툴렀다는 것밖엔 안 될 테니 말이오. 아무튼 점심 대접을 받으러 갈 테니 원장님께 감사한다고 전해 주시오" 하고 미우소프는 수도사에게 말했다.

"아니, 저는 지금 여러분을 장로님한테 안내해 드려야 합니다" 하고 수도사는 대답했다.

"그렇다면 나는 원장님한테 가겠습니다. 이 길로 곧장 원장님한테 가겠어요" 하고 막시모프가 재잘거리며 입을 놀렸다.

"원장님께선 지금 분주하십니다. 하지만 뭐 좋도록 하십시오" 하고 수도사가 주저하는 어조로 대꾸했다.

"그 노인 어지간히 치근거리는군." 미우소프는 막시모프가 수도원 쪽으로 급히 돌아가 버리는 것을 보고 이렇게 중얼거렸다.

"꼭 폰 존Von Sohn[7] 같은 사람이군요" 하고 표도르가 불쑥 말을 받았다.

7 당시 일어난 엽기적 살인 사건의 희생자를 가리킴.

"그래 기껏 끌어다 댄다는 게 그거요? 저 사람의 어디가 폰 존을 닮았다는 거죠? 도대체 폰 존을 본 일이나 있어요?"

"사진을 봤지요. 이 얼굴이 비슷한 건 아니지만, 어딘가 닮은 데가 있어요. 틀림없이 제2의 폰 존입니다. 난 언제나 관상만 보면 그런 것쯤 대번에 알 수 있으니까요."

"그야 물론 당신은 그런 방면에 일가를 이룬 사람이니까……. 하지만 표도르 파블로비치, 방금 당신 입으로 점잖게 행동하기로 약속했다는 말을 했지요? 제발 그 점을 명심하고 자중해 주어야겠소. 여기 와서까지 바보짓을 시작한다면, 난 아예 당신과는 행동을 같이하지 않을 테니까. 참 처치 곤란한 사람이거든요" 하고 그는 수도사를 보고 덧붙였다. "난 이런 사람과 함께 점잖은 분들을 찾아가기가 두려워 못 견디겠어요."

핏기 없는 창백한 수도사의 입술에는 일종의 교활한 빛이 감도는 미소가 떠올랐다. 그러나 그는 아무 대꾸도 하지 않았다. 이 침묵이 그의 자중심自重心에 기인한다는 것은 너무나 명백했다. 미우소프는 한층 더 미간을 찌푸렸다.

'빌어먹을 자식들 같으니! 몇 백 년을 다듬고 다듬은 상판대기가 그래 저거야? 속은 위선과 허언으로 꽉 차 있는 것들이!' 하는 생각이 그의 머릿속을 스치고 지나갔다.

"아, 여기가 암자로군. 이젠 다 왔군요!" 하고 표도르가 소리쳤다. "그런데 문이 닫혀 있는걸."

그는 문 위와 문 옆에 그려져 있는 성상을 향해 큼직한 동작으로 성호를 긋기 시작했다.

"남의 수도원에 왔으니 여기 풍습에 따라야지" 하고 그는 말했다. "이 암자에는 속세를 버린 25명의 성인들이 서로 바라보며 배추만 먹고 있다더군요. 그리고 여자는 아무도 이 문을 들어설 수 없게 되어 있는데, 특히 이 점에 유의할 필요가 있을 겁니다. 이건 어디까지나 사실이니까. 하지만 장로님은 부인들을 만난다고 들었는데, 그건 대체 어찌 된 일이죠?" 그는 느닷없이 수도사에게 물었다.

"평민 출신의 부인들은 지금도 저기 복도 옆에 앉아서 기다리고들 있습니다. 그리고 상류계급의 부인들을 위해서는 복도에 잇달아 조그만 방을 두 개 붙여 지은 게 있지만, 암자 구역 밖입니다. 저기 보이는 것이 그 방의 창문들이지요. 장로님께서는 건강이 좋으실 때 암자에서 직접 통하는 복도로 해서 저리로 나가시어 부인들을 만나십니다. 지금도 하리코프의 여女 지주인 호흘라코바라는 부인이 병약한 따님을 데리고 와서 기다리고 있습니다. 아마 만나보시겠다는 전갈이 있었던 모양이군요. 그러나 요즘은 무척 쇠약해지셔서 장로님께선 일반 신도들을 만나는 일조차 힘에 겨울 지경이시랍니다."

"그러니까 암자에서 부인들이 있는 곳으로 직접 통하는 비밀 통로가 있다 그 말이군요. 아니, 내가 무슨 좋지 못한 의미로 이렇게 말한다고는 생각지 마십쇼. 그렇지만, 아도스에서는 부인들의 방문은 말할 것도 없고, 암컷이라면 무엇이든, 즉 암탉이나 칠면조 암컷이나 암송아지 할 것 없이 모두 얼씬도 못 하게 되어 있다는 걸 당신도 들은 일이 있겠지요?"

"이거 봐요, 표도르 파블로비치, 난 당신을 여기 남겨 두고 돌아가 버릴 테요. 미리 말해 두겠는데, 내가 없으면 당신은 당장 여기서 쫓겨나고 말 테니 그리 아시오."

"하지만 난 뭐 당신한테 방해가 되는 짓을 하고 있는 건 아니에요, 미우소프 씨. 아, 저길 좀 보시오." 그는 암자 경내에 들어서며 소리쳤다. "저분들은 꼭 장미꽃 동산에서 살고 있는 사람들 같군요!"

사실, 장미꽃은 그때 없었지만, 보기 드물 만큼 아름다운 가을꽃들이, 자랄 만한 곳은 한 군데도 남기지 않고 가득 들어서서 소담스럽게 피어 있었다. 꽃을 가꾼 사람은 상당한 솜씨를 가진 원예사인 듯싶었다. 교회당 둘레에도, 무덤 사이사이에도 꽃밭이 마련되어 있었다. 장로의 거처인, 정면에 복도가 딸린 조그만 단층 목조 건물 역시 온통 가을꽃으로 에워싸여 있었다.

"전번 장로 바르소노피 님 때에도 이런 꽃밭이 있었나요? 그분은 아름다운 것은 뭐든 싫어하셨다더군요. 심지어는 부인들한테 달려들어 지팡이로 마구 후려갈겼다는 말까지 있던데." 현관 앞 층계를 오르며 표도르가 이런 소릴 지껄였다.

"사실 바르소노피 장로님께선 이따금 기묘한 일을 하시는 것처럼 생각될 때가 있기는 했지만, 그런 소문은 거의 전부가 터무니없는 소리들입니다. 그분이 누구를 때려주다니 어디 말이 됩니까" 하고 수도사가 대답했다. "그럼 여러분, 잠깐만 기다려 주십시오. 여러분이 오셨다고 곧 알려 드리겠습니다."

"표도르 파블로비치, 잘 들어 두시오. 이게 마지막 약속입니다. 제발 좀 의젓하게 구시오. 그렇지 않으면 나도 생각이 있으니까." 미우소프가 그 사이를 이용해서 또 한 번 속삭였다.

"거참 모를 일인데요. 무엇 때문에 당신은 그렇게까지 흥분하시는 겁니까?" 하고 표도르는 냉소적인 말투로 이기죽거렸다. "혹시 죄가 너무 많아서 겁이 나는 건 아닙니까? 장로님은 첫눈에 벌써 무엇 때문에 찾아왔는지 잘 알아본다고 합니다만. 하지만 당신 같은 파리 출신 진보파 신사가 어째서 그들의 생각을 그처럼 높이 평가하는지, 난 정말 놀랄 수밖엔 없군요!"

그러나 미우소프는 표도르의 이 풍자에 대꾸할 여유가 없었다. 곧 안으로 들어오라는 청을 받았기 때문이다. 그는 약간 화가 난 채로 들어갔다.

'이러다간 내가 또 짜증을 내며 싸움을 하려 들 게 분명해. 공연히 흥분해 가지고, 나 자신과 나의 사상까지 우습게 만들 거야' 이런 생각이 퍼뜩 그의 머릿속에 떠올랐다.

2. 늙은 어릿광대

그들이 안으로 들어간 것은 장로가 자기 침실에서 나온 것과 거의 때를 같이해서였다. 암자에는 이미 두 사람의 수사 신부修士神父가 그들보다 먼저 와서 장로가 나오기를 기다리고 있었다. 한 사람은 도서를 맡은 신부였고, 또 한 사람은 과히 늙지는 않았으나 건강이 늘 좋지 않은 파이시라는 신부였는데, 이 사람은 굉장히 학식이 풍부하다는 평을 듣고 있는 수사였다. 그 밖에도 또 한 사람, 스물 두어 살가량 되어 보이는 평복 차림의 젊은 청년이 한쪽 구석에 서서 장로를 기다리고 있었다. (그는 끝까지 그 자리에 그냥 서 있었다) 이 청년은 어떤 이유에선지 이 수도원의 보호를 받고 있는 신학자 지망의 신학생이었다. 그는 키가 크고, 광대뼈가 넓게 벌어진 싱싱한 얼굴에, 영리하고 주의 깊게 보이는 조그만 갈색 눈을 가지고 있었다. 그의 얼굴은 더없이 공손하면서도 아첨의 빛이라고는 찾아볼 수 없는 의젓한 표정을 띠고 있었다. 그는 들어오는 손님들에게 고개를 숙여 인사하는 것조차 꺼려 하고 있는 듯싶었다. 자기는 어디까지나 남의 감독 하에 예속되어 있는 신분이므로, 결코 이러한 손님들을 대등하게 대할 수 없다고 생각하고 있는 듯한 표정이었다.

조시마 장로는 알료샤와 또 한 사람의 견습 수도생을 거느리고 나타났다. 두 수사 신부는 얼른 일어나서, 손끝이 땅에 닿을 만큼 깊이 허리를 굽혀 인사하고는 장로에게 축복을 청하며 그 손에 입을 맞췄다. 장로는 그들을 축복하고 똑같은 경건한 태도로 한 사람 한 사람에게 답례를 하고는, 자기도 그들에게 축복을 청했다. 이러한 모든 격식은 틀에 잡힌 일상 관습처럼 보이지는 않고, 거의 감격을 자아낼 만큼 매우 엄숙한 느낌을 주는 것이었다. 그러나 미우소프에게는 이런 일들이 억지로 위엄을 나타내기 위해 꾸며지는 연극처럼 생각되었다. 그는 일행의 맨 앞에 서 있었다. 그도 전날 저녁부터 미리 이에 대해 생각해 본 바가 있었을 것이다—자기의 사상이나 이념이야 어떻든 간에 단순히 예의라는 점으로 보아, (여기서는 그것이 관습으로 되어 있으니까) 장로의 손에 입을 맞추지는 않더라도 최소한 그에게 축복을 빌어야 옳지 않을까? 그러나 지금 수사 신부들이 절을 하고 입을 맞추고 하는 꼴을 보고는, 순식간에 생각이 달라지고 말았다. 그래서 정중하게 위엄 있는 표정을 짓고 일반 사회에서 하는 식으로 좀 깊숙이 머리를 숙여 인사를 하고는 그냥 의자 있는 데로 물러섰다. 표도르는 원숭이 모양의 미우소프를 흉내 내어 그와 똑같이 했다. 이반은 몹시 정중하고도 공손하게 절을 했지만, 역시 양손을 바짓가랑이에 붙인 채로였다. 칼가노프는 어찌나 당황했던지 인사조차 전혀 하지 못하고 말았다. 장로는 축복하기 위해 쳐들려던 손을 내리고, 또 한 번 그들에게 절을 하고는, 의자에 앉기를 권했다. 알료샤는 얼굴이 빨개졌다. 부끄러워 죽을 지경이었다. 그의 불길한 예감이 맞아 들어가기 시작한 것이다.

조시마 장로는 가죽을 씌운 구식 마호가니 의자에 앉으며, 두 수사 신부를 제외한 나머지 손님을, 맞은편에 놓인 낡아 떨어진 꺼먼 가죽을 씌운 네 개의 의자에 앉도록 했다. 수사 신부들은 멀찍이 떨어져서, 하나는 문 옆에, 다른 하나는 창문 옆에 자리 잡고 앉았다. 신학생과 알료샤와 견습 수도생은 그냥 서 있었다. 암자는 그리 넓지 못했고, 어딘지 좀 헐어 보였다. 가구 등속은 모두 허름하고 값싼 것들밖엔 없었는데, 그것도 최소한도로 필요한 것들뿐이었다. 창문에는 화분이 두 개 놓여 있었고, 방 한쪽 구석으로는 성화가 여러 폭 걸려 있었다. 그중의 하나인 커다란 성모상聖母像은 교회 분리[8] 훨씬 이전에 그려진 그림같이 보였다. 성모상 앞에는 조그만 등불이 켜져 있었다. 그 옆에는 눈부신 제복을 입힌 성상이 두 개 있고, 다시 그 옆으로는 조그마한 천사상天使像이며, 사기로 만든 달걀이며, 상아로 만든 가톨릭식의 십자가를 안고 있는 〈비탄하는 성모〉며, 옛날 이탈리아 거장들의 손으로 된 몇 개의 판화 등이 놓여 있었다. 이런 진귀한 예술품 외에도 성도나 순교자나 성인 등을 그린 아주 유치한 러시아 석판화도 있었는데, 그것은 어느 시장에서나 몇 코페이카만 주면 살 수 있는 그림들이었다. 그리고 다른 벽에는 과거와 현재의 러시아 주교들의 초상들도 걸려 있었다.

미우소프는 이 판에 박힌 듯한 장식을 재빨리 둘러보고 나서, 이번엔 장로에게 시선을 쏟았다. 그는 자기의 통찰력을 과신하는 약점을 가지고 있었다. 하기는 그의 나이 이미 쉰이라는 점을 고려한다면 그다지 탓할 만한 약점은 아니었다. 사실 이만한 연령이 되면, 확고한 생활 기반을 가진 현명한 속세인은 항상

8 17세기 중엽, 러시아 정교회는 분리됨.

자기 자신을 높이 평가하기 마련이며, 때로는 억지로라도 그렇게 되지 않을 수 없는 것이다. 그는 첫 순간부터 조시마 장로가 마음에 들지 않았다. 사실, 조시마 장로의 얼굴에는 미우소프 이외의 사람들에게도 호감을 줄 수 없는 무엇인가가 있었다. 장로는 키가 작고 허리가 꼬부라진 데다가 다리가 형편없이 약한 사람으로, 아직 예순 다섯밖엔 안 되었지만, 늘 건강이 좋지 않아서 적어도 십년은 더 늙어 보였다. 여윌 때로 여윈 얼굴에는 잔주름이 그물을 이루고 있었는데, 특히 눈언저리가 더욱 심했다. 조그만 두 눈은 연한 빛이었지만, 마치 두 개의 빛나는 점 모양으로 반짝이고 있었다. 하얗게 센 머리는 관자놀이 위에만 조금 남아 있고, 숱이 적은 턱수염은 묘하게 뾰족했다. 미소를 잘 띠는 입술은 조개껍데기처럼 얇고, 코는 길다기보다는 새 주둥이 모양처럼 날카로웠다.

'모든 점으로 보아 고약하고 거만한 영감쟁이가 틀림없군' 하고 미우소프는 생각했다. 그는 모든 것이 비위에 거슬렸다.

벽에 걸린 조그만 시계가 방정맞게 열두 점을 쳐서, 그것을 계기로 담화가 시작되었다.

"꼭 약속한 시간이로군요" 하고 표도르가 급히 입을 열었다. "그러나 제 아들 드미트리가 아직 안 보입니다. 그 녀석 대신 제가 사과드립니다. 신성한 장로님! (알료샤는 이 '신성한 장로님'이라는 소리에 온몸이 오싹해짐을 느꼈다) 저로 말하면 언제나 시계인 양 정확해서 1분도 어겨 본 일이 없습니다. 시간 엄수는 왕자王者의 예의라는 것을 잘 기억하고 있으니까요."

"그렇지만 당신은 왕자도 아무것도 아니지 않소." 미우소프가 참지를 못하고 불쑥 뇌까렸다.

"그렇지요, 옳은 말씀이에요. 난 임금이 아닙니다. 하지만 미우소프 씨, 당신이 말하지 않아도 그런 것쯤은 나도 알고 있어요. 장로님, 전 언제나 이렇게 얼토당토않은 소릴 지껄이는 버릇이 있답니다!" 그는 갑자기 비통한 어조로 외쳤다. "보시다시피 저는 진짜 어릿광대올시다! 저는 늘 이런 식으로 자기소개를 하거든요. 이젠 아주 습관이 되어 버렸어요! 하지만 이따금 돼먹지 못한 소릴 지껄이는 것은, 내 딴엔 그래도 무슨 목적이, 사람들을 웃겨서 나도 유쾌한 심정이 되어 보자는 목적이 있기 때문입니다. 사람이란 유쾌해질 필요가 있으니까요, 그렇지 않습니까? 7년가량이나 되었을까요. 좀 볼일이 있어 어느 지방 도시에 갔던 일이 있습니다. 몇몇 장사치들과 동업으로 무슨 일을 하나 꾸며 보려고요. 우리는 그곳 경찰서장을 찾아갔습니다. 뭐 좀 부탁할 일이 있어 한턱내려 했지요. 경찰서장이란 자가 나오는 걸 보니, 키가 크고 뚱뚱하고 무뚝뚝하게 생긴 희끄무레한 머리털을 가진 사내였는데, 겉보기에도 이런 일엔 위험천만한 존재더군요. 심술깨나 부릴 위인인 것 같았습니다. 그래도 저는 사교계에서 굴러먹은 사람처럼 서슴지 않고 다가가서, '서장님, 우리들의 나프라브니크[9*]가 되어 주시기 바랍니다!'라고 했지요. '나프라브니크라니 그게 무슨 말이오?'[10] 하고 묻더군요. 정색을 한 채 버티고 서 있는 것을 보고, 저는 대번에 일이 틀렸구나, 생각했습니다. 그래서 저는, '좀 기분 전환을 하려고 농담을 했죠. 나프라브니크는 러시아의 유명한 관현악 지휘자가 아닙니까. 그런데 우리들의 사업도 조화를 위해 바로 그런 지휘자가 필요하단 말씀입니다'라고 그럴듯하게 설명했지요. 어떻습니까, 그럴듯하지 않아요? '미안하지만 본인은 어디까지나 이스프라브니크요, 본인의 직명으로 웃음거리를 만드는 것은 묵인할 수 없소'라고 하더니 홱 돌아서서 나가 버리더군요. 저는 그 뒤를 쫓아가며, '옳습니다. 당신은 나프라브니크가 아니라 이스프라브니크올시다!'라고 소리쳤지만, '아니, 일단 그런 말이 나온 이상 나는 나프라브니크요' 하며 그는 끝내 고집을 부리더군요. 그러니 어떻게 되었겠습니까? 결국 우리 일은 다 틀어지고 말았지요! 전 그저 늘 이런 꼴이랍니다. 언제나 꼭 이렇지요. 남의 비위를 맞추려다가 오히려 이렇게 손해만 봅니다. 이건 꽤 오래된 얘깁니다만, 언젠가 한 번은 어느 세도가에게, '당신 부인은 간지럼을 잘 탄다지요?'라고 말했습니다. 사실은 함부로 건드릴 수 없는 성질의 여자라는 뜻으로 한 말이었는데, 그 사람은 느닷없이, '그래 자

9* 에두아르드 나프라브니크Eduard Napravnik(1839~1916). 러시아의 지휘자이자 작곡가.

10 경찰서장은 러시아어로 이스프라브니크.

네는 내 마누라를 간질여 줘 봤나?'라고 반문하지 않겠습니까. 저는 상대방에게 아첨을 좀 해야겠다 생각하고, '예, 간질여 줘 봤습지요'라고 대답했더니, 그 사람은 그 자리에서 마구 저를 간질여 주더군요. 이건 하도 오래된 일이어서, 이제는 내놓고 얘기해도 부끄러운 줄도 모르겠습니다. 이렇게 저는 언제나 자기에게 손해될 짓만 한다니까요!"

"당신은 지금도 그런 짓을 하고 있어요" 하고 미우소프는 심히 못마땅하다는 표정으로 말했다.

장로는 아무 말 않고 두 사람을 찬찬히 바라보고만 있었다.

"아마 그럴 거예요! 나도 그걸 알고 있었으니까. 미우소프 씨, 나는 말을 시작하자마자 그렇게 느꼈어요. 뿐만 아니라, 당신이 제일 먼저 그런 주의를 해 주리라는 것까지 미리 알고 있었지요. 그런데 장로님, 저는 제 농담이 멋지게 맞아 들어가지 않는다고 느끼게 되면, 그 순간 양쪽 볼이 아래턱에 가서 들어붙으며, 거의 경련 같은 걸 일으키게 됩니다. 이것은 제가 젊어서 귀족 집의 식객 노릇을 하며 밥을 얻어먹을 때부터의 버릇입니다. 저는 세상에 태어나면서부터 고질화된 어릿광대란 말입니다. 말하자면 일종의 미치광이지요, 장로님. 필시 저의 내부에는 마귀란 놈이 들어앉아 있는 모양입니다. 그러나 뭐 대단한 놈은 아니죠. 좀 더 굉장한 마귀라면 딴 숙소를 택했을 테니까요. 그렇지만 미우소프 씨, 그딴 숙소라는 것이 당신 같은 사람의 영혼일 것이라고는 생각지 마십시오. 당신은 그리 훌륭한 숙소는 못 되거든요. 그래도 나는 믿습니다. 하느님을 믿는단 말입니다. 바로 얼마 전까지만 해도 나는 의심을 품고 있었지만, 지금은 조용히 앉아서 위대한 지혜의 말씀을 기다리고 있습니다. 저는 말입니다, 장로님. 철학자 디드로[11*]와도 같습니다. 장로님께선 예카테리나[12*] 여왕 시대에 디드로가 대주교 플라톤을 만나러 갔던 일을 알고 계시겠죠? 그는 들어가자마자 '하느

11* 드니 디드로Denis Diderot(1713~1784). 프랑스의 백과전서파를 대표하는 계몽주의 철학자이자 작가.

12* 예카테리나 2세Ekaterina II(1729~1796). 러시아 제국 로마노프 왕조 제8대 황제. 러시아의 마지막 여제女帝.

님은 없다'라고 잘라서 말했지요. 그러자 위대하신 대주교께서는 손가락을 들어 하늘을 가리키며, '어리석은 자가 자기 마음에 이르기를 하느님은 없다고 하느니라' 하고 대답했습니다. 그러니까 디드로는 당장 대주교의 발밑에 엎드려 '믿습니다. 세례도 받겠습니다' 하고 외쳤다는 겁니다. 그리하여 그 자리에서 세례를 받았는데, 다쉬코프 공작부인이 대모代母가 되고, 포툠킨이 대부가 되어 주었답니다."

"이봐요, 표도르 파블로비치, 듣고 있자니 나중엔 못 하는 소리가 없구려. 자기가 허튼소리를 하고 있다는 건, 그리고 그 돼먹지 않은 에피소드가 거짓말이라는 건 당신 자신이 잘 알고 있을 게 아니오! 무엇 때문에 못난이 짓만 하는 거요?" 미우소프는 완전히 자제심을 잃고 떨리는 소리로 이렇게 말했다.

"그게 거짓말이라는 건 나도 압니다!" 하고 표도르는 열띤 목소리로 외쳤다. "그러나 여러분, 그 대신에 이번엔 사실을 말씀드리죠. 위대하신 장로님, 용서해 주시기 바랍니다. 맨 마지막으로 말씀드린 디드로의 세례 이야기만은 방금 제가 지껄이고 있는 동안에 꾸며 낸 소립니다. 전엔 머리에 떠오르지도 않았던 이야기지요. 흥미를 돋우기 위해 만들어 낸 이야기란 말씀입니다. 미우소프 씨, 내가 못난이 짓을 하는 건 좀 더 유쾌해지기 위해서거든요. 하지만 어떤 때는 무엇 때문에 내가 그런 짓을 하는지 알 수 없는 때도 있지요. 그런데 그 디드로 얘기로 말하면, '어리석은 자가 자기 마음에 이르기를'이란 말은, 내가 젊어서 식객 노릇을 하고 다닐 때 이 고장 지주들한테서 스무 번가량은 들었을 겁니다. 미우소프 씨, 당신의 고모 마브라 포미니쉬나한테서도 똑같은 얘기를 들었어요. 그 사람들은 모두들 무신론자 디드로가 플라톤 대주교한테 하느님에 대해 토론하려고 찾아갔었다고 아직까지 그대로 믿고 있거든요."

미우소프는 더 이상 참을 수가 없어서 전후를 생각할 사이도 없이 벌떡 일어섰다. 그는 몹시 격분했지만, 한편으로는 그것 때문에 자기가 우스꽝스런 인간이 되고 만다는 것을 스스로 느끼고 있었다.

사실, 암자에서는 도저히 상상도 할 수 없는 일이 일어났던 것이다. 이미 4, 50년 동안이나, 그전 장로 때부터, 이 암자에는 매일같이 방문객들이 몰려들었지만, 그것은 모두가 깊은 신앙심을 품은 사람들뿐이었다. 암자에 들어오도록 허락을 받은 사람은 거의 모두가 분에 넘치는 은혜를 받은 것으로 생각하고 있었다. 대부분의 사람들은 처음부터 끝까지 한 번 꿇었던 무릎을 펴고 일어설 엄두도 내지 못했다. 상류계급의 인사들이나 일류 학자들뿐만 아니라, 단순한 호기심에서나 또는 그 밖의 동기로 찾아오는 자유사상가들까지도, 여럿이서 함께 장로를 만나든지 단독으로 만나든지 간에, 처음부터 끝까지 깊은 존경과 예의로 대해야 한다는 것을 자기의 첫째가는 의무로 알고 있었다. 더욱이 여기서는 돈 같은 게 문제가 아니라, 이쪽에서는 사랑과 자비가, 저쪽에서는 회개와 갈망, 즉 자기 영혼의 어려운 문제나 삶에 있어서의 난관을 해결하려는 갈망, 이런 것이 있을 뿐이었다. 그러므로 지금 표도르가 연출한 바와 같은 무례한 어릿광대짓은, 함께 있던 사람들, 적어도 그중 몇 사람에게는 의혹과 놀라움을 불러일으키지 않을 수 없었다. 두 수사 신부는 얼굴색 하나 변하지 않고 장로가 무슨 말을 할 것인지 진지한 태도로 기다리고 있었으나, 속으로는 미우소프인 양 자리를 차고 일어서기라도 할 것 같은 기세였다. 알료샤는 금세 울음을 터뜨릴 것 같은 표정으로 고개를 푹 숙이고 서 있었다. 그는 자기 형 이반의 태도가 무엇보다 이상하게 여겨졌다. 이반은 아버지에 대한 영향력을 갖고 있는 유일한 인물이었으므로, 알료샤는 그가 아버지의 우스꽝스런 언동을 제지해 주리라 기대하고 있었다. 그런데도 이반은 눈을 내리깐 채 꼼짝 않고 의자에 앉아서, 마치 자기는 제삼자의 입장에 있다는 듯이 일종의 흥미까지 느끼며 사태의 진전을 관망하고 있는 것 같았다. 알료샤는 그와 꽤 친밀한 사이인 라키친(신학생)을 제대로 바라볼 수조차 없었다. 알료샤만이 이 수도원에서는 그의 생각을 알고 있었기 때문이다.

"용서해 주십시오" 하고 미우소프는 장로를 향하여 입을 열었다. "장로님께선 이 좋지 못한 농지거리에 나도 한몫 끼었다고 생각하실는지 모르겠습니다만, 실은 내가 저런 사람을 믿은 것이 잘못이었습니다. 나는 표도르 파블로비치와 같은 저런 사람도 이처럼 존귀한 분을 방문할 때는 적어도 자기가 지켜야 할 예의쯤은 알고 있으리라 믿었으니까요. 나는 저런 사람과 함께 왔다는 것으로 용서를 빌어야 할 줄은 정말 꿈에도……"

미우소프는 미처 말끝을 맺지도 못한 채, 허둥지둥 밖으로 나가려 했다.

"뭐 염려하실 것 없습니다" 하며 장로는 허약한 다리로 일어서더니, 미우소프의 손을 잡아 다시 의자에 앉혔다. "마음을 가라앉히십시오. 나는 당신에게 내 손님이 되어 줄 것을 특별히 간청하고 싶습니다." 이렇게 말하며 그는 고개를 숙여 보이고 나서 다시 자기 자리로 돌아가 앉았다.

"위대하신 장로님, 말씀해 주십시오. 제가 너무 신이 나서 지껄인 데 혹시 기분이 상한 건 아니십니까?" 표도르는 의자 양쪽 손잡이를 움켜쥐며, 대답 여하에 따라서는 거기서 벌떡 뛰어오르기라도 할 것 같은 기세로 별안간 이렇게 소리쳤다.

"제발 당신도 마음을 놓으시고, 조금도 어색하게 생각지 마십시오." 장로는 위엄 있게 말했다. "어색할 건 없습니다. 자기 집처럼 생각하십시오. 그리고 무엇보다도 자기 자신에 대한 수치심을 버려야 합니다. 모든 원인은 바로 그 수치심에 있으니까요."

"제집처럼 생각하라고요? 그러니까 저의 본연의 태도로 돌아가란 말씀이군요? 그건 너무나, 너무나 과분한 은혜십니다. 그러나 기쁘게 받겠습니다! 하지만 장로님, 제게 본연의 태도로 돌아가라고 하지는 마십시오. 그건 위험합니다. 본연의 태도라뇨, 저 자신도 그런 용기는 나지 않습니다. 이건 장로님의 안전을 위해 미리 주의시켜 드리는 겁니다. 그러나 그 밖의 것은 아직도 미지의 안개 속에 묻혀 있습니다. 비록 개중에는 나를 우스꽝스런 존재로 만들어 버리려고 한 사람이 있지만 말씀입니다. 미우소프 씨, 이건 바로 당신을 두고 하는 말입니다. 그렇지만 거룩하신 장로님, 당신에게는 오직 환희만을 느끼고 있을 뿐입니다."

그는 엉거주춤하고 일어서서 두 손을 높이 쳐들며 연설조로 계속했다. "'그대를 밴 모태는 복이 있도다, 그대에게 젖을 먹인 유두乳頭 또한 복이 있도다, 특히 그 유두는 복이 있도다!' 장로님께서는 지금 '자기 자신에 대한 수치심을 버려야 한다, 모든 원인은 바로 그 수치심에 있으니까'라고 주의시켜 주셨지만, 그 말씀이야말로 저의 속을 환히 들여다보신 말씀입니다. 사실 저는 사람들 사이에 들어가게 되면 언제나 저 자신을 누구보다 비열한 놈이라 느끼게 되고, 또 모두들 저를 어릿광대로 취급하는 것만 같은 생각이 들곤 합니다. 그래서 저는, '그럼 정말로 어릿광대 노릇을 해 보자. 누가 무슨 소리를 하든 두려울 건 하나도 없다. 다들 나보다 더 비열한 놈들이니까!'라는 생각에서 진짜 어릿광대가 되었습니다. 위대하신 장로님, 저는 수치심 때문에 어릿광대가 된 놈입니다. 제가 늘 난폭한 언행을 일삼는 것은 오직 저의 시기심 때문입니다. 만일에 사람들이 지금이라도 저를 가장 친절하고 가장 영리한 사람으로 대해 주리라고 제가 믿을 수만 있다면, 아아, 그때에는 저도 누구보다도 선량한 인간이 될 수가 있으련만! 스승님!" 하고 그는 느닷없이 무릎을 꿇었다. "저는 어떻게 하면 영생을 얻을 수 있겠습니까?"

그가 과연 농담을 하고 있는 것인지, 아니면 정말로 그러한 감동을 일으킨 것인지, 이제는 분간하기 어려울 지경이었다.

장로는 눈을 들어 그를 보더니 미소를 지으며 입을 열었다.

"어떻게 해야 할지는 이미 오래전부터 당신 자신이 알고 있습니다. 기만한 지혜는 당신에게 충분히 있으니까요. 술에 취하지 말 것이며, 말을 조심하십시오. 음욕에 빠지지 말 것이며, 특히 돈을 숭상하지 마십시오. 그리고 당신의 술집 문부터 닫으십시오. 전부 다 닫을 수 없다면 우선 두서너 곳만이라도 닫으십시오. 그러나 무엇보다 중요한 것은 거짓말을 하지 않는 것입니다."

"디드로 얘기를 두고 하시는 말씀입니까?"

"아니, 디드로 이야기가 아닙니다. 무엇보다도 자기 자신에게 거짓말을 하는 사람, 자기 자신의 거짓말에 귀를 기울이는 사람은 자기 속에서도, 주위 사람의 속에서도 이미 참이라는 걸 분간해 낼 수 없게 되어, 필경은 자기에게나 타인에게나 존경을 잃게 되고 맙니다. 아무도 존경하지 않게 되면 사랑이라는 것을 잊게 되고, 사랑이 없어지면 마음 붙일 곳이 없어져서 자연히 음탕한 정욕에 빠지게 되고, 그리하여 결국은 짐승과 다를 바 없는 악행을 자행하게 되는 법입니다. 이러한 모든 것은 타인에게나 자기 자신에게나 끊임없이 거짓말을 하는 데 기인하는 것입니다. 자기 자신에게 거짓말을 하는 사람은 누구보다도 쉽게 화를 내는 법입니다. 화를 내는 것도 때로는 유쾌하겠지요. 그렇지 않습니까? 그런 사람은, 누가 자기를 모욕하는 것이 아니라, 자기 자신이 모욕을 생각해 내가지고 그것을 그럴듯하게 꾸미기 위해 스스로 거짓말을 하고 있다는 것을 잘 알고 있습니다. 더욱 실감을 느끼도록 스스로 그것을 과장하기도 하고, 말 트집을 잡기도 하고, 콩알만 한 것을 가지고 산더미를 만들기도 하지요. 자기 자신이 이것을 잘 알고 있으면서도 자기 쪽에서 먼저 벌컥 화를 내곤 합니다. 그리고 화를 내는 것을 재미로 삼고, 거기서 커다란 만족을 느끼기까지 합니다. 그리하여 상대방에게 정말로 적의를 품게까지 되는 것입니다. 자, 그러지 말고 일어나 앉으십시오. 그것 역시 거짓 시늉이니까."

"오, 거룩하신 장로님! 그 손에 입 맞추게 해 주십시오."

표도르는 벌떡 일어나 장로의 여윈 손등에 재빨리 입을 맞췄다. "그것은 정말입니다. 화를 내는 것은 정말로 재미있습니다. 참으로 옳은 말씀이십니다. 저는 여태까지 그런 말을 누구한테서도 들어본 일이 없습니다. 정말로 이놈은 한평생 남에게 화를 내는 것을 재미로 삼아 왔습니다. 그럴듯하게 꾸미기 위해서, 즉 미학적美學的인 견지에서 화를 내곤 했단 말씀입니다. 왜냐하면, 모욕을 느낀다는 것은 유쾌할 뿐만 아니라 때로는 아름다울 수도 있으니까요. 아름답다는 말만은 장로님께서도 그만 빠뜨리셨습니다! 이 표현은 저도 수첩에 적어 넣어 두어야겠습니다! 저는 정말 일생 동안 매일같이 매시간마다 거짓말만 해 왔습니다. 참으로 저는 거짓이요, 거짓의 아버지 격입니다. 하긴 거짓의 아버지라고는 할 수 없을는지 모르겠군요. 저는 자꾸만 성경 구절을 혼동하는 버릇이 있어서 탈입니다. 뭐 그저 거짓의 아들 정도로 족하겠지요. 다만, 저의 천사이신 장로님, 다만 디드로의 이야기 정도라면 간혹 해도 무방하다고 생각합니다! 디드로는 해롭지 않습니다만 그 밖의 말은 해롭습니다. 위대하신 장로님, 하마터면 잊을 뻔했는데, 말이 나온 김에 한 가지 여쭈어 볼 말씀이 있습니다. 이것은 벌써 재작년부터 꼭 이리로 찾아와서 어떻게 해서든지 분명히 알아보려고 결심하고 있었던 것입니다. 미우소프 씨가 저의 말을 방해하지 않도록 말해 주십시오. 그럼 여쭈어 보겠는데, 위대하신 장로님, 《순교자전Lives of the Saints》에 과연 이런 이야기가 있는지요? 즉 어떤 성인이 신앙을 위해 온갖 고문을 당하고 마침내 목이 잘렸을 때, 그 성인은 벌떡 일어나서 자기 머리를 집어들고 '정중하게 입 맞추면서' 한참을 걸어갔다는 겁니다. 자기 머리를 두 손으로 받들고 '정중하게 입 맞추면서' 말입니다. 도대체 이것이 사실입니까, 아닙니까, 순결하신 장로님?"

"아니, 그건 사실이 아닙니다" 하고 장로는 대답했다.

"《순교자전》엔 그런 이야긴 한 군데도 없습니다. 그래 어느 성인이 그런 일을 했습니까?" 하고 도서 담당 수사 신부가 물었다.

"어느 성인인지는 저도 모르겠습니다. 그런 건 전혀 모르겠어요. 저도 속았으니까요. 남한테 들은 이야기지요. 그런데 누가 그런 이야기를 했는지 아십니까? 바로 지금 저의 디드로 얘기에 그처럼 격분했던 여기 이 미우소프 씨가 그런 이야기를 했단 말입니다."

"나는 절대로 당신한테 그런 얘기 한 일 없소. 당신하곤 말 상대도 하지 않으니까."

"당신이 나한테, 즉 나를 상대로 이야기하지 않은 것만은 사실이오. 그러나 내가 있는 자리에서, 여러 사람한테 이야기하지 않았느냐 말이오. 한 3년쯤 되었을 거예요. 내가 이런 말을 끄집어낸 건 당신의 그 우스꽝스런 이야기가 내 신앙을 뒤흔들어 놓았기 때문이오. 당신은 꿈에도 몰랐지만, 나는 그때 깊은 충격을 받고 집에 돌아와서는, 그 후부터 더욱더 신앙의 동요를 느꼈거든요. 사실 말이지, 디우소프 씨, 당신이야말로 무서운 타락의 원인이었어요! 이건 결코 디드로 정도가 아닙니다!"

표도르는 비장하리만큼 흥분된 상태에 빠져 들어갔다. 그러나 그가 또다시 광대 짓을 시작했다는 것은 누구의 눈에나 이미 명백했다. 그래도 미우소프는 그의 말에 가슴이 뜨끔한 모양이었다.

"원 말 같지도 않은 소릴 하는군! 그따위 당치도 않은 소리가 어디 있소!" 하고 그는 중얼거렸다. "사실 내가 언젠가 그런 이야기를 했는지는 모르지만…… 어쨌든 당신한테 한 말은 아니었소. 실은 나도 남한테서 들은 얘기였어요. 파리에 있을 때 어느 프랑스 사람한테서 들었는데, 러시아에는 《순교자전》에 이런 얘기가 있어서 미사 때 그걸 낭독한다고 하더군요. 그 사람은 아주 유식한 학자인데, 러시아에 관한 통계를 전문적으로 연구했고 러시아에도 오랫동안 와 있었던 사람이지요. 나 자신은 《순교자전》을 읽어 보지 못했고, 또한 읽으려 하지도 않지만, 뭐 식사 때야 그런 얘기쯤 얼마든지 지껄일 수 있는 게 아니오! 그것이 바로 여럿이서 식사를 하고 있을 때였으니까."

"예, 당신은 그때 식사를 하고 있었지요. 하지만 나는 덕분에 신앙을 잃었단 말입니다!" 하고 표도르는 얼른 상대방의 말끝을 잡고 늘어졌다.

"도대체 당신의 신앙이 나와 무슨 상관이 있다는 거요!" 미우소프는 버럭 고함을 치려 했으나 꾹 참고, 경멸 어린 어조로 이렇게 말했다. "당신은 그저 닥치는 대로 트집만 잡으려 드는구려."

장로는 갑자기 자리에서 일어났다. "용서들 하십시오. 잠깐만 나가 보고 와야겠습니다." 그는 좌중을 둘러보며 말했다. "당신들보다 먼저 온 손님들이 기다리고 있어서요. 그리고 당신은 역시 거짓말을 그만두는 게 좋겠군요" 하고 표도르를 향해 유쾌한 얼굴로 덧붙였다. 그는 밖으로 걸어 나갔다. 알료샤와 견습 수도생이 그를 계단 아래로 부축하기 위해 뒤쫓아 달려갔다. 알료샤는 숨을 헐떡이고 있었다. 그는 그 자리를 빠져 나갈 수 있게 된 것이 기뻤다. 그러나 장로가 조금도 언짢게 생각지 않고 오히려 유쾌한 얼굴을 하고 있는 것이 더욱 기뻤다. 장로는 자기를 기다리고 있는 사람들을 축복하기 위해 복도 쪽으로 걸어갔다. 그러나 표도르가 달려와 암자 문에서 그를 붙잡아 세웠다.
"다시 없이 거룩하신 장로님!" 그는 감동 어린 소리로 외쳤다. "당신의 손에 작별의 뜻으로 한 번만 더 입 맞추게 하여 주십시오! 아니, 당신과는 이따가 좀 더 이야기할 수 있겠군요. 함께 시간을 보낼 수 있겠군요. 장로님께서는 제가 언제나 그렇게 거짓말만 하고 못난이 짓만 한다고 생각하십니까? 아까는 그저 당신을 시험해 보려고 일부러 그런 짓을 한 것뿐입니다. 그저 당신과 사귈 수 있을까 없을까 알아보기 위해 당신을 좀 건드려 본 것뿐이죠. 당신의 자존심 옆에 저의 겸손한 마음이 깃들 자리가 있는지요? 당신은 누구와도 사귈 수 있는 분이라고 저는 증명서를 발급할 수 있습니다! 하지만 이제는 잠자코 있겠습니다. 끝까지 입을 봉하고 있겠습니다. 제자리에 돌아가 앉아서 침묵을 지키고 있겠습니다. 자, 이제 미우소프 씨, 당신이 말할 차례요. 이제는 당신이 주역을 맡으란 말이오, 10분 동안만."

3. 믿음을 가진 아낙네들

바깥담에 붙여서 지어 놓은 목조 복도 근처에는 이미 스무 명가량 되는 시골 아낙네들이 몰려와 있었다. 장로가 드디어 나온다는 소식을 듣고 이렇게 모여서 기다리고 있는 것이었다. 호흘라코바 부인과 그 딸도 복도로 나와, 상류 부인들을 위해 마련해 놓은 별실에서 장로를 기다리고 있었다.

어머니인 호흘라코바는 아직도 젊은 나이의 부유한 귀부인이어서 항상 우아한 옷차림을 하고 있었다. 약간 창백한 얼굴은 무척 애교 있게 보였고, 정기가 도는 두 눈은 거의 새까맣다고 할 정도였다. 기껏해야 서른셋이나 되었을까. 그러나 벌써 5, 6년째나 과부 생활을 해 온 여자였다. 열네 살 된 딸은 중풍으로 다리를 앓고 있었는데, 벌써 반년 동안이나 걸어 다니지를 못하고 바퀴가 달린 기다란 안락의자를 타고 다녔다. 소녀의 귀엽게 생긴 얼굴은 병 때문에 좀 수척

했지만 그래도 명랑해 보였다. 속눈썹이 긴, 크고 까만 눈에는 장난꾸러기 같은 표정이 반짝이고 있었다. 어머니는 봄철부터 이 딸을 외국으로 데리고 갈 생각이었으나, 영지에 대한 일들을 정리하느라고 여름이 지나도록 때를 놓치고 말았다. 모녀가 이 고장에 온 지는 벌써 일주일가량이나 되었는데, 그것은 순례 때문이라기보다는, 이 고장에 볼일이 있었기 때문이었다. 그러나 그녀들은 이미 사흘 전에 장로를 한 번 방문한 바가 있었다. 이날도 갑자기 그녀들은 다시 찾아와서, 장로가 이제는 아무도 만나보지 못할 형편이라는 것을 뻔히 알면서도, 한 번만 더 '위대한 치병자治病者를 뵈올 수 있는 영광'을 베풀어 달라고 애원했다.

장로가 나오기를 기다리며 어머니는 딸의 안락의자 옆에 놓인 걸상에 앉아 있었다. 그녀에게서 두어 걸음 떨어진 곳에는 어떤 늙은 수도사가 하나 서 있었는데, 그는 이곳 수도원 사람이 아니라, 먼 북방의 어느 이름 없는 조그만 수도원에서 찾아온 사람이었다. 그도 역시 조시마 장로의 축복을 받으러 왔던 것이다.

그러나 복도에 나타난 장로는, 이 별실을 통과하여 곧장 시골 아낙네들이 기다리고 있는 쪽으로 걸어 나갔다. 아낙네들은 복도에서 뜰로 내려가는 낮은 계단 밑에 몰려 있었다. 장로는 맨 위 층계에서 걸음을 멈추고, 견대肩帶를 어깨에 걸더니, 자기 앞에 몰려든 여인들을 축복하기 시작했다. 그의 앞으로 '미친 여자' 하나가 끌려 나왔다. 이 여인은 장로를 보자마자 별안간 '자간子癎'이라도 일으킨 듯이 온몸을 비틀며 야릇한 비명을 지르기 시작했다. 장로는 여인의 머리에 견대를 얹고 몇 마디 간단한 기도문을 외었다. 그러자 병자는 곧 잠잠해지며 평정을 회복했다.

지금은 어디였는지 모르겠지만, 내가 어렸을 적만 해도 마을이나 수도원 같은 데서 곧잘 이런 종류의 '미친 여자'를 보기도 하고 소문을 듣기도 했었다. 그런 사람들을 미사에 데리고 오면, 처음에는 교회당이 떠나갈 만큼 비명을 지르기도 하고 개 짖는 소리를 내기도 했다. 그러나 성체聖體를 받게 하기 위해 신부 앞으로 끌고 나가면, 그들의 '광증'은 곧 사라져서 얼마 동안 평정을 회복하곤 했다. 이러한 광경은 어린아이인 나를 무척 놀라게 했고, 또한 적지 않은 감명을 주는 것이었다. 그러나 그 당시 어떤 지주들이나 특히 나의 학교 선생들은, 내가 꼬치꼬치 캐묻는 말에 대하여, 그건 일이 하기 싫어서 일부러 그런 흉내를 내는 것이고, 적절하고도 엄격한 수단을 강구한다면 곧 근절할 수 있다고 설명하면서, 몇 가지 확증이 될 만한 실례까지 들려주었다. 그런데 그 후 전문적인 의학자한테서, 그건 결코 꾀병이 아니라, 주로 우리 러시아에서만 볼 수 있는 무서운 부인병의 일종이란 말을 듣고 나는 다시 한번 놀랐다. 이것은 우리나라 농촌 여성의 처참한 운명을 증명하는 병으로, 아무런 의약의 도움도 받음이 없이 불규칙하게 어려운 해산을 치르고 난 후, 너무나 빨리 과격한 노동을 하기 때문에 생기는 것이지만, 그 밖에도 약한 여성의 본성이 일반적으로 견디어 내기 어려운, 출구 없는 비탄이라든가 남자의 학대 등이 그 원인이 되는 수도 있다. 고함을 지르며 미쳐 날뛰는 병자를 영성체대領聖體臺 앞으로 데리고 나가자마자 광증이 갑자기 낫게 된다는 기이한 사실도, 실은 유치한 연극이거나 성직자들이 꾸며 낸 속임수에 지나지 않는다고 나한테 설명해 준 사람들이 있기는 하지만, 아무래도 그것은 극히 자연스럽게 일어나는 현상이라고 보는 편이 옳을 것이다. 병자를 영성체대로 끌고 나가는 아낙네들은, 특히 앓고 있는 당사자는, 이렇게 성체성사聖體聖事를 받으러 나가 성체 앞에 배례하면, 병자를 사로잡고 있던 마귀가 도저히 견디어 낼 수가 없게 된다고, 무슨 확고한 진리처럼 믿고 있었다. 그러므로 필연적인 치료의 기적을 기대하는 마음과 그 기적의 실현을 확신하고 있는 마음이, 성체 앞에 배례하는 순간 신경병 환자나 정신병 환자의 육체 조직에 비상한 작용을 일으켰을 것이다. (아니, 반드시 일으켰어야 할 것이다) 이리하여 기적은 잠시나마 실현되는 것이었다. 이와 똑같은 일이 지금 장로가 병자의 머리에 견대를 얹은 순간에 여기서도 일어났던 것이다.

장로 옆에 몰려든 여인들의 대부분이, 그 순간에 받은 인상이 불러일으킨 감동과 환희로 하여 눈물을 흘리기까지 했다. 어떤 아낙네들은 장로의 옷자락에다가 입을 맞추려고 애썼고, 또 어떤 아낙네들은 슬피 통곡하면서 뭐라고 울부짖고 있었다.

장로는 모든 사람들을 축복하고, 그중 몇몇 사람과 이야기를 주고받았다. 그 '미친 여자'를 장로는 전부터 알고 있었다. 수도원에서 6베르스타Verst[13*]밖엔 안 되는 가까운 마을에 사는 여자였는데, 전에도 장로한테 데려온 일이 있었다.

"저기 먼 데서 온 사람이 있군!" 하며 장로는 어떤 여자 하나를 가리켰다. 결코 늙었다고는 할 수 없는 여자였지만, 몸이 형편없이 여윈 데다가, 얼굴은 볕에 그을렸다기보다는 차라리 새까맣게 탔다고 하는 편이 좋을 지경이었다. 그 여인은 무릎을 꿇은 채 꼼짝 않고 장로를 바라보고 있었다. 그 시선에는 어딘지 광적인 기색이 엿보였다.

"먼 데서 왔습니다, 장로님. 여기서 3백 베르스타나 되는 데서 왔습니다. 먼 데서 왔어요, 장로님. 아주 먼 데서요!" 한쪽 손으로 턱을 받치고 고개를 좌우로 흔들면서, 여인은 마치 무엇을 눈물로 호소하듯 목청을 돋우어 이렇게 되풀이했다.

농촌 사람들에게는 끝까지 참아 내는 무언의 비애가 있다. 그것은 그들 자신의 마음속으로 깊이 숨어들어 좀처럼 말이 없는 비애다. 그러나 이와는 반대로, 겉으로 터져 나오는 비애도 있다. 그것은 일단 눈물과 함께 터져 나오면, 그 순간부터 통곡의 형태를 취한다. 이런 것은 특히 여자들에게 많다. 그러나 이것은 무언의 비애보다 결코 나을 것이 없다. 통곡이란 것은, 자기 마음을 한층 더 자극하여 고통을 줌으로써 그 비애를 어느 정도 가볍게 할 수 있을 뿐이다. 이러한 종류의 비애는 그 어떤 위로를 바라는 것이 아니라, 폭발적인 감정의 표현을 그 양식으로 삼는다. 통곡은 끊임없이 상처를 자극하려는 욕구에 지나지 않는다.

"장터에 사는 사람인가 본데?" 하고, 장로는 찬찬히 여인을 바라보며 물었다.

"장터에 사는 사람입니다, 장로님. 장터에 살기는 하지만 원래는 농사꾼이지요. 장로님을 뵈러 여기까지 왔습니다. 장로님 소문을 하도 많이 들어서……. 어린 아들놈을 장사 지내고 나서 순례를 떠났지요. 수도원을 세 군데나 다녀 봤

13* 과거 러시아에서 쓰던 길이(거리) 단위로서 1베르스타는 약 1km.

지만, 모두들 '나스타쉬카야, 거기에 가 봐라'라고 가르쳐 주더군요. 즉 장로님한테 가란 말씀입니다. 여기 와서 어제는 수도원 밖에서 머물고, 오늘은 이렇게 장로님한테 왔습니다."

"무엇 때문에 우시오?"

"아들놈이 애석해서 그럽니다, 장로님. 세 살짜리 사내아이지요. 아니, 석 달만 더 있었으면 만 3살이 될 아이였습니다. 그 아들을 못 잊어 괴로워하고 있습니다, 장로님. 그 아들을 잊을 수가 있어야지요. 단 하나 남았던 아이였어요. 저와 니키투쉬카 사이에는 아이가 넷 있었는데, 다 죽고 이제는 하나도 없습니다. 장로님, 이제는 하나도 없단 말씀입니다. 처음 세 아이를 묻을 때만 해도 그렇게까지 서럽지는 않았었는데, 막내 녀석만은 아무리 해도 잊을 수가 없군요. 언제나 제 눈앞에 서 있는 것만 같습니다. 글쎄, 한시도 떠나지 않고 제 마음을 태워 주는군요. 그 애가 입던 속옷을 봐도, 저고리만 봐도, 신을 봐도, 금세 울음이 터져 나오곤 합니다. 그 애가 남겨 두고 간 물건들을 죄다 끄집어 내놓고는, 그걸 보고 목 놓아 웁니다. 제 남편 니키투쉬카에게 순례를 떠나게 해 달라고 졸랐지요. 제 남편은 전세 마차를 부리는 마부지만, 저흰 과히 군색한 편은 아닙니다. 장로님, 저흰 과히 군색한 살림은 아니랍니다. 제 마차를 부리니까요. 말도 차도 다 저희들 것입니다. 그렇지만 그게 다 무슨 소용이 있겠어요? 니키투쉬카는 제가 없는 동안에 술을 마시기 시작했을 거예요. 틀림없을 겁니다. 그전에도 그랬으니까요. 제가 조금만 등한히 하면 그 사람은 금세 긴장이 풀리거든요. 그러나 지금은 남편 생각 같은 건 하지도 않습니다. 집을 떠난 지도 벌써 두 달이 넘었습니다. 이젠 이것저것 다 잊어버리고 말았어요. 기억하고 싶지도 않고요. 이제 그 사람과 함께 살면 뭣 하겠습니까? 저는 남편과 인연을 끊고 말았습니다. 모든 사람과 영영 인연을 끊어 버리고 말았어요. 이젠 집이나 가산 같은 건 안중에도 없습니다. 제 안중엔 이제 아무것도 없습니다!"

"이거 보시오, 애 어머니" 하고 장로가 입을 열었다. "예전에 어느 훌륭하신 성인께서, 당신처럼 성당에 와서 울고 있는 어머니를 봤더라오. 그 어머니 역시 하느님께서 데려가신 어린 외아들을 생각해서 울고 있었소. '그대는 모르느냐, 하느님의 왕좌 앞에서 어린아이들이 얼마나 대담한 존재라는 것을?' 하고 성인은 그 여자에게 말씀하셨소. '하늘나라에서는 어린아이들보다 더 대담한 자는 없느니라. 그들은 하느님께, '당신은 우리들에게 세상에서의 삶을 주시고는, 우리가 세상을 미처 구경도 하기 전에 다시 불러들이고 말았으니, 우리에게 즉시 천사의 지위를 주십시오'라고 대담하게 응석을 부리기까지 하니까. 그러니 울지 말고 기뻐하라. 그대의 어린 아들은 지금 하느님 옆에서 천사 노릇을 하고 있느니라' 하고 성인은 슬피 우는 어머니를 타일렀다는 것이오. 그분은 위대하신 성인이니까 그 여자에게 거짓말을 하셨을 리는 만무하오. 그러니까 당신의 아들도 지금 하느님 왕좌 앞에서 희희낙락 뛰놀며, 당신을 위해 하느님께 기구祈求하고 있겠지요. 자, 그러니 울지 말고 기뻐하시오."

여인은 한쪽 손으로 턱을 괴고 고개를 숙인 채 장로의 말에 귀를 기울이고 있다가 깊은 한숨을 내쉬었다.

"니키투쉬카도 그와 똑같은 말을 하며 저를 위로했습니다. '바보 같으니! 울긴 왜 울어! 지금 우리 애는 하느님 곁에서 천사들과 함께 노래를 부르고 있을 텐데' 남편은 저한테 이렇게 말하면서도, 자기도 눈물을 흘립니다. 저와 꼭 같이 울고 있다는 걸 저는 잘 압니다. '여보, 니키투쉬카, 나도 그건 알고 있어요. 그 애가 하느님 말고 누구 곁에 있겠소! 그렇지만 이 집에선, 우리 곁에선 그 애를 볼 수 없잖아요! 그전처럼 우리와 함께 살 수는 없잖아요!' 하고 저는 말합니다. 그저 한 번만이라도 그 애를, 꼭 한 번만이라도 그 애를 다시 보았으면 한이 없겠어요. 옆에 가지 않아도 좋습니다. 그저 구석에 숨어서, 아무 말도 하지 않고 잠깐만 보았으면 좋겠습니다. 뜰 안에서 놀다가 들어와서 그 가냘픈 목소리로 '엄마, 어딨어?'라고 부르던 그 소리를 한 번만이라도 듣고 싶습니다. 그저 꼭 한 번만, 정말로 단 한 번만, 그 조그맣고 귀여운 발로 방 안을 콩콩 뛰어다니던 그 소리를 들으면 한이 없겠습니다. 전엔 곧잘 그렇게 달려와서는 소리치고 웃고 했지요. 그 발자국 소리만이라도 듣고 싶습니다. 정말 듣고 싶어 못 견디겠습니다! 그런데 장로님, 그 애는 갔습니다. 그 애는 없어요. 이젠 영영 그 애의 목소리를 들을 수 없습니다. 여기 이렇게 그 애의 허리띠를 가지고 있습니다만, 그 애는 없습니다. 이젠 영영 볼 수도 없고 들을 수도 없습니다."

여인은 품에서 자기 아들의 조그마한 허리띠를 끄집어냈는데, 그것을 보자마자 두 손으로 얼굴을 가리고는 몸을 떨면서 흐느껴 울기 시작했다. 갑자기 시냇물처럼 쏟아져 나오는 눈물이 그 손가락 사이를 흘러내렸다.

"하지만 그것은" 하고 장로는 입을 열었다. "예전에 '라헬이 자기 아이들을 생각하며 비탄에 잠겨 위안을 얻지 못하였음은, 그 아이들이 죽고 없음이니라' 함과 마찬가지요. 그것은 어머니 된 사람들이 지상에서 겪어야 할 시련이지요. 그러니 위안을 구하려 하지 마시오. 위안을 받을 필요도 없고요. 위안을 구하지 말고 그냥 우시오. 다만 울 때마다, 당신의 아들이 하느님의 천사가 되어 천국에서 당신을 내려다보며, 당신이 흘리는 눈물을 기뻐하여 그것을 하느님께 가리키고 있다는 것을 똑똑히 기억하도록 하시오. 앞으로도 오랫동안 당신은 어머니로서의 이 큰 비애를 겪어야 하겠지만, 나중에는 그것이 고요한 기쁨이 되어, 그 쓰디쓴 눈물도 마음을 깨끗이 해 주고 죄에서 벗어나게 해 주는, 고요한 감동의 눈물로 변하게 될 것이오. 당신 아들의 영혼의 안식을 위해 기도를 드리겠소. 이름은 뭐라 불렀지요?"

"알렉세이입니다, 장로님."

"거참 좋은 이름이군. 하느님의 사자使者이신 알렉세이한테서 따온 거겠지요?"

"그렇습니다, 장로님. 하느님의 사자 알렉세이한테서 따온 이름입니다!"

"참으로 훌륭한 성인이지요! 내 기도를 드리리다. 기도를 드릴 때마다 당신의 슬픔을 기억하리다. 그리고 당신 남편의 건강을 위해서도 기도를 드리겠소. 하지만 당신이 남편을 버려두는 것은 좋은 일이 아니오. 집에 돌아가서 남편을 잘 돌봐 드리시오. 당신 아들은, 당신이 아버지를 버린 것을 알면 무척 슬퍼하리다. 어째서 당신은 아들의 행복을 방해하는 거요? 그 애는 살아 있소. 영혼은 영원히 사는 것이니까. 집에서는 보이지 않지만, 그 애는 늘 당신 곁에 있소. 당신이 그 집을 싫다고 한다면 어떻게 그 애가 그 집에 들어올 수 있겠소? 아버지와 어머니가 함께 살지 않으면 그 애는 대체 누구를 찾아가야 하오? 당신은 지금 아들 꿈을 꾸면 괴로워하지만, 남편과 함께 살게 되면, 그때는 그 애가 평화로운 꿈을 보내 줄 거요. 자, 남편한테 돌아가시오. 오늘 당장에 떠나도록 하시오."

"가겠습니다, 장로님. 당신의 말씀대로 곧 돌아가겠습니다. 당신은 제 마음을 속속들이 파헤쳐 주셨습니다. 아아, 니키투쉬카, 니키투쉬카. 당신은 나를 기다리고 있겠지요!" 하고 여인은 읊조리는 듯한 어조로 다시 입을 열었다. 그러나 장로는 이미 다른 노파한테 얼굴을 돌리고 있었다. 노파는, 순례자의 복장이 아닌 것으로 보아, 이 고장 사람인 것같이 보였다. 그녀는 우리 읍에서 아주 가까운 곳에 사는 어느 하사관의 아내인데 지금은 과부라고 자기소개를 했다. 그녀의 아들 바센카는 육군 병참부에 근무하고 있다가 시베리아 이르쿠츠크로 간 후 두 번인가 편지를 보내 왔지만, 벌써 1년 동안이나 소식이 끊어졌다는 것이었다. 노파는 아들의 소식을 알아보기도 했지만, 사실 어디 가서 알아봐야 하는지조차 모르고 있었다.

"며칠 전에 스테파니다 일리니쉬나라는 부유한 상인의 부인이 저한테 말하기를, '프로호로브나, 아들 이름을 적어 가지고 성당에 가서 아들의 영혼이 길이 평안하기를 기도드려 봐요. 그러면 아들의 영혼이 애타게 어머니를 그리워하게 되어 반드시 편지를 써 보낼 테니' 하지 않겠어요. '이건 벌써 여러 번 시험해 본 것이니까 틀림없어요'라고 스테파니다 일리니쉬나는 장담하더군요. 그렇지만 제 생각엔 아무래도 좀 의심스러워서요……. 우리들의 빛이신 장로님, 그게 정말입니까, 아닙니까? 그렇게 해 봐도 좋을까요, 어떨까요?"

"그런 생각은 하지도 마시오. 그런 걸 묻는 것조차 부끄러운 일이오. 어떻게 살아 있는 영혼의 평안을 그 어머니가 빌 수 있단 말이오? 그건 무당의 굿과도 같은 큰 죄요. 다만 당신이 모르고 하려던 일이니 용서를 받을 수는 있으리다. 언제나 우리를 감싸 주시고 도와주시는 성모님께, 아들의 건강을 빌고 당신의 잘못된 생각을 용서해 달라고 청하는 게 좋을 것이오. 그리고 프로호로브나, 내가 한 가지만 더 말하겠는데, 당신의 아들은 곧 돌아오든가, 아니면 틀림없이 편지를 써 보낼 것이오. 그렇게 알고 있으시오. 자 이젠 안심하고 돌아가시오. 당신의 아들은 살아 있소."

"고마우신 장로님, 하느님의 축복을 받으소서! 우리들을 위해, 우리들의 죄를 속량해 주시기 위해 기도해 주시는, 우리의 은인이신 장로님!"

그러나 장로는 이미 자기를 뚫어지게 바라보고 있는 뜨거운 두 눈을 군중 속에서 발견했다. 얼굴이 몹시 여위어서 폐병이라도 앓고 있는 것같이 보이는 그 젊은 아낙네는, 묵묵히 장로를 바라보고 있었다. 그 눈은 무언가를 바라고 있는 듯했으나, 장로 앞에 가까이 나오기를 꺼려 하는 기색이었다.

"무슨 일로 왔소?"

"장로님, 제 영혼을 용서해 주십시오" 느릿느릿 낮은 소리로 이렇게 말하며, 그녀는 무릎을 꿇고 장로의 발아래 엎드렸다. "저는 죄를 지었습니다, 장로님. 제가 지은 죄가 두렵습니다."

장로는 맨 아래 층계에 걸터앉았다. 여인은 무릎을 꿇은 채로 장로에게 다가갔다.

"저는 과부 된 지 3년째입니다." 그녀는 후들후들 몸을 떨면서 반쯤 속삭이는 소리로 말하기 시작했다. "시집살이는 정말 괴로웠습니다. 남편은 늙은이였는데, 저를 사정없이 두들기곤 했습니다. 남편이 병들어 누웠을 때, 그를 보고 있으려니까, 저 사람이 병이 나아 다시 일어나면 어쩌나 하는 생각이 일어났습니다. 그래서 저는 그만 그 무서운 생각을……."

"잠깐만!" 하고 장로는 그녀의 말을 제지하며 그 입에 귀를 바싹 갖다 댔다.

여인은 낮은 속삭임으로 다시 말을 계속했기 때문에, 그다음부터는 거의 아무것도 엿들을 수가 없었다. 여인의 말은 곧 끝났다.

"3년째라고?"

"예, 3년째입니다. 처음엔 아무렇게도 생각하지 않았었는데, 요즘은 그 생각이 잠시도 떠나질 않아서 병까지 났습니다."

"먼 데서 왔소?"

"5백 베르스타가량 됩니다."

"참회 때 그 말을 했소?"

"예, 두 번이나 말했습니다."

"성체성사는 받았는지?"

"받았습니다. 저는 두렵습니다. 죽는 것이 두려워 못 견디겠습니다."

"아무것도 두려워하지 마시오. 절대로 두려워할 필요가 없소. 그리고 조금도 상심 마시오. 다만 죄를 뉘우치는 마음이 없어지지 않도록 노력하기만 한다면, 하느님께서는 모든 것을 용서해 주시리다. 진심으로 회개한다면, 하느님한테 사함을 받지 못할 죄란 이 세상엔 없는 법이오. 아니, 있을 수도 없소. 하느님의 무한한 사랑으로도 어찌할 수 없는 그런 큰 죄를 사람은 범할 수가 없는 것이니까. 하느님의 사랑을 능가할 죄가 과연 있을 수 있겠소? 그러니 두려운 생각일랑 깨끗이 몰아내고, 끊임없이 회개하는 데만 마음을 쓰도록 하시오. 하느님께서는 상상도 할 수 없으리만큼 당신을 사랑하고 계시다는 것을 믿으시오. 비록 죄를 지었다 하더라도, 죄지은 그대로의 당신을 하느님께서는 사랑하고 계시오. 열 사람의 올바른 사람보다 한 사람의 회개하는 죄인을 하늘에서는 더 기뻐하신다는 말이 옛날부터 전해 내려오고 있지 않소? 두려움을 버리고 돌아가시오. 사람들의 말에 상심하지 말 것이며, 모욕을 당하더라도 꾹 참도록 하시오. 죽은 남편이 학대한 것을 진심으로 용서하고, 그 사람과 정말로 화해하시오. 진정으로 회개하면 사랑이 생기는 법이오. 당신이 사랑을 간직하게 된다면, 그때는 이미 하느님의 자녀가 된 것이오. 사랑은 모든 것을 보상할 수 있고 모든 것을 구원할 수 있소. 당신과 다를 것이 없는 나 같은 죄인도 당신을 동정하여 마음 아프게 생각하는데, 하물며 하느님께서는 어떻겠소? 사랑이란 더없이 귀중한 보물이어서, 이 세상 전부를 살 수도 있는 것이오. 당신의 죄뿐만 아니라, 남의 죄까지도 보속補贖할 수 있는 것이오. 자, 두려움을 버리고 돌아가시오."

장로는 세 번 성호를 그어 주고는, 자기 목에서 조그만 성상을 끌러 가지고 그것을 여인의 목에 걸어 주었다. 그녀는 아무 말 없이 땅에 이마가 닿도록 장로에게 절을 했다.

장로는 일어나서 이번에는 갓난아이를 안고 있는 건강한 아낙네한테로 쾌활한 시선을 돌렸다.

"브이셰고리예에서 왔습니다, 장로님."

"여기서 6베르스타는 되지? 어린 것을 데리고 고생했겠군. 그래, 무슨 일로 왔소?"

"저는 그저 장로님을 뵙고 싶어서 왔습니다. 전에도 몇 번 온 적이 있는데, 혹시 잊으셨는지요? 저를 잊으셨다면 기억력이 그리 좋으신 편은 아닌 것 같아요. 모두들 장로님께서 앓고 계신다고 해서 제가 직접 찾아뵈려고 왔습니다. 그러나 와서 보니, 앓으시기는커녕 앞으로 이십 년은 더 사실 것 같습니다. 정말이에요! 장로님을 위해 기도하는 사람이 어디 한두 사람인 줄 아세요! 그런데 장로님께서 앓으시다니 말이 됩니까?"

"그렇게 생각해 주니 참 고맙소."

"장로님한테 온 김에 한 가지 조그만 부탁이 있는데요. 자, 여기 60코페이카가 있으니, 장로님께서 이것을 저보다도 가난한 여자한테 전해 주십시오. 여기 오면서 저는 생각했지요. 장로님께선 이 돈이 누구한테 필요한지 아실 테니까 그분에게 부탁하는 게 좋을 거라고요."

"고맙소. 참으로 기특한 일이오. 나는 당신이 마음에 들었소. 뜻대로 해드리리다. 안고 있는 아이는 딸이오?"

"예, 딸입니다, 장로님. 리자베타라 합니다."

"하느님께서 당신네 모녀를, 당신과 어린 딸 리자베타를 함께 축복해 주시기를 빌겠소. 당신은 내 마음을 기쁘게 해 주었소. 잘들 가시오, 사랑하는 형제들이여! 잘들 가시오, 여러분!"

장로는 모든 사람들을 축복해 주고 그들에게 공손히 인사를 했다.

4. 믿음이 부족한 귀부인

장로와 일반 민중과의 대화며, 그 축복의 광경을 바라보고 있던 귀부인은, 조용히 눈물을 흘리며 손수건으로 눈시울을 닦고 있었다. 이 여자는 여러 면에서 참으로 선량한 소질을 가진 감상적인 귀부인이었다. 이윽고 장로가 그쪽으로 다가갔을 때, 그녀는 환희에 넘치는 목소리로 그를 맞았다.

"지금의 그 감동적인 광경을 보고, 나는 정말 얼마나 깊은 인상을 받았는지……." 그녀는 하도 흥분해서 말도 제대로 잇지 못했다. "일반 민중이 얼마나 당신을 사랑하고 있는지 잘 알겠습니다. 나 자신도 민중을 사랑합니다. 아니, 사랑하고 싶습니다. 더없이 아름답고 소박한 우리 러시아의 민중을 어찌 사랑하지 않을 수 있겠어요!"

"따님의 건강은 어떻습니까? 나와 또 이야기를 하고 싶다고 하신 모양인데?"

"네, 억지로 간청했습니다. 만나 주실 때까지 사흘이고 나흘이고 당신의 창 밑에서 무릎을 꿇고 기다릴 각오였지요. 오늘 찾아온 것은 장로님께 우리들의 열광적인 감사의 뜻을 표시하기 위해서입니다. 당신은 우리 리자의 병을 완전히 고쳐 주셨으니까요. 지난 목요일에 당신이 저 애한테 손을 얹고 기도해 주셨는데, 그것만으로 병이 완쾌했습니다. 우리는 그 손에 입 맞추고 우리의 경의와 사의를 표하려고 이렇게 달려왔습니다."

"완쾌했다니 그건 무슨 뜻이지요? 따님은 아직도 의자에 누워 있는데?"

"그렇지만 밤마다 오르던 열이 목요일부터는 아주 사라지고 말았거든요. 벌써 이틀 동안이나 열이 없습니다." 부인은 흥분한 어조로 황급하게 늘어놓았다. "그것뿐인 줄 아세요! 다리도 한결 튼튼해졌어요. 오늘 아침에는 상쾌한 기분으로 일어났습니다. 간밤에 포근히 잠을 잤거든요. 저 볼그레한 얼굴빛을, 그리고 저 반짝거리는 두 눈을 좀 보세요! 늘 울고만 있던 애가, 지금은 명랑하고 행복스럽게 웃고만 있습니다. 오늘은 일으켜 세워 달라고 마구 떼를 쓰지 않겠어요. 그러고는 아무것도 붙잡지 않고 1분 동안이나 혼자 서 있었답니다. 두 주일 후에는 카드리유Quadrille[14*]를 추겠다고 나와 내기를 하자는군요. 그래서 게르첸슈투베라는 이 고장 의사를 불러왔더니, 그 사람은 어깨를 흠칫거리며, '거참 이상한데요, 뭐라 설명할 수가 없군요!'라는 거예요. 그런데도 장로님께선, 우리가 이렇게 달려와서 감사를 드리지 말아 주었으면, 우리가 공연히 귀찮게 굴지 말아 주었으면 하고 생각하십니까? 얘, 리즈(리자의 프랑스식 발음)야, 어서 고맙습니다 하고 인사를 드려라, 응!"

리즈는 웃음 어린 그 귀여운 얼굴에 진지한 표정을 띠우며 의자 위에서 힘 자라는 데까지 몸을 일으켜 장로를 바라보며 두 손을 모았다. 그러나 끝내 참지를 못하고 갑자기 깔깔거리며 웃어댔다.

"저 사람을 보고 웃는 거예요!" 리즈는 자기가 웃음을 터뜨린 데 대해 스스로 어린애다운 노여움을 느끼는 것 같은 표정으로 알료샤를 가리키며 말했다.

이때, 장로의 바로 등 뒤에 서 있는 알료샤를 본 사람은, 누구나 그의 얼굴이 확 붉어진 것을 대번에 눈치챘을 것이다. 그의 눈은 번쩍 빛났으나, 그는 곧 눈을 내리깔고 말았다.

"알렉세이 표도로비치, 저 앤 당신한테 전할 편지를 부탁받았답니다. 그래 요새도 무고한가요?" 하고 부인은 멋진 장갑을 낀 손을 알료샤에게 내밀며 말했다. 장로는 알료샤에게 몸을 돌려 그의 얼굴을 찬찬히 바라보았다. 알료샤는 리즈에게로 다가가서, 이상하리만큼 어색한 웃음을 띠우면서 그녀에게 손을 내밀었다. 리즈는 짐짓 거드름스런 표정을 지어 보였다.

"이거 카체리나 이바노브나가 당신한테 전해 달라는 편지예요" 하며 그녀는 조그만 쪽지를 그에게 내주었다. "될 수 있는 대로 빨리 자기한테 들러 달라고, 어김없이 꼭 와 달라고 신신당부하던데요!"

"나더러 와 달라고요? 그 아가씨가 나더러…… 대체 무슨 일일까?" 알료샤는 몹시 놀라서 이렇게 중얼거렸다. 그의 얼굴에는 금세 근심의 빛이 떠올랐다.

"아마 드미트리 표도로비치와 관련된 일일 거예요. 요즘 일어난 사건들과 관련

14* 프랑스의 전통 춤으로서 네 사람이 한 조가 되어 사방에서 서로 마주 보며 추는 춤.

해서" 하고 어머니가 황급히 설명했다. "카체리나 이바노브나는 무언가 중대한 결심을 한 모양인데……. 그러나 그 문제에 관해서 당신을 먼저 만나봐야 하겠다는 거죠……. 왜냐고요? 그건 물론 나도 알 수 없어요. 아무튼, 될 수 있는 대로 빨리 당신을 만나고 싶어 하더군요. 가 보시겠죠? 그렇게 하는 것이 그리스도 교인으로서의 의무가 아니겠어요?"

"나는 그 아가씨를 한 번밖엔 본 일이 없습니다." 알료샤는 여전히 의아스럽다는 표정으로 대답했다.

"그 사람은 참으로 비할 데 없이 고귀한 성품을 가진 여자예요! 그 사람이 겪은 고통만 보더라도 여태까지 얼마나 많은 고통을 견디어 왔는지, 또 지금도 얼마나 큰 고통을 견디어 내고 있는지, 한번 생각만이라도 해 보세요! 그리고 앞으로 무슨 일이 그 사람을 기다리고 있는지 생각만 해도 무섭습니다. 정말 무서운 일이에요!"

"알겠습니다. 그럼 가 보죠." 수수께끼 같은 짤막한 편지를 단숨에 훑어보고 나서 알료샤는 이렇게 결정했다. 편지에는 그저 꼭 와 달라는 간곡한 부탁 이외에는 아무런 설명도 없었다.

"오오, 당신이 그렇게 하신다면 그건 정말 친절하고 훌륭한 일일 거예요!" 하고 리즈는 갑자기 활기를 띠며 외쳤다. "난 엄마한테, 당신은 도를 닦고 있는 사람이니까 절대로 가지 않을 거라고 말했거든요. 참으로 당신은 훌륭한 분이시군요! 하긴 늘 훌륭한 분이라고 생각은 해 왔지만, 지금 당신한테 직접 그 말을 할 수 있게 되어 난 얼마나 기쁜지 모르겠어요!"

"얘, 리즈야!" 하고 어머니는 타이르듯이 딸을 불렀으나, 곧 생긋 웃어 버렸다.

"알렉세이 표도로비치, 당신은 우리들을 아주 잊으셨나 보죠? 우리한테 오지 않는 걸 보니. 그런데도 우리 리즈는 당신과 함께 있을 때가 제일 좋다고, 벌써 두 번이나 나한테 말했답니다."

알료샤는 내리깔았던 눈을 들고, 또다시 얼굴을 확 붉혔으나, 갑자기 까닭 모를 미소를 또 한 번 입가에 흘렸다. 그러나 장로는 이미 그를 바라보고 있지 않았다. 앞서 말한 바 있지만, 리즈의 의자 옆에서 기다리고 있던 다른 지방 수도사와 이야기를 시작했던 것이다. 보아하니 이 사람은 평수사平修士, 즉 신분이 아주 낮은 수도사로, 단순하면서도 확고한 세계관을 지니고 있기는 하지만, 그 대신 굳은 신망과 자기대로의 고집을 가진 사람임이 틀림없었다. 그는 먼 북방 오브도르스크의 성聖 실리베스트르 수도원에서 왔노라고 자기소개를 했다. 그 수도원은 무척 작아서, 수도사가 겨우 열 명밖엔 안 된다는 것이었다. 장로는 그를 축복해 주고, 원한다면 언제든지 암자로 자기를 찾아오라고 청했다.

"장로님께선 어떻게 그런 놀라운 일을 보여 주실 수 있는지요?" 별안간 이 수도사는 엄숙하고도 위엄 있는 태도로 리즈를 가리키며 말했다. 그것은 리즈의 '치료'를 두고 한 말이었다.

"거기에 대해서 말하기에는 아직 때가 이릅니다. 병이 좀 가벼워진 것을 가지고 완전한 치유라고 할 수는 없을뿐더러, 다른 원인으로 차도가 있을 수도 있는 일이니까요. 그러나 만일 병이 좀 나았다면, 그것은 오직 하느님의 뜻일 뿐 다른 누구의 힘도 아닙니다. 모든 것은 하느님에게서 오는 것입니다. 그럼 또 찾아주시오." 그는 수도사를 보고 이렇게 덧붙였다. "하지만 늘 앓고 있으니까 찾아오는 손님을 다 만날 수는 없습니다. 이젠 내 명도 얼마 남지 않았나 봅니다."

"원 천만의 말씀을! 하느님께선 우리들한테서 당신을 빼앗아 가시진 않을 거예요. 앞으로도 오래오래 사실 겁니다" 하고 소녀의 어머니가 소리쳤다. "그리고 앓으시기는 또 어디를 앓으신단 말씀입니까? 그처럼 건강하고 명랑하고 행복해 보이는 분이!"

"오늘은 전에 없이 기분이 좋지만, 이건 그저 한순간에 지나지 않는다는 걸 나는 알고 있습니다. 나는 내 병세를 지금 누구보다도 정확히 알고 있으니까요. 당신 눈에 내가 그처럼 행복하게 보인다면, 당신이 그렇게 말해 주는 것 이상으로 나를 기쁘게 해 주는 것은 없겠지요. 사람은 행복하기 위해 창조된 것이니까요. 그리고 참으로 행복한 사람은, '나는 이 세상에서 하느님의 뜻을 이루었다'고 거침없이 말할 자격이 있는 것입니다. 모든 의로운 사람, 성인, 순교자들은 다 행복했지요."

"오오, 참으로 좋은 말씀을 하셨습니다! 얼마나 대담하고 고상한 말씀입니까!" 하고 부인은 외쳤다. "장로님 말씀은 그야말로 가슴을 찌르는 것 같습니다. 그렇지만 행복이란, 대체 그 행복이란 어디 있습니까? 대체 누가 자기는 행복하다고 스스로 장담할 수 있겠어요? 오오, 장로님, 당신은 오늘 우리들에게 또 한 번 만나 뵈올 수 있는 기회를 주셨습니다. 당신이 정말 그처럼 친절한 분이시라면, 전번에 내가 미처 말씀드리지 못한 것을 오늘 들어주세요. 내가 무엇을 괴로워하고 있는지, 그것을 죄다 들어주십시오. 벌써 오래전부터의 일입니다. 나는 몹시 고민하고 있어요! 용서하세요, 나는 몹시 고민하고 있습니다." 이렇게 말하며 그녀는 그 어떤 뜨거운 격정에 휩싸여 장로 앞에 두 손을 모았다.

"대체 무엇 때문입니까?"

"나의 고민은 불신不信입니다."

"하느님에 대한 불신인가요?"

"오, 아닙니다. 그런 것은 감히 생각지도 못합니다. 그러나 내세來世라는 것, 이것이 수수께끼란 말씀입니다! 아무도, 정말 아무도 이 문제에 해답을 주는 사람이 없으니까요! 잘 들어 주십시오. 당신은 사람의 병을 고쳐 주시는 분입니다. 당신은 사람의 영혼을 누구보다도 잘 아시는 분입니다. 나는 물론 내 말을 전적으로 믿어 달라고 당신에게 요구할 수는 없습니다만, 지금 내가 절대로 경솔한 마음으로 이런 말씀을 드리는 게 아니라는 것만은 확언할 수 있어요. 솔직히 말씀드리자면, 내세에 대한 생각은 지금 내 마음에 고뇌와 공포와 의혹을 불러일으킬 만큼 나를 동요케 하고 있습니다. 그런데도 누구한테 호소해야 할지 모르겠습니다. 감히 그런 일을 할 수도 없었습니다. 그런데 나는 지금 용기를 내어 당신에게 그것을 말씀드리는 겁니다. 오오, 이렇게 말하는 나를 당신은 어떻게 생각하실는지요!" 하며 그녀는 손뼉을 탁 쳤다.

"내가 당신을 어떻게 생각할지 그런 것에 대해서는 마음 쓸 필요가 없습니다." 장로가 대답했다. "나는 당신의 고민이 참된 것임을 충분히 믿고 있소."

"오오, 참으로 고마우신 말씀입니다! 나는 눈을 감고 생각하지요. 만일 모든 사람이 믿음을 가지고 있다면, 대체 어디서 그것을 얻었을까 하고. 여기 대해서 사람들은 확인하기를, 그것은 모두 자연의 위협적인 여러 현상에 대한 두려움에서 오는 것이지 무슨 실재實在라는 것에서 오는 것은 아니라고들 합니다. 그렇지만 나는 자꾸만 이런 생각이 듭니다—이렇게 일생을 믿으며 지내다가도, 죽으면 갑자기 모든 것이 다 없어지고, 언젠가 내가 읽은 어느 문인의 말처럼, '무덤 위에는 잡초만이 우거질 뿐'이 아니겠는가 하고 말이에요. 이것은 참으로 무서운 일입니다. 무엇으로, 대체 무엇으로 믿음을 다시 찾을 수가 있을까요? 나는 아주 어릴 때 그저 기계적으로 아무 생각 없이 믿음을 가졌던 경험밖엔 없어요. 대체 무엇으로, 무엇으로 그것을 증명할 수 있을까요? 나는 당신 앞에 엎드려 이 문제에 대한 해답을 간청하려고 왔습니다. 만일 이 기회를 놓쳐 버린다면, 나는 죽을 때까지 아무한테서도 답변을 얻지 못하고 말 거예요. 어떻게 하면 증명할 수가 있을까요? 어떻게 하면 신념을 얻을 수가 있을까요? 오오, 나는 참으로 불행합니다! 가만히 서서 주위를 둘러보지요. 모든 사람이 다 태연하고, 거의 모든 사람이 그런 데 대해서는 전혀 마음을 쓰지 않고들 있는데, 오직 나 혼자만이 그걸 참아 내지 못하고 괴로워하고 있습니다. 정말 죽을 지경으로 괴롭습니다. 죽도록 괴롭습니다!"

"그야 물론 죽도록 괴로울 것입니다. 그러나 그걸 증명할 수는 없는 일이지요. 하지만 신념을 얻는다는 것은 가능합니다."

"어떻게요? 무슨 방법으로요?"

"실천적인 사랑의 경험을 통하여 얻을 수 있습니다. 당신 주위에 있는 사람들을 실천적으로 끊임없이 사랑하도록 노력하십시오. 그 사랑의 노력이 성공을 거둠에 따라 신이 존재한다는 것도, 당신의 영혼이 불멸하리라는 것도 확신하기에 이를 것입니다. 만일 주위의 사람들을 사랑함에 있어 완전한 자기 부정의 경지에까지 도달할 수 있다면, 그때야말로 확고한 믿음을 얻을 수 있게 되어 그 어떠한 의혹도 당신의 마음속에 기어들 수 없게 되겠지요. 이것은 이미 경험에 의하여 실증된 것이니까 틀림없을 겁니다."
"실천적인 사랑이라고요? 또 하나 어려운 문제가 생겼군요. 어려워도 이만저만 어려운 문제가 아니에요! 그런데 이렇게 말하면 믿지 않으실는지 모르지만, 나는 이따금, 모든 것을, 내가 가진 모든 것을 내던지고, 여기 이 리즈까지도 내버리고, 차라리 간호원이 되어 버릴까 하는 공상을 하리만큼 그렇게 인류를 사랑하고 있단 말입니다. 가만히 눈을 감고 그런 생각을 하거나 공상을 하고 있노라면, 그 순간 나는 억제할 수 없는 힘이 끓어오르는 걸 느끼지요. 어떠한 상처도, 어떠한 종기도 나를 놀라게 하지는 못할 것 같아요. 나는 기꺼이 이 손으로 종처腫處를 씻고 붕대를 감아 주고 싶어요. 그리고 그러한 고통 받는 사람들 곁에 붙어 앉아 그들을 간호해 주고 싶어요. 나는 그러한 종처에 기꺼이 입이라도 맞출 용의가 있단 말입니다."
"당신이 무슨 다른 공상을 하지 않고 그런 것을 공상하고 있다면, 그것만으로도 이미 훌륭하다고 할 수 있습니다. 그러노라면 정말로 무슨 착한 일을 하게 될 때가 있을 테니까요."
"그렇지만, 과연 내가 그런 생활을 오래 견디어 낼 수 있을까요?" 부인은 거의 열광적인 어조로 말을 계속하였다. "그것이 무엇보다 중요한 문제예요! 여러 가지 문제 중에서 바로 이것이 나를 가장 괴롭히는 문제지요. 나는 눈을 감고 자기 자신에게 물어봅니다—과연 너는 그런 생활을 오래 견디어 낼 수 있을 것 같으냐? 만일 네가 종처를 씻어 주고 있는 그 병자가 즉석에서 너한테 감사의 뜻을 표시하지 않는다면, 아니, 감사하기는커녕 너의 인류애에서 우러난 봉사를 인정하지도 존경하지도 않고, 도리어 짜증을 부려 너를 괴롭히거나, 욕설을 퍼붓거나, 무리한 요구를 하거나, 상부 직책에 있는 사람한테 불평을 호소하거나 한다면 (이런 일은 심한 고통을 당하고 있는 사람들에겐 종종 볼 수 있는 일이거든요) 너는 그때 어떻게 하겠느냐? 그래도 과연 너의 사랑은 계속될 것 같으냐?—그런데 말입니다. 나는 이 물음에 대한 해답을 얻고 무서운 전율을 느꼈어요. 만일 인간에 대한 나의 '실천적인' 사랑을 즉석에서 싸늘하게 식혀 버릴 그 무엇이 있다면, 그것은 오직 망은忘恩이라는 한 가지뿐일 거예요. 한마디로 말해서, 나는 보수를 바라고 일하는 노동자와 마찬가지입니다. 나는 즉석에서 보수를, 즉 자기에 대한 칭찬과 사랑에 대한 사랑의 보답을 요구하고 있으니까요. 그렇지 않고서는 나는 누구도 사랑할 능력이 없단 말입니다!"

그녀는 진심으로 자신을 힐책하는 발작적인 기분에 휩싸여서 이렇게 말을 마치자 도전적인 단호한 태도로 장로의 얼굴을 쳐다보았다.

"그건 어느 의사가 나한테 들려준 것과 똑같은 얘기로군요. 하긴 꽤 오래전에 들은 얘기지만" 하고 장로는 말했다. "이미 나이가 지긋한, 누가 보아도 현명한 사람이었는데, 그 사람이 당신처럼 솔직한 말을 들려주었어요. 하기는 농담 삼아 한 말이었지만, 참으로 서글픈 농담이었습니다. 그 사람이 말하기를, '나는 인류를 사랑한다. 그런데 스스로 놀라지 않을 수 없는 것은, 인류 전체를 사랑하면 사랑할수록, 개개의 인간, 즉 독립된 인격으로서의 개개의 인간에 대한 사랑은 오히려 감퇴되어 간다는 사실이다. 공상 속에서는 곧잘 인류에의 봉사에 대하여 지극히 정열적인 생각을 품어 보기도 하고, 만일 어떤 기회에 갑자기 그럴 필요가 생긴다면 뭇사람을 위해 정말 십자가에 매달릴 수도 있을 것 같은 심정이 되는 수도 있지만, 그러면서도 나는 상대가 누구이건 간에 단 이틀도 한 방에서 같이 지낼 수가 없다. 이건 실제 경험을 통하여 잘 알고 있다. 조금이라도 누가 곁에 가까이 다가오기만 하면, 그 사람의 존재가 나의 자존심을 억누르고 나의 자유를 속박한다. 나는 일주야만 함께 있으면 상대방이 아무리 훌륭한 인간일지라도 곧 그에게 증오를 느끼게 된다. 식사를 너무 오래 한다든가, 감기에 걸려 연방 코를 풀고 있다든가 하는 따위 이유 때문에. 누구든 나를 조금이라도 건드리기만 하면, 나는 곧 그의 적이 되어 버린다. 그 대신에, 개개의 인간을 증오하면 할수록 언제나 인류 전체에 대한 나의 사랑은 불길처럼 더욱더 타오르곤 한다'—대개 이런 뜻의 말이었습니다만."

"그렇지만 어떡하면 좋을까요? 그런 경우엔 대체 어떡하면 좋을까요? 그렇게 되면 절망 속으로 빠져들어 갈 수밖엔 없지 않겠어요?"

"아니, 그렇지는 않습니다. 당신이 그것 때문에 몹시 상심하고 있다는 그것만으로도 이미 충분하니까요. 당신이 능히 할 수 있는 일을 하도록 하십시오. 그러면 그만큼 보답이 있는 법입니다. 당신이 그처럼 심각하게 자기 자신을 자각할 수 있었다는 것, 그것만으로도, 당신은 벌써 많은 것을 행한 셈입니다. 그러나 만일 당신이 지금 나한테 한 말이, 이 자리에서 당신의 성실함에 대한 나의 칭찬을 듣기 위한 것이었다면, 물론 당신은 실천적인 사랑에 있어서, 아무런 성과에도 도달할 수 없을 것입니다. 모든 것은 오직 당신의 공상 속에만 남아 있을 뿐, 당신의 일생은 마치 환영幻影처럼 어렴풋이 나타났다가 이내 꺼져 버리겠지요. 그렇게 되면 물론 내세에 대한 것은 잊어버리고, 나중에는 자연히 아무것도 심각하게는 생각지 않게 되고 말 것입니다."

"당신은 그야말로 나를 납작하게 만들어 버렸습니다! 나는 이제야 겨우, 당신이 그렇게 말씀하신 순간에 비로소 깨달았습니다. 망은 행위만은 도저히 견디어 낼 수 없다는 말을 당신한테 했을 때, 나는 정말로 성실한 태도에 대한 당신의 칭찬만을 기대했던 거예요. 당신은 내가 어떠한 인간인가를 나한테 넌지시 가르쳐 주셨어요. 나를 꼼짝 못하게 붙잡아 가지고, 나라는 인간을 나한테 설명해 주었단 말입니다!"

"그건 진심에서 하는 말인가요? 그렇다면, 그러한 고백을 들은 이상 나도 당신이 성실하고 선량한 마음을 가진 분이라 믿겠습니다. 비록 행복에까지 도달할 수는 없다 하더라도, 언제나 당신은 좋은 길을 걷고 있다는 걸 잊지 말고, 그 길에서 벗어나지 않도록 노력하십시오. 그러나 무엇보다 중요한 것은 거짓을 피해야 한다는 것입니다. 모든 종류의 거짓, 특히 자기 자신에 대한 거짓을 피해야 합니다. 자기의 거짓을 항상 감시하여, 매시간마다, 아니 매분마다 그것을 주시하도록 하십시오. 그리고 타인에 대한 것이건 자기 자신에 대한 것이건 간에 혐오라는 것을 피해야 합니다. 자기 마음속에 추악하다고 생각되는 것도, 당신이 자기 내부에 그런 것이 있다는 걸 깨달았다는 것만으로도 깨끗이 씻을 수 있는 성질의 것이니까요. 공포 역시 피하도록 해야 합니다. 공포라는 건 온갖 거짓의 결과에 지나지 않는 것이기는 합니다만. 그리고 사랑을 달성함에 있어서도 당신 자신의 소심함에 결코 놀라서는 안 됩니다. 그때 당신한테 어떤 좋지 못한 행동이 있었다 해도 그다지 놀랄 것은 없습니다. 당신에게 위안이 될 말을 한 가지도 들려주지 못해 정말 유감스럽군요. 그렇지만 실천적인 사랑이란 공상적인 사랑에 비해 매우 가혹하고 무서운 것이니까요. 공상적인 사랑은 즉석에서 만족할 만한 성급한 성공을 갈망하며, 모든 사람들의 주목을 받기를 바라는 법입니다. 그러니까 시간이 오래 걸리지 않고, 마치 무대 위에서처럼 될 수 있는 대로 빨리 그것이 성취되어 모든 사람의 주목을 받고 칭찬을 받을 수만 있다면, 생명까지라도 기꺼이 바칠 수 있는 경지에까지 도달합니다. 그렇지만 실천적인 사랑으로 말하면, 그것은 그야말로 노동과 인내입니다. 뿐만 아니라 어떤 종류의 사람들에겐 하나의 훌륭한 학문인지도 모릅니다. 그러나 여기서 미리 말해 둘 것은, 당신이 아무리 노력해도 좀처럼 목적에 도달하지 못할뿐더러 오히려 목적에서 멀어지는 것 같은 기분이 들어, 공포를 느끼며 그 사실을 직시하는 그 순간, 바로 그 순간에 당신은 홀연히 그 목적에 도달할 수가 있는 것입니다. 그리고 항상 당신을 사랑하시며 남몰래 이끌어 주신 하느님의 기적적인 힘을 당신 위에 분명히 볼 수 있게 되겠지요. 그럼 실례하겠습니다. 기다리는 사람이 있어서 더 이상 당신과 이야기하고 있을 수가 없군요. 안녕히 돌아가십시오."

부인은 울고 있었다.

"리즈를, 리즈를, 이 애를 축복해 주십시오, 이 애를 축복해 주세요!" 하며 그녀는 벌떡 일어났다.

"아니, 이 아가씨는 축복을 받을 자격이 없어요. 내가 보고 있노라니까, 아까부터 줄곧 장난만 치고 있더군요." 장로는 웃음 섞인 어조로 말했다. "왜 자꾸만 알렉세이를 놀려 주는 거요, 아가씨?"

사실 리즈는 줄곧 장난에만 정신이 팔려 있었던 것이다. 벌써 꽤 오래되었지만, 지난번에 만났을 때부터, 그녀는 알료샤가 자기와 얼굴을 마주치기만 하면 공연히 당황하며 될 수 있는 대로 자기 쪽을 보지 않으려고 애쓰고 있는 것을 눈치채고 있었다. 그것이 그녀는 몹시 재미있었다. 그녀는 눈을 모아 그를 응시하며 기다리고 있다가, 얼른 그의 시선을 낚아챈다. 그러면 집요하게 쏠려오는 그녀의 시선을 이겨 내지 못하고 억제할 수 없는 힘에 끌려서 알료샤는 무의식중에 흘끗 그녀의 얼굴을 바라본다. 그러면 그녀는 기다리고 있었다는 듯이 그의 눈을 정시하며 득의의 미소를 던진다. 알료샤는 당황하여 더욱더 화를 낸다. 마침내 그는 아주 얼굴을 돌려 버리거나 장로의 등 뒤에 숨어 버리고 만다. 그러나 몇 분이 지나면 그는 또다시 아까처럼 억제할 수 없는 힘에 끌려, 아직도 자기를 바라보고 있는지 어떤지를 보려고 그녀 쪽으로 얼굴을 돌린다. 그리고 그는 리즈가 안락의자에서 거의 미끄러져 나올 듯이 몸을 앞으로 내밀고 측면에서 그를 바라보며, 그가 자기 쪽을 돌아보기를 열심히 기다리고 있는 것을 발견한다. 이렇게 해서 지금 또다시 그와 시선이 마주치자 그녀는 커다란 소리로 깔깔거리며 웃어 대는 바람에, 장로도 그냥 모른 체하고 있을 수가 없었다.

“왜 이 사람한테 그렇게 무안을 주는 거요? 응, 장난꾸러기 아가씨!”

리즈는 갑자기 얼굴을 확 붉혔다. 참으로 뜻밖의 일이었다. 두 눈이 번쩍 빛나고, 그 얼굴은 몹시 심각한 표정으로 변했다. 그녀는 마치 불평을 호소하는 것 같은 신경질적인 열띤 어조로 갑자기 지껄여 대기 시작했다.

“하지만 저이는 어째서 모든 걸 죄다 잊어버렸을까요? 내가 어릴 땐 곧잘 나를 안고 다니기도 하고 함께 놀기도 했는데 말이에요. 우리 집에 와서 나한테 글을 가르쳐 주곤 했어요, 장로님. 그걸 아셔요? 저이는 2년 전에 헤어질 때, 무슨 일이 있어도 나를 잊지 않겠다고, 우린 언제까지나, 언제까지나 영원한 친구라고 나한테 말했어요! 그런데 이젠 저렇게 나를 두려워하고 있으니 어쩐 일일까요? 뭐 내가 잡아먹기라도 할 것처럼 생각하나 보죠? 어째서 저이는 나한테 가까이 오려 하지 않을까요? 어째서 나와 말을 하려 하지도 않을까요? 무엇 때문에 저이는 우리 집에 놀러 오지 않을까요? 장로님이 외출을 허가하시지 않기 때문일까요? 그렇지만 저이가 어디든지 맘대로 나다니고 있다는 걸 우린 다 알고 있는걸요. 내가 저이를 부르는 건 실례가 될 테니까, 만일 나를 아주 잊어버린 게 아니라면 저이 쪽에서 먼저 생각이 나서 찾아와 주어야 할 게 아니겠어요? 아니, 그건 안 되겠군요. 저이는 지금 도를 닦고 계시니까! 그렇지만 어째서 당신은 저이한테 저렇게 기다란 법의를 입히셨죠……. 급히 뛰어가려다가는 이내 고꾸라지겠어요."

이렇게 말하자 그녀는 참지를 못하고 손으로 얼굴을 가리고는 갑자기 웃음을 터뜨렸다. 그것은 숨이 끊어질 듯 발작적으로 치밀어 오르는, 온몸을 떨면서도 웃음소리조차 제대로 나오지 않는, 그러한 웃음이었다. 장로는 빙그레 웃는 얼굴로 그녀의 말을 듣고 나서, 상냥하게 그녀를 축복해 주었다. 이윽고 장로의 손에 입을 맞추어야 할 단계에 이르자, 그녀는 별안간 그 손에 자기 눈을 갖다 대며 울음을 터뜨리고 말았다.

"제발 나를 노엽게 여기진 말아 주세요. 나는 아무런 가치도 없는 어리석은 인간이에요. 알료샤가 나 같은 우스꽝스런 계집애한테 오려 하지 않는 것도, 어쩌면 당연한 일인지도 모르죠. 아니, 지극히 당연한 일일 거예요."

"내가 꼭 보내도록 하겠소" 하고 장로는 결론을 내리듯 말했다.

5. 그대로 이루어지이다! 아멘!

장로가 암자를 비운 시간은 25분가량이었다. 벌써 12시 반이 지났는데도, 이렇게 여러 사람을 모이게 한 장본인인 드미트리 표도로비치는 아직도 나타나지 않았다. 그러나 모두들 그에 대해서는 거의 잊고들 있는지, 장로가 다시 암자에 발을 들여놓았을 때는, 더없이 활기를 띤 대화가 여기 모인 손님들 사이에서 교환되고 있었다. 이 대화에 누구보다도 열을 올리고 있는 것은 이반 표도로비치와 두 사람의 수사 신부였다. 미우소프 역시 이 대화에 열심히 끼어들려 하고 있는 것 같았으나, 이번에도 그는 운수가 불길했다. 여기서도 그는 주역의 위치에서 밀려나, 이제는 그의 말에 대꾸하려는 사람조차 별로 없는 형편이었다. 그래서 이 새로운 상황은 그의 가슴속에 누적된 울분을 더욱 격화시킬 뿐이었다. 다름 아니라, 그는 전에도 지식 면에서 어느 정도 이반과 서로 겨루어 본 적이 있었지만, 상대방이 자기한테 약간 무례하게 대하는 것을 보고는 냉정하게 그것을 참아 낼 수가 없었던 것이다.

'적어도 나는 오늘에 이르기까지 유럽에 있어서의 모든 선구적 활동의 최고봉에 서 있었는데, 이 새 세대의 풋내기가 감히 우리를 무시하려 하다니!' 그는 속으로 이렇게 생각하고 있었다.

입을 봉하고 조용히 의자에 앉아 있겠노라고 약속한 표도르 파블로비치는 정말로 얼마 동안 침묵을 지키고 있었다. 그러나 조소적인 미소를 띠우고 옆에 앉아 있는 미우소프의 거동을 지켜보면서, 그가 안절부절못하고 있는 꼴을 재미있어 하는 눈치였다. 표도르는 아까부터 그에게 무엇으로든지 보복을 해야겠다고 벼르고 있었으므로 지금 이 기회를 놓치고 싶지가 않았다. 그래서 끝내 참지를 못하고 옆에 앉은 그의 어깨에 얼굴을 가까이 대고 귓속말로 또 한 번 약을 올려 주었다.

"당신이 아까 그 '정중한 입맞춤' 다음에 곧 돌아가지 않고 그냥 남아서 저런 무례한 친구들과 자리를 함께하고 있는 이유는 대체 무엇일까요? 그것은 필시 당신이 고개를 쳐들 수 없으리만큼 심한 모욕을 당했다고 스스로 느꼈기 때문에, 그 보복으로 자기의 뛰어난 지혜를 한번 보여 주어야겠다는 생각에서였을 겁니다. 그러니까 이젠 저 친구들한테 그걸 보여 주어 콧대를 꺾어 놓기 전엔 도저히 돌아갈 수 없게 되었군요."

"아니, 또 그따위 소리를 하기요? 난 곧 돌아가겠어요."

"다른 사람들이 죄다 돌아가고 나면 당신도 아마 돌아가겠지요." 표도르는 또 한 번 따끔하게 찔러 주었다. 이것은 장로가 돌아온 것과 거의 같은 순간이었다.

논쟁은 한순간 뚝 끊어졌다. 그러나 장로는 자기 자리로 돌아가 앉자, 어서 계속하라는 듯이 상냥한 표정으로 일동을 둘러보았다. 그 얼굴에 나타나는 거의 모든 표정을 익숙하게 알고 있는 알료샤는, 장로가 몹시 피로하여 간신히 몸을 가누고 있다는 것을 분명히 알 수 있었다. 최근에는 병 때문에 체력이 소모되어, 장로는 졸도를 일으키는 일이 종종 있었다. 그렇게 졸도를 일으키기 전에 나타나는 것과 거의 똑같은 창백함이, 지금 장로의 얼굴에 퍼져 있었다. 입술에도 핏기가 없었다. 그러나 분명히 그는 이 모임을 해산시키고 싶지 않은 눈치였다. 뿐만 아니라, 그에게는 어떤 목적이 있는 것같이 보였다—과연 그 목적은 무엇일까? 알료샤는 주의 깊게 일거일동을 지켜보고 있었다.

"이분의 매우 흥미 있는 논문에 대하여 얘기하고 있던 중입니다." 도서 담당 수사 신부 이오시프가 이반을 가리키며 장로에게 말했다. "여러 가지로 새로운 견해가 피력되고 있기는 합니다만, 그러나 관념 자체는 무척 모호한 것 같습니다. 이것은 교회적 사회 재판과 그 권리의 범위 문제에 관하여 한 권의 책을 저술한 어느 성직자에 대한 반박의 형식으로 이분이 잡지에 발표한 논문인데요."

"유감스럽게도 나는 그 논문을 읽지는 못했지만, 그 얘기는 들은 적이 있습니다." 예리한 눈초리로 이반의 얼굴을 응시하며 장로는 대답했다.

"그 논문은 매우 흥미 있는 관점에 입각한 것입니다" 하고 도서 담당 신부는 말을 계속했다. "즉, 교회적 사회 재판에 관한 문제에 있어, 국가로부터의 교회의 분리를 전적으로 부정하고 있는 것 같더군요."

"그건 흥미 있는 것이긴 하지만, 대체 어떤 의미에서 그렇게 주장하는 건지?" 하고 장로는 이반에게 물었다.

이윽고 이반은 이 질문에 응답했으나, 그 어조는 전날 밤부터 알료샤가 염려했던 것처럼 상대를 무시하는 듯 거드름스런 것이 아니라, 어디까지나 겸손하고 조심스럽고 상냥스런 것이어서, 겉보기엔 무슨 저의 같은 건 털끝만큼도 없는 듯싶었다.

"나의 기본적 주장은, 이 두 가지 요소의 혼합, 즉 교회와 국가라는 별개의 요소의 혼합은 영구적인 것이다, 라는 데 있습니다. 물론 그것은 불가능한 일일뿐더러, 그것으로 하여 정상적인 상태는 고사하고라도, 다소나마 만족할 만한 상태조차도 결코 초래케 할 수 없는 것입니다. 왜냐하면, 그 근본에 가로놓여 있는 것은 허위니까요. 이러한 문제, 예를 들면 재판이라는 문제에 있어서의 국가와 교회 간의 타협은, 내 생각으로는, 그 순수한 본질로 보아 전혀 불가능한 일입니다. 내가 반박을 가한 그 성직자는, 교회라는 것은 국가 속에 일정한 지위를 확고히 차지하고 있는 것이라고 주장하고 있습니다. 그러나 나는 그와는 반대로, 교회야말로 스스로 그 속에 국가 전체를 포함시켜야 하는 것이며, 국가 속의 한구석을 차지하는 데 그쳐야 할 성질의 것은 결코 아니다. 비록 지금은 그것이 어떤 이유 때문에 불가능하다 하더라도, 본질적으로는 그것이 그리스도교 사회의 앞으로의 발전의 직접적이고도 가장 중요한 목적이 되어야 한다는 것은 의심할 여지도 없다, 이렇게 반박했습니다."

"그건 전적으로 옳은 말입니다." 말수가 적고 학식이 깊은 파이시 신부가 약간 신경질적인 어조로 딱 잘라 말했다.

"순전한 교황 절대권론(Ultramontanismus)이로군요!" 지루해 못 견디겠다는 듯이 다리의 위치를 바꾸며 미우소프가 소리쳤다.

"뭐라고요? 첫째 우리 러시아엔 산 같은 건 없지 않소!"[15] 하고, 이오시프 신부는 응수했으나, 이내 장로 쪽을 향하여 말을 계속했다. "그런데 이분은, 성직자인 그 논적論敵의 다음과 같은 '기본적이고 본질적인' 명제에 대해서 반박을 가하고 있습니다. (이 점에 특히 유의하시기 바랍니다) 그 명제라는 것은 첫째 '어떠한 사회적 단체도 그 구성원의 민법적·정치적 권리를 지배하는 권력을 전유專有할 수 없으며, 또 전유해서는 안 된다', 둘째 '형사적·민사적 재판권은 교회에 속할 수 없으며, 또 그러한 권력은, 신에 의해서 세워진, 종교적 목적을 위한 민중 단체인 교회의 본성과는 조화될 수가 없는 성질의 것이다', 셋째 '교회는 이 세상의 왕국이 아니다'라는 것인데……."

"성직자로서는 도저히 있을 수 없는 궤변입니다!" 파이시 신부가 끝내 참지를

15 '산 너머'라는 뜻의 라틴어 Ultramontane는 알프스 남쪽 이탈리아를 가리키는 말로도 사용.

못하고 또다시 끼어들었다. "나도 당신이 반박한 그 책을 읽어 보았습니다만" 하고 그는 이반을 향해 말했다. "'교회는 이 세상의 왕국이 아니다'라는 그 성직자의 말에는 정말 놀라지 않을 수 없었습니다. 만일 이 세상의 것이 아니라면, 다시 말해서, 교회라는 것은 이 지상엔 전혀 있을 수 없다는 말이 되지 않습니까. 성경 속의 '이 세상 것이 아니다'라는 구절은 그러한 뜻으로 쓰인 말이 아닙니다. 그따위 소리는 정말 당치도 않은 궤변입니다. 우리 주 예수 그리스도께선 바로 이 지상에 교회를 세우시기 위해 오시지 않았느냐 말입니다. 하늘의 왕국은 물론 이 세상의 것이 아니라 하늘의 것입니다만, 그러나 거기 들어가기 위해서는 지상에 굳건히 세워진 교회를 거치는 길밖에 다른 길은 없는 것입니다. 따라서 이런 의미에서의 세속적인 궤변은 도저히 있을 수 없는 옳지 못한 경향이라 아니할 수 없습니다. 교회야말로 군림하도록 정해진 왕국입니다. 종국에 가서는 틀림없이 전 세계에 군림하는 왕국으로 되어야만 합니다—이것은 하느님께서 약속해 주신 것입니다."

그는 갑자기 스스로를 억제하듯 입을 다물어 버렸다. 이반 표도로비치는 공손한 태도로 그의 말을 끝까지 경청하고 나서, 몹시 침착하면서도 여전히 열의 있는 성실한 어조로 장로를 향해 하던 말을 계속했다.

"나의 논문의 요지는 다음과 같은 것입니다. 그리스도교가 발생한 후 3세기에 이르는 고대에서는, 그리스도교는 이 지상에 하나의 단순한 교회로서 나타났을 뿐이며, 실제에 있어서도 단순한 교회에 지나지 않았습니다. 그러나 로마라는 이교異教 국가가 그리스도교 국가로 재출발하려는 야망을 품었을 때, 필연적으로 다음과 같은 일이 일어났습니다. 즉, 그리스도 교국이 되기는 했으나, 로마는 국가 속에 교회를 포함시켰을 뿐, 그 자신은 지극히 많은 점에 있어 구태의연한 이교국으로 남아 있었습니다. 사실 그렇게 될 수밖에는 없었을 것입니다. 그렇다고는 하지만, 국가로서의 로마에는, 너무나 많은 이교적 문명과 학문의 유물이 그대로 남아 있었습니다. 예를 들면, 국가의 목적이라든가 기초라든가 하는 것이 바로 그것입니다. 한편 그리스도 교회로 말하면, 국가의 조직 속에 들어가기는 했지만, 그 기초, 즉 자기가 서 있는 초석에서 한 걸음도 물러설 수 없었던 것은 의심할 여지도 없습니다. 따라서 다름 아닌 신에 의해 확정되고 지시된 교회의 목적을 추구하는 길 이외의 다른 길은 없었던 것입니다. 그 목적 중에서도 특히 중요한 것은, 전 세계를, 고대 이교국들까지도 포함한 전 세계를, 교회로 귀의케 하는 것이었습니다. 그러므로 (미래의 목적에 있어서는) 교회가 (내가 반박한 저자의 말처럼) '모든 사회단체'나 '종교적 목적을 위한 민중 단체'처럼 국가 속에 일정한 지위를 찾을 것이 아니라, 그와는 반대로, 지상의 모든 국가가 종국에 가서는 하나의 교회로 완전히 변모하여, 교회 이외의 아무것도 아닌 것으로 되어 버려야 합니다. 또한 교회의 목적과 상반되는 목적은 모두 물리쳐 버려야 합니다. 가령 그렇게 된다 하더라도, 그것은 위대한 국가로서의 지위나 명예나 영광을 빼앗는 것도 아니며, 그 군주의 영예를 탈취하는 것도 아니며, 오히려 이교적인 옳지 못한 허위의 길로부터 영원한 목적에의 유일하고 올바른 참된 길로 국가를 이끌어 줄 뿐입니다. 때문에 《교회적 사회 재판의 기초On the Foundations of Church Jurisdiction》의 저자가 그와 같은 원칙들을 음미하여 제시함에 있어, 그것이 현대와 같은 죄 많은 불완전한 시대에 있어서는 불가피한 일시적 타협일 뿐, 그 이상의 아무것도 아니라고 보았다면, 그의 주장은 옳다고 할 수 있을 것입니다. 그러나 그와 같은 원칙의 제창자인 이 책의 저자가 제시한, 그리고 방금 이오시프 신부가 그 일부를 열거한 그러한 원칙이야말로 확고부동한 만고불변의 원칙이라고 감히 공언하고 나선다면, 그것은 곧 교회에 반기를 들고 확고부동한 영원불변의 신성한 사명을 정면으로 부정하는 것과 다를 바가 없는 것입니다. 이상이 나의 논문의 요지입니다."

"즉, 간단히 말씀드려서" 하고 파이시 신부가 한마디 한마디 힘을 주며 또다시 입을 열었다. "일종의 논법에 의할 것 같으면, 교회라는 것은 하급의 것이 상급의 것으로 변형하듯이, 국가 속에서 변질하여, 결국에는 과학이라든가, 시대정신이라든가, 문명에 굴복하여 그 속에서 소멸해 버리지 않을 수 없다는 것입니다. 만일 그렇게 되기가 싫다고 저항한다면, 국가는 교회에 한쪽 귀퉁이를 떼어 줄는지도 모르지만, 거기에는 반드시 감시가 따르게 될 것입니다. 이것은 오늘날 유럽의 땅 어디서나 볼 수 있는 현상입니다. 그러나 러시아인이 알고 또 기대하고 있는 바에 의하면, 하급의 것이 상급의 것으로 변형하듯이, 교회가 국가 속에서 변질할 것이 아니라, 반대로 국가가 종국에 가서는 다름 아닌 교회로 귀일歸一해야만 할 것입니다. 오오, 그대로 이루어지이다! 아멘!"

"그렇습니다, 솔직히 말해서, 그 말을 들으니 나도 좀 원기가 생기는 것 같군요" 하고 미우소프가 또다시 다리의 위치를 바꾸며 히죽 웃었다. "그렇지만 내 생각으로는, 그것은 끝없이 먼 장래, 이를 테면 그리스도가 재림하실 무렵에나 실현될 수 있는 이상인 것 같은데요. 아니, 그건 아무래도 좋습니다. 그러나 전쟁이라든가, 외교관이라든가, 은행이라든가 하는 것의 소멸을 꿈꾸는, 지극히 아름다운 유토피아의 꿈인 것만은 사실입니다. 어딘가 사회주의와 비슷한 데가 있는 것 같기도 하군요. 그런데도 나는 그걸 심각하게 받아들여, 이제부터는 교회가 범죄의 재판 같은 것을 인수해 가지고 태형笞刑이니 유형이니, 경우에 따라서는 사형까지도 선고하게 되는 것이나 아닌가 하고 속으로 걱정하고 있었거든요."

"그러나 가령 지금이라도 교회적 사회 재판밖엔 없다고 한다면, 교회는 유형이나 사형을 선고하는 일은 없을 겁니다. 그때는 범죄도, 거기에 대한 견해도 반드시 일변하고 말 테니까요. 물론 당장에, 급격한 변화를 일으키는 것이 아니라 점차로 조금씩 변해 나가겠지만요. 그렇다고 그리 오래 걸리지는 않을 겁니다." 이반은 침착한 태도로 눈 하나 깜박이지 않고 이렇게 말했다.

"그건 진담으로 하는 말이오?" 하고 미우소프는 그의 얼굴을 뚫어지게 바라보았다.

"만일 모든 것이 교회에 귀일한다면, 교회는 범죄자나 반항적인 자를 파문하는 데 그칠 뿐이지, 그들의 목을 자르는 따위의 짓을 하지 않을 겁니다" 하고 이반은 계속했다. "그러면 파문 선고를 받은 자는 대체 어디로 가야 합니까? 그렇게 되면 그 사람은 오늘날처럼 인간 사회를 등져야 할 뿐만 아니라, 그리스도한테서도 떠나 버려야 합니다. 다시 말해서, 그는 죄를 범함으로써 인간 사회뿐만 아니라, 그리스도 교회에 대해서도 반기를 든 셈이 된단 말입니다. 물론 오늘날에 있어서도 엄격한 의미에선 그렇지 않은 것은 아니지만, 아무튼 그렇다고 분명히 고시告示된 건 아닙니다. 그러니까 오늘날의 범죄자들의 양심은 너무나도 쉽사리 자기 자신과 타협할 수 있게 되어 있습니다. '내가 도둑질을 한 것만은 사실이지만, 그렇다고 뭐 교회를 반대한다거나 그리스도의 적이 된다거나 하는 건 아니니까' 이런 식으로 오늘날의 범죄자들은 줄곧 자기 자신에게 말하고 있단 말입니다. 그렇지만 교회가 국가를 대신하게 된다면, 그때는 이 지상의 온갖 교회를 부정하지 않는 한, 감히 이따위 소리를 뇌까릴 수는 없을 것입니다. '이놈도 저놈도 죄다 옳지 못하다. 모두가 정도에서 벗어나고 있다. 모든 것이 가짜 교회다. 올바른 그리스도 교회는, 살인자이며 도둑놈인 나 하나뿐이다'라고는 도저히 말할 수 없겠지요. 그러려면 좀처럼 있을 수 없는 특별한 상황과 굉장한 조건들이 필요할 겁니다. 그건 그렇고, 범죄에 대한 교회 자체의 견해는 어떤가 하면…… 현재와 같은 거의 이교적인 견해를 바꾸어야 한다고는 생각지 않으십니까? 그리고 오늘날 사회를 보호하기 위해 행하여지고 있는 방법, 병독病毒에 감염된 사지四肢를 기계적으로 절단해 버리는 것 같은 방법을 피하고, 인간의 재생과 부활과 구제에 대한 이상理想을 향해 완전하고도 참되게 그와 같은 견해를 일변시켜야 한다고는 생각지 않으십니까?"

"그러니까 대체 무엇이 어떻게 된다는 얘깁니까? 뭐가 뭔지 어리둥절해지는군요" 하고 미우소프가 말을 가로챘다. "또 무슨 꿈같은 얘길 하는가 본데, 도무지 종잡을 수 없는 얘기여서 이해할 수가 없는데요. 도대체 파문이란 뭡니까? 뭐가 어떻게 된 파문이냔 말입니다. 아무래도 당신은 그저 농담 삼아 그런 말을 하고 있는 것만 같군요, 이반 표도로비치."

"아니, 지금도 실제로는 그와 다를 바가 조금도 없겠지요" 하고 갑자기 장로가 입을 열었다. 좌중의 사람들은 일제히 그에게로 얼굴을 돌렸다. "지금도 가령 그리스도교가 없다면, 범죄자에게 있어 그 악행을 저지하는 것이라곤 아무것도 없을 것이며, 따라서 거기에 가해지는 징벌조차도 없어질 것입니다. 하기는 징벌이라 하도, 방금 저분이 말한 것처럼, 대부분의 경우, 사람의 마음을 자극할 뿐인 기계적인 징벌이 아니라 참된 의미의 징벌을 두고 하는 말입니다만. 다시 말해서, 참으로 효과적인, 범죄자에게 두려움을 주며 또한 그 마음을 누그러지게 하는, 그리고 범죄자 자신의 양심의 자각을 촉구하는 유일한 징벌을 두고 하는 말이지요."

"그렇다견, 실례지만 어떻게 된다는 말씀인가요?" 미우소프는 끓어오르는 호기심을 억제하지 못하고 이렇게 물었다.

"그건 이렇습니다" 하고 장로는 계속했다. "사람을 유형流刑에 처하여 강제 노동을 시키는 그따위 방법으로는, 전엔 거기다 태형까지 가했습니다만, 아무튼 그따위 방법으로는 아무도 바른길로 이끌 수는 없는 법입니다. 더욱이 가장 중요한 것은, 거의 어떤 범죄자에게도 그것은 결코 공포심을 일으키게 할 수 없을뿐더러, 그것으로써 범죄의 수를 감소시키기는커녕 더욱 증가시킬 뿐이라는 점입니다. 당신도 아마 이 점에는 동의하지 않을 수 없겠지요. 따라서 그런 방법으로는 사회는 전혀 보호될 수 없다는 결론이 나옵니다. 그도 그럴 것이, 해독을 끼치는 분자가 기계적으로 격리되어 눈에 띄지 않는 먼 곳으로 추방된다 하더라도, 또 다른 범죄자가, 어쩌면 곱절이나 많은 범죄자가 금세 나타날 테니까요. 만일에 현대에 있어서도 사회를 보호하고 또한 범죄자 자신을 교도矯導하여 새 인간으로 갱생시키는 것이 무언가 있다고 한다면, 그것은 역시 범죄자 자신의 양심적 의식 속에 반영되는 그리스도의 계율뿐이겠지요. 그리스도교 사회의 아들, 즉 교회의 아들로서의 자기의 죄를 자각할 때에 비로소 범죄자는 사회에 대한, 다시 말해서 교회의 대한 자기 죄를 깨달을 수 있는 것입니다. 그리하여 오늘날의 범죄자는 오직 교회에 대해서만 자기 죄를 자각할 수 있을 뿐, 결코 국가에 대해서 자각하는 것은 아닙니다. 그런데 만일 재판이 교회라는 사회에 속해 있다고 한다면, 이 사회는 과연 어떤 사람을 추방으로부터 소환하여 다시 자기 품속에 받아들이면 좋을지 잘 알고 있을 겁니다. 그러니 지금 교회는 실제적인 어떠한 재판도 가지고 있지 않으며 다만 정신적인 비난을 가할 수 있는 권리만을 가지고 있는 데 지나지 않으므로, 범죄자에 대해 효과적인 징벌을 가하는 것을 교회가 스스로 피하고 있다고 보아야 합니다. 그러니까 범죄자를 교회로부터 아주 추방해 버리는 것은 아니고, 다만 아버지로서의 감시 감독을 게을리하지 않고 있다는 것뿐이지요. 아니, 한 걸음 더 나가서, 범죄자로 하여금 그리스도교적인 교섭을 계속 유지하도록 돌봐 주며, 교회의 예식이나 성찬식에도 참석토록 하고, 희사금喜捨金이나 물품 같은 것도 노나주며, 죄인이라기보다는 마귀에게 유혹된 자로서 그를 대해 주고 있는 것입니다. 만약에 그리스도교 사회, 즉 교회까지도, 속세의 법률이 그를 배척하고 제거하듯이, 그에게 외면해 버린다면, 그 죄인은 어떻게 되겠습니까? 생각만 해도 무서운 일입니다! 만약에 우리 교회가, 국법에 의해서 죄인이 벌을 받을 때마다 그에게 즉시 파문을 선고한다면 대체 어떻게 되겠습니까? 적어도 우리 러시아의 죄인들에게는 그 이상의 절망은 없을 것입니다. 러시아의 죄인은 아직도 신앙이라는 것을 가지고 있으니까요. 하지만, 만일 교회가 그를 파문해 버린다면, 그때에는 얼마나 무서운 일이 일어날 것인지 이건 아무도 모릅니다. 어쩌면 희망을 잃은 죄인의 마음속에서 신앙이 아주 소멸해 버릴지도 모릅니다. 그때엔 어떻게 되지요? 그러나, 다행히도 교회는 자애에 찬 어머니처럼 실제적인 징벌을 가하는 것을 피하고 있습니다. 그렇지 않아도 죄인은 국법에 의해 너무나 가혹한 벌을 받고 있으니까요. 그러니까 누구든 한 사람만이라도 죄인에게 동정을 베풀어 주는 자가 있어야 할 게 아닙니까. 교회가 처벌을 피하고 있는 주요한 원인은, 교회의 재판이야말로 그 속에 진리를 포함하는 유일무이한 재판이며, 따라서 그 밖의 어떠한 재판과도, 비록 일시적인 타협이라 할지라도, 본질적으로나 정신적으로나 도저히 결합할 수 없기 때문입니다. 이 점에서는 이미 타협할 여지가 없는 것입니다. 외국의 범죄자는 개전改悛하는 자가 극히 드물다고들 하는데, 그것은 현대의 교육 자체가, 그의 범죄는 범죄라기보다는 오히려 부정한 압력에 대한 반항에 지나지 않는다는 사상을 강조하고 있는 데 원인이 있겠지요.

사회는 절대적인 힘을 가지고 완전히 기계적으로 그 범죄자를 자기한테서 격리시켜 버립니다. 그리고 그 추방에는, 항상 증오가 따르기 마련입니다. (적어도 유럽에서는 모두가 그렇게들 말하고 있습니다) 증오와 자기 동포인 그의 장래 운명에 대한 완전한 무관심, 그리고 망각이 따르기 마련입니다. 이리하여 모든 것은 교회 측으로부터의 털끝만 한 동정도 받음이 없이 진행되어 버립니다. 그도 그럴 것이, 대부분의 경우, 외국에서는 교회라는 것이, 이제는 전혀 존재하지 않으며 다만 성직자들과 웅장한 교회 건물들만이 남아 있을 뿐이니까요. 교회 자체는 이미 오래전부터, 교회라고 하는 하급의 형태로부터 국가라는 상급의 형태로 이행하여 마침내는 그 속에 완전히 소멸해 버리려고 노력하고 있는 형편입니다. 적어도 루터파派 나라들의 형편은 그렇다고 생각됩니다. 로마로 말할 것 같으면, 이미 천 년 동안이나 교회 대신 국가를 높이 내세우고 있습니다. 그러니까 범죄자 자신도 자기가 교회의 일원이라는 자각이 없기 때문에, 추방을 받게 되면 곧 절망의 구렁텅이에 빠져들고 맙니다. 설사 사회에 복귀하게 된다 하더라도, 극도의 증오를 품고 돌아오기가 일쑤여서, 사회 자체가 자기 스스로를 격리시키는 셈이 되어 버립니다. 그 결과가 어떠하겠는가는 가히 판단할 수 있을 겁니다. 대부분의 경우 우리나라에서도 매한가지라고 생각될는지 모르지만, 실은 여기에 문제가 있는 것이어서, 우리나라에서는 국법에 의해 설치된 재판 이외에, 그보다 더욱 높은 곳에 교회가 있고, 그 교회는 자기의 소중한 자식이라는 관점에서, 어떤 일이 있어도 범죄자와의 교섭을 끊지 않으려 하고 있습니다. 뿐만 아니라, 단순히 공상적인 것에 지나지 않아서 현재로서도 아무런 활동을 하지 않고는 있지만, 그러나 공상 속에서나마 미래를 위해 살고 있는 교회 재판이라는 것이 훌륭히 보존되고 있습니다. 더욱이 이 교회 재판은 범죄자 자신에 의해 본능적으로 인정되고 있다는 것은 의심할 여지가 없습니다. 방금 이 자리에서 나온 말들은 어디까지나 옳은 말입니다. 만일에 교회 재판이라는 것이 실현되어 완전한 능력을 행사할 때가 온다면, 즉 사회 전체가 교회에 귀일하게 된다면, 교회 재판이 범죄자를 개전시키는 데 있어 과거와는 비교도 안 될 만큼 커다란 영향을 줄 뿐만 아니라, 어쩌면 범죄 자체도 정말 믿을 수 없을 정도로 감소될 수도 있을 것입니다. 그리고 교회도 미래의 범죄자 내지는 범죄에 대해 대게의 경우 여태까지와는 전혀 다른 관념을 갖게 될 것임이 틀림없습니다. 추방된 자는 다시 불러들이고, 악한 마음을 품는 자에게는 미리 경고를 주고, 타락한 자는 갱생의 길을 밝게 할 수 있을 것입니다. 그러나 실제로는" 하며 장로는 미소를 띠웠다. "현재의 그리스도교 사회는 아직도 준비를 갖추지 못하고 있어, 다만 일곱 사람의 의인 위에 서 있을 뿐입니다. 하지만 그 힘은 아직 쇠퇴하지 않았으므로, 현재로서는 거의 이교적 합동체에 지나지 않는 단체로부터, 전 세계에 군림하는 유일무이한 교회로 완전히 변모할 것이라는 확고부동한 기대를 여전히 품은 채 정진을 계속하고 있습니다. 이것은 반드시 실현되도록 정해진 것이니까 비록 영겁의 끝에 가서라도 이루어지고야 말 것입니다. 오오, 그대로 이루어지이다, 아멘! 그러나 시간이나 기한 때문에 마음의 동요를 느낄 건 조금도 없습니다. 시간이나 기한의 비밀은 신의 예지, 신의 선견, 신의 사랑 속에 있으니까요. 그리고 인간의 계산으로는 아직도 까마득히 먼 미래의 일로 생각될는지 모르지만, 신이 정한 바에 의하면, 그야말로 실현의 전야, 바로 문턱에까지 와 있는지도 모릅니다. 오오, 그대로 이루어지이다, 아멘! 아멘!"

"그대로 이루어지이다! 아멘!" 하고 경건하고도 엄숙한 어조로 파이시 신부가 받아 외웠다.

"거참 이상하군, 정말 이상한걸!" 하고 미우소프는 중얼거렸으나, 별로 흥분을 느끼고 있는 것 같지는 않았고, 무언가 마음속에 분노를 감추고 있는 눈치였다.

"뭐가 그렇게 이상하게 여겨진단 말씀인가요?" 이오시프 신부가 조심스런 어조로 물었다.

"하지만 대체 이건 뭡니까?" 하고 미우소프는 갑자기 말문을 터뜨렸다. "지상에서 국가를 제거하고 교회가 국가의 자리에까지 올라가다니, 이건 교황 절대권론이라기보다는 초超교황 절대권론이 아니냔 말입니다! 이런 건 교황 그리고리 7세[16*]조차도 아마 꿈에도 생각지 못한 일일 겁니다!"

"당신은 정반대로 해석하고 계시는군요!" 하고 파이시 신부가 엄숙한 어조로 말하였다. "교회가 국가로 변모하는 게 아닙니다, 그걸 아셔야 해요. 교회가 국가로 변모한다는 건 로마의 생각이요 꿈입니다. 그것이야말로 악마의 제삼의 유혹이지요. 그와는 반대로 이것은 국가가 교회로 변모한다는 얘깁니다. 국가가 교회의 높이에까지 올라가서 전 세계에 군림하는 교회가 된단 말입니다. 이것은 교황 절대권론과도, 로마와도, 그리고 당신의 해석과도 상반되는 것으로서, 이것이야말로 지상에 있어서의 러시아 정교正教의 위대한 사명입니다. 그리고 이 별은 동방에서부터 빛나기 시작할 것입니다!"

미우소프는 자못 거드름스런 태도로 입을 다물어 버렸다. 그의 온몸에서는 터무니없이 도도한 자존심이 엿보였고, 그 입 언저리에는 상대방을 깔보는 것 같은, 그러면서도 겸손한 빛을 띤 미소가 떠올랐다. 알료샤는 격렬한 심장의 고동을 느끼며 모든 것을 지켜보고 있었다. 이 자리에서의 대화는 그를 완전한 흥분 상태로 몰아넣었던 것이다. 문득 그는 라키친에게로 눈을 돌렸다. 라키친은 여전히 방문 옆 자기 자리에 꼼짝 않고 선 채, 눈을 아래로 내리깔고 있으면서도, 주의 깊게 귀를 기울이며 관찰을 계속하고 있었다. 그러나 그 볼에 선명하게 떠오른 홍조로 보아, 라키친 역시 자기 못지않게 흥분해 있음을 알료샤는 알아챌 수 있었다. 그가 무엇 때문에 흥분했는지 알료샤는 그 이유를 잘 알고 있었다.

"실례올시다만 여러분, 여기서 조그만 에피소드 하나를 소개하게 해 주십시오!" 미우소프가 무엇 때문인지 특별히 엄숙하고 의미심장한 태도를 지으며 갑자기 입을 열었다. "이것은 12월 혁명 직후, 그러니까 몇 해 전에 파리에서 있었던 얘기입니다만, 어느 날 나는 굉장히 중요한 지위에 있는 유력한 정치가인 나의 친지 한 사람을 방문한 적이 있었습니다. 거기서 나는 어떤 지극히 흥

16* 그레고리오 7세Gregorius VII(1015~1085). 제157대 교황. 본명은 일데브란도 디 소아나Ildebrando di Soana. 추기경 시절부터 타락하고 부패한 로마 가톨릭 교회를 개혁하는데 앞장서며 개혁파 성직자들의 리더 역할을 함.

미 있는 인물을 하나 만나게 되었습니다. 그 친구는 단순한 형사 나부랭이가 아니라, 비밀경찰의 일부를 지휘하는 두목 격인 인물이었어요. 그러니까 역시 일종의 세력을 지닌 직책이라고 할 수 있겠지요. 나는 호기심에 사로잡혀 기회를 엿보아 그 사람과 얘기를 시작했습니다. 그런데 그 사람은 집주인인 정치가와 친분이 있어 면회가 허락된 것이 아니라, 정치가의 부하 관리로서 자기 상관에게 무언가 보고를 하러 온 처지였기 때문에, 나에 대한 자기 상관의 태도를 보고는 상당히 솔직한 태도로 나를 대하더군요. 그야 물론 솔직하다고는 해도 정도 문제여서, 차라리 친절한 태도라고 하는 편이 적절할는지 모릅니다. 원래 프랑스인이란 대개가 친절한 데다가 내가 외국인이라는 걸 알았기 때문에 더한층 그랬겠지만요. 그러나 나는 그 사람의 말을 아주 잘 이해할 수 있었습니다. 화제가 그 당시 관헌의 박해를 받고 있던 사회주의 혁명가들에 미쳤습니다. 이 대화의 요점은 생략하기로 하고 어쩌다 그 사람이 문득 입 밖에 내어 버린 매우 흥미 있는 말을 소개하는 데 그치겠습니다. 그 사람은 나한테 이런 말을 했던 것입니다—사실 말이지 우리는 무정부주의자니 무신론자니 혁명가니 하는 따위의 사회주의자들은 그리 무서워하지 않습니다. 우리는 그들을 계속 감시하고 있으므로 그들이 하는 짓이란 빤히 알고 있지요. 그런데 그들 중에는 소수이기는 하지만 약간 특수한 친구들이 섞여 있습니다. 그것은 신을 믿는 어엿한 그리스도 교도이면서 동시에 사회주의를 신봉하는 자들입니다. 우리가 가장 무서워하는 건 바로 이러한 친구들이지요. 이건 참으로 무서운 인간들입니다! 그리스도교도인 사회주의자는 무신론자인 사회주의자보다 훨씬 더 무섭단 말입니다……. 그때 나는 이 말에 강한 충격을 받았습니다만, 지금 이렇게 여러분들의 말을 듣고 있자니 무엇 때문인지 문득 이 말이 생각나서……."

"그러니까 당신은 그것을 우리에게 적용하여, 우리를 사회주의자로 본다 그 말씀이군요?" 파이시 신부가 단도직입적으로 이렇게 물었다.

그러나 미우소프가 대꾸할 말을 미처 생각해 내기도 전에, 갑자기 방문이 열리더니, 드미트리 표도로비치가 때늦게 방 안에 들어왔다. 사실, 일동은 그를 기다리기를 이미 잊고 있는 형편이었으므로, 그의 급작스런 출현은 처음 한순간 그들을 어느 정도 놀라게까지 했다.

6. 어떻게 저따위 인간이 살아 있을까!

드미트리 표도로비치는 중키에 유쾌한 용모를 지닌 28세의 청년이었으나, 나이에 비해 훨씬 늙게 보였다. 근육이 늠름하게 발달한, 뛰어난 체력의 소유자라는 것은 첫눈에 알아볼 수 있었지만, 그런데도 그의 얼굴에는 어딘지 병적인 표정이 어려 있었다. 여윈 얼굴에 두 볼은 깊이 꺼져 들어가고, 그 안색은 어쩐지 병자와 같은 누른빛을 띠고 있었다. 약간 튀어나온 것 같은 커다란 암갈색 눈은, 언뜻 보기엔 한군데다 집요한 시선을 쏟고 있는 것 같으면서도, 실은 어딘지 침착성이 없어 보였다. 흥분하여 열띤 어조로 말하고 있을 때조차도, 그의 시선은 자기의 내부적 상황에 순종하지 않으려는 듯이, 무언가 그와는 다른, 때로는 그와는 전혀 딴판인 표정을 띠는 수가 있었다. "그 친구는 도대체 무엇을 생각하고 있는지 좀처럼 알 수가 없단 말야" 하고, 그와 얘기해 본 사람들이 언젠가 말한 적이 있었다. 그의 두 눈에 우울하고도 음산한 빛이 어린 것을 보고 있던 사람들이, 별안간 그의 입에서 웃음이 터져 나오는 바람에 깜짝 놀라곤 하는 일이 종종 있었다. 그것은 그처럼 침울한 눈을 하고 있는 바로 그때조차도, 한편으로는 그의 머릿속에 유쾌하고 장난스런 생각이 숨어 있다는 증거이다. 그렇지만, 지금 이 순간 그의 얼굴에 약간 병적인 빛이 엿보이는 것은 이해할 수 있는 일이었다. 그의 지극히 불안정한 '방탕 생활'에 대해서는 모든 사람이 직접 눈으로 보기도 하고 듣기도 하여 잘 알고들 있었기 때문이다. 최근에 와서 그는 그러한 생활에 아주 빠져 버리다시피 하고 있었다. 그리고 재산 분배 문제로 하여 아버지와 싸우면서부터 그가 걸핏하면 성을 내곤 하게 되었다는 것도 모두들 잘 알고 있었다. 여기 대해서는 벌써 몇 가지 소문까지 항간에 떠돌고 있는 형편이었다. 하기는, 그는 원래가 신경질적인 성급한 성격이어서, 어느 모임에서 우리 고장 치안판사 카찰리니코프가 적절히 평가한 바와 같이, '돌발적이며 변칙적인 성격'의 소유자였던 것만은 사실이다.

그는 단정하게 단추를 채운 프록코트Frock coat에 검은 장갑을 끼고 실크해트Silk hat를 손에 들고서, 그야말로 흠잡을 데 없이 멋진 복장을 하고 들어왔다. 퇴직한 지 얼마 안 되는 군인답게, 그는 콧수염만을 기르고, 턱수염은 아직도 깨끗이 면도질을 하고 있었다. 밤색 머리털은 짧게 깎아 올렸으나, 관자놀이께만은 앞쪽으로 빗어 붙인 것처럼 보였다. 성큼성큼 군대식으로 내딛는 걸음걸이는 보기에 시원스러웠다. 그는 문지방을 넘어서자 걸음을 멈추고 좌중을 둘러보고는, 집주인이 누구인지를 알아봤는지 곧장 장로 쪽으로 다가갔다. 그는 허리를 깊이 굽혀 인사를 하고 나서 축복을 청했다. 장로는 자리에서 일어나 그에게 축복을 주었다. 드미트리는 경건하게 입을 맞추고 나서, 몹시 흥분된, 거의 신경질적인 어조로 입을 열었다.

"이렇게 오래 기다리시게 한 것을 너그러이 용서해 주십시오. 아버지가 나한테 보낸 하인 스메르자코프에게 약속 시간을 거듭 확인했습니다만, 1시 정각으로 정했다고 두 번이나 분명히 대답하더군요. 그런데 이제 와서야 갑자기."

"아니, 염려할 건 없소" 하고 장로는 그의 말을 제지했다. "시간에 좀 늦었을 뿐이니까 뭐 아무렇지도 않아요."

"대단히 감사합니다. 친절하신 말씀을 듣게 되리라고는 생각하고 있었습니다만" 이렇게 퉁명스럽게 말하고 드미트리는 또 한 번 허리를 굽혔다. 그러고는 갑자기 자기 '아버지' 쪽으로 몸을 돌리더니, 장로한테 한 것과 똑같이 공손하게 허리를 굽혀 인사를 했다. 이 인사는 그가 미리부터 생각을 거듭한 끝에, 이것으로 자기의 경의와 선량한 의도를 표시할 의무가 있다고 진심으로 결정한 것임이 분명했다.

표도르 파블로비치는 아들한테 기습을 받은 격이 되어 한순간 어리둥절했으나, 즉석에서 그 나름의 활로를 발견했다. 드미트리의 인사에 대하여 그는 벌떡 의자에서 일어나더니 상대방과 똑같은 공손한 태도로 아들에게 절을 했다. 그의 얼굴은 갑자기 거드름스럽고 의미심장한 표정으로 변했지만 그것이 오히려 더할 수 없이 흉측한 형상을 그 얼굴에 부여하는 것이었다. 드미트리는 말없이 머리를 숙여 좌중의 사람들에게 두루 인사를 하고 나서, 시원스런 걸음걸이로 성큼성큼 창가로 걸어가더니, 파이시 신부 옆에 단 하나 남아 있던 빈 의자에 걸터앉았다. 그러고는 곧 온몸을 옆으로 내밀 듯이 하고 자기 때문에 중단된 대화의 계속에 귀를 기울일 자세를 취했다. 드미트리의 출현으로 소비된 시간은 불과 2분 정도밖엔 안 되었으므로, 대화는 다시 계속될 수도 있었을 것이다. 그런데 이번에는, 파이시 신부의 집요하고도 성급한 질문에 대하여 미우소프는 답변할 필요를 인정하려 들지 않았다.

"그 문제는 더 이상 말하지 않기로 했으면 좋겠군요." 그는 사교적인 능청스런 어조로 말했다. "더욱이 그건 상당히 까다로운 문제니까요. 그보다도 이반 표도로비치가 이쪽을 보고 빙긋거리고 있는 걸 보니, 거기 대해서 뭔가 재미있는 얘기가 있는 모양입니다. 저 사람한테 한번 물어보십시오."

"뭐 좀 생각난 게 있을 뿐 특별한 얘기랄 건 아무것도 없습니다" 하고 이반은 곧 대답했다. "다름 아니라, 대체로 유럽의 자유주의, 그리고 우리 러시아의 자유주의적 딜레탕티슴Dilettantisme[17*]은, 이미 오래전부터 종종 사회주의의 최종적 결과와 그리스도교의 그것과를 혼동하고 있다는 사실입니다. 이러한 엉터리 결론이 물론 그 특질이긴 합니다만. 그러나 그건 그렇다 치더라도, 사회주의와 그리스도를 혼동하고 있는 것은, 얘기를 들어 보니, 자유주의자나 딜레탕트뿐만 아니라, 대부분의 경우, 헌병도 한몫 끼고 있는 모양이군요. 이건 물론 외국의 헌병을 두고 하는 말이지만요. 당신이 말한 파리에서의 에피소드는 제법 의미심장한 데가 있어요, 미우소프 씨."

"아무튼 이 문제는 그만 집어치웠으면 합니다" 하고 미우소프는 되풀이했다.

17* 문학 예술이나 학문 따위를 직업으로 하는 것이 아니고 취미 삼아 하는 태도나 경향.

"그 대신에 여러분, 이번엔 다름 아닌 이반 표도로비치에 관한 지극히 흥미 있고 더없이 특징적인 에피소드 하나를 이야기하기로 하겠습니다. 바로 사오일 전에 있었던 일입니다만, 주로 이 고장의 부인들이 모인 어떤 좌석에서, 이반 표도로비치는 의기양양하게 다음과 같은 설說을 주장했단 말입니다. 즉, 이 지상에는 인간 대 인간의 사랑을 강제하는 것이라곤 아무것도 없다. '인간은 인간을 사랑해야 한다'라는 자연의 법칙은 전혀 존재하지 않는다. 그리고 만일 이 지상에 사랑이라는 것이 있다면, 또는 여태까지 있었다고 한다면, 그것은 자연의 법칙에 의한 것이 아니라, 다만 인간이 자기의 영생을 믿고 있었기 때문일 뿐이다, 라는 것입니다. 여기서 이반 표도로비치는 주석을 다는 형식으로 다음과 같은 말을 덧붙였습니다. 즉, 바로 이것이야말로 자연의 법칙의 전부이다. 따라서 인류가 품고 있는 자기의 영생에 대한 신앙을 근절해 버린다면, 인류가 가지는 사랑은 당장에 고갈해 버릴 뿐 아니라, 이 세상에서의 생활을 계속하기 위한 온갖 생명력 또한 소멸해 버릴 것이다. 아니, 그뿐만이 아니라, 그렇게 되면 부도덕이라는 것은 이미 존재할 수 없게 되어, 모든 것이, 심지어는 안트로포파기Anthropophagie[食人]까지도 허용되는 세상이 될 것이다, 라는 것입니다. 그러나 이 정도로는 불충분하다고 생각했는지, 이반 표도로비치는 예컨대 현대의 우리들처럼 신도 믿지 않고 자기의 영생도 믿지 않는 개개인에게 있어서는, 자연의 도덕률이 전과 같은 종교적인 것과는 정반대되는 것으로 지체 없이 바뀌어야 하며, 또한 악행이라 할 만한 정도의 이기주의가 인간에게 허용되어야 할 뿐만 아니라, 오히려 그것은 필요 불가결한, 가장 합리적인, 그러한 상태에서는 가장 고상하다고 할 수도 있는 필연적인 결과로 인정되어야 할 것이라는 주장으로 말을 맺었던 것입니다. 이러한 역설로 미루어 본다면, 여러분 우리의 사랑스러운 엑센트리크Eccentric[奇人]이며 역설가인 이반 표도로비치가 고창高唱하고 있는, 또는 앞으로 고창하려 하고 있는 그 밖의 모든 주장도 가히 추론할 수 있을 것이라 생각합니다."

"잠깐 실례하겠습니다." 뜻밖에도 드미트리 표도로비치가 느닷없이 커다란 소리로 끼어들었다. "잘못 알아듣지나 않았는지 해서 묻는 말입니다만, '모든 종류의 무신론자들의 입장에서 본다면, 악행은 허용되어야 할뿐더러, 오히려 필요 불가결한, 가장 합리적인 행위로 인정되어야 한다!'는 말이지요? 그렇지 않습니까?"

"바로 그렇습니다" 하고 파이시 신부가 말했다.

"잘 기억해 두겠습니다."

이렇게 말하더니 드미트리는 딱 입을 봉해 버리고 말았다. 그것은 방금 대화에 끼어들었을 때와 마찬가지로 너무나 급작스런 것이었다. 일동은 호기심 어린 눈으로 그를 바라보았다.

"그래 정말로 당신은 인간이 자기의 영생에 대한 신앙을 상실하면, 그러한 결과가 올 것이라고 확신하고 있소?" 하고 장로가 불쑥 이반에게 물었다.

"네, 나는 그렇게 주장했습니다. 만일 영생이 없다면 선행도 없을 것이라고."

"정말로 그렇게 믿고 있다면, 당신은 아주 행복한 사람이든가, 아니면 지극히 불행한 사람일 거요!"

"어째서 불행하단 말씀입니까?" 이반은 히죽 웃었다.

"어째서냐고요? 필시 당신은 자기 영혼의 불멸도, 당신 자신이 교회나 교회 문제에 관해 쓴 것조차 전혀 믿고 있지 않는 것 같기 때문이지요."

"어쩌면 그 말이 맞을지 모르겠군요! 그렇지만 나는 처음부터 농담으로 한 말은 아니었습니다." 이반은 얼굴을 붉히며 갑자기 이상한 말투로 자백했다.

"처음부터 농담을 한 게 아니라는 건 어디까지나 진실일 거요. 그 사상은 아직 당신의 마음속에서 해결을 보지 못한 채 당신의 마음을 괴롭히고 있소. 그러나 수난자受難者도 때로는 절망한 나머지 스스로의 절망으로 위안을 느낄 때가 있는 법이오. 당신도 아직은 절망 끝에, 잡지에다 논문을 발표하기도 하고, 사교계에서 토론을 하기도 하며, 그것으로써 스스로 위안을 느끼고 있소. 그러면서도, 자기 자신의 주장을 믿지 못하고 가슴의 아픔을 느끼면서 마음속으로 그 주장을 냉소하고 있는 거요. 이 문제는 당신의 마음속에서 아직 해결을 보지 못하고 있소. 여기에 당신의 커다란 슬픔이 있지요. 왜냐하면 그것이 끈덕지게 해결을 재촉하고 있기 때문이오."

"하지만 그건 과연 내 마음속에서 해결을 볼 수 있는 걸까요? 긍정적으로 해결될 수 있는 걸까요?" 여전히 야릇한 미소를 띠운 채 장로의 얼굴을 바라보며 이반은 이상한 말투로 질문을 던졌다.

"긍정적으로 해결되지 못한다면, 절대로 부정적인 해결도 볼 수 없을 것이오. 그것이 당신의 타고난 특성이라는 건 당신 자신이 잘 알고 있을 거요. 바로 여기에 당신의 모든 고뇌가 있소. 그러나 이러한 고뇌를 고뇌로 삼을 수 있는 고상한 마음을 당신에게 부여해 주신 창세주創世主에게 감사를 드리시오. '높은 것에 생각을 두고 높은 것을 구하라, 우리의 보금자리는 하늘 위에 있음이니라.' 하느님께서 당신이 이 지상에 있는 동안에 당신의 마음속에 그 해결을 보게 하시옵고, 또한 당신의 앞길을 축복해 주시기를!"

이렇게 말하고 장로는 곧 한 손을 들어 이반을 향해 십자를 그으려 했다. 그러나 이반은 의자에서 벌떡 일어나더니 장로의 앞으로 다가가서 그의 축복을 받고, 그 손에 입을 맞추고는 묵묵히 제자리로 돌아왔다. 이반의 태도는 엄숙하고도 진지했다. 이러한 그의 동작과 일동에게 뜻밖이라는 느낌을 준 그와 장로와의 대화는, 그 수수께끼 같으면서도 어딘지 엄숙한 성질로 하여 좌중의 사람들에게 적지 않은 충격을 주었다. 그래서 일동은 한순간 입을 열 생각도 못 했고, 알료샤의 얼굴에는 거의 공포에 가까운 표정이 떠올랐다. 그러나 갑자기 미우소프가 어깨를 흠칫했다. 그리고 이와 때를 같이하여, 표도르 파블로비치가 느닷없이 의자에서 튀어 일어났다.

"더없이 거룩하고 더없이 존엄하신 장로님!" 하고 그는 이반을 가리키며 소리쳤다. "이건 저의 아들, 저의 육체에서 생겨난 살, 저의 가장 사랑하는 살이올시다! 이건 제가 존경해 마지않는, 말하자면 카를 모르라고 할 만한 인물입니다만, 방금 들어온 저기 저 맏아들, 장로님께 공정한 판결을 앙청하게 된 장본인인 드미트리로 말하면, 가장 존경할 수 없는 인물, 즉 프란츠 모르라 할 수 있지요. 양쪽 다 실러[18]의 《군도Robbers》에 나오는 인물입니다만, 그렇게 되면 아무래도 저는 Regierender Graf von Moor(영주領主인 모르 백작)이 될 수밖엔 없군요! 아무쪼록 잘 판단하셔서 저희들을 구해 주십시오! 저희들에겐 기도의 말씀뿐만 아니라 장로님의 예언이 필요합니다."

"그런 어리석은 소리를 하는 게 아닙니다. 더욱이 자기 가족을 모욕하는 언사로 얘기를 시작하는 건 옳지 않은 일이오" 하고 장로는 피로한 듯이 가느다란 음성으로 대답했다. 분명히 그는 시간이 경과함에 따라 더욱더 피로를 느끼는 듯 싶었고, 또한 눈에 띄게 기운을 잃어 가고 있는 것 같았다.

"보잘것없는 어릿광대짓이죠. 나는 여기 오기 전부터 반드시 그럴 것이라고 짐작했었습니다!" 드미트리는 분노를 참지 못하고 이렇게 소리치며, 역시 자리를 차고 일어섰다. "용서하십시오, 장로님." 그는 장로 쪽으로 돌아서며 말했다. "나는 교육을 받지 못한 놈이어서, 당신을 뭐라고 불러야 할지조차 모를 지경입니다. 그러나 당신은 속은 것입니다. 여기 이렇게 모이는 것을 승낙하시다니 당신은 너무나도 착한 분이십니다. 우리 아버진 추태를 연출하는 것만이 목적이거든요. 무엇을 위한 추태냐—그건 아버지만이 아는 꿍꿍이셈이지요. 아버지는 언제나 자기대로의 꿍꿍이셈이 있으니까요. 그러나 나도 이젠 그걸 알 수 있을 것 같습니다."

"모두들 나만을 나쁜 놈으로 만들고 있어요, 모두들!" 이번엔 표도르가 기를 쓰며 소리쳤다. "여기 이 미우소프 씨도 나를 나쁜 놈으로 만들고 있어요. 나를 나쁜 놈으로 만들었어요. 미우소프 씨, 당신도 나를 악한으로 만들었단 말이오!" 하고 그는 자기 말을 가로채려고도 않고 가만히 앉아 있는 미우소프에게 벼락같이 대들었다. "내가 자식들의 돈을 장화 속에 감추었다가 몽땅 가로채 버렸다고 나를 욕하고들 있지만, 그래 이 고장엔 재판소라는 것이 없는 줄 아시오? 재판정에 나가기만 하면, 드미트리, 네가 쓴 영수증이며 편지며 계약서

18* 프리드리히 폰 실러Friedrich von Schiller(1759~1805). 독일 고전주의 극작가이자 시인, 철학자, 역사가, 문학이론가.

며 조사하여, 네 돈이 얼마였는지, 네가 그걸 얼마나 썼는지, 그래서 지금 얼마나 남았는지 정확하게 셈을 해 줄 게다! 그런데 미우소프 씨는 무엇 때문에 재판을 꺼려 하는 걸까요? 그건 미우소프 씨가 드미트리와 남남끼리가 아니기 때문이죠. 그래서 모두들 한패가 되어 나한테 덤비고 있는 겁니다. 모든 것을 셈하고 나면 드미트리는 오히려 나한테 빚이 있어요. 그것도 적은 액수가 아니라 수천 루블이나 되는 큰돈이란 말입니다. 나한테 증거 서류가 죄다 있습니다! 저 녀석은 워낙 방탕한 놈이라, 그 소문 때문에 온 읍내가 떠들썩할 지경이라니까요! 그리고 저 녀석이 전에 근무하던 고장에서는 어엿한 아가씨들을 유혹하느라고 1천 내지 2천 루블씩이나 돈을 뿌리고 다녔지요. 이봐, 드미트리, 나는 네가 극비로 하고 있는 것까지도 샅샅이 알고 있어. 얼마든지 증거를 내세울 수도 있단 말이다……. 거룩하신 장로님, 이렇게 말하면 곧이듣지 않으실지 모르지만, 저 녀석은 지체도 재산도 있는 양갓집 고귀한 아가씨한테 반했었지요. 전에 자기의 상관이었던 분으로, 성聖 안나 검십자훈장劍十字勳章의 소유자이며 다년간의 군대 생활에서 용맹을 떨친 모 대령의 따님인데, 저 녀석은 감히 그런 아가씨에게 청혼을 하여 상대방의 명예를 더럽혔단 말입니다. 지금은 고아의 처지로 떨어져 저 녀석의 약혼녀가 된 그 아가씨는 현재 이 고장에 살고 있습니다. 그런데도 저 녀석은 그런 어엿한 약혼녀를 놔두고 같은 고장에 사는 딴 여자를 찾아다니고 있단 말입니다. 사내의 넋을 잃게 하는 그 여자는, 비록 어느 존경할 만한 인물과 소위 내연의 관계를 맺은 일이 있기는 하지만, 상당히 굳건한 성격의 소유자여서, 상대방이 누구든 간에 그야말로 난공불락의 요새지요. 뭐 법적인 정처正妻나 다를 바 없습니다. 워낙 훌륭한 여자니까요. 암 그렇고말고요! 신부님, 그 여자는 정말로 훌륭합니다! 그런데도 저 드미트리는 그 요새의 문을 황금의 열쇠로 열어 볼 심산이죠. 그래서 지금 나한테 기를 쓰고 덤비는 겁니다. 돈을 빼앗아 내자는 수작이에요. 그동안에 그 여자한테 쓴 돈만 해도 벌써 몇천 루블이나 됩니다. 닥치는 대로 빚을 얻어 쓰고 있어요. 도대체 그 돈을 누구한테서 얻어 쓰고 있는지 아십니까? 어때, 드미트리. 그걸 여기서 말해 볼까, 응?"

"닥치세요!" 하고 드미트리는 소리 질렀다. "내가 여기서 나갈 때까지 기다려 주시오. 내 앞에서 그 고결한 아가씨를 욕되게 하는 말은 삼가 주었으면 좋겠어요. 아버지가 그 사람 말을 입에 올렸다는 것만으로도 그 사람에겐 더없는 모욕이란 말이오. 나는 절대로 용서할 수 없어요!"

그는 숨을 헐떡이고 있었다.

"미챠! 미챠(드미트리의 애칭)!" 표도르는 억지로 눈물을 짜내듯이 하며 가냘픈 목소리로 외쳤다. "그럼 대체 이 아비의 축복은 무엇 때문이었겠니? 만일에 내가 너를 저주한다면, 그땐 어떻게 될는지 아니?"

"가면을 쓴 파렴치한 같으니!" 하고 드미트리는 미친 듯이 고함쳤다.

"저것이 아비한테, 자기 아비한테 하는 수작입니다! 그러니 상대방이 다른 사람이었다면 무슨 짓을 할는지 알 게 뭡니까! 여러분, 제 얘기를 들으십시오. 여기 한 사람의 가난한, 그러나 존경을 받아 마땅한 인물이 있습니다. 퇴역 대위올시다. 불행을 당하여 군에서 물러나기는 했지만, 그렇다고 공개적으로 군법회의에 회부되었던 것은 아니며, 따라서 명예는 조금도 손상을 받지 않았습니다. 지금은 많은 가족을 거느리고 몹시 고생하고 있지요. 그런데 3주일 전에 저 드미트리란 녀석이 어느 선술집에서 그 사람의 턱수염을 움켜잡고 그냥 한길로 끌어내다가 오가는 사람들이 보는 앞에서 그 사람을 마구 두드려 팼단 말입니다. 이우인즉, 그 사람이 어떤 조그만 사건에서 비밀리에 나의 대리인 노릇을 했기 때문이라는 것뿐입니다."

"그건 죄다 거짓말이에요! 표면상으론 그렇게 말할 수도 있겠지만, 내용은 전부가 거짓말입니다." 드미트리는 끓어오르는 분노에 온몸을 후들후들 떨고 있었다. "아버지! 나는 나의 행위를 변명하지는 않겠어요. 여러 사람 앞에서 솔직히 고백하겠습니다. 사실 말이지 나는 그 대위에게 야수와 같은 행위를 했습니다. 그리고 지금도 그처럼 야수적인 분노를 폭발시킨 걸 유감스럽게 생각하고 있으며 나 자신을 원망하고 있습니다. 그러나 그 대위는, 다시 말해서 당신의 대리인은, 방금 당신이 사내의 넋을 잃게 한다고 한 바로 그 부인을 찾아가서, 만약에 내가 재산의 청산 문제로 더 이상 귀찮게 굴면, 지금 당신의 수중에 있는 나의 어음을 그 여자한테 넘겨줄 테니, 그걸 가지고 소송을 제기하여 나를 감옥에 집어넣어 달라고 당신의 이름으로 간청했단 말입니다. 당신은 지금 내가 그 여자한테 마음이 있어 그런다고 나를 비난했지만, 실은 그렇게 말하는 당신이야말로 그 여자를 부추겨 나를 유혹하게 하지 않았느냐 말이에요! 그 여자가 직접 나한테 말하더군요. 당신을 비웃으면서 자기 입으로 죄다 얘기하더란 말이에요! 당신이 어째서 나를 감옥에 집어넣고 싶어 하느냐, 그건 그 여자로 해서 당신이 나를 질투하고 있기 때문이죠. 당신 자신이 그 여자한테 마음을 두고 한번 어떻게 해 보려고 생각하고 있기 때문이에요. 이것도 나는 벌써 죄다 알고 있습니다. 그 여자는 깔깔거리며 웃어 대더군요. 아시겠어요. 당신을 조소하며 나한테 몇 번이나 그 얘기를 들려주더란 말이에요. 어떻습니까. 여러분, 이것이 저 사람의, 방탕한 아들을 비난하는 아버지의 정체입니다! 이 자리에 계시는 여러분, 내가 분노를 터뜨린 것은 용서하시기 바랍니다. 그러나 나는 미리부터 짐작하고 있었습니다. 저 교활한 노인이 여러분을 이 자리에 청한 것은 단지 추태를 연출하려는 목적에서였습니다. 만약에 아버지가 나한테 화해의 손을 내밀기만 하면, 나도 모든 것을 깨끗이 잊어버리고 용서를 빌겠다는 생각으로 이 자리에 나왔던 것입니다. 그러나 방금 아버지는, 나 한 사람만이 아니라, 내가 그 이름을 입에 올리는 것조차 꺼릴 정도로 존경하고 있는 그 고결한 아가씨까지 모욕했습니다. 그래서 나도 비록 나의 아버지이기는 하지만, 저 노인의 간계를 폭로하기로 한 것입니다."

그는 더 이상 말을 계속하지 못했다. 두 눈은 무섭게 번득이고 숨 쉬는 것조차 힘이 드는 눈치였다. 암자에 모인 사람들도 모두 동요하고 있었다. 장로 한 사람을 제외하고는 모두가 불안에 휩쓸려 의자에서 일어났다. 두 사람의 수사 신부는 준엄한 눈초리로 지켜보고 있었으나, 그래도 장로의 의사를 존중하여 그대로 기다리고 있었다. 장로는 벌써부터 완전히 창백한 얼굴이 되어 앉아 있었지만, 그러나 그것은 흥분 때문이 아니라 병적인 쇠약 때문이었다. 애원과도 같은 미소가 그 입가에 떠올라 있었다. 그는 노여움에 사로잡힌 사람들을 제지하려는 듯이 이따금 한 손을 쳐들곤 했다. 물론 이러한 손짓 하나만으로도 좌중의 소동에 종지부를 찍는 데 충분했을 것이다. 그러나 장로 자신은 마치 무언가 아직도 납득하지 못한 것이 있어 그것을 이해하려고 무엇인가를 기다리고 있는 것처럼, 방 안의 광경을 눈여겨 바라보는 것이었다. 마침내 미우소프는 자기가 이 이상 멸시를 받고 모욕을 당한 적은 없다고 절감하기에 이르렀다.

"이러한 추태가 벌어진 것은 우리들 전체의 책임입니다!" 하고 그는 열띤 어조로 입을 열었다. "그렇지만 나는 이곳으로 오면서도 설마 이렇게 되리라고는 생각지 못했습니다. 물론 상대방이 어떤 인간이라는 건 잘 알고 있었지만요. 아무튼 이런 일은 당장에 끝을 맺어야 합니다! 장로님, 믿어 주십시오. 나는 지금 이 자리에서 폭로된 사실들에 대해 그렇게 자세한 것까지는 전혀 모르고 있었습니다. 그리고 그런 얘기를 믿고 싶지도 않았습니다. 그러니까 이 자리에서 비로소 알게 되었단 말입니다……. 아버지가 더러운 계집 하나 때문에 아들을 질투하고, 또 그따위 매춘부와 짜고서 자기 친자식을 감옥에 집어넣으려 하다니……. 나는 이런 패거리에 끼어들어 멋도 모르고 이곳으로 끌려 왔습니다……. 나는 속은 것입니다. 여러분 앞에서 분명히 말씀드리겠습니다만…… 나는 여러분들과 마찬가지로 속아 넘어간 데 지나지 않습니다."

"드미트리!" 갑자기 표도르가, 마치 남한테 빌려 온 것 같은 이상한 목소리로 고함을 쳤다. "네가 만일 내 자식만 아니었다면 나는 지금 당장에 결투를 신청했을 게다……. 무기는 권총, 거리는 삼 보…… 손수건을 가리고…… 손수건을 가리고 쏘는 결투 말이다!" 하고 그는 발을 구르며 말을 맺었다.

한평생을 광대 짓으로 일관해 온 거짓말쟁이 노인에게도, 흥분 끝에 정말로 몸을 떨며 눈물을 흘릴 만한 진실감을 느끼는 순간이 있는 법이다. 하기는 그 순간에도, (아니면 불과 1초 후에는) '이 파렴치한 늙은이야, 너는 거짓말을 하고 있어, 네가 아무리 '거룩한' 분노라느니, '거룩한' 분노의 순간이라느니 하고 떠벌려 봐야, 역시 너는 광대란 말이다' 하고 틀림없이 자기 자신에게 속삭일 것이지만.

드미트리는 잔뜩 상을 찌푸리고 형언할 수 없는 경멸의 빛을 띠우며 흘끗 아버지에게 눈을 주었다.

"나는…… 나는" 하고 그는 스스로를 억제하듯 나직한 어조로 입을 열었다. "나의 마음의 천사인 미래의 아내와 함께 고향으로 돌아가면, 늙은 아버지를 마음껏 위로해 드릴 생각이었습니다. 그런데 정작 돌아와 보니, 아버지라는 사람은 방탕한 호색한인 데다가 비열하기 짝이 없는 어릿광대였단 말입니다!"

"결투다, 결투야!" 노인은 또다시 숨을 헐떡이며, 한마디 한마디 침을 튀기면서 고래고래 고함을 지르기 시작했다. "그런데 여보시오, 표트르 알렉산드로비치 미우소프 씨, 잘 들어 두시오. 당신의 이른바, 아니, 당신이 방금 대담하게도 '매춘부'라고 부른 그 여성보다 더욱 고귀하고 더욱 순결한, 아시겠어요, 더욱 순결한 여성은 말입니다. 아마 당신의 가문을 샅샅이 뒤져 봐도, 현재건 과거건 간에 한 사람도 없을 겁니다. 그리고 드미트리 네가 자기의 약혼녀를 놔두고 그 '매춘부'한테 들러붙는 걸 보면, 너의 약혼녀도 그 여자의 구두 바닥만 한 가치조차 없다고 너 자신이 판단한 게 아니냔 말이다. 이쯤 되면 그 '매춘부'란 것도 참으로 대단한 존재랄 수밖에!"

"수치를 아시오!" 하고 이오시프 신부가 버럭 고함을 쳤다.

"이런 수치스런 추태가 어디 있담!" 이때까지 시종 침묵을 지키고 있던 칼가노프가 얼굴이 빨갛게 되어, 흥분에 떨려 나오는 소년다운 목소리로 느닷없이 외쳤다.

"어떻게 저따위 인간이 살아 있을까!" 이제는 거의 분노의 절정에 달한 드미트리가 맹수의 울부짖음 같은 소리를 질렀다. 양쪽 어깨를 잔뜩 치켜세우고 있는 품이, 곱사등이가 아닌가 생각될 지경이었다. "아니, 저 사람에게 더 이상 대지大地를 더럽히는 것 같은 언동을 허용해도 좋을까요, 여러분?" 그는 한 손으로 장로를 가리키며 일동의 얼굴을 둘러보았다.

"저것 보십시오, 들으셨습니까, 수사님, 제 아비를 죽이려 드는 저놈의 말을?"

하며 표도르는 이번에는 이오시프 신부에게 대들었다. "이것이 '수치를 아시오' 라고 하신 당신의 말씀에 대한 대답입니다! 수치란 대체 뭡니까? 그 '매춘부'는, 그 '더러운 계집'은, 어쩌면 여기서 도를 닦고 계시는 당신네 수사님들보다 더욱 거룩할지도 모르는 일이 아닙니까! 그야 어릴 때 불우한 환경 때문에 혹시 타락했던 일이 있는지는 모르지만, 그 대신 그 여자는 '많은 것을 사랑했단' 말입니다. 많은 것을 사랑한 자는 그리스도께서도 용서하시지 않았습니까.[19]"

"그리스도께서는 그런 종류의 사랑 때문에 용서하신 게 아니오." 온화한 성격의 이오시프 신부도 더 이상 참을 수가 없었던지, 저도 모르게 이렇게 소리쳤다.

"천만에, 그겁니다, 바로 그런 사랑 때문입니다, 수사님, 바로 그런 사랑을 가상히 여기신 거예요! 당신네들은 여기서 캐비지Cabbage국만으로 도를 닦으며, 그것으로 훌륭히 계율을 지키고 있다고 생각하고 계십니다! 기껏해야 민물고기나 잡수시고, 하루에 한 마리씩 잡수시고, 그것으로 하느님을 매수할 수 있다고 생각하신단 말입니다!"

"망언이다, 있을 수 없는 망언이다!" 하는 소리가 암자 안 여러 곳에서 일시에 일어났다.

그러나 추태가 절정에 달한 이 장면은 전혀 뜻하지 않은 일로 하여 중단되었다. 장로가 갑자기 자리에서 일어난 것이다. 스승의 신상과 일동에 대한 공포감 때문에 거의 얼빠진 사람처럼 되어 있던 알료샤는, 그래도 엉겁결에나마 장로의 손을 잡아 드릴 수 있었다. 장로는 드미트리 쪽을 향해 걸음을 옮겼다. 그리고 그에게로 다가가자 느닷없이 몸을 던져 그의 앞에 무릎을 꿇었다. 알료샤는, 장로가 기운이 없어 쓰러진 줄 알았다. 그러나 그것이 아니었다. 장로는 무릎을 꿇더니 드미트리의 발을 향해 머리를 숙였다. 그것은, 방바닥에 이마가 닿을 정도로 공손하고도, 어김없는 의식적인 절이었다. 알료샤는 어찌나 놀랐던지 장로가 몸을 일으키려 했을 때도 미처 그를 부축해 드리지 못했다. 가냘픈 미소가

19 《신약 성경》〈누가복음〉 7장 47절 참고.

보일 듯 말 듯 장로의 입가에 떠올라 있었다.

"용서하시오! 여러분, 용서하시오!" 그는 이렇게 말하며 사방의 손님들을 향해 인사를 했다.

드미트리는 얼마 동안 무엇에 호되게 얻어맞기라도 한 것처럼 그 자리에 우뚝 서 있었다. 내 발에다 절을 하다니, 대체 어찌 된 영문일까? 그러나, 별안간 그는 "아아!" 하고 소리를 지르더니 두 손으로 얼굴을 가리고는 그냥 밖으로 달려 나가 버렸다. 그 뒤를 따라 나머지 손님들도, 당황한 나머지 주인에게 인사를 하는 것조차 잊고 한꺼번에 물러나오고 말았다. 수사 신부들만이 축복을 받으러 다시 장로 앞으로 나갔다.

"발에 대고 절을 한 건 대체 뭘까요, 무슨 상징적인 뜻이 있긴 있는 모양인데?" 어째선지 갑자기 얌전해진 표도르가 다시 대화를 시작해 볼 양으로 입을 열었으나, 누구든 한 사람을 붙잡고 말을 걸 용기는 나지 않는 모양이었다. 이때 마침 일행은 암자 울타리를 나서고 있었다.

"나는 정신병원이나 정신병 환자들에 대해서는 책임질 수 없소." 미우소프가 성을 내며 얼른 말을 받았다. "그 대신에 나는 당신네들하곤 상종하지 않겠소. 표도르 파블로비치, 영원히 상종하지 않을 테니 그리 아시오. 그런데 아까 그 수사는 어딜 갔나?"

그러나 '아까 그 수사', 즉 수도원장이 일행을 오찬에 초대하기 위해 암자로 보내온 그 수사는 그들을 기다리게 하지는 않았다. 일행이 암자 밖 계단을 내려서자마자, 그때까지 거기서 기다리고 있었던 것처럼 즉시 그들 앞에 나타났다.

"수사님, 매우 죄송합니다만, 원장님에 대한 나의 깊은 경의를 살피시고, 뜻하지 않은 돌발적인 사정 때문에 식사를 함께할 영광을 가질 수 없게 되었다고, 나를, 이 미우소프를 대신하여 원장님께 전해 주실 수 없겠습니까. 초대에 응하고 싶은 마음은 태산 같습니다만……." 미우소프는 성급한 어조로 수사에게 말했다.

"그 뜻하지 않은 사정이라는 건 바로 나를 두고 하는 말입니다." 표도르가 얼른 그의 말을 낚아챘다. "아시겠어요, 수사님, 미우소프 씨는 나하고 함께 남기가 싫어서 그 소릴 하는 겁니다. 그렇지만 않으면 두말없이 초대에 응했을 거예요. 그럴 것 없이 어서 가 보십시오. 미우소프 씨, 원장한테 가서 실컷 얻어먹고 오십시오. 정작 사양할 사람은 당신이 아니라, 나란 말이오. 자, 그럼 집으로 가 볼까. 어서 집에 돌아가서 먹어야지. 여기서 식사를 하는 건 나한텐 아무래도 거북살스러울 것 같군요. 그렇잖아요, 나의 가장 가까운 친척인 미우소프 씨?"

"나는 당신의 친척도 아니며, 또 여태까지 친척 노릇을 해 본 일도 없소. 참으로 당신은 저열한 인간이군!"

"뭐, 당신이 성내는 걸 보려고 일부러 말해 보았을 뿐입니다. 당신은 친척이 된다는 말을 제일 싫어하니까. 하지만 아무리 아닌 체해 봐야 당신은 틀림없는 내 친척이오. 교회의 일력을 꺼내 놓고 그걸 증명해 보여 드리죠. 그리고 이반, 너도 남겠으면 남으려무나. 내가 이따가 마차를 보내 줄 테니. 어쨌든, 미우소프 씨, 예의상으로 보아서도 당신만은 원장한테 꼭 가 봐야 할 거요. 아까 저기서 나하고 둘이 만판 떠들어 댄 걸 사과드려야 할 테니까."

"하지만 당신이 먼저 돌아가겠다는 건 정말이오? 거짓말을 하는 건 아니겠지?"

"미우소프 씨, 방금 그런 일이 있었는데, 어떻게 내가 또 그따위 짓을 할 수 있겠소! 그만 대화에 열중하다 보니 그렇게 되어 버렸군요. 여러분, 용서하십시오. 너무 열중해서 그렇게 된 일이니. 뿐만 아니라 자극이 너무 강했어요! 사실 부끄럽기 짝이 없습니다. 하지만 여러분, 세상엔 마케도니아 왕 알렉산드르와 같은 마음을 가진 사람이 있는가 하면, 피델코의 개와 같은 심장의 소유자도 있는 법입니다. 내 심장은 피델코의 개처럼 조그맣거든요. 완전히 위축되어 버렸어요! 아까와 같은 탈선을 하고 나서, 이제 어떻게 감히 식사 초대를 받아 수도원의 소스를 축낼 수 있겠습니까? 어디 부끄러워서 그렇게 할 수야 있나요. 그럼 나는 여기서 실례하겠습니다!"

'가든 말든 내가 알 게 뭐냐. 하지만 설마 날 속이자는 수작은 아니겠지?' 점점 멀어져 가는 어릿광대의 뒷모습을 의혹 어린 눈으로 바라보며 미우소프는 자신 없는 얼굴을 하고 그 자리에서 멈춰 섰다. 표도르는 뒤를 돌아보았다. 미우소프가 자기를 지켜보고 있는 것을 알자, 그는 손을 들어 키스를 던지는 시늉을 해 보였다.

"그래 당신은 원장한테 갈 작정이오?" 미우소프는 이반을 향해 퉁명스럽게 물었다.

"물론 가 봐야죠! 더욱이 어제 나는 원장한테서 특별한 초청을 받았으니까요."

"귀찮은 일이긴 하지만, 나도 실은 그 지긋지긋한 오찬에 반드시 참석해야만 할 필요성을 느끼고 있어요." 옆에서 수사가 듣고 있는 데도 불구하고 미우소프는 입맛이 쓰다는 듯 여전히 짜증 섞인 어조로 말을 계속했다. "우리가 여기 들어와서 추태를 연출한 데 대해 우선 용서를 빌고, 또 우리가 장본인이 아니라는 걸 밝히기 위해서도 역시……. 당신 생각은 어떻소?"

"그렇죠, 우리가 장본인이 아니라는 것만은 밝힐 필요가 있어요. 다행히 아버지는 참석하지 않겠다니까……" 하고 이반은 대답했다.

"이제 또 당신 아버님하고 같이 갔다가는 정말 큰일입니다! 오찬이고 뭐고 귀찮기만 하군요!"

아무튼 일행은 앞으로 걸음을 옮겼다. 수사는 잠자코 두 사람의 대화를 듣고만 있었다. 조그만 숲을 빠져 나가고 있을 때, 그는 단 한 번, 원장님은 아까부터 일행을 기다리고 계시는데 시간이 벌써 예정보다 30분 이상이나 늦었다는 말을 했을 뿐이었다. 이 말엔 아무도 대꾸하려는 사람이 없었다. 미우소프는 증오를 담은 눈으로 흘끗 이반을 바라보았다.

'마치 아무 일도 없었던 것처럼 시치밀 떼고 식사를 하러 가는군!' 하고 그는 생각했다. '철면피에다가 카라마조프적的 양심이라…….'

7. 출세주의자인 신학생

알료샤는 장로를 침실로 모시고 들어가 침대에 앉혔다. 최소한의 가구만을 들여놓은 아주 조그마한 방이었다. 폭 좁은 철제 침대에는 쿠션 대신에 양탄자가 한 장 깔려 있을 뿐이었고, 한쪽 구석 성상 앞에 자리 잡은 성서대聖書臺 위에는 십자가와 성경책이 놓여 있었다. 장로는 맥없이 침대에 주저앉았다. 그 눈은 이상하게 번득이고 숨결은 고르지가 못하였다. 그는 무엇인가 곰곰이 생각하고 있는 듯이 알료샤의 얼굴을 뚫어지게 바라보았다.

"이젠 됐으니 가 보아라. 내 곁엔 포르피리만 있으면 충분하니까 너는 어서 그리로 가거라. 너는 거기서 필요한 사람이야. 원장님한테 가서, 식사를 하시는 동안 시중을 들도록 하려무나."

"여기 그냥 남아 있게 해 주십시오." 알료샤는 애원하는 목소리로 말했다.

"너는 거기서 더 필요한 사람이야. 거긴 정다운 분위기가 못 될 테니까. 시중을 드느라면 다소나마 도움이 되어 드릴 수도 있겠지. 소동이 벌어지면 그땐 기도를 드리는 거야. 귀여운 아이야, (장로는 이렇게 부르기를 좋아했다) 앞으로도 여긴 네가 있을 곳이 아니다. 이 점은 잘 기억해 두어야 한다. 내가 하느님의 부름을 받고 나면 너는 곧 이 수도원을 떠나거라. 아주 떠나 버려야 한다."

알료샤는 흠칫 몸을 떨었다.

"왜 그러느냐? 앞으로 얼마 동안 여긴 네가 있을 곳이 못 돼. 속세에 나가서 위대한 공덕을 쌓도록 내가 축복해 주마. 너한텐 앞으로도 많은 편력遍歷이 필요하다. 그리고 결혼도 해야 할 것이고. 암, 해야 하고말고. 다시 이곳에 돌아올 때까지는 온갖 고난을 다 겪어야 할 게다. 해야 할 일도 많이 생기겠지. 그러나 나는 너를 믿고 있기 때문에 속세로 내보내는 거야. 너는 언제나 그리스도와 함께 있다. 그리스도를 지켜 드려야 한다. 그러면 그리스도께서도 너를 지켜 주실 게다. 크나큰 슬픔을 맛보아야 할 때도 있겠지만, 바로 그 슬픔이 있음으로 해서 행복해질 수도 있는 법이야. 이것이 네게 주는 나의 유언이다. 슬픔 속에서 행복을 찾아야 한다. 일하고 또 일하거라. 앞으로 내가 한 이 말을 마음속 깊이 새겨 두거라. 너와 이야기할 기회가 또 있긴 하겠지만, 내 여명은 며칠은커녕 몇 시간도 남지 않았으니까 하는 말이다."

알료샤의 얼굴에는 다시금 격심한 동요의 빛이 떠올랐다. 입술 양쪽 언저리가 경련을 일으킨 듯 실룩거렸다.

"또 무엇 때문에 그러느냐." 장로는 부드럽게 미소 지었다. "속세의 사람들은 눈물로 죽은 자를 보내도 무방하겠지만, 여기 있는 우리들은 하느님의 부름을 받은 수사를 기쁜 마음으로 보내야 하느니라. 하느님의 부름을 받은 것을 기뻐하며 그를 위해 기도를 드려야 한다. 자, 이젠 나를 혼자 있게 해 다오. 기도를 드려야 하니까. 어서 빨리 가 보아라. 그리고 형님들의 곁을 떠나면 안 돼. 어느 한쪽만이 아니라 두 형의 곁에 동시에 붙어 있도록 해야 한다."

장로는 손을 들어 알료샤를 축복해 주었다. 알료샤는 끝내 거기 남아 있고 싶었으나, 장로의 분부를 거역할 수는 없었다. 또한 자기 형 드미트리 앞에 엎드려 절을 한 건 대체 무슨 뜻이었느냐고 장로에게 묻고 싶어 견딜 수가 없었고, 하마터면 그 말이 입 밖에 새어 나올 뻔했으나, 그래도 차마 물을 용기는 나지 않았다. 그는 잘 알고 있었다. 만일 그 뜻을 말해 주어 무방하다고 생각했다면 장로는 그가 묻기 전에 자진해서 설명해 주었을 것이 아닌가. 그러고 보면 장로는 그럴 생각이 없었다고 보아야 한다. 그렇지만 장로의 그 절은 알료샤에게 무서운 충격을 주었다. 그 절 속엔 무언가 신비적인 뜻이 숨겨져 있다고 그는 맹목적으로 믿고 있었다. 신비적인, 아니 어쩌면 가공할 만한 뜻인지도 모른다.

수도원장의 오찬 시간에 늦지 않으려고 (물론 그것은 상 심부름을 하기 위해서였을 뿐이지만) 급히 암자 울타리 밖까지 나왔을 때, 알료샤는 갑자기 심장이 죄어드는 듯한 아픔을 느껴 그 자리에 멈춰 서고 말았다. 눈앞에 다가온 자기의 죽음을 예언한 장로의 말이 다시금 귓전에 울리는 것 같았기 때문이다. 장로의 예언은, 더욱이 그처럼 명확하게 말한 예언은, 반드시 실현되고야 말 것이다. 알료샤는 그것을 믿어 의심치 않았다. 그러나 그분이 돌아가시면 자기는 어찌 될 것인가? 그 모습을 뵈올 수 없고 그 음성을 듣지 못하게 되면, 자기는 어떡하면 좋단 말인가? 그리고 대체 어디로 가야 한단 말인가? 장로는 울지 말고 수도원을 떠나라고 명하지 않았는가, 아아! 알료샤는 이미 오랫동안 이런 적막감을 느끼는 일이 없이 지내 왔던 것이다. 그는 암자와 수도원 사이를 가로지른 숲속을 급히 걸어가면서도 이러한 무거운 생각에 가슴이 짓눌려 도저히 그것을 견디어 낼 드리가 없었다. 그래서 그는 양쪽 길섶에 늘어서 있는 수백 년 묵은 노송들을 바라보기 시작했다. 숲속 길은 그리 길지 않아서, 기껏해야 5백 보밖엔 안 되었다. 이런 시각이면 도중에 사람을 만나는 일은 없었다. 그런데 첫 모퉁이를 돌아서자 난데없이 라키친의 모습이 눈앞에 나타났다. 그는 누군가를 기다리고 있었던 것이다.

"내가 오길 기다리고 있었나?" 알료샤는 그와 어깨를 나란히 하며 이렇게 물었다.

"맞았어." 라키친은 히죽 웃었다. "수도원장한테 급히 가는 길이군. 나는 알아, 손님들한테 식사 대접을 하는 거지? 자네 기억 하나, 대주교와 파하토프 장군이 함께 다녀간 이후로는 오늘만큼 성대한 오찬은 아직 한 번도 없었을 거야. 나는 거기 가지 않겠네만, 자넨 가서 소스라도 쳐 드리게나. 그런데 알렉세이, 한 가지 물어볼 게 있어. 아까 그 꿈같은 장면은 대체 무슨 뜻인가? 실은 그걸 자네한테 묻고 싶었어."

"꿈같은 장면이라니?"

"자네 형 드미트리한테 넙죽 절을 한 것 말일세. 이마가 마룻바닥에 쿵 하고 부딪치기까지 했다니까!"

"조시마 장로님 말인가?"

"맞았어, 조시마 장로 말일세."

"뭐 이마가 쿵 했다고?"

"아니, 이거 내가 실언을 했군! 하지만 실례될 말을 좀 했기로서니 어떤가! 하여간 그건 대체 무슨 뜻이지?"

"그건 나도 모르겠어, 라키친."

"그러니까 자네한테 아무런 설명도 해 주지 않았군그래. 그럴 줄 알았어. 물론 이상하게 여길 건 아무것도 없지. 그것 역시 늘 정색을 하고 해치우곤 하는 그런 괴상한 행위에 불과할 거야. 그러나 아까 그건 일부러 꾸민 연극일걸세. 두고 보게, 이제 곧 읍내의 광신자들이 떠들썩하게 그 얘길 하기 시작할 테니. 얼마 안 가서 온 현縣에 그 소문이 쫙 퍼질 거야. '도대체 그건 무슨 뜻이었을까?' 하고 머리를 기웃거리겠지. 그렇지만 내가 보기엔 그 노인은 정말 날카로운 통찰력을 가지고 있어. 범죄의 냄새를 맡아 냈단 말일세. 자네네 집안에선 아무래도 구린내가 나는 것 같아."

"범죄라니, 무슨 범죄 말인가?"

라키친은 무슨 말인지 하고 싶어 못 견디어 하는 눈치였다.

"자네네 집안에서 일어날 범죄, 즉 자네 형들과 돈 많은 자네 아버지 사이에서 일어날 범죄 말일세. 그래서 조시마 장로는 만일의 경우에 대비해서 마룻바닥에다 이마를 쿵 한 거야. 후에 정말 무슨 일이 일어나면 '아, 과연 그 거룩한 장로님께서 예언하신 대로구나'라는 말이 나오게 하려고 말이야. 그렇지만 이마를 쿵 부딪쳤다고 해서, 도대체 거기 무슨 예언의 뜻이 포함되어 있겠나? 그런데도 세상 사람들은, 아니, 거기엔 상징적인 뜻이 있다느니 비유적인 뜻이 있다느니 하고 별의별 소릴 다하겠지! 그리고 범죄를 사전에 알아냈다느니 범인을 미리 알아맞혔다느니 하고 떠들썩하게 찬양할 걸세. 예언을 한다는 광신자들이 하는 짓이란 모두가 다 그런 거야. 이를테면 술집에 대고 성호를 긋고, 성당을 향해서는 돌을 던진다는 격이지. 자네네 장로도 그와 마찬가지로, 정직한 자에겐 지팡이를 휘두르고, 살인자에겐 발에다 대고 절을 하거든."

"범죄라는 건 뭐고 살인자라는 건 또 누굴 두고 하는 말인가? 대체 무슨 소릴 하고 있는 거야?"

알료사는 그 자리에 못 박힌 듯 우뚝 멈춰 섰다. 라키친도 걸음을 멈췄다.

"누굴 두고 하는 말이냐고? 공연히 시치밀 떼지 말게! 자네도 그건 이미 생각해 본 적이 있을 거야, 틀림없이. 아무튼 얘기는 재미있게 됐는걸. 이거 봐, 알료샤. 자넨 언제나 태도가 분명치 못하긴 하지만, 그 대신 거짓말만은 안 하는 성미니까, 어디 한번 물어보겠는데, 그래 자넨 그걸 생각해 본 적이 있나, 없나?"

"생각해 본 적이 있네" 하고 알료샤는 나직이 대답했다. 이렇게 나오면 라키친도 약간 당황하지 않을 수 없었다.

"뭐라고? 그래 자네 정말로 그런 걸 생각하고 있었단 말인가?" 하고 그는 외쳤다.

"나는 뭐…… 꼭 그렇게 생각하고 있었다는 건 아니지만" 하고 알료샤는 중얼거리듯 말했다. "지금 자네가 너무나 이상스런 말을 하니까, 나도 어쩐지 그런 걸 생각해 본 적이 있는 것 같은 느낌이 들었을 뿐이야."

"거 보게, (자넨 참으로 분명하게 말했어) 그래 내가 뭐라던가. 그러니까 오늘 아버지와 미챠 형을 바라보며 범죄를 생각했단 말이지? 그럼 내가 잘못 본 건 아니었던가 보군?"

"아니, 잠깐만 기다려 주게." 알료샤는 황급히 말을 가로챘다. "자넨 대체 무슨 근거에서 그런 생각을 하게 됐나? 그리고 무엇 때문에 자네가 그 문제에 그처럼 관심을 갖고 있는지, 그게 중요한 문제야."

"그 두 가지 질문은 서로 관련이 없는 것이긴 하지만, 지극히 당연한 질문일세. 그럼 따로따로 대답하겠네. 우선, 무슨 근거에서 그런 생각을 하게 되었느냐? 그건 내가 오늘 자네 형 드미트리라는 인간의 정체를 대번에, 순식간에, 완전히 파악했기 때문이야. 그렇지 않고서야 어떻게 그런 생각을 할 수 있겠나. 어떤 하나의 특징으로 그 사람의 전모를 대번에 파악했단 말일세. 그 사람처럼 지극히 정직하면서도 정욕이 강한 사람에겐 넘어서는 안 될 한계가 있는 법이야. 그것만 없다면 자네 형은 칼을 가지고 아버지를 찔러 버리고 말 걸세. 그런데 자네 아버지는 술주정뱅이인 데다가 방종한 도락자여서, 무슨 일에나 한계라는 걸 모르거든. 두 사람이 다 자기를 억제할 줄 모르는 인간이니까, 결국은 양쪽 다 진창 속에 첨벙……"

"아니야, 라키친, 그렇지 않아. 그런 것뿐이라면 오히려 안심이야. 절대로 그렇게까진 되지 않을 테니까."

"그런데 무엇 때문에 자넨 그렇게 후들후들 떨고 있나? 내 얘길 잘 듣게. 사실 그는, 즉 드미트리는 정직한 인간인지는 몰라. (좀 어리석기는 하지만 정직한 인간이기는 하지) 그렇지만 그 사람은 호색꾼이야. 이것이 그 사람에 대한 정의이고, 또 그 사람의 내면적인 본질이란 말일세. 그건 아버지한테서 야비한 호색적 성질을 물려받았기 때문이야. 그런데 알료샤, 나는 자네한테만은 정말 놀라지 않을 수 없어. 어쩌면 자넨 그렇게 순결무구할 수가 있나? 자네 역시 카라마조프네 아들이 아닌가! 자네네 집안에선 호색이 열병의 정도에까지 도달했어. 그래서 지금 그 세 사람의 호색꾼이 서로 상대방을 지켜보고 있는 거야……. 장화 속에 비수를 감추고 말이야. 세 사람이 서로 이마를 맞부딪친 셈인데, 어쩌면 자네는 제사四의 호색꾼인지도 모르지."

"자넨 그 여잘 오해하고 있는 거야. 드미트리는 그 여자를…… 멸시하고 있어." 알료샤는 어쩐지 이상하게 몸을 떨면서 이렇게 말했다.

"그루셴카 말인가? 천만에, 멸시하고 있는 게 아니야. 자기 약혼자를 버리고 공공연하게 그 여자한테 들러붙고 있는 이상, 그 여자를 멸시한다고는 말할 수 없지. 거기에는…… 거기에는 말일세, 현재의 자네로선 이해할 수 없는 무엇이 있는 거야. 만일 어떤 사내가 어떤 아름다운, 여자의 육체라든가, 아니면 단지 그 육체의 일부분(이건 호색꾼이라야 알 수 있는 것이지만)에 미쳐 버리게 되면, 그때는 이미 자기 자식들이고 아버지고 어머니고 안중에 없는 법이야. 나중엔 러시아고 조국이고 뭐든지 다 팔아먹게 되지. 정직한 인간이라도 도둑질을 하게 되고, 온순한 인간이라도 살인을 하게 되고, 충실한 인간이라도 배신행위를 예사로 하게 된단 말일세. 여자의 발을 노래한 시인 푸시킨은 자기 시 속에서 여자의 귀여운 발을 찬양하지 않았느냐 말이야. 딴 사람들은 그것을 소리높이 찬양하고 있지는 않지만, 누구든 아름다운 발을 보면 전율을 느끼게 마련이라네. 물론 이것은 발에 한한 것은 아니지만……. 비록 드미트리가 그루센카를 멸시하고 있더라도 이런 면에선 멸시가 무슨 도움이 되는 건 아니야. 하지만 멸시는 도저히 떨어질 수는 없단 말일세."

"그건 나도 알아" 하고 알료샤는 불쑥 뇌까렸다.

"그래? '나도 알아' 하고 그렇게 한마디로 실토하는 걸 보니 정말 알긴 아는 모양이군" 하고 라키친은 심술궂게 말했다. "자넨 그걸 무의식중에 뇌까렸어. 저도 모르게 실토한 말이기 때문에 그 고백은 더욱 가치 있는 것이라 할 수 있어. 그러니까 그건 자네한텐 그리 생소한 문제는 아니었군. 벌써 자네는 그걸, 즉 육욕이라는 걸 생각해 본 적이 있단 말이지? 그런데도 난 자넬 그저 순결무구한 소년인 줄로만 알았었네그려! 이거 봐, 알료샤, 자넨 얌전한 인간이야, 거룩한 인간이지. 그 점은 나도 의심치 않아. 그러나 얌전한 얼굴을 하고 있으면서도, 자넨 뭐든지 다 생각하고, 뭐든지 다 알고 있군그래! 순결무구한 인간이면서도, 벌써 그런 데까지 깊이 들어가 있었단 말이지? 나는 오래전부터 자넬 관찰해 왔어. 자네도 별수 없는 카라마조프, 틀림없는 카라마조프야. 그러고 보면, 혈통이니 유전이니 하는 것도 제법 확실성이 있는가 보군. 아버지한테선 호색적인 성질을, 어머니한테선 광신적인 소질을 물려받은 셈이니까. 아니, 왜 그렇게 떨고 있나? 그런데 자네 알고 있나? 그루셴카가 나한테 이런 부탁을 했어. '그 사람을(즉 자네를) 데려오세요, 내가 그 승복을 벗겨 버릴 테니'라고 말이야. 데려오라, 데려오라고 아주 신신당부하더라니까! 나는 생각했지. 그 여자는 도대체 자네의 어디에 그처럼 흥미를 느끼는 걸까? 아무튼 그루셴카도 보통 여자가 아닌 것만은 확실해!"

"나 대신 잘 전해 주게, 난 가지 않을 거라고." 알료샤는 쓴웃음을 지었다. "그보다도 라키친, 하던 말이나 끝까지 다 말하게. 난 나중에 내 의견을 말할 테니까."

"다 말하고 말고 할 것도 없지. 모든 것이 판에 박은 옛날 얘기 모양 뻔하거든. 만일에 자네의 내부에까지 호색적인 피가 흐르고 있다면, 한 어머니 뱃속에서 나온 자네 형 이반은 어떻겠나? 그 사람 역시 카라마조프네 아들이야. 호색과 물욕과 광신—여기에 자네네 카라마조프 일가의 모든 문제가 포함되어 있어. 자네 형 이반은, 자기 자신 무신론자이면서도, 무언가 알지 못할, 지극히 어리석은 동기에서 지금은 장난삼아 신학적 논문 같은 걸 잡지에 쓰고 있거든. 그리고 그것이 비열한 짓이라는 걸 자기 자신은 잘 알고 있어—이것이 자네 형 이반이야. 뿐만 아니라, 자기 형 드미트리의 약혼녀를 가로채려 하고 있는데, 아마 그 목적을 달성하고야 말 걸세. 더욱이 상대방인 드미트리의 승낙까지 받고 하는 짓이니까. 드미트리는 어떻게 해서든 약혼녀와 손을 끊고 한시바삐 그루셴카한테 달려가고 싶어서 그 여자를 이반한테 양보하려는 거야. 그런 짓이 모두 자기의 청렴결백한 성격에서 우러나오는 것이라 생각하고 있으니, 이건 정말 주목할 만한 일이지. 모두가 하나같이 파멸의 운명을 지닌 인간들이거든! 이쯤 되면 도대체 뭐가 뭔지 알 길이 없어. 자기 자신이 비열하다는 걸 자각하면서 일부러 비열한 행위에 열중하고 있으니 말이야! 좀 더 들어 보게. 지금 드미트리를 방해하고 있는 건 그 영감님, 즉 자네 아버지야. 그 사람은 요즘 갑자기 그루셴카한테 미쳐서, 그 얼굴을 보기만 해도 군침을 질질 흘릴 지경이거든. 아까 장로의 암자에서 그런 추태를 연출한 것도 실은 그 여자 때문이었어. 미우소프가 주책없이 그 여자를 가리켜 음탕한 매춘부라고 한 게 잘못이었지. 발정한 수고양이보다 더 심하다니까! 그루셴카는 전에 그 사람의 술집인가 뭔가 하는 데서 고용살이를 하고 있었는데, 요즘 와서 갑자기 그 사람은 그 여자의 용모가 번쩍 눈에 띄어서 사뭇 미쳐 버리다시피 되어 여자를 설득하려 들기 시작했거든. 물론 그 설득 방법이 떳떳할 리는 만무하지. 그러니까 그 두 사람은, 아버지와 아들은 아무래도 충돌을 면할 길이 없게 되었단 말일세. 그런데 그루셴카는 태도를 분명히 하려 하지 않고, 아직은 두 사람에게 똑같이 꼬리를 흔들어 보이며 그들을 우롱하고 있어. 어느 쪽이 더 유리할지 그 눈치만 살피고 있는 거야. 영감님한테선 돈을 좀 뺏을 수는 있지만, 그 대신 자기를 아내로 맞아들일 것 같지는 않고, 또 나중에 가서는 점점 더 구두쇠가 되어, 필경은 주머니 끈을 아주 졸라매고 말지도 모르지. 그렇게 생각하면 드미트리에게도 장점이 없는 건 아니야. 돈은 없지만, 그 대신 결혼은 해 줄 테니까. 암, 해 주고말고! 돈 많은 귀족이며 대령의 딸인 데다가 보기 드문 미인인 자기의 약혼녀 카체리나 이바노브나를 버리고, 무식하고 방탕한 늙은 장사꾼 삼소노프의 첩 노릇을 하던 그루셴카와 정식으로 결혼하는 거야. 이러한 모든 사정을 고려한다면, 정말로 무슨 범죄적인 충돌이 발생할 가능성은 충분하거든. 자네 형 이반이 기다리고 있는 건 바로 이거야. 그렇게 되면 모든 게 자기 뜻대로 될 테니까. 죽도록 사모하고 있는 카체리나 이바노브나를 자기 것으로 만들 수 있을뿐더러, 6만 루블이나 되는 그 아가씨의 지참금까지 고스란히 집어삼킬 수 있으니 말이야. 그 사람처럼 알몸뚱이 하나밖엔 없는 인간에겐 마수걸이로선 정말 군침이 돌 만도 한 일이 아니겠나. 더욱이 여기서 주목해야 할 점은, 그것이 자기 형 드미트리를 모욕하기는커녕 오히려 굉장한 은혜를 베푸는 셈이 된다는 사실이야. 이건 내가 확실히 알고 있는 얘긴데, 지난주에 어느 술집에서 집시 계집들과 술에 취해 난장판을 벌인 끝에 드미트리는 자기 입으로, 자기는 카첸카(카체리나의 애칭)를 아내로 맞을 자격이 없는 놈이지만, 이반이라면 그만한 자격이 충분하다고 커다란 소리로 지껄이더라는 거야. 물론 카체리나 이바노브나도 이반처럼 매력 있는 남자를 끝까지 거절할 수는 없겠지. 벌써부터 두 형제 사이에 끼어서 갈팡질팡 하고 있는 형편이니까. 그런데 이반은 어떻게 자네네 식구들을 매혹해 버렸기에 모두들 그 사람을 그처럼 숭배하고 있나? 그렇지만 그 사람은 속으로 자네들을 조소하고 있어. 마침 잘됐다, 셈은 너희가 치러라, 맛있는 건 내가 먹어 줄 테니, 하는 뱃심이지."

"그렇지만 자넨 어떻게 그런 걸 알고 있지? 어떻게 그처럼 자신 있는 말을 할 수 있나?" 알료샤는 잔뜩 미간을 찌푸리고 날카롭게 물었다.

"그럼 어째서 자네는 그렇게 물으면서도 내 대답을 두려워하나? 결국 자네도 내 말이 사실이라고 인정하고 있는 게 아닌가."

"자넨 이반이 싫은가 보군. 이반은 돈 따위에 침을 흘릴 인간이 아니야."

"그럴까? 하지만 카체리나 아가씨의 미모엔 어떤가? 돈만이 문제가 아니야.

하긴 6만 루블이라면 누구나 마음이 동할 만도 하지."

"이반은 좀 더 높은 곳을 바라보고 있어. 몇 만금이 된대도 돈 같은 것엔 마음이 없어. 이반이 구하고 있는 것은 돈도 안락도 아니야. 이반이 구하고 있는 것은 아마 고뇌일 거야."

"그런 꿈같은 얘기가 어디 있어! 정말 자네들은…… 굉장한 귀족 나리들이로군!"

"이거 봐, 라키친, 이반은 폭풍우와 같은 격렬한 정신의 소유자야. 그의 두뇌는 한 가지 일에 완전히 사로잡혀 있어. 아직은 해결을 보지 못하고 있기는 하지만, 그의 사상은 위대해. 수백만의 돈보다는 사상의 해결을 필요로 하는 사람들 중의 하나야."

"알료샤, 그건 표절이야. 장로의 말을 인용하는 것밖엔 안 돼. 아무튼 이반은 자네들한테 굉장한 수수께끼를 던져 주었군!" 하고 라키친은 악의를 숨기려 하지도 않고 소리쳤다. 입술이 비뚤어지고 얼굴색까지 변해 있었다. "그러나 그 수수께끼라는 건 우스꽝스럽기 짝이 없는 것이어서 일고의 가치도 없는 거야. 두뇌를 조금만 작용시키면 곧 알 수 있는 것이지. 그 사람의 논문이라는 것 역시 대수로울 건 하나도 없어. 아까 그 사람의 엉터리 이론—영혼의 불멸이 없다면 선행도 없고, 따라서 무슨 짓을 해도 상관없다는 이론을 나도 들었지만, (그때 자네 맏형 드미트리가 '잘 기억해 두겠습니다'라고 한 말은 자네도 들었겠지?) 비열한 인간에겐 귀가 솔깃해질 이론이야……. 아니, 이렇게 말하면 악담이 되는군. 어리석은 것이지……. 비열한 인간이 아니라 '해결할 수 없을 만큼 심오한 사상'을 품은 현학적인 떠버리에겐, 이라고 해 두세. 아무튼 뽐내는 품이 이만저만이 아니더군. 그렇지만 그 이론의 요점은, '한편으로는 그걸 승인하지 않을 수 없지만, 다른 한편으로는 역시 인정하지 않을 수 없다!'라는 거야. 요컨대 그 사람의 이론 전체는 비열이라는 한마디로 요약될 수 있다는 말일세! 인류는 영혼의 불멸을 믿지 않더라도, 선행을 위해 살 수 있는 힘을 자기의 내부에서 발견하게 될 거야! 자유·평등·화목에 대한 사랑 속에서 그 힘을 발견하게 될 거야."

라키친은 거의 자신을 억제할 수가 없을 만큼 극도로 흥분해 있었다. 그러나 갑자기 무슨 생각이 들었는지 하던 말을 뚝 끊고 말았다.

"하지만 이젠 그만해 두세." 그는 한층 더 비뚤어진 입술로 히죽 웃었다. "아니, 자네 왜 웃나? 내가 못난 놈으로 생각되나?"

"못난 놈이라니, 그런 건 생각해 본 일조차 없네. 자넨 영리하긴 하지만…… 아니, 그만두세. 그저 무심코 웃었을 뿐이야. 라키친, 난 자네가 흥분하는 것도 무리가 아니라고 생각하네. 자네가 열을 올리는 걸 보고 깨달았지만, 자네 자신이 카체리나 이바노브나한테 마음을 두고 있는 거야. 난 벌써 오래전부터 그렇지나 않나 생각해 왔어. 그래서 자넨 이반을 좋아하지 않는 거야. 자넨 이반을 질투하고 있지?"

"그리고 '그 여자의 돈에도 질투를 느끼고 있지?'라고 덧붙이고 싶진 않나."

"아니, 돈 얘긴 하고 싶지 않아. 자네를 모욕할 의사는 없으니까."

"자네 말이니 그대로 믿겠네. 그렇지만 자네네 집안이나 자네 형 이반이 어찌되던 내가 알 게 뭔가! 자네는 모르겠지만, 카체리나 문제가 없더라도 나는 이반을 좋아하지 않을 충분한 까닭이 있어. 그리고 또 어째서 내가 그 사람을 좋아해야만 한단 말인가. 그런 사람은 딱 질색이라니까! 저쪽에서 먼저 나를 헐뜯고 있는 판에, 나한텐 저쪽을 헐뜯을 권리가 없다는 건가?"

"나는 좋은 말이건 나쁜 말이건 형이 자네 얘길 하는 걸 들어보지 못했네. 자네 얘긴 아예 입 밖에 내본 일도 없으니까."

"그렇지만 내가 들은 바에 의하면, 그 사람은 그저께 카체리나네 집에서 나를 마구 헐뜯더라는 거야. 얼마나 '이 충실한 하인'한테 관심을 갖고 있는가는 그것으로 충분히 알 수 있지. 이쯤 되면 도대체 어느 쪽이 질투를 하고 있는 건지 알 수 없는 일이야! 뭐 이런 의견을 늘어놓더라나—만약에 내가, 이 라키친이 극히 가까운 장래에 수도원장이 되려는 꿈을 버리고, 삭발위승削髮爲僧을 단념한다면, 그때는 반드시 페테르부르크로 가서 큰 잡지사에 들어가 평론 부문의 일을 맡아보게 되리라는 거야. 그리고 한 십 년 글을 쓰다가 나중에는 그 잡지사를 자기 것으로 만들어 버린다나. 그다음에도 계속해서 잡지를 발행하는데, 그 잡지는 틀림없이 자유주의적이며 동시에 무신론적 경향을 띤 것으로, 또한 사회주의적 색채, 다시 말해서 사회주의적인 냄새를 약간 풍기는 것으로 만들되, 귀만은 언제나 빳빳하게 치켜세우고, 즉 적에 대해서나 자기편에 대해서나 경계를 게을리하지 않고, 우매한 대중의 눈을 속이도록 한다는 거지. 자네 형의 해석에 의하면, 나의 출세가도出世街道의 종착점은 결국 이렇게 된다더군. 즉, 사회주의적 색채라는 것도, 잡지의 예약금을 자기의 은행 당좌에 넣어 가지고 유대인의 지도를 받아, 필요한 경우엔 그것을 최대한도로 활용하는 데 조금도 방해가 되지 않을 것이고, 그리하여 나중에는 페테르부르크에 굉장히 큰 빌딩을 짓고, 그리로 편집부를 옮기고, 나머지 방들은 세를 놓는다는 거야. 심지어는 그 빌딩의 위치까지 지적하더라는군. 현재 페테르부르크에서 계획 중이라는 새 다리, 네바 강을 건너 리체이나야 거리와 브이보르그스카야 거리를 연결하는 노브이 카멘느이 다리 바로 옆이라나……"

"아니야, 라키친. 그건 어쩌면 한 가지도 틀리지 않고 그대로 실현될는지도 몰라!" 참다못해 알료사는 유쾌하게 웃으며 이렇게 외쳤다.

"아니, 자네까지 나한테 빈정대긴가, 응, 알렉세이?"

"아니, 아니, 이건 농담이야. 용서하게. 나는 전혀 딴 생각을 하고 있었어. 헌데 실례지만, 자네한테 그런 얘기를 일일이 알려 줄 수 있는 건 누굴까? 그래 자넨 누구한테서 그 얘길 들었나? 형이 자네 얘기를 할 때 자네가 카체리나네 집에 있었을 리는 만무한데?"

"나는 그 자리에 없었지만, 그 대신 드미트리 표도로비치가 있었거든. 나는 바로 그 드미트리가 말하는 걸 이 귀로 똑똑히 들었어. 물론 나한테 말해 준 건 아니고, 어쩌다 우연히 내가 그걸 엿듣게 되었지만. 실은 그루셴카네 집에 갔다가, 드미트리가 찾아와 옆방에서 얘기하고 있는 동안, 그 여자의 침실에 갇혀 있었기 때문에……."

"아 참, 그렇지. 자네가 그 여자의 친척이라는 걸 나는 깜빡 잊고 있었군."

"친척이라고? 그루셴카와 내가 친척 사이라고?" 라키친은 갑자기 얼굴이 새빨개지며 버럭 고함을 질렀다. "이봐, 자네 정신이 나갔나, 응? 머리가 돌아버린 게로군!"

"왜 그래? 그럼 친척이 아니었나? 난 그렇게 들었는데……."

"어디서 그따위 소릴 들었지? 제발 그러지 말게. 자네들 카라마조프네 사람들은 뭐 굉장히 유서 깊은 귀족이라도 되는 것처럼 우쭐대고 있지만, 자네 아버지만 하더라도 어릿광대 노릇을 하며 남의 집에 얻어먹으러 다니던 처지가 아닌가. 그것도 겨우 부엌 한구석에 쪼그리고 앉아서 말이야. 그야 물론 나 같은 건 말단 성직자의 아들놈에 지나지 않으니까, 자네들 귀족의 눈엔 구더기만도 못한 존재로 보일는지 모르지만, 그렇다고 아무렇게나 장난삼아 사람을 마구 모욕하는 게 아니야. 나한테도 명예심은 있어, 알렉세이. 그루셴카하고 친척이라고, 그래 내가 그런 갈보 같은 계집하고 친척인 것같이 보이나? 그러지 좀 말게, 그러지 마라!"

라키친은 몹시 화가 난 모양이었다.

"제발 용서해 주게. 하지만 난 이렇게 될 줄은 미처 몰랐어. 그런데 그 여자가 어째서 갈보란 말인가? 정말로 그런 여잔가?" 알료샤는 얼굴을 확 붉혔다. "같은 말을 되풀이해서 안됐네만, 사실 나는 그 여자가 자네와 친척이라고 들었어. 자넨 그 여자한테 자주 가면서도 연애 관계는 없다고 자네 입으로 나한테 말하지 않았나. 자네가 그 여자를 그처럼 멸시할 줄은 꿈에도 몰랐어! 그렇지만 그루셴카가 정말 그런 종류의 여자일까?"

"내가 그 여자를 찾아가는 데는 그럴 만한 무슨 이유가 있는지도 모르는 일이 아닌가. 하지만 자네하곤 더 이상 말하고 싶지도 않네. 친척 관계로 말하자면, 오히려 자네 형이나 자네 아버지가, 자네와 그 여자를 친척이 되게 해 줄 걸세. 자 이젠 다 왔군. 자넨 주방 쪽으로 돌아 들어가는 편이 좋을 거야. 아니! 저건 뭐야, 무슨 일일까? 우리가 너무 늦게 왔나? 그렇지만 이렇게 빨리 오찬이 끝날

리는 없는데? 여기서도 카라마조프네 패거리가 또 무슨 일을 저질렀나? 틀림없을 거야. 저거 자네 아버지 아닌가. 그 뒤로 이반이 따라 나오는군. 수도원장한테서 튀어나오는 모양이야. 저기 계단에서 이시도르 신부가 두 사람한테 뭐라고 소리치고 있는 걸. 자네 아버지도 손을 내저으며 고함을 지르고 있어. 욕설을 퍼붓는 모양이야. 저런! 미우소프도 마차를 타고 돌아가는군, 저기 보게, 저기! 막시모프인가 하는 지주도 달려가고……. 음, 소동이 벌어진 거야. 그러니 식사도 못 했겠군. 설마 수도원장을 두들겨 패준 건 아니겠지? 그럼 저 사람들이 얻어맞았나? 그렇다면 고소하겠는데!"

라키친이 호들갑을 떠는 것도 무리가 아니었다. 사실, 뜻하지 않았던 어처구니없는 스캔들이 벌어졌던 것이다. 그것은 순전히 '영감靈感'에 의해 일어난 일이었다.

8. 스캔들

미우소프는 이반과 함께 수도원장이 거처하는 건물에 발을 들여놓았을 때, 교양 있는 우아한 신사답게 갑자기 미묘한 심경의 변화를 일으켜, 자기가 화를 낸 것에 부끄러운 생각이 들었다. 그는 속으로 이렇게 생각했다—표도르 파블로비치라는 인간은 어디까지나 멸시해 마땅할 쓰레기 같은 존재이지. 그렇다고 아까 장로의 암자에서처럼 나까지 냉정하지를 못하고 자기까지 한데 휩쓸려 이성을 잃는다는 건 옳지 않은 일이다. 적어도 그 일에 대해선 수사들한텐 아무 잘못도 없는 것이다. 그는 계단을 올라가며 이렇게 결론을 내렸다. 만일 여기 있는 수사들도 점잖은 족속이라면, (원장인 니콜라이 신부도 귀족 출신이라니까) 그들한테 다정하고 상냥하고 정중한 태도로 대해서 나쁠 건 없지 않은가? 논쟁은 그만둬야겠다. 그보다는 일일이 맞장구나 쳐 주어 친절한 태도로 상대방의 호감을 사도록 하자. 그리고…… 그리고…… 내가 그 어릿광대와 그 피에

로와 한패가 아니라는 것, 여느 사람들과 마찬가지로, 나도 재수 없게 그 영감한테 걸려든 데 지나지 않는다는 걸 증명할 필요가 있다.

현재 소송에 걸려 있는 산림 벌목권과 어로권(그런 게 대체 어디 있는 건지 그 자신도 몰랐다)은 오늘 당장에라도 아주 깨끗이 양보해 버리기로 하자. 그런 건 그리 대단한 가치가 있는 것도 아니니까. 그리고 수도원을 상대로 한 소송도 일체 취하해 버리기로 하자—그는 이렇게 결심했던 것이다.

이와 같은 갸륵한 결심은 그들이 수도원장의 식당에 들어섰을 때 더욱 굳어졌다. 하기는 수도원장한테는 방이라곤 두 개밖에 없었으므로, 특히 식당이라고 할 만한 것은 없었다. 그래도 조시마 장로의 암자에 비하면 훨씬 넓어서 편리하긴 했지만, 가구 등속은 마호가니에 가죽을 씌운 20년대(19세기)의 구식 가구였다. 마룻바닥엔 기름칠도 안 했지만 그 대신 모든 것이 빛이 날 정도로 깨끗이 닦여져 있었고, 창가에는 진귀한 꽃들이 가득 꽂혀 있었다. 그러나 이때 이 방에서 제일 화려한 것은, 당연한 일이기는 하지만, 호화롭게 차려 놓은 식탁이었다. 호화롭다고 해도, 그것은 물론 수도원에서의 평소의 식탁과 비교해서 하는 말이다. 상보도 깨끗했고, 그릇들도 반짝반짝 빛났다. 잘 구운 세 가지의 빵[20]에 포도주가 두 병, 수도원에서 생산되는 맛좋은 꿀이 두 병, 그리고 수도원에서 만들어 근방에 이름난 크바스Kvass[21] 담은 커다란 유리 그릇 등이 놓여 있었다. 그러나 보드카 한 병도 보이지 않았다. 후에 라키친이 말한 바에 의하면, 이날 오찬에는 요리가 다섯 가지나 준비되었었다는 것이다. 철갑상어 수프에 생선을 넣은 파이, 그리고 특별한 조리법으로 만든 생선찜, 그다음은 연어 튀김, 과일을 섞은 아이스 푸딩, 마지막으로 흰빛 젤리 등이었다. 이것은 라키친이 궁금증을 억제할 수가 없어서, 전부터 자주 드나들던 수도원장의 주방을 일부러 들여다보고 얻어 온 정보였다. 그는 어디에나 연줄을 맺고 있어, 어디서나 쉽사리 정보를 얻어 오곤 했다. 그는 침착성이 결여된 질투심 많은 인간이었다. 그리고

20 정찬 때 쓰는 백白·흑黑·갈색褐色의 빵.

21 맥류麥類로 만든 러시아 고유의 청량 음료수.

자기의 뛰어난 재능을 충분히 자각하고 있었지만, 자만에 빠져 그것을 병적으로 과장하는 버릇이 있었다. 그는 자기가 일종의 사업가가 되리라는 것을 똑똑히 알고 있었다. 그러나 그와 매우 친한 사이였던 알료샤를 괴롭힌 것은, 친구인 라키친이 실은 정직하지 못한 인간이면서도 자기 자신은 전혀 그것을 자각하지 못하고 있다는 점이었다. 아니, 그뿐만이 아니라, 오히려 그는, 책상 위에 놓인 남의 돈을 훔치지 않는다는 한 가지 이유로 자기를 더없이 정직한 인간이라 굳게 믿고 있는 것이다. 그렇다고 해서 알료샤나 그 밖의 어느 누구도 그의 성질을 고쳐 줄 수는 없는 일이었다.

라키친은 신분이 낮았으므로 이 오찬에 초대받을 수 없었으나, 그 대신 이오시프 신부와 파이시 신부, 그리고 또 한 사람의 수사 신부가 함께 초대되었었다. 이 사람들은 미우소프와 칼가노프, 이반이 들어왔을 때, 이미 수도원장의 식당에서 그들을 기다리고 있었다. 또 한 사람 막시모프라는 지주도 한쪽 구석에 앉아 있었다. 수도원장은 손님들을 맞기 위해 방 한가운데로 걸어 나왔다. 키가 크고 얼굴이 여윈, 그러나 아직도 정정한 노인이었다. 검은 머리에는 희끗희끗 백발이 섞이고, 기름기 없는 기다란 얼굴은 위엄에 차 있었다. 그는 말없이 머리를 숙여 인사를 했으나 암자에서와는 달리 손님들은 축복을 받으려고 그의 앞으로 다가갔다. 미우소프는 그 손에 입을 맞추려고까지 했지만, 수도원장이 얼른 손을 거두어 버리는 바람에 뜻을 이루지 못하고 말았다. 그러나 이반과 칼가노프는 가장 소박하게, 평민들처럼 쭉 소리를 내며 그 손에 입을 맞춤으로써 이번에는 완전무결하게 예의를 지켰다.

"원장님께 먼저 깊이 사과의 말씀을 드려야 하겠습니다." 미우소프는 상냥하게 흰 이를 드러내 보이며 말문을 열었으나, 그 어조는 여전히 거드름스러울 만큼 정중한 것이었다. "원장님께서 초대해 주신 우리 일행 중의 한 사람 표도르 파블로비치와 함께 오지 못한 것을 사과드립니다. 그 사람은 그럴 만한 이유가 있어 원장님의 오찬 초대를 사퇴할 수밖엔 없게 되었습니다. 실은 조금 전에 조시마 장로님의 암자에서, 자기 아들과의 불행한 집안싸움에 흥분한 나머지, 그만 한두 마디 입에 담지 못할…… 즉 지극히 상스런 말을 입 밖에 내고 말았습니다. 여기 대해서는 이미 (여기서 그는 두 수사 신부에게 흘끗 눈을 주었다) 원장님께서도 들으셨을 줄 압니다. 그런 일이 있었으므로 본인도 자기 잘못을 깨닫고 진심으로 뉘우치면서 스스로 부끄럽게 생각하고 있습니다. 그래서 나와 자기 아들 이반 표도로비치를 보고, 충심으로부터의 유감의 뜻과 회오와 참회의 뜻을 원장님께 대신 전해 달라고 부탁한 것입니다. 간단히 말씀드리면, 그 사람은 차후에 모든 것을 보상할 각오로 있습니다만, 우선은 원장님의 축복을 구하면서, 앞서 일어난 사건을 잊어 주시기를 바라고 있는 것입니다."

미우소프는 여기서 입을 다물었다. 이 장황한 인사말을 끝낼 무렵에는, 완전히 자기만족에 도취되어 조금 전까지 그의 가슴속에 엉겼던 울분은 자취도 없이 사라지고 말았다. 그는 또다시 진정으로 인류애라는 것을 느끼게 되었던 것이다.

수도원장은 위엄 있는 얼굴로 그의 말을 듣고 나서, 가볍게 고개를 숙여 보이며 이렇게 대답했다.

"그분이 이 자리에 빠진 것을 진심으로 유감스럽게 생각합니다. 식사라도 함께 하노라면, 우리가 그분을 사랑하고 있는 것처럼 그분도 우리를 사랑하게 될는지 모를 텐데요. 자 그러면 여러분, 어서 식탁에 앉으십시오."

그는 성상 앞에 서서 소리를 내어 감사의 기도를 드리기 시작했다. 일동은 공손하게 고개를 숙였다. 막시모프는 유난히 경건한 표정을 짓고 성호를 그으며 남들보다 한 걸음 앞으로 나서기까지 했다.

표도르 파블로비치가 최후의 추태를 연출한 것은 바로 이때였다. 사실 말이지, 그는 정말로 집에 돌아갈 작정이었다. 장로의 암자에서 그처럼 추잡한 행동을 감행한 이상, 이제 다시 아무 일도 없었던 것처럼 시치미 떼고 수도원장의 오찬에 참석하는 것은 도저히 불가능하다고 느낀 것은 사실이었다. 그러나 자기의 행위를 부끄럽게 여겨 스스로 뉘우쳤기 때문에 그런 것은 아니었다. 어쩌면 그와는 정반대인지도 모른다. 어쨌든 그는 오찬에 참석한다는 건 쑥스러운 일이라고 느꼈었다. 그러던 것이, 그의 고물 마차가 여관 현관 앞에 나타나서, 거기 올라타려던 순간 그는 갑자기 발을 멈추었다. 아까 장로의 암자에서 자기가 뇌까린 말이 문득 생각났던 것이다. "저는 사람들 앞에 나갈 때면 언제나 저 자신이 누구보다도 비굴한 놈으로 생각되고, 사람들이 저를 어릿광대로 취급하고 있구나 하는 느낌을 갖게 됩니다. 그래서 저는, 그렇다면 정말로 어릿광대짓을 한번 보여 주자. 모두가 다 나보다 더 어리석고 비굴한 놈들뿐이니까, 하는 생각이 든단 말입니다." 그는 자기의 비열한 행위에 대해 모든 사람에게 복수를 하고 싶었다. 언젠가 오래전에 "어째서 당신은 아무개를 그렇게 미워하오?" 하고 질문을 당하던 일이 이제 새삼스레 갑자기 머릿속에 떠올랐다. 그때 그는 어릿광대다운 뻔뻔스런 감정에 지배되어 이렇게 대답했었다. "그럴 만한 까닭이 있지요. 그 사람은 물론 나한테 나쁘게 한 일이라곤 아무것도 없어요. 오히려 이쪽에서 가장 비열한 짓을 했지요. 그런데 그런 짓을 하자마자, 나는 자기가 비열한 짓을 하지 않을 수 없었다는 이유로 갑자기 그 사람이 미워지더군요."

그때 일이 생각나자 그는 잠시 생각에 잠기며, 조용히 심술궂게 코웃음을 쳤다. 그의 눈은 갑자기 번득이기 시작했고, 입술까지 부르르 떨렸다. '어차피 내친걸음이니 가는 곳까지 갈 수밖에!' 하고 그는 결심했다. 이 순간 그의 마음속 깊이 숨겨져 있던 느낌은 다음과 같은 말로 표현할 수 있었을 것이다. '이쯤 되고 보면 어차피 명예를 회복할 길은 없다. 그렇다면 또 한 번 저놈들의 얼굴에 마음껏 침이나 뱉어 주자. 놈들이 어떻게 생각하든 시치미 딱 떼고 있으면 그만 아니냐!'

그는 마부에게 기다리라고 일러두고는 부지런히 수도원으로 되돌아가 곧장 수도원장이 있는 건물로 달려갔다. 거기 가서 무슨 짓을 하려는 것인지는 자기 자신도 잘 몰랐으나, 아무튼 이렇게 된 이상 자기를 억제할 수는 없다는 것, 그리고 무슨 조그만 구실만 있어도 대번에 극단적인 추잡한 행위를 감행하리라는 것만은 알고 있었다. 그러나 그것은 단지 추잡한 행위에 그칠 뿐, 결코 법적으로 처벌받을 무슨 범죄라든가 악행은 아닌 것이다. 이러한 점에서는 언제나 자기를 억제할 수 있었고, 때로는 스스로 감탄할 만큼 곧잘 위험한 고비를 넘기곤 했던 것이다. 그가 원장의 식당에 나타난 것은, 일동이 기도를 마치고 식탁으로 다가가던 바로 그 순간이었다. 그는 문지방에서 걸음을 멈추고 대담하게 모든 사람의 얼굴을 둘러보면서, 거만하고도 심술궂은 소리를 길게 끌면서, 한바탕 너털거리며 웃어댔다. "모두들 내가 돌아가 버린 줄 알았겠지만, 난 여기 이렇게 나타났소!" 그는 온 방 안에 울려 퍼질 만큼 큰 소리로 외쳤다.

한순간, 사람들은 할 말을 잃고 그의 얼굴만 뚫어지게 바라보았다. 그들은 이제 곧 어처구니없을 만큼 추악한 스캔들이 벌어지고야 말 것이라고 직감했다. 미우소프는 더없이 상냥하던 기분이 사납기 그지없는 기분으로 일변해 버렸다. 그의 가슴속에서 자취를 감췄던 모든 것이 일시에 되살아나 고개를 쳐들고 일어난 것이다.

"아니, 이젠 더 이상 참을 수 없다!" 하고 그는 소리쳤다. "절대로 안 돼……. 도저히 안 될 일이야!"

온몸의 피가 머리로 치솟아 올랐다. 그는 말까지 더듬었으나, 이미 말투 같은 걸 염두에 둘 겨를은 없었다. 그는 다짜고짜 모자부터 움켜쥐었다.

"대체 뭐가 안 된다는 거요!" 하고 표도르는 외쳤다. "뭐가 절대 안 되고, 또 뭐가 도저히 안 될 일이라는 거요? 원장님, 들어가도 괜찮을까요? 저를 손님으로 맞아 주시겠습니까?"

"충심으르 환영합니다" 하고 원장은 대답했다. "여러분, 실례지만" 하고 그는 다시 덧붙였다. "일시적인 불화를 버리시고 이 소박한 오찬이나마 함께 드시며 하느님께 기도하여, 사랑과 친족의 화락 속에 하나로 융합되기를 진심으로 부탁드리고 싶습니다."

"아니, 그건 안 됩니다, 불가능합니다!" 미우소프는 완전히 이성을 잃은 듯이 이렇게 부르짖었다.

"미우소프 씨에게 불가능한 일이라면 저에게도 역시 불가능한 일이지요. 그럼 저도 함께 돌아가겠습니다. 그러려고 여기 온 것이었으니까요. 이렇게 된 이상 저는 어디든지 미우소프 씨를 따라다니겠습니다. 미우소프 씨, 당신이 돌아가면 나도 돌아가고, 당신이 남으면 나도 남아 있기로 하죠. 원장님, 당신이 친족의 화락이란 말씀을 하신 것이 저 사람의 가슴을 쿡 찔러 준 것입니다. 그도 그럴 것이, 저 사람은 저를 자기 친척으로 인정하지 않고 있거든요! 그렇지 않아요, 폰 존? 저기 서 있는 저 사람이 폰 존이죠. 안녕하시오, 폰 존?"

"그건…… 나를 보고 하는 말이오?" 지주 막시모프는 어리둥절해서 중얼거렸다.

"물론이죠!" 하고 표도르는 외쳤다. "당신이 아니면 누구겠소? 설마 원장님께서 폰 존이 되실 리는 만무하잖소!"

"그렇지만 나는 폰 존이 아니오. 나는 막시모프요."

"아니, 당신은 폰 존이오. 원장님, 폰 존이 어떤 사람인지 아십니까? 그런 살인 사건이 있었답니다. 그 사람이 살해된 것은 어느 음탕한 집에서였는데—아마 당신네들은 그런 곳을 이렇게 부르시는 모양입니다만—아무튼 나이도 꽤 지긋한 사람이 그런 곳에서 살해되어 돈까지 빼앗긴 후, 상자 속에 밀봉되어 페테르부르크에서 모스크바까지 화물열차로 운송되었단 말입니다. 그런데 상자 속에 밀봉될 때 창녀들이 노래도 부르고, 구슬리, 즉 피아노도 치고 했다더군요. 이것이 폰 존의 정체입니다. 그 폰 존이 무덤에서 다시 살아나온 모양이군요. 그렇잖소, 폰 존?"

"저건 또 무슨 뜻이오? 무엇 때문에 또 저런?" 하는 소리가 수사들 사이에서 들려왔다.

"가자!" 하고 미우소프가 칼가노프에게 소리쳤다.

"아니, 잠깐만 기다리시오." 표도르는 방 안으로 또 한 걸음 들어서며 찢는 듯이 높은 소리로 그의 말을 가로챘다. "나도 할 말을 다 하게 해 주시오. 저쪽 암자에서는 내가 민물고기 얘기를 꺼냈다 해서 모두들 나를 버릇없는 놈이라고 나무라더군요. 내 친척 표트르 알렉산드로비치 미우소프 씨는 말을 하는 데 있어 plus de noblesse que de sincerité(진정에서 우러나온 것보다 고상한 것을) 더 좋아하지만, 나는 그와는 반대로 plus de sincerité pue de noblesse(고상하고 안 하고는 둘째로 하고 우선 진정에서 우러나온 것이) 더 좋다고 생각합니다. 그러니까 나는 noblesse(고상한 품위) 같은 건 문제도 되지 않습니다! 그렇잖소! 폰 존? 실례지만 원장님, 저는 어릿광대입니다. 그래서 만날 못난 이 짓만 하고 있습니다마는, 그러나 저는 명예를 존중할 줄 아는 기사騎士이기 때문에 서슴지 않고 소신을 말씀드리겠습니다. 그렇습니다. 저는 명예를 존중하는 기사올시다! 그런데 미우소프 씨의 가슴속에는 억눌린 자존심 이외엔 아무것도 없습니다. 제가 오늘 여기 온 것도, 실은 제 눈으로 직접 보고 저의 소신을 말씀드리기 위해서였는지도 모르겠습니다. 제 아들 알렉세이가 여기서 도를 닦고 있으니까요. 저는 그 아이의 아버지로서 아들의 일이 염려됩니다. 하기는 염려되는 것이 당연하겠지요. 저는 겉으로는 내내 광대 짓을 하면서 몰래 모든 것을 살펴보고 또 귀담아듣고 있었습니다만, 이제야말로 여기서 그 광대 짓의 마지막 장면을 보여 드리고 싶습니다. 헌데, 현재 우리나라의 형편은 어떻습니까? 넘어져 가는 것은 이미 완전히 넘어져 버렸고, 일단 넘어진 것은 영원히 일어나지 못하게 되어 있습니다. 꼼짝도 할 수 없게 되어 있단 말입니다! 저는 다시 일어나고 싶습니다. 거룩하신 신부님들, 저는 신부님들에 대해 몹시 분개하고 있습니다. 참회라는 것은 위대하고 신비로운 성례聖禮가 아니냐 말입니다. 저 같은 놈도 그것을 감사히 여기고 있으며 그 앞에 경건하게 부복할 용의가 있습니다. 그런데 어떻습니까, 저기 암자에서는 모두들 무릎을 꿇고 커다란 소리로 참회를 하고 있지 않습니까. 남들이 듣게 소리를 내어 참회를 한다는 것이 과연 옳은 일일까요? 참회는 귓속말로 해야 한다는 것은 성인들께서 정해 주신 교회법의 하나입니다. 그래야만 참회는 신비로운 성례가 됩니다. 또 예전부터 그렇게 해 내려오지 않았습니까. 그런데 어떻게 여러 사람이 있는 자리에서 '나는 여사여사한 짓을 했습니다'라고 말합니까……. 아시겠어요? 이러이러 저러저러한 짓을 했습니다, 하고 분명히 말한단 말입니다! 때로는 차마 입에 담을 수조차 없는 일도 있지 않습니까. 그렇게 되면 그야말로 이만저만한 추태가 아닙니다! 정말이지 당신네 신부님들과 여기서 함께 지냈다가는 틀림없이 편신교도鞭身敎徒[22]가 되어 버릴 겁니다……. 저는 곧 기회 있는 대로 종무원宗務院에 건의서를 써 보낼 생각입니다. 그리고 제 아들 알렉세이는 집으로 데려가겠습니다."

여기서 몇 마디 설명을 가해야 할 필요가 있을 것 같다. 대체로 표도르는 세상에 떠도는 소문에 민감한 편이었다. 언젠가 한때 이 수도원뿐만 아니라 장로 제도를 채용하고 있는 다른 몇 곳의 수도원에 대해서도 악의에 찬 헛소문이 떠돌아 마침내는 대주교의 귀에까지 들어간 일이 있었다. 그것은 장로가 지나치게 존경을 받아 수도원장의 위엄이 손상될 정도에까지 이르렀다느니, 특히 장로들이 참회의 성례를 남용하고 있다느니 하는 내용이었다. 이 비난은 근거 없는 것들이었으므로, 이 고장에서나 또는 다른 고장에서나 자연히 소멸되고 말았다. 그러나 표도르를 사로잡아 어딘지 모를 더러운 구렁텅이 속으로 자꾸만 그를 끌고 들어가는 어리석은 악마가, 이 케케묵은 비난을 지금 그의 귀에 속삭여 주었던 것이다. 표도르 자신으로 말하면, 이 비난이 지니는 의미 같은 건 전혀 이해하지 못했고, 따라서 그것을 제대로 표현한다는 것은 불가능한 일이었다. 더욱이 오늘 장로의 암자에서 무릎을 꿇거나 큰 소리로 참회를 하는 사람은 아무도 없었으므로, 표도르가 그런 장면을 목격했을 리는 만무했다. 그래서 어쩌다 기억에 떠오른 옛날의 헛소문이나 비난을 자기 말처럼 뇌까린 데 지나지 않았다. 그러나 그런 되지도 않은 소리를 늘어놓는 순간, 자기 자신이 터무니없는 헛소리를 했다고 느끼지 않을 수 없었다. 그러자 그는 자기가 한 말이 결코 허튼소리가 아니라는 것을 상대방에게라기보다는 자기 자신에게 증명해 보이고 싶었다. 그는 앞으로 한마디라도 더 지껄이면 지껄일수록, 이미 입 밖에 내놓은 허튼소리에 다시 그와 유사한 허튼소리를 추가하게 될 뿐이라는 것을 잘 알고 있었으나, 이제는 이미 비탈길을 내닫기 시작한 것처럼 자기 자신을 억제할 도리가 없었다.

22 13, 4세기에 나타난 광신적 편타고행자鞭打苦行者들의 일파一派.

"이런 창피가 어디 있담" 하고 미우소프가 외쳤다.

"용서하십시오." 갑자기 수도원장이 입을 열었다. "옛날부터 내려오는 말에 이러한 것이 있습니다. '사람들이 나에게 온갖 비난을 퍼붓고, 나중에는 입에 담지 못할 악담까지 하는도다. 그러나 이런 말들을 듣고 나 자신에게 이르기를, 이는 그리스도께서 허영에 뜬 나의 영혼을 고치시려고 보내 주신 양약良藥이니라.' 그래서 우리도 귀중한 손님이신 당신에게 삼가 감사를 드리는 바입니다." 이렇게 말하고 그는 표도르에게 공손히 절을 했다.

"쯧쯧쯧! 위선이에요! 판에 박은 문구예요! 판에 박은 낡은 수작에 낡은 몸짓! 곰팡내 나는 거짓말에 형식적인 그 절! 그따위 절쯤은 다 알고 있어요! 실러의 《군도》에 나오는 '입술에는 키스를, 심장에는 비수를'이라는 말이 바로 그거죠. 신부님들, 저는 거짓은 좋아하지 않습니다. 저는 진실을 원합니다. 하지만 진실은 민물고기만 먹는 데 있는 것이 아닙니다. 이 점은 이미 제가 언명한 바 있습니다! 수사 신부님들, 무엇 때문에 대재大齋니 소재小齋니 하는 걸 지키십니까? 어째서 거기에 대한 천당에서의 보상을 기대하십니까? 정말로 그런 보상을 받는다면 대재나 소재쯤은 나도 지키겠습니다! 안 됩니다, 거룩하신 수사님들, 수도원에 들어박혀 남이 만들어 바치는 빵으로 배를 채우며 천당에서의 보상을 기다리고 앉았느니보다는, 인간 세계에 나가서 선을 행하고 사회에 공헌이 될 일을 하는 게 어떨까요……. 그렇게 하는 편이 훨씬 어려울 것 같은데요. 어떻습니까, 원장님, 저도 제법 그럴듯한 말을 할 줄 안답니다. 헌데 여기 어떤 요리가 나왔나 어디 좀 볼까." 그는 식탁으로 다가갔다. "팍토리의 오래 묵은 붉은 포도주에다가 엘리세예프 형제 상회兄弟商會에서 만든 벌꿀 술이라…… 그러고 보니 수사님들도 대단하신걸! 민물고기만 잡수시는 줄 알았는데 그게 아니었군요! 수사님들 식탁에 술병을 다 늘어놓다니, 히히히! 그러나 이런 걸 여기 갖다 준 사람은 대체 누굴까요? 이건 러시아의 농민들, 노동자들이 그 굳은살 박인 손으로 일해서 번 몇 푼 안 되는 돈을, 자기 가족이나 국가의 요구는 뒤로 미루고서 이리로 가져온 것입니다. 거룩하신 신부님들, 당신네들은 백성들의 피를 빨아 잡수시고 있는 거예요!"

"이건 정말 너무하군!" 하고 이오시프 신부가 말했다.

파이시 신부는 입을 굳게 다물고 있었다. 미우소프는 밖으로 튀어나갔다. 칼가노프도 그 뒤를 따라 나섰다.

"그럼 신부님들, 나도 미우소프 씨를 따라가야겠습니다. 그리고 앞으로 다시는 여기 오지 않을 생각입니다. 무릎을 꿇고 제발 와 달라고 애원한대도 오지 않으렵니다. 내가 1천 루블이나 기부를 했으니까, 또 돈을 내놓지나 않나 눈을 크게 뜨고 기다릴 테지만, 헤헤헤! 소용없습니다, 이젠 어림도 없지요! 나는 흘러가 버린 내 청춘 시대에 대하여, 그리고 내가 받은 모든 모욕에 대하여 복수를 하는 겁니다!" 그는 스스로 만들어 낸 감정의 발작에 못 이겨 주먹을 들어 식탁을 내리쳤다. "이 보잘것없는 수도원도 내 생애에 있어서는 뜻깊은 곳이오! 이 수도원 때문에 나는 쓰라린 눈물도 많이 흘렸소! 내 여편네가 하느님한테 미쳐 나한테 반항하게 된 것도 실은 당신네들 덕분이었소. 종교회의에서 파문이라도 할 듯이 나를 저주하고 이 지방 일대에 그 소문을 퍼뜨린 것도 역시 당신네들이었소! 좋아요, 신부님들! 하지만 지금은 자유주의 시대, 기차와 기선의 시대란 말이오. 1천 루블은커녕 1백 루블, 아니, 단돈 1백 코페이카도 앞으로는 나한테서 받지 못할 줄 아시오!"

여기서 한 가지 더 지적해 둘 필요가 있다. 이 수도원이 그의 생애에 있어 그처럼 특별한 의미를 가져 본 적은 한 번도 없었고 또 이 수도원 때문에 그가 쓰라린 눈물을 흘렸다는 것 역시 전혀 근거 없는 말이었다. 그러나 그는 스스로 꾸며 낸 대사臺詞에 열중한 나머지, 한순간은 자기도 그것이 사실인 것 같은 기분을 느꼈을 뿐만 아니라, 정말로 감격의 눈물까지 흘릴 뻔했다. 그러나 바로 그와 동일한 순간에, 이제는 물러나야 할 때가 되었다고 느꼈다.

수도원장은 그의 악의에 찬 거짓말에 대해 깊이 머리를 숙여 보이고 또다시 감명 깊은 어조로 입을 열었다.

"이런 말씀도 있습니다. '그대에게 퍼부어지는 모욕을 기쁜 마음으로 참아 내고, 그대를 모욕하는 자를 미워하지 말며, 또한 부질없는 분노에 사로잡히지 말지니라.' 그래서 우리도 이 말씀대로 행하고 있습니다."

"쯧쯧쯧! 또 속에도 없는 소릴 하는군! 그건 다 잠꼬대 같은 허튼소리요! 신부님들, 어서 멋대로 지껄이시오, 난 가겠습니다. 내 아들 알렉세이는 아버지의 권한으로 여기서 영원히 데려가겠습니다. 내가 가장 존경하는 아들 이반아, 너도 나를 따라오라고 명령해도 괜찮겠지? 그리고 폰 존, 당신도 여기 남아 있을 필요는 없을 테니까 우리 집으로 곧 오시오. 우리 집에 오면 재미있을 거요. 기껏해야 1킬로도 될까 말까 한 거리니까 함께 갑시다. 고린내 나는 수도원 기름 대신에 카샤를 바른 돼지 새끼를 통째로 대접할 테니 함께 뜯어먹는 게 어떻소? 코냑도 있고, 리큐어도 내놓을 테니……. 딸기술도 있지……. 이봐요, 폰 존, 굴러들어 온 행운을 놓치지 마시오!" 그는 손짓 몸짓으로 소리를 지르며 밖으로 달려 나왔다.

라키친이 그를 발견하고 알료샤에게 가르쳐 준 것은 바로 이 순간이었다.

"알렉세이!" 자기 아들이 눈에 띄자 아버지는 멀리서 소리쳐 불렀다. "오늘 중으로 아주 집에 돌아오너라. 베개랑 이불이랑 싹 쓸어 가지고 와. 네 냄새 하나라도 여기 남겨서는 안 된다!"

알료샤는 그 자리에 못 박힌 듯 우뚝 서서 말없이 이 광경을 바라보았다. 이윽고 표도르는 마차 속으로 기어들어 갔고, 그 뒤를 따라 이반 역시 알료샤에겐 알은체도 하지 않고 시무룩하니 입을 다문 채 마차에 올라타려 하고 있었다. 그러나 여기서도, 마치 이날의 에피소드를 보충해 주려는 듯, 상상도 할 수 없을 만큼 우스꽝스런 일막극—幕劇이 연출되었다. 어느새 마차 발판 옆에 지주 막시모프가 나타난 것이다. 그는 표도르를 놓칠까 봐 숨을 헐떡이며 달려온 모양이었다. 라키친과 알료샤도 그가 달려가는 꼴을 보았다. 그는 몹시 당황하여 아직 이반의 왼쪽 발이 딛고 있는 발판에다 벌써 자기의 한쪽 발을 올려놓고 있었다. 그러고는 마차를 붙잡고 그 속으로 뛰어들려 했다. "나도 함께 갑시다, 나도!" 하고 그는 외쳤다. 킬킬거리며 웃고 있는, 희색이 만면한 그 얼굴엔, 무슨 일이 있어도 기어코 따라가고야 말겠다는 표정이 나타나 있었다. "나도 태워 주시오!"

"그것 봐, 내가 뭐라 했소!" 표도르는 의기양양하게 소리쳤다. "역시 당신은 폰 존이야! 무덤에서 살아나온 진짜 폰 존이 틀림없어! 하지만 거기선 어떻게 빠져나왔소? 거기서 어떻게 폰 존식式 솜씨를 발휘했는지는 모르겠지만, 어쨌든 차려놓은 오찬을 내버려 두고 빠져나오다니 당신도 이만저만한 철면피가 아니로군! 내 낯가죽도 꽤 두꺼운 편이지만, 당신한텐 그저 놀랄 수밖엔 없구려! 자, 뛰어들어 오시오, 어서 뛰어들라니까! 얘, 바냐(이반의 애칭), 태워 주어라. 재미있을 게다. 발밑에라도 쭈그리고 앉으라면 되잖겠니. 괜찮겠지, 폰 존? 차라리 마부와 함께 마부석에 올라타든지……. 좋아, 마부석에 오르시오, 폰 존!"

그러나 이때 이미 마차 속에 자리 잡고 앉았던 이반이 아무 소리 않고 느닷없이 막시모프의 가슴팍을 힘껏 내질렀다. 막시모프는 비틀비틀 2미터가량 뒤로 물러났다. 그가 나동그라지지 않은 것은 그야말로 우연의 소치였다.

"가자!" 이반은 화난 소리로 마부에게 외쳤다.

"아니, 너 왜 그러니? 뭐가 어쨌다고 저 사람한테 화를 내는 거냐?" 표도르는 고함을 쳤으나, 마차는 이미 달리고 있었다. 이반은 아무 대답도 하지 않았다.

"너도 참 이상한 녀석이로구나!" 2분가량 잠자코 있다가 표도르는 아들의 얼굴을 흘겨보며 다시 입을 열었다. "오늘 수도원에서 모이도록 일을 꾸민 것도 너였고, 다른 사람들을 선동한 것도 너였고, 또 너 자신이 적극적으로 찬성해 놓고선 이제 와서 화를 내는 건 또 뭐냐?"

"되지도 않은 소린 그만하세요. 그만큼 했으면 이젠 좀 쉬시는 게 좋을 것 같군요." 이반은 따끔하게 쏘아붙였다.

표도르는 다시 2분가량 침묵을 지켰다.

"이런 땐 코냑을 마시면 좋지" 하고 그는 점잖게 한마디 했다. 그러나 이번에도 이반은 대답이 없었다.

"집에 가면 너도 한 잔 해라."

이반은 여전히 말이 없었다.

표도르는 다시 2분가량 기다렸다.

"알료샤 녀석은 아무래도 수도원에서 데려와야겠다. 너한텐 몹시 불쾌할 테지만 어쩔 수 없구나, 존경하는 카를 폰 모르!"

이반은 상대방을 멸시하는 듯이 어깨를 흠칫해 보이더니, 얼굴을 돌려 길가의 풍경을 바라보기 시작했다. 그로부터 집에 도착할 때까지 두 사람 사이엔 한마디 말도 오가지 않았다.

제3편 음탕한 사람들

1. 하인의 방에서

카라마조프네 집은 읍의 중심지에서 꽤 떨어져 있었지만, 그렇다고 아주 변두리라고 할 수는 없었다. 건물은 상당히 낡은 것이었으나 외관은 제법 산뜻해 보였다. 다락방이 붙은 단층 건물인데, 벽은 온통 회색으로 칠하고 지붕은 빨갛게 칠한 생철로 씌워져 있었다. 낡았다고는 하지만, 앞으로도 오래도록 견딜 수 있을 것 같았고, 건평도 널찍한 데다가 집안은 아늑한 느낌이 들기까지 했다. 자그마하게 칸막이를 한 방들과 광들, 비밀 통로와 벽장들, 그리고 뜻하지 않은 계단 따위가 이곳저곳에 붙어 있었다. 쥐도 꽤 많았지만, 표도르 파블로비치는 거기에 대해 그다지 신경을 쓰지 않았다. '밤에 혼자 있을 때 적적하지 않아 좋다'는 것이었다. 사실 그는 밤이 되면 하인들을 바깥채로 내보내고 자기는 안채에 들어박혀 혼자서 밤을 보내는 것이 습관으로 되어 있었다. 바깥채라는 것은 같은 뜰 안에 서 있는 넓고 견고한 건물이었는데, 안채에도 부엌이 없는 것은 아니지만, 표도르는 바깥채에서 음식을 만들게 하고 있었다. 그는 음식 만드는 냄새를 몹시 싫어했으므로, 겨울이건 여름이건 음식은 뜰을 거쳐서 안채로 날라 들여가야 했다. 대체로 이 집은 대가족이 살 수 있도록 지어진 것이었기 때문에 주인의 가족이나 하인들이나 지금의 다섯 배 정도는 넉넉히 수용할 수 있었다. 그러나 그 당시 이 집에는 표도르와 이반, 그리고 하인들이 사는 바깥채에는 세 사람, 즉 그리고리 노인과 그의 노파인 마르파, 그리고 아직 나이가 젊은 스메르쟈코프라는 또 하나의 하인이 살고 있을 뿐이었다. 이 세 사람의 하인들에 대해서는 좀 더 자세히 설명해 둘 필요가 있다.

늙은 하인 그리고리 바실리예비치 쿠투조프에 대해서만은 앞에서 어느 정도 얘기한 바 있지만, 이 노인은, 일단 무슨 이유에서든 (대부분의 경우 그것은 놀랄 만큼 비논리적인 것이었지만) 그것이 불변의 진리라고 믿어 버리기만 하면,

자기의 목적을 향해 맹목적으로 줄기차게 돌진하는 고집불통인 인간이었다. 요컨대 그는 돈 따위로 매수할 수 없는 정직한 하인이었다. 그의 아내 마르파 이그나치예브나는 한평생 남편의 뜻에 무조건 복종해 왔지만, 그러면서도 언제나 남편한테 들어붙어 성가시게 구는 버릇이 있었다. 예를 들면, 농노 해방農奴解放(1861년)이 있은 직후의 일인데, 그녀는 표도르네 집을 떠나 모스크바로 가서 조그만 가게 같은 거라도 하나 벌이고 살자고 남편을 설득하려 든 일이 있었다.(그들에겐 저축해 둔 돈이 약간 있었던 것이다) 그러나 그리고리는 즉석에서 딱 잘라 거절해 버렸다. '여편네들이란 죄다 정직하지 못한 동물이어서 언제나 거짓말을 한다'는 것이고, 더욱이 자기 주인이 어떤 위인이든 간에 절대로 그 밑을 떠나서는 안 되며, '그것이 우리들의 의무'라는 것이었다.

"임잔 의무라는 게 뭔지나 아오?" 하고 그는 마르파에게 물었다.

"의무가 뭔지는 나도 알아요. 그렇지만 어째서 우리가 이 집에 남아 있어야만 하는 건지, 난 그걸 모르겠다는 거예요." 마르파도 만만찮은 어조로 대꾸했다.

"모르겠거든 몰라도 좋아. 하여간 그렇다면 그런 줄 알구려. 앞으로 아무 소리 말아요."

결국 그렇게 되었다. 그들은 주인집을 떠나지 않았던 것이다. 표도르는 대단치는 않은 액수였으나 그들에게 임금을 정해서 규칙적으로 지불해 주고 있었다. 뿐만 아니라, 그리고리는 자기가 주인에 대해 어떤 확고한 영향력을 가지고 있음을 자각하고 있었다. 고집 세고 교활한 어릿광대인 표도르는, 그 자신의 말을 빈다면, '세상사의 어느 일면'에 대해서는, 확고부동한 의지의 소유자였으나, '세상사의 다른 일면'에 대해서는 자기 자신도 놀랄 만큼 의지가 박약했다. 그것이 어떤 일면인지 잘 알고 있었고, 또한 그것을 알고 있었기 때문에 많은 것을 두려워하고 있었다. 어떤 일에 대해서는 항상 날카로운 경계가 필요했으므로, 누구든 충실한 인간이 곁에 없으면 마음이 놓이지가 않았다. 이 점에서 그리고리는 더할 나위 없이 충실한 인간이었다. 표도르는 한평생 살아오는 동안 남한테 되게 얻어맞은 일이 한두 번이 아니었고, 때로는 맞아 죽을 뻔한 일까지 있었지만, 그럴 때마다 그리고리가 나타나서 그를 구해 주곤 했다. 하기는 그런 일을 당하고 나면 그는 그리고리한테 한바탕 설교를 들어야만 했다. 그러나 얻어맞는 것만이라면 표도르도 그다지 두려움을 느끼지 않았을지도 모르지만, 그것만으로는 그치지 않는, 매우 미묘하고 복잡하고 난처한 경우가 많았으므로, 왜 그런지는 몰라도 표도르는 순간적으로 누구든 자기에게 충실한 인간을 곁에 두고 싶은 강렬한 욕구를 불현듯 마음속에 느낄 때가 종종 있었다. 그것은 거의 병적인 심리 상태였다. 음탕하기 이를 데 없는 표도르, 자기의 육욕을 위해서는 징그러운 벌레처럼 잔인해지는 표도르도, 술에 취했을 때는 갑자기 자기 내부에 정신적인 공포와 도덕적인 전율을 느꼈고, 그것이 그의 영혼에 거의 생리적인 영향을 끼치기까지 했다. '그런 때는 내 혼이 목구멍에서 떨고 있는 것만 같다니까!' 그는 곧잘 이런 말을 했다. 바로 그러한 순간에 그는 자기에게 충실하고 굳센 인간이 자기 곁에, 자기 방이 아니고 바깥채에라도 좋으니, 될 수 있는 대로 가까운 곳에 있어 주기를 바랐다. 자기와는 전혀 종류가 다른, 방탕을 모르는, 자기의 모든 추잡한 행위를 목격하고 모든 비밀을 다 알고 있으면서도 충성스럽게 눈감아 주고 반항하지 않으며, 또한 무엇보다도 자기를 꾸짖지 않고, 현세에서나 내세에서나, 절대로 자기를 협박하지 않을뿐더러, 필요한 경우엔 자기를 보호해 주는 인간, 표도르에게는 그런 인간이 필요했다. 하지만 대체 누구로부터 자기를 보호한단 말인가? 누구라고 짚어 말할 수는 없지만, 아무튼 무서운 것, 위험한 것으로부터 자기를 보호해 주어야 한다. 요컨대 자기와는 다른 허물없는 옛 친구가 하나 필요했다. 참을 수 없이 마음이 아플 때는 그 친구를 불러들여 그저 멍하니 그 얼굴을 바라보기만 하다가 한두 마디 쓸데없는 수작을 주고받는다—그것만으로 족한 것이다. 만일 상대방이 화를 내지 않고 친절하게 대해 주면 마음이 한결 가벼워지고, 상대방이 화를 내면 그때는 더욱 침울해진다. 극히 드문 일이기는 하지만 이런 일도 몇 번 있었다. 표도르는 한밤중에 바깥채로 나가서 그리고리를 깨우고는 잠깐 자기한테 왔다 가라고 한다. 그리고리 노인이 안채로 들어오면, 표도르는 쓸데없는 소리를 지껄이다가 이

내 노인을 돌려보낸다. 때로는 농지거리까지 해서 보내는 수도 있다. 늙은 하인을 보내고 나면 그는 퉤, 침을 뱉고는 자리에 가서 눕는다. 눕기가 무섭게 그는 성자聖者처럼 고요히 잠들어 버리는 것이었다.

알료샤가 돌아왔을 때도 이와 비슷한 무엇이 표도르에게 일어났다. '함께 살며 모든 것을 다 보고 있으면서도 책하려 들지 않는다'는 점에서 알료샤는 '그의 가슴을 푹 찔렀던' 것이다. 그뿐이 아니다. 알료샤는 그가 여태까지 한 번도 경험해 보지 못한 것을 갖다 주었다. 즉, 그에게, 이 노인에게 털끝만큼도 경멸의 빛을 보이지 않을뿐더러, 오히려 그와는 반대로, 그럴 자격도 없는 그에게 언제나 상냥하고 자연스럽고 소박한 애정을 표시하는 것이었다. 이러한 모든 것은 가정이라는 것을 갖지 못한 음탕한 늙은이, 여태까지 '추악한 것'만을 사랑해 온 표도르에게는 전혀 예기치 못했던 일이었고 또한 놀라운 선물이기도 했다. 알료샤가 수도원에 들어가고 나서, 그는 지금까지 이해해 보려고도 하지 않았던 무언가를 비로소 깨닫게 된 것 같다고 내심으로 고개를 끄덕였던 것이다.

그리고리가, 표도르의 첫 번째 아내이며 드미트리의 생모인 아델라이다를 미워했다는 것, 그리고 그와는 반대로 후처인 가련한 '미친 여자' 소피야를 자기 주인 표드르한테 맞서면서까지 감싸 주었고, 또 그녀에 대해 나쁘게 말하거나 경솔하게 비판하려는 자들로부터 그녀를 보호해 주었다는 것은 이미 이 이야기의 첫머리에서 언급한 바 있다. 이 불행한 부인에 대한 그의 동정은 날이 갈수록 신성한 것으로 변하여, 20년이 지난 지금도, 누구든 그녀에 대해 무슨 좋지 못한 암시 비슷한 말이라도 한마디 했다가는 당장에 그로부터 면박을 받기가 일쑤였다. 겉보기엔 그리고리는 냉정하고 의젓하고 말수가 적은 사람이었고, 간혹 입을 열 때도 침착하게 한마디 한마디 무게 있는 말을 했다. 언뜻 보기엔 자기의 유순한 아내를 그가 사랑하고 있는지 어떤지 단정할 수 없을는지 모르지만, 사실은 무척 그녀를 사랑하고 있었고, 아내도 물론 그것을 잘 알고 있었다.

그의 아내 마르파 이그나치예브나는 결코 우둔한 여자가 아니었을 뿐만 아니라, 어쩌면 남편보다 영리했을지 모른다. 적어도 실생활 면에서만은 그보다 훨씬 분별이 있었다. 그렇지만 그녀는 부부 생활의 시초부터 불평 한마디 없이 무슨 일에든 그에게 복종했고, 그의 정신적인 우월성을 인정하고 무조건 그를 존경해 왔다. 이 부부가 평생 살아가는 동안에 불가피한 일상사를 제외하고는 말을 주고받는 일이 극히 드물었다는 것은 주목할 만하다. 그리고리는 의젓하고 엄숙한 태도로 자기 일이라든가 근심거리 같은 것을 언제나 혼자서만 생각하고 있었으므로, 마르파는 자기의 충고 따위는 남편에겐 조금도 필요 없는 것이라고 이미 옛날에 단념해 버리고 말았다. 남편은 아내의 침묵을 높이 평가하고 그 때문에 아내를 영리한 여자라 생각할 것이라고 그녀는 느끼고 있었다. 그리고리는 아내를 때려 준 일이 없었다. 하기는 단 한 번, 그것도 그리 심하지 않게 손을 댄 적이 있었다. 표도르가 아델라이다와 결혼한 첫해에 시골에서 있었던 일인데, 그 당시는 아직 농노였던 마을 처녀들과 아낙네들이 지줏댁의 부름을 받고 모여들어 노래도 부르고 춤도 춘 일이 있었다. 〈푸른 목장에서〉라는 노래가 시작되었을 때, 그때만 해도 아직 한창이었던 마르파가 별안간 합창대 앞으로 달려 나와 좀 색다른 몸짓으로 '러시아 춤'을 추었다. 그것은 아낙네들이 추는 것 같은 시골 냄새가 풍기는 춤이 아니라, 그녀가 부유한 미우소프네 집에 하녀로 있을 때 일부러 모스크바에서 초빙해 온 무용 선생한테 배워 가지고 그 집 가정 극장家庭劇場에서 추어 본 일이 있는 신식 춤이었다. 그리고리는 아내의 춤을 묵묵히 바라보고 있다가, 한 시간가량 지나 자기 집으로 돌아가자, 머리털을 좀 잡아 흔들며 아내를 책망했다. 그러나 손찌검을 한 일이라고는 이것뿐이고, 그 후로는 두 번 다시 되풀이하지 않았다. 마르파 역시 그 후부터는 춤이라는 건 아예 출 생각도 하지 않았다.

두 사람은 자녀 복이 없었다. 아기가 하나 생겼으나 이내 죽고 말았다. 그리고리는 어린애를 좋아하는 것 같았고, 또 그것을 숨기려 하지도 않았다. 다시 말해서 그러한 감정을 겉에 드러내기를 부끄러워하지 않았다. 아델라이다가 집을 나가 버리자, 그는 세 살 난 드미트리를 맡아 가지고, 손수 머리를 빗겨 주고 목욕도 시켜 주며 거의 한 해 동안이나 돌봐 주었다. 그 후에도 이반과 알료샤를 맡아 길렀으나, 그 때문에 따귀까지 얻어맞은 일도 있었다. 그러나 여기 대해서는 앞에서 죄다 이야기해 두었다. 자기 자신의 아이가 그에게 기쁨을 준 것은, 마르파가 그 아이를 임신하고 있는 동안뿐이었다. 크나큰 기대에 가슴이 부풀었던 그는 세상에 나온 아이를 보자 슬픔과 공포에 압도되고 말았다. 그 사내아이는 육손이었던 것이다. 그것을 본 그리고리는 어찌나 낙심했던지, 아이가 세례를 받는 날까지 끝내 입을 봉하고 있었을 뿐만 아니라, 말을 하지 않으려고 일부러 정원에만 나가 있었다. 마침 봄철이라 그는 사흘 동안 계속해서 뜰 앞의 채소밭을 갈았다. 사흘째 되는 날에 아이는 세례를 받게 되었는데, 그동안에 그리고리는 무언가 마음속에 생각해 둔 바가 있었던 모양이다. 신부가 와서 세례 줄 준비를 끝내고, 손님들도 모이고, 교부教父가 되어 줄 표도르까지 나타났을 때, 그리고리는 집에 들어서자마자 밑도 끝도 없이, 이 애는 '세례를 줄 필요도 없다'고 말했다. 그것도 큰 소리로 말한 것이 아니라, 간단하게 한마디, 한마디 떼어가며 중얼거리듯 말하고는 신부의 얼굴을 몽롱한 눈으로 바라보는 것이었다.

"그건 또 왜?" 하고 신부는 약간 놀란 얼굴로 물었다.

"저놈은…… 용龍이니까요" 하고 그리고리는 중얼거렸다.

"용이라니, 용이라는 건 뭐요?"

그리고리는 잠시 말이 없었다.

"자연의 혼란 속에서 생겨났거든요."

그는 무슨 소린지 모를 말을 했으나 그래도 그 어조는 어디까지나 확고했다. 그는 거기 대해 더 이상 말하고 싶지가 않은 모양이었다.

모두들 한바탕 웃었지만, 불행한 아기의 세례는 물론 예정대로 집행되었다. 그리고리는 성수반聖水盤 옆에 서서 열심히 기도를 드렸으나, 아기에 대한 자기 의견을 바꾸지는 않았다. 그렇다고 방해를 하는 것도 아니었다. 그는 이 병신 아이가 살아 있던 두 주일 동안 그 얼굴을 들여다보려고도 않고 줄곧 밖에만 나가 있었다. 그러나 두 주일 후에 이 아이가 아구창牙口瘡으로 죽었을 때는 자기 손으로 아이를 관 속에 누이고 깊은 비애에 잠겨 죽은 아이의 얼굴을 들여다보고 있었다. 그리고 그리 깊지 않은 조그만 흙구덩이에 관을 묻고 나자, 그는 무릎을 꿇고 그 무덤을 향해 이마가 땅에 닿도록 절을 했다. 그 후 오랜 세월이 흘렀지만 그는 한 번도 자기 아이 얘기를 한 일이 없었다. 마르파 역시 남편 앞에서는 그 아이의 얘기를 꺼내지 않았다. 어쩌다 남편이 없는 자리에서 다른 사람과 자기 '갓난애' 얘기를 할 때도 그녀는 소곤소곤 귓속말로 하는 것이었다. 마르파의 말에 의하면 그리고리는 그 아이를 매장한 후부터 주로 '종교적인 것'에 열중하여 《순교자전》을 탐독하게 되었다고 한다. 대개는 혼자서 소리를 내지 않고 읽었는데, 그럴 때마다 그는 커다란 둥근 은테 안경을 끼곤 했다. 음독音讀을 하는 일은 거의 없어서, 사순절四旬節 때가 아니면 그의 책 읽는 소리를 듣기는 어려웠다. 그는 〈욥기〉[23]를 읽기 좋아했다. 그리고 또 어디선가 '신의 체현자體現者이신 우리의 시리아인 이삭[24*]'의 잠언집이며 설교집 같은 것을 구해 가지고 와서 여러 해 동안 꾸준히 읽었으나, 거기 쓰여 있는 말들을 조금이라도 이해하는 것 같지는 않았다. 그러나 이해할 수 없었기 때문에 그 책을 더욱 소중히 여기고 사랑했는지도 모를 일이다. 최근에는 이웃에서 가까이 보고 들을 기회가 있어서 편신교鞭身教의 교리에 귀를 기울이기 시작하여 마음속에 깊은 감동을 느낀 모양이었으나 그렇다고 이 새로운 종파로 넘어갈 생각을 해 본 적은 없었다. 종교 서적을 읽는 버릇이 그의 용모에 더한층 위엄을 부여한 것은 말할 것도 없다.

그에겐 원래 신비주의에 빠지기 쉬운 경향이 있었는지도 모른다. 그런데다가 육손이의 출생과 그 아이의 죽음이라는, 일부러 꾸며 놓은 것 같은 사건과 때를 같이하여, 또 하나의 해괴하기 짝이 없는 뜻밖의 사건이 일어나서, 후에 그 자신이 말한 것처럼, 그의 마음에 '낙인'을 찍어 놓았던 것이다. 다름 아니라, 육손이를 매장한 바로 그날 밤, 마르파는 갓난아이의 울음소리 같은 것을 듣고 갑

23 《구약 성경》 참고.

24* 시리아인 이삭Isaac the Syrian(생몰년 미상). 7세기 동 시리아 교회의 기독교 주교. 기독교 금욕주의에 관한 저작물로 가장 잘 기억되는 신학자.

자기 잠이 깨었다. 그녀는 몹시 놀라서 남편을 깨웠다. 그리고리는 가만히 귀를 기울이고 있더니, 울음소리가 아니라 누군가 신음하고 있는 소리 같다, '그것도 여자의 신음 소리 같다'고 했다. 그는 자리에서 일어나 옷을 입었다. 제법 따스한 5월의 밤이었다. 현관 층계로 나와 보니 신음 소리는 분명히 정원 쪽에서 들려왔다. 그러나 뜰에서 정원으로 들어가는 문은 밤에는 잠그곤 했는데, 정원 둘레에는 높고 견고한 울타리가 쳐 있었으므로 그 문을 열지 않고는 달리 들어갈 길이 없었다. 그리고리는 방에 돌아와서 초롱에 불을 켜고 정원 문 열쇠를 집어 들었다. 그리고는 마르파가, 자기 귀엔 아무래도 어린애 우는 소리같이, 죽은 아이가 자기를 부르고 있는 것같이 들린다고 우기면서 히스테리를 일으킨 듯 겁에 질려 떠는 것을 본 체도 않고 묵묵히 정원으로 나갔다. 여기서 그는 신음 소리가 샛문 가까이 정원 한구석에 있는 목욕탕에서 들려온다는 것과 그것이 틀림없는 여자의 신음 소리라는 것을 확인했다. 목욕탕 문을 열자 그는 눈앞에 벌어진 광경을 보고는 기둥처럼 그 자리에 얼어붙고 말았다. 늘 읍내의 거리를 방황하고 있어, 리자베타 스메르쟈시차야(고린내 나는 여자)라는 별명으로 누구에게나 알려진 백치 처녀가 이 집 목욕탕에 기어들어 방금 어린애를 낳았던 것이다. 갓난애는 한쪽 옆에 누워 있고, 산모는 그 옆에서 죽어 가고 있었다. 그녀는 아무 말도 하지 않았다. 원래 말을 할 줄 몰랐기 때문이다. 그러나 이 사건에 대해서는 특별한 설명이 필요할 것 같다.

2. 리자베타 스메르쟈시차야

이 사건에는 그리고리가 전부터 품어 온 어떤 불쾌하고 구역질나는 의혹을 최종적으로 확인함으로써 그에게 격심한 충격을 준 특수한 사정이 개재되어 있었던 것이다. 리자베타 스메르쟈시차야(고린내 나는 여자)는 난쟁이처럼 키가 작은 처녀여서, 죽은 후에도 이 고장의 신앙 깊은 여러 노파들이 '글쎄, 넉 자(尺) 일곱

치도 못 되었다니까요!'라고 자못 감탄하는 어조로 말할 정도였다. 스무 살 된 그녀의 불그레하게 건강한 빛을 띤 폭넓은 얼굴은, 그야말로 백치의 얼굴 그것이었다. 눈초리는 유순하긴 했지만, 무엇을 지그시 쏘아보는 버릇이 있어 약간 불쾌한 느낌을 주었다. 그녀는 여름에나 겨울에나 삼베 옷 하나만을 걸치고 언제나 맨발로 돌아다녔다. 그녀의 새까만 짙은 빛 머리털은 양털처럼 곱슬곱슬 꼬부라져서, 흡사 커다란 모자를 뒤집어쓴 것 같은 형상이었다. 게다가 늘 진흙이 묻어 있고, 나뭇잎이며 나무 부스러기며 대팻밥 따위가 붙어 있었다. 땅바닥이나 진흙탕에서 자기가 예사였기 때문이다. 그녀의 아버지 일리야는 음주로 가산을 탕진한, 집 한 간間없는 병약한 막벌이꾼이었다. 벌써 여러 해 동안 그는 이 고장의 부유한 상인의 집에서 머슴 비슷한 노릇을 하며 살고 있었다. 리자베타의 어머니는 오래전에 세상을 떠나고 없었다. 늘 앓는 몸이라 신경이 몹시 날카로워진 일리야는 딸이 집에 돌아오기만 하면 사정없이 두들겨 패 주곤 했다. 그러나 그녀는 하느님에게 미친 신성한 사람이라 하여, 누구한테서나 대접을 받고 있었기 때문에, 집에는 어쩌다 한 번씩 들를 뿐이었다. 일리야의 주인을 비롯하여 일리야 자신과 이 고장의 동정심 많은 사람들(그들은 주로 상인들과 그 마누라들이었지만)까지 합세하여, 삼베 속옷 한 장만 걸치고 다니는 리자베타에게 좀 더 나은 옷차림을 시켜 주려고 시도한 일도 한두 번이 아니었다. 그래서 겨울이 되면 언제나 양털 외투를 입혀 주고 발에는 장화를 신겨 주곤 했다. 리자베타는 대개 그들이 하는 대로 내버려 두었지만, 일단 그곳을 떠나면 곧 성당 문 앞 같은 데 가서, 모처럼 얻어 입은 것을 죄다—머릿수건이건 치마건 외투건 장화건 남김없이 거기다 벗어 놓고는 그전처럼 속옷 한 벌만을 걸치고 맨발로 가 버리곤 하는 것이었다. 언젠가 우리 지방에 새로 부임한 현지사縣知事가 이 고장을 시찰하러 왔을 때, 리자베타의 모습이 눈에 띄어 그 고상한 감정이 몹시 상한 일이 있었다. 그는 읍내 당국자의 보고를 듣고 곧 '신들린 여자'인 줄은 알았지만, 그래도 젊은 처녀를 속옷 바람으로 나돌아다니게 해서는 풍기상 좋지 않으니 앞으로는 그런 일이 없도록 하라고 주의를 주었다. 그러나 지사가 돌아가자, 리자베타는 다시 그전처럼 방치된 상태로 돌아갔다. 마침내 아버지도 죽고 말았다. 이제는 고아가 되었다 하여 이 고장 신앙가들은 그녀를 더욱 측은히 여기게 되었다. 사실 모든 사람이 호감을 가지고 그녀를 대하는 것 같았다. 사내아이들, 특히 소학교에 다니는 아이들은 못된 장난을 좋아하는 법이지만, 그러한 사내아이들까지도 그녀를 놀려 주거나 하는 일이 없었다. 그녀가 낯선 집에 들어가도 그녀를 내쫓으려는 사람은 아무도 없었고, 오히려 상냥한 말을 던져 주든가 동전을 쥐어 주든가 했다. 돈을 받으면 그녀는 곧 그것을 성당이나 형무소 자선함 속에 넣어 버리곤 했다. 시장에서 둥근 빵이나 흰 빵 같은 걸 얻어도, 그것을 가지고 가다가 처음 만나는 어린애한테 주어 버리든가, 지나가는 부잣집 부인을 세워, 그 부인에게 그것을 주거나 했다. 그러면 그 부인도 기꺼이 그것을 받는 것이었다. 리자베타 자신은 검은 빵과 물 이외엔 아무것도 입에 대지 않았다. 그녀는 곧잘 큰 상점 같은 데 들어가서 한참씩 앉아 있곤 했으나, 그 앞에 아무리 값진 물건과 돈이 있어도 상점 주인은 조금도 그녀를 경계하지 않았다. 비록 몇천 루블이나 되는 돈이 그녀의 눈앞에 쌓여 있다 해도 단돈 1코페이카도 없어질 염려가 없다는 것을 잘 알고 있었기 때문이다. 교회에 가는 일은 거의 없었다. 밤에는 성당 현관이라든가, 그렇지 않으면, 뉘 집 생나무 울타리(이 고장에는 오늘날에도 판자 울타리 대신 생나무 울타리를 친 집이 많이 있다)를 넘어 채소밭에 들어가 잠을 잤다. 자기 집이라기보다 자기 아버지의 주인집에도 일주일에 한 번 정도로 나타나고는 했지만, 겨울이 되면 날마다 찾아왔다. 그러나 밤에만 와서 현관이나 외양간에서 잠을 자고 가는 것이었다. 사람들은 그녀가 태연하게 그런 생활을 견디어 나가는 것을 보고 놀랐으나, 그것이 이제는 그녀의 습성이 되어 버렸던 것이다. 비록 키는 작았지만 그녀는 보통 이상으로 튼튼한 체격을 갖고 있었다. 이 고장 신사들 중에는, 그녀가 그런 짓을 하고 있는 것은 일종의 자부심 때문이라고 주장하는 사람도 있었지만, 아무래도 이것은 신빙성이 없는 말이었다. 말도 한마디 제대로 못 하고 이따금 이상하게 혀를 굴리며 송아지 울음 같은 소리를 내기가 고작인 그녀에게 자부심은 또 무슨 자부심인가.

그건 그렇고, 한 번은 이런 일이 있었다. 꽤 오래된 이야기지만, 달 밝은 어느 따뜻하고 맑은 9월 밤, 이 고장에서는 지나치게 늦었다고 해야 할 시각에, 클럽에서 흥청망청 놀고 난 난봉꾼 신사 대여섯 명이 술에 취해 '뒷길로 해서' 집으로 돌아오고 있었다. 골목길 양쪽에는 생나무 울타리가 계속되고, 그 너머로는 인접한 집집의 채소밭들이 펼쳐져 있었다. 이 골목길은 우리 고장에서 개천이라 부르기도 하는 냄새나는 물구덩이에 걸려 있는 나무다리로 통했다. 그런데 그 생나무 울타리 밑, 쐐기풀과 우엉 사이에 리자베타가 잠자고 있는 것을 그들이 발견했던 것이다. 술 취한 신사들은 걸음을 멈추고 그녀를 내려다보며 연방 낄낄거리면서, 입에 담지도 못할 외설한 농담들을 마구 지껄이기 시작했다. 문득 어느 젊은 신사의 머릿속에, 도저히 상식으론 생각할 수 없는 해괴망측한 의문이 떠올랐다. '어떤 사내건 이런 짐승 같은 상대를 여자로서 다룰 수 있을까, 가령 지금 이 자리에서……'라는 것이었다. 모두들 구역질이 난다는 듯이 거만한 표정을 지으며, 그건 불가능하다고 단정했다. 그런데 그들 중에 마침 표도르가 끼어 있었던 것이다. 그는 얼른 앞으로 튀어나와, 여자로서 다루는 것쯤 얼마든지 가능한 일이다, 가능할 뿐만 아니라 일종의 독특한 자극을 느낄 수도 있다고 주장했다. 사실 그 당시의 표도르는 일부러 어릿광대 역을 맡고 나서서, 어디든지 주책없이 튀어나와서는 사람들을 웃기기를 좋아했다. 물론 겉으로는 다른 사람들과 동등하게 교제하고 있는 것같이 보였으나, 기실 상대방에게는 하인 격인 존재에 지나지 않았다. 그때는 바로 페테르부르크로부터 자기의 첫 번째 아내 아델라이다의 사망 통지를 받고, 모자에 상장喪章을 달고 있을 때인데도, 술을 마시며 온갖 추태를 다 부리고 다녀서, 이 고장의 가장 이름난 난봉꾼들조차도 그 꼴을 보고는 눈살을 찌푸릴 정도였다. 표도르의 뜻밖의 의견에 일행은 물론 웃음을 터뜨렸다. 그중 한 사람은, 그렇다면 실제 행동으로 그것을 증명해 보이라고 표도르를 부추기기 시작했으나, 나머지 사람들은 생각만 해도 추접지근하다는 듯이 퉤퉤 침을 뱉었다. 그러나 그들은 여전히 흥겨운 기분을 잃지 않고 있었다. 이윽고 그들은 그곳을 떠나 제각기 자기 집으로 돌아갔다. 후에 표도르는 자기도 그때 다른 사람들과 함께 그곳을 떠났다고 맹세하는 것이었고, 어쩌면 그의 말이 사실일는지도 모르지만, 여기에 대해 확실히 알고 있는 사람도 없거니와, 알고 있었던 사람도 없는 것이다. 그런데 그로부터 오륙 개월 후에 이 고장 사람들은 리자베타의 배가 불렀다고 몹시 격분해서 수군거리기 시작했다. 사람들은 그것이 어느 놈의 죄이며 어느 놈이 그녀에게 손을 댔는지 여러 가지로 물어보기도 하고 조사해 보기도 했다. 바로 이때, 그녀를 건드린 것은 다름 아닌 표도르 파블로비치라는 괴이한 소문이 온 읍내에 쫙 퍼져 나갔다. 이 소문은 대체 어디서 나온 것일까? 그 난봉꾼 신사들의 일행 중에서 이때 이 고장에 남아 있던 사람은 하나밖엔 없었다. 그 사람은 이미 나이 찬 딸들을 거느린 의젓한 가장家長으로, 사회적으로도 존경을 받고 있는 5등관等官[25]이었으므로, 설사 그런 일이 정말 있었다 하더라도, 그것을 함부로 퍼뜨리고 다닐 사람은 아니었다. 일행 중 나머지 다섯 사람은 이미 각지로 분산하여 이 고장에는 없었다. 그러나 그 소문은 표도르의 이름을 분명히 지적했고, 그래서 그는 여태까지도 혐의를 받고 있었다. 물론 그는 거기에 대해 그다지 변명하려 들지 않았다. 하잘것없는 장사꾼이나 막벌이꾼 따위를 상대로 이러니저러니 변명할 필요를 느끼지 않았던 것이다. 그 당시 그는 무척 거만해져서, 자기가 광대 역할을 맡고 있는 관리 · 귀족층이 아니면 말 상대조차 하지 않을 정도였다.

그리고리가 있는 힘을 다해서 주인을 위해 분연히 일어선 것은 이때였다. 그는 그와 같은 비방으로부터 주인을 두호했을 뿐만 아니라, 주인을 위해 언쟁을 하면서까지 많은 사람들의 의견을 돌려놓았다. '그건 그 난쟁이 자신의 잘못이지' 하고 그는 자신 있게 말하는 것이었다. 상대는 다름 아닌 '나사못 카르프'라는 것이다. ('나사못 카르프'는 그 당시 이 고장에서는 모르는 사람이 없는 무서운 강도범으로, 현縣의 감옥을 탈옥하여 이 고을에 잠복해 있던 자였다) 추측은 그럴싸하게 여겨졌다. 그해 초가을, 바로 그날 밤을 전후하여 카르프가 밤거리를

25　8등관 이상은 고급 관리를 뜻함.

배회하며 세 사람이나 습격했다는 사실을 사람들은 분명히 기억하고 있었기 때문이다. 하지만 이러한 사건이나 소문도 가련한 백치 처녀에 대한 고을 사람들의 일반적인 동정심을 앗아가지 못했을 뿐만 아니라, 사람들은 전보다 더 그녀를 감싸 주고 더 돌봐 주게 되었다. 어느 부유한 상인의 미망인인 콘드라치예바 같은 여자는, 5월이 되기도 전에 일찌감치 서둘러 리자베타를 자기 집에 데려다 놓고는 해산이 끝날 때까지 밖에 나다니지 못하도록 주선해 놓았었다. 그 집 사람들은 그녀에 대한 감시를 게을리하지 않았다. 그러나 그처럼 엄중히 감시하고 있었음에도 불구하고, 해산을 앞둔 마지막 날 저녁에 리자베타는 몰래 콘드라치예바네 집을 빠져나와 표도르네 집 정원에 나타나게 되었던 것이다. 만삭이 된 몸으로 어떻게 그녀가 그 높고 견고한 울타리를 넘어 정원에 기어들 수 있었는가는 아직도 하나의 수수께끼로 남아 있다. 어떤 사람은 누가 그리로 '옮겨 주었을 것이다'라고 말하는가 하면, 또 어떤 사람은 '악마가 데려다 주었을 것이다'라고 했다. 그러나 가장 그럴듯한 것은, 그것이 지극히 어렵기는 하겠지만 어쨌든 자연스런 방법으로 행해졌을 것이라는 추측이었다. 즉 리자베타는 남의 집 채소밭 같은 데서 잠을 자려고 생나무 울타리를 곧잘 넘어 다니곤 했으니까, 표도르네 집 울타리도 어떻게 해서든 기어올라가, 만삭의 몸인 자기에겐 해로운 일인 줄 알면서도, 거기서 껑충 뛰어내렸음이 틀림없으리라는 것이었다.

그리고리는 마르파한테 달려가, 아내를 리자베타에게 보내서 돌봐 주게 하고 자기는 마침 근처에 살고 있던 늙은 산파를 부르러 뛰어갔다. 갓난애는 목숨을 건질 수 있었으나, 리자베타는 새벽녘에 죽고 말았다. 그리고리는 아기를 안고 집에 돌아오자, 아내를 앉히고 그 무릎 위에 아기를 얹어 주었다. "하느님의 자녀인 고아는 누구에게나 친척이 되는 거요. 우리 부부에겐 더욱 그렇지. 이 애는 악마의 아들과 천사 같은 어머니 사이에서 태어났지만, 실은 죽은 우리 애가 자기 대신 보내 준 애요. 맡아서 기르구려. 그리고 앞으론 눈물을 짜지 말도록 하오."

마르파는 그 애를 기르기로 했다. 아이는 파벨이란 이름으로 세례도 받았다.

부칭父稱[26]은 누가 그렇게 하자고 한 것도 아닌데 자연히 표도로비치라고 불리게 되었다. 표도르는 구태여 반대하려 하지도 않았고, 오히려 그거 재미있게 됐군, 하는 정도로 생각하고 있었지만, 그러면서도 자기는 아이에 대해서 아무런 책임도 없노라고 극구 부인하는 것이었다. 표도르가 이 고아를 맡은 것을 사람들은 만족하게 생각했다. 후에 그는 이 아이의 성도 지어 주었다. 어머니의 별명 스메르쟈시차야(고린내 나는 여자)에서 따서 스메르쟈코프라 부르기로 했다.

바로 이 스메르쟈코프가 표도르의 제2의 하인이 되어, 이 이야기가 시작될 무렵 그리고리 영감 내외와 함께 바깥채에서 살고 있었던 것이다. 그는 요리사로서 일하고 있었다. 이 사나이에 대해서도 특히 몇 가지 말해 둘 필요가 있지만, 대수롭지도 않은 하인들을 가지고 독자의 주의를 너무 오래 요구하기도 염치없는 일이려니와, 스메르쟈코프에 대해서는 이야기가 진행됨에 따라 자연히 언급할 기회가 있을 것이므로, 아무튼 다음 이야기로 넘어가기로 하겠다.

3. 열렬한 마음의 참회 – 시詩의 형식으로

알료샤는 아버지가 수도원을 떠날 때 마차 속에서 큰소리로 외친 명령적인 말을 듣고는 몹시 어리둥절하여 잠시 그 자리에 서 있었다. 그렇지만 언제까지나 기둥처럼 멍청히 서 있었던 것은 아니며, 또한 그럴 위인도 아니었다. 오히려 그는, 몹시 불안을 느끼기는 하면서도, 곧 수도원장의 주방으로 달려가서, 아버지가 위층 식당에서 무슨 일을 저질렀는가를 상세하게 알아보았다. 그러고 나서, 지금 자기를 괴롭히고 있는 문제도 길을 걷고 있노라면 무슨 해결책이 떠오를 것이라는 희망을 품고 읍내 쪽으로 걸음을 옮겼다. 여기서 미리 말해둘 것은, '비개랑 이불이랑 싹 쓸어 가지고' 집에 돌아오라는 아버지의 명령도, 그 외침도, 그는 전혀 개의치 않았다는 사실이다. 남들이 들을 수 있도록 그처

26 러시아인은 세례명과 성姓 사이에 아버지 이름에서 따온 부칭을 넣어 부름.

럼 큰 소리로 외친 그 명령은 다만 일시적인 '격정激情'에서 나온 것으로, 말하자면 무대 효과를 노린 연출에 지나지 않는다는 것을 알료샤는 너무나 잘 알고 있었기 때문이다. 이와 비슷한 일로, 최근에 역시 이 고장의 어떤 상인이, 자기의 명명일命名日 잔치에서 질탕치게 술을 마시고는 보드카를 더 내오지 않는다고 화를 내어, 손님들이 있는 앞에서 자기 집 그릇이며 가구를 들부수고, 자기 옷과 아내 옷을 마구 찢고, 나중에는 유리창까지 깬 일이 있었는데, 이것 역시 지금 아버지가 한 것처럼 무대 효과를 노린 연출이었다. 물론 이 상인은 이튿날 말짱하게 술이 깨었을 때, 자기가 부순 접시며 찻종을 무척 아쉬워했다. 그러니까 아버지도 내일이면 자기를 도로 수도원으로 돌려보내 주겠지, 아니 어쩌면 오늘 중으로라도 다시 돌려보내 줄는지 모른다고 생각했다. 더욱이 그는 아버지가 다른 사람에게라면 또 몰라도 자기에게 욕을 보이려고 할 리는 만무하다고 굳게 믿고 있었다. 알료샤는 이 세상에서 누구 하나 자기를 모욕하려 할 사람도 없으려니와, 모욕할 수도 없을 것이라 확신하고 있었던 것이다. 이것은 그에게 있어 아무런 실증도 필요로 하지 않는 확고부동한 공리公理였다. 이런 의미에서 그는 조금도 동요됨이 없이 자기의 길을 전진하는 인간이었다.

그러나 그 순간의 알료샤의 가슴속에는 그런 것과는 전혀 다른 종류의 두려움이 소용돌이치고 있었다. 알료샤 자신도 뭐라고 분명히 규정지을 수 없는 것이었기 때문에 그것은 더욱 참을 수 없는 두려움이었다. 다름 아니라, 그것은 여성에 대한 공포였다. 아까 호홀라코바 부인 편에 보내온 편지를 통해, 무슨 용무가 있으니 자기한테 꼭 와 달라고 신신당부한, 바로 그 카체리나 이바노브나에 대한 공포였다. 그녀로부터 그러한 요구를 받은 이상 부득불 가 봐야만 한다는 생각이, 그의 마음속에 어떤 참을 수 없는 공포감을 급격히 불러일으켰던 것이다. 그리고 뒤이어 수도원 내에서, 그리고 방금 수도원장실에서 여러 가지 부끄러운 장면과 사건이 벌어졌음에도 불구하고, 이 공포감은 이날 아침나절을 통해 시간이 경과할수록 더욱 아프고 더욱 심하게 그를 괴롭히는 것이었다. 그는 카체리나가 무슨 말을 할지, 또한 거기 대해 무엇이라 대답해야 할지, 그것을 몰라서 두려워한 것은 아니다. 또한 여자로서의 그녀를 두려워한 것도 아니다. 물론 그는 여자라는 것을 잘 알지는 못했지만, 그래도 유년기부터 수도원에 들어오기 직전까지 줄곧 여자들 사이에서만 살아왔었다. 그가 두려워한 것은 그 여자, 즉 카체리나 이바노브나 자신이었다. 그는 처음 보았을 때부터 그녀가 두려웠다. 그렇지만 그가 그녀의 얼굴을 본 것은 한두 번, 기껏해야 세 번 정도밖엔 안 되었고, 단 한 번 우연히 그녀와 몇 마디 말을 주고받은 일이 있을 뿐이었다. 그의 기억에 남아 있는 카체리나는 아름답고 자존심이 강하고 무엇이든 제 맘대로만 하려 드는 거만한 아가씨였다. 그러나 그를 괴롭힌 것은 그녀의 아름다운 용모가 아니라, 무언가 전혀 색다른 것이었다. 이렇게 그의 공포의 원인을 파악할 수 없다는 사실이 그 공포감을 더한층 조장하게 되었던 것이다. 이 아가씨의 목적은 더할 나위 없이 훌륭한 것이었다. 그것은 알료샤도 잘 알고 있었다. 그녀는 자기에 대해 이미 죄를 범한 그의 형 드미트리를 구하려고 노력하고 있었다. 그리고 그 노력은 다만 그녀의 관대한 마음씨에 기인하는 것이었다. 이 점을 자각하고, 그 아름답고 관대한 마음씨를 충분히 인정하면서도, 그녀의 집이 가까워짐에 따라 그는 등골이 싸늘해짐을 느꼈다.

그는, 카체리나와 절친한 사이인 둘째 형 이반은 아직 그녀의 집에 와 있지 않을 것이라 생각했다. 이반은 지금 아버지와 함께 있을 것임이 틀림없다. 드미트리가 거기 와 있지 않으리라는 것은 더욱 확실했다. 어쩐지 그는 그런 예감이 들었다. 그렇다면, 그는 카체리나와 단둘이서만 이야기하게 되는 것이다. 이 숙명적인 면담에 앞서, 그는 맏형 드미트리한테 달려가서 잠깐만이라도 만나보고 싶은 충동을 억제할 수가 없었다. 그녀한테서 받은 편지는 보이지 않고서라도, 그저 몇 마디 이야기를 주고받을 수는 있을 것이다. 그러나 맏형 드미트리는 멀리 떨어진 곳에 살고 있을뿐더러, 지금은 집에 있을 것 같지도 않았다. 1분가량 그 자리에 걸음을 멈추고 머뭇거리다가, 마침내 그는 최종적인 결심을 내렸다. 습관화된 재빠른 동작으로 얼른 성호를 긋고는, 금세 얼굴에 미소를 띠우더니, 그는 확고한 걸음걸이로 그 무서운 아가씨의 집을 향해 걷기 시작했다.

카체리나의 집은 잘 알고 있었다. 그러나 큰길로 나가서 광장을 거쳐 가게 되면 길이 꽤 멀어진다. 이 고을은 크지는 않지만, 집들이 여기저기 흩어져 있어, 길을 잘못 잡으면 거리가 상당히 멀어지는 수가 있다. 게다가 아버지도 기다리고 있을 것이다. 어쩌면 그 명령을 잊지 않고 있다가, 또 무슨 변덕을 부릴지도 모른다. 그러니까 될 수 있는 대로 빨리 갔다 와야 한다. 이런저런 생각 끝에 그는 뒷길로 해서 질러가기로 결심했다. 그는 읍내의 지름길들을 자기 손바닥만큼이나 잘 알고 있었다. 그러나 뒷길로 해서 가려면 헐어빠진 울타리들을 따라 거의 길도 나 있지 않은 곳을 지나가야 하므로, 경우에 따라서는 남의 집 울타리를 넘기도 하고, 뒤뜰을 통과해야 할 경우도 있다. 물론, 남의 집이라고는 하지만, 모두가 그와는 낯익은 사이여서, 만나면 서로 인사를 주고받는 처지였다. 아무튼 이렇게 지름길을 잡은 덕분에 그는 큰길까지 나오는 데 시간을 반이나 절약할 수 있었다.

도중에 한 군데, 아버지 집 바로 옆을 지나야 할 곳이 있었다. 그것은 아버지 집과 이웃한, 창문이 네 개 달린 찌그러진 조그만 고옥에 딸린 정원이었다. 이 집 주인은, 알료샤가 알기로는, 이 고을의 소시민으로 딸과 단둘이 살고 있는 다리병신 노파였다. 이 집 딸은 최근까지 페테르부르크에서 장군 댁 같은 데만 돌아다니며 하녀 노릇을 한 덕분에 이제는 시골티를 완전히 벗어 버린 여자였는데, 어머니의 병환 때문에 벌써 1년가량이나 고향에 돌아와 있으면서, 자기의 화려한 옷을 자랑하고 다녔다. 그러나 이 모녀는 말할 수 없는 가난에 빠져들어, 이웃인 카라마조프네 부엌으로 날마다 수프와 빵을 구걸하러 다니게 되었다. 마르파는 군소리 없이 그들에게 먹을 것을 나누어 주곤 했다. 그러나 이 집 딸은 남의 집에 수프를 얻으러 다니면서도 자기 옷은 한 가지도 팔려 하지 않았다. 그녀가 가진 옷 중에는 귀부인의 예식복처럼 치맛자락이 터무니없이 기다란 것도 한 벌 있었다. 이것은 이 고장 일이라면 무엇이든 모르는 것이 없는 라키친한테서 우연한 기회에 들은 말이었다. 물론 알료샤는 그 말을 듣자마자 곧 잊어버리고 말았었다. 그러나 이 집 정원 옆에까지 들어왔을 때, 그는 문득 그 기다란 치맛자락이 생각나서, 깊은 상념에 잠겼던 고개를 번쩍 쳐들었다. 그러자 그는 전혀 예기치 못했던 사람과 얼굴을 마주치게 되었다.

울타리 너머 옆집 정원에서 맏형 드미트리가 무엇으로 발돋움을 하고 올라서서 상체를 앞으로 내밀며 이쪽을 보고 열심히 손짓을 하며 오라는 시늉을 하고 있었다. 혹시 누가 들을까 봐 소리를 내지는 못하는 눈치였다. 알료샤는 곧 울타리 옆으로 달려갔다.

"네가 이쪽으로 고개를 쳐들었기에 다행이지, 하마터면 소리를 지를 뻔했다" 하고 드미트리 표도로비치는 반가운 듯 성급히 속삭였다. "이리 넘어오너라! 빨리! 아아, 네가 와 주어 얼마나 기쁜지 모르겠다. 난 지금도 네 생각을 하고 있던 참이었어."

알료샤 역시 반가웠으나, 어떻게 울타리를 넘어가야 좋을지 몰라서 잠시 머뭇거렸다. 그러나 '미챠'가 억센 팔로 그의 팔꿈치를 붙잡고 뛰어넘는 것을 도와주었다. 알료샤는 기다란 수도복 자락을 걷어 올리고, 거리의 장난꾸러기들처럼 날쌘 동작으로 울타리를 뛰어넘었다.

"음, 됐어! 그럼 가자!" 미챠의 입에서 만족스런 속삭임이 흘러나왔다.

"어디로?" 알료샤는 주위를 둘러보고는, 그들 두 사람 이외엔 아무도 없는 텅 빈 정원에 자기들이 서 있음을 알고 이렇게 속삭였다. 자그마한 정원이었으나, 그래도 그들이 서 있는 곳으로부터 주인 노파의 집까지는 적어도 50보는 실히 되었다.

"여긴 아무도 없는데 왜 그렇게 소곤소곤 말하죠?"

"왜 소곤소곤 말하느냐고? 칫, 제기랄!" 드미트리는 별안간에 커다란 소리로 외쳤다. "정말이지, 내가 왜 목소리를 죽여 가며 말을 해야 했을까? 너도 지금 보았겠지만, 인간이란 이따금 자기 자신이 영문도 모를 행동을 하는 수가 있거든. 나는 지금 여기 몰래 기어들어 와서 남의 비밀을 감시하고 있는 중이야. 자세한 얘긴 이따가 하겠지만, 아무튼, 절대로 비밀리에 행동해야 한다는 생각에서, 그럴 필요도 없는데 공연히 바보처럼 목소리를 죽여 가며 소곤거렸던 거야.

자, 가자! 저기 저쪽으로! 저기 갈 때까진 아무 소리 말아 줘. 난 너한테 키스를 해 주고 싶다!

이 세상의 가장 높은 이에게 영광을,
내 가슴속의 가장 높은 이에게 영광을……

나는 지금 네가 올 때까지 여기 앉아서 그 구절을 자꾸 외고 있었다…….”

정원은 1정보町步 남짓한 넓이였으나, 사과나무, 단풍나무, 보리수, 자작나무 등 수목은 사면 울타리를 따라 정원 언저리에만 심었을 뿐, 가운데는 텅 빈 풀밭이었다. 이 풀밭에서 여름에는 수백 관의 마초를 베어 들이곤 했다. 봄이 되면 노파는 몇 루블씩 받고 이 정원을 남에게 빌려주는 것이었다. 딸기밭이며 살구, 자두나무 따위도 있었으나, 역시 울타리 옆에 재배되고 있었다. 최근에 만든 채소밭은 주인집 바로 옆에 있었다.

드미트리는 주인집에서 제일 멀리 떨어진 으슥한 구석으로 동생을 데리고 갔다. 거기에는 보리수, 자두나무, 말오줌나무, 까치밥나무, 라일락 등 고목이 우거진 수풀 사이로, 너무 오래되어 처마가 기울어지고 빛깔마저 거무죽죽하게 된 녹색 정자 비슷한 것이 나타났다. 사면 벽은 격자格子로 되어 있었지만, 아직 지붕이 남아 있어, 그런대로 비를 막을 수는 있었다. 이 정자가 언제 세워졌는지는 알 길이 없지만, 전하는 말에 의하면, 이제로부터 약 50년 전에, 그 당시 이 집 주인이었던 알렉사드르 카를로비치 폰 슈미트라는 퇴역 중령이 세웠다고 한다. 그러나 이제는 낡을 대로 낡아서, 마루는 썩어 가고 널쪽들은 들썩이고 재목에서는 축축한 냄새가 풍겼다. 정자 안에는 바닥에 고정시켜 놓은 녹색 나무 탁자가 하나 있고, 그 주위에는 아직도 사람이 앉을 수 있을 만큼 견고한 녹색 벤치가 몇 개 놓여 있었다. 알료샤는 자기 형의 기분이 몹시 들떠 있음을 이내 눈치 챌 수 있었다. 정자에 들어가 보니, 반쯤 따라 마신 코냑 술병과 컵이 탁자 위에 놓여 있었다.

"이건 코냑이야!" 미챠는 껄껄거리며 웃어댔다. "네 얼굴을 보니 '또 술타령이군!' 하는 듯한 표정이구나. 환영을 믿어선 안 된다.

공허하고 거짓된 무리를 믿지 말 것이며,
그대 마음속의 의혹을 버릴지니라……

나는 술타령을 하고 있는 게 아니야. 네 친구 라키친인가 하는 돼지 새끼 말마따나 '음미하고 있는' 거야. 그놈은 앞으로 5등관쯤은 될 테지만, '음미한다'는 말은 여전히 뇌까리겠지. 자, 앉거라. 난 말이다, 알료샤, 너를 내 가슴에 으스러지도록 꼭 껴안아 주고 싶구나. 이 세상에서…… 정말로…… 정……말……로…… (똑똑히 들어 둬, 똑똑히!) 내가 사랑하고 있는 건 오직 너 하나밖엔 없어!"

맨 마지막 구절을 그는 거의 광적인 흥분을 띤 어조로 말했다.

"너 하나밖엔…… 아니, 또 하나, '더러운 계집'한테 나는 반했지. 그리고 그 때문에 난 신세를 망치기까지 했어. 그러나 반한다는 건 사랑한다는 뜻은 아니야. 미워하면서도 반할 수는 있는 거니까. 잘 들어 둬라! 아직은 너와 이렇게 명랑한 기분으로 얘기할 수 있지만, 앞으론 그렇지가 못할 거야. 자, 이 탁자 앞에 앉거라. 나는 네 곁에 앉아서 네 얼굴을 바라보며 모든 걸 죄다 얘기할 테니, 너는 아무 말 말고 듣기만 해. 이젠 모든 걸 너한테 얘기해야 할 시기가 됐으니까. 그렇지만 내 생각 같아선 역시 작은 소리로 얘기해야 할 것 같다. 여긴…… 여긴…… 혹시 누가 엿듣고 있는지도 모르거든. 아무튼 모든 걸 얘기하마. '다음 호에 계속'이라고 해야 할 것까지도 죄다 얘기해 줄게. 그런데 무엇 때문에 나는 너를 그처럼 만나고 싶어 했을까? 무엇 때문에 요새 며칠 동안이나, 그리고 바로 조금 전에도 너를 그처럼 애타게 그리워했을까? (내가 여기 닻을 내린 지도 벌써 닷새나 되었어) 이 며칠 동안 줄곧 너를 기다린 건 무엇 때문일까? 그건 다름 아니라, 너한테만 모든 걸 얘기하고 싶었기 때문이야. 그렇게 하지 않으면 안 되기 때문이야. 네가 나한테 필요하기 때문이야. 내일이면 나는 구름 위에서 뛰어내릴 테니까. 내일이면 내 인생은 종말을 고하고 동시에 새로운 인생이 시작될 테니까. 너는 산꼭대기에서 분화구噴火口 속으로 떨어져 본 일이 있니? 아니, 꿈속에서나마 본 일이 있니? 나는 지금 꿈속이 아닌 현실에서 그걸 경험하고 있는 거야. 그렇지만 나는 두려워하지는 않는다. 너도 두려워할 건 없어. 실은 두렵기는 하지만 그 대신 재미는 있지. 재미있다기보다는 아주 황홀할 지경이야……. 제기랄, 어찌 됐건 결국은 매한가지 아닌가! 억센 마음이건, 약한 마음이건, 아녀자 같은 마음이건, 그런 건 문제가 아니야! 아아, 참으로 '자연을 찬양할지어다'로구나! 어떠냐, 저 햇빛, 하늘은 더없이 맑고, 나뭇잎은 푸르기만 하고—아직도 한여름인 것만 같구나! 오후 세 시가 조금 지난 이 시각의 이 고요함! 그래, 너는 지금 어디로 가는 길이었니?"

"아버지한테. 그러나 우선 카체리나 이바노브나네 집부터 들러 보려고 생각했어요."

"카체리나 이바노브나와 아버지한테? 흠, 그건 정말 우연의 일치로구나! 내가 왜 너를 불렀는지 아니? 내 마음속 구석구석에, 아니, 갈빗대 하나하나에까지 사무치게 너를 갈망하고 그리워한 건 대체 무엇 때문이었는지 아니? 그건 다름 아닌 바로 아버지한테, 그리고 카체리나 이바노브나한테, 나 대신 너를 보내서 양쪽 다 끝장을 내고 싶었기 때문이야. 나는 천사를 보내고 싶었어. 누구든 다른 사람을 보낼 수도 있었지만, 나는 꼭 천사를 보내야 한다고 생각했던 거야. 그런데 너는 지금 그 여자와 아버지한테 가는 길이란 말이지?"

"정말로 나를 보낼 생각이었나요?" 알료샤는 병적인 표정을 띠우며 이렇게 중얼거렸다.

"가만있어, 넌 그걸 알고 있었을 거야. 내가 보기엔, 너는 모든 걸 대번에 알아차린 모양이니까. 아무튼 잠자코 있거라. 잠깐 동안만 입을 다물고 있어. 뭐 상심할 것도 없고, 눈물을 흘릴 것도 없다!"

드미트리는 일어서서 손끝을 이마에 대고 잠시 무언가를 생각했다.

"그 여자가 너를 불렀구나? 무슨 편지 같은 걸 보내왔기 때문에, 그래서 그 여자한테 가는 거지? 그렇지 않고서야 네가 거기 갈 리는 만무하니까."

"여기 편지가 있어요." 알료샤는 호주머니에서 편지를 꺼냈다. 미챠는 재빨리 그것을 훑어보았다.

"그런데 네가 뒷길로 해서 가다니! 오, 하느님! 동생을 뒷길로 가게 하여 나와 만나게 해 주신 것을 감사합니다! 이건 흡사 늙은 바보 어부한테 금빛 고기가 걸려들었다는 옛날 얘기와 똑같구나. 들어 봐, 아우야! 내 얘길 들어 봐, 동생아! 오늘은 기어코 모든 걸 너한테 얘기해야겠다. 어차피 누구한테건 해야만 할 얘기니까. 하늘의 천사한테는 이미 다 얘기했지만, 지상의 천사한테도 얘기할 필요가 있어. 너는 지상의 천사야. 잘 듣고 판단하여 나를 용서해 주렴……. 나는 누구든 나보다 훌륭한 사람한테서 용서를 받고 싶은 거야. 이거 봐, 알료샤, 가령 어떤 두 인간이 갑자기 지상의 모든 것과 관계를 끊고 그 어떤 불가사의한 세계로 날아간다면, 아니면 적어도 그중 한 사람이 영영 날아가 버리거나 멸망해 버리기 직전에 다른 한 사람한테 가서, 임종 시가 아니고서는 누구에게도 부탁할 수 없는 그런 청을 한다면, 그 사람은 그걸 들어주지 않을 수 있을까? 만일 그들이 친구지간이거나 형제지간이라면 말이다."

"나 같으면 들어주겠습니다. 그렇지만 그게 뭔지 빨리 말해 보세요" 하고 알료샤는 말했다.

"빨리 말하라고…… 흠. 뭐 그렇게 서두를 건 없다, 알료샤. 너는 몹시 초조하고 불안한 모양이지만, 이렇게 된 이상 이젠 서두를 필요는 조금도 없다. 이제는 세계가 새로운 길로 들어섰으니까. 그렇지만 알료샤, 네가 황홀의 경지에 이르기까지 곧곰 생각하지 않은 것은 유감스럽구나! 아니, 내가 무슨 바보 같은 소릴 하는 걸까? 네가 곰곰 생각하지 않았다니! 내가 왜 이런 바보 같은 소릴 하고 있는지 모르겠다!

오, 사람이여, 고결할지어다!

이건 누구의 시구詩句더라?"

알료샤는 좀 더 기다려 봐야겠다고 결심했다. 그는 자기가 당장 해야 할 일의 전부가 실은 여기 있는지도 모른다고 느꼈던 것이다. 미챠는 탁자에 팔꿈치를 올려놓고 손바닥으로 턱을 받친 채 잠깐 생각에 잠겼다. 둘 다 말이 없었다.

"알료샤." 미챠가 다시 입을 열었다. "너만은 비웃지 않을 거야. 나는…… 내 참회를…… 실러의 《환희에 부치는 노래》로 시작하고 싶다. An die Freude (환희에 부친다)!로 말이야. 그러나 나는 독일어를 몰라. 그저 An die Freude 라는 걸 알고 있을 뿐이야. 내가 술에 취해 횡설수설하고 있다고는 생각지 마라. 코냑이 있긴 하지만, 내가 취하려면 두 병은 가져야 하거든.

비틀거리는 나귀 등에 올라탄
새빨간 얼굴의 실렌[27]

그렇지만 나는 반의 반병도 못 마셨으니 실렌이라고는 할 수 없어. 실렌이 아니라 실론[28]이지. 나는 단호한 결정을 내렸으니까. 내 궤변을 용서해라. 너는 오늘 내 궤변뿐만 아니라, 그 밖에도 많은 것을 용서해 줘야 할 게다. 그렇다고 염려할 건 없어. 나는 쓸데없는 소릴 늘어놓고 있는 건 아니야. 해야만 할 말을 하고 있는 것뿐이지. 이제 곧 요점을 얘기하마. 공연히 길게 끌지는 않겠다. 가만있자, 그 시가 어떻게 되어 있더라?"

그는 고개를 쳐들고 잠시 생각하더니, 갑자기 열띤 어조로 읊기 시작했다.

"동굴에 사는 나체의 야만인은
겁먹은 듯 바위 굴 속에 숨어 버리고,

27 실레노스Silenus. 술의 신 바커스Bacchu 양부. 그리스 신화의 산야山野의 영靈.
28 러시아어로 굳세고 강하다는 뜻.

광야를 떠도는 유목민은
기름진 들관을 황무지로 만든다.
사냥꾼은 창과 화살로 위협하면서
이리저리 숲속을 쏘다니고……
서러워라, 파도에 밀려 밀려
적막한 바닷가에 버려진 가련한 인간!
어머니 케레스[29]는
잃은 딸 페르세포네[30]를 찾아
올림포스 산봉에서 내려온다
거칠고 사나운 세상으로
그러나 반갑게 맞아 주는 이 하나 없고
여신은 몸 둘 곳을 모른다.
신들을 예배하는 성소도 없고
사원寺院을 지키는 사람도 없더라.
들의 과일, 달콤한 포도송이도
잔칫상에 보이지 않고
피에 물든 제단 위에서는
희생자의 고깃덩이만이 연기로 사라져 간다.
어디를 가나 어디를 보나
여신의 서글픈 눈길이 향하는 곳엔
타락의 구렁텅이에 빠져든
처참한 인간의 모습이 눈에 뜨일 뿐![31]"

29 로마 신화의 곡식의 여신.

30 그리스 신화의 생성生成·번식의 여신. 유괴돼 이승의 여왕이 됨.

31 도스토옙스키가 좋아한 실러의 시詩.

갑자기 미챠의 가슴속에서 흐느낌 소리가 터져 나왔다. 그는 알료샤의 손을 꽉 잡았다.

"알겠니, 알료샤, 타락의 구렁텅이란 말이다. 지금도 타락의 구렁텅이 속에 빠져 있는 거야. 인간이란 이 세상에서 무시무시하게 많은 고통을, 무시무시한 불행을 맛보기 마련이야! 그러나 제발 나를, 코냑이나 마시며 방탕한 생활을 하는, 장교 계급을 가진 하등 인간이라고는 생각지 말아 주었으면 좋겠다. 알료샤, 나는 거의 그것만을, 그 타락한 인간을 생각하고 있다—이건 결코 거짓말이 아닐 거야. 사실 요새 와서 나는 하느님께 거짓말을 하거나 스스로 뽐내거나 하는 일이 없게 해 달라고 빌고 있을 지경이니까. 내가 그 사람에 대해서 생각하는 건, 나 자신이 바로 그러한 인간이기 때문이야.

타락 속으로부터 영혼을 구하여
힘차게 일어서게 하려고
태곳적 어머니인 대지와
영원히 결합하리니

하지만 어떻게 내가 대지와 영원히 결합하느냐가 문제야. 나는 대지에 입 맞추지도 않고, 대지의 가슴을 파헤치지도 않아. 내가 과연 농부나 목동이 될 수 있을까? 나는 이렇게 살아 나가면서도, 내가 과연 구린내 나는 오욕汚辱 속으로 떨어져 들어가고 있는 것인지, 아니면 광명과 환희 속으로 들어가고 있는 것인지 도무지 분간을 할 수가 없어. 실은 이것이 가장 골치 아픈 문제야. 이 세상 모든 일이 내겐 수수께끼니까! 나는 가장 깊고 가장 더러운 방탕 생활에 빠져 들어 가게 될 때면, (하긴 한평생 그런 생활만을 계속해 왔지만) 언제나 케레스와 인간을 노래한 이 시를 읽곤 했지. 그럼 그 시가 나라는 인간을 바로잡아 주었느냐? 그런 일은 한 번도 없었어! 왜냐하면 나는 카라마조프니까. 어차피 밑바닥 없는 구렁텅이로 떨어져 들어갈 바에는, 차라리 잠수부처럼 거꾸로 멋지게 뛰어드는 편이 좋다고 생각하기 때문이야. 그리고 그러한 수치스런 생활에 빠져 있는 것에 스스로 만족을 느낄뿐더러, 그것이 나 자신을 위해서는 아름다운 일이라고까지 생각하지. 그러나 이러한 오욕 속에서도 나는 갑자기 하느님을 찬송하기 시작하거든……. '비록 저는 저주 받아 마땅할 비열하고 더러운 인간이기는 합니다만, 하느님께서 입고 계신 그 옷자락에 입을 맞추게 해 주십시오. 제가 이런 말을 하면서도 악마의 뒤를 따라간다 하더라도 역시 저는 당신의 아들이올시다. 하느님, 저는 당신을 사랑합니다, 그리고 기쁨을 느낍니다, 그것 없이는 이 세상도 존재할 수 없는 그러한 환희를 느낍니다……'라고 말이야.

조물주의 아들의 메마른 영혼을
축축이 축여 주는 것은 영원한 환희
발효醱酵의 은밀한 힘으로
환희는 생명의 술잔에 불을 붙인다
풀잎조차도 빛을 향하게 하며
혼돈의 암흑을 태양으로 화하게 하고
점성가들도 헤아릴 수 없는
무수한 성좌로 창공을 채운다

풍요한 자연의 품속에서
생명 있는 만물은 환희를 마신다
온갖 피조물, 모든 백성들은
환희가 이끄는 대로 그 뒤를 따른다
불행한 날에 환희는 친구들을,
포도즙을, 화려한 화환을 우리에게 준다
천사에겐 하느님을,
버러지들에겐 색욕을……

하지만 시는 이제 그만두자! 눈물이 다 나오는구나. 그러나 눈물 좀 흘렸기로서니 뭐 안 될 건 없지 않니? 물론 이런 건 죄다 어리석은 짓이지. 아마 모두들 웃을 거야. 그러나 너만은 그렇지 않아. 너도 눈시울이 벌게진 것 같구나. 아무튼 시는 그만두자. 나는 지금 너한테 '버러지' 얘기를 아무튼 하는 거야. 하느님한테서 색욕이라는 걸 부여받은 버러지 얘기를.

버러지들에겐 색욕을!

알겠니, 알료샤, 내가 바로 그 버러지란 말이다. 이건 특히 나를 두고 한 말이야. 우리 카라마조프 일족은 모두가 다 이런 인간들이지. 그래서 천사 같은 너의 내부에도 이런 벌레가 숨어 살면서, 네 피 속에 폭풍을 일으키고 있는 거야. 암, 폭풍이고말고. 정욕은 폭풍이니까. 아니, 폭풍보다 더하지! 아름다움—이건 소름이 끼칠 만큼 무서운 것이야! 그것이 무섭다는 건, 뭐라고 분명히 설명할 수 없는 것이기 때문이지. 설명할 수가 없는 건, 하느님이 인간에게 수수께끼만을 던져 주셨기 때문이야. 아름다움 속에는 양쪽 극단이 하나로 되고, 온갖 모순이 함께 어울려 살고 있거든. 나는 원래 학식이 없는 놈이지만, 여기 대해서는 여러 가지로 생각해 보았다. 헤아릴 수 없이 많은 신비가, 너무나도 많은 수수께끼가, 이 지상에서 우리 인간을 괴롭히고 있어. 이 수수께끼를 풀어 보라는 건, 몸을 적시지 말고 물속에 들어갔다 나오라는 것과 다를 게 없어. 아름다움이라! 그리고 또 한 가지 내가 참을 수 없는 것은, 고상한 정신과 뛰어난 지혜를 지닌 인간이, 마돈나의 이상을 품고 출발했다가도 결국은 소돔[32]의 이상으로 끝나고 만다는 사실이야. 그러나 더욱 무서운 것은, 이미 소돔의 이상을 마음속에 품고 있는 자가, 마돈나의 이상을 부정하지 않을뿐더러, 그것을 위해 순결무구한 청년 시대처럼 진심으로 가슴을 태우고 있다는 사실이지. 참으로 인간의 마음은 넓어, 지나치게 넓어. 나는 가능하면 좀 좁히고 싶을 지경이야. 도대체

32 주민의 타락 때문에 천상으로부터 내려오는 유황불 세례로 인해 망해 버렸다는 고대 도시.

뭐가 뭔지 알 수 없다니까! 이성理性의 눈에는 더러운 것으로밖엔 보이지 않는 것이, 감정의 눈에는 더없이 아름다운 것으로 비치거든. 소돔 속에 아름다움이 있을까? 암, 있고말고. 대다수의 인간들에겐 소돔 속에야말로 아름다움이 숨겨져 있는 것처럼 생각되는 법이야. 너는 이 비밀을 알고 있었니, 응, 어때? 아름다움이란 무서운 것일 뿐만 아니라 신비로운 것이야. 이게 두렵단 말이지. 거기서는 악마가 신과 싸우고 있어. 그 싸움터가 바로 인간의 마음이야. 그건 그렇고, 인간이란 자기한테 어디 아픈 데가 있으면 그 얘기만 하기 마련인가 보다. 자, 그럼 본론으로 들어가자."

4. 열렬한 마음의 참회 – 에피소드의 형식으로

"나는 거기서 무척 방탕한 생활을 했다. 아까 아버지는 내가 젊은 처녀들을 유혹하는 데 몇천 루블씩이나 돈을 썼다고 했지만, 그건 돼지 같은 공상이고, 사실은 한 번도 그런 일이 없었어. 있었다 하더라도, 단지 '그것'만을 위해서라면 돈 같은 건 한 푼도 필요하지 않았다. 내게 있어선 돈이란 그저 하나의 액세서리, 영혼의 열원熱源, 무대의 소도구에 지나지 않으니까. 오늘은 훌륭한 귀부인이 내 연인이었다가도, 내일은 거리의 천한 계집이 그 귀부인과 자리를 바꾸기가 일쑤였어. 나는 양쪽을 다 즐겁게 해 주었지. 음악이다, 춤이다, 집시 계집이다, 하며 흥청망청 돈을 뿌리는 거야. 돈이라면 모두들 혹해서 받아 넣으니까. 필요한 경우엔 여자에게도 돈을 쥐어 주었지. 이건 나도 솔직하게 인정해. 돈을 받으면 여자는 만족해하고, 또 무척 감사해하거든. 귀족의 부인들도 나를 좋아했지. 모두가 다 그랬다는 건 아니지만, 종종 그런 일이 있었어. 그러나 나는 언제나 좁다란 뒷골목을, 큰길 뒤에 있는 호젓하고 어두운, 꼬불꼬불한 뒷골목을 좋아했어. 거기에는 모험이 있고, 뜻하지 않은 일들이 있고, 흙탕에 묻힌 천연의 보물이 있거든. 알료샤, 물론 이건 비유로 하는 말이다. 내가 있던 그 조그만 도읍엔 실직적인 형태를 갖춘 그런 뒷골목은 없었어. 다만 도덕적인 의미에서의 뒷골목이 있었을 뿐이지. 하지만 만일 네가 나와 같은 인간이라면, 그 뒷골목이라는 게 무엇을 의미하는지 이해할 수 있을 건데. 아무튼 나는 방탕을 사랑했고, 방탕의 치욕까지도, 그 잔인성까지도 사랑했어. 이래도 나는 빈대가 아니라고 할 수 있을까? 해충이 아니라고 할 수 있을까? 뭐니 뭐니 해도 나는 카라마조프가 아니냔 말야! 한 번은 온 도읍이 총출동해서 일곱 대의 트로이카Troika(三頭馬車)[33]를 타고 드라이브를 나간 일이 있었는데, 그때가 겨울이었어. 어두컴컴한 썰매 속에서 나는 옆에 앉은 처녀의 손을 주무르기 시작하여, 마침내는 키스까지 허락하게 하고야 말았지. 가련하고 귀엽고 온순하고 수줍은, 어느 관리의 딸이야, 처녀는 허락했어, 어둠 속에서 여러 가지를 나한테 허락해 주었어. 가엾게도 처녀는, 내가 이튿날 자기 집에 찾아가서 당장에라도 청혼을 할 줄 알았던 모양이야. (사실 나는 좋은 신랑감으로서 인정받고 있었으니까) 그런데 나는 그 후 다섯 달 동안 그 처녀한테 한마디는커녕 반 마디도 말을 건네지 않았거든. 무도회 같은 데 가면, (그 고장에선 걸핏하면 무도회였어) 홀 한구석에서 그 처녀의 눈이 내 일거일동을 지켜보고 있는 걸 자주 발견하곤 했지. 그 눈에는 은근한 분노의 불길이 이글거리고 있더군. 이런 장난은 다만 내가 자신의 내부에 기르고 있는 버러지의 더러운 욕정을 위한 심심풀이에 지나지 않았어. 5개월 후에 처녀는 어느 관리와 결혼해서 그 고장을 떠났지……. 나를 몹시 원망했겠지만, 그래도 나에 대한 사랑을 버리지는 못했을 거야. 지금은 행복하게들 살고 있다더군. 그러나 여기서 한 가지 지적하고 싶은 것은, 내가 그런 말을 누구한테도 입 밖에 내지 않았고, 따라서 그 처녀의 명예를 손상시킬 짓은 절대로 하지 않았다는 사실이야. 비록 내가 더러운 욕망에 사로잡혀 저열한 행위를 일삼고 있기는 하지만, 그래도 수치를 모르는 인간은 결코 아니야. 아니, 너 얼굴을 붉히는구나, 눈빛이 이상한 걸. 이런 더러운 얘긴 너한

33 러시아 특유의 교통 기관. 세 필의 말이 끄는 썰매.

테 더 이상 하지 않는 게 좋겠다. 그러나 이런 건 뭐 대수로운 얘기가 아니야. 폴 드 콕[34*]식式 서론일 뿐이니까. 하긴 그 잔인한 버러지는 그때 이미 꽤 크게 자라서, 내 영혼 속에서 점점 확고하게 자리를 차지해 가고 있었지. 그 당시의 추억을 모으면 훌륭한 앨범이 한 권 될 거야. 오오, 주여, 그 귀여운 처녀들에게 건강을 주시옵소서! 나는 여자들과 헤어질 때 되도록 싸움을 하지 않으려고 애썼지. 나는 그녀들과의 비밀을 누설하거나 상대방의 명예를 손상시킬 언동을 한 적은 한 번도 없었어. 그렇군, 이런 얘긴 그만두자. 너는 내가 이따위 부질없는 얘기나 하려고 일부러 너를 이리 끌고 왔다고 생각하니? 천만에! 이제부터 좀 더 흥미 있는 얘길 들려주마. 그러나 내가 이런 얘길 하면서도 부끄러워하기는커녕 오히려 신이 나는 것 같은 얼굴을 한다고 어이없어할 건 없다."

"내가 얼굴을 붉혔기 때문에 그렇게 말하는가 보군요" 하고, 알료샤가 한마디 했다. "내가 얼굴을 붉힌 건, 형님이 그런 얘기를 했다거나 형님한테 그런 과거가 있었다거나 해서가 아니라, 나 역시 형님과 조금도 다를 것이 없는 인간이라 생각했기 때문이에요."

"네가? 그건 좀 지나친 과장인걸."

"아니, 과장이 아닙니다." 알료샤는 열띤 어조로 말했다. (그는 이미 오래전부터 그런 생각을 품고 있었음이 틀림없는 것 같았다) "우리는 똑같은 층계에 서 있는 거예요. 다만, 내가 제일 아랫단을 딛고 있다고 한다면, 형님은 좀 더 위에, 열서너 너덧 단가량 위에 서 있을 뿐입니다. 나는 이 문제를 이렇게 보고 있어요. 아무튼 그게 그거죠. 결국은 조금도 다를 게 없어요. 맨 아랫단에 발을 디딘 이상 언젠가는 반드시 맨 위 단까지 올라가게 마련이니까요."

"그렇다면 아예 발을 내딛지 말아야겠구나?"

"그럴 수만 있다면 내딛지 말아야죠."

"그럼 너는 그럴 수 있니?"

"그럴 수 없을 것 같아요."

34* 폴 드 콕Paul de Kock(1793~1871). 파리 하층사회의 치정과 육욕의 세계를 그린 프랑스 소설가.

"말하지 마라, 알료샤, 더 이상 말하지 마라! 아아, 난 네 손에 키스를 하고 싶구나. 이를테면 감격의 키스를 말이다! 그런데 그 그루셴카라는 악당 년은 인간을 볼 줄 알아. 그 계집은 언제나 너를 꼭 잡아먹고야 말겠다고 나한테 장담한 일이 있거든. 아니, 이젠 그만두자. 무대를 바꾸어, 파리 새끼들이 들끓는 그런 더러운 얘기로부터 나의 비극 얘기로 옮아가기로 하자. 하긴 이것 역시 파리가 들끓는, 다시 말해서 온갖 오물로 가득 찬 무대이기는 하지만 말이야. 아까 아버지가 나를 보고 순진무구한 처녀를 유혹했다느니 뭐니 하는 말을 했지만, 사실 내 비극 속에는 그런 일이 있기는 있었어. 그렇지만 그것은 단 한 번뿐이었고, 그나마도 실제로는 성립되지 않은 얘기야. 아버지는 그저 되는대로 헛소리를 늘어놓아 나를 공격했다뿐이지, 내 비밀은 전혀 모르고 있어. 나는 여태까지 아무에게도 이 얘길 한 적이 없으니까. 따라서 이 얘긴 지금 너한테 처음으로 하는 거야. 물론 이반만은 제외하고 말이지만. 이반은 죄다 알고 있어. 벌써 오래전부터 알고 있지. 하지만 이반은 무덤처럼 입이 무거우니까."

"이반이 무덤이라고요?"

"응, 그래."

알료샤는 극도로 주의력을 긴장시켜 형의 이야기를 듣고 있었다.

"그때 나는 그 특전 대대特戰大隊에 견습 사관으로 근무하고 있었는데, 흡사 무슨 유형수流刑囚나 되는 것처럼 항상 감시를 받고 있었지. 그렇지만 그 고장 사람들은 나를 굉장히 우대해 주었어. 내가 돈을 마구 뿌리고 다니는 걸 보고 모두들 나를 부자라고 생각했던 모양이야. 나 자신도 그렇게 믿고 있었으니까. 그러나 그 밖에도 뭔가 그들의 마음에 든 점이 반드시 나한테 있었을 거야. 모두들 고개를 내젓기는 하면서도, 어쨌든 나를 좋아한 것만은 사실이거든. 그런데 우리 대대장으로 있는 늙은 중령이 갑자기 나를 싫어하게 되었어. 그래서 기회 있는 대로 나를 곯려 주려 했지만, 나한텐 유력한 보호자가 있는 데다가, 고을 사람들이 모두 내 편이었기 때문에 그리 세게 나오지는 못했지. 하긴 나도 나쁘기는 나빴어. 고의적으로 응분의 존경을 표시하지 않았거든. 콧대가 세었다고

나 할까. 그렇지만 이 고집쟁이 노인은 그리 나쁜 인간은 아니었을뿐더러, 실상은 손님 대접을 좋아하는 호인이었는데, 두 번이나 장가를 들어 두 번 다 상처한 홀아비였지. 평민 출신인 전처는 딸 하나를 남겨 놓고 갔는데, 그 딸도 역시 아주 평민적인 처녀였어. 내가 그 고장에 있을 때는 이미 스물 네댓이나 된 올드미스로, 아버지와 죽은 어머니의 동생, 즉 이모와 함께 살고 있었지. 그 이모라는 사람은 말수가 적고 소박한 여자였지만, 조카딸, 즉 중령의 맏딸은 역시 소박하긴 하면서도 상당히 활발한 편이었어. 대체로 나는 과거를 회상할 때면 아름다운 말로 그것을 표현하길 좋아하는 성미기는 하지만, 사실이지 그 처녀만큼 매력 있는 성격의 여자를 본 일은 한 번도 없을 정도야. 아가피야라는 이름이었지. 글쎄, 아가피야 이바노브나였다니까![35] 그리고 얼굴도 순 러시아식으로 생겼는데 그리 미운 편은 아니야. 키도 크고 몸집도 탐스러운 편이고, 얼굴은 세련된 맛이 없어 흠일지는 모르지만, 그래도 눈만은 참 아름다웠어. 두어 번 혼담이 있었는데 다 거절해 버리고, 아직 시집은 가지 않고 있었지. 그렇다고 명랑성을 잃는다거나 하는 일은 없었어. 나는 이 처녀와 친한 사이가 되었지. 뭐 그런 식으로 친해진 건 아니야. 이를테면 친구로서 깨끗이 사귀었을 뿐이지. 나는 여자들과 친구로서, 그야말로 순수한 교제를 한 적이 한두 번이 아니었으니까. 이 처녀를 상대로 나는 깜짝깜짝 놀랄 만큼 노골적인 말들을 지껄이곤 했지만, 그런데도 이 여자는 웃고만 있는 거야. 대체로 여자들이란 노골적인 얘기를 좋아하거든. 더욱이 아가피야는 숫처녀였으니까 더욱더 재미있었지. 그리고 또 한 가지 이런 점도 있었어. 즉, 아가피야는 아무리 좋게 보아도 귀족집 아가씨라 부를 수는 없다는 사실이야. 아가피야는 이모와 함께 아버지 집에 살고 있었지만, 어찌 된 셈인지 항상 스스로를 낮은 위치에 두려 했고, 사교계에 나가서 남들과 어깨를 나란히 하려는 생각은 아예 하지도 않았거든. 그러나 옷 짓는 솜씨가 뛰어나서 누구한테나 귀염을 받았고, 또 일거리도 많이 부탁받곤 했지. 정말 대단한 솜씨였지만, 친절한 마음에서 일을 해 주는 것이기 때문

35 아가피야Agafya는 가장 흔한 러시아 인명人名이지만, 귀족 계급에서는 거의 볼 수 없었음.

에, 일의 대가 같은 건 요구하지 않았어. 물론 상대방이 받으라고 내놓는 돈까지 군이 사양하지는 않았지만 말이야. 그러나 중령으로 말하면—이 사람은 그와는 딴판이었지! 중령은 그 지방의 일류 명사 중의 한 사람이었으니까, 교제가 넓었고 걸핏하면 만찬회니 무도회니 하여 온 고을 사람들을 초대하곤 했어. 내가 그곳에 도착하여 대대에 배속되었을 때의 일인데, 멀지 않아 중령의 둘째 딸이 수도 페테르부르크에서 돌아온다고, 온 고을 사람들이 그 얘기들만 하고 있더군. 그야말로 미인 중의 미인으로, 수도의 어느 귀족적인 전문학교를 졸업하고 돌아온다는 거야. 이 둘째 딸이라는 게 바로 카체리나 이바노브나, 즉 중령의 후처의 소생이지. 그 후처라는 여자는 이미 세상을 떠났지만, 원래는 어느 유명한 장군 집 딸이었다더군. 그러나 믿을 만한 소식통에 의하면, 중령과 결혼할 때에 지참금은 한 푼도 가져오지 않았다는 거야. 그저 명문 출신이라는 그것 한 가지뿐이었지. 앞으로 친정의 재산을 상속할 가망은 있었는지 몰라도, 아무튼 현금은 한 푼도 없었으니까.

그건 그렇고, 그 전문학교 출신 아가씨가 돌아오자, (아주 돌아온 게 아니라, 그저 얼마 동안 다니러 왔다는 것이었지만) 마치 온 고을이 다시 소생한 것처럼 떠들썩했지. 그 지방의 일류 귀부인들—각하 부인 둘과 대령 부인 하나—을 비롯하여 모든 사람들, 그야말로 모든 사람들이 이 아가씨에게 비상한 관심을 표시하기 시작하여, 이 아가씨 없이는 아무 일도 못할 것처럼 되어 버리고 말았으니 말이야. 아가씨를 환영한다고 해서 무도회나 야유회가 있을 때마다 여왕으로 모셔 올리는가 하면, 불우한 여자 가정교사들을 위한 구제금 모집이라는 명목으로 활인화活人畵[36] 전시회까지 열며 야단이더군. 나는 그런 건 거들떠보지도 않고, 여전히 방탕한 생활을 계속하고 있었지. 내가 온 고을이 뒤집힐 만큼 큰 소동을 일으킨 건 바로 이 무렵이었어. 언젠가 한 번, 어느 포병 중대장 집에 서였다고 기억하는데, 이 아가씨가 내 얼굴을 유심히 바라본 일이 있었지만, 나는 모른 체하고 그 옆으로 갈 생각조차 하지 않았지. 네까짓 것하곤 사귈 필요

36 인형처럼 분장한 사람들이 명화名畵나 역사적 장면 같은 것을 나타내 보이는 정지극靜止劇.

를 전혀 느끼지 않는다는 배짱이었어. 내가 이 아가씨에게 접근한 건, 얼마 후 역시 어느 야회 석상에서였는데, 이쪽에서 먼저 말을 걸었더니, 얼굴도 제대로 돌리지 않고 멸시하는 듯한 표정으로 입술을 꼭 다물고 있는 거야. 음, 두고 보자, 하고 나는 생각했지. 기어코 복수를 하고야 말 테니! 당시 나는 대개의 경우 언행이 무척 거친 편이었고, 나 자신도 그걸 느끼고 있으나, 무엇보다도 중요한 것은, '카첸카(카체리나의 애칭)'가 그저 순진한 여학생이라기보다는, 확고한 개성과 프라이드를 가진, 참으로 덕망 높은 여성이라는 것. 뿐만 아니라, 지혜와 학식을 겸비한 여성인 데 반해, 나한텐 그런 게 한 가지도 없다는 것을 절실히 느꼈다는 점이야. 너는 내가 그 아가씨와 결혼할 것을 꿈꾸었다고 생각하니? 천만에. 나는 다만, 나 같은 멋진 사내를 몰라보는 그 아가씨에게 무조건 복수를 하고 싶었던 것뿐이야.

그러나 당장은 술과 유흥에 여념이 없었어. 그래서 나중에는 중령이 나를 3일간 영창에 집어넣기까지 했지만, 아버지가 6천 루블이라는 돈을 보내 준 건 바로 그 무렵이었어. 내가 정식으로 권리 포기증을 써 보내어, 앞으론 한 푼도 청구하지 않겠다, 이것으로 깨끗이 '청산'해 버리자, 라고 제의했기 때문이었지. 그때만 해도 나는 정말 아무것도 몰랐어. 이리로 돌아올 때까지, 아니 바로 며칠 전까지, 그보다도 오늘 이때까지도, 아버지와의 금전 관계가 어떻게 되어 있는지 전혀 모르고 있었으니까. 그러나 그런 건 아무래도 좋아. 나중에 얘기하기로 하지.

그런데 그 6천 루블을 받고 나서 나는 곧 어떤 친구한테서 받은 편지를 통해 참으로 흥미 있는 사실을 알게 되었어. 다름 아니라, 대대장인 중령이 군기 문란이란 혐의로 상부의 불만을 사고 있다는 거야. 간단히 말해서, 모든 것은 반대파 녀석들이 그를 잡으려고 만들어 놓은 올가미였지. 그래서 사단장이 직접 와서 한바탕 야단을 치고 갔는데, 얼마 후 퇴역 명령이 내리고 말았어. 자세한 경위는 지금 얘기하지 않겠지만, 아무튼 그에겐 반대파가 있었거든. 그런 일이 있은 후로는, 중령과 그 가족에 대한 고을 사람들의 태도가 갑자기 차가워지더니, 나중에는 모두들 등을 돌려 버리고 말더군. 나의 최초의 장난이 시작된 건 바로 이때였어. 늘 친하게 지내던 아가피야를 만나서 나는 이렇게 말했지.

'부친께서 보관하고 있던 공금 4천 5백 루블이 없어졌다는군요.'

'아니, 그게 무슨 말씀예요? 요전에 장군이 오셨을 땐 고스란히 다 있었는데…….'

'그땐 있었지만 지금은 없단 말입니다.'

그러자 아가피야는 몹시 놀라는 눈치더군.

'제발 사람을 놀라게 하지 말아 주세요. 그건 대체 누구한테서 들은 말이죠?'

'뭐 염려할 것 없습니다. 아무한테도 말하지 않을 테니까. 아시다시피, 그런 면에선 내 입은 무덤처럼 무겁거든요. 다만 여기 대해서 '만일의 경우'에 대비하여 한 가지 첨가해 둘 말이 있습니다. 만약에 부친께서 그 4천 5백 루블을 청구당했을 때, 돈이 없어 지불하지 못한다면, 그때는 영락없이 군법 회의에 회부될 겁니다. 결국은 늙은 나이에 병졸 근무를 하지 않을 수 없게 되겠지요. 그러니 댁의 여학생을 나한테 몰래 보내 주세요. 마침 나한테 송금해 온 돈이 있으니까, 4천 루블쯤 여학생에게 드릴 수 있습니다. 비밀은 절대로 보장할 테니까요.'

'아아, 당신은 참으로 비열한 인간이로군요! (정말 이렇게 말하더라니까!) 비열하기 짝이 없는 악당이에요! 어디다 감히 그런 소릴 하는 거예요!'

그러고는 무섭게 화를 내며 핵 돌아서서 가 버리는 거야. 나는 그 뒤를 쫓아가며, 비밀은 절대로 지키겠노라고 또 한 번 소리쳤지. 이 두 여인, 즉 아가피야와 그 이모는, 나중에 들은 바에 의하면, 이 문제에 대하여 순진무구한 천사와 같은 태도를 취했다는 거야. 그들은 항상 거만한 동생 카챠를 진심으로 사랑하면서, 스스로를 낮추어서 마치 하녀처럼 카챠를 섬기고 위해 주었지. 그러나 아가피야는 이 얘기를 즉 내가 한 말을, 곧 카챠에게 옮겼던 모양이야. 후에 들어서 나는 상세한 점까지 다 알게 되었지만, 어쨌든 그때 아가피야는 내 얘길 숨기고 있을 수가 없었던가 봐. 물론 내가 목적하는 바는 바로 그거였지.

갑자기 신임 대대장인 소령이 부대를 인수하러 왔어. 사무 인계가 시작되었지. 그런데 늙은 중령은 병이 나서 꼼짝도 할 수 없다면서, 자기 집에 들어박힌 채, 공금을 인계하려 들지 않는단 말이야. 군의관인 크랍첸코도 틀림없이 앓아 누웠다고 주장하는 거야. 하지만 내가 비밀리에 탐지한 바에 의하면, 그 돈은 벌써 4년 전부터 사령관의 검열이 끝나기만 하면 으레 얼마 동안씩 자취를 감추곤 했거든. 중령은 그 돈을 가장 신용 있는 어느 친구에게 슬쩍 돌려주곤 했단 말이야. 트리포노프라는 그 고장 상인인데, 금테 안경을 쓰고 수염이 많은 홀아비 영감이었지. 이 상인은 정기시定期市에 가서 그 돈으로 무슨 유리한 거래를 끝내고는 곧 전액을 중령에게 반환할뿐더러, 정기시에서 선물까지 갖다 주곤 했지. 선물에다 이자를 곁들여서 말이야. 그런데 이번에는, (나는 그때 트리포노프의 코흘리개 아들이며 또한 그의 상속인인 천하 망나니 녀석한테서 우연히 이 말을 들어 알게 되었지만) 이번만은 어찌 된 셈인지, 정기시에 다녀오고서도 아무것도 돌려주지 않더라는 거야. 중령은 허겁지겁 그에게로 달려갔지. 그런데 트리포노프는 '난 당신한테서 아무것도 받은 일이 없는데요. 받았을 리도 없지가 않습니까' 하고 딱 잡아떼더라는 거야. 그래서 중령은 자기 집에 들어박혀 수건으로 머리를 동여매고 드러누워 버렸지. 여자 셋이 달려들어 얼음찜질이다 뭐다 하고 집 안에서 한바탕 소동이 벌어졌는데, 느닷없이 연락병이 장부와 명령서를 가지고 나타났어. '두 시간 이내에 어김없이 공금을 제출하라'는 명령이야. 중령은 서명을 하고, (장부에 서명한 걸 나도 후에 본 일이 있어) 자리에서 일어나더니, 군복을 입겠다면서 자기 침실로 달려 들어가, 이연발二連發 엽총에다 군용 탄약을 장전한 다음, 오른쪽 장화를 벗고서 총구를 가슴에 대고 발가락으로 방아쇠를 더듬기 시작하더라는 거야. 그런데 그때, 내가 한 말을 기억하고 전부터 수상쩍게 여기고 있던 아가피야가, 몰래 아버지의 거동을 살피고 있었기 때문에, 제때에 그걸 발견하고는, 질겁하고 달려 들어가 뒤에서 중령을 꽉 그러안았다는군. 총은 천장을 향해 발사되어 아무도 다친 사람은 없었지. 곧 나머지 사람들이 달려와서 중령을 붙잡고, 총을 빼앗고, 꼼짝 못하게 두 손을 거머쥐고……. 이건 후에 내가 죄다 들어서 알게 된 얘기야. 그때 나는 집에 있었지. 마침 해질 무렵이어서 외출하려고 옷을 갈아입고, 머리를 빗고, 손수건에 향수를 뿌리고는 모자까지 집어 들었는데, 별안간 방문이 열리더니 내 눈앞에, 내 방에, 카체리나 이바노브나가 나타나지 않았겠니!

세상엔 가끔 이상한 일도 있어서, 그때 그 아가씨가 나한테 오는 걸 거리에서 본 사람은 아무도 없었어. 따라서 여기 대한 소문 같은 건 전혀 나돌지 않았지. 나는 두 관리의 미망인들의 집에 유숙하고 있었는데, 둘이 다 늙은 할머니였지만, 나한테는 여러 가지로 잘해 주었어. 점잖은 할머니들이어서 내 말이라면 무엇이든 잘 들어주었고, 이 일에 대해서도 내 명령을 지켜, 쇠뭉치처럼 끝까지 입을 봉하고 있었거든. 그건 그렇고, 나는 물론 즉석에서 모든 사정을 알아챘지. 아가씨는 방 안에 들어서자, 내 얼굴을 뚫어지게 바라보는 거야. 그 암갈색 눈에는 굳은 결의의 빛이 어려 있어서, 오히려 대담하게까지 보였지만, 그래도 입술과 입가에는 주저의 빛이 엿보이더군.

'언니한테 들었는데요, 내가 여기…… 여기 혼자서 오면, 4천 루블을 주실 거라고 하더군요. 그래서 왔어요……. 어서 돈을 주십시오!'

간신히 여기까지 말하고는 숨이 막혀 오는지 겁먹은 듯 그냥 말을 끊어 버리고 말았어. 입술과 그 언저리의 근육이 파르르 떨리기 시작하더군. 얘, 알료샤, 너 듣고 있는 거냐, 잠을 자고 있는 거냐?"

"난 형님의 얘기가 전부 진실이라는 걸 알고 있어요" 하고 알료샤는 흥분한 어조로 말했다.

"그렇고말고, 나는 진실을 얘기하고 있는 거야. 진실을 얘기하자면 그때 일을 꾸밈없이 그대로를 말해야 할 테니까, 나는 스스로를 두둔하는 따위 짓은 하지 않을 생각이다. 그때, 제일 먼저 내 머리에 떠오른 생각은 역시 카라마조프식 式인 것이었지. 전에 나는 지네한테 물려 두 주일가량 열이 나서 앓아누운 적이 있었는네, 바로 그 지네란 놈이 그 순간 갑자기 내 심장을 무는 듯한 느낌이 들었어—그 짓궂은 독충이란 놈이 말이다, 알겠니? 나는 찬찬히 아가씨를 훑어보았지. 너는 그 여잘 본 일이 있니? 미인이야. 그러나 그때의 아름다움은 약간 특이한 성질의 것이었어. 그 순간의 아름다움은 그 아가씨가 더없이 고결한 데 비해, 나는 비열하기 짝이 없는 사내라는 바로 그 점에 기인하는 것이었어. 그 아가씨는 아버지를 위해, 스스로를 희생하는 관대하고 위대한 정신에 싸여 있음에 반해, 나 같은 놈은 그야말로, 빈대와 다를 것이 없는 존재였으니까. 그런데 그 아가씨의 모든 것이, 정신이건 육체건 모든 것이, 빈대와 같은 비열한 인 나의 뜻 하나에 달려 있는 거야. 독 안에 든 쥐라고나 할까. 솔직히 말해서, 그 생각, 그 독충 같은 생각은 내 심장을 너무나도 세차게 휘어잡아 그 괴로운 초조감 때문에 금세 심장이 녹아 버릴 것만 같았어. 이젠 그 어떠한 내적 투쟁도 있을 수 없다, 빈대나 독거미처럼 무자비하게 행동으로 옮기면 그만인 것이다……. 이렇게 생각하니 숨이 꽉 막혀 오는 느낌이더군. 그런데 말이다. 물론 나는 이 일을 어디까지나 공명정대한 방법으로 처리하기 위해, 그리고 아무도 이 일의 내막을 알 수 없게 하기 위해, 곧 그 이튿날 정식으로 결혼을 신청하러 갈 수도 있었을 거야. 나는 더러운 욕정을 품은 놈이기는 하지만, 그래도 결백한 인간이니까. 그러나 바로 그 순간, 갑자기 누군가 내 귀에다 대고 이렇게 속삭이지 않겠니—'하지만 내일 네가 결혼을 신청하러 가도, 저쪽에선 얼굴도 내밀지 않고, 하인을 시켜 밖으로 쫓아낼지도 모르지 않느냐. 어서 멋대로 돌아다니며 퍼트리려무나. 네깟 놈 누가 겁낼 줄 아니!'라는 배짱으로 말야. 나는 흘끗 아가씨의 얼굴을 쳐다보았어. 마음의 소리는 거짓말이 아니다, 물론 그렇겠지, 그렇게 될 수밖에! 목덜미를 잡혀 쫓겨나리라는 건 저 얼굴빛만 보아도 뻔한 일이다—이런 생각이 들자, 갑자기 가슴속에서 독기 품은 복수심 같은 것이 끓어올라, 가장 비열한, 돼지 새끼만도 못 한, 장사치 같은 못된 장난을 해보고 싶어졌어. 조소 어린 눈초리를 나한테 던지며 아가씨가 내 앞에 꼼짝 않고 서 있는 동안에, 장사치가 아니면 도저히 쓰지도 못할 그런 말투로 느닷없이 아가씨의 얼을 빼주고 싶은 충동을 느꼈지.

'뭐 4천 루블이라굽쇼? 난 농담으로 한 말인데, 당신은 그걸? 아가씨, 아무래도 셈을 너무 손쉽게 하신 것 같군요. 1백 루블이나 2백 루블쯤이라면야 어서 가져갑쇼, 하고 내놓을 수도 있겠지만요. 4천 루블이라면 어디 이런 실속 없는 일에 간단히 내던질 수 있나요! 공연히 헛수고를 하셨군요.'

이렇게 말한다면, 물론 나는 모든 걸 잃고 마는 거야. 아가씨는 달아나 버리고 말 테니까. 그 대신 악랄하고도 속 시원하게 앙갚음을 할 수는 있을 게고, 또 그것으로 모든 걸 보상할 수도 있는 문제야. 한평생 가슴을 치며 후회하게 될는지는 모르지만, 아무튼 당장은 이 대사臺詞를 뇌까리고 싶어 죽을 지경이었어! 너는 곧이듣지 않을 테지만, 나는 그 상대가 누구든지, 어떤 여자든 간에, 그러한 순간에 상대방을 증오의 눈으로 바라본 적은 한 번도 없었어. 그런데 이때만은 정말로 그 여자를 3초가량, 아니 5초가량 무서운 증오의 눈으로 응시하고 있었거든. 그 증오야말로 연정戀情, 미칠 듯한 연정과 종이 한 장의 차이밖엔 없는 것이었어!

나는 창문으로 다가가서 얼어붙은 유리창에 이마를 댔지. 얼음이 마치 불덩이처럼 따갑게 느껴지던 것을 지금도 나는 기억하고 있어. 뭐 염려할 건 없다. 아가씨를 오래 잡아 두진 않았으니까. 나는 곧 몸을 돌려 책상으로 다가가서 오부 이자부利子附 액면 5천 루블짜리 무기명 수표를 꺼냈지. (그건 프랑스어 사전에 끼어 있었어) 아무 말 않고 수표를 보여 주고 나서, 그걸 잡아 아가씨한테 내준 다음, 내 손으로 직접 현관으로 통하는 문을 열었지. 그러고는 한 걸음 뒤로 물러서며, 공손하게 허리를 굽혀 감동 어린 태도로 아가씨에게 절을 했어. 믿어 줘, 정말이야! 아가씨는 온몸을 부르르 떨더니, 잠시 동안 내 얼굴을 뚫어지게 바라보더군. 백지장처럼 안색이 창백했어. 그러더니 갑자기 아무 말 않고, 발작적인 동작이 아니라 지극히 부드럽고 조용한 동작으로 내 발을 향해 이마가 방바닥에 닿을 만큼 공손히 절을 하는 거야. 여학생식式이 아닌 순 러시아식 절을! 그러고는 벌떡 일어나 그냥 달아나 버리더군. 그때 마침 나는 군도軍刀를 차고 있었는데, 아가씨가 달려 나가 버리자 나는 곧 그걸 뽑아 들었지. 당장 그 자리에서 자살해 버리려 했어. 무엇 때문인지 그건 나도 몰라. 물론 어리석기 짝이 없는 일이었지만, 아무튼 극도의 감격 때문이었던 것만은 틀림없을 거야. 인간이란 어떤 종류의 감격에 직면했을 때, 자살까지도 할 수 있다는 것, 그걸 너는 이해하겠니? 하지만 나는 자살을 하지는 않았어. 군도에 입을 맞췄을 뿐, 그것을 도로 칼집에 꽂아 넣었지. 하긴 구태여 이런 것까지 너한테 얘기할 필요는 없을 것 같구나. 그렇지 않아도, 지금 이렇게 나 자신의 내적 투쟁을 얘기하는 동안, 나 자신을 곱게 보이려고 약간 각색을 한 대목도 없지 않은 것 같으니 말이야. 하지만 그까짓 건 아무래도 좋아, 인간의 마음속에 숨어드는 요런 밀정密偵 놈들은 죄다 귀신한테 물려 가 버렸으면 시원하겠다! 이상이 나와 카체리나 이바노브나 사이에 있었던 '사건'의 전모야. 그러니까 이젠 이걸 아는 사람은 이반과 너, 두 사람이 되는 셈이지—그 두 사람뿐이야!"

드미트리는 벌떡 일어나더니, 몹시 흥분한 듯 두어 걸음 앞으로 나섰다. 손수건을 꺼내서 이마의 땀을 닦고는 다시 벤치에 앉았으나, 그것은 먼저 앉았던 자리가 아니라 맞은편 벽 밑의 자리였다. 그래서 알료샤는 전과는 반대되는 방향으로 돌아앉지 않으면 안 되었다.

5. 열렬한 마음의 참회 – '곤두박질치다'

"그러면 이제는" 하고 알료샤가 말했다. "나도 그 사건의 전반前半을 알게 된 셈이군요."

"그렇지, 전반은 너도 안 셈이야. 이건 말하자면 하나의 드라마야. 무대는 저쪽이었어. 그렇지만 후반은 비극이야, 무대는 여기고."

"그런데 그 후반의 내용을 나는 전혀 알 수가 없어요" 하고 알료샤는 말했다.

"그럼 나는? 나는 그걸 알고 있다는 거냐?"

"잠깐만! 형님한테 한 가지 중요한 질문이 있어요. 도대체 형님은 약혼을 하신 건가요. 그리고 지금도 약혼 중이신가요? 그걸 말씀해 주세요."

"내가 약혼을 한 건 그 일이 있은 직후가 아니라 3개월가량 후의 일이었어. 사건이 있은 바로 이튿날, 나는 마음속으로 다짐했지—이 문제는 이것으로 완전히 막이 내린 거다, 따라서 속편 같은 건 있을 수 없다고. 결혼을 신청하러 간다는 건 아무래도 비열한 짓인 것만 같았어. 그 아가씨는 또 그 아가씨대로, 그 후 한 달 반가량이나 그 고장에 살면서도, 어떻게 됐다는 말 한마디 전해 주지 않는 거야. 하긴 또 한 번 연락이 있기는 있었지. 아가씨가 우리 집에 왔다 간 이튿날, 중령 집 하녀가 살그머니 나를 찾아와서는 아무 말 않고 봉투 하나를 내놓고 갔어. 봉투에는 누구누구 앞이라고 이름이 쓰여 있었는데, 뜯어보았더니, 전날 가져간 5천 루블짜리 수표의 거스름돈이야. 필요한 돈은 4천 5백 루블이었지만, 수표를 현금으로 바꾸는데 2백 몇십 루블가량 손해를 본 모양이더군. 그래서 나한테 돌려보낸 돈은, 확실한 기억은 없지만 아마 2백 6십 루블 정도였을 거야. 한마디 설명도 없는 거야. 혹시 봉투에 무슨 연필 자국 같은 거라도 없나 하고 찾아봤지만, 역시 아무것도 없었어! 하는 수 없이 그 돈으로 또 당분간 술이다, 계집이다, 하며 놀아댔지. 그래서 신임 소령도 나중에는 나한테 견책 처분을 내릴 수밖엔 없었지만 말이야.

그건 그렇고, 중령이 무사히 공금을 반환하자, 모두들 깜짝 놀라더군. 그 돈이 중령의 수중에 고스란히 남아 있으리라고는 아무도 생각지 못했었으니까. 그러나 돈을 반환하자마자 그는 병이 나서 3주일쯤 누워 있더니, 갑자기 뇌연화증 腦軟化症을 일으켜 닷새 후에 그만 숨을 거두고 말았거든. 아직 정식으로 퇴역 신고를 하지 못했었기 때문에 장례식은 군장軍葬으로 거행되었지. 카체리나 이바노브나와 그 언니, 그리고 이모 되는 사람은, 장례식이 끝나고 열흘도 지나기 전에 모스크바로 떠나 버렸어. 그런데 떠나기 직전, 그러니까 출발 당일에야 (그동안 나는 그녀들과 만난 일도 없거니와 전송을 하러 가지도 않았지만) 나는 조그만 하늘빛 봉투 하나를 받았어. 속에는 엷은 종이쪽지가 한 장, 거기에 연필로 겨우 한 줄, '편지 드리겠습니다, 기다려 주십시오. K'라고 쓰여 있더군. 그것뿐이야.

그다음은 간단히 설명하기로 하자. 모스크바에서는 모든 사정이 번개와 같은 속도로, 또한 아라비안나이트처럼 뜻밖의 양상으로 일변해 버리고 말았어. 카체리나 이바노브나의 가까운 친척인 그 장군 부인이 졸지에 자기 상속자로 지정되었던 사람을 둘이나 잃고 말았다는 거야. 둘 다 부인의 조카뻘 되는 여자들이었는데, 천연두에 걸려 같은 주에 죽어 버렸다는군. 너무나 큰 충격을 받은 이 노파는 카챠를 친딸처럼 반가워하며, 마치 구세주나 만난 것처럼 매달리다시피 하면서, 곧 카챠에게 유리하게 유언장을 고쳐 썼다는 거야. 그렇지만 이건 장차 있을 유산 상속에 관한 것이고, 우선은 8만 루블을 내주며, 이건 너의 지참금으로 주는 거니까 네 맘대로 써도 좋다, 이렇게 말했다는군. 나는 그 후 모스크바에 가서 만나본 일이 있지만, 무척 히스테리한 데가 있는 부인이야.

그런데 그 무렵에 나는 뜻밖에도 4천 5백 루블을 우편으로 받았어. 하도 놀라서 입이 떡 벌어진 건 말할 것도 없지. 사흘 후엔 약속했던 카챠의 편지가 왔어. 그 편지는 지금도 여기 가지고 있지만 나는 이걸 죽는 날까지 항상 몸에 지니고 있을 생각이야. 보여 줄까? 한번 꼭 읽어 봐. 결혼을 신청해 온 편지야. 글쎄 저쪽에서 먼저 신청해 왔다니까! '나는 미칠 듯이 당신을 사랑하고 있습니다. 당신이 나를 사랑해 주시지 않는다 해도, 그런 건 상관없습니다. 다만 나의 남편이 되어 주시면 됩니다. 그렇다고 두려워하실 건 없습니다—무슨 일이 있어도 나는 결코 당신을 속박하지는 않을 테니까요. 나는 당신의 가구家具가 되겠습니다, 당신이 밟고 다닐 양탄자가 되겠습니다……. 영원토록 당신을 사랑하고 싶습니다. 그리고 당신을 당신 자신으로부터 구해 드리고 싶습니다.' 알료샤, 나의 이 누추한 말로는, 이 누추한 말투로는, 그걸 너에게 전할 자격조차도 없을 거야. 아아, 이 천하디 천한 말투는 아무리 해도 고칠 수가 없구나! 그 편지는 이날 이때까지도 송곳처럼 나의 가슴에 박혀 있어. 그래 지금 내 마음이 편한 줄 아니? 지금 내 속이 편할 수 있을 것 같니? 그때 나는 즉석에서 답장을 써 보냈어. (나 자신이 모스크바에 갈 수는 없는 형편이었으니까) 나는 눈물을 흘리며 그 편지를 썼지. 다만 한 가지 언제까지나 부끄럽게 여기는 것은, 내가 그 답장에다, 저쪽은 이젠 많은 지참금까지 가진 돈 많은 아가씨인 데 비해 나는 일개 가난뱅이 장교에 지나지 않는다느니 뭐니 하는 소릴 썼다는 사실이야. 다시 말해서, 돈 얘길 거기다 써 버렸단 말이야! 그런 건 꾹 참아야만 하는 건데, 그만 저도 모르게 펜 끝이 그렇게 움직여 버리고 말았어. 그때 나는 모스크바에 있는 이반한테도 여섯 장이나 되는 긴 편지를 써서 모든 사정을 자세히 설명해 주고, 카챠한테 한번 가 봐 달라고 부탁했었지. 뭘 그렇게 보고 있니, 알료샤? 왜 그렇게 내 얼굴을 흘금흘금 보고 있어? 아무튼, 그렇게 되어 이반은 카챠한테 홀딱 반하고 말았거든. 지금도 여전해. 그건 나도 알아. 그야 물론 너희들 눈에는 세상 사람들의 눈에는, 내가 바보짓을 한 것처럼 보이겠지. 그러나 이제 와서는 그 바보짓만이 우리들 모두를 구해 줄는지도 모르는 거야! 아아, 카챠가 얼마나 이반을 생각해 주고 또 존경하고 있는지, 그래 그걸 너는 모른다는 거냐? 이반과 나를 비교해 본다면, 나 같은 놈을 사랑할 리는 만무하지 않니? 더욱이 여기 온 후 그런 일까지 일어났으니 말이다."

"그렇지만 그 여자가 사랑하는 건 형님 같은 사람이지, 결코 이반 같은 사람은 아니라고 나는 확신해요."

"카챠가 사랑하는 것은 내가 아니라 자기의 미덕이야." 갑자기 드미트리는 저도 모르게 거의 악의에 찬 어조로 이렇게 뇌까렸다. 그러고는 껄껄 웃었으나, 그의 눈은 금세 이상한 광채를 발하기 시작했다. 그는 얼굴이 벌겋게 되어 주먹을 들어 힘껏 탁자를 내리쳤다.

"나는 단언한다, 알료샤." 그는 자기 자신에 대한 진심으로부터의 분노에 휩싸여 이렇게 외쳤다. "네가 곧이듣건 말건 그건 알 바 아니지만, 나는 신성한 하느님의 이름으로, 주 예수 그리스도의 이름으로 맹세코 말한다. 나는 방금 카챠의 고상한 감정을 냉소하기는 했지만, 정신적인 면에서 내가 카챠보다 백만 배나 저열하다는 건 나 자신 잘 알고 있어. 카챠의 그 훌륭한 감정은 마치 천사의 그것처럼 진실한 것이야! 그걸 내가 확실히 알고 있다는 거기에 바로 비극의 원인이 있는 거야. 사람이 약간 연설조로 말을 한다고 해서 안 된다는 법은 없겠지? 아마 내 말투가 좀 연설조가 된 것 같다. 하지만 난 진정이야, 진정으로 말하고 있는 거야! 헌데 이반으로 말하면, 그 녀석이 지금 저주의 눈으로 자연을 바라볼 수밖엔 없다는 것도 난 충분히 이해하고 있어. 더욱이 그만한 두뇌의 소유자라면 오히려 당연한 일이겠지. 그런데 실제로 선택된 것은 누군가? 선택된 건 바로 이 쓰레기 같은 인간이란 말이야. 이미 약혼까지 했으면서도, 여기서, 모든 사람이 보고 있는 앞에서, 자기의 추잡한 행위를 억제할 줄 모르는 바로 이 놈이야—자기 약혼자 앞에서, 자기가 약혼한 그 여성의 눈앞에서, 그런 짓을 감행하는 바로 이놈이란 말이야! 나 같은 이런 놈이 선택되고, 이반은 거기서 제외됐어. 그러나 이건 대체 무엇 때문일까? 그건 단지 그 아가씨가 감사의 정 때문에 자기의 일생과 운명을 일부러 다른 방향으로 돌리려 하고 있기 때문이야! 어리석은 짓이지! 아직 나는 이런 말을 이반에게 한 번도 한 일이 없거니와, 이반 역시 이런 뜻의 말은 한마디도 입 밖에 내지 않았고, 또한 암시한 일도 없었어. 그러나 필경은 운명의 뜻에 따라 자격 있는 자는 자기 위치를 차지할 것이고, 자격 없는 자는 영영 뒷골목으로 자취를 감추기 마련이야—자기 처지에 합당한, 자기 마음에 드는 더러운 뒷골목에 기어들어, 진탕과 악취 속에서, 만족과 희열을 느끼며 스스로 멸망의 길을 밟게 마련이지. 내가 되지 못한 소릴 지껄인 것 같구나. 내 말은 모두가 써먹을 대로 써먹은 낡아 빠진 것들이어서, 아무렇게나 씨부렁거리는 것처럼 들리겠지만, 그러나 지금 내가 말한 것은 반드시 그대로 실현되고야 말 거야. 나는 뒷골목 깊숙이 빠져 버릴 것이고, 카챠는 이반과 결혼하게 될 것이고……."

"형님, 잠깐만." 알료샤는 몹시 불안한 얼굴로 다시 말을 가로챘다. "아직도 형님은 나한테 분명히 설명하지 않은 것이 한 가지 있어요. 형님은 약혼을 하셨죠? 어쨌든 약혼한 사이인 것만은 틀림없지 않아요? 그렇다면 상대방에서 원하지 않는 한 이쪽에서 멋대로 파혼해 버릴 수는 없는 일이 아닙니까?"

"나는 정식으로 축복을 받은 약혼자야. 약혼식은 내가 모스크바에 갔을 때, 성상 앞에서 의식을 갖추어 엄숙하게 거행되었지. 장군 부인이 우리를 축복해 주었어. 그리고 카챠에게 축하의 말까지 하더군. 너는 참 좋은 낭군을 골랐구나,

나는 이 사람의 마음속까지도 환하게 들여다볼 수가 있다, 라고 말이야. 그런데 거짓말 같은 얘기지만, 이반은 장군 부인의 눈에 들지 않은 모양이야. 이반한테는 말도 건네려 하지 않았으니까. 모스크바에서 나는 카챠와 여러 가지 얘기를 했지. 나는 자신에 관한 것을 죄다 상세하게, 진심으로, 거짓 없이 얘기했다. 카챠는 끝까지 귀를 기울이고 들어 주었어.

그 얼굴엔 귀여운 동요의 빛이,
그 입엔 부드러운 말들이……

아니, 좀 딱딱한 말도 있기는 있었지. 그때 카챠는 나한테 앞으로 몸가짐을 고치겠다는 굉장한 약속을 요구했거든. 나는 그렇게 약속했어. 그런데 지금……"

"뭐죠?"

"그런데 지금 나는 너를 불러 가지고 이리로 끌고 왔어. 오늘이라는 날을 잘 기억해 다오! 나는 다름 아닌 바로 오늘, 너를 카체리나 이바노브나한테 보내서……"

"뭣 때문에?"

"내가 다시는 거기 가지 않을 테니 그리 알라는 말을 전하게 하려고."

"어떻게 그런 말을 해요?"

"할 수 없으니까 너를 대신 보내는 게 아니냐. 내 입으로 직접 그런 말을 할 수야 없지 않니?"

"하지만 형님은 대체 어디로 가시죠?"

"뒷골목으로."

"그럼 그루셴카한테?" 알료샤는 손뼉을 탁 치며 비통하게 외쳤다. "그러고 보니 라키친의 말이 사실이었군요? 나는 형님이 그저 한두 번 찾아다니다가 이젠 발길을 끊은 줄 알았는데."

"어디 약혼한 몸으로 찾아다닐 수 있는 곳이냐? 안 될 말이지. 더욱이 그런 약혼녀를 두고 모든 사람이 보는 앞에서 어떻게 그따위 짓을 할 수 있겠니? 나한테도 역시 염치는 있으니까. 그러나 그루셴카를 찾아다니기 시작한 그 순간부터 나는 이미 누구의 약혼자라 할 수도, 수치를 아는 인간이라 할 수도 없게 되어 버렸어. 이건 나도 잘 알아. 헌데, 왜 그런 눈으로 나를 보고 있니? 나는 말이다, 처음엔 그저 그 여자를 두들겨 패 주려고 갔던 거야. 아버지의 대리인인 그 이등 대위二等 大尉인가 하는 녀석이, 내 명의로 된 어음을 그루셴카한테 주어, 내가 기가 죽어 손을 떼도록 고소해 달라고 부탁했다는 소문을 들었기 때문이었지. 이것이 확실한 근거가 있는 얘기라는 건, 이젠 나도 똑똑히 알았어. 요컨대 나를 협박해 보려는 속셈이었지. 그래서 나는 그루셴카 년을 패주러 갔던 거야. 그전에도 나는 그 여자를 잠깐 본 일이 있었지만, 그때는 별로 마음이 움직이지 않았어. 그 늙은 상인의 얘기도 알고 있었지. 요즘은 병에 걸려 꼼짝 못하고 앓아누워 있지만, 어쨌든 그 여자한테 꽤 많은 돈을 남겨 주고 갈 모양이더라. 그리고 또 그 여자는 돈 버는 데 재미를 붙여서, 굉장히 비싼 이자로 돈놀이를 하여 자꾸만 돈을 거둬 모으고 있다는 말도, 돈에 관한 한 인정도 사정도 없는 악질적인 사기꾼이라는 말도 다 들어서 알고 있었지. 그래서 두들겨 패 주러 간 것까지는 좋은데, 결국 나는 그 여자 집에 그냥 주저앉아 버리고 말았어. 벼락을 맞았다고 할까, 염병에 걸렸다고 할까, 아무튼 그때 걸린 병이 아직도 떨어지지 않고 있는 형편이야. 나는 잘 알고 있지만, 이젠 이것으로 만사는 끝난 거야. 이제는 절대로 아무런 변화도 있을 수 없어. 때는 이미 완전히 회전해 버렸으니까. 이만하면 일이 어떻게 된 건지 너도 알았겠지? 그런데 바로 그때, 거지나 다름없는 내 호주머니 속에 난데없이 3천 루블이라는 큰돈이 굴러들어 왔어. 그래서 나는 그 여자를 데리고, 여기서 25킬로가량 되는 모크로예란 곳으로 놀러 갔지. 거기서 집시들을 부르고, 샴페인을 가져오라 해서, 마을의 농부들과 아낙네들, 계집아이들 할 것 없이 모조리 샴페인을 나누어 주며, 몇천 루블이란 돈을 뿌렸지. 사흘이 못 가서 알몸이 되어 버렸지만, 그래도 기분만은 영웅이 된 것 같더군. 너는 그 영웅이 목적을 달성했을 거라고 생각하겠지? 어림도 없어. 먼빛으로나마 보여 주지 않더라니까! 그런데 곡선미라는 게 어떤 건지 아니? 그 그루셴카 년에겐 기막힌 육체의 곡선미라는 게 있거든. 그것이 다리에도 나타나 있고, 심지어는 왼발의 새끼발가락에까지 나타나 있어. 그걸 보고 나는 거기다 키스를 했지. 그저 그것뿐이야—정말이라니까! 그년은 '당신은 거지지만 원한다면 결혼해 드릴 수도 있어요. 나를 절대로 때리지도 않고, 또 내가 하고 싶은 짓은 무엇이든 다 하게 하겠다고 약속한다면, 그때는 나도 당신한테 시집갈지도 모르죠'라면서 웃어 대더군. 지금도 여전히 웃고 있어!"

드미트리는 분연히 자리를 차고 일어섰다. 그는 갑자기 술에 만취된 사람처럼 되어 두 눈엔 핏발이 서렸다.

"그래서 형님은 정말 그 여자와 결혼할 생각인가요?"

"저쪽에서 원한다면 당장에라도 하겠지만, 싫다면 그냥 이대로 있을 수밖에. 나는 그 집의 문지기 노릇이라도 할 생각이야. 너는…… 넌 말이다, 알료샤." 그는 동생 앞에 우뚝 멈춰 서서 그 어깨를 두 손으로 꽉 붙잡고 다짜고짜 흔들기 시작했다. "너 같은 순진한 소년은 아마 잘 모르겠지만, 이런 건 죄다 악몽이야, 무의미한 악몽이야. 이건 어디까지나 하나의 비극이니까! 그런데 말이다, 알렉세이. 나는 비록 비열하고 추잡한 정욕에 지배되는 저열한 인간인지는 모르지만, 그러나 이 드미트리 카라마조프는 결코 도둑놈이나 소매치기나 날치기로 전락할 수는 없는 놈이야. 그렇지만 솔직히 말하면 나는 도둑놈이야, 소매치기야, 날치기야! 내가 그루셴카를 때려 주러 가기 직전, 그러니까 바로 그날 아침에, 카체리나 이바노브나가 나를 부르더니, 당분간은 아무도 모르게 비밀을 지켜 달라면서, (무엇 때문인지는 모르겠지만, 아무튼 그럴 만한 이유가 있었을 거야) 지금 곧 현청縣廳 소재지로 가서 모스크바에 있는 자기 언니 아가피야 앞으로 우편을 통해 3천 루블을 송금해 달라고 부탁하더군. 일부러 현청 소재지까지 가서 송금하라는 건 이 고장 사람들한테 알려질까 두려웠기 때문이지. 그 3천 루블을 호주머니에 넣고, 나는 우선 그루셴카부터 찾아갔다가, 그 돈으로 곧장 모크로예에 갔던 거야. 그 후 나는 부탁받은 대로 곧 다녀온 시늉을 했지만,

송금한 영수증은 보이지도 않고, 돈은 분명히 보냈는데 영수증은 나중에 갖다 주겠다고 얼버무리고는 여태까지 갖다 주지 않고 있어. 잊어버렸다는 거지. 그래서 말이다, 네가 오늘 카체리나한테 가서 '형님이 안부를 전하더군요'라고 하면, 아가씨는 '그런데 돈은 어떻게 됐죠?' 하고 물을 테지. 그럼 너는 이렇게 말하면 되는 거야. '형님은 비열한 호색꾼입니다, 욕정을 억제할 줄 모르는 하등동물입니다. 형은 그때 당신의 돈을 보내지 않고 죄다 써 버리고 말았답니다. 하등동물이기 때문에 자기 자신을 억제할 수 없었던 거예요.' 그러나 거기다 이 말만은 덧붙이는 게 좋을 거다. '그렇지만 형님은 결코 도둑놈은 아닙니다. 그 3천 루블을 고스란히 돌려보내더군요. 당신이 직접 아가피야 이바노브나한테 보내십시오. 형님은 나더러 대신 인사를 전해 달라고 했습니다.' 그러면 아가씨는 대뜸 '그래 돈은 어디 있죠?' 하고 물을 거야."

"형님, 당신은 불행한 사람이군요, 참으로! 그렇지만 형님 자신이 생각하는 것만큼 그렇게 불행한 건 아니에요. 너무 절망해서 자신을 괴롭히지는 마십시오. 지나치게 자신을 괴롭히는 건 좋지 않은 일이에요!"

"그러니까 너는 내가 3천 루블을 구하지 못하면 권총 자살이라도 할 것으로 생각하는 모양이구나? 문제는 그거야—나는 권총 자살 같은 건 하지 않아. 언젠가는 할는지 모르지만, 지금은 그럴 기력이 없어. 지금은 그루셴카한테 가야 해……. 나 같은 건 이젠 될 대로 되는 거야!"

"거기 가선 뭘 하죠?"

"그 여자의 남편이 되는 거야, 남편 노릇을 할 수 있는 영광을 누리는 거야. 정부情夫가 찾아오면 얼른 다른 방으로 피해 주고, 여자의 남자 친구들의 구두에 묻은 흙도 털어 주고, 사모바르Samovar[37]도 끓여 주고, 심부름꾼 노릇도 하고……."

"카체리나 이바노브나는 모든 걸 이해해 줄 겁니다." 알료샤는 갑자기 엄숙한 어조로 말했다. "이 슬픈 사건을 밑바닥까지 죄다 이해하고 모든 것을 용서해

37 러시아식 신선로.

줄 거예요. 그 아가씨는 뛰어난 이성을 지니고 있습니다. 형님보다 더 불행한 사람은 있을 수 없다는 건 그 아가씨 자신이 잘 알 테니까요."

"카체리나는 모든 걸 다 용서하지는 않을 게다." 미챠는 이를 드러내 보이며 웃었다. "여기엔 말이다, 아무리 관대한 여자라도 도저히 타협할 수 없는 무언가가 개재되어 있는 거야. 그보다도 한 가지 가장 좋은 방법이 있기는 있는데, 그게 뭔지 알겠니?"

"뭔데요?"

"3천 루블을 갚아 버리는 거야."

"하지만 어디서 그 돈을 만들죠? 아 참, 나한테 2천 루블은 있고, 이반 형님도 1천 루블쯤은 내놓을 수가 있을 거예요. 그럼 3천 루블이 되니까 그걸 갖고 가서 갚아 주세요."

"그러나 대체 그게 언제 손에 들어오겠니, 그 3천 루블이라는 돈이? 더욱이 너는 아직 성년成年이 되지 못하지 않았느냐 말야. 아무튼 너는 오늘 꼭 카체리나한테 가서 나 대신 작별 인사를 해 주어야만 하겠다. 돈을 갖고 가든, 맨손으로 가든, 그건 별문제로 하더라도. 나는 이 문제를 이 이상 끌 수는 없으니까. 사태는 그만큼 급박하게 됐어. 내일이면 늦어, 너무 늦단 말야. 그래서 나는 너를 아버지한테 보낼 생각이야."

"아버지한테요?"

"응, 거기 가기 전에 아버지한테 들러서 3천 루블만 달라고 해 보렴."

"그렇지만 형님, 아버지는 주시지 않을 거예요."

"물론 주지 않을 테지. 주지 않으리라는 건 나도 알아. 그렇지만 알료샤, 넌 절망이라는 게 어떤 건지 아니?"

"네, 알아요."

"내 얘길 들어 봐. 그야 법적으로 따지면 아버진 나한테 한 푼의 빚도 없지. 내가 죄다 찾아 썼으니까. 그건 나도 알고 있어. 그러나 도덕적으로 본다면 아버진 나한테 아직도 빚이 있다고 해야 옳을 거야. 어때, 그렇지 않니? 아버진 우리 어머니의 2만 8천 루블을 밑천으로 10만 이상의 돈을 모았거든. 그 2만 8천 중에서 3천 루블만 나한테 주면, 더도 말고 3천 루블만 주면, 아버지는 그것으로 내 영혼을 지옥에서 구출하고, 또한 자기 자신의 죄도 사함을 받을 수 있는 거야! 나는 그 3천 루블만 받으면, 그것으로 모든 걸 깨끗이 청산하고, 앞으론 내 소문 한마디 아버지 귀에 들어가지 않게 할 작정이야. 이건 네 앞에서 엄숙히 맹세할 수 있어. 요컨대 아버지 노릇을 할 수 있는 최후의 기회를 제공하는 셈이지. 제발 아버지한테 그렇게 말해 줘. 이 기회는 하느님께서 주시는 거라고."

"형님, 아버진 무슨 일이 있어도 내놓지 않을 거예요."

"내놓지 않으리라는 건 뻔한 일이지, 나도 잘 알아. 특히 지금은 어림도 없는 일이지. 그뿐만이 아니야, 나는 이런 것도 알고 있어—요즘 와서, 이삼일 전에, 아니 어제인지도 모르지만, 아버지는 처음으로, 그루셴카가 농담이 아니라 정말로 나와 결혼할지도 모른다는 걸 확실히 ('확실히'라는 말에 유의할 필요가 있어) 알아챘거든. 아버지도 그 여자의 성질은, 그 암고양이의 성질은 잘 알고 있으니까. 그러니 그 여자한테 미쳐 다니는 아버지가 일부러 그러한 형세를 촉진시키기 위해 나한테 돈을 줄 리가 있겠니? 그뿐인가, 좀 더 굉장한 얘기를 나는 너한테 들려줄 수도 있어. 아버지는 3천 루블이란 돈을 은행에서 찾아다가 그것을 1백 루블짜리 지폐로 바꿔 가지고 커다란 종이에 싸서, 봉인을 다섯 군데나 찍고, 빨간 노끈으로 열십자로 묶은 봉투를 벌써 오륙일 전부터 준비해 가지고 있다는 거야. 어때, 상당히 자세하게 알고 있지? 봉투 위에는 이렇게 쓰여 있다더군. '나의 천사, 그루셴카에게—만약에 나한테 찾아온다면' 이건 모두들 잠이 든 다음에 혼자서 몰래 적어 넣은 거니까, 그런 돈이 아버지한테 마련되어 있다는 건 하인 스메르쟈코프 이외엔 아무도 모르지. 아버진 그 녀석의 정직함을 자기 자신만큼이나 믿고 있거든. 그래서 아버진 벌써 사흘짼가 나흘째 그루셴카가 돈을 받으러 오리라는 기대를 품고 기다리고 있는 중이지. 봉투 이야기를 넌지시 알려 주었더니, 여자 쪽에서 '어쩌면 갈지도 모르겠다'는 회답이 있었다는군. 그러니까 만일 그 여자가 영감쟁이한테 찾아오면, 나는 그 여자와 결혼할 수 없게 되지 않느냔 말야? 내가 왜 이런 데 몰래 앉아 있는지, 무얼 감시하고 있는지 이젠 너도 알았겠지?"

"그루셴카를 지키고 있군요?"

"응, 그 여자야. 그런데 이 집 주인인 그 게으름뱅이 모녀한테서 조그만 방 하나를 포마란 친구가 빌려 쓰고 있어. 포마는 원래 이 고장 출신인데, 전에 내가 있던 부대에 병졸로 근무한 일이 있는 친구지. 그 친구는 이 집에서 밤엔 야경원 노릇을 하고 낮에는 산새 사냥이나 하며, 이를테면 그것으로 생계를 유지하고 있는 셈이야. 나는 그 친구 방에 들어 있기는 하지만, 그 친구나 집주인 모녀나 내 비밀은 아무것도 모르고 있어. 즉, 내가 여기서 무얼 지키고 있다는 건 눈치채지 못하고 있지."

"그럼 알고 있는 건 스메르쟈코프뿐이겠군요?"

"그 녀석뿐이야. 그 여자가 영감쟁이한테 오면 나한테 곧 알려 주게 되어 있지."

"돈 봉투 이야기를 형님한테 알려 준 것도 역시 그 친구였나요?"

"맞았어. 하지만 이건 절대 비밀이야. 이반도 돈 얘기는 아무것도 모르고 있으니까. 지금 영감쟁이는 이반을 이삼일 예정으로 체르마쉬냐에 보내려 하고 있어. 8천 루블인가 얼만가로 숲의 나무를 벌채하겠다는 작자가 나타난 모양이야. 그래서 영감쟁이는 '날 살려 주는 셈 치고 좀 다녀오렴' 하고 열심히 설득하고 있는 중이지. 하긴 이틀이나 사흘 예정이지만, 그건 이반이 없는 사이에 그루셴카를 끌어들이려는 속셈이 있기 때문이야."

"그럼 아버지는 오늘도 그루셴카가 오기를 기다리고 계시는 건가요?"

"아니야, 오늘은 오지 않을 거야, 그런 징조가 있으니까. 오지 않는다는 건 확실해!" 하고 미챠는 갑자기 언성을 높였다. "스메르쟈코프도 그렇게 생각하고 있어. 아버진 지금 이반과 식탁에 마주앉아 술을 마시고 있지. 그러니까 알렉세이, 지금 그리로 가서 3천 루블만 달래 가지고 오지 않겠니?"

"형님, 대체 어떻게 된 거예요?" 알료샤는 벌떡 자리에서 일어나 자기 형의 흥분한 얼굴을 들여다보며 이렇게 외쳤다. 한순간 그는 드미트리가 미쳐 버린 거나 아닌가 생각되었기 때문이다.

"왜 그러니? 나는 미치진 않았다." 어쩐지 거드름스런 눈으로 뚫어지게 동생의 얼굴을 응시하며 드미트리는 이렇게 말했다. "하긴 내가 너를 아버지한테 보내려는 건 사실이야. 그렇지만 나는 내가 무슨 말을 하고 있는지 잘 알고 있어. 나는 기적을 믿는 거야."

"기적을요?"

"하느님의 섭리에 의한 기적을 믿어. 하느님은 내 가슴속을 잘 알고 계셔. 내 절망을 죄다 보고 계셔. 하느님은 이러한 모든 광경을 죄다 보고 계시지. 그러니까 설마 하느님이 무서운 사건이 일어나도록 그냥 방치해 둘 리는 만무한 거야. 알료샤, 나는 기적을 믿어, 어서 갔다 오렴!"

"그럼 갔다 오겠습니다. 형님은 여기서 기다려 주시겠죠?"

"암, 기다리고말고. 시간이 좀 걸리리라는 것도 잘 알고 있어. 들어가자마자 얘기를 꺼낼 순 없을 게고, 게다가 아버진 지금 취해 있을 테니까. 세 시간이건, 네 시간이건, 다섯 시간이건, 여섯 시간, 일곱 시간이건 기다리겠다. 다만 이것만은 잊지 말아 다오—오늘 중으로, 설사 한밤중에라도, 반드시 카체리나 이바노브나한테 가야 한다는 걸 말야. 돈을 갖고 가든 맨손으로 가든 그건 별문제로 하더라도, 꼭 찾아가서, '형님이 인사를 전하라고 했습니다'라고 말해 줘. 네 입으로 '형님이 인사를 전하라고 했습니다'라는 말을 꼭 해 줘야만 하겠다."

"형님! 그보다도 그루셴카가 갑자기 오늘이라도 찾아온다면…… 오늘은 아니라도 내일이나 모레 불쑥 나타난다면 그땐 어떡하죠?"

"그루셴카가? 잘 감시하고 있다가, 나타나자마자 달려들어 훼방을 놓으면 그만이지."

"그래도 혹시……"

"만일의 경우엔 죽여 버리는 거야. 그따위를 보고 어떻게 참을 수 있겠니?"

"누굴 죽인단 말입니까?"
"영감쟁이지. 계집은 죽이지 않아."
"형님, 무슨 말씀을 그렇게!"
"나도 모르겠다, 모르겠어……. 어쩌면 죽이지 않을지도 모르고, 어쩌면 죽일지도 몰라. 다만 바로 그 순간에 아버지의 얼굴이 갑자기 밉살스럽게 보일까 봐 그게 걱정이다. 나는 영감쟁이의 목에 불거져 나온 울림대가, 그 코가, 그 눈이 그 뻔뻔스런 조소가 미워 죽을 지경이야. 나는 육체적으로 혐오를 느껴. 그게 난 무섭다는 거야. 그것만은 나도 도저히 참을 수가 없을 것 같아."
"그럼 갔다 오겠습니다, 형님. 하느님께서 그런 가공할 일이 벌어지지 않도록 모든 일을 잘 보살펴 주시리라 믿습니다."
"나는 여기 앉아서 기적을 기다리기로 하겠다. 그러나 기적이 일어나지 않으면 그때는……"
알료샤는 생각에 잠긴 채 아버지 집을 향해 걸어갔다.

6. 스메르자코프

알료샤가 가 보니, 정말 아버지는 아직도 식탁에 앉아 있었다. 이 집에는 식당으로 쓰는 방이 따로 있었으나, 식탁은 언제나 그렇듯 이날도 홀에 마련되어 있었다. 이 홀은 집 안에서 제일 큰 방으로, 겉치레만은 제법 예스럽게 꾸며져 있었다. 의자 등속은 아주 옛날식이어서, 하얀 뼈대에 퇴색한 붉은 비단을 씌운 것이었다. 창문과 창문 사이 벽에는 거울이 끼여 있었는데, 그 테두리는 역시 흰빛으로 칠한 나무에 금박을 뿌리고, 옛날식으로 조각을 한 것이었다. 여기저기 벽지가 찢어진 흰 벽에는 커다란 초상화가 두 개 의젓하게 걸려 있었다. 그 중 하나는 30여 년 전에 이 지방 총독總督을 지낸 어느 공작의 초상이고, 다른 하나는 역시 꽤 오래전에 세상을 떠난 어느 주교主教의 초상이었다. 방문 맞은

편 구석에는 몇 개의 성상이 안치되어 있어, 밤이면 그 앞에 등불을 켜 놓곤 하였는데, 그것은 신앙심 때문이라기보다는 야간의 실내조명을 위한 것이었다. 표도르 파블로비치는 밤마다 무척 늦게, 새벽 세 시나 네 시경에야 잠자리에 들었고, 그때까지는 방 안을 거닐기도 하고, 안락의자에 앉아서 무엇을 생각하기도 하는 것이 이제는 습관처럼 되어 버렸었다. 하인들을 바깥채로 내보내고 혼자 안채에서 자는 일도 종종 있었으나 대개는 젊은 하인 스메르쟈코프가 그와 함께 남아서, 문간방에 있는 벤치에서 자곤 했다.

알료샤가 들어갔을 때는 이미 식사가 끝나고 과일 조림과 커피가 나와 있었다. 표도르는 식사 후에 단 것을 안주로 코냑을 마시기를 좋아했다. 이반 표도로비치도 식탁에 앉아서 역시 커피를 마시고 있었다. 그리고리와 스메르쟈코프가 식탁 옆에 서서 시중을 들고 있었다. 주인 측이나 하인 측이나 모두 전에 없이 명랑한 기분인 것같이 보였다. 표도르는 커다란 소리로 너털거리고 있었다. 알료샤는 현관에 발을 들여놓자마자 귀에 익은 아버지의 높은 웃음소리를 들었다. 그는 그 웃음소리로 아버지가 술에 취하려면 아직 멀었고, 지금은 그저 얼근한 정도에 지나지 않을 거라고 판단했다.

"얘야, 왔구나, 왔어!" 알료샤를 보자, 표도르는 희색이 만면하여 이렇게 외쳤다. "자, 여기 와 함께 앉거라. 커피라도 한잔하렴. 커피는 기름기 있는 음식이 아니니까 괜찮겠지. 기름기는 없지만, 그 대신 따끈한 게 그저 그만이거든. 코냑은 권하지 않겠다. 넌 도를 닦는 수도사니까. 아니, 좀 들어보겠니? 그렇지, 그보다도 너한텐 리큐어를 주마, 고급 리큐어를! 스메르쟈코프, 찬장에 가서 가져와. 둘째 선반 오른쪽에 있을 테니. 자, 이 열쇠 갖고, 빨리!"

알료샤는 리큐어도 거절하려 했다.

"괜찮아, 어차피 나올 거니까. 네가 안 마시면 우리가 들지." 표도르의 얼굴엔 웃음이 활짝 피어 있었다. "그건 그렇고, 너 식사는 했니, 안 했니?"

"했습니다" 하고 알료샤는 대답했으나, 실은 수도원장네 주방에서 빵 한 조각과 크바스 한 잔을 먹은 것밖엔 없었다. "그렇지만 뜨거운 커피라면 기꺼이 한 잔 들겠습니다."

"좋아, 기특도 해라! 이 앤 커피를 마시겠다는군. 다시 데우지 않아도 될까? 아니, 아직도 설설 끓는걸. 참 멋진 커피야. 스메르쟈코프식式 커피지. 커피와 생선파이 솜씨로 말하면 우리 집 스메르쟈코프는 그야말로 예술가야. 그리고 생선국도 역시 그저 그만이지. 너도 언제 한번 생선국 맛 좀 보러 오너라. 그땐 미리 기별을 하고 와야 한다……. 가만있자. 아까 내가 이불이건 베개건 죄다 꾸려 가지고 오늘 당장 집에 돌아오라고 했겠다? 그래, 정말 이불은 짊어지고 왔니? 허허허……"

"아니, 가져오지 않았습니다." 알료샤도 싱긋 웃었다.

"하지만 아깐 놀랐지? 놀랐을 거야. 얘, 알료샤야, 내가 너한테 괴로움을 주는 일을 어떻게 할 수 있겠니. 헌데 이반아, 이 녀석이 내 눈을 들여다보며 상글상글 웃으면, 난 도저히 가만히 보고 있을 수가 없구나. 정말 견딜 수가 없다니까! 뱃속에서부터 웃음이 치밀어 오른단 말이다. 귀여운 녀석이야! 알료샤야, 너한테 내가 아비로서의 축복을 해 주마."

알료샤는 일어섰다. 그러나 표도르 파블로비치는 그새 벌써 생각이 달라졌다.

"아니다, 아니야. 지금은 그저 성호를 긋는 것만으로 해 두자. 자, 그럼 됐다. 이젠 앉거라. 헌데 네가 좋아할 얘기가 있다. 너한텐 아주 십상인 얘기가 하나 있다. 너한텐 아주 십상인 얘기야. 실컷 웃어라. 다름 아니라 우리 발람의 나귀[38]가 별안간 말을 하기 시작하지 않았겠니! 게다가 어찌나 말을 잘하는지 그야말로 청산유수라니까!"

발람의 나귀라는 것은 하인인 스메르쟈코프를 두고 하는 말이었다. 이제 겨우 스물 너덧 살밖엔 안 된 청년이었지만, 사교성이라곤 전혀 찾아볼 수 없고 유달리 입이 무거운 사나이였다. 그것도 원래가 무뚝뚝하다든가 수줍다든가 하기 때문에 그런 것은 아니었다. 그와는 반대로, 그는 오만한 성격이어서 모든 사람을 멸시하는 경향까지 엿보였다.

38 자기 주인 발람의 불행을 인간의 말로 경고한 나귀. 《구약 성경》〈민수기〉 22장을 참고.

이 기회에 여기서 몇 마디 이 사나이에 대해 설명을 해 둘 필요가 있을 것 같다. 그는 마르파 이그나치예브나와 그리고리 바실리예비치의 손에서 자라났으나, 그리고리의 말을 빈다면 '은혜라는 걸 전혀 모르고' 성장하여, 좀처럼 사람들에게 곁을 주지 않고, 구석진 곳에 숨어서 세상을 흘겨보는 것 같은 그런 소년이 되어 버렸다. 어릴 때 그는 고양이의 목을 졸라 죽여 가지고 장례식 놀이를 하기를 제일 좋아했다. 그는 제의祭衣 대신 시트sheet를 걸치고, 아무거나 향로香爐를 대신할 만한 물건을 고양이 시체 위에 내저으면서 장례식 노래를 부르는 것이었다. 이런 짓은 언제나 아무도 모르게 혼자 숨어서 하곤 했다. 한 번은 이런 장난을 하고 있는 것을 그리고리가 발견하고 채찍으로 호되게 때려 준 일이 있었다. 그러자 그는 방구석에 들어박혀 일주일가량이나 거기서 눈을 흘기고 있었다. "저 녀석은 나나 당신을 미워하고 있어, 저 괴물 녀석은 말이야" 하고 그리고리는 마르파한테 말했다. "아니, 세상 사람들을 모두 미워하고 있는 모양이야. 얘, 너도 그래 사람이냐?" 하고 이번엔 직접 스메르쟈코프한테 말했다. "너는 사람의 자식이 아니야, 목욕탕 습기 속에서 생겨난…… 그런 놈이란 말이다." 이건 후에 알게 된 일이지만, 스메르쟈코프는 그리고리의 이 말을 두고두고 용서할 수가 없었다. 그리고리는 그에게 글을 가르쳤는데 열두 살 때부터는 성경 얘기를 가르치기 시작했다. 그러나 이것은 곧 실패로 돌아가고 말았다. 두 번짼가 세 번째 수업 때 소년은 갑자기 피식 웃었다.

"뭣 때문에 웃는 거냐?" 그리고리는 안경 너머로 무섭게 그를 노려보며 이렇게 물었다.

"아무것도 아녜요. 하느님은 첫째 날에 세상을 만드시고, 넷째 날에야 해와 달과 별들을 만드셨는데, 그렇다면 첫째 날은 어디서 빛이 비쳤을까요?"

그리고리는 어안이 벙벙했다. 소년은 조소하는 듯한 눈으로 선생을 바라보았다. 그 눈길에는 오만불손한 빛조차 어려 있었다. 그리고리는 더 이상 참을 수가 없었다. 그래서 "여기서 비쳤다!"라고 고함을 지르며 느닷없이 제자의 뺨을 힘껏 후려갈겼다. 소년은 한마디 대꾸도 없이 그것을 감수했지만, 또 며칠 동안

방구석에 처박혀 있었다. 그런데 그로부터 일주일 후에, 그의 일생을 통해 불치의 병이 되고 만 간질의 발작이 처음으로 나타났다. 이 말을 듣자, 표도르 파블로비치는 소년에 대한 종전의 태도를 일변한 것 같았다. 그때까지 표도르는 소년에게 욕을 한 적이라곤 한 번도 없었고, 만날 적마다 1코페이카짜리 동전을 쥐여 주기도 하고, 기분이 좋을 때면 가끔 식탁에서 단 것을 보내 주는 일은 있었지만, 대체로 말해서 소년에겐 무관심한 태도를 취해 왔었다. 그러던 것이 간질병 증세가 나타났다는 말을 듣자 별안간 깊은 관심을 나타내기 시작하여, 즉시 의사를 불러 병을 치료하게 했다. 그러나 완치할 수는 없다는 것을 알게 되었다. 발작은 평균 한 달에 한 번 정도로 일어났으나, 그 기간은 불규칙했다. 발작의 정도도 일정하지가 않아서, 비교적 가벼울 때도 있고 몹시 심할 때도 있었다. 표도르 파블로비치는 그리고리를 불러, 소년에게 체형을 가하지 말라고 엄중히 경고했고, 소년에겐 안채에 있는 자기 방에 드나드는 것을 허용했다. 그리고 무엇을 가르치는 것도 당분간 금지하기로 했다. 소년이 이미 열다섯 살이 되었을 때, 어느 날 표도르는 그가 책장 앞을 서성거리며 유리문을 통해 책 제목을 읽고 있는 것을 발견했다. 표도르한테는 백여 권이나 되는 제법 많은 서적이 있었지만, 본인이 책을 읽는 것을 본 사람은 하나도 없었다. 그는 곧 스메르쟈코프에게 책장 열쇠를 내주고, "자, 네 맘대로 읽어라. 뜰 안을 쏘다니는 것보다는 도서 담당 노릇을 하고 앉아서 책이나 읽는 편이 좋을 게다. 우선 이걸 읽어 보렴" 하며 《디칸카 근교近郊 야화Evenings in a Cottage near Dikanka》[39]를 뽑아 주었다.

소년은 그 책을 읽었지만 뭐가 불만인지 한 번도 웃지 않았을 뿐만 아니라, 다 읽고 났을 때에는 사뭇 얼굴까지 찌푸리는 것이었다.

"왜, 우습지 않니?" 하고 표도르 파블로비치는 물었다.

스메르쟈코프는 아무 대꾸도 없었다.

"바보 같으니, 어서 대답해 봐!"

39 러시아 작가 니콜라이 바실리예비치 고골Nikolai Vasilievich Gogol(1809~1852)의 유머 작품집.

"이 책엔 거짓말만 쓰여 있는걸요" 하고 스메르자코프는 싱겁게 웃으며 중얼거리듯 말했다.

"빌어먹을 녀석! 그게 바로 하인 근성이라는 거야. 가만있자, 그럼 이건 어떠냐, 스마라그도프[40*]의 《세계사Universal History》다. 여기 쓰여 있는 건 죄다 사실뿐이니까 한번 읽어 봐라."

그러나 스메르자코프는 스마라그도프의 저서를 열 페이지도 읽지 않았다. 도대체 재미가 없었기 때문이다. 결국 책장 문은 다시 닫히고 말았다.

얼마 후 마르파와 그리고리는, 스메르자코프가 점점 지나치게 결벽하고 까다롭게 되어 간다고 표도르에게 보고했다. 국을 떠먹을 때도 무엇을 찾는 것처럼 숟가락으로 국그릇을 휘저어 보기도 하고, 구부리고 한참씩 들여다보는가 하면 한술 떠서 빛에 비쳐 보기도 한다는 것이었다.

"뭐 바퀴라도 빠졌니?" 하고, 그리고리가 물어본다.

"아마 파리겠죠" 하고 마르파도 한마디 한다.

갑자기 결벽증에 걸린 청년은 한 번도 거기에 대답한 적은 없었지만, 빵이건, 고기건, 무슨 음식이든지 반드시 그런 짓을 되풀이했다. 포크로 빵 조각을 집어 가지고는 불빛에 비쳐 가며, 마치 현미경이라도 들여다보듯 자세히 조사하면서 한참을 망설인 끝에 비로소 입에 집어넣는 것이다.

"흥, 이건 뭐 귀족 집 도련님보다 더하군그래." 그리고리는 그것을 보며 곧잘 이렇게 중얼거렸다.

표도르 파블로비치는 스메르자코프에게 이런 새로운 버릇이 생긴 것을 알자, 곧 그를 요리사로 만들기로 결심하고 요리 공부를 시키러 모스크바로 보냈다. 그는 몇 해 동안 조리법을 배우느라고 거기 가 있었는데, 돌아왔을 때는 몰라보게 모습이 달라져 있었다. 왜 그런지 굉장히 늙어 보였고, 나이에 어울리지 않게 주름살투성이가 된 데에다가, 안색까지 누렇게 변한 것이, 흡사 거세去勢 당

40* 세멘 니콜라예비치 스마라그도프Semen Nikolaevich Smaragdov(1805~1871). 역사 및 지리 교사. 중등학교를 위한 고대 역사 지식책을 편찬.

한 사내 같았다. 성질만은 모스크바에 가기 전과 거의 한가지였다. 여전히 비사교적이어서, 상대가 누구건 도대체 사귀려는 기색조차 찾아볼 수 없었다. 후에 들은 얘기지만, 모스크바에 있을 때도 역시 그 모양으로 항상 말이 없었다고 한다. 모스크바라는 도시 자체도 그다지 그의 흥미를 끌지 못한 모양이었다. 그래서 그는 모스크바에 대해 별로 아는 것이 없었다. 자기에게 직접적으로 관계되지 않는 것에는 전혀 주의를 돌리지 않았던 것이다. 극장엔 단 한 번 갔었지만, 무엇 때문인지 부루퉁해 가지고 돌아왔다고 한다. 그 대신 모스크바에서 돌아왔을 때는 제법 훌륭한 옷차림을 하고 있었다. 새하얀 샤쓰에 말쑥한 프록코트를 입고, 하루에 두 번씩은 꼭 정성 들여 옷에 솔질을 하는 것이었다. 그리고 송아지 가죽으로 만든 멋진 구두를 신고 있었는데, 그것을 영국제 고급 구두약으로 닦기를 좋아해서 언제나 거울처럼 반짝거렸다. 요리사로서의 솜씨는 더할 나위 없는 것이었다. 표도르는 그에게 일정한 급료를 주었는데, 그는 급료의 거의 전부를 옷차림과 포마드, 향수 따위에다 써 버리는 것이었다. 그러나 그는 남성을 대할 때와 마찬가지로, 여성에 대해서도 상대를 멸시하는 거드름스런 태도를 취하여 누구에게나 곁을 주려 하지 않았다. 표도르는 약간 다른 견지에서 그를 보게 되었다. 다름 아니라 그의 간질병 발작이 점점 심해져서, 그런 날에는 마르파가 대신 식사 준비를 했는데, 그것이 도무지 표도르의 입에 맞지 않았던 것이다.

"왜 그놈의 발작이 점점 더 잦을까?" 가끔 그는 새 요리사의 얼굴을 들여다보며 이렇게 불만을 표시하곤 했다. "누구와 결혼이라도 하면 좀 나을 것 같은데, 어때, 내가 중매해 줄까?"

그러나 스메르쟈코프는 분하다는 듯이 얼굴빛마저 창백해져 가지고는 말대꾸도 하려 들지 않았다. 그러면 표도르도 하는 수 없이 손을 한 번 내젓고는 그에게서 물러나는 것이었다. 하지만 무엇보다 중요한 것은, 그의 성질이 정직하여 무엇을 가로채거나 훔치거나 하는 일은 절대로 없으리라는 점을 표도르가 굳게 믿고 있다는 사실이다. 언젠가 표도르는 술에 만취되어 그날 받은 무지갯빛 지폐(1백 루블짜리 돈) 석 장을 떨어뜨린 일이 있었다. 이튿날에야 그걸 알고 당황하여 호주머니란 호주머니를 모조리 뒤지기 시작했는데, 흘끗 보니 책상 위에 그 돈이 고스란히 놓여 있었다. 대체 어디서 나온 돈일까? 스메르쟈코프가 어제 주워서 거기다 갖다 놓았던 것이다.

그때 표도르는, "정말이지 난 너같이 정직한 놈은 별로 보지 못했다"라고 말하고는 그에게 10루블을 주었다. 그러나 여기서 한 가지 지적해 둘 것은, 표도르가 이 청년의 정직을 믿고 있었을 뿐만 아니라, 무엇 때문인지 그를 사랑하기까지 했다는 사실이다. 그런데도 이 청년은 다른 사람에게나 마찬가지로 표도르에게도 항상 시무룩한 태도를 취했고, 무슨 말이든 자기 쪽에서 먼저 꺼내는 일은 극히 드물었다. 그런 때 만일 누구든 그의 얼굴을 바라보며, 도대체 이 청년은 무엇에 흥미를 느끼고 있으며, 또 무슨 생각에 골몰하고 있는 것일까, 궁금하게 여긴다 해도, 그 얼굴만 보아서는 도저히 의문을 해결할 수가 없었을 것이다. 그렇지만 그는 가끔 집 안에서나 뜰에서나 혹은 한길에서나 우뚝 걸음을 멈추고는 무슨 생각에 잠겨 10분가량씩이나 그 자리에 서 있을 때도 있었다. 만일 관상학자가 그의 얼굴을 눈여겨 관찰한다면, 여기에는 아무런 사고思考도 사상도 없고 다만 명상이라 이름 지을 수 있는 무엇이 있을 뿐이라고 말할 것이다. 화가 크람스코이[41*]의 작품 중에 〈명상하는 사람Meditator〉이라는 훌륭한 그림이 있다. 그것은 겨울 숲을 묘사한 것인데, 한 줄기 숲속 길에 다 떨어진 두루마기를 입고 짚신을 신은 농부가 혼자 외로이 서 있는 그림이다. 호젓한 숲속에서 길을 잃고 혼자 우두커니 서서 무언가 골똘히 생각하고 있는 것 같지만, 실은 아무것도 생각하고 있는 것이 아니다. 그저 멍하니 '명상'에 잠겨 있을 뿐이다. 만일 누가 그를 툭 건드린다면, 그는 흠칫 놀라며 마치 꿈에서 깨어나기라도 한 것처럼 어리둥절한 눈으로 상대방을 쳐다볼 것이다. 하기는 이내 제정신으로 돌아오긴 하겠지만, 그렇게 멍청히 서서 무엇을 생각하고 있었느냐고 묻는대

41* 이반 니콜라예비치 크람스코이Ivan Nikolaevich Kramskoi(1837~1887). 러시아의 화가. 1860년대부터 1880년대 사이에 러시아 미술을 이끌었던 이동파의 수장.

도, 아마 무엇 한 가지 생각해 내지는 못할 것이다. 그렇지만 그가 명상에 잠기고 있는 동안에 받은 인상은 그의 가슴속 깊이 간직되는 것이다. 이러한 인상들은 그에게 있어서는 매우 귀중한 것으로, 그는 그것을 남몰래, 자기 자신도 의식하지 못하면서 하나씩 쌓아 올린다. 무얼 하려고, 무엇 때문에? 그건 물론 본인도 알지 못한다. 이렇게 여러 해 동안 그 인상들을 모으고 쌓아 올린 끝에, 별안간 모든 것을 내던지고 영혼의 구원을 찾아 예루살렘으로 순례의 길을 떠날지도 모르고, 혹은 갑자기 자기 고향 마을에 불을 지를지도 모르며, 어쩌면 그런 일들을 동시에 할지도 모른다. 이런 식으로 '명상하는 사람'은 민중 속에 꽤 많이 있다. 스메르쟈코프도 필시 이런 종류의 '명상하는 사람'일 것이다. 그리고 자기 자신은 무엇 때문인지도 똑똑히 모르면서 그런 인상들을 굶주린 듯 거둬 모으고 있었음이 분명하다.

7. 논쟁

그런데 이 발람의 나귀가 갑자기 말을 하기 시작한 것이다. 화제가 또한 기묘한 것이었다. 아침 일찍 루키야노프네 가게에 물건을 사러 갔던 그리고리가 그 집 주인한테서 어느 러시아 병사에 관한 얘기를 듣고 온 것이다. 그 병사는 어딘가 먼 아시아 변경에서 아시아인들한테 포로가 되어, 그리스도교를 버리고 회교로 개종하지 않는다면 당장에 참혹한 사형에 처하겠다는 협박을 받았으나, 끝내 자기 신앙을 버리지 못하겠다고 고집하여 수난을 택한 결과 산채로 가죽을 벗기면서도 그리스도를 찬양하며 죽어 갔다는 것이다. 이 미담은 바로 그날 도착한 신문에도 실려 있었다. 이 이야기를 그리고리가 식사 때 꺼냈던 것이다. 표도르 파블로비치는 전부터도 식후에 디저트로 술을 들 때는, 상대가 비록 그리고리밖엔 없더라도 무엇이든 재미있는 이야기라도 하며 웃기를 좋아했다. 그런데 특히 이날은 전에 없이 유쾌하고 흥겨운 기분이었다. 코냑 잔을 기울이며 이 이야기를 듣고 난 그는, 그런 병사는 즉시 성인으로 추존追尊해야 하며, 그 신성한 가죽은 어디 적당한 수도원에 모시는 게 좋을 것이다. "그렇게 하면 참배인들이 몰려와서 성금誠金이 꽤 많이 모일걸" 하고 말했다.

그리고리는 표도르 파블로비치가 감동하는 빛을 보이기는커녕, 언제나처럼 벌 받을 소리를 뇌까리기 시작한 것을 보고 얼굴을 찌푸렸다. 그런데 바로 이때 문 옆에 서 있던 스메르쟈코프가 무슨 생각에선지 히죽히죽 웃었다. 스메르쟈코프는 전에도 자주 식사가 끝날 무렵엔 식탁 가까이 와서 시중드는 것이 허용되어 있었으나, 이반이 이 고장에 온 후로는 거의 매일같이 주인이 식사하는 자리에 나타나게 되어 있었다.

"넌 뭐가 우스워 그러니?" 표도르는 스메르쟈코프의 웃음을 이내 눈치채고 이렇게 물었다. 물론 그는 그것이 그리고리에게 향해진 것임을 알 수 있었다.

"네, 지금 그 이야기 말씀인데요." 스메르쟈코프는 뜻밖에도 커다란 소리로 갑자기 말을 시작했다. "그 칭찬받을 만한 병사의 행적은 분명히 위대한 것인지는 모르겠습니다만, 그처럼 위급한 경우에 그리스도의 이름과 자기의 세례를 부정한다 하더라도, 제가 생각하기엔 조금도 죄가 되지 않을 것 같습니다. 그렇게 해서 자기 목숨을 구할 수 있었다면 앞으로 여러 가지 좋은 일을 할 수 있을 것이고, 또한 좋은 일을 여러 해 동안 계속 하노라면 자기의 비겁한 행위를 보상할 수도 있을 테니까요."

"어째서 죄가 되지 않는다는 거냐? 허튼소린 작작해. 공연히 그런 소릴 하다가는 곧장 지옥으로 끌려가서 지글지글 불고기 신세가 되고 만다" 하고 표도르가 얼른 말을 받았다.

알료샤가 들어온 것은 바로 이때였다. 앞에서도 말한 바와 같이 표도르는 알료샤가 온 것을 무척 반가워했다.

"너한테 아주 십상인 얘기야!" 하고 그는 재미있다는 듯이 킬킬거리며, 이야기를 들려주려고 알료샤를 자리에 앉혔다.

"불고기로 말씀드리자면, 결코 그럴 리가 없습니다. 그런 말을 했다 해서 그렇게 되지는 않습니다. 절대로 있을 수 없는 일이지요, 만일 모든 걸 공평한 견지에서 본다면 말씀입니다" 하고 스메르쟈코프는 의젓한 어조로 말했다.

"공평한 견지에서 본다면이란 건 또 뭐냐?" 표도르는 무릎으로 알료샤를 툭툭 치면서 한층 더 유쾌한 얼굴로 이렇게 외쳤다.

"더러운 놈 같으니, 어디 저런 놈이 다 있을까!" 하고 갑자기 그리고리가 내뱉 듯 말했다.

"더러운 놈이란 말은 좀 두었다 하십시오, 그리고리 바실리예비치." 스메르쟈코프는 침착하게 대꾸했다. "그보다도 당신 자신이 곰곰이 생각해 보는 게 좋을 겁니다. 만일에 내가 그리스도교의 박해자들한테 붙잡혀, 하느님의 이름을 저주하고 자기의 성스런 세례를 부정하라고 강요되었다 하더라도, 나는 거기 대해 나 자신의 판단에 따라 행동할 수 있는 완전한 권리를 보유하고 있습니다. 그렇게 한다고 해서 죄가 될 리는 만무하니까요."

"그건 벌써 아까 한 말 아니냐. 쓸데없는 소린 그만두고, 어서 그 이유를 설명해 봐!" 표도르 파블로비치가 소리쳤다.

"흥, 부엌데기 놈이!" 하고 그리고리는 아니꼽다는 듯이 중얼거렸다.

"부엌데기 놈이란 말도 좀 두었다 하십시오. 그렇게 욕만 할 게 아니라, 좀 잘 생각해 보세요, 그리고리 바실리예비치. 내가 박해자들에게, '그렇습니다, 나는 그리스도 교인이 아닙니다, 나는 나 자신의 신을 저주합니다'라고 말하면, 당장에 나는 하느님의 재판에 의해 특별히 저주 받은 파문자破門者가 되어 이교도와 마찬가지로 신성한 교회로부터 완전히 추방되고 말 게 아닙니까. 그런 말을 입 밖에 내는 바로 그 순간에, 아니 그런 말을 하려고 생각하기가 무섭게, 그러니까 사 분의 일 초도 미처 경과하기 전에, 나는 파문되는 것입니다. 어떻습니까, 그렇지 않아요, 그리고리 바실리예비치?"

그는 자못 만족한 얼굴로 그리고리를 향해 이렇게 말했으나, 실은 표도르 파블로비치의 질문에 대한 대답에 지나지 않았고, 또 자기도 그것을 잘 알고 있으면서도, 일부러 그런 질문이 그리고리한테서 나오기라도 한 것 같은 태도를 취하는 것이었다.

“얘, 이반!” 하고 갑자기 표도르가 불렀다. “너한테 귓속말을 좀 해야겠다. 저 녀석이 너한테 칭찬을 받고 싶어 저런 소릴 하는 모양이다. 그러니 칭찬을 좀 해 주렴.”

이반 표도로비치는 아버지의 흥겨운 귓속말을 아주 심각한 표정으로 듣고 있었다.

“가만있어, 스메르쟈코프, 넌 잠깐만 입을 다물고 있거라” 하고 표도르는 또다시 소리쳤다. “이반, 한마디만 더 너한테 귓속말을 해야겠다.”

이반은 다시금 심각하고도 엄숙한 표정이 되어 아버지한테로 몸을 굽혔다.

“나는 알료샤나 너나 똑같이 사랑하고 있다. 내가 너를 싫어한다고는 생각지 말아라. 어떠냐, 코냑을 한 잔 더 하겠니?”

“예, 주십시오.”

‘흥, 벌써 어지간히 취했군’ 하고 이반은 속으로 생각하며 아버지의 얼굴을 뚫어지게 바라보았다.

한편 그는 비상한 호기심을 가지고 스메르쟈코프를 관찰하고 있었다.

“지금도 너는 저주 받은 파문자야.” 느닷없이 그리고리가 고함을 질렀다. “그런데 어떻게 감히 너 같은 악당이 그런 되지 못한 소릴 늘어놓는 게냐! 만약에 네가……”

“그렇게 욕할 게 아냐, 그리고리, 욕설은 그만두게!” 표도르가 제지했다.

“잠깐만 기다려 주십시오, 그리고리 바실리예비치. 조금만 더 들어 주세요. 나는 아직 하던 말을 끝내지 않았으니까요. 그러니까, 내가 하느님께 저주를 받은 순간, 아시겠어요, 바로 그 순간에 나는 이미 이교도와 똑같은 처지가 되어, 전에 받은 세례도 무효가 되고, 따라서 아무런 책임도 질 수 없는 인간이 되는 것입니다. 어떻습니까, 그렇잖아요?”

“얘, 빨리 결론을 말해라, 결론을!” 지극히 유쾌한 기분으로 술잔을 기울이면서 표도르는 이렇게 재촉했다.

"그래서, 만약에 내가 이미 그리스도 교인이 아니라고 한다면, '너는 그리스도 교인이냐, 아니냐'라고 박해자들이 따지고 들었을 때, 나는 거짓말을 했다고는 할 수 없을 겁니다. 왜냐하면, 내가 그들에게 미처 입을 열기도 전에 그렇게 대답하겠다고 속으로 생각한 그것만으로, 나는 이미 하느님한테서 그리스도 교인으로서의 자격을 박탈당해 버렸기 때문입니다. 그리고 내가 이미 그 자격을 박탈당해 버렸다면, 내가 저승에 갔을 때, 무엇을 근거로, 어떠한 정의에 입각하여, 마치 그리스도 교인을 다루듯 그리스도를 배반했다는 이유로 나를 문책할 수 있겠느냐 말입니다. 나는 그렇게 생각한 것만으로, 분명히 배반하기도 전에, 벌써 전에 받은 세례가 무효로 되어 버렸으니까요. 내가 이미 그리스도 교인이 아니라면, 나는 그리스도를 배반할 수도 없습니다. 내게는 이미 아무것도 배반할 것이 없기 때문입니다. 그리고리 바실리예비치, 이교도인 타타르인이 잘못되어 천국에 갔다 해도, 왜 너는 그리스도 교인으로 태어나지 못했느냐고 문책할 수는 없을 겁니다. 누구든지 소 한 마리에서 가죽 두 장을 얻을 수 없다는 것쯤은 알고 있으니까, 그런 사람한테 벌을 줄 리는 만무합니다. 전지전능하신 하느님도 그 타타르인이 죽어서 심판을 받으러 나왔을 때, 이교도인 양친한테서 이교도인 자식이 태어났더라도 태어난 본인에겐 아무런 책임도 없다는 점을 고려하여, 가장 가벼운 벌을 가하는 데 그칠 겁니다. (전혀 벌을 가하지 않을 순 없는 것이니까요) 그리고 아무리 하느님이라도 타타르인을 붙잡고 '너는 그리스도 교인이었지'라고 말할 수는 없을 게 아닙니까? 그렇게 한다면 전능하신 하느님도 거짓말쟁이가 되어 버리니까요. 도대체 우주의 지배자인 전능하신 하느님이 단 한마디라도 거짓말을 할 수가 있겠습니까?"

그리고리는 놀란 나머지 흡사 돌기둥처럼 멍하니 선 채, 눈을 휘둥그렇게 뜨고 이 웅변가의 얼굴을 바라보고 있었다. 그는 지금 여기서 하고 있는 말들이 무슨 뜻인지 잘 알아들을 수는 없었지만, 그래도 이 잠꼬대 같은 말 속에서 무언가 문득 깨달은 바가 있었으므로, 갑자기 이마를 벽에 부딪치기라도 한 것 같은 얼굴을 하고 그 자리에 우뚝 서 있었다. 표도르는 술잔을 비우더니 한바탕 높은 소리로 웃어댔다.

"알료샤, 얘, 알료샤, 어떠냐! 저 녀석 참 굉장한 궤변가로구나! 그러고 보니, 이반, 저 녀석은 어디서 예수회[42] 수사들과 어울린 일이 있는 모양이지? 얘, 고린내 나는 예수회 놈아, 대체 넌 누구한테서 그런 걸 배웠니? 그렇지만 네 말은 죄다 헛소리야, 이 궤변가 놈아, 죄다 헛소리란 말이다, 헛소리! 여보게, 그리고리, 그렇게 기가 죽을 건 없어. 저 녀석의 되지 못한 이론은 우리가 당장에 흔적도 없이 분쇄해 버리고 말 테니까. 그럼 어디 대답해 봐라, 이 나귀 놈아, 가령 네가 박해자들한테 취한 태도가 옳은 것이었다 치더라도 말이다, 네가 속으로 자기의 신앙을 부정한 것만은 사실이겠지. 너는 네 입으로 그 순간에 파문자가 된다고 했으니까. 그렇지만 일단 파문자가 되어 지옥에 떨어져 내려갔다 하더라도 네가 파문을 당했다고 해서, 머리를 쓰다듬어 줄 놈은 없을 게다. 이 점을 넌 어떻게 생각하니, 응, 위대한 예수회 양반아?"

"마음속으로 부정한 것은 의심할 여지가 없겠습니다만, 그렇다고 해서 그것이 특별히 죄가 될 리는 만무합니다. 혹시 죄가 된다 하더라도 지극히 평범한, 대수롭지 않은 죄에 지나지 않겠지요."

"뭐 지극히 대수롭지 않은 죄라고?"

"허튼소리 좀 작작해, 저주 받을 놈 같으니!" 하고 그리고리가 씨근거리며 고함을 쳤다.

"그리고리 바실리예비치, 그러지 말고 잘 좀 생각해 보십시오." 자기의 승리를 자각하고 패배한 적을 가엾이 여기는 것 같은 태도로 스메르쟈코프는 침착하게 차근차근 말을 이었다. "잘 좀 생각해 보세요, 그리고리 바실리예비치. 성경에도 이렇게 쓰여 있지 않습니까. 사람이 만일 조금만이라도, 그야말로 겨자씨 한 알만 한 믿음만이라도 갖고 있다면, 산을 보고 바다로 들어가라고 명령하더라도 산은 그 명령이 떨어지기가 무섭게 조금도 주저 않고 바다 속으로 들어갈 것이라고 말입니다. 그러면 그리고리 바실리예비치, 만약에 나는 믿음이 없는 놈

42 가톨릭교회 내의 수도회. 한때 신교도 측으로부터 책략가·궤변가들이란 비난을 받았음.

이고 당신은 쉴 새 없이 그러한 나를 책망할 만큼 훌륭한 신앙을 갖고 있는 사람이라면 말입니다. 어디 한번 시험 삼아 저 산을 보고 바다로 들어가라고 명령해 보십시오. 아니, 바다는 그만두고라도, (여기서 바다는 너무 머니까) 하다못해 이 집 정원 뒤를 흐르는 저 구린내 나는 개천이라도 좋아요. 그렇게 하면 당신은 당장에 알게 될 겁니다. 무엇 하나 꼼짝 않고 그냥 그 자리에 있을 테니까요. 아무리 고함을 쳐 봐야 소용없을 겁니다. 이건 즉 당신이 참다운 신앙을 갖고 있지도 않으면서 공연히 남에게 욕질만 하고 있다는 증거입니다. 하지만 생각해 보면, 이건 뭐 당신 한 사람만은 아닙니다. 요즘 세상에서, 가장 훌륭하다는 사람들을 위시하여 인간의 쓰레기 같은 비천한 농부에 이르기까지, 산을 바다로 옮겨 놓을 수 있는 사람은 아무도 없습니다. 예외가 있다 하더라도 이 넓은 세계에 한 사람 아니면 기껏해야 두 사람, 그것도 필시 이집트의 사막 같은 데 숨어서 도를 닦고 있을 테니까, 그런 사람을 찾아보기란 도저히 불가능하겠지요. 만일에 그 한 사람 이외에는 모두가 믿음이 없는 자라고 한다면, 자비로운 것으로 그처럼 알려진 하느님께서, 사막에 숨어 있는 한두 사람의 은둔자를 제외한 나머지 사람들을 죄다, 그러니까 지상의 전 인류를 죄다 저주하여 한 사람도 용서하지 않을 수 있겠느냐 말입니다. 그러니까 나는, 한 번쯤 하느님을 의심한 일이 있더라도 회오의 눈물만 흘린다면 반드시 용서를 받을 수 있을 것이라 믿고 또 기대하고 있는 겁니다."

"잠깐만!" 더할 수 없이 기분이 좋아진 표도르가 찢는 듯한 소리로 외쳤다. "그러니까 너는 역시 산을 움직일 수 있는 사람이 둘은 있다고 생각하는 거냐? 얘, 이반, 잘 기억했다가 어디다 적어 두어라. 이건 정말 러시아인다운 사고방식이로구나!"

"예, 옳게 지적하셨습니다. 이것은 신앙에 대한 러시아 민중 특유의 사고방식입니다." 이반은 만족스런 미소를 띠며 이렇게 동의했다.

"동감이란 말이지? 네가 동감이라면 틀림없을 거야! 알료쉬카, 어떠냐, 그렇잖니? 순전한 러시아적 신앙이지?"

"아닙니다, 스메르쟈코프의 신앙은 전혀 러시아적인 것이 아닙니다." 알료샤는 정색을 하고 딱 잘라 말했다.

"나는 저 녀석의 신앙을 말하는 게 아니다. 그 특징, 즉 그 두 사람의 은둔자라는, 그 점만을 말하는 거야. 어떠냐, 그 점은 분명히 러시아적이지? 그렇잖니?"

"예, 그 점은 순전히 러시아적입니다." 알료샤는 싱긋 웃음을 띠었다.

"얘, 나귀야, 방금 네가 한 그 말은 금화 한닢의 가치가 충분하다. 당장 오늘 중으로 너한테 주마. 그렇지만 그 밖의 말은 역시 헛소리야, 죄다 헛소리란 말이다. 잘 들어봐, 이 바보야, 이 세상에서 우리 인간이 믿음을 갖지 못하는 건 우리가 무엇을 깊이 생각하지 못하기 때문이야. 우리에겐 그럴 여가가 없으니까. 첫째, 해야 할 일이 너무 많아. 둘째로, 하느님께서 시간을 너무 적게 주셨어. 하루를 겨우 스물네 시간으로 정해 주셨으니, 회개를 하기는커녕 잠을 잘 시간조차 충분치 못하단 말야. 하지만 네가 박해자들 앞에서 하느님을 부정한 것은, 자기 신앙에 관한 것 이외엔 아무것도 생각할 것이 없는 경우, 더욱이 자기의 신앙을 떳떳이 나타내 보여야만 할 그런 경우였거든! 어때, 내 말이. 그래서 나는 죄가 구성된다고 생각하는데?"

"죄가 구성되기는 하겠지요. 그렇지만 잘 좀 생각해 보세요, 그리고리 바실리예비치, 죄가 구성된다면 그만큼 그 죄는 가벼워지는 게 아닐까요. 만약에 내가 그때 인간으로서 마땅히 가져야 할 참된 신앙을 가지고 있었다면, 자기 신앙을 위해 고통을 받기를 회피하여 더러운 마호메트교로 개종한다는 것은 확실히 죄가 될 겁니다. 그렇지만 구태여 고통을 당할 것까지는 없는 일이지요. 왜냐하면, 바로 그 순간에 눈앞의 산을 보고, 빨리 움직여서 박해자들을 깔아뭉개 버려 달라고 한마디 하기만 하면, 산은 지체 없이 움직여 무슨 벌레 따위를 짓밟듯 놈들을 짓밟아 버릴 테니까요. 그러면 나는 아무 일도 없었다는 듯이 하느님께 영광을 돌리며 무사히 돌아올 겁니다. 그러나 만일 그때 이 방법을 이용해서, 눈앞의 산을 향해 박해자들을 짓밟아 달라고 큰 소리로 외치고 또 외치는데도, 그 산이 꼼짝도 하지 않는다면, 내가 어떻게 의심을 품지 않을 수 있겠습니까? 더욱이 목숨이 왔다 갔다 하는 그런 무서운 순간에 말입니다. 그렇지 않아도 천국엔 좀처럼 도달할 수 없다는 것을 알고 있는 터에, (산이 내 말대로 움직여 주지 않는 걸 보면, 천국에서도 내 신앙을 대수롭게 여기는 것 같지는 않고, 또한 저승에서 뭐 대단한 보상이 나를 기다리고 있는 것 같지도 않으니까요) 나한테 아무런 이익도 없는 일에, 무엇 때문에 내가 가죽까지 벗길 필요가 있느냐 말입니다. 이미 잔등 가죽을 절반쯤이나 벗기고 있을 때라 하더라도, 내가 소리쳐 부르며 고함을 친다 해서 그 산이 움직일 리는 만무하니까요. 이런 때는 의심을 품는 정도가 아니라, 무서운 나머지 완전히 이성을 잃을지도 모릅니다. 그러니까 무엇을 생각하여 판단한다는 것은 전혀 불가능합니다. 그렇다면, 이승에서나 저승에서나 자기에게 별로 이로울 것도 없고 상을 탈 수도 없다는 걸 알고 있는 바에야, 하다못해 자기 살가죽이나마 소중히 여겨야겠다고 생각했기로서니, 그것이 어째서 대단한 죄가 된다는 겁니까? 그래서 나는 하느님의 자비를 믿고, 틀림없이 모든 것을 용서해 주시리라는 희망을 품고 있단 말입니다……."

8. 코냑을 마시며

논쟁은 끝났다. 그러나 이상하게도 그처럼 기분이 좋던 표도르 파블로비치가 논쟁이 끝날 무렵에 가서 갑자기 얼굴을 잔뜩 찌푸린 채 코냑 잔을 비웠으나, 이것은 이미 과음에 속하는 한 잔이었다.

"얘, 이젠 너희들은 물러가거라, 예수회 놈들 같으니!" 하고 그는 하인들에게 호통을 쳤다. "스메르자코프, 어서 물러가, 약속한 금화는 이따가 보내 줄 테니 나가 있어. 그리고리, 자넨 울상을 하고 있지 말고 어서 마르파한테나 가보게. 자넬 잘 위로해 줄 걸세, 잠도 재워 줄 거고. 빌어먹을 놈들, 식후에 좀 조용히 앉아 있게 해 주지도 않는군." 하인들이 분부대로 물러나가자 그는 입맛이 쓰다는 듯이 뇌까렸다.

"스메르자코프가 요새 와서 식사 때마다 여기 나타나는 걸 보니, 너한테 상당히 관심이 있는 모양이야. 어떻게 해서 넌 그 녀석을 홀렸니?" 하고 그는 이반을 향해 덧붙였다.

"뭐 아무렇게도 하지 않았습니다" 하고 이반은 대답했다. "자기 쪽에서 갑자기 나를 존경하고 싶어진 모양이죠. 그 녀석은 어디까지나 비천한 하인 놈입니다. 하기는 때가 오면 전위적前衛的 육탄肉彈의 구실을 할 위인이지만요."

"뭐, 전위적이라고?"

"때가 오면 좀 더 훌륭한 인간들도 나타나겠지만, 저런 친구들도 나타납니다. 먼저 저런 것들이 나오고, 그다음에 좀 더 훌륭한 인간들이 나타나겠지요."

"그래, 그 시기는 언제 오지?"

"봉화가 오를 때, 그때가 그 시기입니다. 그러나 어쩌면 제대로 오르질 못하고 꺼질지도 모릅니다. 현재로서는 저런 부엌데기 같은 자들이 하는 말을 민중은 별로 환영하지 않으니까요."

"그야 그렇겠지. 하지만 저 발람의 나귀 놈이 무언가 자꾸만 생각하고 있다는 건 놀라운 일이야. 그러다간 정말 어디까지 생각이 미칠는지 모르거든."

"사상을 축적하고 있는 거겠죠" 하고 이반은 히죽 웃었다.

"그런데, 그 녀석은 누구한테나 다 그렇듯이 나한테도 혐오를 품고 있다는 걸 나는 알고 있다. 너는 녀석이 너를 존경하고 싶어진 모양이라고 했지만, 너한테도 역시 마찬가지야. 알료샤한테는 더욱 그렇고. 녀석은 알료샤를 멸시하고 있지. 하지만 녀석은 손버릇이 나쁘지는 않아. 그게 취할 점이지. 그리고 수다스럽지가 않아서 좋아. 입이 무거워서, 집안의 내막을 밖에 나가 퍼뜨리는 법은 절대로 없거든. 게다가 생선파이 솜씨가 또 대단하지. 그러나 그 녀석 얘긴 집어치우자. 사실 말이지, 화제에 오를 만한 가치도 없는 인간 아니냐?"

"물론 그럴 가치도 없는 인간이죠."

"그리고 그 녀석이 속에 품고 있다는 생각으로 말할 것 같으면, 뭐 별것이 아니야—아무튼 러시아 농민이란 일반적으로 말해서 두들겨 패줘야 해. 난 언제나 이렇게 주장하고 있지. 우리나라의 농민이란 것들은 모두 사기꾼 같은 놈뿐이니까. 도대체 동정할 여지가 없는 거야. 요새도 더러 패주는 사람이 있는 건 다행한 일이지. 러시아의 대지가 반석처럼 굳건한 건 자작나무 숲이 있기 때문이거든. 그 숲을 마구 잘라 없애 버린다면 러시아 땅은 망하고 마는 거야. 나는 현명한 인간들을 지지해. 우린 너무 현명해서 농부들한테 매질하는 건 그만뒀지만, 그놈들은 여전히 저희들끼리 매질을 하고 있어. 하긴 그것도 잘하는 짓이야. '네가 헤아리는 그 헤아림으로 너도 헤아림을 받을지니라'[43*] 이런 구절이 있던가…… 이를테면 인과응보라는 것이지. 너는 아마 잘 모를 게다, 이 러시아를, 아니, 러시아가 아니라 그 모든 악덕을 내가 얼마나 미워하는지…… 하지만 결국은 러시아 자체를 미워하는 건지도 모르겠다. Tout cela c'est de la cochonnerie(그건 모두 돼지우리의 산물이야). 내가 좋아하는 게 무언지 아니? 나는 기지機智를 좋아해."

"또 한 잔 비우셨군요. 이젠 그만하는 게 좋을 것 같습니다."

"아니야, 나는 또 한 잔, 그러고 나서 한 잔만 더하고 그만두겠다. 넌 가만있거라, 내 말을 가로채지 말고. 나는 언젠가 지나는 길에 모크로예 마을에서 어느 노인한테 그 문제에 대해서 물어본 일이 있다. 그랬더니 그 노인의 말이, '우린 잘못이 있는 가시내들을 두들겨 패주는 게 무엇보다 재미있습니다. 때리는 일은 언제나 총각놈들한테 맡기지요. 그러면 오늘 때려 준 가시내한테 다음 날 그 총각 놈이 장가를 들겠다고 나섭니다. 그래서 가시내들도 오히려 그런 형벌을 좋아하고 있는 형편이지요'라는 거야. 어떠냐, 이것이야말로 진짜 사디즘이 아니겠니? 아무튼 기지가 넘치고 있는 것만은 사실이야. 우리도 한번 구경하러 가 볼까? 아니, 알료샤, 너 얼굴이 빨개졌구나? 뭐 부끄러워할 건 없다. 그런데 아까 수도원장이 오찬에 참석했을 때, 수사들한테 모크로예의 가시내들 얘기를 해 주지 않은 게 천만 유감이구나. 얘, 알료샤, 아까 내가 너희 수도원장한테

43* 《신약 성경》〈마태복음〉 7장 2절 참고.

몹시 추태를 부렸지만, 그렇다고 너무 화를 내지는 말아라. 어쩌다 그만 짓궂은 마음이 치밀어 오르는 바람에…… 만약에 하느님이 있다면, 정말로 존재한다면, 그야 물론 내가 나쁘니까 어떤 벌이라도 달게 받겠지만, 그러나 하느님이라는 건 전혀 존재하지 않는다면, 그자들은, 너희 그 신부들은, 과연 어떤 벌을 받아야 마땅하겠니? 목을 자르는 정도로는 부족해. 그자들은 진보를 방해하는 놈들이니까. 너는 믿어 주겠지. 이반, 내 마음을 괴롭히고 있는 건 바로 이 문제야. 아니, 너는 나를 믿지 않는구나. 그 눈을 보면 알 수 있어. 너는 세상 사람들의 말만 믿고, 나 같은 건 어릿광대에 지나지 않는다고 생각하고 있어. 알료샤, 너는 내가 단순한 어릿광대가 아니라는 걸 믿어 주겠니?"

"예, 그렇게 믿고 있습니다."

"네가 정말로 그렇게 생각하고 진심으로 그렇게 말한다는 걸 나는 믿는다. 첫째 나를 보는 눈이 진지하고, 말하는 품이 성실하니까. 그러나 이반은 달라. 이반은 교만해……. 그렇지만 어쨌든 그놈의 수도원과는 아예 결판을 지어 버렸으면 시원하겠다. 전 러시아의 그 신비주의의 소굴들을 일소하여, 모든 어리석은 자들의 눈을 틔워 주기 위해 그런 것들은 죄다 폐쇄해 버리고 싶어. 그렇게 하면 굉장히 많은 금과 은이 조폐국造幣局으로 쏟아져 들어갈 게다."

"그렇지만 구태여 폐쇄해야 할 이유가 어디 있습니까?" 하고 이반이 물었다.

"좀 더 빨리 진리가 세상을 환하게 비추게 하자는 거지, 그게 이유야."

"만일 진리가 환하게 비춘다면, 우선 아버지부터 알몸뚱이로 만들어 버리고, 수도원은 그다음에 폐쇄하게 될 겁니다."

"흠, 내가 한 대 얻어맞았군! 어쩌면 네 말이 맞을는지도 모르겠다. 그러고 보니 나야말로 나귀였구나!" 표도르는 자기의 이마를 톡 치더니 갑자기 큰 소리로 외쳤다. "그렇다면 알료샤, 너희 수도원은 그냥 놔두자. 그러나 우리 현명한 인간들은 따뜻한 방 안에 들어앉아 코냑이나 마시고 있으면 되는 거야. 얘, 이반, 이건 하느님께서 일부러 그렇게 되도록 꾸며 놓은 게 아닐까? 이반, 말해 봐라, 하느님은 있는 거냐, 없는 거냐? 아니, 가만있어, 분명하게, 그리고 진지하게 대답해야 한다! 왜 또 웃는 거냐?"

"내가 웃는 것은, 산을 움직일 수 있는 은둔자가 한두 사람은 있을 거라는 스메르쟈코프의 신앙에 관해서 아까 아버지가 제법 재치 있는 비평을 가했기 때문입니다."

"그럼 지금 한 말도 그것과 유사하단 말이냐?"

"유사한 점이 아주 많습니다."

"그러고 보면 나도 역시 러시아인이고, 러시아적인 특성을 지니고 있는 셈이군. 그러나 너 같은 철학자한테서도 그와 유사한 특성은 찾아볼 수 있는 거야. 원한다면 내가 그걸 지적해 주지. 내일이라도 꼼짝 못하게 그걸 꼬집어 낼 테니 두고 봐라. 그건 그렇고, 내가 묻는 거나 대답해. 도대체 하느님은 있는 거냐, 없는 거냐? 그러나 진지하게 대답해야 한다! 나는 너한테서 진지한 대답을 듣고 싶으니까."

"없습니다, 하느님은 없어요."

"알료샤, 하느님은 있는 거냐?"

"하느님은 계십니다."

"이반, 그렇다면 불멸이라는 건 있느냐, 없느냐? 어떤 것이든 아주 조그만 것, 티끌만 한 것이라도 말이다?"

"불멸이라는 것도 없습니다."

"전혀 없어?"

"전혀 없습니다."

"그렇다면 절대 무無라는 거냐, 아니면 무엇인가 있기는 있다는 거냐? 그래도 무언가 좀 있지 않을까? 아무것도 없다는 건 이상하지 않으냐!"

"완전한 무입니다."

"알료샤, 불멸이라는 게 있니?"

"있습니다."

"하느님도 불멸도 있단 말이지?"

"하느님도 불멸도 다 있습니다. 하느님 안에 바로 그 불멸이 있으니까요."

"흠! 아무래도 이반의 말이 옳은 것 같은데. 아아, 인간이 얼마나 많은 신앙을 바쳤는지, 얼마나 많은 정력을 이따위 공상 때문에 소비했는지, 생각만 해도 무서울 지경이구나! 더욱이 수천 년 동안이나 그걸 반복해 왔으니 말이야! 도대체 누가 인간을 이처럼 우롱하는 걸까? 이반, 마지막으로 한 번만 더 분명히 말해 다오, 하느님은 있는 거냐, 없는 거냐? 이게 최후의 물음이다!"

"그럼 마지막으로 대답하겠는데, 하느님은 없습니다."

"그러면 인간을 우롱하는 건 대체 누구냐, 이반?"

"악마, 악마겠죠" 하고 이반은 싱긋 웃었다.

"그럼 악마는 있니?"

"아니, 악다도 없습니다."

"그건 유감인걸. 그렇다면 제일 먼저 하느님이란 걸 생각해 낸 놈들을 어떡하면 속이 시원할까? 백양나무에 목을 매달아 죽여 버리는 것만으론 부족한 놈이야."

"하느님이라는 걸 생각해 내지 않았다면 문명이란 것도 없었을 겁니다."

"없었을 거라고? 하느님이라는 게 없었다면 말이지?"

"그렇습니다. 그리고 코냑도 없었을 거예요. 그렇지만 이젠 아버지한테서 코냑을 빼앗아야겠습니다."

"아니, 가만있어, 한 잔만 더 할 테니. 내가 알료샤의 기분을 상하게 했구나. 알렉세이, 그렇다고 화를 내는 건 아니겠지? 응, 내 귀여운 알렉세이치크!"

"화를 내기는요! 나는 아버지의 마음을 잘 알고 있는걸요. 아버지는 두뇌보다도 마음씨가 훨씬 좋은 분입니다."

"두뇌보다 마음씨가 훨씬 좋다고? 아아, 네가 나한테 그런 말을 다 해 주다니! 얘, 이반, 너는 알료샤를 사랑하니?"

"사랑합니다."

"사랑해 줘라. (표도르 파블로비치는 몹시 취해 있었다) 얘, 알료샤, 나는 오늘 너희 장로한테 무례한 짓을 했다. 하지만 나는 정말 흥분했었어. 헌데 그 장로에겐 기지라는 게 있더라. 이반, 네 생각엔 어떠냐?"

"있는지도 모르죠."

"아니, 있어. 있고말고! Il y a du Piron là-dedans(그자한텐 피론[44*]다운 데가 있는 것 같아). 그자는 예수회야. 단 러시아식인 예수회지. 고상한 인간이란 으레 그런 거지만, 억지로라도 성인 시늉을 하면서 마음에도 없는 연극을 해야 하는 데 대해 자기 자신은 마음속으로는 분노가 끓어오르고 있을 게다."

"그렇지만 장로님은 하느님을 믿고 계십니다."

"털끝만큼도 믿고 있지 않아. 그래 너는 그걸 모르고 있었니? 그자는 제 입으로 모든 사람에게 그렇게 말하고 있어. 하긴 모든 사람이 아니라, 자기한테 찾아오는 현명한 사람들에게만 하는 말이지만. 현지사縣知事 슐리츠에겐 딱 잘라 말했다는 거야. 'Credo(믿고 있습니다). 그러나 무엇을 믿고 있는지는 나 자신도 모르겠습니다'라고 말이야."

"설마 그랬을라고요?"

"아니, 이건 사실이야. 그러나 나는 그자를 존경해. 그자에겐 뭔가 메피스토펠레스 같은 점, 아니 그보다는 《현대의 영웅a Hero of our time》[45*]에 나오는…… 아르베닌[46]인가 뭔가 하는 사내와 비슷한 점이 있어. 아무튼 그자는 호색꾼이야. 만일 내 딸이나 마누라가 그자한테 참회를 하러 간다면 나는 아마 걱정이 되어 죽을 지경일 거야. 색골도 이만저만한 색골이 아니지. 대체 어떻게 얘기를 시작하는지 아니? 재작년인가 그자가 우릴 리큐어가 나오는 다과회에 초청한 적이 있었다. (리큐어는 부인네들이 선물로 갖다 주거든) 그때 그자는 옛날 얘기를 하기 시작했는데, 우리들은 하도 우스워서 하마터면 허리가 끊어질 뻔했어……. 특히 재미있었던 것은, 그자가 몸이 쇠약한 어떤 여자를 고쳐 준 얘기

44* 피론Pyrrhon(생몰년미상). 고대 그리스의 철학자. 회의파의 시조.

45* 미하일 레르몬토프Michail Lermontov(1814~1841)의 자전적 심리 소설.

46 《현대의 영웅》의 주인공은 페초린이고, 아르베닌은 같은 작가의 희곡 〈가면무도회〉의 주인공.

야. '내가 다리만 아프지 않아도 당신들한테 한 가지 재미있는 춤을 보여 드릴 수 있으련만' 하고 말하더라. 헌데 그게 어떤 춤인지 아니? '나도 젊을 땐 꽤 많은 여자를 건드렸지요'라는 거야. 그리고 그자는 제미토프라는 상인한테서 6만 루블을 꿀꺽해 버린 일도 있거든."

"그분이 도둑질이라도 했단 말인가요?"

"그 상인이 그자를 믿을 만한 사람이라 생각하고, '이걸 좀 보관해 주십시오, 내일 가택수색이 있어서요'라고 부탁했지. 그래서 그자는 그 돈을 맡았는데, 나중에 가서 한다는 말이, '그건 교회에 성금으로 낸 돈이 아니오'라고 시침을 떼더라나. 그래서 나는 그자에게, '너는 비열한 놈이다'라고 해 줬지. 그랬더니 '나는 비열한 놈이 아니라, 도량이 넓은 인간이오'라지 않겠니…… 아니, 이건 그자 얘기가 아닌 것 같다……. 그건 다른 놈이야. 그만 다른 놈의 얘기와 혼동하고 있었군……. 그것도 모르고 그냥 지껄이고 있었구나. 자, 그럼 한 잔만 더 하고 그만둘까. 이반, 이젠 술병을 치워라. 내가 허튼소릴 하고 있는데 어째서 너는 내 말을 제지하지 않았지? 그건 거짓말이오, 하고 왜 말해 주지 않았느냐 말이다?"

"제지하지 않아도 아버지가 그만둘 줄 알고……"

"거짓말 마라, 너는 내가 미워서 그랬지? 그저 미워서 제지하지 않은 것뿐이야. 너는 나를 멸시하고 있어. 나한테 와서 내 집에 살고 있으면서도 너는 나를 멸시하고 있단 말이다."

"나는 곧 떠나겠습니다. 아버지는 코냑에 취했어요."

"나는 너한테 체르마쉬냐에 다녀와 달라고…… 하루나 이틀이라도 좋으니 다녀와 달라고 빌다시피 부탁했는데, 너는 떠나려는 기색도 없잖니!"

"그렇게까지 말씀하신다면 내일이라도 갔다 오죠."

"가긴 뭘 가. 너는 여기서 나를 감시하고 싶어 그러는 거야. 짓궂은 놈 같으니, 그래서 너는 가려 하지 않는 거지."

늙은이는 좀처럼 진정하려 들지 않았다. 지금까지 얌전하게 마시고 있던 술꾼이, 별안간 기고만장하여 기염을 토하지 않고는 배겨 내지 못하게 되는, 그러한 정도까지 그의 취기는 도달했던 것이다.

"너 왜 나를 노려보니? 뭐냐, 네 그 눈초리는? 네 눈깔은 나를 노려보며 '흥, 그야말로 주정뱅이의 상판대기로구나' 하고 있어. 네 눈초리는 어딘지 수상한 데가 있는, 남을 멸시하는 눈초리야……. 너는 반드시 무슨 속셈이 있어서 왔을 거야. 봐라, 알료샤도 나를 보고 있다. 하지만 저 눈은 밝게 빛나고 있잖니. 알료샤는 너를 멸시하고 있지 않아. 얘, 알렉세이, 이반을 사랑해선 안 된다……."

"형한테 화를 내진 마세요! 형을 더 이상 모욕하지 말아 주세요!" 알료샤는 전에 없이 강경한 어조로 말했다.

"그래, 그래, 내가 좀 지나쳤는지도 모르겠다. 아아, 골이 아프구나. 코냑을 치워라, 이반. 벌써 세 번째나 말하지 않았느냐!"

그는 잠시 무언가 생각하다가 갑자기 교활하고도 여유 있는 미소를 지어 보였다.

"얘, 이반, 폐인이 다 된 이 늙은이한테 화를 내지는 마라. 네가 나를 좋아하지 않는다는 건 나도 잘 알고 있지만, 어쨌든 화를 내지는 말아 다오. 나는 원래가 누구의 호감을 사기는 틀린 놈 아니냐. 하지만 체르마쉬냐에만은 제발 좀 가 주렴. 나도 선물을 들고 뒤따라 갈 테니. 거기서 내가 전부터 점찍어 두었던 좋은 계집애도 하나 보여 주마. 아직은 맨발로 돌아다니고 있지만, 뭐 맨발이라고 놀랄 건 없다. 멸시해서도 안 되고—그야말로 진흙 속에 진주라니까!"

이렇게 말하고 그는 자기 손에 쭉 하고 키스를 했다.

"나한테는" 하고, 그는 자기가 가장 좋아하는 화제로 옮아가자, 대번에 술이 깨기라도 한 것처럼 갑자기 활기를 띠기 시작했다. "나한테는 말이다……. 하긴 젖비린내 나는 새끼 돼지나 다름없는 너희 애송이들은 잘 알아듣지 못하겠지만, 나한텐 말야…… 한평생 미운 여자라고는 하나도 없었어. 이것은 내 법칙이야! 이게 무슨 말인지 알아듣기나 하겠니? 알아들을 리가 만무하지, 너희들의 몸에는 피 대신에 아직도 젖이 흐르고 있으니까. 너희들은 아직 솜털도 벗겨

지지 않았어! 내 법칙에 따른다면, 어느 여자에게서나 다른 여자에게선 찾아볼 수 없는 지극히 재미있는 무엇인가를 반드시 발견할 수 있거든. 그러나 그걸 발견하는 방법을 알아야 해. 이게 문제야! 이건 재능에 속하는 문제지! 나한텐 미운 여자란 존재하지 않아. 상대가 여자라는 것, 그것만으로도 이미 매력의 반은 느낄 수 있는 거니까……. 이걸 너희들이 알 리가 있겠니. 비록 그것이 팔리다 남은 노처녀라 하더라도 세상 놈팡이들이 얼마나 바보면 저런 여자를 여태까지 몰라보고 저렇게 늙도록 내버려 두었을까, 하고 의아하게 생각케 하는 그 무엇을 발견하는 수가 있는 법이야. 맨발로 나돌아다니는 계집애라든가 못생긴 계집애는 아예 처음부터 깜짝 놀라 자빠지게 만들어 가지고, 그다음에 손을 쓸 필요가 있어. 어때, 너는 아마 몰랐겠지? 그런 것들은 우선 깜짝 놀라게 해 주어, '나 같은 천한 계집을 이렇게 훌륭한 어른이 사랑해 주시다니' 하고, 놀랍기도 하고 부끄럽기도 하고 황홀하기도 한 기분으로 만들어 버리지 않으면 안 되는 거야. 이 세상에서 주인과 하인의 구별이 없어지지 않는 한, 언제나 그런 비천한 계집과 그런 주인이 있게 마련이지. 참으로 멋진 일이 아니냐! 인생의 행복을 위해 필요한 건 바로 이것뿐이니까! 가만있자……. 얘, 알료샤, 나는 곧잘 죽은 네 어미를 깜짝 놀라게 해 주곤 했다. 하긴 좀 색다른 방법이었지만 말이야. 여느 때는 다정한 말 한마디 건네지 않았지만, 그 대신 적당한 때가 이르면 느닷없이 네 어미 앞에 무릎을 꿇고 엉금엉금 기어 다니기도 하고, 발에 키스를 하기도 하고, 그렇게 해서 나중에는 언제나—아아, 그때 일이 지금도 눈에 선하구나—언제나 네 어미를 웃기고야 말았지. 짤막짤막 끊어진, 큰 소리는 아니지만 잘 울리는 일종의 독특한 웃음이었어. 네 어미는 그렇게밖엔 웃지 못했으니까. 그 웃음이 언제나 발작의 시초라는 것, 그리고 이튿날엔 반드시 귀신에 홀린 사람처럼 고래고래 고함을 지르기 시작한다는 것을 나는 잘 알고 있었지. 그러니까 그 짤막짤막한 웃음도, 기쁨의 표현이라기보다는 일종의 의태擬態에 지나지 않는 것이지만, 아무튼 웃을 때만은 기뻐서 어쩔 줄 모르는 눈치였어. 어떤 여자에게서나 그 특성을 발견하는 재능이란 바로 이런 걸 두고 하는 말이다.

한 번은 벨랴스키라는 작자가—그 당시 그런 이름을 가진 돈 많은 미남자가 이 고장에 와 있었는데, 그놈이 네 어미 꽁무니를 좇아다니며 곧잘 우리 집에까지 찾아오곤 했어—그런데 그놈이 우리 집에서, 더욱이 네 어미가 보는 앞에서, 느닷없이 내 뺨을 호되게 쥐어질렀단 말이야. 그러자 여느 때는 양처럼 온순하기만 하던 네 어미가, 금세 나를 잡아먹기라도 할 것처럼 맹렬한 기세로 나한테 대들지 않겠니. '당신은 지금 얻어맞았어요, 얻어맞았단 말이에요! 저런 사내한테 뺨을 얻어맞지 않았느냐 말이에요! 당신은 저 사내한테 나를 넘겨준 거나 마찬가지예요……. 내 눈앞에서 감히 당신한테 손을 대게 하다니, 그런 법이 어디 있어요! 이젠 다시는 내 곁에 얼씬도 하지 마세요! 자, 빨리 쫓아가서 당장에 결투를 신청하세요……' 하며 악을 쓰는 거야. 그래서 나는 네 어미의 마음을 진정시키려고 곧 수도원으로 데리고 가서 신부들한테 설교를 청했지. 그렇지만 말이다, 알료샤, 나는 신들린 네 어미를 모욕한 적은 정말이지 한 번도 없었다. 하긴 결혼한 첫해에 꼭 한 번 있긴 있었지만 말이야. 그때 네 어미는 기도에 몹시 열중하고 있었는데, 성모 마리아 축일 같은 때는 특히 심해서 기도에 방해가 된다고 나를 서재로 내쫓기가 일쑤였어. 그래서 나는 네 어미의 미신을 타파해 버려야겠다고 생각하고, '자, 여기 당신의 성상이 있어. 내가 지금 그걸 끄집어내려 가지고 어떡하나 똑똑히 보란 말이야. 당신은 이따위 물건을 무슨 기적이라도 일으킬 수 있는 신성한 것으로 생각하는 모양이지만, 나는 여기다 침을 뱉어 보일 테야. 그래도 나한텐 아무 일도 없을걸!' 했더니, 나를 잔뜩 노려보는 품이 당장에 죽이기라도 할 것 같은 형상이야. 그러나 나한텐 덤벼들지 않고, 벌떡 일어나 손뼉을 탁 치더니 두 손으로 얼굴을 가리고서는 온몸을 후들후들 떨기 시작하더니 그냥 방바닥에 쓰러져 기절해 버리고 말았어……. 아니, 알료샤, 알료샤! 어찌 된 거냐, 응, 어찌 된 거야?"

늙은이는 질겁하고 튀어 일어났다. 알료샤는 표도르가 자기 어머니 얘기를 시작했을 때부터 점점 얼굴빛이 변하기 시작했었다. 얼굴은 빨갛게 물들고, 두 눈은 번쩍이고, 입술은 경련을 일으킨 듯 떨고 있었다. 술에 취한 늙은이는 마지막 순간까지 아무것도 눈치채지를 못하고 입에서 연방 거품을 튀기며 떠들어대고 있었지만, 알료샤의 몸에는 갑자기 괴이한 일이 일어났다. 그것은 다름이 아니라, 방금 아버지가 얘기한 '신들린 여자'에게 있었던 것과 똑같은 현상이 알료샤에게도 일어난 것이다. 그는 식탁에서 벌떡 일어나더니, 방금 아버지가 얘기한 그대로, 손뼉을 탁 치고는 이내 두 손으로 얼굴을 가리고서, 마치 밑을 잘리기라도 한 것처럼 맥없이 의자 위에 쓰러져 버렸다. 그러고는 불현듯 솟아오르는 눈물을 소리도 없이 쏟으며 온몸을 후들후들 떠는 것이었다. 이 모든 일이 그의 어머니와 너무나 흡사해서, 노인은 그야말로 대경실색했다.

"이반, 이반! 빨리 물을 갖다 줘라. 제 어미와 똑같구나. 그때도 꼭 저랬다니까! 얘, 입으로 물을 뿜어 줘라. 나도 늘 그렇게 해 주곤 했어. 이 애는 제 어미 얘길 듣고, 제 어미 얘길 듣고 그만……" 하고 그는 이반에게 중얼거렸다.

"그렇지만 내 어머니가 곧 이 애 어머니이기도 했다고 생각하는데요, 그렇지 않을까요?" 울컥 치미는 분노와 모멸을 억제하지 못하고 이반은 씹어 뱉듯 말했다. 노인은 그의 번쩍이는 눈초리에 놀라 흠칫 몸을 떨었다. 그러나 이때, 비록 짧은 순간이긴 했으나, 괴이하기 짝이 없는 착오가 일어났다. 알료샤의 어머니가 곧 이반의 어머니기도 하다는 의식이 어쩌다 그만 노인의 머리에서 쑥 빠져 달아나기라도 한 것 같았다.

"뭐, 네 어미가 어쨌다고?" 그는 무슨 소린지 도무지 알 수가 없다는 얼굴로 중얼거렸다. "그게 대체 무슨 소리냐? 넌 누구 어미 얘길 하는 거지?…… 그래 이 애 어미가…… 이런 제기랄! 그러고 보니 네 어미도 되는구나! 내 참! 전엔 내 정신이 이렇게 흐려 본 적이 없었는데…… 용서해라, 이반, 나는 그저…… 헤, 헤, 헤!" 그는 입을 다물었다. 취기에 흐리멍덩해진, 별다른 의미도 없는 웃음이 그 얼굴에 길게 퍼졌다.

그러나 바로 이 순간, 문간방 쪽에서 우당탕퉁탕 무서운 소음과 함께 사나운 고함 소리가 들려오더니, 문이 확 열리며 홀 안으로 드미트리가 달려들어 왔다. 노인은 덜컥 겁을 집어먹고 이반의 곁으로 달려갔다.

"난 죽는다, 난 죽어! 날 살려 다오. 저놈이 가까이 오지 못하게 해 다오!" 그는 이반의 프록코트 자락에 매달리며 이렇게 부르짖었다.

9. 음탕한 사람들

드미트리 표도로비치의 뒤를 따라 그리고리와 스메르쟈코프도 홀 안으로 뛰어들어 왔다. 드미트리를 안에 들이지 않으려고 문간방에서 한바탕 그와 싸운 것은 바로 이 두 하인이었다. (그들은 이미 며칠 전부터 주인 표도르 파블로비치한테서 그러한 지시를 받고 있었던 것이다) 홀에 뛰어든 드미트리가 잠시 걸음을 멈추고 주위를 살펴보고 있는 틈을 타서, 그리고리는 재빨리 식탁을 돌아, 안으로 통하는 맞은편 방문을 닫아 버렸다. 그리고 이 입구를 방어하기 위하여는 '최후의 피 한 방울까지' 바칠 용의가 있다는 듯한 태도로 그 앞에 두 손을 떡 벌리고 막아섰다. 이것을 보고 드미트리는 고함 소리라기보다는 오히려 비명에 가까운 소리를 지르며 미친 듯이 그리고리한테 달려들었다.

"그러고 보니 그년은 거기 있었구나! 거기다 숨겨 두었구나! 비켜, 죽일 놈 같으니!"

그는 그리고리를 밀어내려 했으나, 오히려 노복老僕이 그를 밀쳐 버렸다. 화가 머리끝까지 치민 드미트리는 주먹을 번쩍 들어 죽어라고 그리고리를 내리쳤다. 노복은 아랫도리를 잘리기라도 한 듯 맥없이 쓰러져 버렸다. 드미트리는 그 위를 뛰어넘어 방문을 차고 안으로 들어갔다. 스메르쟈코프는 그 맞은편 구석에 있는 표도르 파블로비치 곁에 바싹 붙어 선 채 얼굴이 새파랗게 되어 후들후들 떨고 있었다.

"그년은 여기 있어!" 하고 드미트리는 고래고래 고함을 쳤다. "그년이 방금 이 집 쪽으로 돌아 들어가는 걸 내 눈으로 똑똑히 보았으니까. 미처 따라가 잡질 못했지만 틀림없어! 어디 있느냐, 그년은? 어디 있느냐 말이다?"

'그녀은 여기 있어!'라는 드미트리의 외침은 표도르에게 참으로 형언할 수 없는 느낌을 준 것 같았다. 모든 공포감이 순식간에 어디론지 날아가 버렸다.

"저놈을 잡아라, 저놈을 잡아!" 하고 그는 외치며 드미트리를 뒤쫓아 갔다. 그러는 사이에 그리고리는 방바닥에서 일어났으나, 아직도 정신이 얼떨떨한 모양이었다. 이반과 알료샤도 아버지의 뒤를 쫓아 안으로 달려 들어갔다. 셋째 방에서 별안간 무언가 방바닥에 떨어져 산산이 깨지는 소리가 났다. 그것은 대리석 받침 위에 놓아두었던 커다란 유리 꽃병(그리 값비싼 것은 아니었지만)이었다. 드미트리가 옆을 빠져나가다가 그것을 건드린 것이다.

"저놈 잡아라!" 하고 노인은 고함을 쳤다. "빨리들 와서 저놈을 잡아라!"

그제야 노인을 따라 잡은 이반과 알료샤가 억지로 그를 홀로 끌고 돌아왔다.

"어쩌자고 뒤쫓아 가는 거예요! 정말 형의 손에 죽고 싶어 그러시는 건가요!" 이반은 화를 내며 아버지한테 버럭 소리쳤다.

"바네치카(이반의 애칭), 알료샤! 그루셴카는 여기 있다, 여기 와 있다. 이리 들어오는 걸 저놈이 제 눈으로 보았다니까……."

그는 숨이 콱콱 막혀 오는 모양이었다. 설마 이런 시각에 그루셴카가 찾아오리라고는 꿈에도 생각지 못하고 있었기 때문에, 그녀가 여기 와 있다는 뜻밖의 소식을 듣자 그는 금세 모든 이성을 잃고 말았다. 온몸을 덜덜 떨고 있는 꼴이 흡사 정신 나간 사람 같았다.

"그렇지만 그 여자가 오지 않았다는 건 아버지 자신이 알고 있을 게 아닙니까!" 하고 이반이 외쳤다.

"아니야, 어쩌면 뒷문으로 해서 들어왔는지도 몰라."

"그 문은 잠겨 있어요. 열쇠는 아버지한테……"

이때 별안간 드미트리가 다시 홀에 나타났다. 그는 물론 뒷문이 잠겨 있는 걸 보고 온 것이다. 사실 뒷문의 열쇠는 표도르 자신의 호주머니 속에 들어 있었다. 뿐만 아니라 어느 방이나 창문이 모두 잠겨 있었다. 따라서 그루셴카가 기어들 틈바귀도 없거니와 빠져나갈 길도 없었다.

"저놈을 잡아라!" 드미트리를 보자, 표도르 파블로비치는 다시 찢어지는 것 같은 소리를 냈다. "저놈은 내 침실에서 돈을 훔쳐 갖고 나왔어!" 하며 그는 이반의 손을 뿌리치고 드미트리한테 대들었다. 그러나 드미트리는 두 손을 들어 노인의 관자놀이께에 조금 남아 있는 터럭을 움켜쥐고 자기 앞으로 당기더니, 쿵 하는 소리와 함께 그를 방바닥에 메어붙였다. 그러고도 모자라서 발밑에 나둥그러진 아버지의 얼굴을 구둣발로 두세 번이나 걷어찼다. 노인은 숨이 넘어갈 듯이 비명을 질렀다. 이반은 자기 형 드미트리만 한 완력은 없었으나, 두 손으로 형을 그러안고 간신히 아버지한테서 떼어 놓았다. 알료샤도 연약하나마 있는 힘을 모아 앞에서 큰형을 붙잡고 이반에게 가세했다.

"정신이 있소, 없소? 아버질 죽여 버릴 거요!" 하고 이반이 소리쳤다.

"이따위 영감쟁이는 죽어 마땅해!" 드미트리는 씨근거리며 외쳤다. "이것으로 죽지 않으면 다시 와서 죽이고 말 테니까. 아무도 나를 막진 못할 게다!"

"형님, 당장 여기서 나가 주십시오!" 하고 알료샤가 명령조로 말했다.

"알렉세이! 바른대로 말해 다오. 너밖엔 믿을 사람이 없다. 조금 전에 그년이 여기 왔니, 안 왔니? 그년이 골목길에서 울타리 옆을 빠져 이쪽으로 얼른 기어드는 걸 내 눈으로 보았기 때문에 하는 말이다. 내가 불렀더니 도망을 치고 말았어."

"정말로 여긴 오지 않았어요. 여기 있는 사람 중에서 그 사람이 올는지 모른다고 생각했던 사람은 아무도 없었으니까요!"

"그렇지만 분명히 내 눈으로 봤는데…… 그렇다면 그년은…… 아니, 그년이 어디 있는지 내가 곧 찾아내고야 말 테다……. 그럼 난 가겠다, 알렉세이! 일이 이렇게 됐으니 이솝 영감한테 돈 얘긴 아예 꺼내지도 마라. 그러나 카체리나 이바노브나한테는 지금 곧 가거라. '형이 인사를 전하라고 해서 왔습니다! 마지막으로 간곡한 인사를 전하라고 해서 왔습니다!'라고 꼭 말해야 한다. 그리고 여기서 벌어진 장면도 자세하게 설명해 줘라."

그러는 사이에 이반과 그리고리는 노인을 일으켜 안락의자에 앉혔다. 그 얼굴은 피투성이가 되어 있었지만, 정신만은 똑똑하여 드미트리의 고함 소리에 열심히 귀를 기울이고 있었다. 아직도 그에게는 그루셴카가 정말로 이 집 어딘가에 들어와 있는 것같이 생각되는 모양이었다. 드미트리는 밖으로 나가는 길에 증오에 찬 눈초리를 그에게 던졌다.

"당신 같은 영감쟁이의 피를 보게 했다고 해서 난 조금도 후회하진 않소!" 하고 그는 고함을 쳤다. "어서 실컷 단꿈이나 꾸시오. 하지만 영감, 조심하시오, 나한테도 꿈은 있으니까! 난 당신을 저주하겠소. 그리고 부자간 인연도 이것으로 끊어 버렸으니 그리 아시오."

이렇게 씹어 뱉듯 말하고 그는 방에서 달려 나갔다.

"그루셴카는 여기 있어, 틀림없이 이 집에 와 있어! 스메르쟈코프, 얘, 스메르쟈코프……" 노인은 손가락으로 스메르쟈코프를 부르며 들릴 듯 말 듯한 목쉰 소리로 말했다.

"오지 않았어요, 여기 있을 리가 없지 않습니까! 정말 머리가 돌아 버린 노인이로군." 이반이 퉁명스럽게 쏘아 붙였다. "아니, 기절해 버렸구나! 물 가져와, 수건도! 스메르쟈코프, 빨리 빨리!"

스메르쟈코프는 물을 가져오려고 달려 나갔다. 이윽고 그들은 노인의 옷을 벗기고 침실로 운반하여 침대에 뉘였다. 물수건을 머리에 둘러 주었다. 코냑과 격심한 심적 충격, 그리고 타박상 때문에 지칠 대로 지친 노인은, 머리를 베개에 얹자마자 금세 눈을 감고 죽은 듯이 잠들어 버렸다. 이반과 알료샤는 홀로 돌아왔다. 스메르쟈코프는 깨진 꽃병 조각을 치우고, 그리고리는 침울하게 눈을 내리뜨고 식탁 옆에 서 있었다.

"영감도 가서 자리에 누워 머리에 냉수 찜질이라도 하는 게 좋지 않을까" 하고 알료샤는 그리고리한테 말했다. "아버진 우리가 여기 남아서 간호해 드릴 테니. 큰형한테 호되게 얻어맞은 것 같던데……. 더욱이 머리를 그렇게 맞았으니……."

"어떻게 나한테 그렇게까지 할 수 있었을까요!" 그리고리는 잔뜩 찌푸린 얼굴로 한마디 한마디 힘을 주며 이렇게 말했다.

"그리고 어떻게 아버지한테도 '그렇게까지 할 수' 있었을까! 거기 비하면 그래도 영감은 약과야." 이반이 입을 실룩거리며 말을 받았다.

"어릴 땐 내 손으로 목욕까지 시켜 드렸는데…… 나한테 그렇게까지 하다니!" 하고 그리고리는 되풀이했다.

"칫, 내가 떼어 놓지만 않았더라도 아마 그대로 죽여 버렸을 거야. 그까짓 이솝 노인 하나쯤 해치우는 건 문제가 아닐 테니까!" 이반은 알료샤에게 속삭였다.

"아니, 그걸 말이라고 하세요!" 하고 알료샤는 외쳤다.

"왜, 못할 말을 했니?" 짓궂게 얼굴을 일그러뜨린 채 여전히 음성을 낮추어 가며 이반은 말을 이었다. "독사가 독사를 물어 죽이는 격이지. 결국은 둘 다 그렇게밖엔 할 수 없을 거야."

알료샤는 부르르 몸을 떨었다.

"그렇지만 물론 나는, 지금도 그랬지만 앞으로도 살인 사건이 일어나도록 내버려 두진 않을 테다. 알료샤, 넌 여기 있거라, 난 뜰에 나가 바람을 좀 쐬고 올 테니. 왜 그런지 골치가 아파 오는구나."

알료샤는 아버지 침실로 가서 한 시간가량 머리맡 병풍 밑에 앉아 있었다. 노인은 번쩍 눈을 뜨더니, 한참 동안 말없이 알료샤의 얼굴을 쳐다보았다. 기억을 더듬어 무엇인가를 생각해 내려고 애쓰는 것 같았다. 갑자기 그의 얼굴에는 격심한 흥분의 빛이 떠올랐다.

"알료샤." 노인은 조심스런 어조로 속삭였다. "이반은 어디 있니?"

"골치가 아프다고 뜰에 나갔어요. 거기서 감시를 하고 있는 거예요."

"거울을 다오. 저기 있는 저 거울말이다!"

알료샤는 장롱 위에 놓여 있는 동그란 거울을 집어 주었다. 노인은 거울을 들여다보았다. 코가 꽤 부어오르고 왼쪽 눈썹 위 이마에는 커다랗게 멍이 들어 있었다.

"이반은 뭐라고 하더냐? 알료샤, 나한텐 아들이라곤 너 하나밖엔 없다. 나는 이반이 무서워, 드미트리 놈보다 이반이 더 무섭단 말이다. 무섭지 않은 건 너뿐이야."

"뭐 이반을 무서워하실 건 없어요. 이반은 지금 화를 내고 있긴 하지만, 그래도 아버지를 지켜 줄 거예요."

"알료샤, 그래, 그놈은 어떻게 됐니? 곧장 그루셴카한테 달려갔겠구나! 얘, 귀여운 아들아, 제발 바른대로 말해 주렴. 아까 그루셴카가 정말 왔었니, 안 왔었니?"

"아무도 본 사람이 없는걸요. 그건 무슨 착각이었을 거예요. 아무튼 절대로 오지 않았어요!"

"그렇지만 미치카(드미트리의 비칭卑稱) 놈은 그루셴카와 결혼을 할 속셈이야, 결혼을!"

"그 여자는 형님과 결혼하지 않을 겁니다."

"하지 않고말고, 할 리가 있나! 할 리가 없지! 결혼 같은 건 절대로 할 리가 없지."

지금 그에게 있어 이보다 더 반가운 말은 다시없다는 듯이, 노인은 기쁨에 겨워 사뭇 몸을 떨기까지 했다. 그는 환희에 넘쳐 알료샤의 손을 덥석 잡아, 자기 가슴에 꼭 갖다 댔다. 그의 눈에는 눈물까지 번쩍이기 시작했다.

"너한테 성상을, 아까 내가 얘기한 그 성모상을 줄 테니 갖고 가거라. 수도원에 다시 돌아가는 것도 허락해 주마……. 아까 아침에 한 말은 농담이었으니까 너무 나쁘게 생각하진 말아라. 아, 머리가 아프구나. 알료샤…… 알료쉬카(알렉세이의 애칭은 알료샤, 혹은 알료쉬카), 내 마음이 진정되게 제발 사실대로 말해 다오!"

"또 그걸 물으시는 건가요—그 여자가 왔었느냐, 안 왔었느냐?" 알료샤는 서글픈 어조로 말했다.

"아니, 그게 아니야. 그건 네 말을 믿겠다. 내가 말하려는 건 다름 아니라, 네가 그루셴카한테 직접 가든가, 어떻게 하든가 해서, 그년을 만나 가지고, 될 수 있는 대로 빨리 알아 오란 말이다—나하고 그놈하고 둘 중에서 대체 어느 쪽을 택할 셈이냐고. 이 점을 네 눈으로 직접 확인해야 한다. 어때? 할 수 있겠니, 없겠니?"

"만나게 되면 물어보겠습니다만……" 알료샤는 난처하다는 듯이 중얼거렸다.

"아니야, 그년은 너한테 바른대로 대답할 리가 없어" 하고 노인은 말을 가로챘다. "그년은 변덕쟁이니까. 아마 다짜고짜 너한테 달려들어 키스를 하며, 난 당신하고 결혼할 테야요, 라고 할 거야. 그년은 거짓말쟁이야, 수치를 모르는 계집이야. 그러니까 너는 그런 데 가선 안 돼, 암, 안 되고말고!"

"그리고 내가 거기 가 봐야 좋은 일은 없을 겁니다, 아버지. 좋은 일이라곤 절대로 없어요."

"그 녀석은 너를 어디로 보내려고 했지? 아까 달아나면서 '지금 곧 가거라'라고 소리치던 것 같던데."

"카체리나 이바노브나한테 갔다 오라고 하더군요."

"돈 때문에? 돈을 좀 얻으려고?"

"아니, 돈 때문에 갔다 오라는 건 아닙니다."

"그 녀석은 돈이 없거든. 동전 한 닢도 가진 게 없어. 그건 그렇고, 알료샤, 나는 오늘 밤 푹 쉬면서 잘 생각해 볼 테니, 너는 이젠 가 보아라. 혹시 그루셴카를 만나게 될는지도 모르니까…… 하지만 내일 아침엔 꼭 나한테 들러야 한다, 꼭 들러야 해. 내일 너한테 몇 마디 할 말이 있어 그런다. 그럼 내일 오겠지?"

"오겠습니다."

"오겠거든, 문병을 하러 오는 것처럼 하고 오너라, 내가 오라고 했단 말은 아무한테도 하지 말고. 특히 이반한테는 한마디도 해선 안 된다."

"알겠습니다."

"그럼 잘 가거라. 너는 아까 내 편을 들어주었지, 죽어도 잊지 않겠다. 내일 너한테 할 말이 있긴 하지만…… 그러나 좀 더 생각해 봐야겠다."

"그런데 지금은 기분이 좀 어떠십니까?"

"내일이면 일어날 수 있을 게다. 내일은 어디 가 봐야 할 데가 있어. 뭐, 괜찮다, 아무렇지도 않아, 아무렇지도 않아."

뜰을 지나다가 알료샤는 대문 옆 벤치에 앉아 있는 이반을 만났다. 이반은 거기 앉아서 수첩에다 연필로 무언가 적어 넣고 있었다. 알료샤는 이반에게, 아버지가 눈을 뜨고 의식을 회복했다는 것과 그가 수도원으로 돌아가도 좋다고 말했다는 것 등을 전했다.

"알료샤, 내일 아침에 너를 좀 만났으면 좋겠는데." 이반은 벤치에서 일어서며 상냥하게 입을 열었다. 이처럼 상냥스런 태도는 알료샤에게는 참으로 뜻밖의 일이었다.

"나는 내일 호흘라코바 부인한테 가 봐야 합니다" 하고 알료샤는 대답했다. "그리고 오늘 카체리나 이바노브나를 만나지 못하면 내일 또 거길 가 봐야 할는지 모르고……"

"그럼 너 지금 카체리나 이바노브나한테 가는 길이구나! '마지막으로 간곡한 인사를 전하기 위해서'겠지?" 하며 이반은 히죽 웃었다. 알료샤는 약간 당황했다.

"나는 아까 형이 고함을 지르던 것이라든가, 전에 있었던 일들을 이젠 어느 정도 알 수 있을 것 같다. 드미트리가 너를 거기 보내는 것은, 필시 그 아가씨한테…… 뭐랄까…… 간단히 말해서, '마지막 인사'를 전해 달라는 거겠지?"

"형님! 아버지와 큰형 사이의 이 무서운 사건은 대체 앞으로 어떻게 끝을 맺을까요?" 하고 알료샤는 커다란 소리로 물었다.

"어떻게 된다고 단정할 수는 없어. 어쩌면 아무 일없이 흐지부지 끝나고 말는지도 모르지. 그 계집은 정말 짐승만도 못한 년이야. 아무튼 늙은이는 집에 꼭 가둬 두고, 드미트리는 집에 들이지 말아야 해."

"형님, 한 가지만 더 묻는데요, 어떤 사람이든지 딴 사람을 보고, 누구누구는 세상에 살 만한 자격이 있지만 누구누구는 그럴 자격이 없다고 제멋대로 결정할 권리가 있습니까?"

"무엇 때문에 자격을 결정하느니, 어쩌니 하는 말을 끄집어내는 거냐? 그런 문제는 자격 같은 걸 기초로 하는 것이 아니라, 그보다는 훨씬 자연스러운, 무언가 다른 이유에 의해 사람의 마음속에서 결정되는 경우가 제일 많은 법이야. 하지만 권리 그 자체로 말하면 누구든 무엇을 희망하는 권리는 다 갖고 있는 게 아니겠니?"

"그렇지만 딴 사람이 죽기를 희망하는 권리는 아니겠죠?"

"다른 사람이 죽기를 바란대도 할 수 없는 일 아니겠니? 사람들이 모두 그렇게들 살고 있는데, 라기보다는 그렇게밖엔 살 줄을 모르는데, 구태여 자기 자신에게 거짓말을 할 필요는 없겠지. 네가 그런 소릴 하는 건, 내가 아까 '두 마리의 독사가 서로 물어 죽이려 하고 있다'는 말을 했기 때문이 아니냐? 그렇다면 나도 한 가지 물어봐야겠다—너는 나도 역시 드미트리처럼 저 이솝 노인의 피를 흘리게 할 수 있는, 다시 말해서, 노인을 죽일 수 있는 인간이라 생각하니, 응?"

"무슨 말을 하는 거예요, 형님! 그런 건 꿈에도 생각해 본 적이 없어요! 나는 드미트리 형도 그런 일을 하지는 못할 거라고 생각해요."

"그렇게 말해 주는 것만으로 고맙다." 이반은 히죽 웃었다. "잘 들어 둬라. 나는 항상 아버지를 보호해 드리겠다. 그렇지만 이런 경우 나 자신의 희망 속에는 충분한 여유를 남겨 두고 싶어. 그럼 내일 또 만나자. 나를 너무 비난하진 마라. 나를 악당으로 생각하지 말아 달란 말이다" 하고 그는 미소를 띠우며 덧붙였다.

그들은 전에 없이 굳은 악수를 나누었다. 알료샤는, 형이 자기 쪽에서 먼저 그에게 한 걸음 접근해 온 데에는 필시 무슨 곡절이 있을 거라고 느꼈다.

10. 두 여인

알료샤는 아까 아버지 집에 들어갈 때보다 한층 더 침울하고 기진맥진한 심정으로 그 집을 나왔다. 그의 이성 역시 산산이 분쇄되어 흩어져 버린 것 같으나,

동시에 그는 흩어진 조각들을 다시 맞추어, 오늘 하루 동안에 겪은 온갖 고통스러운 모순 속에서 하나의 보편적인 개념을 끌어내는 것도 왜 그런지 두려운 느낌이 들었다. 알료샤로서는 아직 한 번도 경험한 바 없는, 무언가 거의 불안에 가까운 느낌이었다. 이러한 모든 것 위에 산처럼 높이 솟아 있는 것은, 그 무서운 여인을 사이에 둔 아버지와 큰형 드미트리와의 싸움이 과연 어떻게 끝을 맺을 것인가, 하는 가장 중요하면서도 해결할 길 없는 숙명적인 의문이었다. 이제는 그 자신이 이 싸움의 목격자가 된 셈이었다. 그는 두 사람이 맞서서 싸우는 것을 현장에서 자기 눈으로 똑똑히 보지 않았는가. 그렇지만 불행한 인간이라 생각되는 것은, 참으로 무섭게 불행한 인간이라 생각되는 것은, 오직 드미트리뿐이었다. 의심할 여지도 없는 가공할 재난이 그를 기다리고 있는 것이다. 그리고 이 문제에는, 알료샤가 전에 생각하고 있었던 것보다 훨씬 깊은 관계를 갖고 있는 것 같은, 다른 몇몇 사람들이 개재되어 있음이 판명되었다. 뿐만 아니라 무언가 수수께끼 같은 것까지 나타나기 시작했다. 작은형 이반은 알료샤가 오래전부터 바라던 대로 그에게 한 걸음 접근해 왔다. 그러나 그는 왜 그런지 이반의 접근에 오히려 불안을 느끼게 되는 것이었다. 그건 그렇고, 그 두 여인은 어떤가? 참으로 기묘한 일이기는 하지만, 아까 카체리나 이바노브나의 집을 향해 걷고 있을 때는 그처럼 심한 마음의 동요를 느끼고 있었는데, 지금은 전혀 그런 느낌이 없었다. 오히려 그와는 반대로, 그녀한테 가기만 하면 무슨 적절한 지시라도 받을 수 있을 것처럼 부지런히 걸음을 재촉하고 있는 것이다. 그렇지만 형이 부탁한 말을 그녀에게 전한다는 것은, 아까보다 한층 더 어려울 것같이 생각되었다. 3천 루블 건이 완전히 가망 없게 되어 버린 이상, 드미트리는 자기 자신을 영영 부정직한 인간으로 낙인찍고, 온갖 희망을 상실한 채, 이제는 어떠한 타락의 구렁텅이 앞에서도 결코 멈춰 서려 하지 않을 것이다. 더욱이 형은, 방금 아버지 집에서 일어난 사건까지도 카체리나 이바노브나한테 자세히 전하라고 말하지 않았는가.

알료샤가 카체리나의 집을 향해 떠났을 때는 벌써 저녁 일곱 시가 되어, 주위엔 어둠이 깃들기 시작하고 있었다. 그녀는 큰 거리에 위치한, 무척 널따랗고 편리한 집을 한 채 빌려 쓰고 있었다. 그녀가 두 이모와 함께 살고 있다는 것은 알료샤도 잘 알고 있었다. 그러나 그중 하나는 그녀의 배다른 언니 아가피야 이바노브나의 이모가 되는 사람이었다. 이 여자는 카체리나가 전문학교에서 아버지 집에 돌아왔을 때, 언니 아가피야와 함께 여러 가지로 그녀의 시중을 들어준, 바로 그 말수 적은 부인이었다. 다른 한 이모는 가난한 집안의 출신이면서도 굉장히 거드름을 피우는 모스크바 귀부인이었다. 소문에 의하면, 둘이 다 카체리나의 말이라면 무엇이든 고분고분 복종하고 있는 형편이어서, 그저 조카딸의 시중을 들고 있는데 지나지 않는다는 것이었다. 카체리나가 어렵게 여기고 있는 사람이라고는 신병 때문에 모스크바에 남아 있는 그녀의 은인인 장군 부인밖엔 없었는데, 그 부인한테는 자기의 생활 형편을 상세하게 알리는 편지를 매주 두 번씩 보내게 되어 있었다.

알료샤가 현관에 들어가서, 문을 열어 준 하녀에게 자기가 온 것을 안에 알려 달라고 부탁했을 때는, 안쪽 홀에서도 이미 그의 내방을 알아차린 모양이었다. (어쩌면 창문으로 내다보았는지도 모른다) 그러나 알료샤는 황급히 뛰어다니는 여자의 발자국 소리와 옷자락 스치는 소리 같은 것을 언뜻 들었을 뿐이었다. 두세 사람의 여자가 급히 다른 방으로 달려 들어가는 것 같았다.

알료샤는 자기의 방문이, 이 집에 그러한 파문을 일으킨 데 적이 놀라지 않을 수 없었다. 하여간 그는 곧 홀로 안내되었다. 그것은 우아한 가구들을 고루 갖추어 놓은 시골집답지 않은 커다란 방이었다. 여러 개의 소파와 안락의자, 크고 작은 탁자 등이 운치 있게 놓여 있고 사면의 벽에는 그림이 걸려 있으며, 탁자 위에는 각각 꽃병이며 램프가 놓여 있었다. 여기저기 꽃들이 소담스럽게 꽂혀 있고, 창가에는 커다란 어항까지 마련되어 있었다. 해가 떨어져 어스레할 무렵이라 방 안은 좀 어둑했으나, 알료샤는 조금 전까지 사람이 앉아 있었던 것으로 보이는 소파 위에 비단으로 만든 부인용 망토가 던져진 채로 있는 것을 알아볼 수 있었다. 소파 앞 탁자 위에는 먹다 남은 초콜릿 잔 두 개와 비스킷, 푸른 건포도를 담은 유리 접시와 과자 접시 등이 놓여 있었다. 누군가 먼저 온 손님이 있었던 모양이다. 알료샤는 딴 손님을 방해했구나, 생각하고 미간을 찌푸렸다. 그러나 바로 그 순간 방문에 드리운 두꺼운 커튼이 위로 들리더니 기쁨에 넘친 미소를 담뿍 머금고 두 손을 알료샤에게 내밀며 카체리나 이바노브나가 급한 걸음으로 방에 들어왔다. 이와 때를 같이하여 하녀 하나가 불을 켠 촛대를 두 개 들고 들어와 탁자 위에 놓았다.

"아이, 고다워라, 드디어 당신도 와 주셨군요! 나는 오늘 하루 종일 당신만을 위해 하느님께 기도를 드리고 있었답니다! 자, 어서 앉으세요."

카체리나의 아름다움은 전번에 만났을 때에도 알료샤에게 강한 충격을 주었었다. 그것은 카체리나 자신의 열렬한 희망에 따라, 3주일 전에 큰형 드미트리가 처음으로 그를 데리고 와서 그녀에게 소개해 주었을 때의 일이었다. 그러나 처음 만났을 때는 두 사람 사이에 직접적 대화는 없었다. 알료샤가 몹시 부끄럼을 타는 것 같아서 카체리나는 사정을 봐 주는 뜻에서 줄곧 드미트리만을 상대로 이야기했던 것이다. 알료샤는 가만히 듣고만 있었으나, 그사이에 그는 많은 것을 자세히 관찰할 수 있었다. 이 거만한 아가씨의 의젓한 품위, 강한 자부심과 자신이 엿보이는 여유 있는 태도에 그는 깊은 인상을 받았다. 더욱이 이 모든 것은 의심할 여지도 없는 것이었다. 알료샤는 자기가 받은 인상이 결코 과장된 것은 아닐 것이라고 생각했다. 그녀의 크고 정열적인 검은 눈이 놀라울 만큼 아름답다는 것, 그리고 그 눈이 그녀의 창백한, 약간 누르스름한 빛조차 띠고 있는 갸름한 얼굴에 특히 잘 어울린다는 것 등을 그는 발견했다. 그러나 그 우아한 윤곽을 지닌 입술에서도 그렇듯, 그 눈에서는, 그의 형이 홀딱 반한 것만은 틀림없을 것이지만, 그러나 결코 오래도록 사랑할 수는 없을 것 같은 그 무엇이 엿보이는 것이었다. 이 방문이 있은 후에 드미트리가 자기의 약혼녀를 보고 어떤 인상을 받았는지 숨김없이 말해 달라고 열심히 물었을 때, 알료샤는 자기 생각을 거의 그대로 털어놓았었다.

"형님은 그 아가씨와 함께라면 행복하실 테지요. 그러나 어쩌면…… 평화로운 행복은 아닐지도 모릅니다.”

“맞았어, 바로 그거야. 그런 여자는 언제까지나 그 모양일 테니까. 운명에 순종하려 하지 않거든. 그러니까 너는 내가 그 여자를 영원토록 사랑하지는 못할 거라고 생각한단 말이지?”

“아니, 어쩌면 영원히 사랑하실지도 모르죠. 그러나 항상 행복할 수는 없을 거예요.”

알료샤는 그때 이러한 의견을 말하며 얼굴을 붉혔었다. 그리고 형의 강청에 못 이겨 이따위 ‘어리석은’ 생각을 입 밖에 내어 말한 자기 자신이 원망스러웠다. 왜냐하면, 그것을 입 밖에 내자마자, 자기 자신도 터무니없이 어리석은 의견이라고 생각되었기 때문이다. 뿐만 아니라 자기 같은 것이 주제넘게 여자에 대해 무슨 의견을 발표했다는 것부터가 부끄럽게만 여겨졌다. 이러한 일이 있었으므로, 지금 자기한테로 달려 나온 카체리나의 모습을 본 그 순간, 그는 전번보다 더욱 크게 놀라, 혹시 자기가 그때는 이 여자를 잘못 보았던 것이나 아닌가 하는 생각까지 들 지경이었다. 지금 그의 눈앞에 서 있는 그녀의 얼굴은 꾸밈없는 소박한 선량함과 솔직하고 진지한 심정으로 환하게 빛나고 있었다. 전번에 그처럼 알료샤를 놀라게 한 그녀의 ‘의젓한 품위와 교만한 태도’ 속에서 그가 지금 찾아볼 수 있는 것은, 용감하고도 고상한 정력과 명랑하고도 강한 자기 신념뿐이었다. 그녀의 얼굴을 보자마자, 그리고 그녀의 입에서 나오는 처음 몇 마디 말을 듣자마자, 자기가 사랑하는 남자와 관련된 자기 위치의 비극성 같은 것은 이미 그녀에게 있어 전혀 비밀이 아니라는 것을 알료샤는 직감했다. 뿐만 아니라, 어쩌면 그녀는 이미 모든 것을 하나에서 열까지 죄다 알고 있을지도 모른다. 그럼에도 불구하고 그녀의 얼굴에는 밝디밝은 광명과 미래에 대한 믿음이 넘치고 있는 것이다. 알료샤는 문득 자기가 그녀에게 중대한 죄를 의식적으로 범하고 있는 것 같은 느낌이 들었다. 그는 순식간에 정복을 당하고 사로잡힘을 당해 버린 것이다. 그는 또한, 그녀의 처음 몇 마디 말을 듣자마자, 그녀가 어떤 격심한 흥분, 그녀로서는 좀처럼 있을 수 없는, 거의 황홀 상태에 가까운 격심한 흥분에 휩싸여 있음을 알아챌 수 있었다.

"내가 그처럼 당신을 기다린 것은, 지금 나한테 모든 걸 사실대로 말해 줄 사람이라곤 당신 한 분밖엔 없기 때문이에요—정말이지 당신 이외엔 아무도 없어요!"

"내가 온 건 다름 아니라……" 알료샤는 머뭇머뭇 중얼거렸다. "형이 보내서……"

"아, 그이가 보내서 오셨군요! 그럴 거라고 짐작은 하고 있었죠. 이젠 나는 모든 걸 죄다 알고 있어요, 죄다!" 하고 카체리나는 갑자기 눈을 반짝이며 외쳤다. "잠깐만 기다리세요. 알렉세이 표도로비치, 내가 왜 당신이 오시길 그처럼 기다렸는지, 우선 그것부터 말씀드릴 테니. 나는 아마 당신보다도 훨씬 많은 것을 알고 있을 거예요. 따라서 당신한테서 무슨 정보를 듣자는 건 아니에요. 나는 다만 당신 자신이 받은 인상, 최근에 그이한테서 받은 당신의 개인적인 인상을 듣고 싶은 거예요. 그러니까 모든 것을 꾸밈없이 솔직하게 말씀해 주세요. 추잡한 얘기라도 괜찮아요. (네, 아무리 추잡한 얘기라도 괜찮으니까요!) 오늘 당신을 만났을 때 그이의 심적 상태는 어떠했는지 말씀해 주세요. 내가 그이한테서 직접 설명을 듣느니보다는 이렇게 당신한테 물어보는 편이 좋을 것 같군요. 그이는 나한텐 오고 싶어 하지 않으니까요. 이젠 아셨죠, 내가 당신한테 원하는 게 무엇인지, 그다음엔 그이가 무슨 일로 당신을 이리 보냈는지 (나는 틀림없이 당신을 보낼 거라고 생각하고 있었어요!) 간단히 요점만 말씀해 주세요!"

"형은 당신한테…… 인사를 전해 달라고 하더군요. 다시는 여기 오지 않을 거라면서…… 당신한테 작별 인사를 전해 달라고 했습니다."

"작별 인사를요? 그이가 그렇게 말하던가요? 그런 식으로 말했단 말이죠?"

"그렇습니다."

"혹시 무심코 말을 잘못한 건 아닐까요? 적당한 말이 얼른 생각나지 않았다든가 해서……"

"아닙니다, 형은 당신한테 꼭 '작별 인사'를 전해 달라고 부탁했습니다. 잊지 말라고 세 번씩이나 다짐을 했으니까요."

카체리나는 얼굴이 확 붉어졌다.

"나를 도와주세요, 알렉세이 표도로비치, 지금이야말로 나한텐 당신의 도움이 필요해요. 내 생각을 당신한테 말씀드릴 테니, 그걸 들으시고 내 생각이 옳다든가, 그르다든가 그것만을 말씀해 주세요. 그럼 말씀드리겠어요—만일 그이가 아무렇지도 않은 어조로, 특히 그 말에 힘을 주거나 하지도 않고, 나한테 그런 말을 전하라고 했다면, 일은 그것으로 완전히 끝나고 마는 거예요! 하지만, 만일 그이가 특히 그 말을 강조하며 '작별 인사'를 꼭 전해 달라고 당부했다면, 아마 그이는 몹시 흥분해서 제정신이 아니었다고 할 수 있겠죠. 그렇게 결심은 하고서도, 자기의 결심을 두려워하고 있는 거예요! 확고한 걸음걸이로 내 곁을 떠나간 것이 아니라, 가파른 언덕길을 눈 딱 감고 달려 내려간 것뿐예요! 그 말에 특히 힘을 준 것은 단순한 허세에 지나지 않을 거예요!"

"맞았어요, 그렇습니다!" 하고 알료샤는 열띤 어조로 외쳤다. "나도 지금은 그렇게 생각됩니다."

"그래서 만일 그렇다면 그이는 아직도 가망이 있습니다. 다만 자포자기하고 있을 뿐이니까, 아직은 내 힘으로 그이를 구할 수 있을 거예요. 아 참, 그이는 당신한테 돈 얘기 3천 루블 얘기를 하지 않던가요?"

"물론 얘기했죠. 형을 제일 괴롭히고 있는 건 바로 그 문제일 겁니다. 형은, 이렇게 된 이상 명예고 뭐고 모두 상실했으니 이젠 어떻게 되든 매한가지라고 하더군요." 알료샤는 흥분한 어조로 대답했다. 그는 자기 형을 구원할 수 있는 길이 있을지도 모른다는 희망이 자기 가슴속에 용솟음쳐 오르는 것을 느꼈다. "그럼 당신은…… 그 돈에 관해서 알고 있었습니까?" 그는 이렇게 덧붙였으나, 갑자기 입을 다물어 버렸다.

"벌써부터 알고 있었죠. 확실히 알고 있었어요. 모스크바에 전보로 조회해서 돈이 송달되지 않았다는 건 벌써 오래전에 알았습니다. 그이는 돈을 부치지 않았어요. 그러나 나는 아무 말도 안 했습니다. 지난주에야 나는 그이가 그때 돈을 필요로 했다는 것, 그리고 지금도 역시 돈 때문에 몹시 애태우고 있다는 것을 알았지요. 나는 여기서 한 가지 목적을 세웠어요. 즉, 그이로 하여금 자기가 결국은 누구한테로 돌아가야 하는가, 그리고 누가 자기한테 가장 충실한 친구인가를 깨닫게 하자는 거죠. 그이는 내가 그이한테 가장 충실한 벗이라는 걸 믿으려 하지 않거든요. 내가 어떤 인간인가를 알려 하지 않고, 다만 하나의 여자로서 나를 보고 있을 뿐이죠. 그이가 그 3천 루블을 써 버린 것을 부끄럽게 여기지 않고 나를 대할 수 있게 하려면, 대체 어떻게 하면 좋을까 하고, 나는 지난 일주일 동안 줄곧 애를 태우며 생각했어요. 세상 사람들이라든가 자기 자신에 대해서라면 수치를 느껴도 좋지만, 적어도 나한테만은 그런 일로 부끄러움을 느끼지 말게 하자는 거죠. 그이는 하느님한테는 부끄럼 없이 모든 걸 고백할 수 있습니다. 그런데 어째서 그이는 내가 그이를 위해서라면, 무슨 일이든 다 참을 수 있다는 걸 알아주지 않을까요? 어째서, 어째서 그이는 내 마음을 몰라줄까요? 그러한 여러 가지 일들이 있은 후인데, 어째서 내 마음을 알아주려 하지 않는 걸까요? 나는 어떻게 해서든지 그이의 영혼을 구해 주고 싶어요. 내가 그이의 약혼녀라는 걸 그이가 잊어버린대도 나는 개의치 않겠어요! 그런데도 그이는 내 앞에서 자기의 명예 같은 걸 염려하고 있거든요! 알렉세이 표도로비치, 당신한테는 아무 거리낌 없이 모든 걸 털어놓지 않았느냐 말이에요! 그런데 어째서 나한테는 여태까지 아무 말도 해 주지 않는 걸까요?"

그녀는 울먹이는 어조로 호소하듯 말했다. 그 눈에는 어느새 눈물이 넘쳐흘렀다.

"나도 당신한테 얘기해야 할 일이 있습니다" 하고 알료샤는 떨리는 목소리로 말했다. "다름 아니라, 조금 전에 형과 아버지 사이에 벌어진 사건입니다" 이렇게 말하고, 그는 오늘 아버지 집에서 일어난 일들을 처음부터 끝까지 얘기해 주었다. 돈 때문에 형이 자기를 아버지한테 보냈었다는 거며, 거기에 형이 나타나서 아버지한테 폭행을 가했다는 거며, 그다음에 형이 자기를 보고, 즉 알료샤를 보고 '인사를 전하러' 가 달라고 또 한 번 다짐을 하면서 거듭 부탁하더라는 얘기를 모조리 들려주었다. "그러고 나서 형은 그 여자한테 갔답니다" 하고 알료샤는 음성을 낮추어 덧붙였다.

"그럼 당신은 내가 그 여자를 미워하고 있을 거라고 생각하시나요? 내가 그 여자를 미워한다고 그이는 생각하겠죠? 그렇지만 그이는 그 여자하곤 결혼하지 않을걸요." 그녀는 별안간 신경질적으로 웃어댔다. "과연 카라마조프네 사람이 그런 정열을 언제까지나 계속해서 불태울 수 있을까요? 그건 정욕이지 사랑은 아녜요. 형님은 결코 결혼하지 않을 거예요. 첫째, 여자 편에서 하려 하지 않을 테니까요" 하며 카체리나는 또다시 야릇한 웃음을 터뜨렸다.

"그래도 어쩌면 정말 결혼할지도 모릅니다." 알료샤는 눈을 내리깔며 서글픈 듯이 말했다.

"절대로 결혼 같은 건 하지 않는다니까요! 그 처녀는 천사와 같은 사람이에요, 그걸 아세요? 당신은 그걸 아세요?" 갑자기 카체리나는 이상하리만큼 열띤 어조로 외쳤다. "그 처녀만큼 기이한 성격을 지닌 사람은 아마 세상에 둘도 없을 거예요. 나는 그 처녀가 남자를 유혹하는 힘을 가진 여자라는 것도 알고 있지만, 또한 선량하고 착실하고 고상한 성품을 지닌 사람이라는 것도 잘 알고 있어요. 어째서 그런 눈초리로 나를 노려보시죠, 알렉세이 표도로비치? 내 말에 놀라신 모양이군요? 아마 내 말이 믿어지지가 않는가 보죠? 아그라페나 알렉산드로브나(그루셴카의 정식 이름)!" 하고 카체리나는 갑자기 옆방을 향해 커다란 소리로 누군가를 불렀다. "이리 나오세요, 당신도 잘 아는 분이니까. 알료샤예요, 우리 일을 다 잘 알고 계시는군요. 어서 나와서 인사드려요!"

"난 커튼 뒤에서 당신이 불러 주시기만 기다리고 있었는데요, 뭐." 아양 섞인 부드러운 여자의 목소리가 들렸다.

방문에 드리운 포장布帳이 들리더니, 다름 아닌 바로 그루셴카가 기쁜 듯이 상글상글 웃으며 탁자 앞으로 다가왔다. 알료샤는 마치 뱃속의 창자가 갑자기 뒤틀리는 것 같은 기분을 느꼈다. 그의 시선은 그루셴카 위에 못 박힌 채 좀처럼 눈을 뗄 수가 없었다. 이게 바로 그 여자다, 반 시간 전에 작은형 이반이 무심코

'짐승'이라고 말한 바로 그 무서운 여자인 것이다. 그러나 지금 알료샤 앞에 서 있는 여자는, 언뜻 보기에도 지극히 평범하고 소박한 여성—그저 선량하고 귀엽게만 보이는 여성이었다. 물론 아름답기는 하지만, 그러나 '세상에서 흔히 볼 수 있는' 다른 아름다운 여성들에 비해 별로 다를 것이 없는 평범한 미인이었다. 아무튼 아름다운 것만은, 굉장히 아름다운 것만은 사실이다. 그것은 많은 사내들로부터 미칠 듯한 사랑을 받을 수 있는 러시아적인 아름다움이었다. 키는 꽤 큰 편이었으나, 카체리나보다는(이 아가씨는 또 유난히 키가 컸다) 조금 작았다. 토실토실 살찐 몸집, 부드럽고 조용한 동작은, 그 음성이 그렇듯, 무언가 달콤한 기운을 풍기는 것처럼 나긋나긋했다. 그녀는 카체리나처럼 힘차고 대담한 걸음걸이가 아니라, 그와는 반대로, 소리도 없이 사뿐사뿐 걸어 들어왔다. 그 발은 마룻바닥에 닿아도 전혀 소리가 나지 않았다. 그녀는 호화로운 검은 빛 비단 옷자락을 사각사각 스치며 가벼운 동작으로 안락의자에 앉더니, 값진 검은 빛 캐시미어 숄로 우유처럼 희고 보드라운 목과 풍만한 어깨를 살며시 감쌌다. 나이는 스물둘, 얼굴은 바로 그 나이에 꼭 어울려 보였다. 얼굴빛은 투명할 만큼 희지만 양쪽 볼은 연분홍빛 홍조를 띠고 있었다. 얼굴 윤곽은 너무 넓은 느낌이었으나, 아래턱이 약간 앞으로 나온 것같이 보였다. 윗입술은 무척 얇은 편인데, 비죽 나온 것 같은 아랫입술은 두 배가량이나 두꺼워서 통통 부은 것 같았다. 그러나 멋지다고밖엔 형용할 길이 없는 풍부한 암갈색 머리털과 검은 담비(黑貂)처럼 새까만 눈썹과 속눈썹이 긴 청회색 아름다운 눈은, 아무리 혼잡한 인파 속을 무심히 걷고 있는 무관심한 남자라 할지라도, 별수 없이 시선이 끌려 우뚝 걸음을 멈추고, 오래도록 그 인상을 마음에 새겨 두지 않을 수 없을 만한 것이었다. 그녀의 얼굴에서 알료샤의 마음을 가장 강하게 감동시킨 것은, 어린애처럼 티 없이 순진한 표정이었다. 그녀는 정말 어린애 같은 눈을 하고 있었고, 무언가 어린애 같은 기쁨을 느끼고 있는 듯이 보였다. 사실, '기쁜 듯이' 탁자 쪽으로 다가온 그녀의 모습은, 마치 호기심에 가득 찬 어린애가 무슨 재미있는 일이 있기를 초조한 마음으로 기대하고 있는 것 같은 그런 표정이었다. 그녀의 눈길에는 무언가 사람의 기분을 들뜨게 하는 것이 있었다—알료샤는 그것을 민감하게 느꼈다. 또한 그녀에게는, 그로서는 이해할 수 없는, 이해하려는 엄두조차 낼 수 없는, 그러나, 그도 필시 무의식중에 느꼈을 무엇인가가 있었다. 그것은 앞서 말한 바 있는 그녀의 육체의 움직임의 부드러움과 조용함, 고양이처럼 소리를 내지 않는 그 동작의 탄력성이었다. 그러나 그것은 힘에 넘치는 풍만한 육체였다. 숄 밑으로는 탐스러운 어깨와 아직도 처녀다운 볼록한 젖가슴이 느껴졌다. 그것은 밀로Milo의 비너스 상像을 재현할 수도 있는 그러한 육체였다. 하기는 지금도 약간 과장된 느낌인 그 조화 속에서, 그것은 이미 예견할 수 있는 일이었다. 러시아의 여성미를 연구한 사람이라면, 그루셴카를 보고 다음과 같이 자신 있게 예언할 수 있을 것이다—이 젊음에 넘치는 싱싱한 아름다움도 서른 살 가까이 되기만 하면 벌써 조화를 잃어 뚱뚱해지고, 얼굴은 부석부석해지고, 눈언저리와 이마에는 눈 깜짝할 사이에 잔주름이 가득 생기고, 얼굴빛은 윤기를 잃고, 어쩌면 불그죽죽하게 변해 버릴지도 모른다—요컨대 이것은, 특히 러시아 여성에게서 흔히 볼 수 있는 이른바 순간적인 아름다움, 영속성 없는 아름다움이다, 라고. 물론 알료샤는 이런 걸 생각하고 있었던 것은 아니다. 그녀에게서 매력을 느낀 것은 사실이지만, 속으로는 어쩐지 불쾌하고도 유감스런 기분을 느끼며, 어째서 이 여자는 자연스럽게 말을 하지 못하고 저렇게 자꾸만 말끝을 길게 끄는 걸까, 하고 자기 자신에게 물어보는 것이었다. 아마도 그렇게 말끝을 길게 끌며 일부러 애교를 떠는 것을 그녀는 무슨 특별한 매력이나 되는 것처럼 생각하는 모양이었다. 그러나 그것은 물론, 그녀의 무교양과 어릴 적부터의 그릇된 예의 관념을 폭로하는 저속한 버릇에 지나지 않았다. 알료샤에게는, 그녀의 그러한 발음이며 어조가, 그 어린애처럼 순진하고 기쁨에 찬 얼굴 표정이라든가, 고요하고도 행복스럽게 빛나는 눈빛과는 거의 믿을 수가 없을 만큼 심한 모순을 자아낸다고 생각되었다. 카체리나는 곧 그녀를 알료샤 맞은편 의자에 앉히고는, 그 미소를 띠운 입술에 몇 번이나 연거푸 열렬한 키스를 퍼부었다. 카체리나는 흡사 그녀에게 반하기라도 한 것 같은 태도였다.

"알렉세이 표도로비치, 우린 오늘 처음으로 만났답니다" 하고 그녀는 기쁨을 억제할 수 없다는 듯이 말했다. "나는 이분을 알고 싶었어요, 만나보고 싶었어요. 그래서 내가 한번 찾아가려던 참인데, 이분이 내 희망을 받아들여 먼저 찾아와 주지 않았겠어요! 이분과 함께라면 무슨 일이든 죄다 해결 지을 수 있을 거라고 나는 확신하고 있었어요! 어쩐지 그런 예감이 들더군요. 모두들 그건 안 된다고 나를 말렸지만, 나는 결과를 미리부터 알고 있었죠. 결국 내 생각은 틀리지 않았어요. 그루셴카는 흉금을 털어놓고 모든 걸 나한테 말해 주었어요. 자기가 생각하는 바를 죄다 얘기해 주었죠. 이분은 천사처럼 이 집에 날아와서 평화와 기쁨을 우리에게 안겨 주었어요."

"당신은 나 같은 계집도 결코 경멸하지 않으셨어요. 참으로 훌륭한 아가씨셔요." 여전히 그 애티 있는 즐거운 미소를 띠우면서 그루셴카는 노래 부르듯 말끝을 길게 끌었다.

"내 앞에서 그런 말은 아예 하지 마세요. 당신 같은 매혹적인 애굣덩어리를 내가 경멸하다니! 자, 한 번만 더 그 아랫입술에 키스하게 해 줘요. 당신 아랫입술은 통통하게 부어오른 것 같지만, 좀 더 부어오르게 해야죠. 자, 한 번만 더, 한 번만 더…… 보세요, 알렉세이 표도로비치, 저 웃는 얼굴을! 저 천사 같은 얼굴을 보고 있으면 절로 마음이 유쾌해져요."

알료샤는 얼굴을 붉힌 채, 눈에 띄지 않을 정도로 가늘게 몸을 떨고 있었다.

"아가씨는 그렇게까지 나를 귀여워해 주시지만 어쩌면 나는 그런 귀여움을 받을 만한 자격이라곤 전혀 없는 계집인지도 몰라요."

"자격이 없다고요! 이분이 글쎄 그만한 자격이 없다는군요!" 카체리나는 여전히 흥분한 어조로 이렇게 외쳤다. "알렉세이 표도로비치, 이분은 제멋대로 엉뚱한 짓을 하길 좋아하지만, 그 대신에 더없이 높은 프라이드를 가진 사람이랍니다! 이분은 말이에요, 알렉세이 표도로비치, 참으로 고상하고 관대한 마음씨를 가진 사람이에요. 그걸 당신은 아세요? 다만 이분은 불행했을 뿐이에요. 보잘것

없는, 이라기보다는 경박한 남자를 위해, 너무나 일찍이 모든 희생을 감수할 결심을 했던 것뿐이죠. 어떤 남자가 있었답니다. 그도 역시 장교였는데, 이분은 그 남자를 사랑하게 되어 모든 것을 그에게 바쳤어요. 이것은 벌써 꽤 오래전의, 그러니까 지금으로부터 5년 전의 일이었어요. 그런데 그 남자는 이분을 잊어버리고 다른 여자와 결혼하고 말았거든요. 그러고는 요새 와서 상처喪妻를 했다면서 이리로 오겠다는 편지를 보내왔다는 거예요. 이분은 말이에요, 아시겠어요, 이분은 여태까지 그 사람만을 사랑해 왔고 지금도 오직 그 사람만을 사랑하고 있다는군요! 그 사람이 돌아오면 그루셴카도 다시 행복해지겠지만, 지난 5년 동안은 그야말로 불행의 연속이었지요. 그렇지만 이분을 꾸짖을 수 있는 사람은 대체 누구며, 이분의 관대한 마음씨를 자랑할 수 있는 사람은 대체 누구겠습니까? 저 병석에 누워 있는 늙은 상인밖엔 없지 않습니까! 하지만 그 사람은 이분의 아버지나 친구나 혹은 보호자라고 하는 편이 보다 적절할 거예요. 그때 사랑하는 남자한테 버림을 받고, 고뇌와 절망의 구렁텅이 속에 빠져 있던 이분 앞에 나타난 것이 바로 그 노인이었죠. 이분은 그때 투신자살을 하려고까지 결심했었거든요. 그러니까 그 노인은 이분의 생명을 건져 준 셈이에요, 이분의 생명을!"

"당신은 열심히 나를 두호해 주시는군요. 아가씨, 그렇지만 모든 면에서 너무 조급하게 서두르시는 것 같아요." 그루셴카는 이번에도 말끝을 끌며 이렇게 말했다.

"두호한다고요? 당신을 두호하다니, 어떻게 감히 내가 그런 짓을 할 수 있겠어요? 천사 같은 그루셴카, 손을 이리 좀 주세요. 이 토실토실한 예쁜 손을 보세요, 알렉세이 표도로비치, 이 손을 좀 보시라니까요! 이것이 나에게 행복을 가져다주고, 나를 소생케 해 준 바로 그 손이랍니다. 내가 지금 이 손에, 이 손등과 이 손바닥에 고루 키스를 할 테니, 자 보세요, 이렇게, 이렇게! 그리고 또 이렇게!"

카체리나는 마치 황홀한 기분에 도취된 듯, 좀 지나치게 통통한, 참으로 예쁜 그루셴카의 손에 세 번이나 연거푸 입을 맞췄다. 그루셴카는 상대방에게 자기 손을 내맡긴 채, 발작적이면서도 음악적인 아름다운 웃음소리를 내면서 '이 친절한 아가씨'의 거동을 지켜보고 있었다. 아마도 이렇게 자기 손에 입 맞추게 하는 것에 일종의 쾌감을 느끼는 눈치였다.

'아무래도 자기 기분에 너무 도취된 것 같군' 하는 생각이 알료샤의 머릿속을 스치고 지나갔다. 그는 갑자기 얼굴을 붉혔다. 두 여인이 말을 주고받는 동안 그의 가슴은 어떤 기묘한 불안감에 휩싸여 있었다.

"아가씨, 알렉세이 표도로비치 앞에서 이렇게 내 손에 키스를 하시면 나는 부끄러워 어떡하죠!"

"내가 뭐 당신을 부끄럽게 해 주려고 그러는 줄 아세요?" 하고 카체리나는 약간 놀란 듯이 말했다. "아아, 당신은 내 마음을 몰라주시는군요!"

"그렇지만 아가씨, 당신 역시 내 마음을 전혀 이해하지 못하고 계실 거예요. 나는 당신이 생각하시는 것보다 훨씬 나쁜 계집일지도 몰라요. 나는 짓궂은 심보를 가진 고집쟁이에요. 저 가엾은 드미트리 표도로비치만 하더라도, 나는 그때 장난삼아 한번 유혹해 본 데 지나지 않거든요."

"하지만 지금은 당신 자신이 그이를 구해 주려 하고 있으니까요! 당신이 나한테 그렇게 약속하셨죠? 당신은 오래전부터 다른 사람을 사랑해 왔는데, 지금 그 사람이 당신에게 다시 청혼하고 있다는 걸 드미트리 표도로비치에게 죄다 설명해 주어 그이의 눈을 뜨게 해 주겠다고 말이에요."

"어머나, 그렇잖아요! 난 그런 약속은 하지 않았어요. 그건 당신 자신이 하신 말씀이지, 내가 약속한 건 아녜요."

"그럼 내가 잘못 생각했던가 보군요." 카체리나는 나직이 말했으나, 그 얼굴은 약간 해쓱해진 것 같았다. "그래도 당신은 분명히 그렇게……"

"아녜요, 아가씨, 나는 아무런 약속도 하지 않았어요." 여전히 명랑하고 순진한 표정으로 그루셴카는 침착하고 태연하게 말을 가로챘다. "이젠 아셨죠, 아가씨, 당신에 비해 내가 얼마나 비열한 변덕쟁이인지? 나는 마음만 내키면 무슨 짓이든 당장에 해내는 성미랍니다. 아까는 정말 무슨 약속을 했는지도 모르지만, 지금 다시 생각해 보니, 그이가, 미챠가, 또 좋아질지 모른다는 생각이 드는군요. 전에도 미챠가 무척 마음에 든 적이 한 번 있었거든요. 거의 한 시간 동안이나 계속해서 그이한테 반해 있었으니까요. 그러니까 지금 집에 돌아가서 곧 그이한테, 당장 오늘부터라도 우리 집에서 나와 함께 살자고 할지도 모르겠어요……. 나는 원래가 이렇게 변덕이 심한 계집이랍니다."

"아까 당신이 한 말은…… 그와는 전혀 다른 것이었는데요……." 카체리나는 간신히 이렇게 중얼거렸다.

"아, 아까는 아까고요! 나는 마음이 약한 어리석은 계집이거든요. 그이가 나 때문에 얼마나 괴로워했는지 그걸 생각하면 나는 참을 수가 없어요! 이제 집에 돌아가서, 갑자기 그이가 가엾어지면—아아, 그때는 정말 어떻게 될까요?"

"난 그런 건 꿈에도 생각지 못했어요."

"아가씨, 나 같은 것에 대면 당신은 얼마나 너그럽고 훌륭한 분인지 모릅니다. 그러나 이젠 이런 바보 같은 계집은, 나 같은 못된 성미의 계집은 보기도 싫어지셨겠죠. 천사 같은 아가씨, 당신의 그 아름다운 손을 이리 좀 주세요" 하고 그녀는 상냥하게 말하고서 공손하게 카체리나의 손을 잡았다.

"자, 아가씨, 이렇게 당신 손을 잡고, 당신이 해 주신 것처럼 나도 이 손에 키스를 하겠어요. 당신은 세 번 키스해 주셨지만, 셈을 치르기 위해서 나는 3백 번 키스를 해야 할 거예요. 하긴 그게 당연하죠. 그렇게 하고 나면 그다음은 하느님의 뜻에 따라 나는 어쩌면 당신의 완전한 노예가 되어 무슨 일이든 당신이 원하시는 대로 노예처럼 봉사할지도 모르죠. 무슨 협약이니 약속이니 하는 건 빼 버리고 하느님께서 정해 주시는 대로만 해 나가면 되지 않겠어요? 아아, 이 손, 어쩌면 이렇게도 예쁠까, 이 손은! 참으로 친절하신 아가씨, 뭐라고 형용할 수 없을 만큼 아름다우신 아가씨!"

키스의 '셈을 치른다'는 기묘한 목적을 위해 그루셴카는 상대방의 손을 천천히 자기 입술로 가져갔다. 카체리나는 그 손을 뿌리치려 하지 않았다. 그녀는 미심한 희망을 품고, 이것 역시 기묘한 표현이기는 했지만, '노예처럼' 봉사하겠노라는 그루셴카의 말을 귀담아들었다. 그녀는 긴장된 얼굴로 그루셴카의 눈을 들여다보고 있었다. 그 눈 속에는 여전히 신뢰 어린 순진한 표정과 변함없는 명랑한 빛이 떠돌고 있었다.

'이 여자는 지나칠 만큼 순진한지도 모른다!'라는 희망이 카체리나의 가슴속을 스치고 지나갔다.

한편, 그루셴카는 아가씨의 예쁜 손에 황홀을 느끼는 듯한 표정으로 천천히 그것을 입술로 가져갔다. 그러나 입술 가까이까지 가져갔을 때, 그녀는 갑자기 무언가를 생각하는 듯, 그 손을 이삼 초 동안 그대로 붙잡고 있었다.

"그런데요, 아가씨" 하고 그녀는 더욱 부드럽고 더욱 달콤한 목소리로 말끝을 끌었다. "모처럼 당신 손을 잡긴 했습니다만, 키스는 그만두기로 하겠어요." 그러고는 재미있어 죽겠다는 듯이 킬킬거리며 웃어댔다.

"좋도록 하세요……. 왜 그러죠?" 카체리나는 흠칫 몸을 떨었다.

"어쨌든 이것만은 잘 기억해 두세요. 당신은 내 손에 키스를 하셨지만, 나는 하지 않았다는 걸 말이에요."

갑자기 그루셴카의 눈 속에서 무언가 번쩍 빛나는 것이 있었다. 그녀는 카체리나의 얼굴을 뚫어지게 응시했다.

"건방진 것 같으니!" 문득 무엇인가 깨달은 듯이 카체리나는 이렇게 뇌까리고는 얼굴이 온통 빨갛게 되어 자리에서 벌떡 일어났다. 그루셴카도 천천히 따라 일어났다.

"그럼 곧 미챠한테 얘기해 줘야겠군요, 당신은 내 손에 키스하셨지만, 나는 하지 않았다고. 아마 재미있다고 한바탕 웃어 댈 거예요!"

"더러운 계집 같으니, 당장 꺼져 버려!"

"어머나, 부끄럽지도 않으세요, 아가씨! 당신 같은 분이 그런 상스런 말을 입에 담으시다니, 그건 정말 수치스런 일입니다."

"빨리 나가지 못해, 갈보 년!" 하고 카체리나는 소리쳤다. 일그러질 대로 일그러진 그 얼굴은 온통 경련을 일으킨 듯 떨고 있었다.

"네, 갈보라고 부르셔도 좋아요. 그렇지만 그렇게 말하는 당신 역시 처녀의 몸으로 돈이 탐이 나서 어두운 밤에 젊은 사내한테 찾아다니지 않았습니까? 그 예쁜 얼굴을 팔러 가지 않았었느냐 말이에요! 다 알고 있다니까!"

카체리나는 악! 소리를 지르며 상대방에게 달려들었으나, 알료샤가 있는 힘을 다하여 그녀를 제지했다.

"한 걸음도 나가서는 안 됩니다! 한마디도 대꾸해서는 안 됩니다! 아무 말도 하지 말고 가만 계십시오! 저 사람은 갈 겁니다, 지금 곧 갈 겁니다!"

바로 이때 카체리나의 이모들과 하녀가 그녀의 부르짖음 소리를 듣고 방 안으로 뛰어 들어왔다. 모두들 카체리나에게로 달려갔다.

"네, 가겠어요." 소파에서 망토를 집어 들며 그루셴카는 말했다. "알료샤, 나 좀 데려다 줘요, 네!"

"가십시오, 빨리 돌아가 주십시오!" 알료샤는 애원하듯 그녀를 향해 두 손을 모으며 말했다.

"귀여운 알료셴카, 그러지 말고 데려다 줘요, 네! 가는 길에 아주 좋은 얘기 하나 들려줄 테니! 지금 장면은 당신을 위해 내가 일부러 연극을 해 보인 것뿐이에요. 알료셴카, 데려다 줘요, 나중에 가서 반드시 잘했다고 생각하게 될 테니."

알료샤는 두 손을 움켜쥐며 옆으로 얼굴을 돌려 버렸다. 그루셴카는 깔깔 웃어 대며 밖으로 뛰어나갔다.

카체리나는 히스테리 발작을 일으켰다. 경련 때문에 숨이 콱콱 막히는지, 어깨를 들먹거리며 흑흑 느껴 울고 있었다. 모두들 주위에 모여 서서 어찌할 바를 모르고 허둥거렸다.

"그러게 내가 뭐라던!" 나이 많은 쪽 이모가 말했다. "그런 짓은 안 된다고 내가 말리지 않았어? 너는 너무 외곬로만 나가려 해서 탈이야……. 그런 무모한 짓을 하는 사람이 어디 있겠니! 너는 그런 계집이 어떤지를 잘 모르니까 그렇지, 내가 듣기엔 그년은 정말 개와 다를 것이 없는 계집이라더라……. 너는 너무 고집이 세서 큰일이야!"

"그년은 호랑이예요!" 하고 카체리나는 고함을 쳤다. "왜 당신은 나를 붙잡았어요, 알렉세이 표도로비치? 당신만 아니었어도 그년을 마구 두들겨 패 주었을 건데, 실컷 두들겨 패 주었을 건데!"

그녀는 알료샤 앞에서도 자기 자신을 억제할 수가 없었다. 아니, 억제하려 하지도 않았는지 모른다.

"그런 년은 교수대 위에 올려놓고, 사람들이 보는 앞에서, 망나니들을 시켜 흠씬 두들겨 패 줘야 해요!"

알료샤는 방문 쪽으로 몇 걸음 물러섰다.

"그렇지만, 아아!" 하고 카체리나는 두 손을 탁 치며 절망적으로 외쳤다. "그이가, 그이가 그렇게까지 불성실하고 무정한 인간일 줄은 정말 몰랐어요! 그이가 그년한테 그 얘길 죄다 했군요. 그 저주할, 영원히 저주할 숙명적인 그날의 일을! '아가씨, 당신 역시 그 예쁜 얼굴을 팔러 가지 않았었느냐 말이에요!' 그러니까 그년은 그때 일을 죄다 알고 있는 거예요! 알렉세이 표도로비치, 당신 형님은 비열한 인간이에요!"

알료샤는 뭐라고 말하고 싶었으나, 적당한 말이 한마디도 생각나지 않았다. 그는 가슴이 죄어드는 것 같은 고통을 느꼈다.

"돌아가 주세요, 알렉세이 표도로비치! 나는 부끄러워요, 무서워요! 내일…… 내일 한 번 더 꼭 와 주세요. 무릎을 꿇고 빌겠습니다……. 나를 나쁘게 생각 마시고 용서해 주세요. 앞으로 어떡하면 좋을지 나 자신도 알 수가 없군요!"

알료샤는 비틀거리듯 하며 한길로 나왔다. 그녀와 마찬가지로 그도 역시 울고 싶은 심정이었다. 그러자 뒤에서 하녀가 급히 쫓아왔다.

"아가씨가 이걸 전하는 걸 잊으셨다고요……. 호흘라코바 부인의 편지인데, 점심때 우리 아가씨한테 맡겨 두고 가셨어요."

알료샤는 조그만 장밋빛 봉투를 기계적으로 받아, 거의 무의식중에 그대로 호주머니 속에 찔러 넣었다.

11. 또 하나 땅에 떨어진 명예

읍에서 수도원까지는 1킬로 남짓한 거리밖엔 안 되었다. 이 시각이면 지나는 사람도 없는 텅 빈 길을 알료샤는 부지런히 걸어갔다. 이미 한밤중에 가까운 때라 30보 앞의 것은 분간하기가 어려웠다. 중간쯤 되는 곳에서 길은 세 갈래로 갈라져 있었다. 그 갈림길에 한 그루 외로이 서 있는 버드나무 밑에서 사람의 그림자 같은 것이 나타났다. 알료샤가 갈림길에 다다르자마자, 그 그림자는 휙 움직이더니, 알료샤에게로 덤벼들며 벼락같이 고함을 쳤다.

"목숨이 아깝거든 지갑을 내놔!"

"아니, 형님 아니셔요!" 알료샤는 소스라치게 놀라 부르르 몸을 떨었으나, 그래도 간신히 이렇게 말했다.

"하, 하, 하! 놀랐니? 나는 어디서 너를 기다릴 것인가 생각해 보았지. 카체리나네 집 근처는 어떨까? 아니, 거기는 길이 세 갈래로 갈라져 있으니까 혹시 너를 놓칠는지도 몰라. 그래서 결국 여기서 기다리기로 한 거야. 수도원으로 가는 길은 이 길밖엔 없으니까 반드시 여길 지나갈 거라 생각했지. 자, 어서 얘기해 봐, 내가 바퀴 새끼처럼 납작하게 돼도 좋으니 사실대로 어서 얘기해 봐……. 그런데 너 왜 그러니?"

"아무것도 아닙니다, 형님…… 좀 놀란 것뿐이에요. 하지만 형님! 바로 아까 아버지의 피를 보고서도……" 알료샤는 그만 울음을 터뜨리고 말았다. 벌써부터 목에까지 치밀어 올라와 있던 울음이 지금 갑자기 돌파구를 발견한 것이다. "하마터면 아버지를 죽일 뻔하고서도…… 그렇게까지 아버지를 저주하고서도…… 어느새 까맣게 잊어버리고…… 목숨이 아깝거든 지갑을 내놓으라고…… 태연히 그런 농담을 하시다니!"

"그래, 그게 어떻다는 거냐? 무례하단 말이냐? 그러니까 지금의 내 처지로선 있을 수 없는 일이라는 거겠지?"

"뭐 그런 뜻은 아니지만, 나는 그저……"

"가만있거라. 이 밤의 경치를 좀 봐. 어떠냐, 캄캄한 밤이! 저 구름, 게다가 웬 놈의 바람까지 이는구나! 나는 여기서, 이 버드나무 밑에 숨어서 너를 기다리다가 문득 이런 생각이 들었단다. (이건 거짓말이 아니야!)—이 이상 무엇을 우물쭈물하는 거냐? 여기 버드나무가 있지 않으냐, 손수건도 있고 셔츠도 있으니, 끈은 당장에라도 꼬아 만들 수 있을 것이고, 게다가 바지엔 멜빵까지 달려 있것다, 구차스럽게 이 대지에게 짐스런 존재가 되어 더 이상 대지를 더럽힐 필요가 어디 있느냐고 말이야. 이렇게 생각하고 있을 때, 마침 발자국 소리가 들렸어. 네가 온 거야. 그러자 무언가 별안간 내 머리 위에 쾅 떨어져 내려온 것 같은 느낌이 들더라—그렇다, 나도 아직은 사랑하는 사람이 있지 않으냐, 저게 바로 그 사람이다! 내가 이 세상에서 가장 사랑하는 사람, 이 세상에서 단 하나밖엔 없는 나의 사랑하는 사람, 그 사람이야말로 귀여운 내 동생이다! 이렇게 생각하자, 나는 그 순간 네가 더없이 사랑스럽게 여겨져서, 다짜고짜 너한테 달려들어 목을 꼭 껴안아 주고 싶었어. 그러자 이내 바보 같은 생각이 떠오르지 않겠니—'옳지, 저 녀석을 한번 질겁하도록 놀라게 해 줘야지, 그것도 재미있을 거야.' 그래서 나는 어리석게도 '지갑을 내놔!' 하고 호통을 쳤던 거야. 실없는 짓을 해서 미안하게 됐다. 그건 그저 농담이었을 뿐이고, 내 마음속은 어디까지나 심각해……. 하지만 그런 건 아무래도 좋아. 그보다도 거기 갔던 얘기나 어서 들려주렴! 그래, 카체리나는 뭐라던? 내가 기절을 하고 나자빠진대도 상관없다, 뭐 사정 볼 건 없어! 사실대로 말해 다오! 아마 미칠 듯이 성을 냈겠지?"

"아니, 그게 아니었어요……. 그런 일은 전혀 없었어요, 미챠. 거기서…… 나는 거기서 지금 두 사람을 다 만나고 오는 길입니다."

"두 사람이라니, 누구누구 말이냐?"

"카체리나 이바노브나한테 그루셴카가 와 있더군요."

드미트리 표도로비치는 어안이 벙벙한 모양이었다.

"설마 그럴 리가!" 하고 그는 외쳤다. "너 꿈이라도 꾼 게 아니냐? 그루셴카가 그 집엘 가다니!"

알료사는 카체리나네 집에 발을 들여 놓은 순간부터 자기가 직접 들은 바를 남김없이 이야기했다. 이 이야기는 10분가량 계속되었다. 물론 유창하고 조리 있게 이야기했다고는 할 수 없지만, 중요한 말이나 동작을 일일이 들어가며, 때로는 하나의 특징적인 점을 설명함으로써 자기가 받은 느낌을 생생하게 표현하기도 하면서, 모든 것을 분명하게 전해 주었다. 드미트리는 꼼짝 않고 선 채, 말없이 귀를 기울이면서 동생의 얼굴을 뚫어지게 바라보고 있었다. 그러나 이제는 형이 모든 것을 이해하고 그 뜻을 정확히 포착했다는 것은 알료샤도 넉넉히 알아챌 수가 있었다. 이야기가 진행됨에 따라 드미트리의 얼굴은 점점 침울해졌을 뿐만 아니라, 나중에는 사뭇 무서운 형상으로 변해 갔다. 그는 미간을 잔뜩 찌푸리고 이를 악물고 있었으나, 꼼짝 않고 한군데를 응시하는 그 시선은 더욱 날카롭고 더욱 무서운 빛을 띠어 가는 듯 싶었다. 그런데 갑자기, 그야말로 뜻밖에도, 그처럼 무서운 분노에 타오르던 그 얼굴이 순식간에 싹 변하면서, 굳게 다물었던 입술이 벌어지는가 했더니, 드미트리는 별안간에 웃음을 터뜨리고 말았다. 그것은 더 이상 참을 수가 없어서 지극히 자연스럽게 터져 나오는 꾸밈없는 웃음이었다. 그는 문자 그대로 포복절도할 듯이 웃어댔다. 그 웃음 때문에 한참 동안은 말도 제대로 못할 지경이었다.

"그럼 그 손에 키스를 하지 않았단 말이지! 끝내 키스를 안 하고 그냥 달아나 버렸단 말이지!" 흡사 무슨 병적인 기쁨을 느끼기라도 하는 듯이 드미트리는 소리쳤다. 그 기쁨이 그처럼 꾸밈없는 것이 아니었다면, 그것은 철면피한 기쁨이라고도 할 수도 있는 것이었는지 모른다. "그러니까 그 아가씨는 호랑이라고 외쳤단 말이지? 호랑이는 틀림없는 호랑이지! 교수대에 올려놓아야 한다고? 암, 그래야지, 그렇게 할 필요가 있어, 있고말고! 그럴 필요가 있다는 건 이미 오래 전부터 나도 동감이야! 그렇지만 알료샤, 교수대도 좋긴 하지만 그전에 먼저 마음의 병부터 고칠 필요가 있지 않을까? 어쨌든 그 거만한 여왕의 마음은 나도 이해할 만해. 바로 거기에 그루셴카의 일체가 있는 거야. 바로 그 손에, 그년이 악마 같은 독부毒婦라는 게 나타나 있단 말이야. 그년은 천하에 없는 독부야. 독부의 여왕 격인 여자지! 거기서 자기대로의 기쁨을 느끼고 있거든! 그래 그년은 곧장 제집으로 돌아갔니? 그럼 나도 지금 곧…… 그리로 가 봐야겠다. 알료샤, 제발 나를 욕하지 마라. 그년이 목을 졸라 죽여도 시원치 않은 년이라는 건 나도 전적으로 동감이야."

"그럼 카체리나 이바노브나는?" 하고 알료샤는 구슬프게 외쳤다.

"그 여자도 이젠 잘 알았어. 마음속까지 환하게 알 수 있을 것 같아. 내가 이렇게 그 여자를 잘 안 건 이번이 처음이야! 이건 세계 사대주四大洲의 발견보다 더한 발견이야. 아니, 사대주가 아니라 오대주로군! 정말 이만저만한 과단성이 아니야! 이것은 다름 아닌 바로 그때의 카첸카, 아버지를 구하려는 갸륵한 생각에서, 무서운 모욕이 기다릴지도 모르는 추잡한 난봉꾼 장교한테 태연히 찾아갔던 그때의 여학생 그대로라니까! 아니, 이건 자존심의 표현이야. 모험에 대한 욕구, 운명에의 도전, 끝없는 도전이야! 그 이모가 말렸다고? 그래 보여도 그 이모는 상당히 고집이 센 여자야. 모스크바에 있는 장군 부인의 친동생인데 언니보다 더 뽐내더니만, 남편이 공금 유용죄로 토지고 재산이고 죄다 잃고 나니까, 여태까지 그렇게 콧대가 세던 그 여자도 갑자기 기가 죽어 비굴한 태도를 취하더군. 아직도 그 태도가 그냥 계속되고 있는 거야. 그럼 그 이모가 말리려고 했는데도 카챠가 들은 체도 않았단 말이지? '내가 정복하지 못할 거라곤 아무것도 없어요. 내 뜻대로 되지 않는 건 하나도 없다니까요. 그러니까 내가 그렇게 하려고 생각만 한다면 그루셴카도 꼼짝 못하게 할 자신이 있어요'라고 우겼을 테지. 그러고는 자기 자신의 힘을 믿고, 자기 자신에게 허세를 부려 본 거야. 그러니 누구를 탓할 수도 없는 일 아니냐? 카챠가 일부러 그루셴카의 손에 먼저 키스를 한 데는 무슨 속셈이 있을 거라고 넌 생각하니? 천만에, 그 여자는 정말로, 정말로 그루셴카한테 반해 버렸던 거야. 아니 그루셴카가 아니라, 자기의 꿈에, 자기의 망상에 반해 버렸던 거지. 왜냐하면, 그건 나 자신의 꿈, 나 자신의 망상이었으니까! 그런데 알료샤, 어떻게 너는 그런 여자들한테서 도망쳐 왔니? 어떻게 거길 빠져 나왔느냐 말이다. 그 법의 자락을 치켜들고서 눈 딱 감고 도망쳐 왔겠구나? 하, 하, 하!"

"형님! 형님은 그때 그 일을 그루셴카한테 이야기해 준 것이 카체리나 이바노브나에겐 얼마나 큰 모욕이라는 걸 전혀 생각지 않은 모양이군요. 그루셴카는 방금 카체리나한테 맞대 놓고 이렇게 말했어요. '당신도 그 예쁜 얼굴을 팔러 젊은 사내를 몰래 찾아가지 않았느냐!'라고 말입니다. 형님, 이보다 더 큰 모욕이 어디 있겠어요?"

알료샤의 마음을 무엇보다 괴롭히고 있었던 것은, 물론 그럴 리가 없기는 하겠지만, 그래도 어쩐지 자기 형이 카체리나가 모욕당한 것을 오히려 기뻐하는 것 같이 보인다는 점이었다.

"음, 그렇구나!" 갑자기 드미트리는 잔뜩 얼굴을 찌푸리며 손바닥으로 자기 이마를 탁 쳤다. 그는 조금 전에 알료샤한테서 이 모욕에 관한 얘기도, 그리고 카체리나가 '당신의 형은 비열한이에요!'라고 외치더란 얘기도 죄다 듣기는 들었었으나, 이제야 비로소 그 뜻을 깨달았던 것이다.

"그럴 거야. 어쩌면 정말 카챠가 말하는 그 '저주 받을 운명의 날'의 일을 내가 그루셴카한테 얘기했는지도 몰라. 아, 그렇군, 분명히 얘기했어. 이제야 생각이 나는구나! 그건 바로 그때, 모크로예 마을에서의 일이야. 나는 만취해 있었고, 집시들이 노래를 부르고 있었지……. 그러나 나는 소리를 내어 울고 있었어. 그때 나는 흑흑 느껴 울면서 눈앞에 떠오르는 카챠의 모습을 향해 무릎을 꿇고 기도를 드렸지. 그루셴카도 내 심정을 알아주더군. 지금 생각해 보니, 그때 그년은 모든 걸 다 이해하고, 함께 울어 주었어……. 그런데 그 망할 것이! 그렇지만 지금은 이렇게 되는 게 당연할 거야! 그때는 눈물을 흘리던 년이 지금은…… 지금은 '가슴에 비수를 푹!'…… 계집이란 으레 그런 거야."

그는 눈을 내리깔고 잠시 생각에 잠겼다.

"그래, 난 비열한이야! 비열한이라는 건 틀림없어!" 그는 갑자기 침울한 목소리로 입을 열었다. "내가 그때 울었건 울지 않았건 결국은 매한가지야. 어차피 비열한인 것만은 사실이니까! 거기 가서 그렇게 전해 주렴—그렇게 불러서 화풀이가 된다면 나는 어떠한 명칭이든 달게 받겠노라고. 하지만 이젠 그만두자. 더 이상 지껄여 봐야 아무 재미도 없을 테니까. 그럼 헤어지자. 너는 네 갈 길을 가고, 나는 내 갈 길을 가는 거야. 이젠 마지막 순간이 올 때까지는 너와 만나고 싶지도 않다. 자, 잘 가거라, 알렉세이!"

그는 알료샤의 손을 꼭 쥐어 주고 나서, 여전히 눈을 내리깔고 고개를 수그린 채, 홱 끊어 버리기라도 하듯이 읍내 쪽으로 향하여 급히 걸음을 옮겼다.

알료샤는 형이 이렇게 갑자기 이 자리를 떠나 버릴 줄은 천만 뜻밖이라는 듯이 그의 뒷모습을 바라보고 있었다.

"잠깐만, 알렉세이! 한 가지 더 너에게만 고백할 일이 있다." 드미트리는 갑자기 되돌아와서 이렇게 말했다. "나를 봐라, 찬찬히 보란 말이다. 여기, 바로 여기에 무서우리만큼 파렴치한 것이 준비되어 있어. 바로 여기에" 하면서 드미트리는 참으로 야릇한 표정을 하고 주먹으로 자기 가슴을 쳐 보였다. 그것은 마치 그 파렴치한 것을 가슴팍 어디에, 안주머니 속이나, 아니면 목에 건 주머니 속에 깊이 감춰 두고 있기라도 한 것 같은 표정이었다. "너도 알다시피, 나는 비열한이야. 자타가 공인하는 비열한이야! 그러나 이것만은 알아 다오—내가 전에 무슨 짓을 했든, 그리고 현재 무슨 짓을 하고, 또 앞으로 무슨 짓을 하든, 지금 이 순간 이 가슴속에 품고 있는 파렴치와 비교한다면, 그까짓 건 문제도 되지 않아. 그 파렴치는 여기, 바로 이 가슴에 간직되어 있어, 당장에라도 행동으로 옮겨질 수 있는 것이지만, 이것을 중지하느냐 결행하느냐 하는 건 내 마음 하나에 달려 있어. 이 점에 특히 유의해 달라는 거야! 그렇지만 결국은 내가 그것을 중지하지 않고 결행할 거라고 생각하고 있으면 틀림없을 게다. 아까 나는 모든 걸 네게 얘기했지만, 이것만은 고백할 수 없었다. 나 같은 놈도 그렇게까지 철면피는 못 되니까! 물론 아직도 나는 그것을 중지할 수는 있어. 중지하면 당장 내일이라도 나는 이미 상실한 명예의 반쯤은 되찾을 수 있겠지. 그러나 나는 결코 중지하지는 않을 것 같아. 반드시 그 파렴치한 계획을 실행에 옮길 거야. 그걸 미리 알고 나는 너한테 이 말을 하는 거니까, 앞으로 너는 여기 대해 내 증인이 되어 주어야겠다! 암흑과 멸망! 뭐, 구태여 설명할 것도 없어. 때가 오면 절로 알게 될 테니까. 악취가 가득한 뒷골목과 세상에 둘도 없는 독부毒婦! 그럼 난 가겠다. 나를 위해 기도할 건 없다. 난 그만한 가치가 없는 놈이야. 그리고 그럴 필요도 없어. 전혀 없지……. 난 그럴 필요를 전혀 느끼지 않아! 그럼 가 봐라."

이렇게 말하고 홱 그 자리를 떠나더니, 이번엔 아주 사라져 버리고 말았다. 알료샤는 수도원을 향해서 걷기 시작했다.

'앞으로 다시는 형을 만나지 못할 거란 말인가? 형의 말은 도대체 무슨 뜻일까?' 그는 그것이 자꾸만 마음에 걸렸다. '내일은 무슨 일이 있어도 형님을 꼭 만나서 물어봐야지. 대체 그게 무슨 뜻인지 기어코 알아내야만 하겠다!'

그는 수도원 옆을 돌아 솔밭을 빠져 곧장 암자로 갔다. 이렇게 늦은 시각에는 아무도 암자에 들어가지 못하게 되어 있었으나, 그에게는 곧 문을 열어 주었다. 장로의 방에 발을 들여놓았을 때, 그의 가슴은 몹시 떨고 있었다.

'무엇 때문에 나는 여기서 나갔을까? 그리고 무엇 때문에 장로는 나를 속세에 내보냈을까? 여기는 고요함이 있고 거룩함이 있는데, 그곳은 혼란과 암흑의 세계여서 일단 발을 들여놓기만 하면 곧 길을 잃고 방황할 수밖엔 없지 않은가…….'

암자에는 견습 수도생 포르피리와 파이시 신부가 와 있었다. 신부는 오늘 하루 동안 매시간마다 조시마 장로의 병세를 알아보려고 드나들었던 것이다. 장로의 병세가 점점 더 악화되고 있다는 말을 듣고 알료샤는 가슴이 덜컥 내려앉는 것 같았다. 매일 저녁 일과로 되어 있는 수사들을 위한 담화조차도 오늘은 중지되었다는 것이었다. 여느 때는 저녁마다 예배가 끝난 후 암자의 수사들이 장로의 방에 모여, 그날 하루 동안에 범한 죄과와 죄스러운 망상이나 유혹, 또는 동료 사이에 있었던 말다툼까지 죄다 큰 소리로 장로한테 참회하는 것이 일과처럼 되어 있었다. 개중에는 무릎을 꿇고 고백하는 사람도 있었다. 장로는 그것을 하나하나 해결 지어 주기도 하고, 화해시키기도 하고, 훈계를 주기도 하며, 일일이 축복을 내리고는 돌려보내곤 하는 것이었다. 이러한 수사들 상호 간의 '참회'에 대하여 장로 제도의 반대자들은 비난의 화살을 퍼부으면서, 이것은 성비례聖秘禮로서의 참회를 더럽히는 것이니 거의 '성물 모독聖物冒瀆'이나 다름없는 짓이라고 주장했었다. 또한 그들은 이러한 참회는 좋은 결과를 초래할 수 없을 뿐만 아니라, 오히려 그것 때문에 사람들을 죄다 유혹으로 이끌고 있다고 관구장管區長에게 진정서를 제출한 일까지 있었다. 사실 대부분의 수사들은 장로의 암자에 모이는 것을 고통으로 생각하고 있었다. 남들이 모두 가니까 자기도 할 수 없다, 더욱이 거만하고 반항적인 인간이라는 말을 듣고 싶지는 않다, 라는 생각에서 싫은 걸 억지로 모이는 것이었다. 또 소문에 의하면 수사들 중에는 그날 저녁 참회의 모임에 출석하기 전에, '나는 오늘 아침에 자네한테 화를 냈다고 할 테니 자네도 적당히 맞장구를 쳐 주게' 하는 식으로 미리 서로 짜고 오는 자들도 있다는 것이다. 이것은 단지 말할 재료를 만들어, 그것으로 적당히 자기 차례를 메우기 위한 것이었다. 사실 이런 일이 가끔 있다는 것은 알료샤도 알고 있었다. 그리고 그는, 관습에 따라 암자의 수사들이 자기 가족한테서 받는 편지를 장로가 먼저 뜯어보는 데 대해 몹시 불만을 품고 있다는 것도 잘 알고 있었다.

물론 이 모든 것은 자발적인 복종과 유익한 지도를 위하여 자유롭게 성심성의를 가지고 실행되어야 한다는 것을 전제로 하는 것이었지만, 실제에 있어서는 이따금 매우 불성실하게, 라기보다는 거짓스럽고 가장된 태도로 행하여지기가 일쑤였다. 그렇지만 암자의 수사들 중에서도 나이 많고 경험 많은 사람들은, '영혼의 구원을 얻기 위해서 진심으로 이 수도원 벽 속에 들어온 사람들에게는 이러한 복종과 고행은 의심할 여지없이 유익한 것이며, 위대한 이익을 줄 것임이 틀림없다. 그러나 이와는 반대로 그것을 고통으로 생각하여 불평하는 사람들은 진정한 수도사라고 할 수는 없으니까, 이 수도원에 들어온 것 자체가 벌써 잘못이다. 그들이 있을 곳은 속세인 것이다. 죄악이나 악마로부터 몸을 보존하기 어려운 것은, 비단 속세에서만이 아니라 수도원 안에서도 마찬가지다. 따라서 죄악에 대해 너그러운 태도를 취할 필요는 추호도 없다'라는 견해를 고수하고 있었다.

"이젠 아주 쇠약해지셔서 혼수상태에 빠져 계시다" 하고 파이시 신부는 알료샤를 축복하고 나서 귓속말로 말했다. "깨워 드리기조차 곤란할 정도야. 하긴 깨울 필요도 없긴 하지만. 아까 5분가량 눈을 뜨시고, 수사 일동에게 축복을 전하시면서, 저녁 예배 때 자기를 위해 기도해 달라고 부탁하시고 나서, 내일 한 번 더 성찬을 받고 싶다고 말씀하시더라. 그리고 알렉세이, 네 얘기도 꺼내시면서, 이젠 여기서 나갔느냐고 물으시기에, 지금 읍내에 나가 있다고 대답했더니, '그래서 나도 그를 축복해 주었던 거야. 지금 그가 있어야 할 곳은 거기니까, 당분간은 여기 머물러 있지 않는 편이 좋아'라고 말씀하시더라. 참으로 사랑과 배려에 넘치는 어조였어. 그것이 얼마나 고마운 일인지 너는 알겠니? 그런데 장로님께서 너더러 당분간 속세에 나가 있으라고 하신 건 대체 무슨 뜻일까? 필시 너의 운명에 관해 무언가를 예견하셨을 거야! 하지만, 알렉세이, 비록 네가 속세에 나간다 하더라도, 그것은 어디까지나 장로님께서 너에게 내리신 복종의 의무라 생각해야 할 것이지, 결코 헛되이 경솔한 행동을 하거나, 속세의 향락을 취하라는 뜻이 아니라는 점을 명심해야 한다."

파이시 신부는 나갔다. 장로가 비록 앞으로 하루나 이틀은 더 살아 있을 수 있다 하더라도 이제 곧 이 세상을 떠나 버리리라는 것은 알료샤에게 있어 의심할 여지도 없는 사실이었다. 아버지를 비롯하여 호흘라코바 모녀와 카체리나, 그리고 형을 만나기로 약속은 했지만, 그러나 내일은 이 수도원을 한 걸음도 나가지 않고, 장로가 세상을 떠날 때까지 그 옆에 붙어 있어야겠다고 굳게 결심했다. 그의 가슴은 뜨거운 애정으로 불타오르기 시작했다. 그리고 이 세상에서 누구보다도 깊이 존경하고 있는 분을, 더욱이 임종의 자리에 누워 계신 그분을 수도원에 남겨 두고 읍내로 나가 잠시 동안이나마 그분의 일을 까맣게 잊을 수 있었던 자기의 무심함을 깊이 뉘우치지 않을 수 없었다. 그는 장로의 침실에 들어가자 무릎을 꿇고, 잠들어 누워 있는 장로를 향해 이마가 마루에 닿도록 절을 했다. 장로는 거의 들리지 않을 만큼 잔잔한 숨소리를 내면서 죽은 듯이 잠들어 있었다. 그 얼굴은 더할 수 없이 평온했다.

옆방으로(그것은 오늘 아침 장로가 손님들을 맞았던 그 방이었다) 물러나온 알료샤는, 구두만을 벗었을 뿐 옷도 제대로 갈아입지 않고, 가죽을 씌운 딱딱하고 좁은 벤치 위에 누웠다. 그는 벌써 오래전부터 베개만을 들고 와서 밤마다 이 벤치를 잠자리로 삼고 있었다. 아까 낮에 아버지가 큰 소리로 언급한 그 이불은, 오래전부터 까는 것을 잊고 있었다. 그는 다만 자기의 법의를 벗어, 담요 대신에 그것을 덮고 잤다. 그러나 잠을 자기 전에 그는 무릎을 꿇고 오랫동안 기도를 드렸다. 그 열렬한 기도 속에서 그가 하느님께 기원한 것은, 자기 마음의 괴로움을 풀어 달라는 것은 아니었다. 다만 그는, 하느님께 영광을 드리고 하느님을 찬양하고 난 후면 언젠가 자기 마음에 찾아들곤 하던 기쁨에 찬 그 감동을 지금도 갈망했을 뿐이다. 잠자리에 들기 전에 드리는 그의 기도는, 항상 하느님에 대한 찬양으로 가득 차 있었던 것이다. 그의 마음을 찾아드는 그러한 기쁨은, 그에게 상쾌하고도 평온한 꿈을 가져다주는 것이었다. 그래서 지금도 그런 식으로 기도를 드리고 있었는데, 문득 호주머니 속에서 무언가 손에 감촉되는 것이 있었다. 그것은 아까 카체리나네 하녀가 한길까지 쫓아 나와서 그에게 전해 준 조그만 장밋빛 봉투였다. 그는 마음이 좀 산란하기는 했지만, 그래도 끝까지 기도를 드렸다. 기도를 마친 다음 그는 잠시 머뭇거리다가 봉투를 뜯어보았다. 그 속에는 Lise라고 서명한 편지가 들어 있었다. 리즈란 바로 이날 아침 장로 앞에서 알료샤를 마구 놀려 준 호흘라코바 부인의 그 어린 딸이다.

알렉세이 표도로비치, 저는 이 편지를 아무도 모르게, 어머니한테까지 숨겨 가며 쓰고 있어요. 이것이 얼마나 나쁜 짓이라는 건 저도 잘 압니다. 그렇지만 제 가슴속에 생겨난 것을 당신한테 얘기하지 않고는 단 하루도 더 못 살 것만 같아요. 이 일은 우리 두 사람 이외에는 당분간 절대 비밀이에요. 그러나 제가 말하고 싶은 것을 어떻게 당신한테 말하면 좋을까요? 종이는 얼굴을 붉히지 않는다고들 하지만, 그건 절대 거짓말입니다. 종이도 지금 저와 꼭 같이 새빨개져 있는걸요. 그리운 알료샤, 저는 당신을 사랑하고 있어요. 제가 아직 어렸을 때, 당신이 지금과는 전혀 다르던 모스크바 시절부터 저는 줄곧 당신을 사랑해 왔답니다. 그리고 앞으로도 한평생 당신을 사랑하겠어요. 저는 당신과 한 몸이 되어, 늙으면 함께 이 세상을 떠나겠다고 진심에서 당신을 선택한 거예요. 물론 여기에는 조건이 하나 있습니다. 당신이 수도원을 나와 주셔야 한다는. 우리의 연령이 문제된다면, 법률로 정한 나이가 될 때까지 기다립시다. 그때까지는 저도 완쾌해서 혼자 걸을 수도 있고, 춤도 출 수 있겠지요. 이건 새삼스럽게 말할 필요도 없을 거예요.

이만하면 제가 여기에 대해 얼마나 심사숙고했는지 아시겠죠? 그러나 꼭 한 가지만은 아무래도 짐작이 가지 않습니다. 이 편지를 읽고 당신이 저를 어떻게 생각하실까 하는 것 말이에요. 저는 늘 얌전치 못하게 웃어 대며 장난치기를 좋아하였고, 그래서 오늘 아침만 해도 당신을 화나게 했으니까요. 그렇지만 저는 지금 펜을 들기 전에 성모 마리아 성상 앞에서 기도를 드렸어요. 지금도 금세 울음을 터뜨릴 것 같은 심정으로 기도를 드리면서 이 글을 쓰고 있어요.

저의 비밀은 이젠 당신의 수중으로 넘어갔군요. 내일 당신이 오시면 저는 어떻게 당신을 대해야 할지 모르겠습니다. 아아, 알렉세이 표도로비치, 당신의 얼굴을 보고 있다가, 또 오늘 아침처럼 참지를 못하고 바보 같은 웃음을 터뜨리면 어떡하죠? 당신은 아마 저를, 남을 놀릴 줄밖엔 모르는 말괄량이라 생각하고 이 편지도 믿으려 하지 않으시겠지요. 그러니까 제발 저를 가엾게 여기시어, 내일 저희 집에 오시거든 제 얼굴을 똑바로 바라보지 않도록 해 주세요. 당신과 눈이 마주치면 저는 틀림없이 웃음을 터뜨릴 것만 같으니까요. 게다가 당신은 그 기다란 법의를 입고 계시지 않느냐 말이에요……. 이런 생각을 하면 정말 등골이 오싹해질 지경이에요. 그러니까

방에 들어오시거든 얼마 동안은 저를 보지 마시고, 어머니나 창문 쪽으로 눈을 돌려 주세요…….

저는 이렇게 당신한테 사랑의 편지를 쓰고 말았습니다. 아아, 이런 일을 해도 괜찮을까요. 그리운 알료샤, 제발 저를 경멸하지 말아 주세요. 만일 이러한 저의 행위가 대단히 나쁜 짓이어서 당신을 괴롭히게 된다면, 제발 그 점은 용서해 주십시오. 어쩌면 이것으로 영영 땅에 떨어졌는지도 모르는 저의 명예의 비밀은, 이제는 당신의 수중에 들어 있습니다.

저는 오늘 꼭 울 것만 같아요. 그럼 우리들의 '두려운' 재회까지 안녕!

추신—알료샤, 무슨 일이 있어도 꼭 와 주셔야 해요!

리즈

알료샤는 놀라움 속에서 편지를 읽었다. 그리고 또 한 번 되풀이해서 읽어 보고는, 잠시 생각에 잠겼다가, 갑자기 조용하고도 감미로운 미소를 입가에 흘렸다. 그러다가 그는 갑자기 몸을 떨었다. 그 미소가 죄스러움 같은 생각이 들었던 것이다. 그러나 한순간 후에는 또다시 조용하고도 행복스런 미소를 띠우는 것이었다. 그는 천천히 편지를 봉투 속에 넣고는, 성호를 긋고 자리에 누웠다. 마음의 동요는 곧 사라져 버렸다. "하느님, 오늘 제가 만나고 온 모든 사람들을 불쌍히 여기시어, 마음의 안정을 잃은 그 불쌍한 사람들을 구원해 주시옵소서. 그리고 그들을 바른길로 인도해 주시옵소서. 모든 길은 주님의 손 안에 있나이다. 바른길을 가리켜 주시어 그들을 구해 주시옵소서. 주님의 사랑으로 모든 사람들에게 기쁨을 내려 주시옵소서!" 알료샤는 이렇게 중얼거리며 다시 성호를 긋고는 평온한 꿈속으로 떨어져 들어갔다.

제 2 부

제4편 감정의 파열破裂

1. 페라폰트 신부

아침 일찍이, 아직 날이 완전히 새기도 전에 알료샤는 일어나야 했다. 장로가 잠이 깼기 때문이었다. 장로는 기력이 쇠진한 것을 느끼면서도 자리에서 일어나 안락의자에 앉고 싶다고 했다. 의식만은 아주 똑똑했다. 얼굴에는 짙은 피로의 빛이 나타나 있었으나, 그 표정은 거의 기쁨에 차 있다고 할 수 있을 만큼 명랑했고, 시선은 즐겁고도 다정스러워 보였다. '어쩌면 오늘 하루도 다 살지 못할 것 같구나' 하고 그는 알료샤에게 말했다. 그리고 그는 곧 참회를 하고 성찬을 받고 싶다고 했다. 장로의 참회 예식은 언제나 파이시 신부가 담당하고 있었다. 참회와 성찬이 끝나자 성유 도유식聖油塗油式[47]이 거행되었다. 수사 신부들이 모이기 시작했다. 암자는 점점 수도사들로 가득 차게 되었다. 그러는 사이에 해가 솟아올랐다. 식이 끝나자 장로는 모든 사람들과 이별을 고하고 싶다면서 한 사람 한 사람에게 입을 맞춰 주었다. 암자가 좁아서 먼저 온 사람은 뒤에 온 사람에게 자리를 내주기 위해 밖으로 나가야 했다. 알료샤는 다시 의자에 앉은 장로의 곁에 서 있었다. 장로는 힘이 자랄 때까지 설교를 계속했다. 그 음성은 약하게 들렸으나, 발음은 아직도 꽤 명확했다.

"나는 오랫동안 여러분에게 설교를 해 왔습니다. 너무 여러 해 동안 큰 소리로 말을 해 왔고, 입을 열기만 하면 여러분에게 설교를 하는 것이 아주 습관처럼 되어 버려서, 지금처럼 기운이 없을 때도 말을 하는 것보다 입을 다물고 있는 편이 오히려 힘들 지경입니다." 그는 자기 주위에 모여든 사람들을 정다운 눈으로 둘러보면서 이렇게 농담까지 하는 것이었다.

이때 장로가 한 말을 알료샤는 후에도 약간 기억할 수 있었다. 어조도 정확했고 음성도 꽤 똑똑했으나 이야기 자체는 그리 조리 있는 것이 못 되었다. 장로

47 임종이 가까운 사람에게 베푸는 예식.

는 여러 가지 이야기를 했다. 필시 임종을 앞두고 생전에 미처 못다 한 말들을 다시 한번 죄다 하고 싶었던 모양이다. 그것도 단순히 교훈만을 위한 것이 아니라, 어떻게 해서든지 자기가 느끼는 환희와 법열法悅을 모든 사람과 함께 나누고, 죽기 전에 한 번 더 자기의 진정을 토로해야겠다고 생각한 것 같았다.

"여러분, 서로 사랑하십시오" 하고 장로는 설교를 시작했다. (이것은 알료샤의 기억에 의한 것이다) "그리고 하느님의 백성들을 사랑하십시오. 우리가 여기서, 이 울타리 안에 들어박혀 있다고 해서 그것만으로 속세에 있는 사람들보다 더 깨끗하다고 할 수는 없습니다. 아니 오히려 여기 온 사람은 누구나 여기 왔다는 그것만으로도 자기가 속세의 누구보다도, 그리고 이 지상의 누구보다도 못하다는 것을 자각했다고 볼 수 있습니다. 그러니까 수도사인 우리는 이 울타리 속에서 오래 살면 살수록 이 사실을 더욱더 뼈저리게 자각해야 하겠습니다. 그렇지 않다면야 구태여 이런 곳에 올 필요가 없었을 테니까요. 자기가 속세의 누구보다도 못하다는 것뿐 아니라, 자기가 무슨 일에나 모든 사람들에 대하여 죄가 있다는 것을, 모든 인류의 죄, 세계의 죄, 개인의 죄에 대하여 책임이 있다는 것을 자각했을 때, 그때야 비로소 우리의 은둔 생활의 목적이 달성될 것입니다. 왜 그런가 하니, 우리들 한 사람 한 사람이, 이 지상에 사는 모든 사람들에 대하여 죄가 있기 때문입니다. 더욱이 그것은 일반적인 세계적 죄악 때문에 그런 것이 아니라, 우리들 각 개인이 이 지상에 사는 모든 사람, 그리고 그 한 사람 한 사람에 대하여 개인적인 죄를 짓고 있기 때문입니다. 이 자각이야말로 수도사가 나가야 할, 그리고 지상의 모든 사람이 나가야 할 길의 정점인 것입니다. 수도사라 해서 무슨 특수한 인간인 것이 아니라 다만 지상의 모든 사람이 당연히 그래야만 하는 인간의 모습에 지나지 않습니다. 그렇게 되어야만 비로소 우리의 마음은 우주처럼 넓은, 싫증을 느낄 줄 모르는 영원한 사랑의 감격에 충만될 것입니다. 그때는 우리들 한 사람 한 사람이 사랑으로써 전 세계를 자기 것으로 할 수도 있을 것이고, 또한 그 눈물로써 세계의 죄악을 다 씻어 버릴 수도 있을 것입니다. 우리는 누구나 항상 자기 마음을 감시하고, 자기 마음에 참회하기를 게을리하지 말아야 하겠습니다. 자기의 죄를 두려워하지 마십시오. 비록 죄를 자각했다 하더라도 다만 그것을 회개하기만 하면 되는 것이지, 결코 하느님 앞에 약속 같은 것을 해서는 안 됩니다. 거듭 말하거니와 결코 교만한 태도를 취하지 않도록 하십시오. 작은 것에 대해서나 큰 것에 대해서나 교만하지 마십시오. 우리를 부정하는 자, 모욕하는 자, 비방하는 자, 그리고 우리를 중상하는 자들을 증오해서는 안 됩니다. 무신론자, 악의 전도자, 유물론자들도 미워해서는 안 됩니다. 그들 중의 선량한 자들뿐만 아니라, 악한 자들까지도 결코 증오해서는 안 된단 말입니다. 특히 오늘날과 같은 시대에는, 그런 사람들 중에도 선량한 인간이 많이 있으니까요. 그런 사람들을 위해서는 이렇게 기도하십시오. '하느님, 아무도 기도해 줄 사람이 없는 모든 사람들을 구해 주시옵소서. 하느님께 기도하려 하지 않는 사람들까지도 구해 주시옵소서.' 그리고 또 이렇게 보충하십시오. '하느님, 제가 이런 기도를 드리는 것은 결코 교만해서가 아닙니다. 저는 누구보다도 더러운 자입니다'라고. 하느님의 백성들을 사랑하십시오. 그리하여 순진한 그 양떼를 이리한테 빼앗기지 않도록 하십시오. 게으름과 오만불손과 특히 탐욕에 빠져 졸고 있다가는, 대번에 이리 떼가 사방에서 몰려와 양떼를 가로채 갈 것입니다. 아무쪼록 게으름 피우지 말고 하느님의 복음을 사람들에게 전하도록 노력하십시오……. 백성들한테서 재물을 거둬들이지 마십시오……. 금은을 사랑하여 그것을 모아 가지고 있으면 안 됩니다……. 하느님을 믿고 신앙의 깃발을 굳게 틀어쥐십시오……. 그리고 그것을 높이 쳐드십시오."

물론, 장로의 말은 여기 적은 것보다는, 즉 알료샤가 나중에 기록한 것보다는 훨씬 단편적인 것이었다. 장로는 이따금 새로운 힘을 모으기라도 하려는 듯이 말을 멈추고 숨을 몰아쉬곤 했지만, 그래도 자기 자신은 환희에 충만되어 있는 듯이 보였다. 사람들은 모두 감격하여 그의 말에 귀를 기울이고 있었으나 대부분의 사람은 그 말에 놀라움을 금하지 못했고, 또한 그 말에서 어두운 그림자 같은 것을 느끼고 있었다……. 후에 가서야 누구나 다 이때의 말을 상기했던 것이다.

알료샤가 잠깐 암자 밖으로 나왔을 때, 암자 안팎에 모여 있는 수사들 사이에 충만된 흥분과 기대에 그는 적이 놀라지 않을 수 없었다. 그 기대는 일부 사람들에게 있어서는 거의 불안에 가까웠고, 다른 일부 사람들에게 있어서는 더없이 엄숙한 것이었다. 누구나가 다 장로가 죽으면 곧 그 어떤 위대한 기적이 틀림없이 일어날 것이라 기대하고 있었던 것이다. 이런 기대는, 어느 관점에서 보면 거의 무분별에 가까운 것이었지만, 그런데도 가장 엄격한 늙은 수도사들까지도 거기서 벗어나지 못하고 있었다. 누구보다도 엄숙한 얼굴을 하고 있는 것은 파이시 신부였다.

알료샤가 암자에서 밖으로 나온 것은 방금 시내에서 돌아온 라키친이 어느 수사를 시켜서 몰래 그를 불러냈기 때문이었다. 그는 알료샤 앞으로 보내는 호흘라코바 부인의 이상한 편지를 갖고 왔던 것이다. 호흘라코바 부인은 알료샤에게 이런 경우를 위해 일부러 준비된 것 같은 흥미 있는 소식을 전해 왔던 것이다. 그것은 다름 아니라, 어제 장로를 만나서 그 축복을 받으러 왔던 평민 여자들 중의 하나인, 이 고을에 사는 프로호로브나라는 늙은 하사관 미망인에 대한 것이었다. 이 노파는 장로에게 자기 아들 바셴카가 근무 관계로 멀리 시베리아의 이르쿠츠크로 전속되어 갔는데, 벌써 1년 동안이나 아무 소식이 없으니 죽은 것으로 하여 교회에서 그 명복을 빌면 어떻겠느냐고 물었었다. 여기에 대해 장로는 엄격한 어조로 그런 건 무당이 하는 짓이나 마찬가지니 절대로 안 될 말이라고 대답했다. 그러나 노파가 그런 말을 한 것은 무식한 탓이라 하여 더 이상 나무라지 않고, (호흘라코바 부인의 편지에 의하면) '마치 앞일을 환하게 내다보는 것처럼' 다시 말을 이어, '당신 아들 바셴카는 틀림없이 살아 있소. 인제 곧 어머니한테 돌아오든가, 아니면 편지라도 보내올 거요. 그러니 집에 돌아가 기다려 보시오'라고 노파를 위로해 줬다. '그런데 어떻게 됐는지 아세요?' 하고 호흘라코바 부인은 몹시 흥분된 말투로 쓰고 있었다. '예언은 글자 그대로, 아니 그 이상으로 들어맞았단 말이에요!' 노파가 집에 돌아가자마자 기다리고 기다리던 시베리아로부터의 편지가 도착했다는 것이다. 뿐만 아니라, 바셴카가 도중에 예카테린부르크에서 어머니한테 보낸 그 편지에는, 자기는 지금 어떤 관리와 동행하여 러시아로 돌아가는 길이므로 이 편지가 도착한 후 3주일만 지나면 '어머니를 그러안아 드릴 수 있겠지요'라고 쓰여 있었다.

호흘라코바 부인은 알료샤에게, 새로 실현된 이 '예언의 기적'을, 수도원장을 비롯한 모든 수사들에게 즉시 전해 달라고 열렬히 간청하면서, '이건 누구나 다 알아야 할 일입니다!'라고 감탄부로 편지를 끝맺고 있었다. 이 편지는 몹시 서둘러서 쓴 것 같았는데, 그 한 줄 한 줄에 편지를 쓴 사람의 흥분이 나타나 있었다. 그러나 알료샤는 그것을 수사들에게 알릴 필요가 없었다. 그들은 이미 그 얘기를 다 알고 있었기 때문이다. 라키친은 알료샤를 불러내 달라고 부탁한 수사에게 또 한 가지, '파이시 신부님에게 제가, 즉, 라키친이 잠깐 전할 말씀이 있다고 말해 주세요. 이건 아주 중대한 일이어서 한시도 지체할 수가 없다고요. 그리고 저의 이 무례에 대해서는 거듭 용서를 빈다고 말해 주십시오'라고 부탁했던 것이다. 그런데 그 수사는 알료샤를 불러내기 전에 먼저 파이시 신부한테 라키친의 말을 전했기 때문에 알료샤는 다시 제자리에 돌아가서 파이시 신부에게 그 편지를 보이고 이런 편지가 왔다는 것만 보고하면 그만이었다.

그러나 좀처럼 남의 말을 믿지 않는 이 엄격한 신부도 미간을 잔뜩 찌푸리고 그 '기적'의 보고를 읽으면서 자기 마음속에 일어난 그 어떤 감정을 아주 뭉개 버릴 수는 없었다. 그의 눈은 번쩍이고, 입술에는 갑자기 엄숙한 감동의 미소가 떠올랐다.

"그렇지만 그것이 전부일 리는 없어!" 하는 말이 그의 입에서 흘러나왔다.

"그것이 전부일 리는 없지. 우린 그보다 더 큰일을 보게 될 거야!" 하고 주위에 있던 수사들이 말을 받았다.

그러나 파이시 신부는 또다시 얼굴을 찌푸리고 어쨌든 어느 시기가 올 때까지는 여기 대해 아무에게도 말하지 말아 달라고 일동에게 요청했다. "좀 더 분명히 사실이 확인될 때까지는 입 밖에 내지 말아 주십시오. 세상엔 무책임한 소문이 많을뿐더러, 이번 일도 그저 하나의 우연인지도 모르니까요" 하고 그는 후에 문제가 되지 않도록 조심스럽게 미리 못을 박아 놓기는 했지만, 기실은 자기 자신도 그런 변명을 거의 믿지 않고 있다는 것은, 옆에서 듣고 있던 사람들에게도 뻔한 일이었다.

그러나 물론 이 '기적'은 삽시간에 온 수도원에 퍼지고, 미사에 참례하려고 수도원에 온 많은 사람들에게도 알려졌다. 그런데 이 기적의 실현에 누구보다도 깊은 충격을 받은 것은, 어제 먼 북방 오브도르스크의 '성 실리베스트르 수도원'에서 이곳을 방문한 수사였다. 이 사람은 어제 호흘라코바 부인 옆에서 장로에게 인사를 드리고는, 장로가 '병을 고쳐 준' 부인의 딸을 가리키며, "어떻게 감히 그런 일을 하십니까?"라고 장로한테 따지듯이 질문을 한 바로 그 수사였다.

문제는 그가 지금 그 어떤 의혹 속에 빠져들어, 도대체 무엇을 믿어야 할지 자기 자신은 알 수가 없게 되었다는 데 있었다. 실은 엊저녁에, 양봉장養蜂場 뒤에 외따로 떨어져 있는 암자로 페라폰트 신부를 방문했었는데, 거기서 받은 거의 두려움에 가까운 강렬한 인상 때문에 그는 형언할 수 없는 마음의 동요를 느꼈던 것이다. 이 수도원에서 제일 늙은 수사인 페라폰트 신부는 금욕과 침묵의 위대한 고행자일 뿐만 아니라, 앞에서도 말한 바와 같이 조시마 장로의, 특히 장로 제도의 반대자였는데, 그는 장로 제도가 유해하고도 경박한 새 제도라는 견해를 갖고 있었다. 그는 침묵의 고행자였으므로 거의 누구와도 말을 하는 일이 없었으나 장로 제도의 반대자로서는 지극히 위험한 인물이었다. 그가 위험한 인물이라는 중요한 이유는 수도원 내의 많은 수사들이 그에게 전적으로 공명하고 있을뿐더러, 수도원을 방문하는 일반 민간인들 중에도, 그가 이른바 '신들린 사람'임이 틀림없다는 것을 인정은 하면서도, 그를 위대한 고행자로서, 계율을 엄격하게 준수하는 사람으로서 존경하는 자가 무척 많았기 때문이다. 아니, '신들린 사람'이라는 점이 오히려 사람들의 마음을 매혹하고 있었던 것이다.

페라폰트 신부는 조시마 장로한테는 한 번도 간 일이 없었다. 그는 같은 경내에 살고 있기는 했지만, 이곳의 규칙 같은 것에는 별로 구애를 받고 있지 않았다. 이것 역시 그의 기거 동작이 정말로 미친 사람과 다를 바 없었기 때문이다. 그는 일흔 다섯이나 혹은 그보다 좀 더 많은 나이로 보였는데, 수도원 양봉장 뒤꼍에 있는 허물어져 가는 낡은 목조 암자에서 기거하고 있었다. 그 암자는 먼 옛날, 다시 말해서 전 세기(여기서는 18세기)에, 백다섯 살까지 장수했다는, 역시 금욕과 침묵의 위대한 고행자였던 이오나 신부를 위해 세워진 것이었다. 이오나 신부의 행적에 대해서는 오늘날까지도 이 수도원이나 인근 지방에 여러 가지 흥미 있는 에피소드가 전해지고 있다.

페라폰트 신부가 오랫동안의 소원이 이루어져서 이 호젓한 암자에 들게 된 것은 7년 전의 일이었다. 그것은 그저 흔히 볼 수 있는 농부의 오두막집에 지나지 않았지만, 그래도 어딘지 조그만 예배소와 흡사한 데가 있었다. 그도 그럴 것이, 거기에는 사람들이 기증한 성상들이 즐비하게 놓여 있었고, 그 앞에는 역시 누군가가 기증한 제단용 등불들이 언제나 꺼지지 않고 켜져 있었기 때문이다. 그래서 페라폰트 신부는 마치 이 성상들과 등불들을 지키기 위해 예배소지기로 임명된 격이었다. 소문에 의하면, (그것은 사실이기도 했지만) 그는 사흘에 두 푼트Funt[48] 정도의 빵밖엔 안 먹는다는 것이었다. 이 빵은 양봉장에 살고 있는 꿀벌지기가 사흘에 한 번씩 날라다 주곤 했지만, 자기를 위해 그런 심부름까지 해 주는 꿀벌지기한테도 페라폰트 신부는 좀처럼 말을 하는 일이 없었다. 이렇게 날라다 주는 빵 4푼트(2푼트씩 2번)와 일요일마다 저녁 미사 후에 수도원장이 규칙적으로 보내 주는 성찬용 떡만이 일주일 동안에 먹는 양식의 전부였다. 물은 날마다 대접에 하나씩 갈아 주고 있었다. 그는 미사에도 거의 나타나지 않았다. 어떤 때는 무릎을 꿇은 채 옆에서 무슨 일이 있든 본체만체하고 온종일 기도만 드리고 앉아 있는 그의 모습이 방문객들의 눈에 띌 때도 있었다. 어쩌다 방문객들과 말을 주고받는 일이 있어도, 그의 말은 간단하고 단편적이고 이상한 데다가 무척 무뚝뚝하기까지 했다. 하기는 극히 드문 일이기는 했지만 방문객들과 오랫동안 이야기를 하는 수도 있기는 있었다. 그러나 그런 경우에는 으

48 구러시아의 중량 단위. 약 4백 그램.

례 상대방에게 커다란 수수께끼가 될 만한 괴상한 말을 반드시 한마디씩 던지곤 했다. 그리고 나중에 아무리 간청을 해도 그 뜻을 설명해 주지 않았다. 그는 아무런 직위도 갖지 않은 평수사平修士에 지나지 않았다. 이것은 아주 무식한 사람들 사이에서만 통하는 얘기지만 참으로 괴이한 소문이 돌고 있었다. 즉, 페라폰트 신부는 하늘의 성령聖靈과 직접 통하고 있어, 언제나 성령만을 상대로 하여 말을 하고 있기 때문에, 지상의 인간에게는 침묵을 지키고 있다는 것이었다.

오브도르스크에서 온 수사는 양봉장에 당도하여 역시 입이 무겁고 무뚝뚝한 꿀벌지기 수사한테서 길을 알아 가지고, 페라폰트 신부가 거처하는 암자 쪽으로 걸음을 옮겼다. "어쩌면 먼 곳에서 일부러 찾아온 사람이라 해서 말을 하실지 모르지만, 또 어쩌면 전혀 상대도 하지 않을지도 모릅니다" 하고 꿀벌지기 수사는 그에게 미리 일러 주었다. 후에 본인이 말한 바에 의하면 이 북방의 수사는 극심한 불안을 느끼며 조심조심 암자로 다가갔었다는 것이다. 이미 꽤 늦은 시각이었다. 페라폰트 신부는 마침 그때 암자문 앞에 놓인 낮은 의자에 걸터앉아 있었다. 머리 위에는 커다란 느릅나무 고목이 가볍게 흔들리고 있었다. 냉기를 품은 저녁 바람이 휙 불고 지나갔다. 오브도르스크의 수사는 위대한 고행자의 발밑에 넙죽 엎드려 축복을 빌었다.

"자네는 나도 같이 엎드리길 바라는 건가?" 하고 페라폰트 신부는 말했다. "냉큼 일어나게!"

수사는 일어났다.

"나한테도 축복을 주고, 자네도 축복을 받고서, 이리 와 앉게. 그래 어디서 왔나?"

이 북방의 가련한 수사를 무엇보다도 놀라게 한 것은, 페라폰트 신부가 단식에 가까운 참으로 어려운 생활을 하고 있을뿐더러 그처럼 나이가 많은 데도 불구하고 겉보기엔 아직도 원기 왕성한 노인으로 보인 점이었다. 키가 크기는 했지만 허리는 조금도 굽지 않았고, 얼굴은 여위기는 했으나 아직 싱싱하고 건강해 보였다. 그의 몸에 아직도 상당한 체력이 남아 있다는 것은 의심할 여지도 없었다. 체격 또한 장사의 그것처럼 늠름했다. 나이가 그처럼 많은 데도 불구하고 그 머리털은 아직 완전한 백발이라고는 할 수 없었는데, 젊을 때는 검은 빛이었던 터럭이 머리에도 턱에도 풍부히 남아 있었다. 커다란 잿빛 눈은 광채를 발하며 보통 이상으로 불룩 튀어나와 있어, 보는 사람을 흠칫 놀라게 할 지경이었다. 그는 모음 O에 악센트를 붙여 발음하는 북부 지방 사투리를 썼다. 예전에 죄수 옷감이란 명칭으로 통하던 거친 천으로 지은 길고 불그죽죽한 농부의 두루마기를 걸치고 굵은 새끼줄을 띠 삼아 허리에 두르고 있었지만, 목과 가슴은 알몸 그대로였다. 몇 달째 갈아입지 않아 새까맣게 때 묻은 두툼한 삼베 속옷이 두루마기 안으로 보였다. 소문에 의하면, 그는 두루마기 밑에 30푼트나 되는 쇳덩이를 차고 있다는 것이었다. 양말도 신지 않은 맨발에는 형체도 분간할 수 없을 만큼 헐어 떨어진 신을 걸치고 있었다.

"오브도르스크의 성 실리베스트로라는 조그만 수도원에서 왔습니다." 수사는 약간 겁먹은 것 같은, 그러나 호기심 어린 조그만 눈을 재빨리 굴려 운둔자의 모습을 관찰하면서 공손한 어조로 대답했다.

"실리베스트로라면 나도 전에 가 본 일이 있지. 얼마 동안 신세를 지기까지 했으니까. 그래 실리베스트로는 잘 있나?"

수사는 약간 어리둥절했다.

"자네들은 참 어리석은 인간들이야! 그런데 재계齋戒는 어떻게들 지키고 있나?"

"저희들의 식사는 예전부터 내려오는 수도원 규칙을 그대로 따르고 있습니다. 즉 사순절에는, 월요일과 수요일, 금요일엔 전혀 식사 준비를 하지 않습니다. 화요일과 목요일엔 흰 빵에 꿀 넣은 과일 조림, 산딸기, 배추절임, 그리고 귀리죽을 먹게 되어 있지요. 토요일엔 흰 배춧국에, 콩과 국수를 넣은 죽이 나오는데, 두 가지 다 식물성 기름이 들어 있습니다. 그리고 주일날에는 마른 생선과 죽에 배춧국이 곁들여집니다. 신성 주간[49]이 되면 월요일부터 토요일 저녁까지

49 사순절의 제5주. 부활절 전前 주간. 수난 주간受難週間이라고도 함.

엿새 동안을 그야말로 물과 빵과 날채소뿐입니다만, 제1주에 대해 말씀드린 것처럼 그것도 제한이 있어서 날마다 먹을 수는 없게 되어 있습니다. 신성 금요일[50]에는 아무것도 입에 대지 않고, 신성 토요일에도 역시 단식을 했다가, 오후 3시가 지난 다음에 비로소 약간의 빵과 물을 먹고, 포도주를 한 잔씩 마십니다. 신성 목요일에는 기름을 쓰지 않은 요리를 먹고, 포도주를 마시든가 아니면 마른 음식을 먹습니다. 왜냐하면, 라오디게아 종교 회의에서도 '사순절 마지막 목요일을 성실히 지키지 아니하면 사순절四旬節 재계를 전혀 지키지 아니한 것과 같으니라'고 결정되었기 때문입니다. 이상이 저희들의 방법이올시다. 그렇지만 신부님, 당신과 비교하면 이런 것쯤 아무것도 아닙니다" 하고 수사는 약간 자신이 붙은 어조로 말을 이었다. "당신이 1년 내내, 심지어는 부활절에도, 빵과 물밖엔 드시지 않을뿐더러 저희들이 이틀 동안 먹는 빵을 당신은 일주일 동안의 양식으로 삼고 계시다니 말입니다. 참으로 그 위대하신 고행에는 놀라지 않을 수 없습니다."

"자네 그루즈지(버섯)를 아나?" 하고 페라폰트 신부는 불쑥 물었다. 그의 '그' 음은 목구멍에서 밀어내는 것 같은 'ㅎ'에 가까운 발음이었다.

"버섯 말씀입니까?" 수사는 어안이 벙벙하여 이렇게 반문했다.

"음, 그래. 나는 그자들의 빵 같은 건 거절해 버릴 생각이야. 그런 건 조금도 필요없으니까. 숲속에 들어가서 그루즈지와 산딸기나 먹고 연명할 작정이지. 헌데 여기 있는 자들은 아직도 빵에 미련이 남아 있거든. 말하자면 마귀와 손을 끊지 못하고 있는 거야. 요즘은 더러운 녀석들이 나타나서, 그렇게까지 금식을 할 필요는 없다고 주둥이를 놀리고 있지만, 녀석들의 그런 생각이야말로 교만하고 더러운 사고방식이라 하지 않을 수 없어."

"예, 그것은 옳은 말씀이십니다" 하고 수사는 탄식조로 말했다.

"헌데, 자네 그자들한테서 마귀를 보았나?" 하고 페라폰트 신부는 물었다.

"그자들이라니 누구 말씀인지요?" 하고 수사는 조심스런 어조로 되물었다.

50 예수 수난일受難日. 부활절 전前 주의 금요일.

"나는 지난해 오순절五旬節에 수도원장한테 가 보고는, 그 후론 한 번도 가 본 일이 없네. 내가 악마를 본 건 바로 그때였어. 가슴팍에 들러붙어 법의 속에 숨어서 뿔만 내밀고 있는 놈이 있는가 하면 호주머니 속에서 살그머니 내다보고 있는 놈도 있더군. 눈치가 빠른 놈들이라 나를 무서워하고 있는 거야. 어떤 놈은 뱃속으로 기어들어 가서 그 더러운 뱃속에 아주 자리를 잡고 들어앉았는가 하면, 또 어떤 놈은 목을 휘어 감고 대롱대롱 매달려 있는데, 본인은 그것도 모르고 그냥 마귀 새끼를 달고 다니더라니까!"

"그럼 당신은…… 그걸 직접 보셨단 말씀인가요?" 하고 수사는 물었다.

"보았다지 않나! 어느 구석에 숨어 있어도 죄다 볼 수 있어. 내가 원장실에서 나오려니까 마귀 한 마리가 나를 피해 얼른 문 뒤에 숨는 것이 보이더군. 키가 1미터는 실히 될 만큼 큼직한 놈이야. 굵고 기다란 다갈색 꼬리를 가진 놈인데, 마침 그 꼬리 끝이 문틈으로 비죽 나와 있지 않겠나. 나도 그리 우둔한 인간은 아닌지라, 느닷없이 방문을 쾅 닫아 그놈의 꼬리를 문틈에 끼워 버렸지. 그랬더니 깽깽 비명을 올리며 빠져 나가려고 버둥거리는 놈을, 내가 십자가를 들고 성호를 세 번 그으니까 짓밟힌 개미 새끼처럼 그 자리에 뻗어 버리더군. 지금쯤은 한쪽 구석에서 악취를 발산하며 썩을 테지만, 그자들은 그걸 보지도 못하고 냄새를 맡지도 못하는 모양이야. 그 후 나는 1년이 넘도록 다시는 가 보지 않았네. 자네는 먼 데서 왔다니 하는 말이네만……"

"거참 무서운 말씀이십니다! 그건 그렇고, 신부님." 수사는 점점 대담해졌다. "당신에 관해서 놀라운 소문이 먼 곳에까지 퍼져 있는데 과연 그건 사실입니까—당신은 끊임없이 성령과 관계를 맺고 계신다더군요?"

"이따금 날아온다네."

"날아온다니, 어떤 모양으로?"

"새의 모양이지."

"그러니까 비둘기 모양의 성령이로군요?"

"성령일 때도 있고, 천사일 때도 있지. 천사일 경우는 다른 새의 모양을 하고 내려오는 수도 있다네. 어떤 때는 제비, 어떤 때는 방울새, 또 어떤 때는 박새의 모양으로."

"박새를 보고 어떻게 그걸 알아보십니까?"

"말을 하니까."

"말을 하다니, 어떤 말입니까?"

"사람의 말이지."

"그래 무슨 말을 합니까?"

"오늘은 이런 말을 해 주더군. 이제 곧 바보 녀석이 하나 찾아와서 부질없는 질문을 할 거라고 말이야. 자넨 알려고 하는 게 너무 많아."

"참으로 두려운 말씀이십니다, 신부님" 하며 수사는 고개를 흔들었다. 그러나 그 겁먹은 두 눈에는 의혹의 빛이 나타나 있었다.

"헌데 자네, 이 나무가 보이나?" 잠시 말을 끊었다가 페라폰트 신부는 이렇게 물었다.

"보입니다, 신부님."

"자네 눈엔 느릅나무로 보일 테지만, 내 눈엔 딴것으로 보인다네."

"그럼 무엇으로 보인단 말씀입니까?" 수사는 초조한 기대 속에서 잠시 입을 다물고 대답을 기다렸다.

"이런 일은 대개 밤에 일어나곤 하지만, 자네 저기 가지가 두 개 뻗어 있는 게 보이나? 밤이 되면 저 가지가 마치 그리스도께서 손을 벌리시고 그 손으로 나를 찾고 계신 것같이 보인단 말일세. 너무나 똑똑히 보이기 때문에 후들후들 몸이 떨릴 지경이야. 두려워, 참으로 두려워!"

"그게 정말로 그리스도라면 뭐 두려울 건 조금도 없지 않겠습니까?"

"나를 붙잡아 데리고 가실 테니까."

"죽기도 전에 데려가신단 말씀인가요?"

"성령과 엘리야[51]의 영광으로 말이야, 그런 말 들어 본 일 없나? 나를 팔에 안

51 B.C. 9세기경의 북왕국 이스라엘에서 주로 활동하던 예언자.

으시고 그대로 데려가 버리실 걸세."

이런 말들을 듣고 나서, 오브도르스크의 수사는 자기에게 지정된 어느 수사의 방으로 돌아왔다. 그는 적지 않은 의혹을 느끼긴 했지만, 그래도 그의 마음은 조시마 장로에게보다는 페라폰트 신부에게 더욱 기울어지고 있었다. 오브도르스크의 수사는 무엇보다 금식을 중요하게 생각하는 사람이었으므로, 페라폰트 신부와 같이 위대한 고행자가 '여러 가지 기이한 것'을 직접 본다고 해도 결코 이상하게 여길 것은 아니라고 생각했던 것이다. 신부의 말은 물론 터무니없는 소리 같기도 하지만, 오히려 그런 말 속에 어떤 오묘한 뜻이 숨어 있을지도 모르는 일이다. 더욱이 신들린 사람들이란 모두가 그보다 훨씬 괴상한 언동을 하고 있지 않은가. 꼬리를 잡힌 마귀 얘기 같은 것은 비단 비유로서만이 아니라 사실 그대로를 기꺼이 믿고 싶은 심정이었다. 뿐만 아니라, 그는 이 수도를 찾아오기 훨씬 전부터, 그때까지 말로밖엔 듣지 못했던 장로 제도에 대하여 많은 편견을 품고, 다른 사람들의 견해에 좇아 무조건 유해한 신제도라고 단정하고 있었다. 이 수도원에서 하루를 머무르는 동안에, 장로 제도를 반대하는 몇몇 경솔한 수사들이 뒤에서 수군거리는 불평불만을 그는 재빨리 알아챘던 것이다. 더욱이 그는 원래가 모든 일에 호기심이 강하여, 날쌔게 돌아다니며 아무데나 얼굴을 들이미는 그런 종류의 인간이었다. 조시마 장로가 행한 새로운 '기적'에 관한 놀라운 소식에 그가 격심한 심적 동요를 느낀 것도 실은 이 때문이었다. 후에 가서 알료샤는 호기심 많은 오브도르스크의 수사가 장로의 암자 안팎에 모여든 수사들 사이를 왔다 갔다 하며, 여기저기 목을 들이밀고는 사람들이 하는 얘기에 귀를 기울이는가 하면, 아무한테나 무엇을 묻고 돌아가던 일이 생각났다. 그러나 그때 알료샤는 별로 주의를 돌리지 않았었고, 나중에 가서야 모든 것을 상기했던 것이다.

하기는 그런 사람한테 관심을 기울일 여유가 그때는 없었다. 조시마 장로는 다시 피로를 느껴, 침대에 돌아가 누웠으나, 눈을 감으려다가 갑자기 알료샤 생각이 나서, 그를 불러 달라고 했다. 알료샤는 급히 달려왔다. 이미 장로 옆에는 파이시 신부와 이오시프 신부, 그리고 견습 수사인 포르피리밖에는 없었다. 장로는 피로한 눈을 뜨고 물끄러미 알료샤의 얼굴을 쳐다보고 있다가, 불쑥 이렇게 묻는 것이었다.

"집안사람들이 널 기다리고 있겠지?"

알료샤는 머뭇거렸다.

"가 봐야 하지 않겠니? 오늘 누구와 만나기로 약속했겠지?"

"약속했습니다……. 아버지하고…… 형님들하고…… 그리고, 또 딴 사람들하고도."

"그렇겠지. 약속대로 가 봐야 한다. 뭐 근심할 건 없이, 나는 네가 있는 자리에서 이 세상에서의 마지막 말을 하고 난 후에야 죽어도 죽을 테니까. 나는 그 말을 너한테 하려는 거야, 유언으로 너한테 남겨 주고 가려는 거야. 딴 사람 아닌 너한테 말이다. 네가 나를 아끼고 사랑해 주었기 때문이지. 그러니까 지금은 마음 놓고 어서 약속한 사람들한테 갔다 오너라."

알료샤는 그 자리를 떠나기가 마음 아팠지만 즉시 그의 말에 복종했다. 그러나 장로가 이 세상에서의 마지막 말을 자기에게, 더욱이 자기에 대한 유언으로 들려주겠다고 한 약속은, 그의 가슴을 환희에 떨게 했다. 그는 시내에 나가 볼일을 보고 한시바삐 되돌아와야겠다고 외출 준비를 서둘렀다. 그때 파이시 신부도 그에게 축복의 말을 해 주었는데, 그의 말은 알료샤에게 뜻하지 않은 강렬한 감명을 주었던 것이다. 그것은 두 사람이 장로의 방에서 밖으로 나온 후의 일이었다.

"네가 깊이 명심하고 끊임없이 상기해야 할 일이 있다" 하고 파이시 신부는 아무런 서론도 없이 갑자기 말하기 시작했다. "속세의 과학은 이미 하나의 커다란 세력으로 통합되어 신에 의하여 주어진 거룩한 책 속에 약속된 모든 것을 해명했다. 특히 전세기에 이르러 그것이 현저해졌어. 속세의 학자들의 무자비한 해부·분석의 결과 여태까지 신성시되던 모든 것이 그림자도 없이 소멸되어 버렸다. 그러나 그들은 세부의 해명만을 서둘렀기 때문에 전체라는 것을 미처 보지 못했던 거야. 왜 그렇게 눈들이 멀었는지 참으로 놀라지 않을 수 없어. 그런데 그 전체는 옛날이나 마찬가지로 그들의 눈앞에 미동도 않고 버티고 서 있어서, 지옥의 문도 그걸 정복할 수는 없는 거야. 과연 그것은 1900년이라는 오랜 세월 동안 줄곧 존재를 계속해 오지 못했다는 것일까? 그리고 오늘날에도 개개인의 정신의 움직임 속에, 대중의 움직임 속에 생존해 있지 않다고 할 수 있을까? 아니, 그것은 모든 것을 파괴한 그 무신론자들의 정신의 움직임 속에서도 전과 마찬가지로 엄연히 생존을 계속하고 있어! 왜냐하면, 그리스도교를 부정하고 그리스도교에 반기를 쳐든 사람들조차도, 그 본질에 있어서는 자기 자신 그리스도와 똑같은 모습을 그대로 지니고 있으니까. 그 증거로는 오늘날에 이르기까지 그들의 지혜도, 그들의 정열도, 일찍이 그리스도에 의해 제시된 이상 이외에 인간과 인간의 존엄에 적합한 더 높은 이상을 창조해 내지는 못하지 않았느냐 말이다. 하기는 그런 시도가 전혀 없었던 것은 아니지만 결과는 언제나 기형적인 것에 지나지 않았어. 알료샤, 이 점은 특히 잘 기억해 두어야 한다. 왜냐하면 너는 이제 곧 세상을 떠나실 장로님의 분부에 따라 속세로 나가는 몸이니까. 앞으로 이 위대한 날을 상기할 때면, 너를 내보내며 내가 너에게 진심으로 한 이 말을 너는 기억해 주리라 믿는다. 내가 이런 말을 한 것은, 너는 아직도 어린데 세상의 유혹은 너무나 강해서, 네 힘만으로는 좀처럼 감당하기 어려운 것이기 때문이야. 자, 그럼 잘 다녀오너라."

이렇게 말하고 파이시 신부는 그를 축복해 주었다. 수도원 문을 나서며 이 뜻하지 않은 훈화의 뜻을 되씹던 알료샤는, 여태까지 자기한테 그처럼 엄하고 냉혹하기만 했던 이 수사 신부가, 실은 자기를 열렬히 사랑해 주는 새로운 친구, 새로운 지도자라는 것을 깨닫게 되었다. 그리고 혹시 조시마 장로가 죽음을 앞두고 유언으로서 이 사람에게 자기를 위탁하지나 않았나 하는 생각까지 들었다. '어쩌면 두 분 사이에 실제로 그런 이야기가 오갔는지도 모른다' 하고 알료샤는 생각했다. 방금 자기에게 들려준 뜻하지 않은 학문적 훈화, 이 훈화야말로 자기에 대한 파이시 신부의 뜨거운 재정을 증명하는 것이다. 그는 되도록 빨리 알료샤의 젊은 두뇌를, 세상의 유혹과 싸울 수 있도록 무장시키고, 장로의 유언에 의해 그에게 맡겨진 이 젊은 영혼을 위해 더할 수 없이 견고한 방벽防壁을 둘러쳐 주려 했음이 분명하다.

2. 아버지의 집에서

알료샤는 제일 먼저 아버지 집으로 갔다. 도중에 그는, 어제 아버지가 이반의 눈에 띄지 않게 살그머니 들어오라고 몇 번이나 다짐하던 말을 상기했다. '왜 그랬을까?' 알료샤는 이제야 갑자기 이상하다는 생각이 들었다. '아버지가 나한테만 하실 말이 있더라도 내가 몰래 들어가야만 할 것까진 없을 텐데? 어젠 무언가 다른 말을 하시려다가 너무 흥분해서 미처 그 말을 못 하신 게 분명해' 하고 그는 혼자서 결정하고 말았다. 그러나 마르파 할멈이 그에게 대문을 열어 주며, (그리고리는 몸이 편치 않아 딴채에 누워 있었다) 그의 물음에 대답하여, 이반 표도로비치는 벌써 두 시간 전에 외출했다고 말했을 때는 어쩐지 무척 기뻤다.

"그럼 아버지는?"

"일어나셔서 커피를 드시고 계십니다." 마르파 이그나치예브나는 좀 퉁명스럽게 대답했다.

알료샤는 안으로 들어갔다. 노인은 슬리퍼를 신고 낡은 외투를 걸치고 식탁에 혼자 앉아서, 무료한 시간을 보내기 위함인지 별로 마음이 내키지 않는 얼굴로 무슨 장부 같은 걸 뒤적거리고 있었다. 이 넓은 집에는 표도르 파블로비치 한 사람밖엔 없었다. (스메르자코프 역시 점심거리를 사러 시장에 가고 없었다) 그러나 그는 회계장부에 정신이 팔려 있는 것은 아니었다. 그는 아침 일찍 일어나서 원기를 회복해 보려 했지만, 그래도 피로의 빛이 역연하여 기운이 없어 보였다. 지난밤 사이에 커다란 자줏빛 멍이 생긴 이마에는 붉은 천을 붕대 삼아 감고 있었다. 콧등 역시 하룻밤 사이에 무섭게 부어올라, 과히 눈에 띄지는 않았지만 조그만 반점이 여기저기 나타나 있었는데, 그것이 또한 얼굴 전체에 무언가 적의에 찬 초조한 표정을 부여하고 있었다. 노인 자신도 이것을 알고 있었으므로, 알료샤가 들어왔을 때는 몹시 못마땅한 눈초리로 흘끗 바라보았다.

"냉커피야" 하고 그는 찢는 듯한 목소리로 말했다. "그러나 굳이 권하진 않겠다. 나는 오늘 소재를 지키는 뜻에서 생선 수프 한 가지만 시켰기 때문에 아무도 식사에 부르지 않기로 했지. 그래 무슨 일로 왔니?"

"잠깐 문안을 드리려고요" 하고 알료샤는 대답했다.

"음. 그리고 어제 내가 너더러 와 달라고 했으니까……. 그러나 그건 실없는 소리였어. 공연한 걱정을 하게 했구나. 하긴 나도 네가 곧 어정어정 찾아오리라고는 생각하고 있었지만……."

그는 노골적인 적의를 드러내며 이렇게 말했다. 그사이에 그는 의자에서 일어나, 아무래도 마음에 걸린다는 듯이 거울 앞으로 가서 (어쩌면 아침부터 벌써 마흔 번 정도는 살폈는지도 모른다) 가지 코를 들여다보았다. 그러고는 이마에 두른 붉은 붕대를 보기 좋게 고쳤다.

"붉은 붕대가 좋아. 흰 건 병원 냄새가 나거든." 그는 약간 익살스럽게 말했다. "그래 수도원은 별일 없니? 너의 장로는 좀 어떠냐?"

"매우 위독하셔요. 어쩌면 오늘을 넘기지 못하실 것 같아요" 하고 알료샤는 대답했으나, 아버지는 귀담아들으려고도 하지 않았다. 금세 자기가 한 말을 벌써 잊어버린 모양이었다.

"이반은 나가고 없다" 하고 그는 불쑥 말했다. "그 녀석은 어떻게 해서든 미챠의 색시를 가로채 보려고 아주 열심이야. 그 녀석이 여기 살고 있는 건 그 때문이지." 그는 입을 실룩거리며 말하고는 알료샤의 얼굴을 바라보았다.

"이반 형이 아버지한테 정말 그런 말을 하던가요?" 하고 알료샤는 물었다.

"암, 말하고말고. 벌써 꽤 오래되었다. 너는 어떻게 생각할지 모르지만, 그런 말을 한 지가 벌써 3주일은 되었을 게야. 설마 몰래 나를 죽이려고 그 녀석이 이 집에 온 건 아니겠지. 그렇다면 대체 무엇 때문에 왔을까?"

"아니, 아버지! 무슨 말씀을 그렇게 하세요?" 알료샤는 몹시 당황했다.

"하긴 그 녀석은 나한테 돈을 내놓으란 소린 안 해. 하지만 어차피 나한테선 동전 한 닢 긁어 내지 못할 테니까. 난 말이다, 알렉세이 표도로비치, 이 세상에서 되도록이면 오래오래 살고 싶어, 이 점은 너도 알아두는 게 좋을 게다. 그래서 내게는 단돈 한 푼이라도 소중한 거야. 오래 살면 살수록 돈은 더욱더 필요하게 될 테니까." 그는 누런 격자무늬 나사로 만든 때 묻은 여름 외투 호주머니에 두 손을 찔러 넣고, 이 구석에서 저 구석으로 방 안을 오락가락하며 말을 계속했다. "나는 이제 쉰다섯밖엔 안 되었으니까 아직은 사내구실을 할 수 있어. 그러나 앞으로 적어도 이십 년은 사내로서 현역에 남아 있고 싶다. 하지만 아무래도 나이가 나이니까 점점 꼬락서니가 누추하게 될 수밖에. 그렇게 되면 계집들이 자진해서 나한테 달라붙을 리는 만무하지. 그때 필요한 게 바로 돈이야. 그래서 나는 지금 되도록 많은 돈을 거둬 모으려고 애쓰고 있는 거야. 이건 물론 나 한 사람을 위해서 하는 일이지. 알겠니, 알렉세이 표도로비치, 이 점도 잘 알아두어라. 나는 끝까지 나의 추악한 세계에서 살고 싶다는 거야. 이 점은 잘 기억해 두는 게 좋을 게다. 추악한 세계에 사는 편이 훨씬 유쾌하거든. 모두들 추악한 세계를 욕하고들 있지만, 실은 누구나가 다 그 속에서 살고 있지 않느냐 말이다. 다만 딴 놈들은 뒷구멍에서 그런 생활을 하고 있는데, 나는 그걸 공공연하게 하고 있다는 게 다를 뿐이야. 그런데 나의 솔직한 태도를 가지고 그 더러운 놈들은 나를 공격하고 있지. 얘, 알렉세이, 나는 너희 그 천국에는 가고 싶지도 않다. 이 점도 잘 기억해 다오. 설혹 천국이 있다손 치더라도 의젓한 인간이 그런 데 간다는 건 도대체 어울리지가 않아. 내가 생각하기엔, 일단 눈을 감고 잠들어 버리곤 다시는 깨어나지 못한다는 것뿐이야. 그것 이외엔 아무것도 없어. 기어이 하고 싶다면 내 명복을 빌어 줘도 좋지만 그럴 생각이 없다면 아무래도 좋아. 이것이 내 철학이야. 이반이 어제는 여기서 곧잘 지껄이더라. 하긴 나나 그 녀석이나 다 취해 있었지만. 이반은 자만에 빠져 있는 모양이지만, 뭐 이렇다 할 학식이 있는 건 아니야. 도대체 특별히 교육이라는 걸 받아 본 일이 없는 녀석이니까. 아무 말 않고 남의 얼굴을 바라보며 그저 능글맞게 웃고만 있거든—그 녀석은 그걸로 한몫 보고 있는 거야."

알료샤는 말없이 듣고만 있었다.

"어째서 그 녀석은 나하곤 말을 하려 들지 않을까? 간혹 말을 한다 해도 공연히 거드름만 피우거든. 못된 녀석 같으니라고! 나는 하려고만 생각하면 지금 당장에라도 그루셴카하고 결혼할 수 있어. 돈만 가지고 있으면 무엇이든 원하는 대로 할 수 있는 거야. 이반 녀석은 그게 두려워서 내가 결혼하지 못하도록 감시를 하고 있지. 그리고 미치카를 부추겨 그루셴카와 결혼시키려 하고 있어. 그렇게 해서 나를 그루셴카한테서 멀리 떼어 놓으려는 속셈이야. (흥, 내가 그루셴카와 결혼하지 않으면 자기한테 돈이라도 남겨 줄 것으로 아는 모양이지!) 그리고 또 한편으로는, 미치카가 그루셴카와 결혼하면, 돈 많은 형의 색시는 자기가 차지하려는 뱃심이지. 그 녀석은 바로 그걸 노리고 있는 거야. 이반 녀석은 정말 비열한 놈이라니까!"

"몹시 흥분하고 계신 것 같군요, 아버지, 어제 일 때문에 그럴 거예요. 가서 좀 누워 계시는 게 좋지 않을까요?" 하고 알료샤는 말했다.

"그래, 네가 그런 말을 하면" 하고 이제야 비로소 머리에 떠오르기라도 한 것처럼 노인은 갑자기 이렇게 말했다. "나는 괘씸하다는 생각이 조금도 들지 않아. 그러나 이반이 만일 그런 말을 했다면 나는 틀림없이 화가 났을 거야. 너하고 말을 하고 있을 때만은 언제나 마음이 누그러지는구나. 원래가 나는 악한 인간이지만 말이야."

"악한 사람이 아니라 비뚤어진 사람이겠죠" 하고 알료샤는 싱긋 웃었다.

"헌데, 나는 오늘 그 강도 놈을—그 미치카 놈을 당장 감옥에 처넣어 버릴까 생각했지만, 아직도 결정을 내리지 못하고 있다. 그야 물론, 유행을 좇는 요즘 세상에서는 아비어미 같은 건 마치 편견 덩어리처럼 여기게 되었지만, 그러나 아무리 세상이 개화되었기로서니 늙은 아비의 머리털을 움켜쥐고, 구둣발로 얼굴을 걷어차서, 마룻바닥에 동댕이쳐도 괜찮다는 법은 아마 없을 게다. 그것도 다른 데서가 아니라 바로 제 아비 집에서 말이다! 그러고는, 다시 와서 아주 숨통을 끊어 버리고 말겠다고 증인들 앞에서 호통을 치니, 그래 세상에 이럴 수가 있겠니. 내가 그렇게 하려고만 든다면, 어제 일만 가지고도 당장에 그놈을 감옥에 처넣을 수 있는 거야."

"그럼 형을 고발하실 생각은 없단 말씀이군요? 그렇죠, 네?"

"이반이 말리더구나. 하긴 그까짓 이반 녀석이 무슨 소릴 한대도 상관없지만, 실은 내게도 생각이 있어서……." 이렇게 말하며 그는 알료샤에게 몸을 굽히고 무슨 비밀이라도 말하는 것처럼 음성을 낮추었다.

"가령 내가 그 악당 놈을 처넣었다고 하자. 그래서 내가 그놈을 감옥에 넣었다는 소식을 들으면, 그 계집은 곧장 그놈한테로 달려갈 거야. 그러나 그놈이 이 약한 노인한테 손찌검을 해서 반쯤 죽여 놓았단 말을 들으면, 아마 그놈을 버리고 나를 위르하러 오겠지……. 인간이란 누구에게나 다 이런 성질이 있는 법이지—뭐든지 반대로만 나가려는 성질이. 나는 그 계집의 성격을 환히 꿰뚫고 있거든! 헌데 어떠냐. 코냑이라도 좀 마시지 않겠니? 냉커피를 가져오거든 유리잔에 사분의 일쯤 타 주마. 그게 아주 별미라더라."

"아니 필요 없습니다. 나는 이 빵이나 가져가겠습니다. 괜찮겠죠?" 하며 알료샤는 3코페이카짜리 프랑스 빵을 집어 법의 호주머니에 넣었다. "아버지도 이젠 코냑을 그만두시는 게 좋을 거예요." 알료샤는 노인의 얼굴을 들여다보며 조심스런 어조로 충고했다.

"네 말이 옳다. 공연히 신경만 날카롭게 할 뿐이지, 마음을 가라앉혀 주지는 않으니까. 하지만 꼭 한 잔만 하는 거니까……. 그럼 찬장을 열고……"

그는 열쇠를 꺼내 찬장을 열더니 유리잔에 술을 따라 쭉 들이키고는, 찬장 문을 닫고 열쇠를 다시 호주머니 속에 넣었다.

"이거면 됐어. 한 잔쯤 했다 해서 죽지는 않을 테지."

"아버진 전보다 훨씬 상냥해지셨군요" 하며 알료샤는 싱긋 웃었다.

"음! 나는 코냑을 안 마셨을 때도 네가 좋아. 그렇지만 상대가 악당일 때에는 나도 악당이 되는 거야. 바니카(이반의 존칭) 놈은 체르마쉬냐에 가려 하지 않는데, 왜 그런지 아니? 혹시 그루셴카가 오면 내가 많은 돈을 주지 않을까? 그걸 염탐할 필요가 있기 때문이지. 어째서 모두 그런 악당 놈들만 모였을까! 그러나 나는 이반 같은 건 전혀 안중에도 없다. 도대체 어디서 그런 게 나왔을까? 그녀석은 우리하곤 정신이 아주 딴판이거든. 그런데도 내가 무슨 유산이라도 남겨 줄 것으로 아는 모양이지? 하지만 나는 유산 같은 건 아예 남기지 않을 생각이야. 너도 이 점은 잘 알아두는 게 좋을 게다. 미치카 같은 놈은 바퀴 새끼처럼 짓밟아 버리고 말 테다! 나는 밤중에 곧잘 슬리퍼로 바퀴 새끼를 짓밟아 주곤 하지만, 발을 대기만 하면 부직 소리를 내며 터져 버리거든. 너의 미치카도 인제 부직 소리를 낼 게다. 내가 너의 미치카라고 한 건 네가 그놈을 사랑하고 있기 때문이야. 하긴 네가 그놈을 사랑한다 해도 나는 하나도 두렵지 않다. 만일 이반이 그놈을 사랑한다면, 나도 나 자신을 위해 약간 걱정이 될지도 모르지. 그러나 이반은 아무도 사랑하지 않아. 이반은 우리하곤 딴판이니까. 이반 같은 인간은 우리하곤 종류가 달라. 그건 인간이 아니라, 공중에 떠오른 티끌이야……. 바람이 불면 사라져 버리는 티끌이지……. 내가 어제 너더러 오늘 꼭 와 달라고 말한 건, 바로 그때 문득 바보 같은 생각이 떠올랐기 때문이었어. 다름 아니라, 너를 통해 미치카 놈의 생각을 탐지하려 했던 거야. 만일 내가 지금 그놈한테 1천이나 2천 루블 정도를 나눠 준다면 그 더러운 거지 놈은 여기서 완전히 자취를 감춰 버리겠다고 할까? 적어도 앞으로 5년쯤, 아니 35년쯤이면 더욱 좋지만……. 그 대신 그루셴카는 남겨 두고 가는 거야. 그 계집과는 깨끗이 손을 끊어야 해. 어떨까, 그놈이 들어줄까?"

"내가…… 내가 한번 형한테 물어보죠." 알료샤는 중얼거리듯 말했다. "3천 루블을 채워 주신다면 아마 형도."

"바보 같은 소리! 그런 건 물어볼 필요도 없다! 이젠 나도 생각이 달라졌으니까. 어제 잠깐 그런 어리석은 생각이 떠올랐었다는 것뿐이야. 그놈한텐 동전 한 닢도 줄 수 없어. 돈은 나한테 더 필요한걸!" 하며 노인은 손을 내저었다. "그러지 않아도 그런 놈은 바퀴처럼 짓밟아 주고 말 테니까. 아무튼 그놈한텐 그런 말을 하지 마라. 했다가는 또 행여나 하고 기대할지 모르거든. 그리고 너도 이젠 여기 있어 봐야 소용없으니 어서 가 봐라. 그런데 그놈의 약혼녀 카체리나 이바노브나 말이야, 그놈은 어떻게 해서든지 내 눈에 보이지 않게 숨기려고만 드는데, 도대체 그 여자는 미치카 놈과 결혼할 생각인가, 어떤가? 너는 아마 어제 그 집에 갔었지?"

"형을 포기할 생각은 절대로 없을 겁니다."

"그렇게 마음씨 착한 아가씨들이란 으레 건달 같은 놈팡이를 좋아하게 마련이거든! 얼굴이 창백한 그런 종류의 아가씨만큼 처치 곤란한 것도 없을 게다. 거기에 비하면…… 어쨌든 좋아! 그렇지만 내게 그놈만 한 젊음이 있고, 그놈 나이 때의 내 얼굴이 있다면 (내가 스물여덟 살 때는 그놈보다도 훨씬 미남이었으니까) 그야말로 나도 그놈 못지않게 계집들을 홀려 줄 건데……. 암, 그깟 놈쯤 문제가 아니지! 아무튼 그루셴카만은 무슨 일이 있어도 양보하지 않을걸. 절대로 안 되지, 안 돼…… 내 그놈을 그냥 놔두진 않을 테다!" 이 마지막 말과 함께 그는 다시금 미칠 듯이 흥분했다.

"너도 이젠 가거라. 오늘은 여기 있어 봐야 소용없으니까" 하고 그는 딱 잘라 말했다.

알료샤는 작별 인사를 하려고 가까이 다가가서 그의 어깨에 입을 맞췄다.

"뭣 때문에 이런 짓을 하는 거냐?" 노인은 약간 놀라는 기색이었다. "인제 또 만나게 될 텐데, 앞으로 다신 못 만날 것 같아서?"

"아니, 그런 뜻은 아닙니다. 나는 그저……"

"나도 별다른 뜻으로 한 말은 아니다. 그저 좀……" 하며 노인은 그의 얼굴을 바라보았다. "얘, 이것 봐" 하고 그는 알료샤의 등에 대고 소리쳤다. "곧 한번 또 오너라, 생선 수프를 먹으러. 생선 수프를 특별히 만들어 주마, 알겠니. 꼭 와야 한다! 그래, 내일이 좋겠다, 내일 꼭 오너라!"

이렇게 말하고는 알료샤가 문밖으로 사라지기가 무섭게, 그는 찬장으로 다가

가더니, 술을 반 잔쯤 따라서 단숨에 마셔 버렸다.

"그만해야겠군!" 하고 중얼거리며 꿀꺽 군침을 삼키고는 다시 찬장을 잠그고 열쇠를 호주머니에 넣었다. 그는 침실로 가서 맥없이 침대에 몸을 던지더니 그대로 이내 잠이 들었다.

3. 소학생들과 사귀다

'아버지가 그루셴카 얘길 묻지 않으셔서 천만다행이었군.' 알료샤는 또 알료샤대로, 아버지 집을 나와 호흘라코바 부인네 집을 향해 걸어가며 이렇게 생각했다. '물으셨다면, 하는 수 없이 어제 그루셴카와 만났던 일을 얘기하지 않을 수 없었을 건데.'

알료샤는 두 사람의 적수가 하룻밤 사이에 새로 원기를 회복하여, 날이 새자 다시금 그 마음이 굳어져 버린 것을 가슴 아프게 생각했다. '아버지가 잔뜩 흥분하여 적개심에 불타고 계신 걸 보니, 필시 무언가 생각하는 바가 있어서 그걸 고집하고 계시는 게 분명해. 그런데 큰형 드미트리는? 드미트리 역시 간밤에 자기 원기를 회복하여, 초조 어린 적개심을 느끼고 있을 거야. 그리고 속으로 무언가 열심히 궁리하고 있겠지……. 아니, 무슨 일이 있어도 오늘 중으로 꼭 형님을 찾아내야겠다.'

그러나 알료샤는 이런 생각에 오래 골몰할 수가 없었다. 도중에 뜻하지 않은 사건이 일어났던 것이다. 그것은 겉보기엔 그리 대수로운 일이 아니었지만, 그에게는 깊은 충격을 주었다. 개천 하나를 사이에 두고 (이 고을은 종횡으로 뻗은 무수한 개천으로 토막토막 잘려 있다) 큰거리와 평행하는 미하일롭스키 거리로 나가려고, 광장을 지나 골목길로 접어들었을 때, 그는 조그만 다릿목에 옹기종기 모여 서 있는 소학생들을 발견했다. 모두가 아홉 살에서 열두 살까지의 어린애들이었다. 마침 학교에서 집으로 돌아오는 길이어서, 등에 책가방을 멘 아이가 있는가 하면 가죽 가방을 어깨에서 밑으로 늘어뜨린 아이도 있었다. 짧은 재킷을 입은 아이도 있고, 외투를 입은 아이도 있고, 또 어떤 아이는, 돈 많은 부모를 가진 응석받이들이 특히 좋아하는, 무릎께까지 오는 긴 장화를 신고 있었다. 이 한 떼의 소학생들은 무엇을 의논하고 있는지 열심히 재잘거리고들 있었다. 알료샤는 어린애들 옆을 무관심하게 그냥 지나쳐 버린 적이 한 번도 없었다. 모스크바에 있을 때도 역시 그랬었다. 그가 제일 좋아하는 건 서너너덧 살 먹은 어린애지만, 여남은 살짜리 소학생도 그는 무척 좋아했다. 그래서 지금도 여러 가지 걱정거리가 있음에도 불구하고, 그는 갑자기 아이들한테로 달려가서 그들의 대화에 끼어들고 싶어졌다. 가까이 다가가서, 생기발랄한 장밋빛 얼굴을 들여다보다가, 그는 문득 아이들이 손에 돌을 한 개씩 쥐고 있는 것을 발견했다. 개중에는 두 개씩이나 들고 있는 아이도 있었다. 개천 건너편에는, 이 아이들이 있는 곳에서 30보가량 떨어진 울타리 옆에, 사내아이가 또 하나 서 있었다. 역시 어깨에 가방을 멘 소학생이었다. 키를 보니 기껏해야 열 살이나 되었을까, 얼굴빛은 병적으로 창백한데, 새까만 눈만이 이상하게 반짝거리고 있었다. 그 아이는 이쪽에 있는 여섯 명의 소학생을 주의 깊게 지켜보고 있었다. 그들은 모두 같은 학교 동무들로, 방금 학교 문을 함께 나왔지만, 평소부터 저쪽 아이와는 사이가 좋지 않은 모양이었다.

알료샤는 검은 재킷을 입은 혈색이 좋은 아이한테 다가가서 말을 걸었다. 곱슬곱슬한 금발을 가진 소년이었다.

"내가 너희들처럼 책가방을 메고 다닐 때는 모두 가방이 왼쪽으로 오게 메고 다녔지. 오른손으로 이내 책을 꺼낼 수 있게 말야. 그런데 너는 오른쪽에 오게 가방을 멨구나. 그래도 불편하지 않니?"

알료샤는 계획적인 기교 같은 걸 전혀 부리지 않고, 다짜고짜 이러한 실제적인 화제를 가지고 말을 걸었다. 하기는 어른이 어린애, 특히 한 떼의 어린이 전체의 신용을 얻는 데는 이런 방법 이외엔 없는 법이다. 진지한 태도로 실제적인 말을 어디까지나 대등한 입장에서 시작하는 것이 무엇보다도 필요한 것이다.

알료샤는 본능적으로 그것을 이해하고 있었다.

"저 앤 왼손잡인걸요" 하고 활발하고 건강해 보이는 열한 살 쯤 난 다른 소년이 얼른 대답했다. 나머지 다섯 아이들은 뚫어지게 알료샤를 바라보고 있었다.

"저 앤 돌을 던질 때도 왼손으로 던져요." 또 다른 소년이 말했다.

바로 그때, 이쪽으로 날아온 돌멩이 하나가 왼손잡이 소년을 조금 스치며 옆으로 빗나가 떨어졌다. 그러나 그것은 제법 능숙하고도 세차게 떨어진 돌이었다. 그것을 던진 것은 개천 건너편에 있는 소년이었다.

"스무로프, 한 대 까줘라, 까줘!" 하고 소년들은 외쳤다. 그렇지 않아도 스무로프(왼손잡이 소년)는 기다리고 있었다는 듯이 건너편 소년을 향해 재빨리 돌을 던졌다. 그러나 그 돌은 빗나가서 땅에 떨어졌다. 그러자 건너편 소년은 이쪽을 향해 얼른 돌을 한 개 또 던졌는데, 이번엔 알료샤에게 명중하여, 꽤 세게 그의 어깨를 쳤다. 개천 건너편 소년의 호주머니에는 미리 준비해 둔 돌이 가득 들어 있었다. 외투 주머니가 불룩한 것으로 보아, 30보가량 떨어진 이쪽에서도 그것을 금세 알 수 있었다.

"저 자식은 당신을 겨누었어요. 일부러 당신을 겨누고 던지는 거예요. 당신은 카라마조프니까요, 카라마조프!" 아이들은 깔깔 웃어 대면서 소리쳤다. "자, 이번에는 우리 모두 한꺼번에 던지자, 던져!" 여섯 개의 돌이 일시에 이쪽에서 날아갔다. 그중 한 개가 저쪽 소년의 머리에 들어맞았다. 소년은 그 자리에 쓰러졌지만, 다시 벌떡 일어나더니, 이쪽 아이들을 상대로 맹렬히 응전하기 시작했다. 쌍방에서 쉴 새 없이 돌이 날아가고 날아왔다. 이쪽도 호주머니에 돌을 가득 준비해 가지고 있는 아이가 많았다.

"얘들아, 이게 무슨 짓이냐! 부끄럽지도 않니! 여섯이서 하나와 싸우다니 저 애를 죽일 셈이냐!" 하고 알료샤는 고함을 쳤다.

그는 앞으로 달려 나가 자기 몸으로 저쪽 소년을 보호하려고, 날아드는 돌 앞에 우뚝 섰다. 서너너덧 아이는 잠시 돌 던지던 손을 멈췄다.

"저 자식이 먼저 싸움을 걸었는데요, 뭐!" 빨간 샤쓰를 입은 소년이 몹시 흥분한 소리로 외쳤다. "아주 나쁜 놈예요. 아까 교실에서 크라소트킨을 칼로 찔러 피까지 나오게 했는걸요. 크라소트킨은 선생님한테 일러바치기 싫어서 그냥 놔뒀지만, 저런 놈은 단단히 혼을 내줘야 해요."

"왜 그랬을까? 너희들이 먼저 저 애를 놀려 준 모양이구나?"

"저런, 또 당신 잔등에 돌을 던지네요! 저 자식은 당신이 누구라는 걸 알고 있는가 봐요" 하고 아이들은 소리쳤다. "저 자식은 지금 우리들이 아니라 당신한테 돌을 던지고 있어요. 자, 또 한꺼번에 던지자. 스무로프, 바로 맞혀야 한다!"

그래서 다시금 돌싸움이 시작되었는데, 이번엔 좀 더 악착스러웠다. 돌 한 개가 저쪽 소년의 가슴팍을 쳤다. 소년은 비명을 지르며 울음을 터뜨리더니 미하일롭스키 거리 쪽 언덕으로 그냥 도망쳐 올라갔다. 그걸 보고 이쪽 아이들은 일제히 놀려댔다. "하하, 겁이 나서 도망치는구나! 썩은 수세미 같은 자식!"

"카라마조프 씨, 저 자식이 얼마나 나쁜 놈인지 당신은 아직 몰라요. 죽여도 시원찮은 놈예요." 재킷을 입은 소년이 눈을 번쩍이면서 말하였다. 보아하니 이 아이가 우두머리 격인 모양이었다.

"어떤 앤데?" 하고 알료샤는 물었다. "고자질이라도 했다는 거냐?"

소년들은 어이가 없다는 듯이 서로 쳐다보았다.

"당신도 미하일롭스키 거리 쪽으로 가는 길이죠?" 하고 재킷 입은 소년이 다시 말했다. "그럼 어서 저 자식을 쫓아가 보세요. 가지 않고 저기 서서 당신을 노려보고 있네요."

"응, 그래, 노려보고 있구나!" 다른 아이들이 맞장구를 쳤다.

"가서 저 자식한테 물어보세요. 너는 목욕탕 물에 담근 수세미를 좋아한다지, 하고 말이에요. 그렇게 물어야 해요, 아셨죠?"

아이들은 또 한바탕 웃어댔다. 알료샤는 아이들의 얼굴을, 아이들은 알료샤의 얼굴을 바라보았다.

"가지 마세요, 잘못하다간 그 자식한테 다쳐요" 하고 스무로프가 경고했다.

"얘들아, 나는 수세미니 뭐니 하는 건 묻지 않겠다. 너희들이 그걸 가지고 그 애를 놀려 주는 모양이니까. 그 대신 어째서 너희들이 그 애를 그렇게 미워하는지 그걸 직접 그 애한테 물어봐야겠다."

"물어보세요, 어서 물어보세요" 하고 아이들은 또 웃어댔다.

알료샤는 다리를 건너 울타리 옆 언덕길을 따라 곧장 외톨이 소년을 향해 걸어 올라갔다.

"조심하세요!" 등 뒤에서 아이들이 소리쳤다. "당신이라고 그 자식이 무서워할 줄 아세요! 칼을 꺼내서 느닷없이 찌를지도 몰라요……. 크라소트킨을 찌른 것처럼."

소년은 그 자리에 꼼짝 않고 서서 알료샤가 다가오기를 기다리고 있었다. 알료샤의 눈앞에 서 있는 이 아이는, 기껏해야 아홉 살 정도밖엔 안 된, 창백하고 갸름한 얼굴을 가진 작달막한 소년이었다. 크고 검은 눈이 증오에 찬 표정으로 이쪽을 응시하고 있었다. 다 헐어 떨어진 괴상한 모양의 외투를 입고 있는데, 소매 끝으로는 빨간 팔목이 길게 드러나 보였다. 바지 오른쪽 무릎 위에는 커다란 헝겊 조각을 대고 기운 자리가 있고, 오른쪽 장화는 엄지발가락 근처에 구멍이 뚫어져, 그 자리를 잉크로 칠한 흔적이 보였다. 불룩한 외투 양쪽 호주머니에는 돌이 가득 들어 있었다. 알료샤는 두어 걸음 앞에 멈춰 서서, 무언가 묻고 싶은 얼굴로 소년을 바라보았다. 소년은 알료샤의 눈빛을 보고 자기를 때리려는 게 아니라는 것을 눈치채고 약간 누그러진 태도로 먼저 말을 걸었다.

"저 자식들은 여섯이고 나는 혼자지만, 혼자서도 다 해치울 수 있어" 하고 소년은 눈을 번쩍이며 말했다.

"그렇지만 지금 한 대 맞지 않았니, 몹시 아팠을 텐데" 하고 알료샤는 말했다.

"나도 스무로프 놈의 대가리를 맞혀 줬는걸!" 하고 소년은 외쳤다.

"저 애들한테 들었는데, 너는 나를 알고 일부러 나한테 돌 던졌다면서?" 알료샤는 물었다.

소년은 음침한 눈초리로 그의 얼굴을 쳐다보았다.

"나는 너를 모르는데, 너는 정말 나를 알고 있니?" 알료샤는 거듭 물었다.

"귀찮게 굴지 말아요!" 소년은 발끈 성을 내며 소리쳤다. 그러나 여전히 무언가를 기다리는 듯 그 자리를 움직이려 하지도 않고, 다시금 적의를 품은 눈을 번득이는 것이었다.

"알았다. 그럼 난 가겠다" 하고 알료샤는 말했다. "하지만 나는 네가 누군지도 모르고, 또 너를 놀리려는 것도 아니다. 저 애들은 무턱대고 너를 골려 주겠다고 벼르더라만, 난 너를 골려 줄 생각은 조금도 없으니까. 그럼 잘 가거라."

"수도사라는 게 비단 바지를 다 입고 뭐야?" 소년은 여전히 적의를 품은 도전적인 눈초리로 알료샤를 지켜보며 이렇게 외치고는, 이번엔 반드시 알료샤가 달려들 줄 알았는지, 얼른 방어 태세를 취했다. 그러나 알료샤는 얼굴을 돌려 소년 쪽을 한 번 바라보고는 그냥 저쪽으로 발길을 돌렸다. 그가 세 걸음도 채 내딛기 전에 소년이 던진 돌이 그의 등을 세차게 때렸다. 더욱이 그것은 소년의 호주머니에 들어 있는 돌 중에서 제일 큰 것이었다.

"그렇게 뒤에서 치는 법이 어디 있니? 저쪽 애들이, 네가 언제나 느닷없이 달려든다고 하더니, 그게 사실인가 보구나?" 알료샤는 뒤를 돌아보며 말했다. 그러나 소년은 악에 받쳐 또다시 돌을 던졌다. 이번엔 얼굴 한복판을 겨누었지만, 알료샤가 재빨리 비켰기 때문에 돌은 그의 팔꿈치에 맞았다.

"얘, 너 부끄럽지도 않니? 내가 너한테 뭘 잘못했다는 거냐" 하고 그는 소리쳤다.

소년은 이번에야말로 알료샤가 틀림없이 자기에게 덤벼들 것이려니 생각하고 말없이 몸을 도사리고 있었다. 그러나 이번에도 알료샤가 가만있는 것을 보자 소년은 화가 머리끝까지 치밀어 올라, 마치 조그만 야수처럼 오히려 자기 쪽에서 먼저 달려들었다. 그러고는 알료샤가 미처 몸을 비킬 사이도 없이, 두 손으로 그의 왼손을 붙잡더니 손가락을 죽어라고 깨문 채 10초가량이나 놓아주지 않았다. 알료샤는 힘을 다하여 손가락을 빼려고 애쓰면서, 너무 아파서 소리를 지르기까지 했다. 소년은 손가락을 놓아주고 얼른 뒤로 물러나서 아까와 같은 간격을 두고 마주 섰다. 알료샤의 손가락은 손톱 바로 밑을 이가 뼈에 닿으리만큼 깊이 물려, 피가 줄줄 흘러내렸다. 알료샤는 손수건을 꺼내 상처를 꼭 동여맸다. 그러느라고 거의 1분 가까이 걸렸지만, 소년은 꼼짝 않고 서서 기다리고 있었다. 이윽고 알료샤는 그쪽으로 부드러운 시선을 돌렸다.

"이젠 됐어" 하고 그는 말했다. "하지만 어지간히 물었구나. 그래 이것으로 직성이 좀 풀렸니? 그럼 이젠 말해 주렴, 내가 대체 너한테 무슨 짓을 했다는 거냐?"

소년은 놀란 눈으로 그의 얼굴을 쳐다보았다.

"나는 네가 누군지도 모르고, 너를 만난 것도 오늘이 처음이지만" 알료샤는 여전히 침착한 어조로 계속했다. "네가 아무 까닭 없이 나한테 이렇게 대할 리가 없을 게 아니냐? 그러니까 내가 무슨 짓을 했는지, 너한테 무슨 잘못을 저질렀는지 그걸 말해 달란 말이다."

대답 대신 소년은 별안간 큰 소리로 울음을 터뜨리더니 알료샤한테서 도망쳐 달아났다. 알료샤는 그 뒤를 좇아 미하일롭스키 거리 쪽으로 천천히 걸어갔다. 그리고 뒤도 돌아보지 않고 빠른 걸음으로 멀리 도망쳐 가고 있는 소년의 뒷모습을 한참 동안 지켜보았다. 소년은 여전히 소리를 내어 울면서 뛰어가고 있는 것 같았다. 그는 기회를 보아 그 소년을 찾아내어, 이 이상한 수수께끼를 풀어야겠다고 결심했다. 그러나 지금은 그럴 여가가 없었다.

4. 호흘라코바네 집에서

알료샤는 곧 호흘라코바 부인의 집에 다다랐다. 그것은 부인 자신의 소유로 되어 있는, 고을에서도 손꼽힐 만큼 아름다운 석조 이층 건물이었다. 호흘라코바 부인은 다른 현縣에 있는 자기 영지와 자기 소유의 집이 있는 모스크바에서 주로 살고 있었다. 이 고을에는 대대로 내려오는 집이 있었고, 또 이 지방에 있는 영지가, 세 군데씩이나 있는 그녀의 영지 중에서 제일 컸음에도 불구하고, 그녀가 이 고을에 오는 것은 여태까지 아주 드문 일로 되어 있었다. 그녀는 문간방까지 달려 나와 알료샤를 맞아들였다.

"받으셨어요? 새로운 기적에 대해서 적어 보낸 내 편지 받으셨어요?" 부인은 호들갑스럽게 지껄이기 시작했다.

"예, 받아 보았습니다."

"모든 사람들에게 알렸나요? 모든 사람들에게 그걸 보여 주었나요? 장로님께선 어머니한테 아들을 돌려보내 주셨답니다!"

"장로님께선 오늘 중으로 돌아가실 겁니다" 하고 알료샤는 말했다.

"네, 나도 들었어요, 알고 있어요. 오오, 나는 당신과 얘기하고 싶어요! 당신 아니면 누구 딴 사람하고라도 이 모든 일에 대해 얘기하지 않으면 안 되겠어요! 아니, 아무래도 당신이라야만 하겠어요! 그렇지만 다시는 장로님을 뵈올 길이 없으니 유감천만이군요! 온 고을 사람이 모두 흥분하여 커다란 기대를 품고 있답니다. 그러나 지금은…… 카체리나 이바노브나가 지금 여기 와 있는 거 아세요?"

"그래요? 그거 참 다행입니다!" 하고 알료샤는 외쳤다. "그럼 댁에서 그분을 만나봐야겠습니다. 그분은 오늘 꼭 자기한테 와 달라고 어제 저한테 신신당부했으니까요?"

"그건 나도 알고 있어요. 죄다 알고 있죠. 어제 그 집에서 일어난 일에 대해서도 자세히 들었어요……. 그리고, 그…… 더러운 계집의 앙칼진 행동도 죄다 들었죠. C'est tragique(정말 비극이에요)! 만약 내가 그런 꼴을 당했다면 무슨 일을 저질렀을지 몰라요! 하지만 당신 형 드미트리 표도로비치는 어쩌면 그렇게…… 어머나! 알렉세이 표도로비치, 내가 깜박 잊고 있었군요! 지금 저기 당신 형님이, 어제의 그 무서운 형님이 아니라, 둘째 형님 이반 표도로비치가, 저기서 지금 그 아가씨와 얘기를 하고 있어요. 그것이 또 굉장히 심각한 대화거든요……. 지금 두 사람 사이에서 무슨 일이 일어나고 있는지 아마 당신은 도저히 믿을 수 없을 거예요. 참으로 무서운 일이에요. 그야말로 감정의 파열破裂이라니까요. 좀처럼 곧이들을 수 없는 무서운 이야기죠. 두 사람이 다 무엇 때문인지도 알 수 없는 일로 자기 자신을 파멸로 이끌고 있어요. 그들 자신도 그것을 알고 있으면서, 오히려 거기서 어떤 쾌감을 느끼는 눈치더군요. 나는 당신을 얼마나 기다렸는지 몰라요. 목이 빠지게 기다렸지요! 첫째, 저런 일을 나는 그냥 보아 넘길 수가 없거든요. 여기 대해서는 곧 자세히 말씀드리겠지만, 지금은 그와는 다른 얘기부터 해야겠어요. 무엇보다도 이것이 중요한 일이니까요. 아아, 내가 어쩌자고 이것이 가장 중요한 일이라는 것조차 잊고 있었을까! 다름 아니라, 도대체 뭣 때문에 우리 리즈는 히스테리만 일으키는 걸까요? 당신이 오셨다는 말을 듣기가 무섭게 벌써 히스테리부터 일으키지 않겠어요!"

"엄마, 지금 히스테리를 일으키고 있는 건 내가 아니고 엄마예요." 갑자기 옆방으로 통하는 문틈 사이로 리즈의 아양 섞인 목소리가 들려왔다. 문틈은 조금밖엔 벌어져 있지 않았으나, 억지로 억누른 것 같은 그 목소리는 금세 웃음이 터져 나오려는 것을 간신히 참고 있는 듯한 느낌이었다. 알료샤는 곧 그 문틈을 알아챘다. 리즈는 틀림없이 그 안락의자에 앉아서 저 문틈으로 이쪽을 내다보고 있을 것이라 생각했지만, 그것까지는 그도 확인할 수가 없었다.

"당연하지 뭐냐, 리즈야…… 네가 그렇게 변덕을 부리는데 난들 어디 히스테리를 안 일으키게 됐니! 그렇지만 알렉세이 표도로비치, 저 앤 몸이 몹시 불편한 모양이에요. 간밤엔 밤새도록 열이 높아 끙끙 앓는 소릴 하지 않겠어요. 빨리 날이 새서 게르첸슈투베 선생이 와 주기를 나는 얼마나 기다렸는지 모른답니다. 그런데 그 의사는 아직은 원인이 무엇인지 전혀 알 수가 없다면서 좀 더 기다려봐야겠다는 거예요! 게르첸슈투베는 올 때마다 언제나 '글쎄요, 모르겠습니다'라는 말밖엔 하지 못한다니까요. 그건 그렇고 당신이 우리 집으로 오고 있다는 걸 알자 저 애는 곧 고함을 지르며 발작을 일으켰답니다. 그러고는 전에 자기 방이었던 이 방으로 의자를 밀고 가 달라고 사뭇 야단을 하지 않겠어요!"

"엄마, 나는 알렉세이 표도로비치가 우리 집에 온다는 건 전혀 모르고 있었어요. 내가 이 방에 오고 싶다고 한 건 그것 때문이 아니에요."

"또 거짓말을 하는구나, 리즈야. 율리야가 달려들어 와서 알렉세이 표도로비치가 이리로 오고 있다고 너한테 보고하지 않았니. 그 앨 파수병으로 세워 둔 건 네가 아니냐."

"엄만 왜 그런 얼토당토않은 말만 하시죠? 명예를 회복하기 위해서 뭐 좀 그럴듯한 말을 하시고 싶으면, 엄마, 지금 들어온 알렉세이 표도로비치한테 이렇게 말해 보세요. '어제 그렇게까지 조롱을 당하고도, 아무렇지도 않다는 듯이 오늘 우리 집에 찾아온 것 한 가지만으로도 당신이 얼빠진 사람이라는 걸 증명하고 있지 않느냐'고 말이에요."

"리즈, 말이 너무 지나친 것 같구나. 미리 말해 두지만, 너 그러다가는 나한테 혼날 줄 알아라. 대체 누가 이분을 조롱한다는 거냐? 나는 이분이 와 줘서 얼마나 기쁜지 모르겠는데. 나한텐 지금 이분이 필요해, 없어서는 안 될 분이야. 아아, 알렉세이 표도로비치, 나처럼 불행한 사람은 세상에 또 없을 거예요."

"엄마, 별안간 그건 또 무슨 말씀이세요?"

"아아, 리즈야, 너의 변덕과 그 침착치 못한 언동, 너의 질병과 밤새도록 계속된 그 무서운 열, 그리고 언제나 답답하기만 한 게르첸슈투베…… 언제까지나 그 모양 그 꼴인 게르첸슈투베! 그 밖에도 여러 가지가 모두 내 속을 태우는구나……. 게다가 또 그런 기적까지 일어나지 않았니. 알렉세이 표도로비치, 그 기적이 나를 얼마나 놀라게 하고 감동시켰는지 모른답니다! 게다가 지금 저쪽 객실에서는 차마 내 눈으론 볼 수 없는 비극이 벌어지고 있거든요. 암, 볼 수 없고말고요. 당신한테 미리 말해 두지만, 나는 도저히 그것을 보고 있을 수가 없어요. 그러나 어쩌면 비극이 아니라 희극인지도 모르죠. 그건 그렇고, 조시마 장로님은 내일까지 연명하실까요, 네? 연명하실 수 있을까요? 아아, 정말 내가 왜 이럴까! 이렇게 눈만 감으면 모든 게 다 무의미하게만 생각되니 말이에요!"

"저 한 가지 청이 있는데요" 하고 갑자기 알료샤는 부인의 말을 가로챘다. "손가락을 처매게 깨끗한 헝겊 오리를 하나 얻을 수 없을까요? 손가락을 몹시 다쳤는데 그게 자꾸 아파오는군요."

알료샤는 아까 소년한테 물린 손가락을 끌러 보였다. 손수건엔 검붉은 피가 잔뜩 묻어 있었다. 호흘라코바 부인은 비명을 지르며 눈을 반쯤 감았다.

"어머나, 어디서 다치셨어요! 끔찍할 지경이군요!"

그러나 이때, 리즈는 문틈으로 알료샤의 손가락을 보자마자 확 문을 열어 젖혔다.

"들어오세요, 이리 들어오세요." 리즈는 명령하는 것 같은 강한 어조로 외쳤다. "그런 쓸데없는 소릴 주고받고 있을 때가 아니에요! 그렇게 다치시고서도 왜 아무 소리 않고 멍청히 서 계셨죠? 하마터면 피를 많이 흘려 빈혈을 일으킬 뻔했어요! 대체 어디서 이런 상처를 입으셨어요. 무엇보다 먼저 물이 있어야겠어. 물을 가져와요, 물! 상처를 씻어야 할 테니까, 아니, 그것보다 냉수에 가만히 담그고 있는 편이 좋을 거예요. 그렇게 하고 있으면 아픔이 사라지거든요……. 빨리, 빨리 물을 갖다 줘요, 엄마! 양치질에 쓰는 컵에다…… 빨리 갖다 달라니까요!" 그녀는 신경질적으로 외쳤다. 그녀는 어찌할 바를 모르고 허둥거렸다. 알료샤의 상처에 그녀는 그처럼 강한 충격을 받았던 것이다.

"게르첸슈투베를 부르러 보낼까?" 하고 호흘라코바 부인이 외쳤다.

"엄마는 내가 죽는 꼴을 보려고 그러세요? 게르첸슈투베가 와 봐야 '글쎄요, 전혀 모르겠습니다'란 말밖에 더 하겠어요? 물, 물! 엄마! 제발 좀 엄마가 가서 율리야를 재촉해 주세요. 그 앤 느림보가 돼서 심부름을 시켜도 빨리 오는 법이 없다니까요! 빨리요, 엄마! 그렇게 꾸무럭거리시면 난 죽어요."

"그렇지만 이까짓 건 아무것도 아닙니다!" 알료샤는 그들 모녀가 호들갑을 떠는데 깜짝 놀라 이렇게 소리쳤다.

율리야가 물을 떠가지고 달려왔다. 알료샤는 그 물에 손가락을 담갔다.

"엄마, 붕대! 붕대 좀 가져오세요! 그리고 상처에 바르는 걸쭉한 물약 있죠, 냄새가 지독한…… 이름이 뭐라더라? 아무튼 우리 집에 그 약이 있어요……. 엄만 그 약이 어디 있는지 아시죠? 아 참, 엄마 침실 오른쪽 약장이에요. 거기 그 약병과 붕대가 있어요."

"곧 가져올 테니, 리즈야, 너무 덤비지 마라. 그렇게까지 걱정할 건 없어. 봐라, 알렉세이 표도로비치는 저렇게 다치고서도 꿈쩍도 않고 참고 있지 않니! 그런데 어디서 그렇게 무섭게 다쳤어요, 알렉세이 표도로비치?"

호흘라코바 부인은 황급히 나갔다. 리즈는 그것만을 기다리고 있었던 것이다.

"우선 이것부터 대답해 주세요." 리즈는 빠른 소리로 말했다. "어디서 어떻게 다치셨죠? 그걸 듣고 나서 당신한테 딴 얘기를 해야 하니까, 어서 대답하세요!"

부인이 되돌아 올 때까지의 시간이 리즈에게 얼마나 귀중한 것인가를 알료샤는 본능적으로 깨달았으므로, 급히 서둘러 지엽적인 얘기는 생략하고 아까 그 소학생과 만났던 수수께끼 같은 경위를 간단하고도 명확하게 말했다. 얘기를 다 듣고 나자, 리즈는 어이가 없다는 듯이 손뼉을 탁 쳤다.

"아니, 당신은 그런 옷까지 입고 있으면서 그따위 코흘리개들과 어울려도 괜찮단 말인가요!" 그녀는 마치 자기가 알료샤에 대해 무슨 권리라도 있는 것처럼 성난 어조로 외쳤다. "그런 짓을 하는 걸 보니 당신도 역시 어린애군요! 어린애라도 그야말로 철없는 어린애예요! 그렇지만 그 괘씸한 꼬마 녀석에 대해서는 어떻게든지 꼭 알아내가지고, 그걸 나한테 죄다 들려주셔야 해요. 거기엔 반드시 무슨 곡절이 있을 테니까요. 자, 그럼 다음 얘기로 넘어가겠는데, 그전에 물어볼 게 있어요. 알렉세이 표도로비치, 상처가 아프실 텐데 나하고 부질없는 얘길 좀 하실 수 있겠어요? 부질없는 얘기이기는 하지만, 그래도 어디까지나 심각한 태도로 말해야 해요."

"할 수 있고말고요. 지금은 그리 아픈 것 같지도 않습니다."

"그건 손가락을 물에 담그고 있으니까 그럴 거예요. 이젠 물을 갈아야겠군요. 곧 미지근해질 테니까. 율리야, 지하실에 가서 얼음조각을 꺼내 다른 컵에 담아 가지고 와! 이젠 저 애도 나가 버렸으니 할 얘기를 해야겠군요. 알렉세이 표도로비치, 어제 내가 당신한테 보낸 그 편지, 지금 곧 돌려주세요. 빨리 주셔야 해요, 엄마가 곧 돌아오실지 모르니까요. 나는 이젠……"

"그 편지는 지금 가지고 있지 않습니다."

"거짓말이에요. 갖고 계실 거예요. 나도 당신이 그렇게 대답하실 줄 알았어요. 그 호주머니 속에 있죠? 나는 어째서 그런 바보짓을 했을까, 하고 밤새껏 후회했어요. 자, 어서 돌려주세요, 빨리 돌려 달라니까요!"

"그 편지는 수도원에 두고 왔습니다."

"아마 당신은 그런 어리석은 말을 적은 내 편지를 읽고, 나를 철없는 계집애라고, 아직 아무것도 모르는 조그만 계집애라고 생각하지 않을 수 없었을 거예요! 그런 바보짓을 한 데 대해서는 당신한테 미안하기 짝이 없지만, 편지만은 꼭 갖다 주세요. 지금 정말 안 가지고 계시면, 오늘 중으로 꼭 갖다 주세요, 꼭 갖다 주셔야 해요, 네!"

"오늘 중으론 안 되겠는데요. 수도원에 돌아가면 앞으로 이삼일, 아니 나흘은 여기 올 수가 없을 겁니다. 조시마 장로님께서……"

"나흘이라니, 그것도 말이라고 하세요! 당신은 내 편지를 보고 한바탕 웃으셨겠죠?"

"아니, 털끝만큼도 웃지 않았습니다."

"그 이유는?"

"당신의 말을 전적으로 믿었기 때문이죠."

"당신은 나를 모욕하시려는 거군요!"

"천만에. 나는 그 편지를 읽고 즉석에서 생각했어요—정말로 이 편지에 쓰여 있는 대로 될 것이라고. 그도 그럴 것이, 조시마 장로님께서 돌아가시면 나는 곧 수도원에서 나오기로 되어 있거든요. 그렇게 되면 나는 다시 학교에 돌아가서 학업을 끝마칠 생각입니다. 그리고 법정 연령에 달하면 우리는 결혼합시다. 나는 언제까지나 당신을 사랑할 거예요. 아직 충분히 생각할 여유는 없었지만, 나는 당신 이상으로 좋은 아내를 얻을 수는 없을 거라고 생각했어요. 더욱이 조시마 장로님께서도 나더러 결혼하라고 분부하셨으니까요."

"그렇지만 나는 의자를 타고 끌려다녀야 하는 불구자인걸요." 리자는 두 볼을 발그레하게 물들이면서 웃었다.

"내 손으로 직접 당신을 끌고 다니겠습니다. 그러나 그때까지는 틀림없이 완쾌할 겁니다."

"머리가 돌아 버리신 모양이군요." 리자는 신경질적인 어조로 말했다. "그런 농담을 진담으로 알고 별안간 얼토당토않은 말을 끄집어내시니 말이에요!…… 아, 저기 엄마가 오시네요. 어쩌면 꼭 알맞은 때에 오시는 건지도 모르겠군요. 엄마, 엄만 왜 그렇게 동작이 느려요! 뭣 때문에 그렇게 시간이 걸렸죠? 율리야는 벌써 저렇게 얼음을 가져오는데!"

"얘, 리즈야, 제발 좀 조용하렴, 그렇게 빽빽 소리만 지르지 말고. 나는 그 소리만 들어도 그만……. 네가 딴 데다 붕대를 처박아 두었으니 난들 할 수 없지 않니……. 그걸 찾아내느라고 얼마나 애를 먹었는지 모른다……. 아무래도 네가 일부러 그렇게 감춰 둔 것 같구나."

"그렇지만, 이분이 손가락을 물려 가지고 올 줄 누가 알았겠어요. 하긴 그걸 미리부터 알고 있었더라면 정말 일부러 그랬었는지도 모르죠. 엄마도 이젠 말솜씨가 아주 대단해지셨네요."

"그래, 내 말솜씨가 대단해졌다고 하자. 그러나 리즈야, 알렉세이 표도로비치의 손가락에 대해서나 그 밖의 모든 일에 대해서, 너는 대체 어떻게 생각하기에 그런 소리를 하는 거냐! 아아, 알렉세이 표도로비치, 나를 괴롭히는 것은 결코 어떤 개별적인 일이 아니에요. 게르첸슈투베니 뭐니 하는 문제가 아니라, 이것저것 모든 것이 한데 겹쳐서 나를 괴롭히고 있는 거죠. 이건 정말 참아 낼 수가 없어요!"

"그만두세요, 엄마, 게르첸슈투베 얘긴 듣기도 싫어요" 하며 리즈는 재미있다는 듯이 웃었다. "그보다도 붕대와 약을 빨리 주세요. 알렉세이 표도로비치, 이건 보통 연당수鉛糖水예요. 이제야 이름이 생각나는군요. 그렇지만, 아주 좋은 약이에요. 그런데 엄마, 이분은 여기 오는 길에 조그만 어린애하고 싸움을 했다지 않겠어요! 그래서 그 꼬마 녀석한테 물렸다는 거예요. 그러니까 이분 역시 조그만 어린애가 아니겠어요? 그런 어린애가 과연 결혼을 할 수 있을까요, 엄마? 그런데도 이분은 결혼할 생각이거든요. 이분이 남편 노릇을 한다고 생각해 보세요. 엄마, 우습잖아요? 아니, 보기에도 딱할 거예요!"

리즈는 장난스런 눈으로 알료샤를 바라보며 거의 발작적으로 깔깔거리며 웃어 대는 것이었다.

"결혼이라니, 리즈야, 무엇 때문에 별안간 그런 얼토당토않은 소릴 하는 거냐! 그런 소릴 지껄이고 있을 때가 아니야……. 그 꼬마가 혹시 공수병恐水病에 걸린 아인지도 모르잖니!"

"원 엄마도, 공수병에 걸린 아이가 어디 있어요?"

"왜 없다는 거냐? 사람을 아주 바보로 만들려는구나! 혹시 그 애가 미친개한테 물렸다면, 그 애도 옆에 있는 사람을 닥치는 대로 물 게 아니냐. 그렇지만, 알렉세이 표도로비치, 리즈는 붕대를 참 잘 감아 드렸군요. 나도 그렇게 모양 있게 감지는 못할 거예요. 아직도 아픈가요?"

"이젠 그리 아프지 않습니다."

"혹시 물이 무섭지는 않으세요?" 하고 리즈가 물었다.

"얘, 리즈야. 이젠 좀 입을 닥치고 있어! 내가 그만 엉겁결에 공수병 얘길 했더니 너는 곧 그걸 받아 가지고 바보 같은 소릴 하는구나. 그보다도 알렉세이 표도로비치, 카체리나 이바노브나는 당신이 여기 왔다는 말을 듣기가 무섭게 나한테 와서 한시바삐 당신을 만나보고 싶다면서."

"엄마도 참! 그 방에 가시려거든 엄마 혼자 가세요. 이분은 지금 곧 갈 수 없어요. 저렇게 아파하는데 어떻게 가겠어요!"

"조금도 아프지 않습니다. 얼마든지 갈 수 있어요" 하고 알료샤는 말했다.

"뭐요! 가시겠다고요? 그럼 당신은? 그럼 당신은?"

"왜 그러시죠? 저기 가서 볼일을 보고 다시 이리로 돌아오면 될 게 아닙니까. 그때는 당신이 만족할 만큼 얼마든지 얘기를 할 수 있을 거예요. 나는 지금 한시바삐 카체리나 이바노브나를 만나봐야겠습니다. 무슨 일이 있어도 오늘만은 될 수 있는 대로 빨리 수도원에 돌아가야 하니까요."

"엄마, 빨리 이분을 데리고 가세요. 알렉세이 표도로비치, 카체리나 이바노브나를 만난 후에 일부러 나한테 들를 필요는 없어요. 곧장 수도원으로 돌아가세요. 당신이 가야 할 곳은 역시 거기니까요. 나는 잠을 좀 자야겠어요. 간밤엔 한잠도 자지 않았거든요!"

"얘, 리즈, 그건 물론 농담으로 하는 말이겠지. 그렇지만, 정말로 네가 한잠 자 주었으면 좋겠구나!" 하고 호흘라코바 부인은 외쳤다.

"모르겠는데요, 어째서 내가…… 그럼 3분만 더 여기 있겠습니다. 아니 5분이라도 괜찮아요……." 알료샤는 중얼거리듯 말했다.

"5분이라고요! 엄마, 빨리 이분을 데리고 가시라니까요! 이분은 괴물이에요! 괴물!"

"리즈, 너 미쳤니? 자, 갑시다. 알렉세이 표도로비치, 저 애가 오늘은 변덕이 너무 심해서 공연히 마음을 건드리게 될까 봐 겁이 나는군요. 신경이 과민한 여자를 상대하는 것처럼 어려운 일도 없을 거예요. 하지만 저 애는 당신 같은 사람과 함께 있으니까 정말로 졸음이 왔는지도 모르죠. 아무튼 그렇게 빨리 저 애를 졸립게 해 주어 천만다행이로군요!"

"엄마도 이젠 제법 애교 있는 말을 하시네요. 그런 뜻에서 엄마한테 키스를 해 드리죠."

"그럼 나도 너한테 키스해 주마, 리즈야. 그런데 알렉세이 표도로비치." 알료샤와 함께 방에서 나오며 부인은 무슨 대단한 비밀이라도 말하듯 빠른 소리로 소곤거렸다. "나는 당신한테 아무런 암시도 주고 싶지 않아요. 그리고 내 손으로 막을 올려 주고 싶지도 않고요. 그러나 저기 들어가시면 무슨 일이 벌어지고 있는지 당신 눈으로 직접 볼 수 있을 거예요. 참으로 어처구니없는 일이에요. 그야말로 환상적인 희극이죠. 그 아가씨는 당신의 둘째 형 이반 표도로비치를 사랑하고 있으면서도 자기 자신은 맏형 드미트리 표도로비치를 사랑하고 있노라고 열심히 우기고 있거든요. 그러니 이게 어디 예삿일인가요! 나도 당신과 함께 들어가서, 쫓겨나지만 않으면 끝까지 앉아 있어 보겠어요."

5. 객실에서의 감정의 파열

그러나 객실에서의 대화는 이미 끝나 가고 있었다. 카체리나는 단호한 태도였지만 몹시 흥분해 있었다. 알료샤와 호흘라코바 부인이 들어간 순간, 이반은 돌아가려고 자리에서 일어서고 있었다. 그의 얼굴은 약간 창백한 것 같았다. 알료샤는 마음속으로 불안을 느끼며 그를 바라보았다. 다름 아니라, 지금 알료샤에게는 하나의 의혹이—언제부턴가 그를 괴롭혀 온 하나의 불안스런 수수께끼가 풀리려 하고 있었기 때문이다. 벌써 달포 전부터 그는 여러 방면으로부터 둘째 형 이반이 카체리나한테 반하여, 미챠한테서 정말로 그녀를 '가로챌' 속셈이라는 소문을 몇 번이나 들은 바 있었다. 그러나 바로 최근까지만 해도 알료샤에게는 이 소문이 도저히 있을 수 없는 괴이한 것으로 생각되었다. 그래도 몹시 불안스러웠던 것만은 사실이었다. 그는 두 형을 모두 사랑하고 있었으므로, 두 사람 사이에 이런 경쟁이 있다는 것은 생각만 해도 몸서리가 쳐지는 것이었다. 그런데 어제 뜻밖에도 드미트리가 그에게, 자기는 이반이 라이벌로 등장하는 것을 오히려 기쁘게 생각한다, 그것이 여러 가지 점에서 자기에게 도움이 된다, 라고 언명한 것이다. 어째서 도움이 된다는 것일까? 그루셴카와 결혼하는데? 그러나 그것은 자포자기에서 오는 최후적인 수단이라고밖엔 생각되지 않았다. 알료샤는 또한 어제저녁까지도 카체리나 역시 열정적으로 끈기 있게 맏형 드미트리를 사랑하고 있다고 굳게 믿고 있었다. (하기는 이 신념도 어제저녁까지밖엔 계속되지 못했지만) 뿐만 아니라, 그녀가 이반과 같은 유형의 남자를 사랑할 리는 없다, 그녀는 드미트리를 사랑하고 있다, 그 사랑이 비록 괴이하게 보일지는 모르지만, 어쨌든 현재 그대로의 드미트리를 사랑하고 있는 것만은 틀림없다—이런 생각이 무엇 때문인지 자꾸만 그의 마음속에 떠오르곤 하는 것이었다.

그러던 것이 어제 그루셴카와의 장면을 목격하자, 문득 이와는 다른 생각이 그의 머릿속에 떠올랐다. 방금 호흘라코바 부인의 입에서 나온 '파열'이란 말에 그는 거의 소스라칠 듯이 놀랐다. 다름 아니라 바로 이날 새벽녘에 그는 반쯤 잠이 깨어, 저도 모르게 '파열이다, 파열!' 하고 소리를 질렀던 것이다. 아마도 그것은 자기가 꾼 꿈에 대한 대답이었는지 모른다. 그는 밤새도록 카체리나네 집에서 벌어졌던 그 무서운 장면을 그대로 꿈에 본 것이었다. 그래서 지금 호흘라코바 부인이 자신 있게 딱 잘라서 한 말—카체리나는 이반을 사랑하고 있으면서도 그 어떤 감정의 유희 때문에, 감정의 '파열' 때문에, 일부러 자기 자신을 기만하고, 감사하는 마음에서 우러나온 것이라는 미명 아래 드미트리에 대한 억지투성이인 사랑으로 스스로를 괴롭히고 있다—라는 말은 알료샤에게 강한 충격을 주었던 것이다.

'그렇다, 정말로 그 말 속에 모든 진실이 포함되어 있는지도 모른다!' 하고 그는 생각했다. 그러나 만일 그것이 사실이라면 이반의 처지는 어떠한 것일까? 알료샤가 일종의 본능에 의해 직감한 것은, 카체리나와 같은 성격의 여성은 언제나 상대방인 남성을 지배하지 않고는 견딜 수 없는 성미인데, 그녀가 지배할 수 있는 것은 드미트리와 같은 남성이지, 결코 이반과 같은 남성은 아니라는 점이었다. 왜냐하면 (비록 오랜 시간이 걸릴지는 몰라도) 드미트리 같으면 결국은 '자기 자신의 행복을 위해' 그녀 앞에 굴복할 수도 있을 것이지만, (이것은 오히려 알료샤가 바라는 바였다) 이반은 결코 그녀 앞에 굴복할 수도 없으려니와 설사 굴복한다 하더라도 그 굴복이 그에게 행복을 갖다 줄 리는 만무할 것이기 때문이다. 알료샤는 부지불식중에 이반에 대하여 이러한 관념을 품고 있었다. 그가 지금 객실에 발을 들여놓은 순간, 그의 머릿속에 퍼뜩 떠오른 것은 이러한 생각과 마음의 동요였다. 그리고 또 한 가지 다른 생각이 그의 머릿속을 스치고 지나갔다. '만일 카체리나가 두 형 중의 어느 쪽도 사랑하고 있지 않다면?'

여기서 특히 지적해 두지만, 알료샤는 자기의 이런 생각을 부끄럽게 여겨, 지난 한 달 동안 이런 생각이 떠오를 때마다 자기 자신을 꾸짖어 왔다. '사랑이니 여성이니 하는 걸 조금이라도 내가 안단 말인가? 어떻게 내가 감히 이런 결론을 내릴 수 있겠는가?' 그와 유사한 생각이나 추측을 하고 난 후에는 반드시 이렇게 자기 자신을 책하곤 했다. 그렇다고 해서 그 문제를 전혀 생각지 않는다는 것도 불가능한 일이었다. 이제 두 형의 운명에 있어 이 경쟁은 너무나 중대한 문제이며, 그 해결 여하에 따라 결과가 크게 달라지리라는 것을 알료샤는 본능적으로 알고 있었다.

'두 마리의 독사가 서로 잡아먹으려는 거지.' 어제 이반은 아버지와 드미트리를 두고 홧김에 이런 말을 했었다. 그러고 보면 이반의 눈으로 볼 때 드미트리는 독사인 것이다. 어쩌면 벌써 오래전부터 독사였는지도 모른다. 이반이 카체리나를 처음 만났을 때부터는 아닐까? 물론 그 말은 이반이 어제 무심코 입 밖에 낸 것이겠지만, 무심코 나온 말이기 때문에 한층 더 중대한 뜻을 지니고 있는 것이다. 만일 그렇다면 이러한 경우에 평화란 있을 수 없다. 한 집안에서의 증오와 적의敵意의 새로운 도화선이 나타날 뿐이다. 그러나 알료샤에게 있어 가장 절실한 문제는, 두 형 중에서 대체 누구한테 동정해야 옳은가, 두 형을 위해 각각 무엇을 희망할 것인가 하는 점이었다. 그는 두 형을 다 사랑하고 있었다. 그러나 이 무서운 모순 당착 속에서, 그들 한 사람 한 사람을 위해 대체 무엇을 바라면 좋단 말인가? 이러한 혼돈 속에 빠지면 누구든지 어리둥절해서 어찌할 바를 모르게 되는 것이 오히려 당연한 일이다. 그러나 알료샤의 마음은 분명치 못한 것을 그냥 참고 견딜 수가 없었다. 왜냐하면, 그의 사랑은 항상 실천적인 성격을 띠고 있었기 때문이다. 소극적인 사랑은 그에겐 불가능한 일이었다. 일단 누구를 사랑하게 되면, 그는 지체 없이 그 사람에게 구원의 손길을 뻗어야만 했다. 그러기 위해서는 확고한 목적을 설정하고 상대방에게 무엇이 필요하며 어떻게 해 주어야 좋은가를 정확히 알아야 한다. 그리하여 그 목적이 정확하다는 것을 확인한 후에야 비로소 자연스런 방법으로 각자에게 도움을 줄 수가 있는 것이다. 그런데 지금은 정확한 목적 대신에 불명不明과 혼돈밖엔 찾아볼 수가 없지 않은가. 방금 '파열'이란 말이 나왔지만, 그러나 이 '파열'이란 말을 대체 어떻게 해석하면 좋단 말인가? 이 혼돈 속에서 최초의 한마디조차 이해할 수가 없었다.

카체리나는 알료샤가 들어온 것을 보자, 돌아가려고 이미 자리에서 일어선 이반에게, 무슨 반가운 일이라도 있는 것 같은 어조로 얼른 말을 걸었다. “잠깐만! 잠깐만 기다려 주세요! 나는 진심으로 내가 신뢰하고 있는 이분의 의견을 듣고 싶어요. 부인께서도 여기 그냥 남아 계셔요” 하고 그녀는 호흘라코바 부인을 향해 덧붙였다. 그녀는 알료샤를 자기 옆에 앉혔다. 부인은 그 맞은편에 이반과 나란히 자리를 잡고 앉았다.

“이 자리에 계시는 분들은 모두 나의 친구들입니다. 내가 이 세상에서 절친한 친구로 사귀고 있는 분들뿐이랍니다.” 카체리나는 열의 있는 어조로 입을 열었다. 그 음성에서는 거짓 없는 고뇌의 눈물이 느껴졌다. 알료샤의 마음은 다시금 그녀에게로 확 쏠리는 것이었다. “알렉세이 표도로비치, 당신은 어제 있었던 그…… 무서운 장면을 직접 목격하셨습니다. 그리고 그때 내가 어떤 태도를 취했는가도 알고 계십니다. 이반 표도로비치, 당신은 그걸 보시지 못했지만, 이분은 보셨어요. 어제 이분이 나를 어떻게 생각하셨는지는 모르지만, 다만 한 가지 내가 알고 있는 것은 오늘 지금 이 자리에서 그러한 일이 다시 되풀이된다 하더라도, 나는 필시 어제와 똑같은 감정을 나타낼 것이라는 점입니다. 똑같은 감정을 나타내고, 똑같은 말을 하고, 똑같은 동작을 취할 거예요. 당신은 내가 취한 동작을 기억하시겠죠? 알렉세이 표도로비치, 당신은 어제 나의 동작 중의 하나를 제지해 주시기까지 하셨으니까요……. (이렇게 말하면서 그녀는 얼굴을 붉혔으나 그 눈은 갑자기 광채를 띠기 시작했다) 분명히 말해 두지만요, 알렉세이 표도로비치, 나는 무엇과도 타협할 수가 없어요. 나는 말이죠, 알렉세이 표도로비치, 내가 지금 그이를 과연 사랑하고 있는지 어떤지, 그것조차 알 수가 없어요. 나는 그이가 가엾어졌어요. 이것은 사랑의 증거로서는 그리 탐탁한 것이 못 됩니다. 만일에 내가 그이를 사랑하고 있다면, 한결같이 사랑해 왔다면, 이제 와서 그이를 가엾이 여기기보다는, 반대로 그이를 증오하게 되었을 테니까요.”

그녀의 음성은 떨려 나오고, 속눈썹에는 눈물이 반짝이기 시작했다. 알료샤는 가슴이 덜컥 내려앉는 것을 느꼈다. ‘이 아가씨는 정직하고 성실한 여성이다’ 하고 그는 생각했다. ‘그리고…… 그리고 이제는 이미 드미트리를 사랑하고 있지

않다!'

"그래요! 그건 옳은 말이에요!" 하고 호흘라코바 부인이 외쳤다.

"잠깐만 기다려 주세요. 나는 아직 중요한 점을 말하지 않았으니까요. 간밤에 내가 결심한 것을 아직 죄다 얘기하지 않았어요. 어쩌면 나의 결심은 무서운— 내게는 무서운 것인지 모르겠습니다만, 그러나 나는 어떠한 일이 있어도 한평생 이 결심만은 절대로 바꾸지 않을 것이라는 예감이 드는군요. 틀림없이 그대로 될 거예요. 이반 표도로비치는 친절하고 관대하고 언제나 변함없는 나의 충고자이며, 인간의 심리를 깊이 통찰할 수 있는 분으로, 세상에서 둘도 없는 나의 친구시지만, 이분도 나의 생각에 전적으로 찬성하시고, 나의 결심을 칭찬해 주셨습니다……. 이분은 모든 것을 다 알고 계십니다."

"그렇습니다. 나는 찬성이에요" 하고 낮으면서도 확고한 어조로 이반이 말했다.

"그렇지만, 나는 알료샤한테서도 (어머, 용서하세요, 알렉세이 표도로비치. 알료샤라고 마구 불러서 미안합니다) 알렉세이 표도로비치한테서도 지금 나의 두 친구가 있는 자리에서, 나의 생각이 옳은지 어떤지 의견을 듣고 싶어요. 나는 전부터 본능적으로 그렇게 느끼고 있었거든요—이봐요, 나의 사랑하는 동생 알료샤, (당신은 정말로 내 귀여운 동생인걸요)" 하며 그녀는 뜨겁게 달아오른 손으로 그의 차가운 손을 잡고 흥분한 어조로 계속했다. "나의 고뇌가 아무리 크더라도, 당신의 결정, 당신의 동의는 나의 마음에 평안을 주리라고 나는 전부터 느끼고 있었어요. 당시의 말을 듣고 있노라면 내 마음은 가라앉고 평온한 기분을 느끼게 되거든요. 그래서 나는 전부터 그렇게 느끼고 있었던 거예요!"

"나한테 무엇을 물으시는지 잘 모르겠습니다만" 알료샤는 얼굴을 붉히며 말했다. "내가 알고 있는 것은 다만, 내가 당신을 사랑한다는 것, 그리고 이 순간 당신의 행복을 나 자신의 행복보다 더욱 열망하고 있다는 것뿐입니다!…… 그렇지만 그런 문제에 대해선 나는 아무것도 모릅니다." 그는 무엇 때문인지 황급히 이렇게 덧붙였다.

"이런 문제에 있어서는요, 알렉세이 표도로비치, 이런 문제에 있어서 지금 무엇보다 중요한 것은 명예와 의무예요. 그리고 또 한 가지, 그것이 무엇인지는 잘 모르겠지만, 아무튼 보다 고귀한 것, 어쩌면 의무 그 자체보다 더욱 고귀한 그 뭣이 있어요. 그러한 억제할 수 없는 감정이 있다는 것을 내 마음이 가르쳐 주고 있어요. 그리고 그 감정이 나를 휘어잡아 끌고 갑니다. 그러나 모든 건 다음 두서너 마디로 다 말할 수 있지요. 나는 이미 결심했어요—비록 그이가 그 여자와…… 나로서는 절대로 용서할 수 없는 그 더러운 계집과 결혼한다 하더라도" 하고 그녀는 엄숙한 어조로 말했다. "'나는 여전히 그이를 버리지 않을 생각입니다!' 오늘 이 순간부터 나는 절대로 그이를 버리지 않을 결심입니다!" 무언가 퇴색한 것 같은, 억지로 쥐어짜는 것 같은 환희의 정이 일시에 폭발한 듯싶은 어조로 그녀는 이렇게 말했다. "그렇다고 해서 그이의 뒤를 좇아다니며 쉴 새 없이 그이의 눈앞에 얼씬거려, 그이를 괴롭히겠다는 건 아니에요. 아니, 그이가 원한다면 나는 어디로든지 딴 고장으로 떠나겠습니다. 그렇지만 나는 한평생, 죽는 날까지 끈기 있게 그이를 지켜보겠어요. 그이가 만일 그 여자와 결혼하여 불행해진다면, 하기는 반드시 그렇게 될 테지만, 그때는 서슴지 않고 나한테 오면 되겠죠. 그러면 그이는 거기서 자기의 친구를, 누이동생을 발견하게 될 겁니다……. 물론 그저 누이동생에 지나지 않지만, 그 관계는 영원히 변하지 않을 겁니다. 그러나 그이도 마침내는 그 누이동생이 자기를 사랑하고 있으며, 자기를 위해 일생을 희생한 진짜 누이동생이라는 것을 확신하게 되겠지요. 나는 반드시 이 목적을 달성하고야 말겠습니다. 그리고 마침내는 그이가 나의 진정을 깨닫고, 부끄럼 없이 모든 것을 나한테 고백하도록 하고야 말겠습니다!" 하고 그녀는 극도의 흥분 속에서 외쳤다. "나 그이의 신神이 될 것이며, 그이는 나한테 기도를 드리게 될 거예요. 이것은 그이가 나를 배반함으로써 내가 어제 같은 일을 겪지 않을 수 없게 한 데 대해, 그이가 마땅히 져야 할 의무입니다. 그이가 신의를 지키지 않고 나를 배반했음에도 불구하고, 나만은 한평생 신의를 지키고 그이에게 약속한 말을 충실히 이행한다는 것을, 그이의 눈으로 똑똑히 보게 하려는 거예요. 나는…… 나는 그이의 행복을 위한 (뭐라고 하면 좋을까요) 수단이 되겠어요. 도구가 되겠어요. 그이의 행복을 위한 기계가 되겠어요. 그리고 이것은 죽을 때까지 변함없을 겁니다. 나는 이것을 그이에게 일생 동안 보여 드리겠어요! 이것이 나의 결심의 전부입니다. 이반 표도로비치도 이 결심에 대찬성이지요."

그녀는 사뭇 숨을 헐떡이고 있었다. 좀 더 위엄 있게, 좀 더 능숙하고 자연스럽게 자기 생각을 표현하려 했던 모양이지만, 결과는 너무나 성급하고 너무나 노골적인 것으로 되고 말았다. 젊은 혈기 때문에 자제력을 잃은 듯한 느낌도 있었고, 어제의 울분이 계속되고 있는 듯한 느낌도, 억지로 허세를 부리고 있는 듯한 느낌도 많았다. 그녀 자신도 그 점을 느끼고 있었다. 그래선지 얼굴은 갑자기 어두운 빛을 띠고, 눈의 표정 또한 험상스러워졌다. 알료샤는 그러한 변화를 금세 눈치챘다. 그러자 가슴속에서 그녀에 대한 동정이 불현듯 솟아오르는 것이었다. 바로 이때 그의 형 이반이 옆에서 한마디 했다.

"나는 다만 내 생각을 발표한 것뿐입니다. 다른 여성의 입에서 그런 말이 나왔다면 억지로 꾸며 낸 병적인 것이 되고 말겠지만, 당신의 경우는 그렇지가 않습니다. 다른 여성이라면 옳지 않았겠지만, 당신의 경우는 어디까지나 옳은 것입니다. 그것을 어떻게 설명하면 좋을지 나도 잘 모르겠군요. 다만 내가 알 수 있는 것은, 당신이 지극히 진지하다는 것, 따라서 당신은 어디까지나 옳다는 것뿐입니다."

"그렇지만 그것은 이 순간뿐이죠. 그렇다면 이 순간이란 대체 무엇을 말하는 것일까요? 어제의 모욕, 이것만이 이 순간이 지니고 있는 뜻이란 말입니다!" 호흘라코바 부인이 참지를 못하고 갑자기 입을 열었다. 그녀는 될 수 있는 대로 이 대화에 끼어들지 않기로 결심하고 있었던 모양이지만, 끝내 참아 낼 수가 없어서, 지극히 정당한 견해를 표명했던 것이다.

"그렇습니다, 옳은 말씀이에요." 이반은 자기 말을 가로챈 데 기분이 상했는지 갑자기 퉁명스런 어조로 부인의 말을 막았다. "물론 이것이 다른 여성이었다면,

이 순간은 단지 어제 받은 인상의 연속에 불과하겠지만, 카체리나 이바노브나와 같은 성격의 여성에게는 이 순간이 평생토록 계속될 겁니다. 다른 사람에게는 단순한 약속에 지나지 않는 것도, 카체리나 이바노브나에게는, 비록 참을 수 없이 괴로운 것일지는 모르지만, 영원히 변함없는 의무인 것입니다. 이분은 필시 그 의무를 다했다는 느낌을 양식 삼아 살아나갈 겁니다! 카체리나 이바노브나, 당신의 생활은, 지금은 자기의 감정, 자기의 영웅심, 자기의 비애 등 괴로운 의식의 연속일지 모르지만, 나중에 가서는 그 괴로움도 점점 가벼워지고, 확고하고도 자랑스러운 목적을 기어이 달성하고야 말았다는 감미로운 의식의 연속으로 되어 버릴 겁니다. 사실 이것은 어떤 의미에 있어서는 자랑스러운 것입니다. 어쨌든 자포자기적인 것만은 틀림없습니다. 그러나 당신은 그것을 정복했기 때문에, 그 의식은 마침내 당신에게 충분한 만족을 주어 그 밖의 모든 고통을 잊게 할 겁니다."

그는 무언가 독기를 품은 것 같은 어조로 이렇게 잘라서 말했다. 아마도 의식적으로 그러는 모양이었지만, 어쩌면 자기의 의도를, 즉 일부러 냉소적인 어조로 말을 하려는 의도를 감추려 하지 않았는지도 모른다.

"오, 그건 당치도 않은 말씀이에요!" 호흘라코바 부인이 또다시 소리쳤다.

"알렉세이 표도로비치, 당신의 의견도 좀 말씀해 주세요! 당신이 무슨 말씀을 하실지 궁금해 죽겠어요!" 카체리나는 이렇게 외치더니 갑자기 눈물을 쏟기 시작했다. 알료샤는 벌떡 소파에서 일어섰다.

"아니, 아무것도 아녜요, 괜찮아요!" 카체리나는 울음 섞인 음성으로 말을 계속했다. "간밤에 여러 가지 생각 때문에 잠을 못 잤더니 머리가 좀 이상해졌나 봐요. 그렇지만 당신이나 당신의 형님 같은 친구가 곁에 있어 주시니 한결 마음이 든든하군요. 당신들 두 분은 결코 나를 버리지 않으시리라는 걸 나는 알고 있으니까요."

"유감스럽게도 나는 내일이라도 영원히 당신을 버리고 모스크바로 떠나야 할 겁니다. 그리고 유감스럽기는 하지만, 이것은 변경할 수 없는 일입니다." 뜻밖에도 이반이 이렇게 말했다.

"내일 모스크바로 떠나신다고요?" 별안간 카체리나의 얼굴이 일그러져 버렸다. "하지만…… 하지만, 천만다행이로군요!" 하고 그녀는 외쳤으나, 그 어조는 순식간에 변해 있었다. 그리고 눈물 역시 흔적도 없이 사라지고 말았다. 결국 눈 깜짝할 사이에 그녀에게는 무서운 변화가 일어나, 알료샤를 극도로 놀라게 했다. 조금 전까지도 그 어떤 감정의 격발激發에 울고 있던 모욕당한 가련한 소녀가, 별안간 자신만만한 여인으로, 무슨 기쁜 일이라도 생긴 듯이 지극히 만족한 표정을 띠고 있는 여인으로 표변한 것이다.

"아녜요, 당신을 잃는 것이 다행하다는 건 절대 아녜요. 이건 뭐 새삼스레 말할 것도 없지요." 그녀는 갑자기 사교적인 상냥한 미소를 띠우며 이렇게 자기 말을 정정했다. "당신 같은 친절한 친구가 그렇게 생각하실 리는 만무하겠죠. 당신을 잃는다는 건 나한테는 더없는 불행이에요. (그녀는 느닷없이 이반에게 달려들어 그의 두 손을 열정적으로 움켜쥐었다) 내가 다행이라고 말한 것은 다름 아니라, 당신이 모스크바에 가시면, 현재 나의 무서운 처지를 우리 이모와 아가샤(아가피야의 애칭) 언니에게 직접 전해 주실 수 있겠기에 말입니다. 아가샤 언니한텐 사실 그대로를 숨김없이 전해 주시되, 이모한테는 당신의 재량에 따라 적당히 가감해서 얘기해 주세요. 이 무서운 사연을 어떻게 적어 보내면 좋을까 하고 엊저녁과 오늘 아침에 얼마나 내가 괴로워했는지 아마 당신은 상상도 못 하실 거예요……. 이런 일을 편지로 전한다는 건 도저히 불가능한 일이니까요……. 하지만 이제는 편지를 쓰기가 한결 수월할 거예요. 당신이 이모와 언니를 직접 만나서 잘 설명해 주실 테니까. 정말 잘 됐어요. 그렇지만, 이건 어디까지나 지금 말한 그런 뜻에서 잘 됐다는 것뿐이에요. 거듭 말씀드리지만 내 말을 믿어 주세요—나한테는 당신이 누구와도 바꿀 수 없는 귀중한 분이라는 건 새삼스레 말할 필요도 없습니다……. 그럼 곧 달려가서 편지를 써야겠어요." 그녀는 말을 마치자 별안간 방에서 나가려는 듯이 한 걸음 앞으로 내디뎠다.

"그럼 알료샤는? 당신이 꼭 듣고 싶다던 알렉세이 표도로비치의 의견은 듣지도 않고요?" 하고 호흘라코바 부인이 소리쳤다. 그녀의 말투에는 비꼬는 듯한 분노의 어조가 섞여 있었다.

"나는 잊은 게 아녜요." 카체리나는 우뚝 멈춰 섰다. "그런데 부인께선 무엇 때문에 이런 떠에 나와 맞서려고만 들죠?" 하고 카체리나는 퉁명스럽고 열띤 어조로 나무라듯이 말했다. "나는 내 입으로 말한 것은 어김없이 합니다. 내게는 이분의 의견이 꼭 필요해요. 뿐만 아니라, 이분의 명령이 필요한 거예요! 나는 이분이 말하는 대로 실행할 테니까요. 알렉세이 표도로비치, 나는 이렇게까지 당신의 말을 갈망하고 있답니다……. 아니, 왜 그러세요?"

"나는 이런 일은 미처 생각지도 못했습니다. 나로서는 상상조차 할 수 없는 일이에요!" 하고 갑자기 알료샤는 슬픈 어조로 소리쳤다.

"무엇을, 므엇을 말이죠?"

"형님이 도스크바로 간다고 하니까 당신은 천만다행한 일이라고 하셨습니다. 그러나 당신은 일부러 그런 말을 한 거예요! 그리고는 곧, 지금 다행이라고 말한 것은 그런 의미에서가 아니고, 자기로서는 친구를 잃는다는 것이 더없는 불행이라고 변명을 하십니다—그건 당신이 일부러 연극을 하신 거예요……. 마치 희극 배우처럼 연극을 하신 거예요!"

"연극이라고요? 어째서요?…… 대체 무슨 뜻이죠?" 카체리나는 얼굴을 확 붉히고 눈살을 찌푸리면서 몹시 놀란 듯이 이렇게 소리쳤다.

"당신이 형님 같은 친구를 잃는다는 것은 참으로 유감스러운 일이라고 아무리 형님한테 우기신대도, 결국은 형님이 떠나는 것이 기쁘다고 본인한테 맞대 놓고 말하는 것과 다를 것이 조금도 없지 않습니까." 알료샤는 거의 숨을 헐떡이다시피 하며 말했다. 그는 탁자 옆에 선 채 앉으려고도 하지 않았다.

"무슨 말을 하시는 거예요? 나는 도대체 무슨 뜻인지……"

"하긴 나 자신도 잘 모르겠습니다. 다만 무언가 문득 머릿속에 환하게 떠오른 게 있어서요……. 물론 이런 말을 하는 게 좋지 않은 일이라는 건 나도 압니다만, 그래도 역시 할 말은 죄다 해야겠습니다." 알료샤는 떨리는 소리로 띄엄

띄엄 말을 이었다. "환하게 떠올랐다는 건 다름 아니라, 당신은 드미트리 형님을 처음부터…… 전혀 사랑하지 않았는지도 모른다는 것입니다……. 그리고 그 형님 역시 당신을 조금도 사랑하지 않았는지도 모르죠…… 처음부터 말입니다……. 그저 존경하고 있었을 뿐이겠죠. 내가 지금 어떻게 감히 이런 대담한 말을 할 수 있는지, 정말 나 자신이 이상할 지경입니다만, 그래도 누구든 한 사람쯤은 진실을 말하는 사람이 있어야 할 게 아닙니까……. 여기선 아무도 진실을 말하려는 사람이 없으니 말입니다."

"진실이라니 그건 무슨 말이죠?" 하고 카체리나는 부르짖었다. 그 목소리에는 무언가 히스테릭한 음향이 섞여 있었다.

"말씀드리죠." 알료샤는 마치 지붕 위에서 껑충 뛰어내리는 듯한 심정으로 입을 열었다. "지금 곧 드미트리를 부르십시오—내가 찾아드리겠습니다—그리고 큰형님이 여기 오거든, 당신의 손을 잡게 하고, 그다음엔 이반 형님의 손을 잡게 하십시오. 그렇게 해서 당신들 두 사람의 손을 끌어다 서로 맞잡게 해 달라고 하십시오. 왜냐하면 당신은 이반 형님을 사랑하고 있다는 그것만으로 오히려 이반 형님에게 고통을 주고 있기 때문입니다……. 어째서 이반 형님에게 고통을 주는가 하면, 드미트리에 대한 당신의 사랑이 발작적인 것이기 때문이죠……. 그것은 거짓된 사랑입니다……. 왜냐하면 당신은 억지로 자기 자신을 설복하여……"

알료샤는 갑자기 말을 끊고 입을 봉해 버렸다.

"당신은…… 당신은…… 당신은 하잘것없는 광신자로군요. 그 이상의 아무것도 아녜요!" 카체리나는 내뱉듯 말했다. 그 얼굴은 이미 창백해지고 그 입술은 분노를 참지 못하는 듯 실룩거렸다.

이때 이반이 느닷없이 커다란 소리로 웃으며 자리에서 일어났다. 그의 손엔 모자가 쥐어져 있었다.

"애, 알료샤, 너는 오해하고 있구나" 그는 여태껏 알료샤가 한 번도 본 일이 없는 특별한 표정을 지으며 이렇게 말했다. 그것은 젊은이다운 성실성과 억제할 수 없을 만큼 강렬한 노골적인 감정에 넘치는 표정이었다. "카체리나 이바노브나는 절대로 나를 사랑한 일이 없어! 나는 내 사랑을 입 밖에 내서 고백한 적은 한 번도 없지만, 내가 사랑하고 있다는 건 처음부터 이분도 잘 알고 있었지. 알고 있기는 했으나, 나를 사랑한 일은 없었어. 나는 이분의 친구였던 적도 없으니까. 단 하루도 없었어. 자존심이 강한 여성에게 나 같은 놈의 우정이 필요할 리가 없지. 이분이 나를 가까이하고 있었던 건 순전히 복수를 하기 위해서였어. 이분은 드미트리와 처음으로 만난 그때부터 드미트리한테서 끊임없이 받아 온 모욕에 대한 분풀이를 나한테 하고 있었던 거야. 사실 두 사람의 최초의 해후 그 자체가 이분의 가슴에는 모욕으로밖엔 남아 있지 않으니까. 이분은 바로 그런 마음을 지닌 사람이야! 나는 이분한테서 형에 대한 이분의 사랑 얘기밖엔 아무것도 들은 적이 없어.

카체리나 이바노브나, 나는 이곳을 떠나겠습니다. 그러나 실제에 있어, 당신은 드미트리 형 한 사람만을 사랑하고 있다는 걸 알아야 합니다. 뿐만 아니라 당신의 사랑은 형이 당신을 모욕하면 할수록 더욱더 강해질 뿐입니다. 이것이 바로 당신의 격렬한 요구입니다. 당신은 현재 그대로의 형을 사랑하고 있는 겁니다. 당신께 모욕을 주는 그 형을 사랑하고 있는 겁니다. 만일에 형이 몸가짐을 고친다면, 당신은 곧 사랑이 식어 형을 내버리고 말겠지요. 당신에게 형이 필요한 것은, 당신이 항상 자신의 절조의 미덕을 의식하면서 형의 불실을 책망하고 싶은 그런 심정이 작용하고 있기 때문입니다. 이것은 모두가 당신의 자존심에 기인하는 것입니다. 물론 거기에는 자신에 대한 강요와 자기비하도 적지 않겠지요. 그렇지만, 어쨌든 이 모든 것은 자존심에서 나온 것입니다……. 나는 너무나 젊었고 또 지나치게 당신을 사랑했습니다. 이런 말은 전혀 할 필요가 없을뿐더러, 말없이 당신 곁을 떠나 버리는 편이, 나 자신의 품위도 보존할 수 있거니와 당신한테도 모욕을 주지 않게 된다는 것은 나도 잘 알고 있습니다. 그러나 나는 멀리 떠나 버리고 다시는 돌아오지 않을 테니까요……. 이것이 당신과의 영원한 이별이니까요……. 나는 미치광이와 같은 감정의 파열을 옆에서 보고 싶지가 않습니다. 하지만 이제는 더 말할 수가 없습니다. 할 말은 다 했습니다……. 안녕히 계십시오, 카체리나 이바노브나. 당신은 나한테 성을 낼 수는 없을 겁니다. 나는 당신보다 백배 이상이나 심한 벌을 받고 있으니 말입니다. 이제는 영원히 당신을 만날 수 없다는 것만으로도 나한테는 가혹한 벌입니다. 그럼 안녕히 계십시오, 악수는 필요 없습니다. 당신은 너무나 의식적으로 나를 괴롭혔기 때문에 지금은 당신을 용서할 수가 없습니다. 후에는 용서하게 되겠지만 지금은 악수를 청하고 싶지도 않습니다.

Den Dank, Dame, begehr ich nicht!
(그대여, 나는 감사를 바라지 않노라!)"

그는 일그러진 미소를 띠우면서 이렇게 덧붙였다. 이것으로써 그는 자기도 실러의 시를 암송할 수 있을 만큼 많이 읽었다는 의외의 사실을 증명한 것이다. 전 같으면 알료샤는 도저히 그것을 믿을 수 없었을 것이다. 이반은 집주인인 호흘라코바 부인한테조차 아무런 인사도 않고 방에서 나가 버렸다. 알료샤는 엉겁결에 두 손을 탁 쳤다.

"이반!" 그는 얼빠진 사람처럼 형의 등 뒤에 대고 소리쳤다. "돌아와요, 이반! 아아, 이젠 그만이다. 형은 절대로 돌아오지 않을 거야!" 그는 다시금 서글픈 예감이 머릿속에 떠오르는 것을 느끼며 이렇게 부르짖었다. "그렇지만, 이건 모두가 내 잘못입니다. 내가 공연한 소릴 했기 때문입니다! 이반은 일부러 짓궂게, 좋지 못한 태도로 말했습니다. 그것은 온당치 못한 악의를 품은 태도예요……. 형은 다시 이리로 돌아와야만 합니다" 하고 알료샤는 미친 듯이 외치는 것이었다.

카체리나는 갑자기 옆방으로 나가 버렸다.

"당신한텐 아무 잘못도 없어요. 당신은 천사처럼 훌륭하게 행동했으니까요." 호흘라코바 부인이 슬픔에 잠긴 알료샤에게 감탄 섞인 어조로 속삭였다. "내가 어떻게 해서든지 이반 표도로비치가 떠나지 않도록 노력해 보겠어요."

부인의 얼굴에 기쁨의 빛이 넘치는 것을 보고 알료샤는 한층 더 슬퍼졌다. 그러나 바로 이때 카체리나가 황급히 돌아왔다. 그녀의 손에는 분홍빛 지폐(1백루블짜리 지폐) 두 장이 쥐여져 있었다.

"실은 당신한테 좀 어려운 부탁이 있어서요, 알렉세이 표도로비치" 하고 그녀는 알료샤를 보고 말했다. 마치 아무 일도 없었던 것처럼 고요하고 침착한 어조였다. "일주일이나 되었을까, 그래요, 일주일 전이죠—드미트리 표도로비치가 흥분 끝에 점잖지 못한 일을, 참으로 창피한 일을 저질렀답니다. 이 읍내엔 좋지 못한 장소, 다시 말해서 선술집이 한 군데 있어요. 거기서 그이가 바로 그 퇴역 장교를 만났다는 거예요. 언젠가 당신의 아버님께서 무슨 사건과 관련하여 대리인으로 내세웠던 그 이등 대위 말이에요. 그런데 무엇 때문이었는지는 모르지만 그이가, 이 이등 대위한테 화를 내어 그 사람의 턱수염을 움켜쥐고 여럿이 보고 있는 데서 한길로 끌고 나와 한참 동안이나 그런 모욕적인 방법으로 끌고 다녔다지 않겠어요. 소문을 들으니, 그 이등 대위한테는 소학교에 다니는 조그만 아들이 있는데, 이 애가 그 장면을 보고는 끝까지 아버지 곁에 붙어 다니며 엉엉 울면서 아버지 대신 용서를 빌기도 하고, 아무나 붙잡고 아버지를 도와 달라고 애걸하기도 했지만, 모두들 웃고만 있었다는군요. 미안한 말이지만 알렉세이 표도로비치, 나는 그이가 저지른 그 창피스런 행위를 상기할 때마다 노여움을 느끼지 않을 수 없어요. 그런 짓은 분노와 격정에 사로잡힌 드미트리 표도로비치가 아니면 엄두도 낼 수 없는 행위예요! 나는 차마 이 얘기를 할 수가 없어요. 첫째, 그럴 기력도 없거니와 뭐라고 적당한 말을 찾아낼 수도 없군요. 그래서 봉변을 당한 사람에 대해 알아봤더니, 형편없이 가난한 사람이라는군요. 이름은 스네기료프라고 하는데, 군대에서 무슨 과오를 저질러 파면된 모양이지만 자세한 사정은 나도 잘 모르겠어요. 그 사람은 지금 불행한 가족을, 병든 아이들과 미친 아내를 거느리고 이루 말할 수 없는 빈곤 속에서 허덕이고 있답니다. 꽤 오래전부터 이 고장에 와서 살면서 한때는 무슨 서기 노릇을 한 일도 있지만, 요즘은 수입이 딱 끊어져 버렸다는 거예요. 나는 당신의 얼굴을 보고…… 실은 그래서 생각이 났지만—왜 그런지 얘기가 자꾸만 뒤죽박죽이 되는 것 같군요—아무튼 당신한테 한 가지 부탁드리고 싶은 일이 있어요. 알렉세이 표도로비치, 그 사람을 찾아가서, 어떻게 해서든 적당한 구실을 붙여 그 집에, 즉 그 이등 대위네 집에 들어가도록 하세요. 아아, 내가 왜 이렇게 요령부득인 말을 할까요. 들어가면 상대방의 기분을 상하지 않도록 상냥하고 조심스럽게—이건 당신이 아니면 안 되는 일이지만요—(이 말에 알료샤는 얼굴을 확 붉혔다)—이 돈을 전해 주시면 고맙겠어요. 여기 2백 루블이 있으니까요. 아마 받으리라고 생각합니다……. 아니, 꼭 받도록 당신이 설복해 주셔야겠어요……. 그런데 혹시 받지 않겠다면 어떡하죠? 그렇지만 이건 고소를 취하시키기 위한(그 사람은 고소를 제기할 모양이니까) 보상금은 아녜요. 그저 동정의 표시로, 내가, 드미트리 표도로비치의 약혼녀인 내가, 그 사람을 도우려는 성의의 표시로 보내는 것이지, 장본인인 그이가 보내는 것은 결코 아니니까……. 아무튼 당신이라면 원만히 처리하실 줄 믿어요……. 내가 직접 찾아가도 좋지만, 나보다는 당신이 훨씬 잘 처리해 주실 것 같아서 부탁드리는 거예요. 그 사람은 오제르나야 거리에 있는 칼므이코바라는 여자의 집에 세 들어 있다고 합니다. 알렉세이 표도로비치, 제발 나를 위해 이 일을 맡아 주세요. 그건 그렇고, 나는 지금…… 약간 피로한 것 같아서…… 그럼 이만 실례하겠습니다."

그녀는 재빨리 몸을 돌려 또다시 커튼 뒤로 사라져 버렸기 때문에, 알료샤는 하고 싶던 말을 한마디도 못 하고 말았다. 그는 자신을 꾸짖고 용서를 빌고 싶었다. 가슴 가득 찬 것을 몇 마디라도 하지 않고는 견딜 수 없을 지경이었다. 그것은 고사하고라도 그는 이대로 방에서 나가고 싶지는 않았다. 그러나 호흘라코바 부인이 그의 손을 잡고 밖으로 끌어냈다. 현관 홀에 나오자 부인은 아까처럼 다시 그를 멈춰 세웠다.

"자존심이 강한 여자라 지금 자기 자신과 싸우고 있는 거죠. 그렇지만 저만큼 친절하고 아름답고 너그러운 아가씨도 세상에 없을 거예요!" 호흘라코바 부인은 속삭이는 듯한 어조로 탄성을 올렸다. "나는 정말 저 아가씨가 좋아요. 어떤 땐 견딜 수 없을 만큼 좋다니까요! 나는 지금 이것도 저것도 모든 것이 다 기뻐요! 알렉세이 표도로비치, 당신은 모르시겠지만 실은 우리들이 모두—즉 나와, 저 아가씨의 두 이모와 심지어 우리 리즈까지, 모두가 지난 한 달 동안 오직 한 가지 일만을 바라고 빌었거든요. 다름 아니라, 저 아가씨의 존재를 인정하려고도 않을뿐더러, 저 아가씨를 털끝만큼도 사랑하고 있지 않는 당신의 큰형 드미트리를 버리고, 세상의 누구보다도 그 아가씨를 사랑하는, 교육 있고 훌륭한 청년인 이반 표도로비치와 결혼하게 되기를 빌었어요. 우린 거기 대해 완전히 계획을 세웠답니다. 내가 여기 계속해서 머물러 있는 것도 어쩌면 그 일 때문인지도 모르죠."

"그렇지만 그 아가씨는 또다시 모욕을 당하지 않습니까!" 하고 알료샤는 외쳤다.

"여자의 눈물 같은 건 믿지 마세요, 알렉세이 표도로비치. 이런 경우에 나는 언제나 여자 편이 아니라, 남자 편을 들곤 한답니다."

"엄마, 엄마는 그분한테 나쁜 것을 가르쳐서 타락시키려는 거군요!" 리즈의 가냘픈 목소리가 방문 저쪽에서 들려왔다.

"아닙니다. 이것은 모두가 나한테 원인이 있어요. 나는 참으로 무서운 과오를 범했습니다!" 알료샤는 자기 행위에 대한 괴로운 수치심의 발작에 휩싸여, 두 손으로 얼굴을 가리며 처량한 심정으로 같은 말을 되풀이했다.

"아니, 오히려 정반대예요. 당신의 행위는 천사와 같았어요. 그야말로 천사와 같았다니까요! 나는 천 번, 만 번이라도 이 말을 되풀이할 용의가 있어요."

"엄마, 뭐가 천사와 같은 행위라는 거죠?" 또다시 리즈의 목소리가 들려왔다.

"나는 그 모든 것을 보고 문득 이런 생각이 들었습니다." 리자의 목소리 같은 건 귀에 들리지도 않았는지 알료샤는 자기 말을 계속했다. "그 아가씨는 이반을 사랑하고 있다고 말입니다. 그래서 그만 그런 어리석은 소리를 했던 거예요……. 그렇지만 대체 앞으로 어떻게 될까요!"

"그건 누구 얘기예요, 네? 누구 얘기냐 말이에요?" 하고 리즈가 외쳤다. "엄마, 엄마는 정말 날 죽일 작정인가 봐. 내가 묻는데도 아무 대꾸도 안 해 주시고."

이때 하녀가 달려들어 왔다.

"카체리나 이바노브나가 몹시 편치 않으신가 봐요……. 마구 몸부림을 치면서 울고 계십니다……. 히스테리의 발작이 일어난 것 같아요."

"뭐라고?" 리즈는 몹시 근심스런 어조로 이렇게 외쳤다. "엄마, 히스테리는 그 아가씨보다도 내가 일으킬 것 같아요!"

"리즈야, 제발 그렇게 빽빽 소리를 지르지 마라. 그 소릴 들으면 십 년은 감수할 것 같다. 너는 아직 어리니까 어른들이 아는 일을 죄다 알아야 할 건 없어. 내 곧 갔다 와서 너한테 해도 무방할 만한 것은 죄다 얘기해 줄 테니까. 아아, 참 야단이로군! 그래, 간다, 곧 간다니까!…… 히스테리를 일으킨다면 그건 좋은 징조예요, 알렉세이 표도로비치. 저 아가씨가 히스테리를 일으키는 건 그야말로 다행한 일입니다. 반드시 그래야만 하는 것이니까요. 나는 이런 경우엔 언제나 여성과는 반대의 입장을 취하기 때문에, 그따위 히스테리니 여자의 눈물이니 하는 것과는 반대거든요. 얘, 율리야, 얼른 가서 내가 곧 간다고 전해라. 그건 그렇고, 이반 표도로비치가 아까 그런 식으로 여기서 나가 버린 것은 카체리나 이바노브나 자신에게 책임이 있어요. 그러나 이반 표도로비치는 이 고장을 떠나 버리지는 않을 겁니다. 리즈야, 제발 소리 좀 지르지 마라! 아니, 지르고 있는 건 네가 아니라 나였구나! 이 어미를 용서해라. 하지만 나는 너무 기뻐서 어쩌면 좋을지 모르겠다! 알렉세이 표도로비치, 당신도 느끼셨는지 모르지만, 아까 이반 표도로비치가 여기서 나갈 때의 그 젊음에 넘치는 늠름한 태도, 할 말을 다하고 나서 주저 없이 나가 버린 그 태도는 정말 훌륭했어요! 나는 그저 유식한 학자라고밖엔 생각하지 않았었는데, 뜻밖에도 그처럼 열렬하고 솔직하게, 그야말로 젊은이다운 태도를 보여 주지 않겠어요! 순수한 젊은이다운 그 멋지고 훌륭한 태도는 당신과 똑같더라니까요……. 그리고 독일 시 한 구절을 읊은 대목 같은 건 정말 당신과 흡사했어요. 그렇지만 나는 이젠 가 봐야겠군요. 빨리 가 봐 줘야죠. 알렉세이 표도로비치, 당신도 지금 부탁받은 일을 빨리 해치우세요. 그리고 곧 이리로 돌아오세요. 리즈야, 너 뭐 필요한 것 없니? 제발 알렉세이 표도로비치를 붙잡지 말아라, 1분이라도 지체하게 하면 안 돼. 어차피 너한테 곧 돌아오실 테니까."

호흘라코바 부인은 드디어 카체리나한테로 달려갔다. 알료샤는 리즈를 보고 가려고 문을 열려 했다.

"안 돼요!" 하고 리즈는 소리쳤다. "지금은 절대로 안 돼요! 문밖에서 그냥 말하세요. 그런데 어떻게 했기에 당신은 천사란 말을 듣게 되었죠? 내가 알고 싶은 건 그것뿐예요."

"어리석기 짝이 없는 짓을 했기 때문이죠. 그럼 리즈, 나는 가겠습니다."

"그렇게 돌아가는 법이 어디 있어요!" 하고 리즈는 외쳤다.

"리즈, 나한텐 참으로 슬픈 일이 있어요! 곧 돌아오긴 하겠지만, 나한텐 정말 기막히게 슬픈 일이 있어요!"

이렇게 말하고 그는 밖으로 달려 나왔다.

6. 오막살이집에서의 감정의 파열

사실 그는 여태까지 경험하지 못한 크나큰 비애를 느끼고 있었다. 그는 공연한 말을 입 밖에 내어 그만 어리석은 짓을 저지르고 만 것이다. 게다가 그것은 남녀 간의 사랑에 관한 문제가 아닌가! '도대체 내가 무얼 안단 말인가? 그런 문제에 대해 내가 무얼 이해할 수 있단 말인가?' 그는 얼굴을 붉히며 마음속으론 거듭 되풀이하는 것이었다. '부끄러운 것쯤은 문제가 아니다. 부끄러움을 느끼는 건 마땅히 내가 받아야 할 형벌에 지나지 않지만, 무엇보다 곤란한 것은, 나 때문에 새로운 불행이 일어날 것이라는 점이다……. 장로님은 우리 집안의 화해와 결합을 위해 나를 내보내지 않았던가. 헌데 이런 식의 결합이 어디 있단 말인가.' 여기서 문득 그는 자기가 '두 사람의 손을 맞잡게' 하려던 일을 상기했다. 그러자 또다시 참을 수 없을 만큼 부끄러운 생각이 들었다. '이 모든 것이 나로서는 진정으로 한 일이기는 하지만, 앞으로는 좀 더 영리하게 행동할 필요가 있다' 하고 그는 결론을 내렸으나, 그 결론에 대해 미소조차 띠우려 하지 않았다.

카체리나한테 부탁 받은 곳은 오제르나야 거리였지만, 큰형 드미트리도 그리로 가는 도중인, 오제르나야에서 멀지 않은 뒷골목에 살고 있었다. 알료샤는 이등 대위네 집에 가기 전에 어쨌든 형한테 들러봐야겠다고 결심했으나, 그러면서도 형을 만나지는 못하리라는 예감이 들었다. 그리고 어쩌면 형은 일부러 자기를 피하려 들는지 모른다는 의심도 들었다. 그러나 무슨 일이 있더라도 형을 찾아낼 필요가 있었다. 시간은 자꾸만 지나간다. 더욱이 임종이 가까운 장로에 대한 생각은 수도원을 나섰을 때부터 한시도 그의 머리에서 떠나지 않는 것이었다.

카체리나의 부탁과 관련하여 무척 그의 흥미를 끄는 점이 한 가지 있었다. 이등 대위의 아들인 조그만 소학생이, 엉엉 울면서 자기 아버지 옆을 뛰어다녔다는 얘기를 카체리나한테 들었을 때, 알료샤의 머리에는 어떤 생각이 퍼뜩 떠올랐었다. 다름 아니라 아까 내가 너한테 무슨 짓을 했다는 거냐고 따져 물었을 때 자기의 손가락을 깨문 아이가 바로 그 이등 대위의 아들이 아닌가 하는 생각이었다. 이제 알료샤에게는 그것이 거의 틀림없는 사실로 여겨졌다. 어째서 그런지는 그 자신도 알 수 없었다. 이렇게 딴 생각에 정신이 팔려 있으니 한결 마음이 가벼워졌다. 그래서 그는 방금 자기가 저지른 '잘못'만을 뉘우치며 자신을 괴롭히고 있을 게 아니라, 자기가 할 일만 잘하면 그만이라고 마음을 정했다. 이렇게 마음을 정하니 훨씬 기운이 났다. 드미트리 형이 사는 뒷길로 접어들었을 때, 그는 시장기를 느껴, 아까 아버지한테 얻어 온 빵을 호주머니에서 꺼내 먹으며 걸어갔다. 이것으로 그의 몸도 원기를 회복했다.

드미트리는 집에 없었다. 그 집 사람들, 즉 늙은 목수 부부와 그 아들은 이상한 눈초리로 알료샤를 훑어보았다. "벌써 사흘째나 들어오시지 않습니다. 혹시 어디로 가 버리셨는지도 모르겠군요." 노인은 알료샤가 캐묻는 말에 이렇게 대답했다. 알료샤는 노인이 미리 지시받은 대로 대답하고 있다는 것을 알아챘다. "그럼 그루셴카한테 가 있는 건 아닐까요? 아니면 또 포마네 집에 숨어 있는지도 모르겠군요?"라는 물음에 대하여 (알료샤는 일부러 이렇게 허물없는 솔직한 태도로 말을 건네 보았다) 이 집 사람들은 모두 눈을 휘둥그렇게 뜨고 불안한 얼굴로 그를 바라보았다. '그러고 보니 모두들 형님을 사랑하여, 형님 편을 들어주고 있는가 보군. 그건 반가운 일이야' 하고 알료샤는 생각했다.

마침내 그는 오제르나야 거리에 있는 칼므이코바네 집을 찾아냈다. 그것은 한길 쪽으로 창문이 세 개밖엔 없는, 다 쓰러져 가는 낡아 빠진 오막살이 집이었다. 집 앞에는 더러운 뜰이 붙어 있고, 그 한가운데 암소 한 마리가 쓸쓸히 서 있었다. 현관으로 들어가 왼쪽으로는 주인 노파와 딸이 함께 살고 있었는데, 딸 역시 이미 할머니가 다 된 늙은 여자였다. 둘 다 귀머거리 같았다. 이등 대위에 대해 몇 번이나 되풀이해서 물었더니, 그때서야 그중 하나가 자기네 셋방에 든 사람을 찾는가 보다 눈치채고, 현관 맞은편에 있는 초라한 문을 가리켜 주었다. 이등 대위네 셋방은 그야말로 오막살이와 다를 것이 없었다. 알료샤는 문을 열려고 쇠로 된 손잡이에 손을 대려다가 문 안쪽이 이상하리만큼 고요한 데 흠칫 놀랐다. 그는 카체리나의 말을 통해서 이등 대위가 처자를 거느린 사람이라는 것을 알고 있었다. '모두들 자고 있는 건가? 그렇지 않으면 내가 온 소리를 듣고 문이 열리기를 기다리고 앉아 있는 건지도 모르지. 아무튼 우선 문을 두드리는 게 좋겠군' 이렇게 생각하고 그는 문을 두드렸다. 한참 만에 안에서 대답하는 소리가 들렸다. 그사이에 십 초가량은 실히 걸렸는지도 모른다.

"거 누구요?" 누군가의 몹시 화난 듯한 고함 소리가 울려 나왔다.

알료샤는 문을 열고 안으로 들어갔다. 그가 들어간 오막살이는 제법 넓기는 했지만, 너저분한 가재도구며 사람들로 뒤죽박죽이 되어 있었다. 왼쪽으로 커다란 러시아식 페치카가 있고, 그 페치카에서 왼쪽 창문까지 방 안을 가로질러 빨랫줄이 매여 있는데, 거기에는 갖가지 누더기가 걸려 있었다. 왼쪽과 오른쪽 벽 밑에는 털실로 짜서 만든 담요로 덮인 침대가 하나씩 놓여 있었다. 그중 왼쪽 침대에는 옥양목 베개가 네 개 크기에 따라 가지런히 쌓여 있다. 그러나 오른쪽 침대에는 아주 조그만 베개가 한 개 보일 뿐이었다. 그리고 맞은편 구석에는 역시 엇비슷이 매어 놓은 줄에 커튼인지 홑이불인지 분간 못할 물건을 드리워 칸막이를 한 곳이 있었다. 이 칸막이 뒤에도 역시 한쪽 옆으로 벤치에 의자를 맞붙여 만든 침대가 하나 눈에 띄었다. 아무 칠도 안 해서 볼품없는 네모난 목제 식탁은 원래 맞은편 구석에 있던 것을 가운데 창문 옆에 옮겨 놓은 것 같았다. 곰팡이가 낀 것처럼 푸르무레한 유리를 넉 장씩 넣은 창문은 셋 다 뿌옇게 흐려 있는 데다가 빈틈없이 닫혀 있어서, 방 안은 숨이 막힐 듯했고 그리 밝지도 않았다. 식탁 위에는 먹다 남은 달걀부침이 들어 있는 부침 판이며, 입에 대다 그만둔 빵 조각 따위가 아무렇게나 널려 있고, 게다가 아직도 몇 방울 남은 '지상의 행복(보드카)' 병까지 놓여 있었다.

왼쪽 침대 옆에 놓인 의자에는 포플린 옷을 입은, 어딘지 품위 있어 보이는 부인이 앉아 있었다. 그 얼굴은 몹시 여위고 낯빛은 누르스름했다. 푹 꺼져 들어간 두 볼은 그녀가 병자라는 것을 일목요연하게 말해 주고 있었다. 그러나 무엇보다도 강하게 알료샤에게 충격을 준 것은 이 가련한 부인의 시선—무언가를 묻고 싶어 하는 것 같은, 그러면서도 한편으로는 터무니없이 거만하게 보이는 그 시선이었다. 그러나 부인은, 알료샤가 이 집 주인과 이야기하고 있는 동안, 자기 쪽에서는 입을 떼려 하지 않고, 여전히 의혹에 찬 거만한 표정이 어린, 그 커다란 갈색 눈으로 두 사람을 번갈아 바라보고만 있었다. 이 부인과 나란히, 왼쪽 창가에 머리털이 불그죽죽하고 얼굴이 좀 못생긴 젊은 처녀가 하나 서 있었다. 초라해 보이기는 했으나 제법 깨끗한 옷차림을 한 여자였다. 그녀는 방 안에 들어온 알료샤를 경계하는 듯한 눈초리로 훑어보았다. 오른쪽에는 역시 침대 옆에 또 하나의 여자가 앉아 있었다. 이 여자 또한 스무 살쯤 돼 보이는 젊은 처녀였지만, 보기에도 가엾은 병신이어서, 후에 알료샤가 들은 바에 의하면, 곱사등이에다가 다리마저 못 쓰는 앉은뱅이라는 것이었다. 그녀의 쌍지팡이는 방 한쪽 구석 침대와 벽 사이에 놓여 있었다. 이 가엾은 처녀의 눈에 띄게 아름답고 유순한 눈은, 침착하고도 상냥한 표정을 띠고 알료샤를 바라보는 것이었다. 식탁 앞에는 마흔 대여섯가량 된 남자가 앉아서 달걀부침을 먹고 있었다. 키는 그리 크지 않고 여윈, 약한 체격의 사내였는데, 머리털은 불그스름하고, 숱이 적은 턱수염 역시 불그스름한 빛이었으나, 그것은 흡사 닳아 빠진 수세미를 연상시켰다. (이 비유, 특히 '수세미'라는 말이 무엇 때문인지 그를 보자마자 알료샤의 머리에 퍼뜩 떠올랐다. 알료샤는 나중에야 이것을 상기했던 것이다) 방 안에는 이 사람 이외엔 남자가 없는 것으로 보아, '거 누구요!' 하고 소리 지른 것은 바로 이 사람이었음이 분명했다. 그러나 알료샤가 방 안에 들어서자 그는 앉았던 자리에서 후닥닥 튀어 일어나, 구멍이 숭숭 뚫린 냅킨으로 황급히 입술을 닦으면서 알료샤 앞으로 달려 나왔다.

"수도사가 동냥을 하러 왔나 본데, 번지수를 잘못 알고 찾아왔군요!" 왼쪽 구석에 서 있던 처녀가 커다란 소리로 말했다. 그러나 알료샤한테 달려 나온 남자는 그녀 쪽으로 획 돌아서며 이상스레 흥분된 떨리는 음성으로 대꾸했다.

"아니야, 바르바라 니콜라예브나, 그건 네가 잘못 생각했다! 그러면 제가 한마디 여쭈어 보기로 하겠습니다" 하며 그는 다시 알료샤한테로 몸을 돌렸다. "도대체 무슨 생각이 나서 이런 누추한 곳에 왕림하셨는지요?"

알료샤는 주의 깊게 상대방을 바라보았다. 그는 처음으로 이 사람을 보았던 것이다. 이 사람에겐 어딘지 딱딱하고 성급하고 신경질적인 데가 있었다. 방금 한잔 들이켠 것만은 분명했으나, 그렇다고 결코 취해 있지는 않았다. 그 얼굴은 어쩐지 지극히 뻔뻔스러우면서도, 동시에 (이것은 기이한 일이기는 했지만) 겁먹은 듯한 표정을 띠고 있었다. 이를테면 오랫동안 참고 견디며 복종만을 일삼아 오다가, 어쩌다 갑자기 일어서서 자기의 존재를 과시하려 드는 사람 같기도 했다. 아니, 보다 적절히 표현하자면, 상대방을 때려누이고 싶어 죽을 지경이면서도, 한편으로는 상대방한테 얻어맞지나 않을까, 전전긍긍하고 있는 사람과 흡사했다. 그가 하는 말에서도, 상당히 날카로운 그 음성의 억양에서도, 어딘지 미치광이 같은 유머가 느껴졌지만, 그것이 때로는 심술궂게, 때로는 겁먹은 듯한 어조로 자꾸만 바뀌곤 해서, 도무지 갈피를 잡을 수가 없었다. '누추한 곳' 운운했을 때도, 그는 사뭇 몸을 떨며 두 눈을 부릅뜨고 알료샤한테 바싹 다가서는 바람에, 알료샤는 무의식중에 한 걸음 뒤로 물러서지 않을 수 없었다. 그는 낡아 빠진 검은 무명 겉옷을 걸치고 있었는데, 헝겊을 대고 더덕더덕 기운 데다가 여기저기 얼룩이 져 있었다. 바지는 굉장히 밝은 색깔의 격자무늬가 있는 아주 얇은 천으로 된 것인데, 아마 요즘 세상에 그런 것을 입고 다니는 사람은 아무도 없을 것이다. 그나마 가랑이가 형편없이 구겨져, 그 끝이 위로 말려 올라가서 어린애처럼 정강이가 드러나 보였다.

"나는…… 알렉세이 카라마조프란 사람인데요." 알료샤는 그의 질문에 대답할 양으로 이렇게 허두를 꺼냈다.

"그건 잘 알고 있습니다." 새삼스레 그런 말을 해 주지 않아도 찾아온 사람이 누구라는 것쯤은 다 알고 있다는 것을 표시하려는 듯이 그는 얼른 알료샤의 말을 가로챘다. "저로 말하면 스네기료프 대위올시다. 그보다도 제가 여쭙고 싶은 건, 대체 무슨 생각이 나서 여길 방문해 주셨는지……"

"아니, 그저 잠깐 들렀을 뿐입니다. 실은 당신한테 한 가지 말씀드릴 일이 있기는 합니다만…… 들어주실는지 어떤지……"

"그러시다면 여기 의자가 있으니 착석해 주시기를 바라 마지않습니다. 이건 옛날 희극에 곧잘 나오는 대사지요—'착석해 주시기를 바라 마지않습니다'라고 말입니다." 이렇게 말하며 이등 대위는 재빠른 동작으로 빈 의자를 집어 들더니 (겉에 아무것도 씌우지 않은 나무만으로 된 딱딱한 의자였다) 그것을 거의 방 한가운데 갖다 놓았다. 그러고 나서 자기가 앉을 의자를 갖다 놓고 알료샤와 마주 앉았는데, 이번에도 바싹 다가앉았기 때문에 무릎이 거의 맞닿을 지경이었다.

"니콜라이 일리치 스네기료프올시다. 러시아 보병 이등 대위, 비록 스스로의 실책 때문에 이름을 더럽히기는 했을망정, 이등 대위인 것만은 틀림없습니다. 그러나 스네기료프라기보다는 이등 대위 슬로보예르소프라고 하는 편이 적절할 겁니다. 왜냐하면 인생의 후반기에 접어들면서부터 나는 항상 슬로보예르스[52]를 붙여 말을 하게 되었으니 말입니다. 슬로보예르스란 것은 몰락하게 되면 으레 입버릇처럼 되게 마련입니다."

"그건 그렇겠지요." 알료샤는 싱긋 웃었다. "그런데 그 입버릇은 무의식중에 저절로 그렇게 된 겁니까, 아니면 일부러 시작한 겁니까?"

"솔직히 말씀드려서 무의식중에 그렇게 된 것입니다. 한평생 슬로보예르스를 붙여서 말해 본 일은 한 번도 없었지만, 갑자기 고꾸라졌다가 다시 일어났을 때는 어느새 슬로보예르스가 입에 붙어 버리고 말았지요. 이건 인간의 힘으론 어쩔 수 없는 일입니다. 제가 보건대 당신은 현대의 문제에 관심이 많으신 모양이군요. 그건 하여간에 어떻게 저 같은 인간에게 호기심을 느끼게 되셨는지요? 손님 접대 같은 건 도저히 불가능한 환경에서 살고 있는 저 같은 놈에게 말입니다."

"다름 아니라, 나는…… 그 일 때문에 왔습니다……."

"그 일 때문이라고요?" 이등 대위는 성급히 말을 가로챘다.

"내 형 드미트리와 당신이 상면했던 일 말입니다" 하고 알료샤는 어색한 어조로 말했다.

"상면이라니, 대체 무슨 말씀이신지? 그럼 바로 그 사건을 두고 하는 말씀인가요? 다시 말해서 그 수세미 사건, 목욕탕 수세미 사건이 아닙니까?" 하며 그는 갑자기 앞으로 몸을 내미는 바람에 이번엔 정말로 무릎이 마주치고 말았다. 그의 입술은 마치 실오라기처럼 팽팽하게 다물어졌다.

"수세미라니, 그건 대체 무슨 뜻입니까?" 알료샤는 중얼거리듯이 물었다.

"아빠, 저 사람은 아빠한테 나를 일러바치려고 온 거예요!" 알료샤에게는 이미 귀에 익은 아까 그 소년의 목소리가 칸막이 커튼 뒤쪽에서 들려왔다. "아까 내

52 러시아어에서 비굴에 가까운 경의를 표하는 접미사 S를 붙여 이렇게 부름.

가 저 사람의 손가락을 깨물어 주었거든요!" 커튼이 걷혔다. 방 한쪽 구석 성상 밑에 벤치와 의자를 맞붙여서 만들어 놓은 침대 위에, 아까 길에서 달려들던 그 소년이 누워 있는 것을 알료샤는 발견하였다. 소년은 아까 입었던 그 허술한 외투와 낡은 솜이불을 덮고 누워 있었다. 어디가 편치 않은지, 번들거리는 그 눈으로 보아서 몹시 열이 있는 것 같았다. 아까와는 달리 소년은 두려워하는 기색도 없이 알료샤를 노려보고 있었다. '여긴 우리 집이니까 겁날 것 없다'고 생각하는 모양이었다.

"뭐, 손가락을 깨물었다고?" 이등 대위는 엉거주춤 의자에서 일어나며 말했다. "그럼 저 애가 당신의 손가락을 깨물었단 말씀인가요?"

"예, 그렇습니다. 아까 저 애가 한길에서 다른 아이들을 상대로 돌을 던지고 있더군요. 여섯 명이나 되는 아이들을 저 애 혼자서 상대하고 있었습니다. 그래서 내가 저 애한테 가까이 가려니까 글쎄, 저 애가 나한테까지 돌을 던지지 않겠어요. 두 번째 던진 돌은 내 머리에 맞았습니다. 그래서 나는, 내가 너한테 무얼 잘못했기에 그러느냐고 물어보았지요. 그랬더니 느닷없이 달려들어 무엇 때문인지 내 손가락을 사정없이 깨물더군요."

"지금 곧 혼을 내주겠습니다! 당장에 두들겨 패 주겠어요!" 이등 대위는 벌떡 자리에서 일어났다.

"나는 뭐 그런 걸 일러바치려고 온 것은 아닙니다. 그저 그런 일이 있었다는 걸 얘기했을 뿐이죠……. 그러니까 당신이 저 애한테 벌을 주었으면 하는 마음은 털끝만큼도 없습니다. 더욱이 저 애는 지금 몸이 편치 않은 것 같군요."

"그럼 제가 정말로 저 애를 두들겨 패 줄 줄로 아셨습니까? 제가 저 일류샤 놈을 당장 끌어내다가 당신 앞에서 당신을 만족시키기 위해 두들겨 패줄 줄로 아셨습니까? 당장에 그렇게 해야만 마음이 시원하시겠습니까?" 이등 대위는 금세 달려들기라도 할 듯이 알료샤 쪽으로 홱 몸을 돌리며 말했다. "그야 물론 당신의 손가락에 대해서는 심히 유감스럽게 생각합니다. 그러나 우리 일류샤 놈을 혼내 주기 전에, 당장 당신의 눈앞에서, 여기 있는 이 나이프로, 당신이 충분히 만족하실 수 있도록 저 자신의 손가락을 네 개 몽땅 잘라 버리면 어떻겠습니까? 손가락 넷이면 당신의 복수욕을 만족시키기에 충분하리라 생각합니다만, 설마 나머지 하나까지 죄다 자르라고 요구하지는 않으시겠지요?"

그는 숨이 막히기라도 한 듯이 갑자기 말을 끊었다. 그 얼굴은 근육 하나하나가 경련을 일으키고, 두 눈에는 도전적인 빛이 떠올랐다. 그는 극도의 흥분 상태에 빠져 있었다.

"이제서야 비로소 모든 사정을 알 수 있을 것 같습니다." 알료샤는 여전히 자리에 앉은 채 슬픔 어린 조용한 어조로 대답하였다. "그러고 보니 저 애는 착한 마음씨를 가진 아이로군요. 아버지인 당신을 사랑하기 때문에, 그 아버지를 모욕한 원수의 동생이라는 생각에서 나한테 덤볐던 거예요……. 나는 이제야 비로소 그것을 알았습니다" 하고 그는 생각에 잠기며 말했다. "그러나 우리 형 드미트리는 자기가 한 일을 후회하고 있습니다. 나는 그걸 잘 알고 있어요. 그래서 만일 형님이 이리로 당신을 찾아 뵐 수 있다면, 아니, 그보다도 그때 그 장소에서 다시 당신을 만나뵐 수 있다면, 형님은 모든 사람이 보는 앞에서 당신에게 용서를 빌 겁니다……. 만일 당신이 그것을 원하신다면 말입니다."

"그러니까 뭡니까, 남의 수염을 잡고 마구 끌고 다니고서도 나중에 용서를 빌기만 하면 그것으로 모든 건 끝나고, 상대방의 마음도 풀어 줄 수 있다, 그 말씀인가요?"

"아니, 천만의 말씀입니다. 그와는 반대로 형님은 당신이 원하신다면 무슨 일이든, 그야말로 무슨 일이든 다 할 겁니다!"

"그렇다면 당신의 형님한테, 바로 그 술집―'서울집'이라는 이름의 술집입니다만―그 술집에서든지, 아니면 읍내의 네거리에서 제 앞에 무릎을 꿇으라고 한다면 과연 므릎을 꿇을까요?"

"물론 무릎을 꿇을 겁니다."

"오오, 감격했습니다. 감격한 나머지 눈물이 나올 지경입니다. 정말이지 가슴에 찔리는 바가 있습니다. 그러면 저의 가족을 소개하게 해 주십시오. 여기 있는 것이 저의 가족입니다. 딸 둘과 아들 하나—모두가 한배에서 난 제 자식들입니다. 제가 죽으면 대체 누가 저 애들을 귀여워해 주겠습니까? 또한 제가 살아 있는 동안, 저 애들 말고 대체 누가 저 같은 너절한 인간을 사랑해 주겠습니까? 이것은 저 같은 모든 인간들을 위해 하느님께서 정해 주신 위대한 사업입니다. 사실 저 같은 인간도 누구한테든 사랑을 받을 수 있어야 할 게 아닙니까."

"오오, 참으로 옳은 말씀입니다!" 하고 알료샤는 외쳤다.

"이젠 제발 어릿광대짓은 그만하세요! 어디서 바보 같은 인간이 찾아오기만 하면 아버진 언제나 그런 창피스런 소릴 한다니까!" 뜻밖에도 창가에 서 있던 처녀가 아버지한테 얼굴을 찌푸려 보이며 경멸어린 표정으로 이렇게 소리쳤다.

"잠깐만 기다려 주렴, 바르바라 니콜라예브나. 일단 시작한 이상 끝까지 해야 할 게 아니냐" 하고 아버지는 소리를 질렀다. 그것은 명령하는 것 같은 어조였으나, 그 시선은 딸의 말을 전적으로 시인하고 있었다. "저 애는 원래가 저런 성격이랍니다" 하고 그는 다시 알료샤를 향해 말했다.

"그는 이 세상의 아무것도
축복하려 하지 않더라[53]

아니, 이건 주어를 여성형으로 고쳐서, 그 여자는 축복하려 하지 않더라, 라고 해야겠군요. 그건 그렇고, 이번엔 저의 아내를 소개하게 해 주십시오. 여기 이 사람이 아리나 페트로브나, 올해 마흔세 살인데, 다리가 없답니다. 아니 걷기는 걷습니다만, 조금밖엔 못 걷지요. 원래가 비천한 집안의 출신이랍니다. 아리나 페트로브나, 그렇게 얼굴을 찡그리는 게 아니야. 이분은 알렉세이 표도로비치 카라마조프. 일어서십시오, 알렉세이 표도로비치."

그는 느닷없이 알료샤의 팔을 잡더니, 전혀 뜻밖일 만큼 세찬 힘으로 일으켜 세웠다. "당신은 지금 부인을 소개받고 계시니까 일어서는 게 당연합니다. 이분

53 레르몬토프의 장시長詩 〈악마惡魔〉의 한 구절.

은 말이야, 마누라, 나한테…… 그런 짓을 한—그 카라마조프가 아니라, 그 사람의 동생 되는 분인데, 더할 수 없이 얌전하고 훌륭한 분이지. 그보다도 아리나 페트로브나, 우선 당신의 손에 입을 맞추게 해 주구려."

이렇게 말하더니, 그는 자못 공손하고도 상냥스런 태도로 아내의 손에 입을 맞췄다. 창가의 처녀는 화가 나서 등을 돌려 버리고 말았다. 무언가 경계하는 것 같은 오만스럽기만 하던 부인의 얼굴에 별안간 비할 데 없이 상냥스런 표정이 나타났다.

"반갑습니다, 체르노마조프[54]씨, 어서 앉으세요" 하고 그녀는 말했다.

"여보, 카라마조프야, 카라마조프라니까! (저흰 원래가 비천한 집안의 출신이지요)" 하고 그는 또다시 속삭였다.

"카라마조프인지 뭔지는 모르겠지만, 아무튼 나는 체르노마조프라 부르겠어요. 자, 어서 앉으십시오. 저 양반은 또 뭣 때문에 당신을 일으켜 세웠을까요? 저보고 다리 없는 병신이라고 했지만, 다리는 분명히 있습니다. 그저 다리가 물통처럼 퉁퉁 브어오르고, 그 대신에 몸이 빼빼 말랐다뿐이지요. 전에는 꽤 뚱뚱한 편이었는데, 보시다시피 이제는 바늘이라도 삼킨 사람처럼 되어 버렸습니다."

"저희들은 비천한 집안의 출신입니다. 원래가 비천한 집안의 출신이에요." 대위는 또 한 번 속삭였다.

"아버지! 아버진 참!" 여태까지 잠자코 의자에 앉아 있던 곱사등이 처녀가 갑자기 이렇게 외치며 손수건으로 얼굴을 가렸다.

"정말 어릿광대라니까!" 이번엔 창가의 딸이 내뱉듯 말했다.

"보십시오. 저희 집은 이렇답니다" 하고 어머니가 두 딸을 가리키며 말했다. "마치 구름이 움직이고 있는 것과 같다고나 할까요. 구름이 지나가 버리면 언제나 관에 박은 듯한 입씨름이 시작됩니다. 전에 저이가 군대에 있을 때는 훌륭한 손님들이 많이 찾아와 주셨지요. 그렇다고 해서 뭐 지금과 비교하려는 건 아니지만요. 그렇지만 남이 이쪽을 사랑하면 이쪽에서도 그 사람을 사랑해야 하

54 얼굴빛이 검다는 뜻이 포함.

거든요. 그 당시 보제補祭의 부인이 찾아와서 이런 말을 하더군요—'알렉산드르 알렉산드로비치는 마음씨가 아주 착한 분이지만, 나스타샤 페트로브나는 보기만 해도 속이 메스꺼워진다니까.' 그래서 저는 이렇게 대꾸했지요—'그야 사람에 따라 저마다 좋아하는 사람이 따로 있는 법이니까. 그렇지만, 당신 같은 여잔 공연히 수선만 떨고 다니며, 게다가 퀴퀴한 냄새까지 풍기고 있지 않느냐' 그랬더니 '너 같은 여자는 꼼짝 못하게 버릇을 가르쳐 줘야 해'라는 거예요. '무슨 소리야, 이 악당 년아. 네가 누굴 설교하러 왔느냐?' 하고 저도 대들었지요. 그랬더니 이번엔 '나는 깨끗한 공기를 마시고 있지만 너는 불결한 공기를 마시고 있지 않느냐'라는 거예요. 그래서 저는 이렇게 응수했지요—'그럼 장교님들한테 모조리 돌아가며 물어봐, 내 몸 안에 불결한 공기가 들어가 있는가, 없는가!' 그 후부터 어쩐지 그것이 마음에 걸려 견딜 수가 없었어요. 그런데 얼마 전에, 제가 지금처럼 여기 이렇게 앉아 있노라니까, 전에 오셨던 바로 그 장군께서 들어오시지 않겠어요. 부활절을 지내려고 이 지방에 오셨다더군요. 그래서 저는 '각하, 어엿한 귀부인이 바깥 공기를 마셔도 괜찮을까요?'라고 물어보았습니다. 그랬더니만, '그렇소, 창문이든가 방문을 좀 열어 놔야겠소. 방 안의 공기가 그리 신선한 것 같지가 않으니까'라고 대답하시더군요. 그런데 누구한테 물어봐도 모두 똑같은 대답뿐이라니까요! 어째서 모두들 저의 공기에 신경을 쓰는 걸까요? 송장 냄새보다 더 고약하다느니 어쩌니 하면서 말이에요! 그래서 저는 '당신네들의 공기를 더 이상 더럽히고 싶진 않으니까, 신발을 맞춰 신고 어디 먼 데로 가 버리겠다'라고 말하고 있지요. 얘들아, 제발 이 어미를 꾸짖지 말아라! 니콜라이 일리치, 당신은 내가 마음에 들지 않나요? 저한테 유일한 기쁨은, 우리 일류셴카가 학교에서 돌아와 저를 위로해 주는 것뿐이랍니다. 어제도 사과를 한 개 갖다 주더군요. 얘들아, 이 어미를 용서해 다오. 이 외롭고 쓸쓸한 어미를 용서해 다오. 그런데 어째서 모두들 내 공기를 그처럼 싫어하게 되었을까요!"

이렇게 말하더니 가련한 부인은 별안간 소리를 내어 울기 시작했다. 눈물이 시냇물처럼 쏟아져 내렸다. 이등 대위는 황급히 아내의 곁으로 달려갔다.

"여보, 마누라, 이젠 그만둬요, 그만 울라니까! 당신은 혼자가 아니야. 모두들 당신을 사랑하고 있어, 존경하고 있어!"

그는 또다시 아내의 두 손에 입을 맞추고는 손바닥으로 부드럽게 아내의 얼굴을 쓰다듬어 주기 시작했다. 그러고 나서 냅킨을 집어 눈물을 닦아 주는 것이었다. 이등 대위 자신의 눈에도 눈물이 번쩍이기 시작했다고 알료샤는 생각했다.

"그래 어떻습니까, 보셨지요? 들으셨지요?" 하고 그는 가엾은 정신병 환자를 가리키며 알료샤에게 몸을 돌렸다.

"보았습니다. 그리고 들었습니다" 하고 알료샤는 중얼거렸다.

"아버지, 아버지! 그래 아버진 저런 놈하고…… 저런 놈은 상대도 하지 마세요, 아버지!" 하고 침대 위에 일어나 앉아서, 타는 듯한 눈초리로 아버지를 쏘아보며 소년이 갑자기 소리를 질렀다.

"그런 어릿광대 같은 우스꽝스런 짓은 그만두세요. 그래 봐야 아무 소용도 없어요." 화가 머리끝까지 치민 바르바라가 한쪽 구석에서 발을 구르며 이렇게 고함을 쳤다.

"바르바라 니콜라예브나, 네가 그렇게 성을 내는 것도 이번엔 지극히 당연한 일이라고 생각한다. 그럼 나도 순순히 네 말에 따르기로 하겠다. 자, 알렉세이 표도로비치, 모자를 쓰십시오. 저도 이렇게 모자를 집어 들고…… 우리, 밖으로 나갑시다. 당신한테 한 가지 중요한 얘기를 해야겠는데, 이 집 안에서는 거북하군요. 아 참, 여기 앉아 있는 아이가 제 딸 니나 니콜라예브나올시다. 소개하는 걸 그만 잊고 있었습니다만, 이 애는 인간세계에 내려온…… 육신을 지닌 천사입니다……. 무슨 뜻인지 알아들으시겠습니까?"

"갑자기 경련이라도 일으켰나, 왜 저렇게 온몸을 떨고 계실까!" 하고 여전히 성난 어조로 바르바라가 말했다.

"그리고 방금 저기서 발을 구르며 나더러 어릿광대라고 쏘아붙인 저 애도 역시 육신을 지닌 천사랍니다. 나더러 어릿광대라 부르는 것도 당연한 일이지요. 자, 나갑시다, 알렉세이 표도로비치, 어쨌든 용건을 끝마쳐야 하니까요."

7. 그리고 신선한 외기外氣 속에서

"신선한 공기로군요. 저희 집으로 말하면 어느 의미로 보나 그리 신선하다고는 할 수 없습니다. 천천히 걷기로 하시지요. 한 가지 흥미 있는 얘기를 당신한테 들려 드리려고요."

"나도 한 가지 중요한 용건이 있습니다만……" 하고 알료샤는 말을 받았다. "어떻게 말을 시작하면 좋을지 알 수가 없군요."

"저한테 무슨 용건이 있다는 걸 제가 모를 리 있겠습니까! 용건이 없다면야 저희 집 같은 데는 들여다보지도 않으셨을 테니까요. 그보다 정말로 우리 아이의 일 때문에 오신 건 아닙니까? 아무래도 그런 것 같지는 않은데요. 어쨌든 말이 나온 김에 그 애 얘기를 좀 하겠습니다. 집에서는 모든 걸 얘기할 수가 없었지만, 여기서 그때의 광경을 자세히 말씀드리기로 하지요. 보십시오. 이 수세미는 일주일 전만 해도 좀 더 숱이 많았습니다. 제 턱수염 말입니다. 제 수염엔 수세미란 별명이 붙어 있습니다. 그렇게 부르는 건 주로 소학생들이지요. 그런데 말입니다. 그때 당신의 형님 드미트리 표도로비치가 다짜고짜 이 수염을 움켜쥐지 않았겠습니까. 제게 잘못이 있다면, 당신 형님이 격분해 있는 순간에 재수 없게도 제가 나타났다는 것뿐이지요. 수염을 잡혀 술집에서 네거리로 끌려나갔을 때, 마침 소학생들이 학교에서 풀려나오고 있었는데, 그 속에 우리 일류샤가 끼어 있었단 말입니다. 제가 그런 꼴을 당하고 있는 것을 보자 그 애는 저한테 달려와서 '아버지, 아버지!' 하고 울부짖으며 저를 부둥켜안고는, 어떻게 해서든 저를 떼어 놓으려고 바둥거리더군요. 그러면서 제 수염을 붙잡고 있는 사람에게 '놓아 주세요! 놓아 주세요, 네! 이건 우리 아버지예요. 용서해 주세요!'라고 외쳤습니다. 그렇습니다. 분명히 '용서해 주세요!'라고 애걸했단 말입니다. 그러고는 그 조그만 손으로 당신 형님의 손에다가 입을 맞추더란 말입니다……. 그 순간에 그 애가 어떤 얼굴을 하고 있었는지 아직도 저는 기억하고 있습니다. 잊어버릴 수가 없어요. 앞으로도 결코 잊지 못할 겁니다!"

“나는 맹세할 수 있습니다” 하고 알료샤는 외쳤다. “형님은 진심으로, 그야말로 성의를 다하여 당신한테 유감의 뜻을 표할 것입니다. 바로 그 광장에서 무릎을 꿇으라면 그것도 마다하지는 않을 겁니다……. 내가 그렇게 하도록 하고야 말겠습니다. 그렇게 하지 않는다면 더 이상 형이라고 부르지도 않겠습니다!”

“아하, 그렇다면 아직은 그럴 계획이라는 것뿐이군요. 그분 자신의 생각이 아니라, 당신의 그 고결하고도 착한 마음에서 우러나온 생각이란 말씀이지요? 그럼 그렇다고 처음부터 말씀하시지 않고. 아니, 그러시다면 저도 당신 형님이 기사도적인 장교다운 훌륭한 정신의 소유자라는 것을 증명해 드리겠습니다. 당신 형님은 그때 그것을 유감없이 발휘하셨거든요. 이 수세미를 실컷 끌고 다닌 다음 절 놓아 주시면서 ‘너도 장교라면 나도 장교다. 결투를 위한 적당한 증인을 구하면 곧 나한테 보내도록 해—너는 더러운 놈이긴 하지만 어쨌든 상대만은 해 줄 테니!’라고 말씀하시더군요. 분명히 그렇게 말씀하셨습니다. 이것이야말로 기사도적인 정신이 아니고 무엇이겠습니까! 저는 일류샤를 데리고 그 자리를 떠나왔습니다만, 저희 집 족보의 장식물이 될 만한 그 광경은 영원히 일류샤의 가슴속에 깊이 새겨지고 말았습니다. 사실 이런 꼴을 해 가지고 어떻게 저희가 귀족 행세를 할 수 있겠습니까! 당신도 한번 생각해 보십시오. 당신은 방금 저희 집에 들르셨으니 말입니다. 대체 거기서 무엇을 보셨습니까? 부녀자가 셋 앉아 있었지만, 하나는 다리를 못 쓰는 정신병 환자, 하나는 앉은뱅이에다 곱사등이, 그리고 또 하나는 다리도 성하고 지나치리만큼 영리하기는 하지만, 아직은 여학생에 지나지 않습니다. 이 애는 다시 페테르부르크로 달려가서, 네바[55] 강가에서 러시아 여성의 권리를 찾는 운동에 참가하겠다고 합니다. 일류샤에 대해서는 말할 필요도 없겠지요. 이제 겨우 아홉 살, 그야말로 이 넓은 세상에 의지할 곳이라곤 한 군데도 없는 처량한 신세입니다. 그러니 만일에 제가 죽는다면, 저의 집 식구들은 대체 어떻게 되겠습니까. 제가 묻고 싶은 건 이것뿐입니다. 제가 당신 형님한테 결투를 신청했다가 그 자리에서 죽어 버리게 되면 저

55 상트페테르부르크Saint-Petersburg, 현재의 레닌그라드의 중심을 흐르는 강.

의 집 식구들은 다 어떻게 되겠느냐 말입니다? 그보다도 제가 아주 죽어 버리지 않고 병신이 되는 정도로 그친다면 그야말로 큰일입니다. 일은 하지 못하면서 입만은 여전히 남아 있게 된다면 대체 누가 제 입에 먹을 것을 넣어 주겠습니까? 그리고 누가 저의 식구를 먹여 살리겠습니까? 일류샤를 학교에 보내지 말고 거리에 내보내서 구걸이나 해 오라고 할까요? 아시겠어요? 당신 형님한테 결투를 신청하는 데는 나로서는 이만한 의미가 내포되어 있단 말입니다. 그러니 도대체가 어리석은 수작에 지나지 않지요."

"형님은 당신한테 반드시 사죄를 할 겁니다. 광장 한가운데서 당신의 발밑에 머리를 숙일 겁니다." 알료샤는 다시 눈을 빛내며 외쳤다.

"재판소에 고소라도 제기할까 하는 생각도 해 보았지요" 하고 이등 대위는 계속했다. "그러나 러시아의 법전을 한번 펼쳐 보십시오. 제가 받은 개인적 모욕에 대하여 가해자로부터 대체 얼마만큼의 보장을 받을 수 있을까요? 게다가 그때 갑자기 아그라페나 알렉산드로브나(그루셴카)가 저를 불러 이렇게 호통을 치지 않겠습니까—'그런 생각은 아예 하지도 말아요! 만일 그이를 고발하면, 그이가 당신을 때린 건 당신이 사기를 했기 때문이라고 모든 사람에게 폭로하고 말겠어요. 그렇게 되면 오히려 당신이 재판소에 끌려갈 테니 그리 알아요!'라고 말입니다. 도대체 누구 때문에 그런 사기 행위를 했는지, 누구의 명령으로 제가 그따위 비겁한 짓을 했는지, 하느님만은 그것을 잘 알고 계십니다. 모든 것은 바로 그 여자와 표도르 파블로비치가 시킨 일이 아니냐 말입니다! 그 여자는 또 이런 말까지 덧붙이더군요—'그뿐인 줄 아세요. 앞으로 당신 같은 건 나한테서 한 푼도 벌지 못하게 영영 쫓아 버리겠어요. 그리고 우리 상인한테도 그렇게 말해서, (그 여자는 삼소노프 노인을 '우리 상인'이라 부르고 있습니다) 당신을 쓰지 않도록 하겠어요.' 그래서 저도 생각해 보았습니다. 만일 그 상인까지도 저를 써 주지 않는다면 대체 누구한테 가서 벌어먹나 하고 말입니다. 사실 저한테 벌이를 시켜 주는 건 그 두 사람밖엔 없으니까요. 그도 그럴 것이 당신 아버지 표도르 파블로비치는 어떤 특별한 이유가 있어서 저를 신용하시지 않게 되었을

뿐더러, 제가 서명한 영수증을 손에 넣어 가지고 오히려 저를 재판소에 끌고 가려는 눈치거든요. 이런 모든 일 때문에 저도 그만 기가 죽어 버리고 말았지요. 당신도 저희 집 꼴을 다 보시지 않았습니까? 그건 그렇고, 여기서 한 가지 묻겠습니다만, 그 애는, 그 일류사 놈은 아까 당신의 손가락을 몹시 물어뜯었던가요. 집에서는 그 애가 있어서 자세히 물을 수가 없었습니다만."

"예, 아주 호되게 물렸습니다. 그 애도 몹시 성이 났던 모양이에요. 카라마조프네 형제라 해서 나한테 복수를 한 겁니다. 이제는 그 사정을 나도 잘 알았습니다. 그러나 그 애가 학교 동무들 하고 돌싸움을 하고 있는 걸 당신이 보았다면 얼마나 놀랐을까요. 참으로 위험한 짓입니다. 그 애들한테 맞아 죽을는지도 모르지 않습니까? 철없는 아이들이 하는 짓이라, 돌에 맞아 머리가 깨질지도 모르니까요."

"아니! 벌써 맞았습니다. 머리는 아니지만 가슴을, 심장 바로 위를 한 대 맞았습니다. 오늘 돌에 맞았다면서 시퍼렇게 멍이 들어 돌아와 가지고는, 앓는 소리를 내며 울다가 저렇게 앓아눕고 말았습니다."

"그런데 그 애가 먼저 다른 아이들한테 덤볐단 말입니다. 당신 일로 그 애들한테 화풀이를 한 모양이더군요. 아이들의 말을 들으니, 오늘 그 애가 크라소트킨인가 하는 아이의 옆구리를 칼로 찔렀다는 거예요."

"그 얘기도 들었습니다만 정말 위험한 짓입니다. 찔린 아이의 아버지 크라소트킨은 이곳 관리니까 또 시끄러운 문제가 일어날는지 모르겠습니다."

"이건 당신한테 충고 삼아 하는 말이지만" 하고 알료샤는 열심히 말을 계속했다. "당분간 학교엔 아주 보내지 않는 편이 좋을 것 같습니다. 그러노라면 그 애의 마음도 가라앉을 것이고…… 가슴의 분노도 사라지겠지요."

"분노라고요!" 하고 이등 대위는 되뇌었다. "맞았습니다. 분노지요! 조그만 어린애지만 그건 굉장한 분노입니다. 그러나 당신은 아직 여기 대해서 잘 알지는 못할 겁니다. 그럼 이 얘기를 좀 자세하게 설명해 드리기로 하겠습니다. 다름 아니라, 그때 그 일이 일어난 후부터 학교 동무들이 모두들 그 애를 수세미라고 놀려 대기 시작한 모양입니다. 학교에 다니는 아이들이란 정말 무자비합니다. 하나하나 떼어 놓고 보면 모두 천사 같지만, 한데 모이면, 특히 학교 같은 곳에서는 무자비하게 되기가 일쑤지요. 그래서 모두들 놀려 대니까 일류샤의 가슴속에 고귀한 정신이 머리를 쳐들고 일어난 것입니다. 여느 아이 같으면, 마음이 약한 아들 같으면 그만 기가 죽어 오히려 자기 아버지를 부끄럽게 여겼을 것이지만, 그 애는 아버지를 위해 혼자서 모든 아이들을 상대로 분연히 일어섰습니다. 아버지를 위해, 진리를 위해, 아시겠습니까? 진리를 위해 일어섰단 말입니다. 당신 형님의 손에 입을 맞추며 '아버지를 용서해 주세요, 네, 용서해 주세요'라고 애원했을 때, 그 애 마음이 얼마나 쓰라렸겠는지, 그것을 아는 것은 하느님하고 저밖엔 없습니다. 말하자면 그렇게 해서 우리네 아이들은—당신네 아이들이 아니라 우리네 아이들 말입니다—사람들에게 멸시를 받고는 있지만 마음만은 고결합니다. 저희들 가난뱅이 자식들은, 겨우 아홉 살밖엔 안 된 나이에 벌써 이 세상의 진실을 알게 됩니다. 돈 많은 사람들은 어림도 없지요. 그야말로 일생을 걸려도 그렇게 깊은 데까지는 도저히 알 까닭이 없습니다. 그렇지만 우리 일류샤는 그 네거리에서 당신 형님의 손에 입을 맞추는 바로 그 순간에 이 세상의 모든 진리를 깨달았던 것입니다. 그리고 그 진리는 그 애를 사정없이 후려갈겨 영원히 회복할 수 없는 깊은 상처를 입혔단 말입니다." 이등 대위는 다시금 극도의 흥분 상태에 빠진 듯 열띤 음성으로 이렇게 말하고는, 그 '진리'가 어떻게 일류샤를 후려갈겼는가를 똑똑히 보여 주려는 듯이 오른손 주먹으로 왼편 손바닥을 힘껏 내리치는 것이었다. "바로 그날 그 애는 무섭게 열이 나서 밤새껏 헛소리만 하더군요. 그날은 온종일 저하고도 별로 말을 하려 들지 않고 입을 딱 봉하고 있었습니다. 그러나 제가 가만히 보고 있노라니까, 한쪽 구석에서 열심히 저를 바라보고 있는 거예요. 창문 쪽으로 엎디어 공부를 하는 체하고 있었습니다만, 공부 같은 건 염두에도 없다는 것을 저는 잘 알 수 있었습니다. 그 이튿날은 한 잔 들이켰기 때문에 별로 기억에 없습니다. 슬픔을 잊으려고 마시긴 했지만, 생각해 보면 저도 죄 많은 놈입니다. 그래서 마누라도 그만 울음을 터뜨리고 말았지요—저는 그 마누라를 극진히 사랑하고 있습니다. 그러면서도 슬픔을 잊으려고 주머니를 털어 버리고 말았단 말입니다. 저를 너무 경멸하지는 말아 주십시오. 우리 러시아에서는 술꾼들이 제일가는 호인이랍니다. 그리고 우리나라에서 제일가는 호인은 모두 술꾼이지요. 아무튼 저는 그날 술을 마시고 누워 있었기 때문에 일류샤에 대해서는 별로 기억에 남은 것이 없지만, 바로 그날 아침부터 학교 아이들이 그 애를 웃음거리로 삼기 시작했습니다. '야, 수세미 자식아, 너희 아버지가 수세미를 잡혀 술집에서 끌려나왔는데, 넌 그 옆을 왔다 갔다 하며 용서해 달라고 빌었다면서?' 하며 놀려댔다는 겁니다.

사흘째 되는 날, 그 애가 학교에서 돌아오는 걸 보니 얼굴이 창백한 게 그야말로 사색이 다 되어 있었습니다. '무슨 일이냐?' 물어봤지요. 대꾸가 없습디다. 하긴 집에선 어머니나 누이들이 귀찮게 끼어들어서 자꾸만 캐물으려 들기 때문에 얘기를 하려 해도 할 수가 없습니다. 더욱이 딸들은 사건이 일어난 바로 그날 중으로 모든 걸 죄다 알아버렸거든요. 바르바라는 '지지리 못난 어릿광대 같으니, 도대체 아버지가 하는 일에 한 가지라도 이치에 닿는 일이 있느냐 말이에요?' 하고 투덜거리기 시작했지요. 그래서 저는 이렇게 대꾸해 주었습니다— '그래, 네 말이 맞다. 우리가 하는 일에 이치에 닿는 일이라곤 아마 하나도 없을 거야.' 그때는 이렇게 얼버무려 버리고 말았습니다. 그날 저녁에 저는 일류샤를 데리고 산책을 하러 나갔습니다. 여기서 잠깐 말씀드려 두겠습니다만, 전에도 저는 그 애를 데리고 저녁마다 지금 당신과 함께 걷고 있는 이 길을 거닐곤 했었습니다. 저희 집 대문에서 저기 울타리 밑 길가에 쓸쓸히 놓여 있는 저 커다란 바윗돌까지가 저희들의 산책길입니다. 저기서부터는 이 읍의 목장이 시작되는데 참으로 한적하고 아름다운 장소지요. 저와 일류샤는 언제나처럼 손을 맞잡고서 걷고 있었습니다. 그 애의 손은 아주 조그맣고 손가락은 가느다랗고 차갑습니다—그 애는 가슴을 앓고 있거든요. 그런데 갑자기 '아빠, 아빠!' 하고 부르지 않겠어요. '왜 그러니?' 하며 그 애를 보니까 눈이 번들번들 빛나고 있었습니다. '아빠, 그놈이 감히 아빠한테 그럴 수가 있어요!'라고 하기에, '할 수 없잖니, 일류샤야' 하고 저는 말했습니다. '그놈하고 화의하면 안 돼요, 아빠. 절대로 화의하지 마세요! 학교 아이들이 그러는데, 그 일 때문에 아빠가 10루블 받았다는 거예요.' 저는 '아니다, 일류샤야, 이젠 무슨 일이 있어도 그놈한테 돈을 받지는 않겠다' 하고 말했지요. 그랬더니 그 애는 온몸을 떨며 그 조그만 손으로 느닷없이 제 손을 움켜쥐고는 입을 맞춘단 말입니다. '아빠, 아빠, 그놈한테 결투를 신청하세요, 네! 학교에선 모두들 아빠가 겁쟁이가 돼서 결투도 신청하지 못하고 오히려 그놈한테서 10루블을 받았다고 막 놀려 대고 있어요' 하지 않겠습니까. '일류샤야, 나는 그놈한테 결투를 신청할 형편이 못 된다' 하고 저는 대답하고 나서, 지금 당신한테 말씀드린 것과 같은 사정을 대략 얘기해 주었습니다. 그 애는 끝까지 열심히 듣고 나더니 '아빠, 그렇더라도 그놈하고 절대로 화의는 하지 말아요. 내가 어른이 되면 결투를 신청해서 그놈을 죽여 버릴 테니!'라고 말하더군요. 그 애의 눈은 불길처럼 이글거리고 있었습니다. 그렇지만 저로서는 아비의 입장에서 바른말을 해 주어야겠기에 이렇게 말했습니다—'아무리 결투라 해도 사람을 죽인다는 건 죄가 되는 짓이야' 그랬더니 '아빠, 그럼 난 어른이 되면 그놈을 때려누일 테야요. 내 칼로 그놈의 칼을 쳐서 떨어뜨리고 그놈한테 덤벼들어 그놈을 넘어뜨릴 테야요. 그러고는 그놈의 머리 위에 칼을 높이 쳐들고 이렇게 말하겠어요—당장 네놈을 죽일 수도 있지만, 목숨만은 살려 주마, 알겠니!라고 말이에요' 이렇게 말하더군요. 어떻습니까, 지난 이틀 동안 그 조그만 머릿속에서 이런 계획이 짜였단 말입니다. 그 애는 밤낮없이 이런 방법으로 복수할 생각만을 하고 있음이 틀림없습니다.

그래서 밤에는 잠꼬대까지 했던 모양입니다. 그렇지만 그 애가 학교에서 되게 얻어맞고 집에 돌아온다는 건 그저께야 비로소 알았습니다. 당신 말씀대로 그 애는 앞으로 무슨 일이 있어도 학교에 보내지 않을 생각입니다. 그 애가 혼자서 자기 반 학생 전부를 상대로 하여, 마치 심장에 불이라도 붙은 듯이 아무에게나 닥치는 대로 싸움을 건다는 말을 들었을 때, 저는 무엇보다 그 애의 몸이 염려되어 견딜 수가 없었습니다. 아무튼 우리는 다시 산책을 계속했습니다. 그러자 이번엔 '아빠, 이 세상에선 돈 많은 부자가 제일 힘이 세죠?' 하고 묻지를 않겠습니까. '그렇단다, 일류샤야, 부자보다 더 힘센 사람은 이 세상에 없단다'라고 대답해 주었더니, '그럼 아빠, 나는 부자가 될 테야요. 장교가 되어 적을 모조리 쳐 무찌르거든요. 그러면 임금님이 많은 상금을 주실 테니까, 그걸 가지고 돌아오면 그땐 아무도 우릴 깔보지 못할 거예요' 그러고는 잠깐 입을 다물고 있다가 또 이런 말을 했습니다만, 그 조그만 입술은 여전히 가늘게 떨고 있었습니다.

'아빠, 이 고장은 정말 나쁜 곳이에요!'라고 하더군요.

'응, 일류셴카, 그다지 좋은 곳이라곤 할 수 없다.'

'그럼 아빠, 우리 다른 데로 이사 가요, 네! 아무도 우릴 모르는 좋은 곳으로 이사 가요!'

'그래, 우리 이사 가자, 일류샤. 돈을 좀 벌면 곧 이사 가기로 하자.'

저는 어두운 생각을 털어 버리기에 마침 잘 됐다 싶어서, 그 애와 함께 다른 고장으로 이사 가는 얘기며, 말과 마차를 사는 얘기며, 그 밖에 여러 가지 공상을 하기 시작했습니다. '엄마와 누나들은 마차에 태우고 그 위에단 지붕도 만들어 주자, 너하고 아빠는 마차 옆을 걸어가기로 하고. 아니, 너만은 이따금 태워 줄게. 그렇지만 아빠는 걸어가겠다. 우리 말이니까 아껴야 할 게 아니냐. 우리 식구가 다 탈 수는 없지. 이렇게 해서 우린 이사를 가는 거야.' 이 말을 듣고 그 애는 미칠 듯이 좋아했습니다. 무엇보다도 자기 집에 말이 있어서 자기가 그걸 타고 간다는 게 기뻤던 모양입니다. 아시다시피 우리 러시아의 아이들은 말과 함께 세상에 태어난다고 해도 과언이 아니니까요. 저희들은 오랫동안 이런 얘기로 시간을 보냈습니다. 저는 이것으로 그 애의 마음을 풀어 주고 위로해 줄 수 있어서 참으로 다행이었다고 생각했지요. 이건 그저께 저녁의 일이었습니다만, 엊저녁에는 이미 형세가 일변했습니다.

그 애는 어제 아침에도 학교에 갔었는데 돌아오는 걸 보니 얼굴이 말이 아니었습니다. 무서울 만큼 침울한 얼굴이었습니다. 저녁에 저는 그 애 손을 잡고 산책을 하자고 나왔습니다만, 입을 봉한 채 좀처럼 말을 하려 들지 않더군요. 산

들바람이 일기 시작하고, 해는 아주 떨어졌는데, 그야말로 가을빛이 완연했습니다. 게다가 주위는 점점 어두워졌습니다. 저희들은 그냥 걸음을 옮기고 있었지만, 마음은 서글퍼지기만 했습니다. '얘, 일류샤야. 길 떠날 준비는 어떡하면 좋을까?' 하고 전 말했습니다. 전날의 화제를 다시 꺼내려는 생각에서였지요. 그러나 대답이 없습니다. 다만 그 애의 가느다란 손가락이 저의 손 안에서 떨고 있는 걸 느낄 수 있을 뿐이었습니다. '음, 또 무슨 다른 일이 생긴 모양이군' 하고 저는 생각했습니다. 그러는 동안에 저희들은 지금처럼 이 돌이 있는 데까지 와 있었습니다. 저는 돌 위에 걸터앉았습니다. 하늘에는 연이 가득 떠올라서 펄럭펄럭 소리를 내고 있었습니다. 아마 서른 개가량은 되었을 겁니다. 요즘은 연을 띄우는 계절이니까요. 저는 그 애한테 이렇게 말했지요—'얘, 일류샤야, 우리도 작년에 띄우던 연을 꺼내서 띄워 보지 않으련? 아빠가 고쳐 줄게. 그 연은 어디다 넣어 두었니?' 그래도 그 애는 저한테 외면을 하고 선 채 아무 대꾸도 없습니다. 바로 그때 바람이 휙 불며 뽀얗게 먼지를 날려 올렸습니다. 그러자 그 애는 갑자기 저한테 달려들어 그 조그만 손으로 제 목을 감고 저를 꽉 껴안지 않겠습니까! 아시다시피 말수가 적으면서도 자존심이 강한 아이들은 오랫동안 눈물을 꾹 참고 있지만, 그러다가 커다란 슬픔이 닥쳐오면 한꺼번에 그것이 폭발하기 때문에, 그때는 눈물이 흐른다기보다는 그야말로 폭포처럼 쏟아져 내리는 법입니다. 그 애의 뜨거운 눈물의 비말飛沫로 제 얼굴은 흠뻑 젖어 버리고 말았습니다. 그 애는 온몸을 떨며, 마치 경련을 일으킨 듯이 흑흑 느껴 울면서 힘껏 저를 껴안는 것이었습니다. 저는 그냥 돌 위에 앉아 있었지요. '아빠, 아빠!' 하고 그 애는 외쳤습니다. '글쎄, 그놈이 아빠한테 그런 모욕을 줄 수가 있어요!' 저도 참지를 못하고, 흐느껴 울었습니다. 저희들은 돌 위에 앉아 서로 껴안은 채 후들후들 떨고 있었지요. '아빠, 아빠!' 하고 그 애가 부르면 '오냐, 일류샤야, 일류셴카야!' 하고 제가 대답합니다. 그때 저희들을 본 사람은 아무도 없습니다. 하느님께서 혼자 보시고, 제 기록부에 기입해 주실 겁니다. 알렉세이 표도로비치, 형님한테 감사하다고 전해 주십시오. 그렇지만 안 될 말씀입니다. 당신의 마음이 풀리게 그 애를 두들겨 패 준다는 건 어림도 없는 말씀이지요!"

그는 다시금 아까처럼 독기 품은 미치광이와 같은 어조로 이렇게 말을 맺었다. 그러나 알료샤는, 그가 이미 자기를 신용하고 있다는 걸 알았다. 그리고 만일 그의 상대가 자기 아닌 다른 사람이었다면 결코 이렇게 '긴 얘기'를 하지도 않았거니와, 지금 자기에게 말한 것 같은 사정을 고백하지도 않았으리라고 느꼈다. 이런 생각이 들자 알료샤는 적이 마음이 놓이기는 했으나 그 가슴엔 눈물이 가득 괴어 있었다.

"아아, 어떻게 해서든지 그 애와 꼭 화의를 하고 싶군요" 하고 알료샤는 외쳤다. "당신이 어떻게 좀 힘을 써 주신다면……"

"참으로 지당한 말씀이십니다" 하고 이등 대위는 중얼거렸다.

"그러나 이젠 그와는 다른, 전혀 다른 얘기를 좀 해야겠습니다" 하고 알료샤는 말을 이었다. "잘 들어 주십시오! 실은 당신한테 전해 드릴 것이 있어서 왔습니다. 우리 형 드미트리는 자기 약혼녀에게까지 모욕을 주었어요. 그분은 더할 수 없이 고결한 아가씨입니다. 그분에 대해선 당신도 아마 들었을 줄 믿습니다. 나는 그분이 받은 모욕을 당신한테 말씀드릴 권리를 갖고 있습니다. 아니, 그렇게 해야 할 의무가 있다고 하는 편이 옳을 것 같습니다? 왜냐하면, 그분은 당신이 모욕을 당했다는 얘기를 듣고, 즉 당신의 불행한 처지를 알고 방금…… 아니, 조금 전에…… 자기의 명의로 이 돈을 당신에게 전해 달라고 나한테 부탁하였기 때문입니다……. 그렇지만 이건 어디까지나 그분이 혼자서 보내는 것이지 그분을 저버린 드미트리가 보내는 것은 절대로 아닙니다. 또한 동생인 내가 드리는 것도 아니며, 어느 딴 사람이 보내는 것도 아닙니다. 이것은 어디까지나 그분이 혼자서 하는 일입니다. 그분은 자기의 원조의 손길을 당신이 꼭 받아들이시기를 진심으로 바라고 있습니다……. 그분과 당신은 동일한 사람한테서 모욕을 받았으니까요……. 그분이 당신의 일을 상기한 것도 실은 자기가 당신과 똑같은 모욕을 (다시 말해서 같은 정도의 모욕을) 당했을 때였습니다. 그러니까 이건, 이를테면 누이가 오빠를 도우려는 것과 다를 바가 없는 것입니다…….

그분은 당신의 어려운 처지를 알고 있기 때문에, 자기를 누이동생이라 생각하고 이 2백 루블을 받아 주도록 당신을 설득시켜 달라고 나한테 부탁한 것입니다. 여기 대해선 아무것도 아는 사람이 없으니까 실없는 소문이 날 염려는 절대로 없습니다……. 자, 이것이 그 2백 루블입니다. 당신은 이것을 꼭 받아야만 합니다. 만일 거절한다면…… 거절한다면, 세상 사람은 모두가 서로 원수지간이 되어야 하지 않겠습니까? 그러나 세상엔 역시 형제로 지내는 사람들도 있습니다……. 당신은 훌륭한 마음을 가지신 분입니다……. 당신은 이 점을 이해하셔야 합니다. 반드시 이해하셔야 합니다!" 이렇게 말하고 알료샤는 무지갯빛 1백 루블짜리 새 지폐 두 장을 꺼내 그에게 내주었다. 이때 두 사람은 바로 울타리 가까이에 있는 커다란 돌 옆에 서 있었으므로, 근처에는 사람의 그림자도 없었다. 그 지폐는 이등 대위에게 강렬한 인상을 준 모양이었다.

그는 흠칫 몸을 떨었으나 처음엔 단지 놀람 때문인 것 같았다. 그는 이런 일을 생각도 해 본 적이 없었거니와, 그들의 대화가 이런 결과에 이르리라고는 전혀 예기치 못했던 것이다. 또한 누구한테서건 무슨 원조를, 그것도 이렇게 막대한 금액을 받을 수 있으리라고는 정말 꿈도 꾸지 못했었다. 그는 돈을 받아 들긴 했으나 잠시 동안 대답할 바를 몰랐다. 여태까지와는 비슷하지도 않은 새로운 표정이 그 얼굴을 스치고 지나갔다.

"이걸 저한테 주시는 겁니까! 저한테 이렇게 큰돈을, 2백 루블씩이나! 아아, 꿈이 아닙니까! 정말이지 이렇게 큰돈은 벌써 4년 동안이나 구경도 못 했습니다! 더욱이, 누이동생이라 생각하고 받으라고요……. 그게 정말입니까?"

"맹세하겠습니다. 지금 내가 말한 것은 모두 정말입니다!" 하고 알료샤는 소리쳤다. 이등 대위는 약간 얼굴을 붉혔다.

"그렇지만 제 얘기를 들어 보십시오. 제가 만일 이걸 받는다면 비열한 놈이 되는 게 아닐까요? 당신의 눈으로 보아서 말입니다. 알렉세이 표도로비치, 제가 과연 비열한 놈이 되지 않겠습니까? 아니 알렉세이 표도로비치, 우선 제 얘기를 들어 주십시오! 끝까지 들어 주십쇼." 그는 두 손을 뻗어 연방 알료샤의 몸을 건드리며 급히 말을 이었다. "이건 '누이동생'이 보내는 것이니 그리 알고 받으라고 당신은 주장하고 계시지만, 내심으로는, 저를 비굴한 놈이라 생각하시는 건 아닙니까? 만일에 제가 이걸 받는다면 말입니다."

"아니, 절대로 그렇지 않습니다! 목숨을 걸고서라도 맹세하지요. 절대로 그렇게는 생각하지 않습니다. 뿐만 아니라 이 일은 아무에게도 알려질 염려가 없지 않습니까? 나와 당신, 그리고 그분, 또 한 사람 그분과 절친한 어떤 부인밖엔……"

"그까짓 부인 같은 건 문제가 아녜요! 이거 보세요, 알렉세이 표도로비치, 끝까지 제 얘기를 들어 주십시오. 이제는 제 얘기를 죄다 들어 주셔야 할 때가 온 것 같습니다. 왜냐하면 이 2백 루블이라는 돈이 지금 제게 어떤 의미를 갖고 있는지 당신이 도저히 이해하지 못하겠기에 말입니다." 이 불행한 인간은 점점 지리멸렬 속에 빠져들며 거의 괴이할 만큼 열광적인 어조로 말을 계속했다. 그는 자기가 할 말을 다하지 못하게 되지나 않을까 두려워하는 사람처럼 몹시 당황하여 급히 서둘러대는 것이었다.

"이 돈이 더없이 거룩하고 존경할 만한 '누이동생'한테서 보내온 지극히 떳떳한 것이라는 점은 차치하고서라도, 전 당장 이 돈으로 마누라와 니노치카(니나)를—꼽추 천사인 제 딸을 치료해 줄 수 있다는 걸 당신은 아십니까? 실은 게르첸슈투베라는 의사 선생이 친절하게도 저희 집에까지 와서 두 사람을 한 시간 동안이나 진찰해 주셨지만, '도무지 모르겠는걸' 하고 고개를 저으시더군요. 그러나 이곳 약국에서 파는 광천鑛泉이 반드시 효과가 있을 거라면서 마누라한테 처방을 써 주셨습니다. 그리고 다리를 찜질하는 데 쓰는 약도 처방해 주셨습니다. 광천은 30코페이카씩 하지만 우선 마흔 병쯤은 먹어야 할 겁니다. 그래서 저는 그 처방을 받아 성상 아래 선반에 놓은 채 지금까지 그대로 버려두고 있는 형편입니다. 그리고 니노치카한테는 무슨 약인지 뜨겁게 데워서 그것으로 목욕을 시키라고 하셨지만 날마다 아침저녁으로 두 번씩이나 해야 한다니 어디 저희 같은 처지에 엄두인들 낼 수 있겠습니까? 저희 집엔 식모도 없고 누구 거들어 줄 사람도 없을뿐더러 목욕을 시킬 그릇도 물도 없으니까요! 게다가 니노치카는 지독한 류머티즘에 걸려 있습니다. 이 얘긴 아직 당신한테 하지 않았습니다만, 그 애는 밤마다 우반신右半身이 온통 쑤셔서 몹시 고통을 당하고 있습니다. 그런데도 그 천사 같은 애는 저희들한테 걱정을 끼치지 않으려고 그걸 꾹 참고, 저희들을 깨울까 봐 신음 소리 하나 내지 않는단 말입니다. 식사를 할 때도 저희들은 아무거나 가리지 않고 집어 먹지만, 그 애는 그중에서도 제일 맛없는, 그야말로 개한테나 던져 주어야 할 부분만 골라 먹거든요. '나 같은 건 그런 걸 먹을 자격이 없어요. 그럭하면 다른 식구들의 것을 가로채는 거나 마찬가지죠. 나는 집안 식구들의 짐이 되고 있을 뿐인걸요.' 그 애의 천사와 같은 눈은 이렇게 말하고 있는 것 같습니다. 저희들이 시중을 들어주는 것도 그 애는 얼마나 미안해하는지 모릅니다. '나는 그럴 자격이 없어요. 아무 소용도 없는, 있으나 마나 한 병신인걸요'라는 겁니다. 자격이 없다니 천만부당한 말이지요. 그 애는 천사와 같은 아름다운 마음으로 저희들을 위해 하느님께 기도해 주고 있으니까요. 그 애가 없으면, 그 애의 부드러운 말이 없으면 저희 집은 지옥과 다를 바가 없을 겁니다. 그 극성스런 바랴(바르바라의 애칭)도 그 애 말이면 금세 마음이 누그러진답니다. 그러나 바르바라도 나쁘게는 생각지 말아 주십시오. 그 애 역시 천사랍니다. 모욕을 당한 천사라고나 할까요. 그 애가 집에 돌아온 것은 지난여름이었는데, 그때 그 애는 16루블이라는 돈을 갖고 있었습니다. 가정교사를 해서 번 돈인데, 9월에, 즉 지금쯤 페테르부르크에 다시 돌아갈 여비로 따로 떼어 놓았던 겁니다. 그러나 저희들이 그 돈을 받아 생활비로 써 버렸기 때문에 그 애는 지금 돌아갈 여비조차 없는 형편입니다. 또한 그 애는 지금 저희들을 위해 죄수처럼 일을 해야 하는 형편이니 더욱 돌아갈 수가 없게 되었지요. 마치 여윈 말에 짐을 싣거나 마차를 끌리거나 해서 혹사하고 있는 거나 다를 것이 없습니다. 집안 식구들의 시중을 들어주고, 바느질을 하고, 빨래를 하고, 숙제를 하고, 어머니를 자리에 누여 드리고…… 그런데 그 어머니라는 게 변덕이 몹시 심한 데다가, 걸핏하면 눈물을 쥐어짜곤 하는 정신병자란 말입니다!…… 하지만 이제는 이 2백 루블로 식모를 고용할 수도 있지 않겠습니까. 알렉세이 표도로비치, 이 돈으로 사랑하는 가족을 치료해 줄 수도 있고, 여학생인 딸애를 페테르부르크로 보낼 수도 있습니다. 고기도 사다가 식생활을 개선할 수도 있습니다. 아아, 이건 정말 꿈같은 얘기가 아닙니까!"

알료샤는, 자기가 그에게 이러한 행복을 갖다 줄 수 있었고 또한 이 불행한 인간도 그 행복을 받아들이기로 했으므로 끓어오르는 기쁨을 억제할 수가 없었다.

"잠깐만 기다려 주십시오. 알렉세이 표도로비치." 이등 대위는 갑자기 머릿속에 떠오른 새로운 공상을 놓칠세라, 또다시 열광적인 어조로 급히 말을 계속했다. "어찌 그뿐이겠습니까. 그렇게 되면 저와 일류샤의 공상도 어쩌면 지금 당장에 실현될 수 있을는지 모릅니다. 귀엽게 생긴 말 한 필과 포장마차를 사 가지고—말은 검정말이라야만 합니다. 그 애가 꼭 검정말을 사자고 하니까요—그저께 저희가 계획한 대로 이곳을 떠난단 말입니다. K 현縣에 제 옛 친구인 변호사가 하나 있는데 그 친구가 믿을 만한 사람을 통해서 제가 그곳으로 가면 자기 사무실에 서기로 써 줄 수 있다는 말을 전해 온 일이 있습니다. 그러니까 어쩌면 지금이라도 써 줄지 모릅니다. 아무튼 마누라를 마차에 태우고, 니노치카도 태우고, 일류셴카는 마부석에 앉히고, 저는 터벅터벅 걸어서 집안 식구들을 죄다 데리고 가겠습니다……. 아아, 만약에 제가 받을 빚을 한 군데서나마 돌려받을 수만 있다면, 이런 것쯤 다 하고도 오히려 돈이 남아나련만!"

"문제없습니다, 문제없어요!" 하고 알료샤는 외쳤다. "카체리나 이바노브나가 또 얼마든지 보내 줄 겁니다. 그리고 나도 돈을 좀 갖고 있으니까요. 필요한 대로 얼마든지 써 주십시오. 형제라 생각하고, 친구라 생각하고 써 주십시오. 나중에 갚아 주시면 되니까요……. (당신은 돈을 많이 벌게 될 겁니다, 암, 벌고말고요!) 그리고 다른 현으로 이사를 가겠다는 건 참으로 좋은 생각입니다. 그런 생각은 쉽사리 머리에 떠오를 수 있는 계획이 아닙니다. 그렇게 되면 당신도 잘 살 수 있고 특히 그 애를 위해서도 좋을 것입니다. 아무튼 되도록 빨리 겨울이 되어 추위가 닥쳐오기 전에 떠나도록 하십시오. 그리고 거기 가시면 편지를 보내 주셔야 합니다. 앞으로도 우리는 형제처럼 지내기로 합시다……. 이건 결코 꿈이 아닙니다!"

알료샤는 더할 나위 없이 마음이 흡족하여 그를 포옹하려 했다. 그러나 상대방의 얼굴을 보자 그는 멈칫 물러서지 않을 수가 없었다. 이등 대위는 목을 길게 뽑고 입술을 삐죽 내민 채 몹시 흥분한 듯 창백한 얼굴을 하고 서 있었다. 그는 무언가 말하려는 듯이 입술을 들먹이고 있었으나, 소리는 들리지 않았다. 그러면서도 연방 입술을 움직거리는 품이 어쩐지 심상치가 않았다.

"왜 그러십니까!" 알료샤는 몹시 놀란 어조로 물었다.

"알렉세이 표도로비치…… 저는…… 아니 당신은……" 마치 낭떠러지에서 뛰어내리려고 결심한 사람처럼 괴이하고도 험상궂은 눈초리로 알료샤를 응시하면서, 입가에는 야릇한 미소를 띠운 채, 이등 대위는 더듬더듬 중얼거렸다. "저는 말씀입니다…… 아니, 당신은…… 그보다도 어떻습니까. 저는 이 자리에서 요술을 한번 보여 드리고 싶은데요!" 갑자기 그는 확고한 어조로 조금도 더듬지 않고 속삭이듯 말했다.

"요술이라뇨?"

"예, 요술이지요. 간단한 요술입니다." 이등 대위는 여전히 속삭이는 듯한 어조로 말했다. 그 입은 왼쪽으로 비뚤어지고, 왼쪽 눈은 유난히 가늘어졌다. 그는 알료샤에게서 눈을 떼지 않고 뚫어질 듯 바라보고 있었다.

"대체 무슨 일입니까, 별안간 요술이라니?" 알료샤는 어리둥절해서 이렇게 외쳤다.

"자, 이겁니다, 보십시오!" 하고 이등 대위는 버럭 소리를 질렀다.

그러고는 여태까지 얘기하고 있는 동안 오른쪽 엄지손가락과 집게손가락으로 한쪽 끝을 쥐고 있던 두 장의 무지갯빛 지폐를 앞으로 쑥 내밀어 보이더니, 별안간 맹렬한 기세로 그것을 마구 구겨 가지고 오른쪽 주먹 속에 꽉 움켜쥐었다.

"보셨지요, 보셨지요!" 그는 극도로 흥분된 창백한 얼굴로 알료샤를 향해 부르짖었다. 그러고는 움켜쥔 주먹을 홱 쳐들어 구겨진 두 장의 지폐를 힘껏 땅 위에 던져 버렸다. “어떻습니까?” 그는 지폐를 가리키며 또다시 소리를 질렀다. “자, 저걸 보십시오!”

그러더니 이번엔 오른발을 번쩍 들어 야수 같은 증오를 띠면서 구두 뒤축으로 지폐를 짓밟기 시작했다. 그는 한번 내리 밟을 때마다 씨근덕거리며 이렇게 부르짖는 것이었다.

“당신의 돈 같은 건 이렇게! 이따위 돈은 이렇게! 이렇게! 이렇게!”

그러다가 그는 갑자기 뒤로 물러서더니 알료샤 앞에 떡 버티고 섰다. 그의 몸 전체에는 뭐라고 형언할 수 없는 자부심이 넘치고 있었다.

“당신을 보낸 사람한테 말해 주십시오. 수세미는 돈을 받고 자기의 명예를 파는 인간이 아니더라고!” 그는 허공을 향해 주먹을 휘두르며 이렇게 외치더니 홱 몸을 돌려 달리기 시작했다. 그러나 다섯 걸음도 가기 전에 다시 돌아서서 알료샤에게 손을 흔들어 보였다. 그리고 또 다섯 걸음도 못 가서 그는 다시 한번 돌아섰다. 이재는 이미 일그러진 웃음의 흔적도 사라지고, 그 얼굴은 눈물에 젖어 경련을 일으킨 듯이 떨고 있었다. 그는 울음 섞인 더듬는 목소리로 부르짖었다.

“그런 모욕을 당한 대가로 당신네들한테 돈을 받는다면 저희 아들놈한테 뭐라고 변명을 할 수 있겠습니까?”

이렇게 말하더니 이번엔 뒤를 돌아보려 하지도 않고 그냥 달려갔다. 알료샤는 말할 수 없는 슬픔에 싸여 그 뒷모습을 바라보고 있었다. 이등 대위도 마지막 순간까지, 자기가 지폐를 구겨 땅바닥에 동댕이치리라고는 꿈에도 생각지 못했으리라. 그것을 알료샤는 잘 알고 있었다. 그는 달려가면서 한 번도 뒤를 돌아보지 않았다. 그가 결코 돌아보지 않으리라는 것은 알료샤도 알고 있었다. 그렇다고 이등 대위를 쫓아가서 불러 세우고 싶지는 않았다. 그 까닭을 역시 알료샤는 잘 알고 있었던 것이다.

이등 대위가 안계眼界에서 아주 사라져 버리자, 알료샤는 두 장의 지폐를 집어 들었다. 지폐는 발에 짓밟혀 모래 속에 묻혀 있었을 뿐, 몹시 구겨지기는 했지만, 알료샤가 구김살을 펴 보았더니 파손된 곳은 조금도 없을뿐더러 새것이나 다름없이 빳빳했다. 그는 지폐를 잘 펴 가지고 곱게 접어서 호주머니에 집어넣은 다음, 부탁 받은 일의 결과를 보고하려고 카체리나가 있는 집을 향해 걷기 시작했다.

제5편 찬贊과 반反

1. 약속

알료샤를 제일 먼저 맞아 준 것은 이번에도 역시 호흘라코바 부인이었다. 부인이 수선을 떠는 걸 보니 무언가 심상치 않은 일이 벌어진 모양이었다. 카체리나의 히스테리는 결국 졸도로 끝나기는 했지만, 그다음이 큰일이었던 것이다.

"그러고 나서는 말할 수 없이 무서운 쇠약증을 일으켜서 자리에 눕더니 눈을 뒤집고 헛소리를 시작하지 않겠어요! 지금은 열까지 높아져서 게르첸슈투베 선생을 부르러 사람을 보내고 이모님들도 모시어 오도록 했지요. 이모님들은 벌써 와 계시지만 게르첸슈투베는 아직 오지 않았어요. 모두들 그 아가씨가 있는 방에 모여서 기다리고 있는 중이에요. 아가씨는 전혀 의식이 없는데 혹시 심한 열병이라도 되면 어떡하죠."

이렇게 큰 소리로 지껄여 대면서도 호흘라코바 부인은 정말로 겁에 질린 것 같은 표정이었다. "이건 정말 큰일예요!" 하고 말끝마다 덧붙이는 품이, 여태까지 있었던 일은 하나도 큰일이라 할 만한 것이 없었다는 듯한 말투였다. 알료샤는 수심에 싸여 끝까지 부인의 말에 귀를 기울이고 있었다. 그러고 나서 자기한테 일어난 일을 설명하기 시작했으나, 말을 꺼내기가 무섭게 부인이 가로막았다. 그런 걸 듣고 있을 시간이 없다는 것이다. 부인은 그에게 리즈한테 가서 그 곁에 붙어 앉아 자기가 올 때까지 기다려 달라고 했다.

"그런데 리즈가 말이에요, 알렉세이 표도로비치" 하고 부인은 귀에다 입을 갖다 댈 듯이 하며 속삭였다. "글쎄, 리즈가 나를 깜짝 놀라게 하지 않겠어요! 하지만 한편으론 나를 아주 감동시켰어요. 그래서 나는 그 애 일이라면 무엇이든 용서해 주고 싶은 심정이에요. 다름 아니라, 아까 당신이 집에서 나가자마자 그 애는 갑자기 어제오늘 당신한테 빈정거린 것을 진심으로 후회하기 시작했거든요. 뭐 악의를 가지고 빈정거린 것은 아니고 그저 장난삼아 그랬던 것뿐이지만요. 그런데도 그 애가 눈물을 흘릴 듯이 진심으로 뉘우치는 바람에 나는 깜짝 놀랐다니까요. 그 애는 나를 비웃은 데 대해선 여태까지 한 번도 진정으로 뉘우쳐 본 일이 없고, 언제나 농담으로 얼버무려 버리기가 일쑤였거든요. 당신도 아시다시피 그 애는 줄곧 나를 비웃고 있답니다. 그런데 이번만은 진정이에요. 철두철미 진정이에요. 알렉세이 표도로비치, 그 애는 당신의 의견을 아주 존중하고 있답니다. 그러니까 될 수 있으면 너무 고집을 부려 그 애의 기분을 상하게 하는 일이 없도록 해 주세요. 나는 언제나 그 애한텐 관대하게 대하기로 하고 있어요. 원래가 영리한 아이니까요—그렇잖아요? 조금 전에도 그 애는 당신이 자기의 소꿉동무였다는 말을 하지 않겠어요. '어릴 적부터 사귀어 온 가장 진실한 친구예요'라고 말이죠. 글쎄 '가장 진실한 친구'라는 거예요. '그런데도 나는?' 하고 그 애는 자기 행동을 뉘우치고 있어요. 그 애는 이런 면에 대해선 상당히 진지한 감정과 추억을 가지고 있답니다. 그렇지만 무엇보다 놀라운 것은, 예기치도 못한 때에 깜짝 놀랄 만큼 기묘한 말들이 그 애의 입에서는 수시로 튀어나오곤 하거든요. 예를 들면, 바로 얼마 전에 소나무 얘기가 나왔을 때도 그랬어요. 그 애가 아주 어렸을 적에 우리 집 뜰에 소나무가 한 그루 서 있었어요. 하긴 지금도 서 있을 테니까 구태여 '서 있었다'고 과거형을 쓸 필요는 없겠군요. 알렉세이 표도로비치, 소나무는 사람하고는 달라서 세월이 흘러도 쉽사리 변하지 않거든요. 그런데 그 애는 이런 말을 하지 않겠어요. '어머니, 난 그 소나무를 꿈속에서처럼 기억하고 있어요'라는 거예요. 즉 소나무(러시아어로 '소스나')를 꿈속에서(역시 러시아어로 '소스나')처럼이란 말인데, 그 애는 좀 다르게 표현했던 것 같아요. 상당히 복잡한 표현이었거든요. '소나무'란 말 자체는 조금도 신통할 게 없는 말이지만, 그 애는 그것과 결부시켜 그야말로 기발하기 짝이 없는 말을 나한테 했어요. 하도 묘한 말이어서 내 재간으로는 도저히 그대로 옮길 수가 없을 지경이에요. 하긴 벌써 다 잊어버리고 말았지만요. 그럼 이따가 또 만나요. 나는 너무나 깊은 충격을 받아 금세 미쳐 버릴 것만 같아요. 알렉세이 표도로비치, 나는 벌써 두 번이나 정신 이상에 걸려 의사의 치료를 받은 적이 있답니다.

그럼 리즈한테 가 봐 주세요. 그리고 그 애 원기를 회복시켜 주세요. 당신이라면 그 애의 원기를 회복시키는 것쯤은 문제가 아닐 테니까. 얘, 리즈야!" 부인은 방문 앞으로 다가가며 소리쳤다. "자, 여기 네가 그렇게 모욕을 준 알렉세이 표도로비치를 모셔왔다. 그러나 조금도 성을 내고 계시지 않으니 안심해라. 오히려 네가 그렇게 생각하는 걸 이상하게 여기실 정도야."

"고마워요, 엄마. 들어오셔요. 알렉세이 표도로비치."

알료샤는 방 안으로 들어갔다. 리즈는 어쩐지 좀 당황한 표정으로 그를 바라보고 있다가 별안간 얼굴을 확 붉혔다. 무언가 몹시 부끄러워하는 눈치였다. 그리고 이런 경우엔 언제나 그렇듯이, 그녀는 전혀 관계가 없는 딴 얘기를 황급히 지껄이기 시작했다. 마치 이 순간에 그녀의 관심을 끄는 것은 그것밖엔 없다는 듯이.

"알렉세이 표도로비치, 엄마가 무슨 생각에선지 방금 나한테 그 2백 루블 얘기랑, 당신이 그 가난한 장교한테 심부름을 가셨다는 얘기랑 죄다 해 주셨어요……. 그리고 그 장교가 모욕을 당했다는 무서운 얘기도요……. 엄마 얘기는 도무지 두서가 없었지만요……. 엄마는 한 가지를 자세히 얘기하기도 전에 자꾸만 앞을 서두르는 버릇이 있거든요……. 그래도 나는 그 얘기를 듣고 그만 눈물을 흘렸어요. 그래, 어떻게 되었죠? 그 돈은 전해 주셨나요? 그 불쌍한 사람은 지금 어떻게 지내고 있죠?"

"사실은 돈을 주지 못했습니다. 얘기를 하자면 길어지지만요."

알료샤는 알료샤대로 돈을 주지 못한 것이 무엇보다도 마음에 걸린다는 듯한 표정으로 이렇게 대답했다. 그가 자꾸만 옆으로 시선을 돌리며 직접 관계가 없는 딴 얘기를 하려고 애쓰고 있다는 것은 리즈의 눈에도 명백했다.

알료샤는 탁자를 향하고 앉아서 이야기를 시작했다. 그러나 얘기를 시작하자마자 당황한 빛은 완전히 사라지고, 이번엔 리즈의 흥미를 온통 집중시키기까지 했다. 아직도 그는 아까 받은 강렬한 감동과 깊은 인상에 지배되고 있었으므로, 모든 것을 상세하고도 훌륭하게 얘기할 수 있었던 것이다. 전에 모스크바에 있을 때에도 그는 아직 어린애였던 리즈를 곧잘 찾아와서는 자기에게 새로 일어난 일이며, 책에서 읽은 것, 또는 자기의 소년 시절의 추억 같은 걸 얘기하곤 했다. 때로는 둘이서 함께 공상에 잠겨 여러 가지 소설을 꾸며내기도 했는데, 그것은 주로 흥겹고 우스운 얘기들뿐이었다. 그래서 지금 그들은 2년 전의 모스크바 시절로 갑자기 되돌아간 듯한 기분이었다. 리즈는 그의 얘기에 몹시 감동되었다. 알료샤가 뜨거운 동정심을 가지고 그녀의 눈앞에 일류샤의 모습을 그려 보여 주었기 때문이다. 불행한 이등 대위가 돈을 짓밟은 광경을 상세하게 얘기하고 났을 때, 리즈는 끓어오르는 감정을 억제하지 못하고 두 손을 탁 치며 외쳤다.

"그럼 돈을 주지도 못하고 그냥 그 사람을 놓쳐 버렸군요! 아이 참, 뒤를 쫓아가서 붙잡지 않으시고!"

"그렇잖아요, 리즈. 쫓아가지 않길 잘했습니다." 알료샤는 의자에서 일어나더니 무언가 마음에 걸리는 일이 있는 것 같은 얼굴로 방 안을 한 바퀴 돌았다.

"어째서 잘하셨다는 거죠? 그 사람들은 지금 먹을 것이 없어 굶어 죽을 지경일 텐데!"

"죽는 일은 없을 겁니다. 어쨌든, 그 2백 루블은 그 사람들 거니까요. 내일이면 그 돈을 받을 거예요. 틀림없이 받을 겁니다." 알료샤는 생각에 잠겨 걸음을 옮기면서 이렇게 말했다. "그런데 말이에요, 리즈" 하고 그는 리즈 앞에 우뚝 멈춰 서서 얘기를 계속했다. "나는 아까 한 가지 실수를 했어요. 그러나 그것 때문에 오히려 일이 더 잘되었거든요."

"실수라니 무슨 실수예요? 그리고 그것 때문에 더 잘되었다는 건 또 무슨 말씀이죠?"

"다름 아니라 그 사람은 아주 겁이 많고 마음이 약한 인간이에요. 온갖 고초를 다 겪은 착한 인간이지요. 나는 지금 그 사람이 무엇 때문에 갑자기 화를 내어 돈을 짓밟았는지, 그 까닭을 여러 가지로 생각해 보았는데, 그건 그 사람 자신도 자기가 그 돈을 짓밟으리라고는 마지막 순간까지 생각하지 못했었기 때문일 거예요. 이제 생각해 보니 그때 그 사람은 여러 가지 일로 화가 나 있었습니다……. 그 사람의 입장에서는 그럴 수밖엔 없었겠지만요……. 첫째로 내 앞에서 돈을 보고 기뻐서 어쩔 줄 몰라 하며 그걸 나한테 숨기려고도 하지 않은 데 대해 스스로 화가 났던 겁니다. 설혹 속으로는 기뻤다 하더라도 그렇게까지 노골적으로 그걸 나타내지 않고 다른 사람처럼 거드름스런 얼굴을 하며 돈을 받았더라면 그래도 꾹 참고 그 돈을 그냥 받아 가질 수도 있었을는지 모릅니다. 그런데 그 사람은 너무나도 솔직하게 기쁨을 나타냈거든요. 바로 그 점에 스스로 모욕을 느꼈던 겁니다. 아아, 리즈, 그는 참으로 정직하고 선량한 사람입니다. 이번 일에 있어서 모든 불행은 바로 여기에 있는 거예요! 그 사람은 말을 하고 있는 동안 줄곧 힘없는 가느다란 음성으로 소곤거리는 데다가 말이 또 굉장히 빠르더군요. 그리고 쉴 새 없이 킥킥거리며 웃는가 하면 또 울기도 하고……. 정말로 그는 울었습니다. 그만큼 그는 환희의 절정에 올랐던 거예요……. 그리고 자기 딸들 얘기도 했습니다……. 다른 고장으로 이사를 가면 취직할 수 있다는 얘기도 했지요……. 그렇게 자기 가슴속을 죄다 털어 보여 주고는, 이번엔 또 갑자기 나한테 자기 가슴속을 털어 보여 준 것이 부끄러워졌단 말입니다. 그러자 참을 수 없을 만큼 내가 미워진 모양입니다. 역시 그는 부끄럼을 잘 타는 가난뱅이의 한 사람이었거든요. 그러나 가장 중요한 것은 나를 지나치게 빨리 친구로 받아들임으로써 지나치게 빨리 나한테 굴복해 버린 데 대해 스스로 모욕을 느꼈다는 점입니다. 처음엔 나한테 덤벼들듯이 하며 큰소리를 치다가 그 돈을 보기가 무섭게 나를 포옹하려 들었으니 말입니다. 사실 그 사람은 나를 포옹했어요. 쉴 새 없이 두 손을 내 몸에 갖다 대곤 했으니까요. 바로 이런 점에서 그 사람은 자기의 굴욕을 뼈저리게 느꼈을 겁니다. 그런데다가 내가 그만 중대한 실수를 저지르고 말았거든요. 다름 아니라, 내가 갑자기 이런 소리를 했단 말입니다—만일 다른 고장으로 이사를 가는 데 여비가 부족하면 돈을 더 받을 수도 있을 것이고, 나 자신도 내가 가진 돈에서 얼마든지 필요한 만큼 떼어 드릴 수 있는 문제라고 말이죠. 그랬더니, 이 말이 그의 가슴을 찔렀던 모양입니다—무엇 때문에 너까지 나를 돕겠다고 나서는 거냐? 하는 거겠죠. 이봐요, 리즈, 모욕을 받아 온 사람은 다른 사람들이 은인이나 되는 것 같은 눈으로 자기를 바라보면 참을 수 없는 고통을 느끼는 법이거든요……. 나도 이건 들은 말입니다……. 장로님께서 그런 말씀을 하시더군요. 어떻게 설명하면 좋을지는 몰라도, 나 자신은 그런 경우를 여러 번 목격했어요. 뿐만 아니라, 나 자신도 그와 똑같은 느낌을 느끼기도 하지요. 그러나 무엇보다 중요한 것은, 최후의 순간까지 돈을 짓밟으려는 생각은 꿈에도 없었다고는 하지만, 그래도 어쩐지 그걸 예감하고 있었다는 점입니다. 이건 틀림없는 사실이에요. 그걸 예감하지 않았다면야 그렇게까지 기뻐 날뛸 까닭이 없었을 테니까요……. 이러한 일들은 그리 좋은 현상이라고는 할 수 없지만, 어쨌든 사태는 호전할 겁니다. 더 이상 바랄 수 없을 만큼 일은 썩 잘되어 갈 거라는 생각까지 드는군요."

"더 이상 바랄 수 없을 만큼 잘되어 갈 거라는 건 대체 무슨 뜻이죠?" 리즈는 어이없다는 듯이 알료샤의 얼굴을 쳐다보면서 이렇게 외쳤다.

"그건 말이죠, 리즈. 만약에 그 사람이 그 돈을 짓밟지 않고 그냥 받아 가지고 집에 돌아갔다면 한 시간도 못 되어 자기 자신의 굴욕을 생각하고 울음을 터뜨리고 말았을 겁니다. 이건 틀림없어요. 실컷 울고 나서, 내일 아침 날이 새기가 무섭게 나한테 달려와서는 그 돈을 내 앞에 내동댕이치고 아까 한 것처럼 그렇게 짓밟아 버릴지도 모릅니다. 그러나 오늘은 비록 '자살 행위와 다름없는 짓을 했다'는 걸 알고는 있더라도, 아무튼 높은 자부심을 가지고 의기양양해서 집으로 돌아갔을 겁니다. 그러니까 이제는 내일이라도 그 2백 루블을 억지로 받아들이게 하는 일쯤은 지극히 용이한 일입니다. 왜냐하면, 그 사람은 이미 자기의 결백함을 충분히 증명했으니까요—돈을 내동댕이치고 그것을 발로 짓밟아 버렸으니까요……. 내가 내일이라도 그 돈을 다시 자기한테 가져오리라는 걸 알고 그랬을 리는 없지 않습니까. 그렇지만 그 돈이야말로 그 사람에겐 절대로 필요한 돈입니다. 물론 지금은 의기양양하겠지만, 그래도 자기가 얼마나 큰 원조의 손길을 잃어버렸는가는 오늘 당장에 생각하지 않을 수 없을 겁니다. 밤이 되면 더욱더 돈 생각이 간절해져서 꿈까지 꾸겠지요. 그리고 내일 아침엔 아마 나한테 달려와서 용서라도 빌고 싶은 심정이 될 겁니다. 바로 그때 내가 나타나서 '당신은 참 자부심이 강한 분입니다. 당신은 그걸 충분히 증명하셨습니다. 자, 이제는 이 돈을 받아 주십시오. 그리고 나를 용서해 주십시오' 하고 말한단 말입니다. 이렇게 되면 그 사람도 받지 않을 수 없을 게 아닙니까?"

알료샤는 기쁨에 도취된 것 같은 어조로 "이렇게 되면 그 사람도 받지 않을 수 없을 게 아닙니까?"라는 말을 했다. 리즈는 저도 모르게 손뼉을 탁 쳤다.

"아, 정말 그렇군요. 이제야 나는 그걸 알겠어요. 알료샤, 당신은 어떻게 그런 것까지 죄다 알고 계시죠? 그렇게 젊은 나이로 남의 마음속까지 다 알고 계시니……. 나 같은 건 정말 어림도 없어요."

"이제부터 중요한 문제는, 비록 그 사람이 우리한테 돈을 받는다 해도 우리와는 완전히 대등한 위치에 서 있다는 자신을 갖게 하는 일이지요." 여전히 기쁨에 도취된 어조로 알료샤는 말을 이었다. "아니, 대등하다기보다 오히려 한층 높은 위치에……"

"'한층 높은 위치'라는 건 참 그럴듯한 말이에요, 알렉세이 표도로비치……. 어서 말을 계속하세요!"

"나의 표현이 좀 서툴렀나 보군요……. '한층 높은 위치'라는 것은 그렇지만 그런 건 문제가 아니에요. 왜냐하면……"

"그럼요, 문제가 아니고말고요! 내가 이렇게 말한다고 나쁘게 생각진 말아 주세요. 네, 알료샤…… 나는 여태까지 당신을 별로 존경하지 않았거든요……. 아니 존경하기는 했지만 어디까지나 대등한 위치에서였어요. 그러나 앞으로는 한층 더 높이 존경하기로 하겠어요……. 화를 내진 마세요, 네, 말을 좀 '재치 있게' 한다는 게 그렇게 되었군요" 하고 그녀는 격정에 휩싸여 얼른 말을 이었다. "나는 이렇게 우스꽝스런 어린 소녀에 지나지 않지만, 당신은…… 당신은…… 그렇지만요, 알렉세이 표도로비치, 우리들의 아니, 당신의…… 역시 우리들의, 라고 말하는 편이 낫겠군요……. 우리들의 이런 판단 속에 그 사람을, 그 불행한 사람을 멸시하는 것 같은 점은 없을까요?…… 마치 높은 곳에서 내려다보듯이 우리가 지금 그 사람의 마음속을 여러모로 해부解剖해 본 것 말이에요. 그 사람은 반드시 돈을 받을 것이라고 단정해 버린 것 말이에요. 그렇지 않을까요?"

"아닙니다, 리즈, 멸시 같은 건 털끝만큼도 없어요." 알료샤는 딱 잘라서 대답하였다. 마치 그러한 질문에 미리 대비하고 있었던 것 같은 어조였다. "나도 이리로 오는 길에 거기 대해서는 이미 생각해 본 바가 있습니다. 우리도 그 사람과 똑같은 인간인데, 누구나가 다 그 사람과 똑같은 사람인데, 멸시하고 말고가 어디 있겠어요. 우리도 모두 그 사람보다 나을 것이 없는 인간이 아닙니까? 설사 나은 점이 있다 하더라도 그 사람과 같은 입장에 서게 되면 결국 그와 똑같이 되고 맙니다……. 당신은 어떤지 모르지만 나 자신은 여러모로 보아 천박한 마음의 소유자라고 생각합니다. 하지만 그 사람은 천박하기는커녕 아주 고상한 마음씨를 가진 사람입니다……. 그러니까 리즈, 그 사람에 대한 멸시 같은 건 털끝만큼도 있을 수 없어요! 조시마 장로님께선 이런 말씀을 하신 적이 있습니다—인간이란 어린애와 같이 늘 돌봐 줘야 한다, 개중에는 입원 중인 환자와 같이 세심하게 간호해 줘야 할 사람도 있다고 말입니다."

"아아, 알렉세이 표도로비치, 정말 좋은 일이에요. 우리 함께 환자들을 간호하듯 인간들을 돌봐 줍시다!"

"그럽시다, 리즈. 나도 그럴 용의가 있어요. 다만 나 자신이 그러한 마음의 준비가 완전히 되어 있지 못해서 탈입니다. 나는 때로는 무척 참을성이 없고 또 때로는 사리를 전혀 판단하지 못하는 수가 있으니까요. 하지만 당신은 그렇지가 않아요."

"어머나, 당치도 않은 말씀을! 그렇지만 알렉세이 표도로비치, 나는 얼마나 행복한지 모르겠어요!"

"당신이 그렇게 말하니 나도 참 기쁩니다, 리즈."

"알렉세이 표도로비치, 당신은 말할 수 없이 좋은 분이세요. 때로는 어딘지 학자 냄새를 풍기는 것 같지만, 그러나 잘 보고 있으면 학자 냄새를 풍기는 점은 조금도 없어요. 방문밖을 좀 보고 오세요. 문을 살짝 열고 어머니가 엿듣고 있지 않나 보고 오세요" 갑자기 리즈는 짜증 섞인 성급한 어조로 소곤거렸다.

알료샤는 가서 문을 열어 보고, 아무도 엿듣고 있지 않다고 보고했다.

"그럼 이리 오세요. 알렉세이 표도로비치." 리즈는 더욱더 얼굴을 붉히면서 말을 계속했다. "손을 좀 잡게 해 줘요. 네, 그렇게. 당신한테 굉장한 사실을 고백해야겠어요. 어제 드린 그 편지는요, 실은 농담이 아니라 진심으로 써 보낸 것이었어요."

이렇게 말하고 그녀는 한 손으로 눈을 가려 버렸다. 그것을 고백하기가 무척 부끄러운 모양이었다. 별안간 그녀는 알료샤의 손을 잡아끌어 세차게 세 번 입을 맞췄다.

"아아, 리즈, 그건 참 반가운 일입니다!" 하고 알료샤는 기쁜 듯이 외쳤다. "당신이 그걸 진심으로 써 보냈다는 건 나도 확신하고 있었어요."

"뭐라고요? 확신하고 있었다고요?" 그녀는 그의 손을 입술에서 떼었으나, 여전히 손에 잡은 채 얼굴을 빨갛게 물들이면서 행복스러운 듯이 짤막짤막 끊어진 웃음을 웃는 것이었다. "내가 손에다 키스해 드리니까 겨우 한다는 말이 '참 반가운 일입니다'라고요?"

그러나 그녀의 비난은 당치 않은 것이었다. 알료샤 역시 그리 태연하지는 못했던 것이다.

"나는 항상 당신 마음에 들고 싶어 하지만, 어떻게 하면 좋을지 모르겠어요." 알료샤도 얼굴을 붉히며 겨우 이렇게 중얼거렸다.

"알료샤, 당신은 정말 냉정하고도 비위가 좋은 분이로군요. 제멋대로 나를 자기의 색싯감으로 정해 놓고는 마음을 턱 놓고 있으니 말이에요! 그리고 내가 그 편지를 진심으로 썼다고 확신하고 있었다니 그런 법이 어디 있어요. 그러니 비위가 좋다고 할 수밖엔 없잖아요?"

"그렇지만 그걸 확신했다는 게 그렇게 나쁜 일인가요?" 알료샤는 껄껄 웃었다.

"아니에요, 알료샤. 나쁘기는커녕 아주 좋은 일이에요" 하며 리즈는 행복스러운 듯이 부드러운 눈으로 그를 바라보았다. 알료샤는 여전히 그녀에게 손을 내맡긴 채 그 자리에 서 있었다. 그러다가 갑자기 몸을 굽혀 그녀의 입술에 키스를 했다.

"이건 또 뭐예요? 갑자기 왜 그러시죠?" 하고 리즈는 외쳤다. 알료샤는 몹시 당황했다.

"혹시 잘못한 일이라면 용서하십시오……. 내가 어쩌면 굉장히 어리석은 짓을 했는지 모르겠습니다……. 그러나 당신이 나더러 냉정한 인간이라 하기 때문에 그만 키스를 해 버린 겁니다……. 아무래도 좀 쑥스러운 결과가 된 것 같군요."

리즈는 웃음을 터뜨리며 손으로 얼굴을 가렸다. "게다가 그런 수도사의 옷을 입고서!" 하는 말이 웃음소리 사이로 튀어나왔다. 그러나 그녀는 갑자기 웃음을 멈추더니 진지하다기보다 거의 준엄한 표정이 되었다.

"알료샤, 키스는 좀 더 기다리기로 해요. 우린 아직 그런 걸 할 때가 아니잖아요? 앞으로 오랜 시일을 기다려야 할 형편이니까요" 하고 그녀는 갑자기 결론을 내렸다.

"그보다도 당신한테 한 가지 물어보고 싶은 게 있어요. 당신처럼 영리하고 생각이 깊고 눈치 빠른 분이 어째서 나같이 어리석은 바보를 골랐을까요? 아아, 알료샤, 나는 정말 지나칠 만큼 행복해요. 나 같은 건 당신의 사랑을 받을 만한 가치가 전혀 없는 여자인걸요!"

"그만한 가치는 충분히 있어요! 리즈, 나는 수일 내로 수도원에서 아주 나와 버리게 될 겁니다. 속세에 나오면 결혼을 해야 되지요. 이건 나도 잘 알고 있습니다. 그분께서도 그렇게 말씀하셨으니까요. 그렇게 되면 나한테는 당신보다 더 훌륭한 상대는 없을 게고…… 그보다도 당신 이외에 누가 나 같은 놈을 택하겠어요? 나는 이 문제에 대해서 많이 생각해 봤습니다. 첫째로 당신은 나를 어릴 때부터 잘 압니다. 둘째로, 당신은 나한텐 전혀 없는 여러 가지 자질을 가지고 있습니다. 당신은 나보다 훨씬 명랑합니다. 그리고 무엇보다도 당신은 훨씬 순결합니다. 나는 이미 너무나 많은 일을 경험해 버렸습니다……. 아아, 당신은 잘 모르겠지만, 나도 역시 카라마조프네 핏줄을 받은 인간이니까요! 당신이 누구를 비웃거나 놀리는 것쯤 문제가 아닙니다. 나를 보고 그런데도 마찬가지죠. 아니 얼마든지 비웃어 주세요. 오히려 나는 그것이 기쁠 지경입니다……. 당신은 어린애처럼 웃고 까불지만, 속으로는 순교자와 같은 생각을 하고 있거든요."

"순교자와 같은 생각이라뇨? 그건 무슨 뜻이죠?"

"그렇습니다, 리즈, 조금 전에도 당신은 이런 질문을 했죠……. 그 사람의 마음속을 우리가 여러모로 해부해 보는 데는 그 불행한 사람을 멸시하는 마음이 숨어 있는 게 아니냐고. 그것이 바로 순교자다운 질문이란 말입니다……. 뭐라고 표현하면 좋을지 모르겠지만, 그런 질문이 떠오를 수 있는 사람은 스스로 고난을 견딜 수 있는 사람이에요. 당신은 그렇게 안락의자에 앉아 있는 동안에도 벌써 수많은 일들을 생각하고 또 생각했을 것이 틀림없습니다."

"알료샤, 손을 이리 내놓으세요. 왜 그렇게 손을 빼지요?" 너무나 큰 행복에 힘이 빠져나간 듯한 가냘픈 목소리로 리즈는 말했다. "그보다도 알료샤, 당신은 수도원에서 나오시면 어떤 옷을 입으시겠어요? 웃지도 말고 화를 내지도 마세요……. 이건 나한텐 아주 중대한 문제거든요."

"의복에 대해선 아직 생각해 본 바 없지만, 당신이 좋다면 뭣이든지 입겠습니다."

"나는 당신이 감색 비로드 저고리에 흰, 피케Piqué[綾織] 조끼를 입고 부드러운 회색 펠트 모자를 쓰시면 좋겠어요……. 그건 그렇고, 아까, 내가 어제 써 보낸 편지는 죄다 거짓말이라고 했을 때, 당신은 내가 정말로 당신을 사랑하고 있지 않다고 생각하셨나요?"

"아니, 그렇게는 생각지 않았습니다."

"아이 참, 당신 같은 사람하곤 말도 못 하겠군요!"

"실은 당신이 나를…… 좋아하는 눈치라는 건 알고 있었지만, 당신이 나를 싫어한다는 그 말을 그대로 믿는 체하고 있었던 거예요. 그러는 편이 당신한테 좋을 것 같아요."

"그건 더 나빠요! 더 나쁘기도 하고 더 좋기도 하고……. 알료샤, 나는 당신이 말할 수 없이 좋아요. 아까 당신이 오시기 전에 나는 점을 치기로 했었죠……. 어제 보낸 편지를 돌려 달라고 해서 만일 당신이 태연한 얼굴로 그걸 꺼내 주면, (당신이라면 능히 그렇게 할 수 있을 것 같았거든요) 그건 나를 조금도 사랑하고 있지 않을뿐더러 아무것도 느낄 줄 모르는 우둔하고 쓸모없는 소년에 지나지 않는다는 뜻이니까 나는 영영 파멸이다, 라고 말이에요. 그런데 당신이 그 편지를 암자에 두고 오셨다고 대답해서 나는 얼마나 기뻤는지 몰라요. 당신은 내가 편지를 돌려 달라고 할 줄 알고 일부러 그걸 암자에 두고 오셨죠? 그렇잖아요? 편지를 돌려주기가 싫어서 그랬던 거죠, 네, 그렇죠?"

"천만에. 그런 게 아니에요, 리즈. 그 편지는 지금도 여기 가지고 있는걸요. 아까도 여기 이 호주머니 속에 들어 있었죠, 자 보세요."

알료샤는 웃으면서 편지를 꺼내, 멀찌감치 떼어서 그녀에게 보였다.

"그렇지만 당신한테 돌려주진 않을 테니 거기서 구경만 하세요."

"뭐라고요? 그럼 아까는 거짓말을 하셨군요? 수도사님이 거짓말을 하다니!"

"거짓말을 했는지도 모르죠" 하며 알료샤도 웃었다. "당신한테 편지를 내주지 않으려고 그랬던 거예요. 이건 나한테 아주 소중한 것이니까요." 갑자기 열정적인 어조로 이렇게 덧붙이고는 또다시 얼굴을 붉혔다. "이건 앞으로 영원히 누가 뭐래도 내줄 수 없습니다."

리즈는 감격과 환희 속에서 그를 바라보았다.

"알료샤." 그녀는 다시 속삭이듯 말했다. "문밖에서 어머니가 엿듣고 있지나 않나 보고 오세요."

"그렇게 하죠, 리즈. 그렇지만 안 가 보는 편이 낫지 않을까요? 설마 어머님이 그런 점잖지 못한 짓을 하시려고요?"

"뭐가 점잖지 못한 짓이에요? 어머니가 딸의 일을 염려하여 엿듣는 건 점잖지 못한 짓이 아니라 어머니로서의 당연한 권리예요" 하고 리즈는 발끈해서 말했다. "미리 말해 두지만요, 알렉세이 표도로비치, 내가 장차 어머니가 되어 나 같은 딸을 갖게 되면, 나는 꼭 그 딸애가 하는 일을 몰래 살펴볼 테니까요!"

"참말입니까, 리즈? 그건 좋지 않은 일이에요."

"아니, 뭐가 좋지 않아요? 그저 보통 세상 얘기나 하고 있는 걸 엿듣는다든가 한다면 그야 물론 점잖지 못한 짓이겠지만, 만약에 자기 딸이 젊은 남자와 단둘이 문을 닫고 방에 들어 앉아 있다면 경우가 다르잖아요……. 잘 들어 두세요, 알료샤. 나는 결혼식을 올리기만 하면 당신이 하는 일도 몰래 감시할 테니까요. 그리고 당신한테 오는 편지도 죄다 뜯어서 읽어 보겠어요……. 미리부터 그런 줄 알아 두세요."

"그야 물론이죠, 그렇게 하고 싶다면야……" 알료샤는 중얼거렸다. "그렇지만 그건 좋지 않은 일이에요."

"사람을 그렇게 깔보시긴가요! 알료샤, 우린 처음부터 싸우지는 말기로 해요, 네! 그보다도 내 입으로 솔직히 말씀드리겠어요—물론 엿듣는다든가, 몰래 감시한다든가 하는 건 아주 좋지 않은 일이죠. 내가 옳지 않고 당신이 옳다는 것도 잘 알아요. 그래도 역시 나는 당신을 몰래 감시할 거예요."

"어서 맘대로 해 봐요. 그렇지만 나한테서는 아무런 성과도 얻지 못할 겁니다" 하고 알료샤는 웃었다.

"알료샤, 당신은 내 말에 복종하시겠어요, 안 하시겠어요? 이것도 역시 미리 다짐을 받아 둬야겠군요."

"기꺼이 복종하겠습니다. 리즈, 틀림없어요. 그렇지만 근본적인 문제에 대해서만은 다르죠. 근본적인 문제에 대해선 서로의 의견이 상반되더라도 나는 의무가 명령하는 대로 행동하겠습니다."

"물론 그래야죠. 그렇지만, 나는 근본적인 문제에 대해서도 언제나 당신을 따를 뿐만 아니라, 만사에 있어서도 역시 당신이 하자는 대로 할 생각이에요. 이건 지금 여기서 맹세하겠어요—만사에 있어서, 그리고 죽는 그날까지!" 리즈는 열정적으로 외쳤다. "그리고 나는 그것을 다시없는 행복으로 생각하겠어요! 그뿐만 아니라 나는 절대로 당신이 하는 일을 몰래 감시하는 따위 짓은 하지 않겠어요. 무슨 일이 있어도 그런 짓을 하지 않겠다고 맹세할 수 있어요. 편지도 절대로 읽지 않겠어요! 당신은 어디까지나 옳고 나는 그렇지 못하니까요. 실은 당신 일을 감시하고 싶어 죽을 지경일 거예요. 그렇지만, 그런 짓은 하지 않겠어요. 당신이 좋지 않은 일이라고 하시니 말이에요. 이제 당신은 나를 이끌어주시는 하느님과도 같은 존재예요……. 그건 그렇고, 알렉세이 표도로비치, 어째서 당신은 요 며칠 동안—어제도 오늘도 그렇게 서글픈 얼굴을 하고 계시죠? 당신에게 여러 가지 걱정거리와 불행한 일이 있다는 건 알지만, 그 밖에도 무슨 특별한 슬픔이 있는 것 같아요. 혹시 무슨 말 못 할 슬픔이라도 있는가 보죠?"

"그렇습니다, 리즈. 남에게 말 못 할 슬픔도 있기는 있어요." 알료샤는 침울한 어조로 말했다. "그것을 알아맞힌 걸 보니 분명히 나를 사랑하시는가 보군요."

"무슨 슬픔이죠? 대체 무슨 일이에요? 말해 주실 수 없을까요?" 리즈는 조심스럽게 애원하듯 말했다.

"나중에 말하기로 하죠, 리즈…… 나중에……" 알료샤는 당황한 어조로 대답했다. "지금 말한다 해도 아마 이해할 수 없을 겁니다. 그리고 나 자신도 제대로 설명할 수도 없을 거예요."

"나도 알 만해요. 아버님과 형님이 당신을 괴롭히는 거죠?"

"예, 형님들까지도……" 알료샤는 생각에 잠기는 듯이 중얼거렸다.

"나는 당신 형님 이반 표도로비치는 어쩐지 싫어요" 하고 리즈는 불쑥 말했다.

알료샤는 이 말에 약간 놀랐으나, 거기 대해선 아무런 대꾸도 하지 않았다.

"우리 형님들은 스스로 파멸의 길을 걷고 있어요." 그는 다시 말을 계속했다. "아버지도 마찬가집니다. 그리고 자기 자신과 함께 다른 사람들까지 파멸시키고 있어요. 요전에 파이시 신부님이 말씀하신 것처럼, 거기에는 '카라마조프적인 원시적 힘'이 작용하고 있는 거예요—마치 대지大地와도 같은 조잡하고 흉포한 힘이지요. 이러한 힘 위에 하느님의 의지가 과연 작용하고 있는지 어떤지, 그것조차 나는 알 수 없을 지경입니다. 알고 있는 것은 다만 나 자신도 카라마조프라는 것뿐입니다……. 내가 과연 수도사일까? 리즈, 내가 과연 수도사라

할 수 있을까요? 당신은 방금 나보고 수도사라고 했죠?"

"네, 그랬어요."

"그렇지만 나는 어쩌면 하느님을 믿지 않고 있는지도 모른단 말입니다."

"당신이 믿지 않는다고요! 왜 갑자기 그런 말씀을 하세요?" 리즈는 낮은 소리로 조심스럽게 말했다. 그러나 이 말에 알료샤는 대답하지 않았다. 너무나도 뜻밖인 알료샤의 이 말 속에는 무언가 너무나도 신비적인, 그리고 너무나도 주관적인 것이 내포되어 있었다. 그것은 어쩌면 알료샤 자신도 분명히 알 수 없는 것인지도 모르지만, 아무튼 그를 괴롭히고 있는 것이라는 점만은 의심할 여지가 없었다.

"그런데, 그뿐만이 아니라, 지금 나의 마음의 벗이요. 이 세상에서 제일가는 인물이 이 세상을 버리고 떠나가려 하고 있습니다. 내가 얼마나 그분과 정신적으로 밀접히 결합되어 있는지, 아아! 리즈, 그걸 당신이 안다면! 그분이 떠나면 나는 혼자 외로이 남게 됩니다……. 나는 당신한테 오겠어요, 리즈……. 앞으론 언제나 둘이 함께 있기로 합시다."

"네, 함께 있어요, 언제나 함께! 앞으로 한평생을 둘이 함께 살아요, 알료샤, 나한테 키스해 주시지 않겠어요, 허락할 테니."

알료샤는 그녀에게 키스했다.

"그럼 이젠 가 보세요, 안녕!" 하며 리즈는 그를 향해서 성호를 그었다. "그분이 돌아가시기 전에 어서 가 보세요. 내가 당신을 너무 오래 붙잡고 있었던 것 같군요. 오늘 나는 그분과 당신을 위해 기도하겠어요! 알료샤, 우리는 행복하게 될 거예요! 암, 행복하게 되고말고요! 그렇게 되겠지요, 네?"

"그렇게 될 거요, 리즈."

리즈의 방에서 나온 알료샤는, 호흘라코바 부인한테는 들르지 않는 편이 좋겠다고 판단했으므로, 부인에겐 인사를 하지 않고 그냥 밖으로 나가려 했다. 그러나 문을 열고 층계에 나서자, 어디서 나타났는지 바로 호흘라코바 부인이 그의 앞을 막아섰다. 부인의 첫 마디를 듣자 알료샤는, 그녀가 일부러 거기서 자기를 기다리고 있었다는 것을 깨달았다.

"알렉세이 표도로비치, 이거 참 큰일났군요. 그건 철부지 아이들의 어리석은 잠꼬대 같은 거예요. 설마 당신은 그따위 터무니없는 공상을 하진 않겠죠……. 정말 어리석은 일이에요, 어리석기 짝이 없는 일이에요!" 하고 부인은 그에게 대들었다.

"그렇지만 리즈에게만은 그런 말 하지 마십시오" 하고 알료샤는 말했다. "그런 말 했다간 리즈는 또 흥분할 거예요. 지금 리즈에겐 그것이 제일 해로우니까요."

"분별 있는 젊은 양반의 분별 있는 말씀이라고 들어 두겠어요. 그러니까 이렇게 해석해도 좋겠죠? 당신이 그 애의 말에 동의한 것은, 그 애의 건강을 염려하여 공연히 그 애 신경을 건드리지 않으려는 생각에서였다고 말이에요."

"아니, 그런 건 결코 아닙니다. 나는 어디까지나 진심으로 리즈와 얘기했으니까요." 알료샤는 딱 잘라 말했다.

"진심으로 그랬다는 건 말이 안 돼요. 생각할 수도 없는 일이에요. 앞으론 절대로 당신을 우리 집에 들이지도 않으려니와, 나는 그 애를 데리고 이곳을 떠나 버릴 테니 그리 아세요."

"뭐 그렇게까지 하실 필요는 없지 않습니까?" 하고 알료샤는 말했다. "이건 아직도 먼 앞일이에요. 적어도 1년 반이나 기다려야 할지 모르는 일입니다."

"그야 물론이죠, 알렉세이 표도로비치, 그건 옳은 말이에요. 그 1년 동안에 당신은 그 애와 천 번은 싸우고 헤어지고 하겠지요. 그렇지만 나는 불행해요. 참으로 불행해요! 물론 그것이 터무니없는 일이라는 건 알지만, 그래도 나한테는 큰 타격이거든요! 지금의 나는 마지막 장면의 팜소프[56]이고 당신은 챠츠키, 그리고 그 애는 소피야라고 하면 좋겠군요. 어디 그뿐인가요. 나는 당신을 만나려고 일부러 이 층계 위로 달려 나왔는데, 그 연극에서도 비극은 모두 층계 위에

56 알렉산드르 그리보예도프Aleksandr Griboyadov(1795~1829)의 시 형식으로 된 희극 〈지혜의 슬픔〉의 등장인물.

서 일어나거든요. 당신과 그 애가 하는 얘기는 죄다 들었지만요, 나는 하도 기가 막혀 그만 쓰러질 뻔했다니까요. 그러고 보니, 어젯밤의 그 무서운 소동이라든지, 아까 그 애의 그 히스테리라든지, 그 원인을 이제는 다 알겠어요. '딸에겐 달콤한 사랑일지 모르지만, 어머니에겐 죽음이나 다름없다는 말'[57]은 일리 있는 말이에요. 이쯤 되면 죽으라는 것과 뭐가 다르겠어요? 그리고 또 한 가지 가장 중요한 건 그 애가 써 보냈다는 편지예요. 도대체 무슨 편진지 지금 당장에 나한테 보여 주세요. 지금 당장에!"

"아니, 그럴 필요는 없습니다. 그보다도 카체리나 이바노브나는 어떻습니까? 그게 궁금하군요?"

"여전히 헛소리를 하며 누워 있어요. 아직 의식이 회복되지 않는군요. 이모님들은 그저 한숨만 푹푹 쉬며, 공연히 나한테 거드름만 피우고 있어요. 게르첸슈투베 선생도 오긴 왔지만, 놀라서 쩔쩔매고만 있으니 나로서는 그 사람을 어떻게 도와야 할지 모를 지경이었어요. 그래서 다른 의사를 또 한 사람 불러올까 하는 생각까지 했다니까요. 할 수 없이 그 사람은 우리 집 마차로 돌려보내고 말았지요. 그런데 느닷없이 당신이 나타나서 편지니 뭐니 하는 소동을 일으키니 어디 이거 견딜 수가 있어야죠. 하긴 아직 1년 반 후의 일이긴 하지만요. 모든 위대하고 성스러운 이름 앞에, 그리고 지금 세상을 떠나시려는 조시마 장로님의 이름 앞에 맹세할 테니, 제발 나한테 그 편지를 보여 주세요. 알렉세이 표도로비치, 나는 그 애의 어머니란 말이에요! 뭣하면 손가락으로 들고 보여 주세요. 당신 손에 있는 걸 그냥 한번 읽어 보기만 할 테니."

"아니, 보여 드릴 수 없습니다. 리즈가 허락한대도 나로서는 보여 드릴 수 없어요. 내일 다시 올 테니 원하신다면 그때 여러 가지로 의논하기로 하시지요. 오늘은 이만 실례해야 하겠습니다."

이렇게 말하고 알료샤는 층계에서 한길로 달려 나갔다.

57 〈지혜의 슬픔〉에 나오는 소피야의 어머니의 대사.

2. 기타를 든 스메르쟈코프

사실 알료샤는 시간이 없었다. 조금 전에 리즈와 작별 인사를 할 때 이미 그의 머릿속에는 어떤 생각이 퍼뜩 떠올랐었다. 그 생각이란 다름 아니라, 분명히 자기를 피하려고만 드는 큰형 드미트리를 어떤 방법을 쓰면 지금 곧 찾아낼 수 있을까? 하는 것이었다. 시간도 이제는 꽤 늦어서 오후 두 시가 지나 있었다. 알료샤는 지금 수도원에서 숨을 거두려 하고 있는 그의 '위대한 인물'한테로 온정신이 쏠리는 것이었으나, 드미트리 형을 만나야겠다는 요구가 다른 모든 일을 극복해 버렸던 것이다. 그 어떤 불가피한 무서운 카타스트로프Catastrophe[破局]가 곧 일어나고야 말 것이라는 확신이 시시각각으로 그의 머릿속에서 커져 가고 있었기 때문이다. 그러나 구체적으로 말해서 그 카타스트로프가 어떤 것인지, 그리고 지금 이 순간 드미트리 형을 만나 무슨 말을 하려는 것인지, 그것은 알료샤 자신도 명확히 설명할 수 없었을 것이다. '비록 내가 없는 사이에 나의 은인이 세상을 떠난다 하더라도, 내가 능히 구할 수 있는 사람을 구해 주지 않고 그냥 그 옆을 지나쳐 급히 돌아와 버렸다는 자책만은 적어도 한평생 느끼지 않을 것이다. 또한 그렇게 하는 것이 그분의 위대한 가르치심을 좇는 게 될 테니까.'

알료샤의 계획은 불시에 드미트리 형을 습격하여 그를 붙잡자는 것이었다. 즉 어제처럼 울타리를 뛰어넘어 정원으로 들어가서 그 정자에 잠복할 작정이었다. '만약에 형이 거기 안 오면' 하고 알료샤는 생각했다. '포마에게나 집주인 노파한테도 아무 말 않고 밤이 될 때까지라도 정자에 숨어 기다리기로 하자. 만약에 형이, 여전히 그루셴카까지 오는지 망을 보고 있다면 반드시 그 정자에 나타날 게 아닌가.' 그러나 알료샤는 자기의 계획을 더 이상 상세하게 생각해 보기도 전에, 비록 오늘 중으로 수도원에 돌아가지 못하게 되더라도 이 계획을 곧 실행에 옮기기로 결심했던 것이다.

모든 일이 아무런 지장도 없이 잘되어 나갔다. 그는 어제와 거의 같은 곳에서 울타리를 넘어, 살그머니 정자에까지 갔다. 그는 아무한테도 들키지 않기를 바랐다. 주인 노파건 포마건 (만일 거기서 만난다면) 형의 편을 들어 형의 명령에 따르고 있는지도 모른다. 그렇다면 알료샤를 정원에 들어오지 못하게 하거나 아니면 알료샤가 형을 찾고 있다는 걸 재빨리 형에게 알리려는지도 모르는 것이다.

정자에는 아무도 없었다. 알료샤는 어제 앉았던 자리에 앉아서 기다리기로 하였다. 그는 정자를 둘러보았다. 어쩐지 어제보다 훨씬 초라하고 낡은 것같이 보였다. 그러나 날씨는 어제와 마찬가지로 화창했다. 녹색 탁자 위에는 어제 코냑 잔이 넘어졌었는지 둥그런 반점이 생겨 있었다. 사람을 기다릴 때면 으레 경험하게 되는 무의미하고 실속 없는 생각이 살며시 고개를 쳐들었다. 예를 들면, 왜 자기는 이 정자에 들어와서 다른 자리에 앉지 않고 하필이면 어제와 똑같은 자리에 앉았을까? 하는 따위 생각이었다. 마침내 그의 기분은 몹시 서글퍼졌다. 그것은 앞일을 알 수 없는 불안한 상태에서 오는 서글픔이었다. 그러나 정자에 자리 잡고 15분도 지나기 전에 갑자기 어딘지 아주 가까운 곳에서 기타를 치는 소리가 들렸다. 전부터 거기 앉아 있었는지, 아니면 방금 그곳에 와서 앉았는지 아무튼 정자에서 스무 걸음도 되지 않는 수풀 속에 누군가 있는 것이 분명했다. 알료샤는 문득 생각나는 것이 있었다. 어제 드미트리 형과 헤어져 이 정자에서 나갈 때, 왼쪽 울타리 옆 수풀 속에 낡은 초록색 정원용 벤치 같은 것이 눈에 띄었었다. 그렇다면 누군가 지금 앉아 있는 것은 바로 그 벤치임이 틀림없다. 그렇지만, 대체 누굴까?

갑자기 일부러 꾸민 것같이 달콤한 남자의 목소리가 기타에 맞춰서 노래를 부르기 시작했다.

"억누를 길 없는 힘으로
나는 그 임을 사모하노라.
오, 주여! 긍련히 여기소서,

사랑하는 그녀와 나를!
사랑하는 그녀와 나를!
사랑하는 그녀와 나를!”

노래 소리가 끊어졌다. 듣기에 야한 테너였고, 가락 역시 저속한 것이었다. 그런데 이번엔 그와는 다른, 여자의 목소리가 수줍으면서도 비위를 맞추려는 듯한 어조로 말했다.

“파벨 표도로비치, 왜 그렇게 오랫동안 우리 집에 오시지 않았죠? 언제나 우릴 업신여기시는 거죠?”

“천만에요” 하고 남자의 목소리는 공손하게, 그러면서도 어디까지나 자기의 위엄만은 굳건히 지키려는 듯한 어조로 대답하였다. 짐작컨대, 남자가 우위에 있고 여자는 그 비위를 맞추고 있는 모양이었다. ‘남자는 스메르쟈코프 같은걸’ 하고 알료샤는 생각했다. ‘목소리만 들어도 알 수 있어. 그리고 여자는 틀림없이 이 집 딸일 거야. 모스크바에서 돌아왔다는 그 요란하게 꼬리 달린 치마를 입고 마르파 이그나치예브나한테 수프를 얻으러 다니는 딸일 거야.’

“나는 시라면 어떤 종류의 것이든지 다 좋아해요. 그럴듯하게 된 것이라면” 하고 여자의 목소리가 계속했다. “왜 그 계속을 부르지 않으세요?”

남자의 목소리가 다시 노래 부르기 시작했다.

“왕관王冠과도 바꾸지 않으리,
나의 귀여운 그 임.
오, 주여! 긍련히 여기소서,
사랑하는 그녀와 나를!
사랑하는 그녀와 나를!
사랑하는 그녀와 나를!”

"저번에 불러 주신 구절이 더 좋았어요" 하고 여자의 목소리가 말했다. "전번엔 '나의 어여쁜 그 임'이라 하셨죠. 그렇게 부르는 편이 더욱 상냥하게 들리거든요. 오늘은 아마 그 구절을 잊으셨나 보죠?"

"시라는 건 아무 소용도 없는 거예요" 하고 스메르쟈코프는 딱 잘라 말했다.

"어머, 그게 무슨 말씀이세요. 나는 시를 무척 좋아하는걸요."

"시라고 하니까 공연히 무엇같이 생각될 뿐이지 실상은 아무것도 아니에요. 생각해 보세요. 도대체 운韻을 맞춰 말을 하는 사람이 어디 있단 말입니까? 만일 정부에서 그런 명령이 내려 우리가 모두 운에 맞춰 말을 한다면, 아마 하고 싶은 말조차 제대로 할 수 없을 겁니다. 시란 도대체가 무용지물이란 말입니다. 마리야 콘드라치예브나."

"어쩌면 그렇게 모든 면에서 현명하실까! 정말 당신은 모르시는 게 없군요" 여자의 목소리는 더욱더 교태를 띠어 갔다.

"어릴 때부터 그런 운명을 타고나지만 않았더라도 나는 좀 더 많은 것을 할 수 있었을 것이고, 좀 더 많은 것을 알고 있었을 겁니다. 스메르쟈시차야(고린내 나는 여자)의 뱃속에서 태어난 애비 없는 자식이라고 나를 흉보는 놈이 있으면, 당장에 결투를 신청하여 권총으로 쏘아 죽이고 싶을 지경입니다. 모스크바에서까지 그따위 욕을 나한테 하는 놈이 있었어요. 그리고리 바실리예비치 덕택에 그 소문이 거기까지 퍼졌거든요. 그리고리 바실리예비치는 내가 나 자신의 출생을 저주한다고 비난하면서, '네가 억지로 그 여자의 자궁을 찢고 나온 거야'라고 합니다. 내가 자궁을 찢었대도 상관없기는 하지만, 나로서는 뱃속에 있을 때 미리 자살해 버리지 못한 게 한이 될 지경이에요. 아예 이 세상에 태어나지 않게 말입니다. 장터에 나가면 나를 보고 사람들이, 너의 어머니는 머리를 새둥지같이 하고 돌아다녔다느니, 키는 아주 '쪼끄마해서' 넉 자 반이 될까 말까 했다느니 하는 소릴 합니다. 당신의 어머니까지 나한테 그런 소릴 한다니까요. 도대체 무엇 때문에 '쪼끄맣다'라고 말해야만 합니까? 모두들 보통 때 말하는 것처럼 '작다'라고 해도 무방할 텐데 말입니다. 표현을 좀 애처롭게 해 보려는 것이겠지만, 그런 건 말하자면 무식한 농민들의 눈물, 농민들의 감정이라는 겁니다. 도대체 러시아의 농민들이 교육받은 사람들과 같은 감정을 지닐 수 있을까요? 그런 무지몽매한 인간들에겐 아무런 감정도 있을 수 없습니다. 나는 어릴 적부터 그 '쪼끄맣다'라는 말을 들을 때마다 마치 벽에다 이마를 들이박은 것 같은 느낌이 들곤 했어요. 마리야 콘드라치예브나, 나는 러시아 전체를 증오합니다."

"그렇지만 당신이 만일 육군의 사관후보생이든가 젊은 경기병輕騎兵이었다면 아마 그렇게 말씀하시진 않을 거예요. 장검을 빼들고 러시아를 지키려고 나서겠지요."

"나는 말입니다, 마리야 콘드라치예브나. 육군의 경기병 따위가 되고 싶은 생각은 조금도 없어요. 도리어 군인이라는 것은 모조리 없애 버리고 싶을 지경입니다."

"그럼 적군이 쳐들어올 때 누가 우리를 지켜 주지요?"

"도대체 지킬 필요가 없는 거예요. 12년(1812년)에 프랑스 황제 나폴레옹 1세—현 황제의 부친이지요—의 러시아 대원정이 있었는데, 차라리 그때 프랑스 사람들한테 완전히 정복되었더라면 좋았을 겁니다. 현명한 민족이 우매한 민족을 정복해서 병합해 버렸어야 하는 거예요. 그렇게 했더라면 지금쯤은 사정이 전혀 달라졌을지도 모릅니다."

"그럼 그 사람들이 우리보다 낫다고 생각하시는 건가요? 나는 우리 러시아의 멋쟁이 한 사람과 영국 청년 세 사람과를 바꾸라고 해도 절대로 바꾸지 않겠어요" 하고 마리야는 상냥스럽게 말했다. 이렇게 말하며 그녀는 필시 애타는 눈길로 상대방을 바라보고 있었을 것이다.

"그야 사람은 저마다 취미가 다르니까요."

"그렇지만 당신 자신은 외국 사람과 똑같아요. 좋은 집안에 태어난 외국 사람과 똑같은걸요……. 당신한테 이런 말하기는 부끄럽지만요."

"듣고 싶다면 말씀드리지만요, 도덕적 타락이라는 점에선 러시아 사람이나 외국 사람이나 다를 것이 없습니다. 모두가 하나같이 악한들이죠. 다만 저쪽 친구들은 번쩍번쩍하는 에나멜 구두를 신고 있는 데 비해, 이쪽 친구들은 거지처럼 악취를 풍기고 있으면서도 그걸 아무렇게도 생각지 않는다는 점이 다를 뿐입니다. 어제 표도르 파블로비치가 말한 것처럼, 러시아 놈들은 그저 두들겨 패야 해요. 하긴 그 사람 자신을 비롯해서 그 아들들도 모두 머리가 돈 사람들이지만요."

"그래도 이반 표도로비치만은 무척 존경한다고 당신 자신이 말씀하시지 않았어요?"

"그렇지만 그 사람은 나를 더러운 머슴 놈으로 취급하고 있어요. 나를 무슨 모반이라도 일으킬 수 있는 인간처럼 생각하는 모양이지만, 그 점은 잘못이죠. 나는 주머니에 얼마만큼의 돈만 있다면 벌써 옛날에 이곳을 뜨고 말았을 겁니다. 드미트리 표도로비치로 말하면, 그 행동으로 보나, 두뇌로 보나, 빈털터리라는 점으로 보나 어느 머슴 놈보다도 못한 인간이고, 또 무엇 하나 제대로 할 줄 모르는 위인인 데도 불구하고 모든 사람들로부터 존경을 받고 있어요. 나 같은 건 한갓 요리사에 지나지 않지만요, 재수만 좋으면 모스크바의 페트롭카 거리에서 카페를 겸한 레스토랑을 열 수도 있습니다. 나는 특별한 요리법을 알고 있으니까요. 모스크바에는 외국인을 제외하고는 그런 특별한 기술을 가진 사람이 하나도 없어요. 그런데 드미트리 표도로비치는 가난뱅이기는 하지만, 내놓으라 하는 백작가伯爵家의 아들이라도 그 사람한테 결투를 신청 받는 경우 그 사람을 상대로 싸우는 데 하등의 수치도 느끼지 않을 겁니다. 그러나 그 사람의 어디가 나보다 낫다는 겁니까? 그건 나와는 비교가 안 될 만큼 바보이기 때문이죠. 사실 아무 소용도 없는 일에 얼마나 많은 돈을 낭비했는지 모르거든요."

"결투라는 건 참 멋있을 것 같아요" 하고 마리야가 불쑥 말했다.

"뭐가 멋있어요?"

"스릴이 있고 용감하니까요. 특히 두 사람의 젊은 장교가 어떤 여자 때문에 서로 권총을 겨누고 쏘아 대는 장면은, 그야말로 한 폭의 그림과 같을 거예요. 여자들한테도 구경을 시켜 준다면 나는 꼭 한번 보고 싶어요."

"이쪽에서 겨누고 있을 땐 좋겠지만 저쪽에서 이쪽의 이마빼기를 맞바로 겨누면 그야말로 어리석은 생각이 들 거예요. 당장 그 자리에서 도망치고 싶어질 겁니다. 마리야 콘드라치예브나."

"당신 같으면 도망치시겠어요?"

그러나 스메르쟈코프는 그녀의 질문엔 아무 대답도 하지 않았다. 잠시 침묵이 계속된 후에 또다시 기타를 치는 소리가 나더니 아까처럼 일부러 꾸민 것 같은 목소리가 마지막 구절을 부르기 시작했다.

"뭐라고 그대가 말리신대도
기어이 나는 이곳을 떠나리.
나의 일생을 즐기리.
화려한 수도의 거리에서!
나의 슬픔이여, 안녕.
영원히 안녕, 나의 슬픔이여.
내 영원히 슬퍼하지 않으리니!"

이때 뜻밖의 일이 일어났다. 알료샤가 갑자기 재채기를 했던 것이다. 벤치에서 들려오던 노래가 뚝 끊어졌다. 알료샤는 자리에서 일어나 그들이 있는 쪽으로 걸어갔다. 남자는 과연 스메르쟈코프였다. 옷을 멋있게 차려입고, 인두질을 한 것 같은 머리에는 포마드를 바르고, 번쩍거리는 에나멜 구두를 신고 있었다. 기타는 벤치 위에 놓여 있었다. 여자 역시 생각했던 대로 이 집 딸 마리야였다. 1미터 반이나 되는 긴 꼬리가 달린 엷은 하늘빛 옷을 입고 있었다. 아직도 나이가 젊을뿐더러 용모도 제법 괜찮은 편인데, 아깝게도 얼굴이 너무 동그랗고 게다가 주근깨투성이였다.

"드미트리 형님은 곧 돌아오실까?" 알료샤는 될 수 있는 대로 침착하게 말했다.

스메르쟈코프는 천천히 벤치에서 일어섰다. 마리야도 따라 일어섰다.

"내가 드미트리 표도로비치에 대해서 알 리가 없지 않습니까? 내가 그분의 문지기라면 또 모르지만요." 스메르쟈코프는 차근차근 분명한 목소리로 퉁명스럽게 대답했다.

"혹시 아는지 그저 물어본 것뿐이야" 하고 알료샤는 변명했다.

"나는 그분이 어디 계신지 전혀 모를뿐더러 알려고도 생각지 않으니까요."

"그렇지만 형님 말을 들으니, 자네는 집 안에서 일어나는 일을 죄다 그 형님한테 알리기로 되어 있다면서? 그리고 아그라페나 알센산드로브나(그루셴카)가 오면 곧 알려 주겠다고 약속했다더군."

스메르쟈코프는 천천히 눈을 들어 태연하게 그를 쳐다보았다.

"그건 그렇지만 당신은 지금 어떻게 이리로 들어오셨죠? 대문은 한 시간 전에 빗장을 질러 놨을 텐데요" 그는 알료샤의 얼굴을 응시하며 이렇게 물었다.

"골목길에서 저쪽 울타리를 넘어 곧장 정자 쪽으로 들어왔어." 알료샤는 마리야를 보고 다시 말했다. "함부로 넘어 들어와 미안하게 되었소, 한시바삐 형님을 만나 봐야 하기 때문에."

"아뇨, 저희들한테 미안하고말고가 어디 있겠어요!" 알료샤가 사과하는 바람에 기분이 좋아진 마리야가 말꼬리를 길게 끌며 말했다. "드미트리 표도로비치도 곧잘 울타리를 넘어서 정자 쪽으로 가시곤 하는걸요. 저희들이 모르는 사이에 벌써 정자에 가 앉아 계시곤 하지 않겠어요."

"나는 지금 열심히 형님을 찾고 있는 중인데, 어떻게 해서든 직접 형님을 만나든가, 아니면 형님이 어디 계신지 당신네한테 물어보든가 해야겠어요. 실은 형님 자신을 위해 매우 중대한 용건이 있어서요."

"그분은 저희들한텐 아무 말씀도 해 주시지 않으셔요." 마리야는 더듬더듬 대답했다.

"바로 이웃이라서 나는 그저 놀러 오곤 합니다만" 하고 스메르쟈코프가 다시 입을 열었다. "그분은 이런 데서까지 주인 영감님에 대해 꼬치꼬치 캐물으시며 나를 못살게 구는군요. 집에선 무슨 일이 있었느냐, 누구 왔다 간 사람은 없느냐, 그것 말고 뭐 또 알려 줄 만한 일은 없느냐, 라고 귀찮게 물으십니다. 벌써 두 번이나 죽여 버리겠다고 협박을 하시기까지 했다니까요."

"뭐, 죽여 버리겠다고?" 알료샤는 눈이 둥그레졌다.

"그분 성격이라면 그만한 일쯤 능히 하실 수 있을 겁니다. 당신도 어제 직접 보시지 않았습니까? 만약에 내가 아그라페나 알렉산드로브나를 들여놓아 집에서 자고 가게만 하는 날이면 제일 먼저 나부터 없애 버리겠다고 하시더군요. 무서워 견딜 수가 없어요. 더 이상 이런 무서운 꼴을 당하지 않으려면 경찰에 고소할 수밖엔 없을 것 같습니다. 정말 그분이 무슨 일을 저지를지 모르거든요."

"요전에도 이 양반을 보고 '절구에 넣어 빻아버리겠다'고 하셨어요" 하고 마리야가 덧붙였다.

"뭐 절구에 넣겠다는 건 말뿐이겠지" 하고 알료샤는 말했다.

"지금 곧 형님을 만날 수만 있으면 거기 대해서도 형님한테 적당히 말씀드리겠는데……."

"다른 것은 몰라도 한 가지만은 당신한테 알려 드릴 수가 있습니다." 그제야 마음을 정했는지 스메르자코프가 갑자기 입을 열었다.

"나는 그저 이웃에 사는 친구로서 여기 오곤 하는 거니까, 이웃에 놀러 다니지 말란 법은 없지 않습니까? 그건 어쨌든 간에, 오늘 아침 일찍이 나는 이반 표도로비치의 분부로, 오제르나야 거리에 있는 드미트리 표도로비치네 댁으로 심부름을 갔었습니다. 편지는 없고, 그저 함께 식사를 하고 싶으니 광장 근처의 레스토랑으로 나와 주셨으면 좋겠다고 내 입으로 전해 달라는 분부였습니다. 그래서 내가 그리로 갔더니, 드미트리 표도로비치는 댁에 안 계시더군요. 아마 여덟 시쯤 되었을 때였을 겁니다. '예, 여기 계셨는데 방금 나가셨습니다'라고 그 집 주인이 말하더군요. 두 분 사이에 미리 약속이 있었던 게 아닌가 생각되었어요. 그러니까 어쩌면 지금쯤은 그 레스토랑에서 이반 표도로비치와 마주 앉아 계실지도 모르겠습니다. 이반 표도로비치는 식사하러 집에 돌아오시지 않았으니까요. 영감님은 한 시간 전에 혼자 점심을 잡수시고 지금은 누워서 쉬고 계십니다. 그렇지만 내 얘기나, 내가 이런 말 하더라는 말은 절대로 그분한테 하지 마십시오. 하셨다간 틀림없이 나는 그분 손에 죽고 맙니다."

"그러니까 오늘 이반 형님이 드미트리 형님을 요리점으로 초대했단 말이지?" 하고 알료샤는 빠른 소리로 되받아 물었다.

"예, 그렇습니다."

"광장에 있는 '서울집'이란 요리점 말이지?"

"바로 그 집입니다."

"그건 있을 법한 일이야!" 알료샤는 몹시 흥분한 어조로 외쳤다. "고마워, 스메르쟈코프, 참 중요한 정보야. 그럼 지금 곧 가 봐야겠군."

"제발 내 말은 말아 주세요" 하고 스메르쟈코프는 등 뒤에 대고 말했다.

"괜찮아, 우연히 요리점에 들른 것같이 할 테니 염려할 건 없어."

"아니, 어디로 가세요, 제가 문을 열어 드리겠어요" 하고 마리야가 소리쳤다.

"아닙니다. 이쪽으로 가는 편이 가깝습니다. 아까처럼 울타리를 넘어가겠어요."

이 정보에 알료샤는 심한 충격을 받았다. 그는 요리점을 향해 걸음을 재촉했다. 수도사 복장으로 요리점에 들어가기는 좀 어색한 일이었으나, 현관 밖에서 형들이 있는가를 확인한 후, 그리로 불러내는 방법도 있을 것 같았다. 그러나 그가 요리점 가까이 왔을 때, 갑자기 창문이 하나 열리더니 다른 사람 아닌 바로 이반 형이 얼굴을 내밀고 밑에 있는 그에게 소리쳤다.

"알료샤, 너 지금 곧 이리 들어와 줄 수 없겠니? 들어와 주면 정말 고맙겠다."

"들어가고 싶지만 이런 옷을 입고 있으니 어떻게 하면 좋을지 모르겠군요."

"마침 내가 별실別室에 자리 잡고 있으니 그냥 현관으로 들어오렴. 내 곧 아래로 내려갈 테니."

1분 후에 알료샤는 형과 나란히 자리 잡고 앉아 있었다. 이반은 혼자서 식사를 하고 있었던 것이다.

3. 서로 인식을 새로이 하는 형제

그러나 이반이 앉아 있었던 곳은 따로 떨어진 별실이 아니라, 칸막이로 막아 놓은 창가의 좌석에 지나지 않았다. 그래도 칸막이 때문에 홀 안의 다른 손님들에겐 보이지 않게 되어 있었다.

이 방은 출입문에서 첫 번째 방인데 옆의 벽에는 술병을 늘어놓은 선반이 있었다. 보이들이 쉴 새 없이 방 안을 왔다 갔다 하고 있었다. 손님이라곤 퇴역 장교같이 보이는 노인이 한 사람 구석진 자리에서 차를 마시고 있을 뿐이었다. 그 대신에 여관 겸 요리점인 이 집의 다른 방들은, 이와 유사한 다른 영업장소와 마찬가지로 온갖 잡음으로 가득 차 있었다. 보이를 부르는 소리, 술병마개를 따는 소리, 당구 치는 소리 등이 들려오는가 하면, 한쪽에서는 풍금이 붕붕 거리고 있었다. 알료샤는 이반이 이 요리점에 잘 다니지 않는다는 것, 그리고 대체로 요리점이라는 걸 좋아하지 않는다는 것을 잘 알고 있었다. 그렇다면 이반이 여기 와 있는 것은 드미트리 형과 만날 약속이 있기 때문일 것이라고 알료샤는 생각했다. 그러나 드미트리 형은 그 자리에 와 있지 않았다.

"생선 수프든 뭐든 좀 주문할까? 너라고 해서 차만 마시고 살지는 않겠지" 하고 이반은 큰 소리로 말했다. 그는 알료샤를 끌어들인 데 무척 만족하고 있는 눈치였다. 자기 자신은 이미 식사를 끝내고 차를 마시고 있었던 것이다.

"생선 수프를 주문해 주세요. 그다음에 차도 마시겠습니다. 마침 배가 고프던 참인데 잘됐습니다." 알료샤도 유쾌한 듯이 말을 받았다.

"버찌 잼은 어떠냐? 이 집에 있는데 생각나니? 어릴 때 폴레프네 집에서 살던 시절에 너는 버찌 잼을 무척 좋아했지?"

"그런 것까지 기억하고 계셔요? 그럼 잼도 주십시오. 나는 지금도 아주 좋아해요."

이반은 보이를 불러 생선 수프와 차와 잼을 주문했다.

"나는 뭐든지 다 기억하고 있다. 알료샤, 네가 열한 살 되던 해까지는 기억하고 있지. 그때 나는 열다섯 살이었어. 열다섯과 열하나라는 나이의 차이 때문에 그때는 형제끼리 서로 친구가 될 수 없었지. 그때 내가 너를 좋아했었는지 어떤지 그것조차 나는 모를 지경이니까. 모스크바로 떠나온 후 처음 몇 해 동안은 네 생각을 전혀 하지 않았었거든. 그 후 네가 모스크바에 온 다음에도 어디선가 한 번 만났을 뿐이고, 내가 여기 돌아와서도 벌써 석 달이 넘었지만 여태까지 우린 한 번도 흉금을 털어놓고 얘기해 본 일이 없어. 내일이면 나는 이곳을 떠나는데, 지금 여기 앉아서 어떻게 너를 좀 만나 작별 인사를 할 수 없을까 생각하고 있던 참이야. 그런데 네가 마침 이 앞을 지나가지 않겠니."

"그럼 형님은 나를 무척 만나고 싶었나요?"

"무척 만나고 싶었다. 나는 여기서 너와 가까이 사귀어, 나라는 인간을 네게 알려 주고 싶었어. 그러고 나서 너와 작별하고 싶었던 거야. 내 생각으론 이별을 앞두고 서로 가까이 사귀는 게 제일 좋을 것 같다. 네가 지난 석 달 동안 나를 어떤 눈으로 바라보고 있었는가는 나도 잘 알고 있어. 너의 눈에는 뭔가 끊임없는 기도와도 같은 표정이 어려 있었거든. 나는 도저히 그것을 참을 수가 없었고, 그래서 너한테 접근하려 하지 않았던 거야. 그러나 마침내 나는 널 존경하게 되었어. 젊은 녀석이 제법 확고한 태도를 견지하고 있구나, 생각했지. 알료샤, 나는 지금 웃고는 있지만, 말만은 진심에서 하고 있다. 사실 말이지, 너는 확고한 생활 태도를 지니고 있단 말이야. 안 그래? 나는 그처럼 확고한 기반 위에 서 있는 사람을 좋아해. 비록 그 기반이 어떤 것이든, 그리고 비록 그것이 너 같은 애송이이든 간에 말이야. 무엇을 기대하는 것 같은 너의 눈도 나중에는 그리 싫지가 않아졌고, 마침내는 그 눈이 도리어 좋아졌어. 너도 무엇 때문인지 나를 좋아하고 있는 것 같구나, 그렇잖니, 알료샤?"

"좋아하고말고요. 드미트리 형님은 '이반은 무덤이다'라고 하시지만, 나는 '이반 형님은 수수께끼다'라고 합니다. 지금도 형님은 나한테 수수께끼 같은 존재예요. 그러나 오늘 아침부터 그 수수께끼가 조금은 풀린 것 같아요."

"그건 또 무슨 뜻이냐?" 이반은 웃었다.

"화를 내시진 않겠죠" 하고 알료샤도 따라 웃었다.

"어서 말해 봐."

"형님 역시 스물네 살짜리 다른 청년과 조금도 다를 것이 없는 청년이라는 점이에요. 역시 젊디젊은, 귀여운 도련님이에요. 좀 더 심하게 말하면 젖비린내 나는 애송이에 지나지 않는단 말이에요! 이렇게 말하면 형님한테 모욕이 되지는 않을까요?"

"천만에, 도리어 내 생각과 우연하게도 일치하는 데 놀랄 지경이야!" 이반은 열띤 음성으로 유쾌한 듯이 소리쳤다. "이렇게 말하면 너는 믿지 않을지 모르지만, 아까 그 여자 집에서 한바탕 소란을 피우고 난 후, 내가 속으로 혼자 생각하고 있었던 게 바로 그거였어—나는 스물네 살 먹은 젖비린내 나는 애송이다, 라고. 그런데 내 뱃속을 빤히 들여다보기라도 한 듯이 대뜸 네가 그런 말을 끄집어내니 어찌 놀라지 않을 수 있겠니? 내가 지금 여기 앉아서 나 자신에게 무슨 말을 하고 있었는지 아니?—내가 비록 인생에 대한 자신을 잃고, 사랑하는 여성을 믿지 못하고, 우주 만물의 질서조차 믿지 못하게 되더라도, 그리하여 모든 것은 무질서하고 저주로운, 어쩌면 악마적이라고도 할 수 있는 혼돈된 세계라고 확신하게 되어, 인간적인 환멸의 온갖 공포에 휩싸여 버린다 하더라도, 그래도 나는 끝내 살기를 원할 것이다. 일단 이 커다란 술잔에 입을 댄 이상, 마지막 한 방울까지 다 마셔 버리기 전엔 결코 입을 떼지 않겠다!라는 거야. 하기는 나이 삼십이 되면 죄다 마셔 버리지 않았더라도 아마 그 잔을 내던지고 떠나갈 거야. 어디로 갈지는 모르지만……그러나 이것만은 확실해—내가 서른 살이 될 때까지에는 나의 젊음이 모든 것을, 온갖 환멸과 인생에 대한 온갖 혐오를 정복하고야 말 거야. 나는 나 자신에게 이런 질문을 해 본 일이 한두 번이 아니었어—내가 가지고 있는 것과 같은 광적인 난폭한 생활욕을 쳐부술 만한 절망이 과연 이 세상에 있을 수 있을까? 결국 그런 절망은 있을 수 없을 것이라는 결론을 얻었어. 하기는 이것 역시 서른 살까지의 얘기고, 그 후부터는 나 자신이 그런 욕망을 느끼지 않게 될 것 같지만 말이야. 그러한 생활욕을 가리켜 페트 병장이 같은 도학자道學者들은 지극히 저열한 것이라는 말을 곧잘 하고 있어. 시인이라는 친구들은 더욱 그렇지. 다름 아닌 이 생활욕은 어느 의미에 있어서 카라마조프적인 특질이야. 사실이 그런 걸 어떡하니? 아무리 아니라고 우긴대도, 이건 너의 피 속에도 틀림없이 숨어 있어. 그렇지만, 어째서 그게 저열하다는 걸까? 알료샤, 우리 유성遊星 위에는 구심력이라는 것이 아직도 굉장히 많이 존재하고 있는 거야. 나는 살고 싶어. 그러니까 논리에 맞든 안 맞든 살아갈 뿐이야. 비록 내가 우주 만물의 질서를 믿지 않는다 하더라도, 봄이 되어 싹터 오르는 끈적끈적한 새잎이 내게는 귀중해. 짙푸른 하늘이 귀중하고, 때로는 까닭도 모르고 사람을 사랑하는 어떤 종류의 인간이 내게는 귀중할 때가 있어. 그리고 때로는 인간이 이룩한 어떤 종류의 위업을 나는 귀중하게 생각해. 비록 이미 오래전에 그 의의마저 믿지 않게 되었다 하더라도, 그저 낡은 관습 때문에 감정적으로 그것을 존중하는 거야. 자, 생선 수프를 가져왔구나. 몸을 위해 많이 먹어라. 제법 맛있는 수프야, 요리 솜씨가 괜찮더라. 난 말이다, 알료샤. 유럽 여행을 하고 싶어. 여기서 곧장 출발할 생각이다. 그러나 내가 가는 곳은 결국 묘지에 지나지 않는다는 건 나도 알고 있어. 그렇지만 그것은 무엇보다도, 이 세상의 무엇보다도 고귀한 묘지란 말이다. 알겠니? 거기에는 고귀한 인간들이 잠들고 있어. 그들 위에 세워진 묘비들은 그 하나하나가 과거의 불타는 듯한 생활을 말해 주고 있지. 각자의 위업, 각자의 진리, 각자의 투쟁, 과학에 대한 각자의 열렬한 신앙을 말해 주고 있어. 미리 말해 두지만, 나는 필시 땅바닥에 엎드려 그들의 묘비에 입을 맞추며 눈물을 흘릴 거야. 그러나 한편으로는, 이런 건 이미 오래전부터 그저 묘지일 뿐 그 이상의 아무것도 아니라는 것을 확신하게 되겠지. 또한 내가 눈물을 흘리는 건 결코 절망 때문이 아니라, 나 자신이 흘린 눈물로써 행복감을 맛보려는 데 지나지 않는 거야. 이를테면 자신의 감동에 도취되어 보자는 거지. 나는 봄날의 끈적끈적한 새잎을, 짙푸른 하늘을 사랑해. 그저 그것뿐이야! 여기엔 지성도 논리도 없어. 있는 것은 다만 내부로부터 솟구쳐 오르는 불가항력적인 사랑이 있을 뿐이야. 자기의 싱싱한 젊은 힘에 대한 사랑이 있을 뿐이야……. 어떠냐, 알료샤. 내 넋두리의 뜻을 조금은 알아듣겠니?" 이렇게 말하고 이반은 갑자기 웃어댔다.

"알아듣다뿐이겠어요, 형님. 내부로부터 솟구쳐 오르는 불가항력적인 사랑이란 말은 정말 멋진 표현이에요. 형님에게 그렇게까지 삶에 대한 욕망이 있다는 건 참 반가운 일이군요!" 하고 알료샤는 소리쳤다. "모든 사람은 이 지상에서 무엇보다 먼저 삶을 사랑하지 않으면 안 된다고 생각해요."

"삶의 의의 이상으로 삶 그 자체를 사랑한단 말이지?"

"물론이죠. 형님 말마따나 논리고 뭐고 할 것 없이 우선 사랑하는 거예요. 그것은 반드시 논리보다 앞서야 해요. 그때야 비로소 삶의 의의를 깨닫게 되죠. 이건 벌써 오래전부터 내 머릿속에 떠올라 있던 거예요. 형님의 일은 이미 그 전반이 완전히 성취된 셈입니다. 형님은 삶을 사랑하고 있으니까요. 이제부터는 그 나머지 반을 성취하기 위해 노력하십시오. 그러면 형님은 구원을 받게 될 겁니다."

"구제 사업이 시작되었구나. 그렇지만 나는 아직 멸망의 길에 들어서지 않았는지도 모르잖니? 그런데 그 나머지 반이라는 건 대체 뭐냐?"

"그건 형님이 말씀하시는 그 '죽은 자'들을 소생시키는 일이죠. 하긴 전혀 죽지 않은 사람들인지도 모르지만요. 그럼 이젠 차나 한 잔 마시겠습니다. 이렇게 둘이 얘기할 수 있어서 참 기쁩니다, 형님."

"너 아주 신이 나는 모양이구나. 나도 너 같은 견습 수도생의 Professions de foi(신앙 고백)을 듣길 무척 좋아해. 알렉세이, 너는 참 착실한 인간이구나. 그런데 네가 수도원에서 나오려 한다는 게 사실이냐?"

"사실입니다. 장로님께서 나를 속세로 보내시는 거죠."

"그럼 속세에서 또 만날 수 있겠구나. 내가 삼십이 되어 잔에서 입을 떼기 시작할 무렵에 다시 만나기로 하지. 그런데 아버지는 칠십이 되어도 잔에서 입을 떼지 않을 거야. 아니, 팔십이어도 그냥 붙잡고 있을 꿈을 꾸고 있을지도 모르지. 자기 입으로도 그런 말을 했으니까. 이건 아버지한텐 참으로 심각한 문제야. 아버지가 비록 어릿광대에 지나지 않더라도 말이야. 아버지는 육욕 위에 발을 딛고 서 있으면서도 자기 딴엔 반석 위에 서 있다고 생각하고 있거든…… 하기는 누구나 삼십이 지나면 그 밖엔 딛고 설 발판이 없을 테니까……. 그렇지만 칠십까지는 아무래도 추하지. 그저 삼십까지가 적당할 거야. 그때까지라면 스스로를 기만하면서라도 '고결한 외관'만은 간직할 수 있을 테니까. 그런데 너 오늘 드미트리 형을 보았니?"

"아니, 못 보았어요. 스메르쟈코프는 보았지만요."

알료샤는 스메르쟈코프와 만난 경위를 간단하게, 그러나 비교적 상세하게 얘기했다. 이반은 갑자기 심각한 표정이 되어 귀를 기울이고 있다가 사이사이에 몇 마디 질문까지 했다.

"그런데 스메르쟈코프는 자기가 나한테 한 말을 드미트리 형한테 절대로 옮기지 말아 달라고 당부하더군요" 하고 알료샤는 덧붙여 말했다.

이반은 미간을 찌푸리고 무언가 생각에 잠겼다.

"스메르쟈코프 때문에 형님은 미간을 찌푸리시는 건가요?" 하고 알료샤는 물었다.

"응, 그놈 때문이야. 하지만 그깟 놈은 아무래도 좋아. 사실 나는 드미트리 형을 만났으면 했는데, 이젠 그럴 필요가 없을 것 같다." 이반은 좀 시무룩해진 어조로 말했다.

"그런데 형님은 정말 그렇게 갑작스레 떠날 작정이십니까?"

"응."

"그럼 드미트리 형님이나 아버진 대체 어떻게 될까요? 두 분 사이의 일은 어떻게 결말이 날까요?" 알료샤는 불안한 듯이 중얼거렸다.

"또 그 진절머리 나는 얘기로구나! 그게 나와 대체 무슨 관계가 있다는 거냐? 내가 드미트리 형의 감시인이라도 된단 말이냐?" 이반은 벌컥 화를 내며 이렇게 딱 잘라 말했으나, 그의 얼굴에는 곧 씁쓸한 웃음이 떠올랐다. "이건 동생을 죽인 카인이 하느님한테 한 대답 그대로구나. 아니냐? 아마 너는 지금 그렇게 생각했을 거야. 그러나 그런 건 아무래도 좋아. 어쨌든 내가 그 사람들을 감시하기 위해 일부러 여기 남아 있을 수는 없는 일 아니냐? 나는 볼일을 다 보았으니 떠나는 것뿐이야. 너는 내가 드미트리를 질투하고 있으며, 지난 석 달 동안 형의 아름다운 약혼녀 카체리나 이바노브나를 가로채려고 혈안이 되어 있었다고는 생각하지 않겠지? 흥, 어림없는 얘기지. 나는 내 볼일이 있었어. 볼일을 다 보았으니 떠나는 것뿐이야. 볼일은 아까 다 끝냈다. 너는, 보았으니 알겠구나."

"그럼 아까 카체리나 이바노브나하고 말인가요?"

"응, 그래. 나는 아주 깨끗이 손을 끊고 말았어. 그런데 그 소동은 도대체 뭐냐? 내가 드미트리와 무슨 상관이 있다는 거야? 드미트리와는 아무런 관계도 없어. 나는 카체리나 이바노브나한테 나 자신의 용무가 있었을 뿐이야. 그런데 너도 알다시피 드미트리는 오히려 나와 사전에 무슨 약속이라도 있었던 것같이 행동을 취했어. 내가 부탁도 하지 않았는데 드미트리는 제멋대로 카체리나 이바노브나를 나한테 넘겨주고 엄숙하게 축복까지 해 주었으니 말이야. 참 우스운 얘기지. 사실 말이지, 알료샤, 너는 잘 모를 거야. 지금 내 마음이 얼마나 홀가분한지! 나는 여기 앉아서 식사를 하면서 비로소 자유롭게 된 내 시간을 축하하기 위해 샴페인이라도 주문할까 생각했을 지경이야. 왜 내 말이 곧이들리지 않니? 푸후! 거의 반년이나 질질 끌어오던 문제를 단번에 죄다 결판지어 버렸으니 어찌 마음이 시원하지 않겠니? 결심만 하면 이렇게도 쉽사리 결판을 질 수 있으리라고는 어제까지만 해도 전혀 생각지 못했던 일이야!"

"그건 형님 자신의 연애 문제 말인가요?"

"연애라도 좋아, 그렇게 부르고 싶다면……. 나는 그 여학생 아가씨한테 홀딱 반해 버렸었으니까. 그 때문에 나는 무척 괴로워했고 또 그 아가씨도 나를 괴롭혔어. 나는 그 아가씨한테 열중해 있었지만…… 이제는 한꺼번에 모든 게 훅 날아가 버리고 말았어. 아까 나는 터무니없이 감격해서 지껄여 댔지만 밖에 나와서는 껄껄 웃어 버렸지. 정말이야, 이건 사실 그대로의 얘기야."

"지금도 역시 신이 나서 말하고 계신 것 같군요." 갑자기 명랑해진 것 같은 형의 얼굴을 보며 알료샤는 이렇게 말했다.
"그리고 말이다, 내가 실은 그 아가씨를 조금도 사랑하지 않고 있다는 걸 나는 좀처럼 깨달을 수가 없었거든. 흐, 훗! 그러나 결국은 그걸 깨닫게 되었어. 그래도 역시 그 아가씨가 굉장히 내 마음에 들었던 것만은 사실이야! 아까 내가 연설조로 한바탕 지껄였을 때도 역시 나는 그 아가씨가 좋다고 생각했어. 그리고 솔직히 말해서, 지금도 나는 그 아가씨가 좋다고 생각해. 그런데도 그 아가씨한테서 떠난다는 게 나는 얼마나 마음 가벼운지 모르겠다. 너는 내가 허세를 부린다고 생각하니?"
"아니요. 그렇지만 그건 어쩌면 연애가 아니었는지도 모르겠는데요."
"알료샤" 이반은 껄껄대면서 말했다. "연애에 관한 토론은 그만두기로 하자! 너한테는 어울리지가 않는다. 아까 거기서도 너는 갑자기 말참견을 했었지, 정말 놀랐다니까! 너한테 고맙다고 키스를 한다는 걸 그만 까맣게 잊고 있었구나……. 어쨌든 나는 그 아가씨 때문에 이만저만 괴로워한 게 아니야! 무서운 폭발물 옆에 앉아 있었던 거나 마찬가지였어. 아아, 그 아가씨도 내가 자기를 사랑한다는 건 알고 있었지! 그 아가씨 역시 나를 사랑했어. 드미트리를 사랑한 게 아니야" 하고 이반은 유쾌한 듯이 주장했다. "그 아가씨에게 있어 드미트리는 다만 감정의 발작 대상이었을 뿐이야. 내가 아까 그 아가씨한테 한 말은 모두가 거짓 없는 진실이었어. 그러나 무엇보다 중요한 문제는, 그 아가씨 자신이 드미트리 같은 건 털끝만큼도 사랑하지 않고, 도리어 자기가 괴롭혀 주고 있는 나를 사랑한다는 것을 스스로 깨닫기까지엔 적어도 15년이나 20년은 걸릴 거라는 점이야. 아니 어쩌면 영영 깨닫지 못할지도 모르지…… 아까와 같은 교훈을 받고도 말이야. 하지만 그것도 좋아. 나는 그저 잠자코 일어나서 영원히 떠나가 버리면 그만이니까. 그런데 그 아가씨는 지금 어떡하고 있지? 내가 나온 후에 어떻게 됐어?"
알료샤는 카리나가 히스테리를 일으킨 얘기를 하고, 아마 지금도 의식을 잃은 채 헛소리를 하고 있을 거라고 설명했다.

"호흘라코바 부인이 거짓말을 하는 건 아닐까?"

"그런 것 같진 않더군요."

"잘 알아봐야겠군. 그렇지만 히스테리로 죽었다는 사람은 아무도 없어. 히스테리를 일으킨대도 상관없지. 히스테리라는 건 하느님이 여자들을 가엾이 여겨 그녀들에게 주신 거니까. 아무튼 나는 두 번 다시 거기는 가지 않겠다. 이제 새삼스레 얼굴을 내밀 필요는 없을 테니 말이야."

"그런데 형님은 아까 그 아가씨한테 이런 말을 하셨죠?—그 아가씨는 한 번도 형님을 사랑한 적이 없다고."

"그건 내가 일부러 한 말이었어. 알료샤, 샴페인이라도 가져오래서 내 자유를 위해 한 잔 들기로 하자. 아무튼 지금 내 마음이 얼마나 기쁜지 아마 너는 잘 모를 게다!"

"아닙니다, 형님. 술은 마시지 않는 편이 좋을 거예요" 하고 알료샤는 갑자기 말했다.

"게다가 나는 어쩐지 기분이 우울해지는군요."

"네, 기분이 오래전부터 우울하다는 건 나도 벌써 눈치채고 있었다."

"그럼 내일 아침엔 기어이 떠나실 작정인가요?"

"아침에? 나는 아침에라고는 말하지 않았어. 그렇지만 아침이 될지도 몰라. 내가 오늘 여기서 식사를 한 것은 다만 영감님과 함께 식사를 하기가 싫어서 그런 거야. 나는 영감님의 얼굴이 보기 싫어서라도 벌써 떠나 버렸어야 하는 거야. 그런데 내가 떠난다고 해서 네가 그렇게까지 걱정할 건 없지 않니? 우리 두 사람을 위해선 출발하기까지 아직 얼마든지 시간이 있어. 그야말로 영겁永劫의 시간이, 영생永生의 시간이!"

"내일 출발하신다면서 영겁 운운하는 건 이상하잖아요?"

"말이야 어떻게 됐든 그게 우리와 무슨 상관이 있단 말이냐?" 하고 이반은 웃었다.

"아무튼, 우리들 자신의 얘기를 할 시간은 충분히 있어. 우리는 우리들 자신의 얘기를 하러 여기 온 거니까. 왜 그렇게 놀란 얼굴을 하고 나를 보지? 자, 대답해 봐. 무엇 때문에 우리는 여기 왔지? 카체리나 이바노브나에 대한 애정 문제를 얘기하러? 아버지나 드미트리 형 얘기를 하러? 그렇지 않으면 외국 얘기? 러시아의 비참한 형편에 대해 얘기하려고? 아니면 나폴레옹 황제 얘기를 하려고? 어떠냐? 그런 얘길 하려고 온 거냐?"

"물론 그런 얘길 하려고 온 건 아니죠."

"그럼 뭣 때문에 왔는지 너 자신이 알 거야. 다른 사람들에겐 그들대로의 화제가 있을 테지만, 우리 같은 풋내기 젊은이들에겐 그와는 다른 화제가 있어. 우리는 무엇보다도 먼저 천지개벽 이전부터의 영원한 문제를 해결해야만 해. 바로 이것이 우리의 관심사니까. 오늘날 러시아의 젊은 세대는 오직 영원에 관한 문제만을 논의하고 있어. 노인들은 모두가 하나같이 실제적인 문제에만 열중하고 있는 바로 현대에 있어서 말이야. 대체 너는 무엇 때문에 석 달 동안이나 그처럼 기대하는 눈으로 나를 바라보고 있었니? 그것은 즉, '너는 어떠한 신앙을 가지고 있느냐, 아니면 전혀 신앙이라는 걸 가지고 있지 않느냐?'라는 걸 묻기 위해서겠지. 지난 석 달 동안의 너의 응시는 결국 그런 뜻이었을 거야. 그렇지 않니, 알렉세이?"

"어쩌면 그럴지도 모릅니다" 알료샤는 미소 지었다. "그렇지만 형님은 설마 나를 조소하고 있는 건 아니겠죠?"

"내가 너를 조소한다고! 석 달 동안이나 그처럼 기대하는 눈으로 나를 바라보고 있던 귀여운 동생을 내가 어찌 상심시킬 수 있겠니. 알료샤, 내 얼굴을 똑바로 봐. 나 역시 너와 조금도 다른 것이 없는 어린애야. 다만 너처럼 견습 수도생이 아닐 뿐이지. 그런데 러시아의 어린애들이 여태까지 해 온 짓이 무엇이었다고 생각하니? 물론 그중 어떤 부류에 국한된 일이긴 하지만 말이야. 예를 들어 이 퀴퀴한 냄새가 나는 요리점에서 그들이 모여 한구석에 자리 잡고 앉았다고 하자. 여태까지 서로 한 번도 만난 일이 없을뿐더러 일단 이 집을 나서면 40년이 지나도 다시 만나는 일이 없을 친구들이지. 그런데도 그들은 이 요리점에서의 짧은 시간을 이용하여 대체 무슨 토론을 하는지 아니? 전 인류에 관한 문제를 논의하는 거야. 즉, 신은 있느냐 없느냐, 영생이란 있느냐 없느냐, 라는 문제를 말이야. 신을 믿지 않는 친구들은 사회주의니 무정부주의니 하는 문제를 끄집어내어, 새로운 조직에 의한 전 인류의 변혁에 대해 떠벌이지. 그러나 결론은 마찬가지여서 결국은 같은 문제에 귀착하고 마는 거야. 다만 출발점이 다르다는 것뿐이지. 이처럼 수많은 러시아의 어린애들—가장 독창적 재능을 지닌 수많은 러시아의 청년들은 지금 영원에 관한 문제에만 열중하고 있어. 그렇지 않니?"

"그러나 진짜 러시아 사람들에겐, 신은 있느냐 없느냐, 영생이 있느냐 없느냐 하는 문제, 또는 형님이 말한 것처럼 출발점이 다를 뿐인 동일한 문제들이, 물론 모든 것에 우선하는 제일 중요한 문제이고, 또 그래야만 마땅합니다."

여전히 상대방의 마음을 살피려는 것 같은 조용한 미소를 머금은 채 형의 얼굴을 바라보며 알료샤는 말했다.

"그런데 알료샤. 도대체 러시아인으로 태어났다는 것 자체가 때로는 현명치 못한 일이긴 하지만, 러시아의 젊은 애들이 요즘 하고 있는 짓보다 더 어리석은 일은 그야말로 상상조차 할 수 없을 지경이야. 그러나 나는 알료샤라는 러시아 청년 하나만은 굉장히 좋아하지."

"얘기를 아주 그럴듯한 데로 끌고 가는군요" 하고 알료샤는 갑자기 소리를 내어 웃었다.

"자, 그럼 말해 봐. 무엇부터 시작하는 게 좋을지 네가 결정해라—신은 존재하느냐 하는 것부터 시작할까? 어떠냐?"

"좋을 대로 하세요, 형님 말대로 '다른 출발점'에서부터 시작해도 좋고요. 그렇지만 형님은 어제 아버지 댁에서 신은 없다고 분명히 선언하셨죠?" 알료샤는 흘끗 형의 눈치를 살폈다.

"어제 내가 아버지 집에서 식사 때 그렇게 말한 건 너를 좀 놀려 주려고 그랬던 거야. 아니나 다를까, 네 눈에선 금세 불똥이 튀더구나. 지금은 너하고 토론하는 걸 회피할 생각은 털끝만큼도 없다. 이건 어디까지나 진정으로 하는 말이야. 나는 너와 친하고 싶어, 알료샤. 나한텐 친구가 없으니까. 그래서 한번 너와 친구로서 사귀어 보고 싶단 말야. 그리고 나도 어쩌면 신을 인정하고 있는지 모르잖니" 하며 이반은 웃었다. "이건 아마 뜻밖일 거다. 그렇지?"

"그야 물론이죠. 그 말이 농담이 아니시라면."

"농담이라고? 어제 장로의 암자에서도 나더러 농담한다고들 말했지. 그런데 말이다. 이건 18세기의 일이지만, 어떤 죄 많은 노인이, S'il n'existait pas Dieu il faudrait l'inventer(만약에 신이 존재하지 않는다면 그걸 만들어 낼 필요가 있다)[58]라고 말했어. 그래서 정말 인간은 신이라는 걸 만들어 냈지. 그러나 이상하고도 놀라운 것은, 신이 실제로 존재한다는 점이 아니라, 그러한 생각, 신은 반드시 필요하다는 생각이 인간과 같은 야만적이고 짓궂은 동물의 머리에 용케도 떠올랐구나 하는 점이야. 그만큼 이것은 성스럽고, 감동적이고, 현명한 생각이며, 인간에겐 명예가 될 만한 일이야. 그런데 나 자신으로 말한다면 인간이 신을 만들었느냐, 신이 인간을 만들었느냐 하는 문제는 이미 오래전부터 생각지 않기로 결심한 바 있어. 그래서 나는 이 문제에 관해 러시아의 젊은 애들이 요즘에 세워 놓은 모든 공리公理에 대해선 왈가왈부하지 않겠다. 그런 공리는 죄다 유럽의 가설에서 끄집어낸 것들이야. 그도 그럴 것이, 저쪽에서는 가설에 지나지 않는 것도 러시아의 젊은 애들에겐 금세 공리가 되어 버리거든. 이건 젊은 애들에게 국한된 얘기가 아니라, 대학 교수들에게도 해당되는 얘기지. 오늘날 러시아의 대학 교수는 거의 모두가 젊은 애들과 다를 게 없는 사람들이니까. 그러니 가설에 대해선 일체 언급하지 않기로 하겠다. 그러면 지금 우리가 논할 문제는 무엇이냐? 문제는 내가 어떡하면 되도록 빨리 나 자신의 본질을, 다시 말해서 내가 어떠한 인간이며, 무엇을 믿고, 무엇에 희망을 걸고 있는가를

58 프랑스 사상가이자 작가 볼테르Voltaire(1694-1778)(프랑수아마리 아루에François Marie Arouet의 필명)의 〈E pitre à l'auteur des Trois impostures〉 인용구.

너한테 설명할 수 있을까? 하는 점이야. 어떠냐? 그렇지 않니? 그래서 나는 분명히 말해 두겠다—솔직하게 신을 인정한다고. 그렇지만 여기서 한 가지 지적해 두어야 할 것이 있어. 만약에 신이라는 것이 존재하여 정말로 이 지구를 창조했다고 한다면, 신이 유클리드Euclid[59*]기하학의 원리에 따라서 그것을 창조했고, 인간의 두뇌에겐 겨우 공간의 삼차원을 이해할 수 있는 능력만을 부여했음이 틀림없어. 이건 이미 우리에게 완전히 알려진 일이야. 그럼에도 불구하고 우주 전체가, 아니 좀 더 광의로 해석하여 전 존재가, 오직 유클리드기하학에 의해서만 창조되었다는 설을 의심하는 기하학자나 철학자들이 있었고 또 현재도 있단 말야. 가장 우수한 학자들 중에도 그런 사람들이 있거든. 유클리드에 의하면 이 지상에선 절대로 서로 만날 수 없다는 두 개의 평행선도, 무한 속 어느 곳에 가서는 서로 마주칠지 모른다는 대담한 공상을 하는 자까지 있을 지경이니까. 그래서 난 말이다, 그런 것조차 알 수 없는 내가 어떻게 신의 문제를 이해할 수 있으랴, 라는 결론에 도달했지. 내게는 그런 문제를 해결할 아무런 힘도 없다는 걸 나는 순순히 자인한다. 나의 두뇌는 유클리드적인 것이야. 지상적인 것이야. 그러니 이 지상 이외의 문제를 내가 어떻게 해결할 수 있겠니? 그래서 너한테도 충고하지만, 알료샤, 그런 문젠 아예 생각지도 말아라. 특히 신의 문제, 신의 존재 여부에 관한 문제는 말이다. 이런 모든 문제는 삼차원의 이해력밖엔 지니지 못한 인간의 두뇌로는 엄두도 낼 수 없는 문제야. 그래서 나는 신을 인정한다는 거야. 기꺼이 인정할 뿐만 아니라, 우리에겐 전혀 미지의 것인 신의 예지와 그 목적도 인정한다. 인생의 질서와 인생의 의의도 나는 믿고 있으며, 우리들이 언젠가는 하나로 융합된다는 영원한 조화調和도 나는 믿는다. 그리고 우주가 그것을 궁극의 목표로 삼고 있으며, 그 자체가 '신에게 통하고' 그 자체가 신이기도 한 로고스Logos[60]를 믿어, 그리고 그와 유사한 모든 무한한 것을 믿지. 여기에 대해서는 참으로 많은 말들이 만들어져 있지만 말이야. 어떠냐? 나

59* 고대 그리스의 수학자이자 소설가 에우클레이데스Eucleides(생몰년미상)의 영어식 이름.

60 기독교의 삼위일체 중 제2위인 그리스도의 말씀.

도 좋은 길을 걷고 있는 것 같지 않니? 그렇지만 놀라지 마라. 나는 최후의 결론으로서는 이 신의 세계를 인정하지 않는다. 그것이 존재한다는 것은 알고 있지만, 그래도 그것을 절대로 받아들일 수가 없어. 나는 신을 인정하지 않는다는 건 아니야. 이 점은 오해 없기 바란다. 나는 신이 창조한 세계를, 신의 세계라는 것을 절대로 인정할 수 없다는 거야. 미리 말해 두지만, 나는 어린애같이 이런 걸 믿고 있다—언젠가는 이 고뇌와 상처도 아물 것이고, 인간적 모순이 빚어내는 온갖 굴욕적인 희극도 가련한 신기루처럼 무력하고 조그만 존재인 인간의 유클리드적 두뇌의 한낱 원자原子로서 자취도 없이 사라지고, 마침내는 세계의 종국인 영원한 조화의 순간에 이르러 무언가 더할 수 없이 고귀한 현상이 일어나는데, 그것은 모든 사람의 가슴을 채워 주고 모든 원한을 풀어 주고, 인간의 모든 악행과 그들이 서로 흘리게 했던 피를 보상하고도 남음이 있을 것이다, 라고. 또한 그것은 인간관계에서 야기된 모든 일을 용서할 수 있을 뿐만 아니라, 그런 일들을 변호하기에 충분할 거야. 그러나 설사 모든 것이 그렇게 된다 하더라도 나는 그것을 받아들이지 않겠어, 받아들이고 싶지가 않은 거야! 비록 두 개의 평행선이 서로 마주친다 하더라도, 그것을 내 눈으로 보게 된다 하더라도, 내 눈으로 보고 분명히 마주쳤다고 내 입으로 말한다 하더라도, 나는 역시 그것을 인정하지 않을 거야. 이것이 바로 나의 본질이야, 알료샤. 이것이 바로 나의 명제란 말이다. 나는 너한테 진정으로 말하는 거야. 일부러 너와의 대화를 지극히 어리석은 논법으로 시작했지만, 결국은 이런 고백을 하게 되었구나. 하긴 네가 원하는 게 바로 이런 것이었을 테니까. 너는 신에 관한 것을 듣고 싶었던 게 아니라, 단지 네가 사랑하는 형이 무엇에 의하여 살고 있는가를 알고 싶었을 뿐이야. 그래서 나는 그걸 네게 말해 준 거야."

이반은 갑자기 일종의 독특한, 전혀 예기치 못했던 감정을 느끼며 자기의 장황한 얘기에 종지부를 찍었다.

"그런데 무엇 때문에 형님은 '지극히 어리석은 논법으로' 이 얘기를 시작하셨죠?" 알료샤는 생각에 잠긴 눈으로 형을 바라보며 이렇게 물었다.

"그건 첫째로, 러시아식인 논법을 존중하는 뜻에서 그랬던 거야. 이런 문제에 대한 러시아 사람들의 대화란 언제나 지극히 어리석은 논법으로 진행되기 마련이니까. 그리고 둘째로는, 그것이 어리석으면 어리석을수록 그만큼 근본적인 문제에 접근할 수 있기 때문이야. 어리석을수록 문제가 명확해지니까. 우직愚直은 단순하고 소박하지만, 현명은 늘 모호하여 정체를 숨기려고 만들지. 현명이 비열한 놈이라면 우직은 올곧은 놈이야. 나는 결국 절망이라는 결론에 도달하고 말았으니까 어리석은 논법으로 얘기를 진행하는 편이 내게는 훨씬 유리하거든."

"무엇 때문에 형님이 '이 세계를 받아들이지 않는지' 그 이유를 설명해 주실 수 있겠죠?" 하고 알료샤는 말했다.

"물론 설명해 줄 수 있지. 뭐 비밀이 있는 것도 아니고, 그것 때문에 일부러 얘기를 여기까지 끌고 온 거니까. 그런데 알료샤, 나는 너를 타락시키거나 너의 그 견고한 입장에서 너를 끌어내리려는 건 절대로 아니다. 아니, 어쩌면 나는 너한테서 치료를 받고 싶어 하는 건지도 모르지." 이반은 갑자기 아주 얌전한 소년이 된 것처럼 생긋 웃어 보였다. 알료샤는 여태까지 형의 얼굴에 그런 미소가 떠오른 것을 한 번도 본 일이 없었다.

4. 반역

"실은 너한테 한 가지 고백해야 할 일이 있다" 하고 이반은 말을 시작했다. "나는 사람이 어떻게 자기에게 가까운 사람을 사랑할 수가 있는지 도무지 알 수가 없어. 내 생각 같아선 먼 사람은 사랑할 수 있어도 가까운 사람은 도저히 사랑할 수 없을 것 같아. 언젠가 나는 어떤 책에서 '자비로운 요한'이라는 성인의 얘기를 읽은 적이 있었다. 어느 굶주린 나그네가 얼어 죽게 되어 그를 찾아와서 몸을 녹이게 해 달라고 애원하자, 이 성인은 그 나그네와 함께 침대에 들어가 누워서 그를 꼭 껴안고, 무슨 무서운 병으로 썩어 문드러져 고약한 냄새를 풍기는 그의 입에다 입김을 불어 넣어 주기 시작했다는 거야. 그러나 이 성인이 그런 짓을 한 것은 일시적인 발작적 감격, 즉 허위적인 감격 때문이며, 자기에게 부과된 고행으로서 의무가 명하는 사랑 때문이라고 나는 확신해. 인간을 사랑하기 위해서는 그 상대방이 숨어 있어야만 할 필요가 있어. 그 인간이 조금이라도 얼굴을 나타냈다가는 사랑 같은 건 금세 날아가 버리고 마는 법이야."

"조시마 장로님도 여러 번 그런 말씀을 하셨어요" 하고 알료샤가 말했다. "장로님 역시, 인간의 얼굴은 사랑의 경험이 깊지 못한 많은 사람들에게 흔히 사랑의 장애가 된다는 말을 하셨지요. 그렇지만 인간성 속에는 많은 사랑이 포함되어 있습니다. 거의 그리스도의 사랑과 같은 것조차 있어요. 이것은 나 자신이 잘 알고 있는 일입니다!"

"하지만 나는 여태까지 그런 건 본 일도 없거니와 이해할 수도 없어. 그리고 수없이 많은 대다수의 인간들 역시 나와 마찬가지일 거야. 문제는 이것이 인간의 악한 성질 때문이냐, 아니면 본시부터 인간의 본성이 그 모양으로 돼먹었기 때문이냐 하는 점에 있어. 내 생각으로는 인간에 대한 그리스도의 사랑 같은 건 이 지상에선 있을 수 없는 일종의 기적이야. 하기는 그리스도는 신이었지. 그러나 우리는 신이 아니거든. 가령 예를 들어, 내가 깊은 고뇌를 경험할 수 있다 하더라도 과연 내가 어느 정도의 고뇌를 맛보고 있는지 타인은 절대로 알 수 없는 거야. 왜냐하면, 그것은 어디까지나 타인이지 내가 아니기 때문이지. 게다가 인간이란 타인을 고행자로 인정하기를 그리 좋아하지 않거든. (그게 무슨 자랑이나 되는 듯이 말이야) 무엇 때문에 인정하려 들지 않는 건지 너는 아니? 그건 이쪽 사람의 몸에서 고약한 냄새가 풍긴다든가, 못난이 같은 얼굴을 하고 있다든가, 또는 언젠가 이쪽 사람한테 발을 밟혔다든가 하는 이유 때문이야. 뿐만 아니라, 고뇌라고 해도 거기엔 여러 종류가 있거든. 자기 가치를 떨어뜨리는 굴욕적인 고뇌—예를 들어 굶주림 같은 고뇌라면 아마 자선을 하는 사람도 인정해 줄 테지만, 좀 더 고상한 고뇌—예를 들어 사상을 위해 겪는 그런 고뇌라 할 것 같으면 극소수의 예외적인 경우를 제외하고는 좀처럼 인정해 주지 않게 마련이야. 그것은 이쪽 사람의 얼굴이, 여태까지 그가 상상하고 있던 얼굴, 사상을 위해 고뇌를 겪고 있는 인간은 필시 이럴 것이라, 상상하고 있던 얼굴과 비슷하지도 않다는 이유 때문이지. 그래서 그는 곧 이쪽 사람에게 호의를 베푸는 걸 중지해 버리는 거야. 그러나 그것은 악한 마음에서 그러는 건 절대 아니거든. 거지들은, 특히 점잖은 거지들은 절대로 사람 앞에 나타나지 말고 신문 지상을 통해서 구걸해야 옳을 거야. 추상적인 경우라면 가까운 인간을 사랑할 수도 있을 것이고, 때로는 멀리 떨어져 있는 인간도 사랑할 수 있을 것이지만, 아주 가까이 있는 사람을 사랑한다는 건 거의 불가능한 일이야. 만약에 모든 것이, 발레에서 하듯이 무대 위에서 거지가 비단으로 된 누더기에 갈기갈기 찢어진 레이스를 걸치고 우아하게 춤을 추며 나타나서 구걸하는 식이라면, 잠자코 앉아서 구경할 수도 있겠지. 그러나 그때도 그저 구경이나 할 뿐이지 사랑을 할 수는 없는 거야. 이런 얘긴 그만두기로 하자. 나는 다만 너를 나의 견지에 세우기만 하면 되는 것이었으니까. 나는 전반적인 인류의 고뇌에 대해 얘기할 생각이었으나, 그보다도 아이들의 고뇌에 대해서만 얘기하기로 하겠다. 그러면 나의 논증의 규모가 십분의 일로 축소되긴 하겠지만, 어쨌든 아이들에 대해서만 얘기하기로 하자. 물론 나한테는 그만큼 불리하긴 하지만 말이야. 그건 그렇고, 첫째로 아이들은 가까이 다가오면, 누추하건, 미운 얼굴을 하고 있건 간에 모두 사랑할 수가 있어. 하긴 얼굴이 미운 아이는 하나도 없을 것 같지만. 둘째로, 내가 어른들의 얘기를 그만두기로 한 또 하나의 이유는, 그들이 추악해서 사랑을 받을 자격이 없을 뿐만 아니라, 그들에게는 천벌이라는 것이 있기 때문이야. 그들은 선악과를 따먹음으로써 선과 악을 가릴 줄 알게 되었고, 그리하여 '하느님처럼' 되어 버렸어. 그리고 지금도 여전히 그 과실을 먹고 있어. 그러나 아이들은 아무것도 먹지 않았으니까 아직은 아무런 죄에도 물들지 않았거든. 알료샤, 너는 아이들을 좋아하지? 네가 좋아한다는 건 나도 잘 알고 있다. 그러니까 너는 내가 왜 너한테 아이들 얘기만을 하려 하는지를 알 수 있을 게다. 그건 그렇고, 만약에 아이들 역시 이 세상에서 무서운 괴로움을 겪고 있다고 한다면 그것은 물론 그 아버지 때문일 거야. 선악과를 따먹은 자기 아버지 대신에 벌을 받는 셈이지—그러나 이러한 논의는 저 세상에서나 할 얘기지, 이 지상에 사는 인간의 생각으론 도무지 이해할 수가 없는 얘기야. 죄 없는 자가, 그것도 죄하고는 인연이 먼 어린애가, 다른 사람 때문에 고난을 받는다는 건 도대체 말이 되지 않거든! 너는 깜짝 놀랄지 모르지만, 알료샤, 나 역시 아이들을 무척 좋아한다. 그리고 한 가지 주목할 점은 잔인한 인간, 정욕적이고 육욕이 왕성한 카라마조프적 인간은 이따금 굉장히 아이들을 좋아할 때가 있다는 사실이야. 아이들이 어릴 대는, 예를 들어 일곱 살 정도까지는, 어른들과는 너무나 다르기 때문에 전혀 다른 성질을 가진 별개의 생물인 것처럼 생각되거든. 나는 감옥살이를 하는 강도를 하나 알고 있었는데, 그는 밤마다 강도질을 하고 다니며, 일가족을 몰살하기도 하고, 아이들을 몰살하기도 하고, 아이들을 몇 명씩이나 한꺼번에 목을 잘라 죽이기도 한 인간이야. 그런데 감옥살이를 하는 사이 그는 이상할 만큼 아이들에게 애정을 느끼게 되었다는 거야. 그는 감옥 안 뜰에서 놀고 있는 아이들을 철창 너머로 바라보는 것이 일과처럼 되어 버렸어. 그래서 조그만 어린애 하나를 사귀어 창 밑에까지 오게 했고, 그 애하고 아주 친해졌다는 거야……. 내가 왜 이런 얘기를 하는 건지 아마 너는 모르겠지, 알료샤? 그런데 어쩐지 골치가 아프고 기분이 우울해지는 것 같구나."

"정말 형님 얼굴이 이상한데요." 불안한 듯이 알료샤는 말했다.

"마치 정신이 나간 사람 같아요."

"말이 나왔으니 말이지만, 나는 최근에 모스크바에서 어떤 불가리아 사람한테 이런 얘기를 들은 일이 있다." 동생의 말 같은 건 들리지도 않는다는 듯 이반은 그냥 계속하였다. "거기서는, 즉 불가리아에서는 터키인들과 체르케스인들이 슬라브족의 폭동이 두려워서 가는 곳마다 잔학한 행위를 자행하고 있다는 거야—마을에 불을 지르고, 사람들을 죽이고, 아녀자들에게 폭행을 가하고 체포된 사내들은 귀를 나무 울타리에 대고 못을 박은 채, 다음 날 아침까지 그대로 내버려 두었다가 아침엔 교수형에 처하고…… 도저히 상상도 못 할 짓들을 하고 있다는구나. 사실, 인간의 잔인한 행위를 가리켜 '야수적'이라는 말을 가끔 사용하지만, 이쯤 되면 오히려 야수에겐 대단히 불공평하고도 모욕적인 말이라 할 수 있지. 야수는 결코 인간처럼 잔인할 수는 없으니까. 그처럼 예술적으로, 기교적으로 잔인한 행위를 할 수는 없거든. 호랑이는 그저 물어뜯는 재주밖엔 없어. 설사 호랑이가 인간의 귀에다 밤새도록 못을 박아 둘 수 있다손 치더라도 도저히 그런 걸 생각해 내지는 못할 거야. 그런데 이 터키인들은 사람을 괴롭히는 데 거의 관능적인 기쁨을 느끼는 모양이야. 칼로 어머니 배를 가르고 태아를 끄집어내는 것쯤은 아무것도 아니고, 심한 경우엔 어머니가 보는 앞에서 젖먹이를 공중에 던져 올렸다가, 떨어져 내려오는 것을 총검으로 받는다는 거야. 어머니가 그걸 보고 있다는 사실이 주로 놈들의 쾌감을 만족시켜 주는 거겠지. 그런데 또 한 가지 지극히 흥미 있는 장면이 있어. 후들후들 떠는 어머니의 팔에 안긴 젖먹이 아이, 그 주위에는 마을에 침입해 온 터키인들이 둘러서 있다고 상상해 봐. 놈들은 재미있는 장난을 하나 생각해 냈어. 그들은 어떻게 해서든 어린애를 한번 웃겨 보려고 열심히 아이를 얼리는 거야. 마침내 성공해서 아이가 웃기 시작하면, 바로 그 순간 터키인 하나가 아이 얼굴에서 한 자도 안 되는 데다 권총을 갖다 대지. 그러면 아이는 깔깔 웃어 대며 권총을 잡으려고 그 조그만 손을 내밀거든. 이때 이 '예술가' 놈은 아이의 얼굴에다 대고 방아쇠를 당겨서 조그만 머리를 산산이 부숴 놓는다는 거야……. 그야말로 예술적이라 할 수 있지, 그렇잖니? 그런데 말이다. 터키인들은 단것을 몹시 좋아한다는 거야."

"형님 뭣 때문에 그런 얘길 하시죠?" 하고 알료샤가 물었다.

"내가 생각하기엔 말이다. 만약에 악마가 존재하지 않다면 결국 인간이 그걸 만들어 낸 것이 되는데 필시 인간은 자기 모습과 비슷하게 그걸 만들어 냈을 거야."

"그렇다면 신의 경우도 매한가지겠죠."

"너는 〈햄릿Hamlet, Prince of Denmark〉[61*]에 나오는 폴로니어스의 대사처럼 말을 돌려 대는 솜씨가 희한하구나" 하고 이반은 소리를 내어 웃었다. "나는 그만 너한테 말꼬리를 잡혀 버렸지만, 아무튼 좋다, 반가운 현상이야. 그런데 인간이 자기의 모습에 따라 신을 만들어 냈다면 너의 하느님이란 것은 제법 잘생겼을 테지. 너는 방금 내가 무엇 때문에 그런 얘기를 하느냐고 물었지? 실은 말이다, 나는 어떤 종류의 사실들을 수집하는 데 취미를 갖고 있어. 그래서 신문이라든가, 사람들의 얘기 중에서 그러한 일화들을 닥치는 대로 베끼곤 한 것이 이젠 꽤 많이 수집되었다니까! 물론 지금 말한 터키인 얘기도 그중의 하나지만, 이런 건 모두 외국인의 얘기고, 나한텐 국산 것도 있는데, 개중에는 이 터키인 얘기보다 훨씬 걸작인 것도 있어. 너도 알다시피, 우리나라 사람들은 두들겨 패기를 좋아하거든. 그것도 채찍이나 회초리로 때리는 경우가 많은데 이건 순전히 민족적인 풍습이야. 우리나라에선 귀에다 못을 박는 따위 짓은 엄두도 못 낼 일이지. 우리도 역시 유럽 사람이기는 하지만 채찍이니 회초리니 하는 건 이미 러시아적인 것으로 되어 버려서, 그걸 우리한테서 떼어 놓을 수는 없는 형편이야. 외국에서는 요즘 사람을 두드려 패는 일이 아주 없어졌다더라. 풍습이 개선되었는지 아니면 인간이 인간을 때려서는 안 된다는 법률이라도 제정되었는지. 이 점은 분명치 않지만, 그 대신 그들은 우리와 마찬가지로 자기네들의 순국수적純國粹的인 다른 어떤 방법을 쓰고 있어. 그건 그 나라 특유의 것이라, 우리나라에선 불가능하다고 생각될 만큼 민족적인 것이지. 하긴 우리나라에서도, 특히 상류 사회에서 종교운동이 시작된 후부터 점차로 전파되고 있는 것 같지만 말이야. 나는 프랑스에서 번역된 재미있는 팸플릿을 한 권 가지고 있는데, 그건 제네바에서 최근에, 불과 사오 년 전에 어느 살인범을 사형에 처한 얘기지. 리샤르라는 스물세 살 된 청년이 자기 죄를 뉘우쳐, 단두대에 오르기 직전에 그리스도교에 입교했다는 거야. 리샤르는 본시 누군가의 사생아였는데 여섯 살밖엔 안 되었을 때 부모가 스위스 어느 산속의 목장주에게 그를 '선사'했었

61* 영국의 극작가이자 시인인 윌리엄 셰익스피어William Shakespeare(1564~1616)가 쓴 희곡.

다는군. 목장주는 그를 키워 부려 먹을 심산이었겠지. 그 애는 목동들 사이에서 마치 짐승처럼 지냈는데, 그들은 그 애한테 아무것도 가르쳐 주지 않았을뿐더러 일곱 살 때부터는 벌써 양을 치러 내보내곤 했지. 비가 오건 날씨가 춥건 입을 것도 제대로 입히지 않았고, 먹을 것도 제대로 주지 않았어. 물론 그들은 이런 대우를 하면서도 주저하거나 후회하는 기색도 없었지. 오히려 자기들에겐 그럴 권리가 있다고 생각했을 거야. 왜냐하면 리샤르는 무슨 물건이나 마찬가지로 그들이 '선사받은' 것이므로 먹을 것을 줄 필요도 없다고 생각했을 테니까. 리샤르 자신의 증언에 의하면, 그 당시 그는 마치 성경에 나오는 방탕한 아들처럼, 돼지한테 주는 사료라도 좋으니 한번 배불리 먹어 보았으면 하는 생각밖엔 없었다는 거야. 그러나 그들은 그것조차 먹여 주지 않고 돼지먹이를 훔쳐 먹었다고 사정없이 두들겨 팼다는군. 리샤르는 이렇게 소년 시절과 청년 시절을 보냈고, 어른이 다 되어 힘깨나 쓰게 되자 이번엔 도둑질을 하려고 나섰지. 이 야만인은 제네바에서 막벌이 노동자로 돈을 벌어서는 죄다 술을 마시며 인간 이하의 생활을 하고 있다가, 결국은 어떤 노인을 죽이고 강도질을 하기에 이르렀지. 그는 체포되어 재판에서 사형 선고를 받았어. 저쪽 사람들은 감상적인 동정 같은 건 없는 인간들이니까 그것도 당연할 거야. 그런데 감옥에 들어가자마자 교회 목사님이니, 무슨 기독교 단체의 회원이니, 자선가인 귀부인이니 하는 사람들이 몰려와서 그를 둘러쌌어. 그들은 감옥 속에서 그에게 글을 가르쳤고 성경 강의를 시작했지. 그러고는 그를 타이르고, 권고하고, 귀찮게 설교를 하고, 압력을 가하고 하는 바람에, 마침내 그는 자기 죄를 진심으로 자각하게 되어 세례까지 받았어. 그러고는 자진해서 재판소에 편지를 썼지—자기는 인간의 쓰레기이긴 하지만 덕분에 이제야 겨우 눈을 뜨고 하느님의 은총을 받게 되었다고 말이야. 그러자 제네바 시市 전체가, 제네바의 모든 자선가와 모든 신앙 깊은 사람들이 법석을 떨기 시작했지. 상류 사회의 사람들, 교양 있는 사람들이 모두 다 그를 면회하려고 감옥으로 달려가는 판이야. 그들은 리샤르를 포옹하고 키스하면서 '너는 우리의 형제다, 너는 하느님의 은총을 받았다!'라고 외쳤어. 리샤르는 그저 감격해서 울 뿐이야. '그렇습니다, 저는 하느님의 은총을 받았습니다! 저는 소년 시대와 청년 시대를 통해서 돼지 먹이만 얻어도 기뻐했습니다만, 이제는 저 같은 놈에게도 하느님께서 은혜를 내려 주셨으니 저는 주님의 품 안에 안겨 죽어 가겠습니다'라고 말했어. '그렇고말고. 리샤르, 너는 주님의 품 안에서 죽어야 한다. 너는 남의 피를 흘리게 했으니 마땅히 주님의 품 안에서 죽어야 해. 네가 돼지의 먹이를 탐내어 그것을 훔쳐 먹고는 얻어맞고 했을 때, (네가 한 일은 아주 나쁜 짓이야, 어쨌든 훔친다는 건 하느님께서 금하신 일이니까) 그때 네가 하느님을 전혀 몰랐다는 건 네 잘못이 아니겠지만, 어쨌든 너는 남의 피를 흘리게 했으니 죽는 게 마땅해.' 그리하여 드디어 최후의 날이 왔지. 지칠 대로 지쳐 버린 리샤르는 눈물을 흘리면서 '오늘은 내 생애에서 가장 복된 날입니다. 나는 주님에게로 갑니다!'라고 쉴 새 없이 되풀이했어. 그러면 목사니, 재판관이니, 자선가라는 귀부인이니 하는 사람들은 '그렇고말고. 너의 생애에서 오늘이 가장 복된 날이지. 주님 앞으로 가는 날이니까!' 하고 맞장구를 치는 거야. 그들은, 모두 리샤르를 태운 죄수 마차의 뒤를 따라서 마차나 도보로 처형장까지 갔어. 이윽고 처형장에 도착하자마자 '자, 그럼 죽어라, 형제여' 하고, 리샤르를 향해 사람들은 소리쳤지. '주님의 품 안에서 죽어라, 너한테는 주님의 은혜가 내렸으니까!' 그리하여 형제들의 빗발치는 키스를 받고 난 그들의 형제인 리샤르를 단두대로 끌고 가서 작두날 밑에 모가지를 들이대게 하고는, 그가 하느님의 은혜를 받았다는 이유로 해서 지극히 우애적인 방법으로 싹둑 목을 잘라 버렸다는 거야. 이건 정말 의미심장한 얘기야. 이 팸플릿은 러시아의 상류 사회에 속하는 루터파 자선가들에 의해 러시아어로 번역되어, 러시아 민중의 교화를 목적으로 신문 잡지의 부록으로서 무료로 배부되었지. 이 리샤르의 얘기에서 흥미 있는 것은 그것이 그 나라의 국민성을 여실히 말해 주고 있다는 점이야. 우리나라에서라면 어느 친구 하나가 우리의 형제가 되어 하느님의 은혜를 받았다는 이유만으로 그 형제의 목을 잘라 버린다는 건 생각도 할 수 없는 일이거든. 그러나 되풀이해서 말하지만, 우리나라에도 이보다 더하면 더했지 결코 못하지 않은 독특한 것이 있다는 걸 알아야 해.

우리나라에선 남에게 매질을 하여 고통을 가하는 것이 옛적부터 내려오는 가장 손쉽고도 직접적인 쾌락으로 되어 있어. 네크라소프[62*]의 시에, 농부가 채찍으로 말의 눈을, 그 '유순한 눈'을 후려치는 구절이 있는데 그런 광경은 누구나가 흔히 볼 수 있는 것으로, 이거야말로 러시아적인 것이라 할 수 있을 거야. 이 시인은 보기에도 가엾을 만큼 여위어빠진 말이 힘에 겨운 무거운 짐을 실은 짐마차를 끌다가 흙탕에 빠져 헤어나지를 못하고 버둥거리는 장면을 묘사하고 있어. 농부는 채찍으로 사정없이 말을 때리고, 또 때리고, 나중에는 때린다는 동작에 아주 취해 버려서 자기가 무엇을 하고 있는지조차 모를 지경으로 기를 쓰며 채찍질을 하는 거야. '힘에 겨워도 끌라면 끌어야지, 죽어도 좋으니 끌어 보란 말이다!' 말이 비칠거리고 있으면 농부는 느닷없이 그 울고 있는 것 같은 무방비 상태인 '유순한 눈'을 채찍으로 후려치기 시작하지. 그러면 말은 미칠 듯이 몸부림치며 있는 힘을 다해서 간신히 마차를 끌고 움직이지. 온몸을 떨면서 숨도 제대로 못 쉬며 이상하게 몸을 뒤틀고, 경련을 일으킨 것 같은 보기 흉한 걸음걸이로 걸어가는 거야—네크라소프의 이 시를 읽으면 정말 모골이 송연해질 지경이야. 그러나 이건 어디까지나 말에 대한 얘기에 지나지 않아. 말은 때리라고 하느님께서 주신 거다—타타르인들은 이렇게 우리에게 설명해 주었고, 이것을 잊지 말라는 뜻에서 말채찍까지 선물로 주었거든.

그러나 사람에게도 역시 매질을 할 수 있는 거야. 교육을 받은 인텔리 신사와 그 부인이 겨우 일곱 살밖에 안 된 자기 딸에게 나뭇가지로 매질을 한 예가 실제로 있었으니까—여기 대해선 자세하게 적어 놔 둔 게 나한테 있지만 말이야, 아버지란 자는 회초리에 울퉁불퉁한 마디가 많은 걸 보고 이게 더 '효과가 있을 거야' 하며 좋아하지. 그러고는 자기의 피를 나눈 친딸에게 '매질'을 시작하는 거야. 이건 내가 확실히 알고 있는 일이지만, 이렇게 매질을 하는 사람들 중

62* 니콜라이 네크라소프Nikolai Nekrasov(1821~1878). 푸시킨에 버금가는 러시아의 시인이자 작가, 평론가, 잡지 편집자.

에는 회초리나 채찍을 한 번씩 휘두를 때마다 육체적 쾌감을, 문자 그대로의 육체적 쾌감을 느낄 만큼 열중하는 사람도 있어. 그것은 매질을 함에 따라 기하급수적으로 점점 강해지게 마련이거든. 매질을 하는 것이 1분, 5분, 10분, 이렇게 시간이 경과하면 할수록 매질은 더욱더 빨라지고, 더욱더 모질어져서 아이는 비명을 지르며 울어 대지. 나중에는 울지도 못하고 그저 '아빠…… 아빠…… 아빠……' 하고 숨넘어가는 소리를 할 뿐이야. 이 사건은 그 어떤 추악한 말썽을 일으켜서 마침내 법정에서까지 문제가 되었지. 변호사가 지정되었어. 러시아의 민중은 오래전부터 변호사를 '돈에 고용된 양심'이라 부르고 있지만, 아무튼 변호사는 의뢰인을 변호하기 위해 열변을 토하는 거야—'본건은 흔히 있을 수 있는 가정 내에서의 단순한 사건이올시다. 아버지가 자기 딸의 버릇을 가르친 것뿐이니까요. 그런데도 이런 일이 법정에서까지 논의된다는 건 그야말로 우리 시대의 수치가 아닐 수 없습니다!' 이 의견에 설득된 배심원들은 일단 별실로 물러갔다가 다시 나와서 무죄를 선고하지. 세상 사람들은 가해자가 무죄가 됐다고 기뻐서 환성을 지르는 거야. 내가 그 자리에 없었던 게 정말 유감이다. 그 자리에 있었더라면 그 가해자를 표창하는 뜻에서 장려금을 모으자고 제의했을 텐데!…… 참으로 희한한 얘기가 아니냐 말이야!

그러나 아이들에 관한 것이라면 그보다 더 재미있는 게 얼마든지 있어. 나는 러시아 아이들에 관한 얘기를 굉장히 많이 수집해 가지고 있거든.

다섯 살짜리 계집애가 '교육을 받은 교양 있는 의젓한 관리'인 그 부모의 증오의 대상이 됐다는 얘기도 있어. 나는 다시 한번 분명히 말해 두지만, 다수의 인간에겐 일종의 특이한 성질이 있는데, 그것은 어린애를 학대하는 취미야. 그것도 상대가 어린애에 국한되어 있거든. 그러한 가해자들도 다른 모든 인간들에 대해서는 교양 있고 인정 많은 유럽 사람과 같은 얼굴을 하고 더없이 겸손하고 친절한 태도를 보이지만, 그러면서도 아이들을 학대하는 일만은 무척 좋아해서 그런 의미에선 아이들 자체를 사랑한다 해도 과언이 아닐 지경이지. 이것은 바로 어린애들의 무방비 상태가 학대자들의 마음을 유혹한다고나 할까. 아무 데로도 갈 곳 없는, 누구에게도 의지할 데가 없는 조그만 어린애들의 천사처럼 순진한 마음, 그것이 학대자들의 더러운 피를 끓게 하는 거야. 물론 모든 인간의 마음속에는 야수가 숨어 있어. 걸핏하면 성을 내는 야수, 자기의 독아毒牙에 걸린 희생자의 울부짖음에 육욕적肉慾的인 흥분을 느끼는 야수, 사슬에서 풀려나 멋대로 날뛰는 야수, 음탕한 생활로 해서 풍병이니 간장병이니 하는 병에 걸린 야수, 이러한 야수들이 말이야.

그래서 그 다섯 살 먹은 가엾은 계집애를 그 교육 있는 부모는 온갖 방법으로 고문했다는 거야. 무엇 때문인지 자기들도 모르면서 둘이 함께 덤벼들어 치고, 때리고, 발길로 차고 하여 계집애는 온몸이 시퍼렇게 부어올랐어. 그러나 그것도 나중에는 싫증이 나서 교묘한 기교를 부리게 되었지. 엄동설한에 아이를 밤새도록 변소에 가둬 두는 거야. 그것도 단지 아이가 밤에 뒤를 보게 데려다 달라고 하지 않았다는 대수롭잖은 이유 때문이지. (도대체 천사처럼 곤히 잠든 다섯 살밖에 안 된 어린애가 그런 걸 어떻게 알릴 수 있겠어) 그래서 잘못 흘린 똥을 아이의 얼굴에 칠하는가 하면 억지로 입안에 처넣어 먹이기도 했는데 이게 바로 아이의 친어머니가 한 짓이거든! 그리고 이 어머니는 밤중에 변소에 갇힌 가엾은 아이의 신음 소리를 들으며 태평하게 잠을 잘 수 있었다는 거야! 너는 이걸 이해할 수 있겠니? 자기가 무슨 일을 당하고 있는지조차 똑똑히 모르는 조그만 어린애가 춥고 어두운 변소 속에서 조그만 주먹으로 터질 듯싶은 자기 가슴을 두드리기도 하고 아무도 원망할 줄 모르는 순진한 눈물을 흘리면서 '하느님 아버지'께 구원을 빌기도 하는 이 기막힌 일을? 알료샤, 그래 너는 이 불합리한 얘기를 설명할 수 있겠니? 너는 나의 벗이며, 나의 동생이야, 하느님께 봉사하는 겸손한 수도자야. 도대체 무슨 필요가 있어. 이런 불합리한 일이 일어나는 건지 설명해 보란 말이다! 이런 불합리함 없이는 지상에서 인간은 생활할 수가 없다. 왜냐하면 선악을 인식할 수가 없었을 테니까, 이렇게 사람들은 말하지만, 이런 대가를 지불하면서까지 그 저주할 선악 같은 걸 인식해야만 할 필요가 어디 있겠니? 만일 그렇다면, 인식의 세계를 통틀어 봐도 이 어린애가 '하느님 아버지'께 흘린 눈물만 한 가치도 없지 않으냐 말이다. 나는 어른들의 고뇌에 대해선 말하지 않겠다. 어른들은 금단의 과실을 따 먹었으니까 아무렇게 된대도 상관없어. 모두 다 악마의 밥이 되어 버린대도 좋아. 그러나 이 어린애들, 이 어린애들만은 방관할 수가 없단 말이야! 알료샤, 내가 너를 괴롭히는 게 아니냐? 몹시 심란한 것같이 보이는구나? 듣고 싶지 않다면 그만두겠다."

"괜찮습니다. 나 역시 괴로움을 느끼고 싶으니까요" 하고 알료샤는 중얼거렸다.

"그럼 하나만, 한 가지만 더 얘기하겠다. 이것도 굉장히 진기한 얘기지. 그래서 그저 호기심에서 얘기하는 것뿐이지만, 그보다도 내가 이 얘기를 바로 얼마 전에 러시아 고담집古談集 같은 데서 읽었기 때문이야. '고기록古記錄'이었는지 '고사록故事錄'이었는지, 다시 들춰 보지 않으면 어느 책에서 읽었는지 잘 모르겠지만, 아무튼 그것은 19세기 초, 농노제農奴制가 가장 심하던 암흑시대의 이야기였어. 사실 말이지, 우리는 농민의 해방자[63]에게 감사를 드려야 할 거야! 그 시대에, 즉 19세기 초에 한 사람의 장군이 있었지. 당대의 세도가 중에 많은 친지를 가진 부유한 지주였는데, 퇴직하고 은퇴 생활로 들어가자 자기네 하인들의 생살여탈권生殺與奪權을 가졌다고 확신하는 그런 족속의 하나였지. (하긴 그 당시에도 그런 족속은 그리 많지는 않았던 모양이지만) 그래도 그런 작자가 더러 있기는 있었어. 그런데 이 장군은 2천 명이나 되는 농노가 딸린 자기 영지에서 살고 있었기 때문에, 근방의 조그만 지주 같은 것은 자기 집 식객이나 어릿광대만도 못하게 취급하면서 기세가 대단했단 말이야. 이 장군 댁의 개집에는 수백 마리의 개가 있는데 백 명 가까운, 개 기르는 하인들은 모두 제복을 입고 사냥을 나갈 때는 말을 타고 다녔지. 그런데 하루는 여덟 살 먹은 농노의 아들놈이 돌팔매질을 하다가 잘못되어 그만 장군의 애견愛犬의 다리뼈를 상하게 했어. '어째서 내가 귀여워하는 저 개가 다리를 저는 거냐?' 하는 장군의 물음에, '실은 저기 저 아이가 돌을 던져 그렇게 됐습니다'라고 고해바쳤지. '음, 네

63 알렉산드르 2세Aleksandr II(1818~1881). 1861년에 농노제를 철폐함.

놈이 그랬구나.' 장군은 아이를 돌아보더니 '저놈을 잡아라!' 하고 소리쳤어. 그러자 하인들은 그 애를 어머니 손에서 빼앗아다가 하룻밤을 가둬 두었지. 다음날 아침 일찍이 장군은 말을 타고 사냥 차림으로 마당에 나타났어. 그 옆에는 식객들, 사냥개들, 개 기르는 하인들, 몰이꾼들이 모두 말을 타고서 장군을 호위하듯 늘어서고, 주위에는 본보기를 보여 주려고 모이게 한 남녀 농노 전원이 둘러서 있었지. 그 맨 앞줄에는 나쁜 짓을 한 아이의 어머니가 서 있는 거야. 이윽고 그 아이가 유치장에서 끌려 나왔어. 안개 낀 을씨년스런 가을날이어서 사냥하기엔 가장 알맞은 날씨였지. 장군은 아이를 발가벗기라고 명령했어. 발가숭이가 된 아이는 호들호들 떨면서 너무나 무서워 정신이 얼떨떨한지 우는 소리도 내지 못할 지경이야. '자, 저놈을 쫓아라!' 하고 장군이 명령하자, '뛰어라, 뛰어!' 하고 몰이꾼들이 외치는 바람에 그 아이는 뛰어 달아나기 시작했어……. 그러자 장군은 '저놈 잡아라!' 소리치며 사냥개들을 한꺼번에 풀어 주었지. 이리하여 아이의 어머니가 보는 앞에서 개들은 무슨 짐승이라도 쫓듯이 아이를 쫓아가서 순식간에 갈기갈기 찢어 버리고 말았다는 거야—결국 그 장군은 금치산 선고禁治產宣告인가 뭔가 하는 걸 받았다는군. 그래, 이 작자를 어떡하면 좋겠니? 총살형에 처해야 하겠지? 도덕적 감정을 만족시키기 위해서라도 총살형에 처해야 할 게 아니냐 말이다. 말해 봐, 알료샤!"

"총살형에 처해야죠!" 알료샤는 창백하고 일그러진 미소를 짓고 형을 쳐다보며 나직이 말했다.

"브라보!" 하고 이반은 환성을 올렸다. "네가 그렇게 말하는 걸 보니…… 아니, 정말 대단한 수도사님이구나! 그러니까 너의 가슴속에도 악마의 새끼가 숨어 있는 거야. 알료쉬카 카라마조프!"

"내가 그만 어리석은 소리를 했군요. 그러나……"

"바로 그거야, 그 '그러나'가 문제지" 하고 이반은 소리쳤다. "이거 봐, 견습 수도생, 이 지상에는 바로 그 어리석은 소리가 지나칠 만큼 필요한 거야. 이 세상은 어리석은 소리, 어리석은 일을 발판으로 하고 서 있거든. 만일 그것이 없다면 아마 이 세상에는 아무 일도 일어나지 않았을 테니까. 우리는 단지 우리가 알고 있는 범위 내의 것을 알고 있을 뿐이야!"

"그럼 형님은 대체 무엇을 알고 계시죠?"

"나는 아무것도 이해하지 못해" 헛소리라도 하는 것 같은 어조로 이반은 말을 이었다.

"그리고 이제는 아무것도 이해하고 싶지 않아. 나는 다만 사실에만 충실할 생각이야. 벌써 오래전부터 나는 이해하려 들지 않기로 결심했어. 무언가를 이해하려 들면 곧 사실을 왜곡하게 되거든. 그래서 나는 사실에만 충실하기로 결심한 거야."

"무엇 때문에 형님은 나를 떠보려 하시죠?" 알료샤는 슬픔에 떨리는 어조로 소리쳤다. "그만하고 이제는 말씀해 주시는 게 어떨까요?"

"물론 말하고말고. 그걸 말하려고 얘기를 여기까지 끌고 왔으니까. 너는 나한텐 귀중한 존재야. 나는 너를 놓치고 싶지 않은 거야. 너의 그 조시마 따위한테 너를 양보할 줄 아니!"

이반은 잠시 말을 끊었으나 그의 얼굴은 갑자기 침통한 표정으로 변했다.

"그럼 내 말을 들어 봐. 나는 문제를 보다 선명하게 하기 위해서 어린애들의 얘기만을 예로 들었을 뿐이야. 이 지구의 지표地表에서 중심에 이르기까지 온통 축축하게 적시고 있는 나머지 인간들의 눈물에 대해서는 한마디도 말하지 않겠다. 나는 일부러 논제를 좁힌 셈이지. 나는 빈대 같은 존재에 지나지 않기 때문에 어째서 모든 것이 이 모양 이 꼴로 되어 버렸는지 도무지 이해할 수 없다는 걸, 깊은 굴욕감과 함께 통감하고 있어. 결국은 인간 자신에게 잘못이 있는 거야. 원래 그들에겐 낙원이 주어졌는데 자기들이 불행해질 것을 뻔히 알면서도 자유를 찾으려고 하늘나라에서 불을 훔쳐 냈거든. 그러니까 그들을 불쌍히 여길 필요는 없지. 나의 가련한 지상적인 유클리드적인 두뇌에 의하면, 다만 고통이 있을 뿐이지. 죄인은 없다는 것, 모든 것은 단순하게, 그리고 직접적으로 하나의 사건이 다른 사건의 원인이 되고, 그 사건은 또 다른 사건의 원인이 되면

서, 쉴 새 없이 흘러 평형을 유지한다는 것—이런 것을 알 뿐이야. 그러나 이것은 유클리드적인 엉터리에 지나지 않아, 나도 그렇다는 걸 알고 있기 때문에 그런 엉터리 사고방식에 따라 살아간다는 것엔 도저히 찬성할 수가 없어! 사실 말이지, 죄인은 하나도 없다, 모든 건 단순하게 직접적으로 하나의 사건이 다른 사건을 낳을 뿐이다, 라는 사실이 나한테 무슨 도움이 되겠어. 그리고 이 사실을 안다고 해서 도대체 무슨 도움이 되겠느냐 말이야! 내게 필요한 건 응보應報야. 그게 없으면 나는 자멸해 버릴 수밖엔 없어. 그리고 그 응보도 언제든 무한 속의 어느 곳에 가서 이루어질 것이다, 라고 한다면 그것은 곤란해. 이 지상에서, 바로 내 눈앞에서 이루어져야만 해. 나는 그것을 믿어 왔으니까, 내 눈으로 똑똑히 보고 싶다는 거야. 만약에 그때 내가 죽어 있으면 나를 다시 소생시켜 주어야 해. 왜냐하면, 내가 죽어 없을 때 그것이 이루어진다는 건 너무나 억울하지 않으냐 말이야. 사실 말이지 내가 고뇌를 겪은 것은, 나 자신을 희생하고 나의 악행과 온갖 고뇌를 밑거름으로 하여, 어디서 굴러먹던 개뼈다귀인지도 모르는 놈을 위해 미래의 우주 조화를 배양하기 위해서가 아니야. 사슴이 사자 곁에 태평하게 누워 있고, 살해된 자가 일어나서 자기를 죽인 자와 포옹하는 장면을 내 눈으로 직접 보고 싶다는 거야. 즉 무엇 때문에 모든 것이 이렇게 되어 있었는가를 모든 사람이 홀연히 깨닫게 될 때, 나도 그 자리에 있고 싶단 말이지. 이 지상의 모든 종교는 이러한 희망 위에 세워져 있어. 그리고 나도 그것을 신앙하는 사람이야.

그러나 역시 그 아이들의 문제인데, 그런 경우 나는 대체 그 아이들을 어떻게 하면 좋을까? 이것이 내가 해결 지을 수 없는 문제란 말이야. 또 한 번 되풀이해서 말하겠는데, 문제는 그 밖에도 얼마든지 있지만, 나는 다만 어린애들의 경우만을 예로 들었어. 그 까닭은 내가 말하고자 하는 바가 그 속에 의심할 여지도 없이 명료하게 요약되어 있기 때문이야. 그런데 말이다, 모든 인간이 고뇌를 겪어야 하는 것은 그 고뇌로써 영원한 조화를 이루게 하기 위한 것이라 하더라도, 무엇 때문에 어린애들까지 거기 끌려 들어가야만 한다는 거냐? 그걸 나한테 말해 줄 수 없겠니? 무엇 때문에 어린애들까지 고뇌를 겪어야 하는지, 어째서 어린애들까지 영원한 조화를 위해 괴로움을 당해야 하는 건지 그 까닭을 도무지 알 수가 없어! 무엇 때문에 어린애들까지 그런 재료 속에 함께 끼어 들어 어느 개뼈다귀인지도 모르는 자를 위해 영원한 조화를 배양해야 한다는 거냐? 인간 상호 간의 죄악의 연대 관계連帶關係는 나도 이해할 수 있어. 응보의 연대 관계도 이해할 수 없는 건 아니야. 그러나 어린애들과의 사이에 죄악의 연대 관계가 있다고는 생각할 수가 없어. 만일 아버지의 모든 악행에 대하여 그 자식도 아버지와 연대 관계가 있다는 것이 진실이라면, 그런 진실은 이 세상에 속하는 것이 아니니까 나 같은 놈은 이해할 수가 없지. 혹시 어떤 익살스런 작자가, 아이들도 어차피 자라서 어른이 되면 나쁜 짓을 할 게 아니냐고 말할는지 모르지만, 실제에 있어 그 아이는 아직 어른이 되지 않았으니 그건 이치에 닿지 않는 수작이야. 겨우 여덟 살밖엔 안 된 어린애가 개한테 물려 갈기갈기 찢기지 않았느냐 말이야. 오, 알료샤. 나는 결코 신을 비방하려는 건 아니다! 만약에 하늘 위와 땅 밑에 있는 모든 것이 하나의 찬송가가 되고, 삶을 누리고 있는 모든 것과 전에 삶을 누렸던 모든 것이 소리를 합하여 '주여, 당신의 말씀은 옳았나이다. 이는 당신의 길이 열렸기 때문이옵니다!'라고 부르짖을 때, 이 우주 전체가 얼마나 진감震撼할 것인가 하는 것도 나는 잘 알고 있어. 그리고 그 어머니가 자기 아들을 개한테 물어뜯기게 한 폭군과 얼싸안고, 셋이 다 같이 눈물을 흘리며 소리를 합하여 '주여, 당신의 말씀은 옳았나이다!'라고 외칠 때, 그때야말로 인식의 승리가 도래하여 모든 것이 명백하게 해명될 것이 틀림없어.

그러나 여기에 또 휴지부休止符가 들어가지—나는 그러한 조화를 용인할 수가 없는 거야. 그래서 나는 이 지상에 살고 있는 동안에 나대로의 응급조치를 강구해야겠어. 알료샤, 어쩌면 나는 자기 아들의 원수와 포옹하고 있는 어머니의 모습을 직접 내 눈으로 보고 '주여, 당신의 말씀은 옳았나이다'라고 외칠 수 있을 때까지 살 수 있을지도 몰라. 아니면 그것을 보려고 일부러 다시 살아날지도 모르지. 그러나 나는 그때 가서야 비로소 '주여' 하고 외치고 싶지는 않단 말이야.

아직도 시일의 여유가 있는 동안에 나는 시급히 나 자신의 방비防備를 견고히 할 생각이야. 따라서 나는 그러한 최고의 조화 같은 건 깨끗이 포기하겠어. 그따위 조화는 구린내 나는 변소에 갇혀 조그만 주먹으로 자기 가슴을 두드리며, 보상받을 길 없는 눈물을 흘리면서 '하느님 아버지'께 기도를 드린 그 학대받은 어린애의 눈물 한 방울만 한 가치도 없기 때문이지. 왜 그만한 가치도 없느냐, 그 눈물은 영원히 보상받지 못한 채 버려졌으니까. 그 눈물은 마땅히 보상받아야만 해. 그렇지 못하면 조화고 뭐고 있을 수 없지. 그러나 무엇으로, 무엇을 갖고 그것을 보상할 수 있겠니? 도대체 그 보상이 가능한 일일까? 학대자에게 복수를 해서? 그러나 우리에겐 그따위 복수 같은 건 필요하지 않아. 학대자를 위한 지옥 같은 건 소용없어. 이미 죄 없는 자가 학대를 당하고 난 다음에 지옥 같은 게 무슨 소용이냐 말이야. 그리고 또 지옥이 있는 곳에 조화가 있을 리 없어. 나는 그저 용서하고 싶을 뿐이야. 포옹하고 싶을 뿐이야. 나는 더 이상 인간에게 괴로움을 맛보게 하고 싶지 않을 뿐이야. 만약에 어린애들의 고뇌가, 진리의 대가로 치러야 할 고뇌의 정량定量을 채우는 데 필요하다고 한다면, 나는 미리 단언해 두겠어—모든 진리를 통틀어도 그만한 대가를 치를 값어치가 안 된다고. 그런 대가를 치러야만 한다면 개한테 아이를 물어뜯게 한 폭군을 그 아이의 어머니가 포옹하기를 나는 바라지 않아. 아이의 어머니라 해서 그 폭군을 용서할 권리는 없는 거야. 굳이 용서하기를 원한다면 자기 몫만은 용서해 주어도 좋아. 아이의 어머니로서 한없이 괴로워한 데 대해서만 용서해 주란 말이야. 그러나 갈가리 찢겨진 그 아이의 고통을 용서해 줄 권리는 어머니에겐 없어. 설혹 아이 자신이 용서해 주겠다고 해도 어머니는 감히 그 폭군을 용서해 줄 수 없는 거야! 만약에 그렇다고 한다면, 만약에 아무도 감히 용서해 줄 권리를 갖지 못했다고 한다면, 어떻게 조화가 이루어진단 말인가? 도대체 이 세상에 원수를 용서해 줄 수 있고 또 용서해 줄 권리를 가진 사람이 있을까? 나는 조화 같은 것은 바라지 않아. 인류에 대한 사랑 때문에 바라지 않는 거야. 나는 차라리 보상받을 수 없는 고뇌 속에 남아 있기를 원해. '비록 내 생각이 틀렸다 하더라도' 보상받을 길 없는 고뇌와 풀릴 길 없는 분노를 품은 채 나는 그대로 남아 있겠어. 뿐만 아니라 그러한 조화의 값은 너무 비싸기 때문에 나 같은 놈의 호주머니를 가지고는 그처럼 비싼 입장료를 지불할 수가 없어. 그래서 나는 자기의 입장권을 급히 돌려보내는 거야. 내가 만일 정직한 인간이라면 한시바삐 그 입장권을 돌려보낼 의무가 있어. 그래서 나는 그것을 실행에 옮기고 있는 중이지. 알료샤, 나는 신을 인정하지 않는다는 건 아니야. 다만 신에게 '조화'의 입장권을 정중히 돌려 드리는 것뿐이지."

"그건 반역입니다." 알료샤는 눈을 내리뜨며 작은 소리로 말했다.

"반역이라고? 너한테 그런 말을 듣고 싶진 않았는데" 하고 이반은 심각한 어조로 말했다. "반역으로 세상을 살 수야 없지 않니? 나는 살고 싶은 사람이야. 그보다도 너한테 한 가지 묻겠는데, 이 자리에서 분명히 대답해 다오—가령 네가 말이다, 궁극에 가서 인간을 행복하게 하고 또한 평화와 안정을 줄 목적으로 인류의 운명의 탑塔을 쌓아 올린다고 하자. 그런데 이 일을 위해서는 단 하나의 하잘것없는 성물—예를 들어 조그만 주먹으로 자기 가슴을 두드린 그 가엾은 아이를 괴롭혀야만 하고, 그 아이의 보상받을 길 없는 눈물 없이는 도저히 그 탑을 세울 수 없다고 가정한다면, 너는 과연 그런 조건하에서 그 건축 기사가 되는 데 동의하겠니? 자, 솔직하게 말해 봐!"

"아뇨, 동의할 수 없을 거예요." 알료샤는 나직이 대답했다.

"그리고, 내가 힘들여 탑을 세워 준 그 인류가 이 조그만 희생자의 보상할 길 없는 피 위에 이루어진 행복을 기꺼이 받아들여 영원히 행복을 누릴 것이라는 생각을 너는 허용할 수 있겠니?"

"아니, 허용할 수 없습니다, 형님" 하고 알료샤는 갑자기 눈을 번쩍이며 말했다. "형님은 방금 용서할 수 있는 권리를 가진 사람이 과연 이 세상에 있겠느냐고 말씀하셨죠? 그렇지만 그런 사람이 있습니다. 그분은 모든 일에 대해서 모든 인간을 용서할 수 있지요. 왜냐하면 그분은 모든 사람을 대신하여 스스로 자기의 무고한 피를 흘리셨으니까요. 형님은 그분을 잊고 계셨군요. 바로 그분을 토대로 하여 그 탑은 세워지고, 바로 그분으로 향하여 우리는 '주여, 당신의 말씀은 옳았나이다, 이는 당신의 길이 열렸기 때문이옵니다!'라고 외치는 겁니다."

"아아, 그건, '죄 없는 유일인唯一人'과 그 사람의 피를 두고 하는 말이구나! 천만에, 나는 그 사람을 잊었던 건 절대 아니야. 잊기는커녕, 나는 도리어 네가 어째서 그 사람 얘기를 끄집어내지 않나 하고 줄곧 이상하게 여기고 있었어. 너희들은 무슨 논쟁을 할 때면 으레 그 사람을 제일 먼저 내세우곤 하니 말이야. 그런데, 알료샤, 웃지 마라. 난 1년쯤 전에 서사시를 한 편 지은 일이 있어. 어떠냐, 나와 10분가량만 더 시간을 소비할 수가 있다면 그걸 너한테 얘기할 수가 있겠는데?"

"형님이 서사시를 쓰셨다고요?"

"아니, 실제로 다 쓴 건 아냐" 하고 이반은 웃었다. "나는 여태까지 시라곤 단 두 줄도 써 본 일이 없어. 그러나 그 서사시는 머릿속에서 구상했던 것이기 때문에 지금도 잘 기억하고 있지. 나는 그걸 구상하는 데 아주 열중했었거든. 너는 나의 최초의 독자, 아니 경청자가 된 셈이지. 사실 작자로서는 단 한 사람의 경청자도 놓치기가 아까운 법이거든." 이반은 히죽 웃었다. "어때, 들어 보겠니?"

"어서 얘기해 주세요" 하고 알료샤는 말했다.

"내 서사시는 '대심문관大審問官'이라는 제목이지. 우스꽝스런 것이긴 하지만 너한테는 꼭 들려주고 싶다."

5. 대심문관

"그런데 이것 역시 서문序文이 없을 수 없지—이를테면 문학적 서문이라고나 할까, 흐흣!" 하고 이반은 또 웃었다. "격식만은 제법 그럴듯하잖니? 헌데 내 서사시의 무대는 16세기지. 이런 건 너도 학교에서 배워 알겠지만, 그것은 바로 시작詩作 속에서 천상의 주인공들을 지상으로 끌어내리는 것이 크게 유행하던 시대야. 단테는 말할 것도 없고 프랑스에서는 재판소 서기니, 수도원의 수사니 하는 사람들이 여러 가지 연극을 보여 주곤 했는데, 그것은 마돈나니, 천사니, 성도니, 그리스도니, 심지어는 하느님 자신까지 무대에 끌어내는 것들뿐이었지. 하긴 그 시대에는 이런 것이 지극히 자연스럽게 다루어지고 있었지만 말이야. 빅토르 위고[64*]의 〈노트르담의 꼽추Norte dame de Paris〉 속에는, 루이 11세 시대에 황태자의 탄생을 축하하여 파리의 시 회의소市會議所에서 〈지극히 성스럽고 정숙하신 동정녀 마리아의 아름다운 재판Le bon jugement de la très sainte et gracieuse Vierge Marie〉이라는 제목의 교훈극이 시민에게 무료로 상연되었다는 얘기가 쓰여 있어. 이 극에서는 성모께서 몸소 무대에 나타나시어 그 아름다운 재판을 주재主宰하시는 거야. 러시아에선 표트르 대제[65*] 이전에 모스크바에서, 주로 구약에서 줄거리를 따온 거의 그와 비슷한 연극이 간혹 상연되었었지. 그러나 그런 연극 이외에도, 필요에 따라 성도와 천사 등 천상의 주인공들이 종횡으로 활약하는 여러 가지 소설이며 '종교적 민요'가 세상에 널리 퍼져 있었어. 러시아의 수도원에서도 수사들 중에 번역을 한다든가, 남의 것을 베낀다든가, 개중에는 그러한 내용의 서사시를 창작한다든가 하는 사람이 있었는데, 그것이 타타르의 침입 시대[66]였으니 정말 놀라운 일이야. 한 가지 예를 들면, 어느 수도원에서 만든 (물론 그리스어에서 번역한 것이긴 하지만) 서사시에 〈성모의 고난의 편력遍歷〉이란 게 있는데, 여기엔 단테의 묘사 못지않게 대담한 광경이 나오지. 이것은 성모 마리아가 대천사大天使 미카엘의 인도를 받아 지옥을 방문하여 '고난의 편력'을 하면서 많은 죄인들과 그들의 고통을 목격한다는 이야기야. 그 가운데서 특히 주목을 끄는 것은 불바다 속에 떨어진 한 무리의 죄인들이지. 그들 중에서도 영원히 떠오를 수 없을 만큼 바닷속 깊이 가라앉아 버린 자들은 '이미 하느님께서도 잊어버리신' 존재들이야. 참으

64* 빅토르 마리 위고Victor Marie Hugo(1802~1885). 프랑스의 시인이자 소설가, 극작가.

65* 표트르 1세Pyotr I(1672~1725). 서사적 국가의 기틀을 쌓은 러시아 황제.

66 13세기 중엽부터 15세기 말엽까지 러시아는 타타르가家에 의해 통치됨.

로 심각하고도 힘찬 표현이거든. 여기서 깊은 충격을 받은 성모 마리아는 하느님 보좌 앞에 부복하여 눈물을 흘리면서, 지옥에 빠져 있는 모든 사람들—자기가 보고 온 모든 사람들에 대하여 아무런 차별 없이 자비를 베풀어 주십사고 애원했지. 성모와 하느님과의 대화는 참으로 흥미진진한 바가 있어. 성모는 하느님 앞을 떠나지 않고 애원을 계속하지. 그러자 하느님은 십자가에 못 박힌 자기 아들 그리스도의 손과 발을 가리키며, '저렇게 가혹한 짓을 한 자들을 어찌 용서할 수 있겠는가?'라고 물었어. 성모는 모든 성인들, 순교자들, 천사들과 대천사들에게 자기와 함께 하느님 앞에 엎드려 모든 죄인들에 대한 차별 없는 자비를 애원하자고 부탁했지. 그리하여 결국 성모는 매년 신성 금요일神聖金曜日부터 성령 강림제聖靈降臨祭까지 50일간 모든 고통을 중지한다는 허락을 받게 되었어. 그러자 죄인들은 지옥으로부터 일제히 주님에게 감사를 드리며, '오, 주여, 이 같은 심판을 내리신 당신은 의로우시도다'라고 외치는 거야.

그건 그렇고, 내 서사시도 그 당시에 나타났더라면 아마 그와 비슷한 종류의 것이었을 거야. 내 서사시에는 그리스도가 무대에 등장하지. 하긴 한마디도 하지 않고 그저 나타났다가 사라져 버리고 말지만 말이야. 그때는 그가 자기의 왕국인 지상에 다시 나타날 것을 약속한 후 15세기가 지났을 때야. '보라, 그는, 곧 오시리로다'라고 예언자가 기록했고, 또 그리스도 자신도 지상에 있을 때, '그날과 그때는 하느님의 아들 자신도 모르나니 오직 하늘에 계신 우리 아버지만이 아시리라'[67]라고 말한 그때부터 15세기가 지난 후의 일이지. 그러나 인류는 전과 같은 신앙, 전과 같은 감격을 가지고 그의 재림再臨을 기다리고 있어. 아니, 전보다 더욱 깊은 신앙을 품고서 기다리고 있지. 왜냐하면 하늘로부터 인간에게 주어지는 보증이 중단된 후 벌써 15세기라는 세월이 흘렀으니까.

믿을지어다, 가슴의 속삭임을—
이제는 하늘의 보증도 없도다

67 《신약 성경》〈마태복음〉 24장 36절 참고.

즉, 가슴의 속삭임을 믿는 수밖엔 없었던 거야! 물론 그 당시엔 여러 가지 기적이 있었지. 기적적으로 난치의 병을 고친 성인들도 있었고, 성모의 방문을 받은 (그들의 전기에 의하면) 복된 사람들도 있었어. 그러나 악마도 잠을 자고 있진 않았으므로, 이러한 기적의 진실성에 대한 의혹이 인류 속에 싹트기 시작했지. 바로 그때, 독일의 북쪽에 무서운 사교邪敎가 새로 나타났어. '횃불과 비슷한' (즉 교회와 비슷한) 커다란 별이 '물의 원천 위에 떨어져 그 물맛이 써졌다'[68]고 할 수 있겠지. 이러한 사교가 대담하게도 그러한 기적을 부정하려 들었거든. 그러나 신앙을 간직한 사람들은 한층 더 열렬히 믿었지. 인류의 눈물은 여전히 그리스도를 향해 하늘로 올라갔고, 그를 사랑하고, 그를 기다리며 여전히 그에게 희망을 걸고, 여전히 그를 위해 고난을 당하고, 그를 위해 죽기를 열망했던 거야. 이리하여 몇 세기에 걸쳐 인류가 신앙과 열정을 가지고 '오, 주여, 하루 속히 우리에게 나타나 주시옵소서'라고 기도하고, 오랜 세월을 두고 애타게 그의 이름을 불렀기 때문에, 무한히 자비로우신 그리스도는 마침내 이처럼 기도를 드리는 사람들한테 내려오기로 했던 거야. 그전에도 그는 천국에서 내려와 지상에 살고 있는 몇몇 성인들, 순교자들, 고행자들을 방문한 일이 있는데, 이것은 그들의 전기 속에 기록되어 있어. 우리나라에서도 자기 말의 진실성을 굳게 믿고 있던 투체프[69*]가 이렇게 그것을 노래한 바 있지.

십자가의 무거운 짐 지고 허덕이면서
하늘나라 임금님이 노예 차림으로
우리의 어머니 땅에 축복을 주고자
방방곡곡 두루 다니시는도다

그건 정말 그랬을 거야. 나는 그렇게 단언할 수 있어. 그래서 그리스도는 잠시

68 《신약 성경》〈요한계시록〉 8, 10, 11장 참고.

69* 표도르 투체프Fyodor Tyutchev(1803~1873). 러시아 상징주의의 시조라 일컬어지는 순수예술파 시인.

나마 민중 사이에 나타나기로 했겠지. 괴로워하고 슬퍼하고, 어두운 죄악에 싸여 있으면서도 항상 어린애처럼 자기를 사랑해 주는 민중 사이에 말이야. 내 서사시의 무대는 스페인의 세비야, 때는 하느님의 영광을 위해 날마다 국내 도처에서 장작더미가 타오르고,

활활 타오르는 화형장에서
이교도들은 불타 죽었다

고 노래 불려진 이른바 심문 시대審問時代[70]라는 무서운 시대에 속하지. 물론 여기에서의 그리스도의 강림은 일찍이 그가 약속했던 것처럼, 하늘의 영광에 싸여서 이 세상 끝나는 날에, '동쪽에서 서쪽까지 번갯불이 비치듯' 홀연히 나타나는 것과는 성질이 전혀 다른 거야. 그리스도는 그저 잠깐 동안 자기 자식들을 찾아보고 싶었던 것뿐이니까. 그는 이교도들을 불태우는 불길이 무섭게 타오르고 있는 지방을 특히 선택했지. 한없이 자비로운 그리스도는 15세기 전에 33년 동안 사람들 사이를 편력했을 때와 마찬가지로 인간의 모습을 빌려 다시 한번 민중 사이에 나타나신 거야. 그는 남국의 도시의 '뜨거운 광장'에 내려왔는데, 마침 그것은 '활활 타오르는 화형장'에서 거의 1백 명에 가까운 이교도들이, ad majorem gloriam Dei(하느님의 크신 영광을 위하여) 국왕을 비롯한 궁신宮臣들, 기사騎士들과 추기경樞機卿들, 그리고 아름다운 궁녀들과 세비야의 전 주민들이 지켜보는 가운데 대심문관인 추기경의 지휘 하에 한꺼번에 화형에 처해진 이튿날이었거든.

그리스도는 눈에 띄지 않게 살그머니 나타났어. 그런데 이건 좀 이상한 얘기지만, 모두들 그것이 주님이라는 걸 이내 알아챘단 말이야. 여기가 바로 내 서사시 중에서 가장 뛰어난 대목의 하나가 될 곳이지. 즉, 어떻게 모두들 그것을 알아챘느냐, 그 이유가 그럴듯하거든. 사람들은 불가항력적인 어떤 힘에 끌려 그

70 즉 종교 재판이 성행하던 시대.

에게로 달려가서 그를 겹겹이 에워싸고, 그의 뒤를 따라가는 거야. 그는 한없이 자비로운 연민의 미소를 띠우며 말없이 군중 속을 걸어가지. 사랑의 태양이 그의 가슴속에 타오르고 신의 광명과 교화敎化의 힘을 지닌 광선이 그 눈에서 흘러나와 사람들 위를 비추면서 사람들의 가슴속에 사랑의 반응을 일으키게 했지. 그는 군중에게 손을 뻗어 축복을 내렸는데, 그의 몸은 말할 것도 없고 그 옷자락에만 닿아도 모든 병을 고치는 힘이 생겨나는 거야.

이때, 어릴 때부터 장님이 된 노인 하나가 군중 속에서, '주여, 나를 고쳐 주시옵소서. 그러면 나도 당신을 뵈올 수 있겠나이다' 하고 외쳤어. 그러자, 마치 눈에 붙었던 바늘이 떨어지기라도 한 듯이 장님은 당장 그 자리에서 주님의 얼굴을 볼 수 있게 되었지. 군중은 눈물을 흘리며 그가 밟은 땅에 입을 맞췄고, 아이들은 그의 앞에 꽃을 던지고 노래를 부르면서 '호산나'를 외치는 거야. '이분은 예수님이다. 틀림없는 예수님이야' 하고 사람들은 되풀이했어. '이분은 틀림없는 예수님이야, 예수님이 아니면 누구란 말이냐?'

그가 세비야 성당 현관 앞에서 걸음을 멈췄을 때 마침 뚜껑을 덮지 않은 조그마한 흰빛 관이 애곡哀哭 소리와 함께 성당으로 운반되어 들어가고 있었어. 그 관 속에는 이 도읍의 이름 있는 시민의 외딸인 일곱 살 난 소녀의 시체가 꽃에 덮여 누워 있는 거야. '저분은 당신의 딸을 다시 살아나게 하실 거요' 비탄 속에 빠져 있는 어머니를 향해 군중 속에서 이렇게 외치는 소리가 들렸어. 관을 맞으러 현관에 나온 신부는 미간을 모으고 의혹 어린 눈으로 지켜보고 있는 거야. 그러나 이때 죽은 아이의 어머니의 외침 소리가 울려 퍼졌어. 여인은 주님의 발밑에 몸을 던지고는 '만약에 당신이 예수님이시라면 내 딸을 다시 살려 주시옵소서' 하고 주님에게 두 손을 내밀며 외쳤지. 장의葬儀 행렬이 멈춰 서고, 관이 그의 발밑 현관 층계에 내려졌어. 그는 연민 어린 눈으로 바라보고 있다가 조용히 입을 열어 '달리다굼Talitha cumi(소녀여, 일어나라)'[71]을 다시 한번 외쳤어. 그러자 소녀는 관 속에 일어나 앉더니, 이상하다는 듯 눈을 크게 뜨고 미소를 지으며

71 《신약 성경》〈마태복음〉 9장 25절 참고.

주위를 둘러보는 거야. 손에는 관에 덮었던 흰 장미꽃 한 다발을 들고서 말이야. 군중 사이에서는 혼란과 환성과 통곡이 일어났지. 바로 이 순간 성당 옆 광장을 대심문관인 추기경이 지나가고 있었거든.

이 대심문관은 나이가 거의 구십에 가까웠지만 키가 크고 허리가 꼿꼿했으며, 얼굴은 여위고, 움푹 꺼져 들어간 두 눈에서는 아직도 불꽃과 같은 광채가 번쩍이는 노인이었지. 그는 바로 어제 로마 교회 의적들을 불태울 때, 민중 앞에 입고 나왔던 찬란한 추기경 복장이 아니라 낡아 빠진 허름한 수도복修道服을 걸치고 있었어. 그 뒤에는, 우울한 얼굴을 한 보좌관들, 노예들, 그리고 '성스러운' 호위병들이 일정한 거리를 두고 따라 오고 있었지. 대심문관은 군중 앞에서 걸음을 멈추고 멀리서 바라보았어. 그는 모든 것을 다 보았지. 사람들이 그리스도의 발밑에 관을 내려놓는 것도 보았고 소녀가 다시 살아나는 것도 보았단 말이야. 그러자 그의 얼굴빛은 흐려지고, 숱 많은 흰 눈썹은 험상궂게 찌푸려지고, 두 눈에서는 불길한 광채가 번뜩이기 시작했지. 그는 호위들에게 손가락을 들어 가리켜 보이며, 저자를 체포하라고 명령했지. 그의 권세는 너무나 강하여, 사람들은 언제나 벌벌 떨며 순순히 명령에 복종하도록 길들여져 있었으므로, 군중은 호위병들에게 얼른 길을 비켜 주었어. 그리하여 별안간 내습한 죽음과 같은 침묵 속에서 호위병들은 그를 잡아끌고 갔지. 군중들은 마치 한 사람의 인간이 움직이듯 일제히 늙은 심문관 앞에 이마가 땅에 닿도록 절을 하는 거야. 심문관은 말없이 손을 들어 사람들에게 축복을 내리고 그 자리를 떠났어. 호위병들은 '죄인'을 신성 재판소神聖裁判所로 사용하는 낡은 건물 안에 있는 어둡고 좁다란 반원형 천장의 감방으로 끌고 가서 그 속에 가둬 버렸지.

하루도 다 지나고, 어둡고 무더운 '숨 막히는' 세비야의 밤이 찾아왔어. 공기는 '월계수와 레몬의 향기'로 가득 차 있었지. 캄캄한 어둠 속에서 갑자기 감방의 철문이 열리더니, 늙은 대심문관이 손에 불을 들고 감방으로 들어왔어. 그는 아무도 거느리지 않고 혼자 들어왔는데, 들어오자 감방 문은 곧 닫혀 버렸어. 그는 문 옆에 선 채 일이 분 동안이나 그리스도의 얼굴을 뚫어지게 바라보고 있더니, 이윽고 조용히 다가와서 탁자 위에 불을 내려놓고 이렇게 입을 열었지.
'당신이 정말 예수요? 예수냐 말이오?' 그러나 대답을 듣기도 전에 얼른 말을 이었어. '대답은 필요 없소. 잠자코 있으시오. 하긴 대답할 말도 없을 테지! 나는 당신이 구슨 말을 하려는 건지 너무나 잘 알고 있소. 더욱이 당신은 옛날에 자기가 말한 것에 더 이상 아무것도 덧붙여 말할 권리가 없단 말이오. 그런데 무엇 때문에 당신은 우리를 방해하러 왔소? 당신이 우리를 방해하러 왔다는 건 당신 자신이 잘 알고 있을 거요. 그러나 당신은 내일 어떻게 될 것인지 아시오? 나는 당신이 누구인지 알지 못하며, 또 알고 싶지도 않소. 당신이 진짜 예수건 가짜 예수건 그런 건 문제가 아니오. 아무튼 내일이면 당신을 재판에 회부하여 가장 악질적인 이교도로서 화형에 처해 버릴 테니 그리 아시오. 오늘 당신의 발에 입을 맞춘 민중이, 내일이면 내가 손가락만 하나 움직여 보여도 앞을 다투어 달려 나와 당신을 태우는 장작불에 불을 지를 거요. 그걸 당신은 알겠소? 하긴 당신도 아마 알고 있을 거요.' 대심문관은 한시도 죄수에게서 눈을 떼지 않고 무언가를 골돌히 생각하는 것 같은 어조로 이렇게 덧붙였지."
"나는 뭐가 뭔지 모르겠는데요. 형님, 도대체 그건 무슨 뜻입니까?" 처음부터 잠자코 듣고만 있던 알료샤는 미소를 지으며 물었다. "그건 터무니없는 망상인가요, 아니면 그 노인의 오해였나요? 그건 도저히 있을 수 없는 qui Pro quo (당착撞着)이 아닙니까?"
"그럼 그증 마지막 것으로 생각해 두렴" 하고 이반은 껄껄 웃었다. "너도 현대의 현실주의에 물이 들어 공상적인 요소를 조금도 용인할 수가 없어서 이 얘기를 qui Prc quo라 생각하고 싶다면 그것도 좋아" 하고 그는 또 웃었다. "사실 말이지 그 노인은 아흔 살이나 되었으니까 오래전부터 비정상적인 사고방식을 가지고 있었는지도 모르거든. 더욱이 그 '죄수'의 용모만으로도 노인은 강한 충격을 받았을 테니 말이야. 아니, 어쩌면 그것은 구십 노인의 망령이나 환상에 지나지 않았는지도 모르지. 아마 그 전날 1백 명이나 되는 이교도들을 화형에 처했기 때문에 몹시 흥분해 있었을 거야. 그러나 너한테나 나한테나, 그것이 qui

Pro quo건 망상이건 결국은 매한가지가 아니냐? 요컨대 이 노인은 자기 마음속에 있는 것을 90년 동안 아무에게도 말하지 않고 혼자서만 생각해 온 것을 입 밖에 내서 말한 것뿐이니까."

"그런데도 그 '죄수'는 여전히 잠자코 있나요? 노인의 얼굴만 바라보며 한마디도 말을 하지 않았나요?"

"그야 부득불 그럴 수밖에 없지" 하고 이반은 또 한 번 웃었다. "그 노인도, 그리스도는 옛날에 자기가 말한 것에 무엇 하나 첨가할 권리가 없다고 단언하고 있으니 말이야. 적어도 내 생각으로는 바로 여기에 로마 가톨릭의 가장 근본적인 특질이 포함되어 있다고 할 수 있을 것 같아. '당신은 이미 모든 것을 교황에게 넘겨주지 않았소! 따라서 지금은 모든 것이 교황의 수중에 있단 말이오. 그러니 이제는 제발 나타나지 말아 주었으면 좋겠소. 적어도 어느 시기가 올 때까지는 우리 일을 방해하지 말아 주시오'라는 거야. 이러한 뜻의 말을 그들은 입으로만 뇌까리는 게 아니라 책에까지 쓰고 있거든. 적어도 예수회 친구들은 말이야. 나 자신 예수회 신학자가 쓴 책을 읽은 적이 있어서 하는 말이지만. '도대체 당신은 당신이 방금 떠나 온 저 세계의 비밀을 한 가지만이라도 우리에게 전할 권리를 가지고 있소?' 하고 대심문관은 그리스도에게 묻고는 곧 자기가 대신해서 대답하는 거야. '아니, 그럴 권리는 없소. 그것은 당신 자신이 옛날에 한 말에 아무것도 첨가하지 않기 위해서도 그렇거니와, 당신이 이 지상에 있을 때 그처럼 강력히 주장했던 자유를 민중에게서 빼앗지 않기 위해서도 그렇소. 당신이 지금 새로이 전하려고 하는 것은 전적으로 민중의 신앙의 자유를 위협하는 것뿐이오. 왜냐하면 그것이 기적으로 나타나기 때문이오. 그런데 민중의 신앙의 자유야말로 이미 천오백 년 전인 그 당시부터 당신에게는, 가장 귀중한 것이 아니었느냐 말이오. 그 당시에 당신은 곧잘, '나는 너희를 자유롭게 해 주기를 원하노라'라고 했소. 그러나 이제야 당신은 그들의 '자유로운' 모습을 볼 수 있게 된 거요.' 여기에서 노인은 갑자기 생각에 잠기는 것 같은 표정으로 빙긋이 웃으며 이렇게 덧붙이는 거야. '사실 우리는 이 사업을 위해 얼마나 비싼 대가를 치렸는지 모르오.' 준엄한 눈초리로 상대방을 응시하며 노인은 다시 말을 계속하지. '그러나 우리는 당신의 이름으로 마침내 이 사업을 완성했소. 지난 15세기 동안 우리는 이 자유를 위해 온갖 고초를 겪었으나, 이제는 그것을 완성한 거요. 공고하게 완성하고야 말았소. 당신은 그것이 공고하게 완성되었다는 걸 믿지 않소? 당신은 부드러운 눈으로 나를 바라보며 내게 화를 낼 가치조차 없다는 얼굴을 하고 있군요. 그러나 이것만은 알아 두시오—민중은 지금 그 어느 때보다도 자기들이 완전한 자유를 누리고 있다고 믿고 있소. 그렇지만 그들은 그 자유를 자진해서 우리에게 바쳤소. 겸손하게 우리의 발밑에다 그것을 갖다 바쳤단 말이오. 그것을 완성한 것은 바로 우리들이오. 당신이 원한 것은 이게 아니었소. 이러한 자유는 아니었단 말이오!'"

"무슨 말인지 또 모르겠는데요" 하고 알료샤가 형의 말을 제지했다.

"노인은 비꼬아 말하는 건가요, 조소하는 건가요?"

"천만에. 그들이 마침내 자유를 정복함으로써 민중을 행복하게 해 주었다는 것을 자기와 자기 동료의 공적이라 생각하고 있는 거야. '왜냐하면 이제야 비로소 (그는 물론 이단 심문異端審問을 위한 종교 재판을 두고 말하고 있는 거야) 민중의 행복을 생각할 수 있게 되었기 때문이오. 인간은 원래가 반역자로 창조되었는데, 반역자가 어찌 행복할 수 있겠소. 당신은 여러 번 경고를 받은 바 있었소' 하고 노인은 그리스도에게 말하는 거야. '당신은 경고와 지시를 받음에 부족함이 없었음에도 불구하고, 그 경고에 귀를 기울이려 하지 않고, 인간을 행복하게 할 수 있는 유일한 방법을 거부해 버렸던 거요. 그러나 다행히도 당신은 이 세상을 떠날 때 자기의 사업을 우리에게 인계하고 갔소. 당신은 그것을 자기의 입으로 확실히 약속했고, 우리에게 인간을 묶고 풀고 하는 권리를 넘겨주었던 거요. 그러니까 이제 와서 그 권리를 우리한테서 빼앗을 수는 물론 없는 일이오. 그렇다면 무엇 때문에 당신은 지금 우리 일을 방해하러 나타난 거요.'"

"경고와 지시를 받음에 부족함이 없었다는 건 대체 무슨 뜻입니까?" 하고 알료샤는 물었다.

"그게 바로 이 노인이 말하려는 가장 중요한 대목이야. '무섭고도 지혜로운 악마[72], 자멸自滅과 허무의 악마' 하고 노인은 말을 계속하지. 위대한 악마가 광야에서 당신과 말을 주고받은 적이 있었소. 성경이 전하는 바에 의하면, 그 악마가 당신을 '시험'한 것으로 되어 있는데 그게 사실이오? 그러나 그 악마가 세 가지 물음으로 당신에게 고했던 그 말, 당신에 의해 거부당하여 성경에서 시험이라 불리는 그 말보다 더 참된 말이 과연 있을 수 있겠소? 만약에 언젠가 이 땅 위에서 참으로 위대한 기적이 이루어진 일이 있었다면, 그것은 이 세 가지 시험이 행하여진 바로 그날일 거요. 이 세 가지 시험 속에 다름 아닌 기적이 포함돼 있었기 때문이오. 가령 여기서, 이 무서운 악마의 세 가지 물음이 성경 속에서 자취도 없이 사라져 버려서, 다시 그것을 써넣기 위해 새로이 고안하여 창작하지 않으면 안 되게 되었다고 가정해 보시오. 그러기 위해 세계의 모든 지혜 있는 사람들—정치가, 고위성직자, 학자, 철학자, 시인 등을 모아 놓고, '이 세 가지 물음을 머리를 짜내어 만들어 내되, 그것은 광야에서의 사건 규모에 상응할 뿐더러, 불과 세 마디의 말, 세 마디의 인간의 말로, 세계와 인류의 미래사未來史를 남김없이 표현하는 것이어야 한다'라고 의뢰해 보시오. 이렇게 이 지상의 모든 지혜를 한데 묶어 짜낸다고 해서, 그때 광야에서 무섭고 지혜로운 악마가 실제로 당신한테 던진 세 가지 물음만큼 힘차고 깊이 있는 것을 꾸며 낼 수 있을 것 같소? 이 세 가지 물음만으로 판단하더라도, 그 실현의 기적만으로 판단하더라도, 당신이 상대해야 할 것은 덧없이 흘러가는 인간의 지혜가 아니라, 영원하고도 절대적인 예지라는 걸 알 수 있을 거요. 왜냐하면, 이 세 가지 물음 속에 인간의 전 미래사가 하나의 완전한 모양으로 요약되고 예언되어 있을 뿐만 아니라, 지상에 있어서의 인간성의 역사적 모순을 남김없이 집약한 세 가지 이미지가 나타나 있기 때문이오. 물론 미래를 예측할 수 없는 일이므로 그 당시만 해도 이런 점을 잘 몰랐을 것이지만, 그로부터 15세기라는 세월이 흐른 오늘날에 와서는, 이 세 가지 물음 속에, 무엇 하나 증감할 수 없을 만큼 모든 것이 예

72 《신약 성경》〈마태복음〉 4장 참고.

언되었고, 또한 그 예언이 모두 맞아들어 가고 있음을 알 수 있소.

도대체 어느 쪽 말이 옳은가 당신 자신이 판단해 보시오—당신이 옳은가, 아니면 그때 당신을 시험한 자가 옳은가? 첫째 질문을 상기해 보시오. 말은 좀 다를지 몰라도 뜻은 이런 것이었소—'그대는 지금 세상으로 나가려 하고 있다. 그것도 자유의 약속이니 뭐니 하는 걸 가졌을 뿐 맨손으로 가려 하고 있다. 그러나 원래가 어리석고 비천한 인간들은 그 약속의 뜻을 이해하지 못하고, 오히려 두려워하고 있다. 왜냐하면 인간이나 인간 사회에서 자유보다 더 견디기 어려운 것은 없었으니까! 이 메마른 벌거숭이의 광야에 뒹구는 돌들을 보라. 만일 그대가 이 들들을 빵으로 변하게 할 수 있다면 전 인류는 유순하고 은혜를 아는 양떼처럼 그대의 뒤를 따르리라. 그리고 그대가 혹시나 빵을 주지 않지나 않을까 하여 영원히 전전긍긍하리라.' 그러나 당신은 사람들한테서 자유를 빼앗기를 원치 않았기 때문에 이 제의를 거부해 버렸던 거요. 당신의 생각으로는, 만약에 그 순종이 빵으로 살(買) 수 있는 것이라면 어떻게 거기 자유가 존재할 수 있겠느냐는 것이었소. 그때 당신은 '사람은 빵만으론 살아갈 수 없는 것이다'라고 대답했지만, 그러나 다름 아닌 그 빵의 이름으로 이 지상의 악마는 당신에게 반기를 들고 당신에게 도전하여, 마침내는 승리를 거두게 될 것이며, 모든 사람들은 '이 짐승을 닮은 자야말로 하늘에서 불을 훔쳐다가 우리에게 준 자다'라고 부르짖으면서 그 악마의 뒤를 따라가리라는 걸 당신은 알고 있소? 수백 년이 지난 후에 인류는 자기의 지혜와 과학의 입을 빌려 '범죄라는 것도 없고 따라서 죄악이라는 것도 없다. 다만 굶주린 인간이 있을 뿐이다'라고 공언하게 되리라는 걸 당신은 알고 있소? '먼저 우리에게 먹을 것을 달라. 그러고 나서 선행을 요구하라!'고 쓴 깃발을 치켜들고 사람들은 당신에게 육박할 것이며, 그 깃발에 의해 당신의 교회는 파괴되어 버릴 거란 말이오. 그리하여 당신의 교회가 서 있던 자리엔 새로운 건물이, 다시금 그 무시무시한 바벨탑[73]이 세워질 것이오. 물론 옛날의 그것과 마찬가지로 이 탑도 완성되지는 못할 것이지만, 그렇

73 《구약 성경》〈창세기〉 11장 참고.

다 하더라도 당신은 이 새로운 탑의 건설을 사전에 막음으로써, 사람들의 고통을 천 년은 줄일 수 있었던 거요. 왜냐하면 그들은 천 년 동안 고탑을 세우느라고 고생한 끝에, 결국은 우리한테 되돌아 올 것임이 틀림없기 때문이오! 그때 그들은 땅속 묘지[74] 안에 숨어 있는 우리들을 찾아낼 거요. (그때는 우리가 또다시 박해를 받아 고난의 길을 걷고 있을 테니까) 그들은 우리를 찾아내서 '우리에게 먹을 것을 주십시오. 우리들에게 하늘의 불을 갖다 주겠다고 약속한 자들이 거짓말을 했습니다'라고 외칠 거요. 그때 우리가 비로소 그들의 탑을 완성시켜 줄 것이오. 왜냐하면, 그들에게 먹을 것을 주는 자만이 그 탑을 완성시킬 수 있는 것인데, 바로 우리가 당신의 이름으로 그들에게 먹을 것을 줄 것이기 때문이오. 그러나 당신의 이름으로라는 건 거짓말에 불과하오. 사실 우리가 없으면 그들은 영원히 먹을 것을 얻을 수 없을 것이오! 그들이 자유로운 동안은 어떠한 과학도 그들에게 빵을 줄 순 없소! 그러나 결국에 가서는 그들도 자기의 자유를 우리의 발밑에 갖다 바치고, '우리를 노예로 삼아도 좋으니 제발 먹을 것을 주십시오' 하고 애걸하게 될 거요. 즉, 자유와 지상의 빵과는 어떠한 인간에게나 양립할 수 없다는 것을 그들 자신이 깨닫게 될 거란 말이오. 자기네들끼리 그것을 공평하게 분배할 수는 도저히 없기 때문이오! 또한 그들은 자기네들이 너무나 무력하고 너무나 악할 뿐만 아니라 한 푼의 값어치도 없는 반역자들이기 때문에 절대로 자유를 누릴 수 없다는 것도 깨닫게 될 거요. 당신은 그들에게 하늘의 양식을 약속했소. 그러나 다시 되풀이해 말하지만, 그 무력하고 죄 많은 비열한 인간들의 눈으로 볼 때, 과연 하늘의 빵이 땅 위의 빵만 할 수 있겠느냐 말이오? 설사 수천, 수만의 인간이 하늘의 빵을 얻기 위해 당신의 뒤를 따른다 하더라도, 하늘의 빵을 위해 지상의 빵을 멸시할 힘이 없는 수백만 수천만의 인간은 대체 어떻게 된다는 거요? 아니면, 당신에겐 위대하고 강력한 의지를 지닌 수만 명의 인간만이 귀중할 뿐, 약한 의지를 가지긴 했지만 당신을 사랑하는 수백만 명의 인간들은 아니, 바닷가의 모래알처럼 수없이 많은 인간들은 위대하

74 로마의 카타콤을 비유한 말.

고 강력한 의지를 지닌 인간을 위한 소재소재 노릇을 해야 한단 말이오? 아니, 우리에겐 무력한 인간도 귀중하오. 그들은 죄 많은 반역자들이긴 하지만, 나중에 가선 오히려 이런 인간들이 온순하게 되기 마련이오. 그들은, 우리를 보고 경탄의 눈을 크게 뜰 것이며, 우리를 신으로 받들 것이오. 왜냐하면 우리는 그들의 선두에 서서, 그들이 그처럼 두려워하는 자유를 달갑게 참고, 그들 위에 군림할 것에 동의했기 때문이오. 그리하여 그들에겐 마침내 자유롭게 된다는 것이 가장 큰 공포로 되어 버릴 거란 말이오. 그러나 우리는 그들에게, '우리 역시 그리스도의 종이며, 너희들 위에 군림하는 것도 그리스도의 이름으로 하는 것이다'라고 말할 거요. 이렇게 우리는 다시금 그들을 기만할 것이지만 이제는 무슨 일이 있어도 당신을 우리에게 가까이 오지 못하게 할 테니까 문제될 건 하나도 없소. 그러나 이 기만 속에 바로 우리의 고민이 존재하는 셈이죠. 왜냐하면, 우리는 영원히 거짓말만 하게 될 테니 말이오.

광야에서의 첫째 물음은 이와 같은 의미를 지니고 있었소. 그런데 당신은 자기가 무엇보다 존중하는 자유의 이름으로 그것을 거부했던 거요. 그 밖에도 이 물음 속에는 현세의 위대한 비밀이 숨어 있소. 만약에 당신이 '지상의 빵'을 받아들였더라면, 개개의 인간 및 전 인류의 영원하고도 공통적인 고민거리에 대하여 해답을 줄 수 있었을 것이오. 고민거리란 '누구를 숭배할 것이냐?' 하는 의문이오. 자유를 누리는 인간에게 있어 가장 괴롭고 해결하기 어려운 문제는, 한시바삐 자기가 숭배할 인물을 찾아내는 데 있소. 그런데 인간이란 논의의 여지조차 없을 만큼 확고부동한 인물을 숭배의 대상으로 찾는 법이오. 왜냐하면, 이 가련한 생물들은 제각기 자기가 숭배할 대상을 찾는 것이 아니라, 만인이 신앙하고 그 앞에 무릎을 꿇는 그런 대상을 찾기 때문이오. 즉, '모든 사람과 같이' 숭배해야만 하겠다는 거요. 이러한 숭배의 '공통성'의 요구야말로 세상이 시작된 그날부터 개개의 인간 및 전 인류의 가장 근본적인 고민거리가 되어 있소. 숭배의 공통성이라는 것 때문에 그들은 칼을 들고 서로 살육을 해 왔소. 그들은 자기네 신을 창조해 가지고 서로 도전하는 것이었소—'너희들의 신을 버리고,

이리 와서 우리의 신 앞에 무릎을 꿇어라, 그렇지 않으면 너희들의 신과 함께 너희들을 죽여 버릴 테다!'라고. 이것은 이 세상 끝날 때까지, 이 세상에서 신이라는 신이 모두 사라져 버린 후에까지도 계속될 거요. 신이 없으면 그들은 우상 앞에라도 무릎을 꿇을 테니까. 당신은 인간성의 이 근본적인 비밀을 알고 있었을 거요. 아니, 몰랐을 리가 없소. 그런데도 당신은 모든 인간을 당신 앞에 무릎을 꿇게 하기 위하여, 악마가 당신한테 권한 절대적인 유일무이한 깃발, 즉 지상의 빵이라는 깃발을 거부했소. 더욱이 하늘의 빵과 자유의 이름으로 그것을 거부하지 않았느냐 말이오.

그다음에 당신이 또 무슨 일을 했는지 잘 생각해 보시오. 무슨 일이든 으레 자유라는 걸 들고 나서지 않았소! 다시 되풀이하지만, 인간이라는 가련한 생물들에겐, 타고난 자유라는 선물을 넘겨줄 사람을 한시바삐 찾아내야만 한다는 것이, 가장 큰 고민거리란 말이오. 그러나 그들의 양심을 편안케 해 줄 수 있는 사람만이 그들 인간의 자유를 넘겨받을 수 있소. 당신에겐 빵이라는 절대적인 깃발이 주어졌으니까, 빵을 주기만 하면 사람들은 당신의 발밑에 엎드릴 거요. 빵보다 더 확실한 것은 없으니까. 그러나 만일 그때 누구든 당신 이외에, 인간의 양심을 지배하는 자가 나타난다면, 오오, 그때는 당신의 빵을 내던지고서라도 인간은 자기의 양심을 사로잡는 자의 뒤를 따를 것임이 틀림없소. 이 점에 있어선 당신이 옳았소. 왜냐하면 인간 생활의 비밀은 그저 사는 것뿐만 아니라, 무엇을 위해서 사느냐 하는 데 있기 때문이오. 무엇 때문에 사느냐 하는 확고한 의식이 없다면, 설혹 빵이 산더미같이 쌓여 있더라도 인간은 결코 살기를 원치 않을 것이며, 이 지상에 남아 있기보다는 차라리 자살을 택할 것임이 틀림없소. 그러나 실제는 어떻게 되었소? 당신은 인간의 자유를 지배하기는커녕 오히려 더욱 큰 자유를 그들에게 주지 않았느냐 말이오! 그래 당신은, 인간이 선악의 의식에 있어서의 자유로운 선택보다는 평안함을 (심지어는 죽음을) 더욱 귀중하게 여긴다는 것을 잊었소? 그야 물론, 인간에겐 양심의 자유보다 더욱 매혹적인 것은 없지만, 그러나 그것보다 더 괴로운 것도 없소. 그런데 당신은 인간의 양심을 영원히 편안케 하는 확고한 근거를 주는 대신, 이상하고, 수수께끼처럼 아리송한, 인간의 힘에 겨운 것들만을 그들에게 주었소. 따라서 당신의 행위는 인간을 전혀 사랑하지 않는 것과 같은 결과가 되어 버렸소—그들을 위해 자신의 생명을 내던지러 온 당신의 행위가 말이오! 당신은 인간의 자유를 지배하는 대신에, 오히려 그 자유를 증진시켜, 그 괴로움으로 말미암아 인간의 정신적 왕국에 영원히 무거운 짐을 지워 주었소. 당신은 당신에게 유혹되어 사로잡힌 인간이 자유의지로써 당신을 따라올 수 있도록 인간의 자유로운 사랑을 바랐소. 고대로부터의 엄격한 율법 대신에, 인간은 그 후부터 무엇이 선이고 무엇이 악인가를 자유로운 마음으로 혼자서 결정지어야만 하게 되었소. 더욱이 지도자라고는 당신의 상像만이 그들 앞에 있을 뿐이오. 그러나 선택의 자유라는 무서운 짐이 인간을 압박할 때, 그들은 당신에게 등을 돌리고 당신의 상像도 당신의 진리도 배척하게 되리라는 것을 당신은 생각해 본 일이 있소? 그들은 마침내 '진리는 그리스도 안에 있지 않다'고 외치게 될 거요. 왜냐하면 당신은 그처럼 많은 걱정거리와 해결할 수 없는 문제들을 그들에게 줌으로써 그들로 하여금 혼란과 고통 속에 남아 있게 했기 때문이오. 사실 그 이상으로 잔인한 짓은 도저히 불가능할 거요.

그리하여 당신은 스스로 자기 왕국의 붕괴의 기초를 놓은 것이니까 누구를 비난할 수도, 원망할 수도 없을 거요. 그렇지만, 당신이 권고 받은 것은 과연 그런 것이었을까? 여기 세 가지 힘이 있소. 이들 무력한 반역자들의 양심을 그들의 행복을 위해 영원히 정복하고 사로잡을 수 있는 힘은 이 지상에 세 가지밖엔 없소. 이 세 가지 힘이란—기적과 신비와 권위요. 당신은 이 세 가지를 모두 거부함으로써 스스로 모범을 보여 주었소. 그때 그 무섭고도 지혜로운 악마가 당신을 성전 꼭대기에 세워 놓고 '만약에 네가 하느님의 아들인가 아닌가 알고 싶거든 여기서 뛰어내려 봐라.[75] 도중에 천사들이 받아 주어, 밑에 떨어지거나 팔다리가 부러지거나 하지 않으리라는 말이 성경에 쓰여 있으니 말이다. 그러니까

75 《구약 성경》〈마태복음〉 4장 5~6절 참고.

여기서 뛰어내리면 네가 하느님의 아들인가 아닌가를 알게 될 것이고, 또 하느님 아버지에 대한 너의 믿음이 얼마나 큰가 하는 것도 증명될 것이다'라고 말했었소. 그러나 당신은 이 권고를 물리쳤고, 술책에 빠져 밑으로 뛰어내리거나 하지는 않았소. 물론 당신은 신으로서의 긍지를 지켜 훌륭히 행동했던 거요. 그러나 인간은—저 무력한 반역자의 무리들은 신이 아니지 않소? 아아, 그때 만일 당신이 한 걸음이라도 앞으로 나서서 뛰어내릴 자세를 취하기만 했더라도, 당신은 하느님을 시험한 것으로 되어 당장에 모든 신앙을 잃고, 당신이 구원하러 온 그 대지에 부딪쳐서 온몸이 산산이 부서져, 당신을 유혹한 그 지혜로운 악마를 기쁘게 해 주었을 것임이 틀림없소. 당신은 그것을 이내 알아챘던 거요. 그러나 다시 되풀이하거니와 대체 당신 같은 사람이 이 세상에 얼마나 있겠소? 그러한 유혹을 이겨 낼 수 있는 힘이 다른 사람한테도 있을 것이라고 당신은 정말 순간적이나마 생각한 적이 있었소? 인간의 본성이란 기적을 부정할 수 있도록 되어 있지는 못하오. 더욱이 생사에 관한 그런 무서운 순간에—가장 무섭고 가장 심각하고 가장 괴로운 정신적 의혹의 순간에, 오직 자기 양심의 자유로운 결정에 따라서만 행동할 수는 없게 되어 있소. 물론 당신은 자기의 이 장한 언행이 청사靑史에 기록되어 이 땅끝에까지 영원히 전해지리라는 것을 알고 있었으므로, 다른 사람들도 모두 당신을 본받아 기적을 구하지 않고 하느님과 함께 있을 것이라 기대했던 거요. 그러나 기적을 부정할 때 인간은 신까지도 함께 부정한다는 것을 당신은 몰랐었소. 왜냐하면, 인간은 신보다도 오히려 기적을 구하기 때문이오. 인간이란 기적 없이는 살 수 없소. 그래서 그들은 멋대로 기적을 만들어 내고, 마침내는 기도사祈禱師의 기적이나 무당의 요술까지도 믿게 되는 거요. 다른 사람보다 몇 배나 더한 반역자요, 이교도요, 불신자不信者라 할지라도 이 점에서는 역시 매한가지란 말이오. 당신은 많은 사람들이, '십자가에서 내려와 봐라. 그럼 네가 하느님의 아들이라는 걸 믿겠다'라고 희롱 삼아 외쳤을 때도, 십자가에서 내려오지 않았소. 이것 역시 기적에 의해 인간을 노예로 삼기를 원치 않고, 기적에 의하지 않은 자유로운 신앙을 갈망했기 때문이었소. 당신이 갈망한 것은 무서운 위력威力에 의한 인간의 노예적인 환희가 아니라 자유로운 인간이었던 거요.

그러나 이 점에서도 당신은 인간을 너무 높이 평가했었소. 왜냐하면 그들은 원래가 반역자로 태어났음에도 불구하고 역시 노예인 것만은 틀림없기 때문이오. 잘 관찰해 보고 판단하도록 하시오. 그때부터 벌써 15세기나 지났으니, 당신이 자기의 높이에까지 끌어올린 상대가 대체 어떤 존재들인지 직접 확인해 보시오. 나는 단언하거니와, 인간이란 당신이 생각했던 것보다는 훨씬 약하고 훨씬 비열하단 말이오! 도대체 당신이 한 것과 같은 일을 인간이 해낼 수 있다고 생각하오? 그들을 그렇게까지 존경함으로써 오히려 당신의 행위는 그들에게 동정을 품지 않은 것으로 되어 버렸소. 그것은 당신이 그들에게 너무나 많은 것을 요구했기 때문이오. 이것이 인간을 자기 자신보다 더욱 사랑한 당신이 해야 할 일이었다고 생각하오? 만약에 당신이 그렇게까지 그들을 존경하지 않았던들 그들에게 그렇게까지 많은 것을 요구하지는 않았을 거요. 그러면 인간의 부담도 가벼웠을 것이고, 오히려 그들을 사랑하는 결과가 되었을 것이오—인간이란 원래가 무력하고 비열한 족속이니까. 지금 그들은 도처에서 우리의 권위에 대하여 반기를 들고 있으며, 또 그것을 자랑으로 삼고 있지만 그런 건 문제도 아니오. 그것은 아이들의 자랑에 불과하오. 소학생들의 자랑에 불과하단 말이오. 그것은 교실에서 소동을 일으켜 선생을 몰아내는 젖비린내 나는 어린애 짓과 다를 것이 없소. 그러나 얼마 안 있어 아이들의 환희는 사라질 것이며, 그들은 이 때문에 값비싼 대가를 치러야만 할 거요. 그들은 성전을 파괴하고, 대지를 피로 물들일 것이지만, 나중에는 이 아이들로, 자기네들이 반항아이기는 하지만, 그 반항을 끝까지 계속할 수 없는 의지박약한 반항아라는 것을 깨닫게 될 거요. 그리고 마침내는, 자기들을 반항아로 만든 자는, 자기들을 우롱하려고 했음이 틀림없다는 것을 어리석은 눈물을 흘리면서 자각하기에 이를 것이오. 그들은 절망에 빠져 이런 말을 입 밖에 내지만, 일단 입 밖에 나온 말은 그대로 신에 대한 저주가 되어, 그 때문에 그들은 한층 더 불행해질 것임이 틀림없소. 왜냐하면, 인간의 본성은 신에 대한 저주를 이겨 내지 못하게 마련이므로, 결국은 그 본성이 자기 자신에게 복수를 할 것이기 때문이오.

따라서 불안과 혼란과 불행—이것이 바로 현세의 인간의 운명이오. 당신이 그들의 자유를 위해 그처럼 고난을 겪고 난 후에도 역시 인간의 운명은 이러하오! 당신의 위대한 예언자(요한)는 그 환상과 비유로 이루어진 예언 속에서, 최후의 심판인 만인 부활의 첫날에 참석한 모든 사람을 자기가 보았는데, 그 수는 각 종족種族마다 각각 1만 2천 명씩이었다고 말하고 있소. 그러나 그들의 수가 그것밖엔 안 된다면, 그들은 인간이라기보다는 신이라고 해야 할 것이오. 그들은 당신의 십자가를 지고 몇십 년 동안을 메뚜기와 풀뿌리만으로 연명하면서, 먹을 것 없는 벌거숭이 광야에서 참고 견디었소. 그러니까 당신은 물론 이들 자유의 아들, 자유로운 사랑의 아들, 당신의 이름을 위해 자발적으로 위대한 희생을 바친 아들을 자랑스럽게 가리켜 보일 수도 있을 것이오. 그러나 그것은 몇천 명에 불과한, 거의 신이나 다름없는 인간들뿐이라는 걸 알아야 하오. 도대체 그 나머지 인간들은 어떻게 되는 거요? 그런 위대한 인간들이 참고 견디어 낸 바를, 그 밖의 약한 인간들이 참아 내지 못했다 하여 그들을 책망할 수는 없는 일 아니오. 그와 같은 무서운 선물을 받아들이지 못했다 하여 연약한 영혼들을 책망할 수는 없지 않으냐 말이오? 아니면 당신은 선택된 자들만을 위해, 선택된 자들한테 온 데 지나지 않잖소? 만일 그렇다면 그것은 곧 신비요. 따라서 우리로서는 도저히 이해할 수 없는 성질의 것이오. 그러나 그것이 정말로 신비라면, 우리도 신비를 선전하여 '인간에게 중요한 것은, 그들의 마음의 자유로운 판단이나 사랑이 아니라, 자기의 양심에 어긋나는 한이 있더라도 맹목적으로 복종해야 하는 신비인 것이다'라고 설교할 권리가 있소! 사실 우리는 그렇게 했소. 우리는 당신의 위업을 수정하여, 그것을 '기적'과 '신비'와 '권위' 위에 세워 놓았소. 그러자 사람들은 또다시 자기들을 양떼처럼 이끌어주고, 자기들에게 크나큰 고통을 가져온 그 무서운 선물을 마침내 제거해 줄 사람이 나타났다 하여 기뻐서 어쩔 줄 몰라 했소. 우리가 이렇게 가르치고 이렇게 실행한 것이 옳은 일인지 아닌지, 어디 한번 말해 보시오. 우리가 그처럼 겸허하게 인간의 무력함을 인정하고 사랑하는 마음으로 그 무거운 짐을 덜어 주고, 그들의 연약한 본성을 용납하여, 우리의 허락을 얻으면 그들의 죄까지도 용서받을 수 있게 한 이상, 우리도 인류를 사랑했다고 할 수 있지 않으냐 말이오!

도대체 당신은 뭣 때문에 우리를 방해하러 나타났소? 무엇 때문에 당신은 그 부드러운 눈으로 내 마음속을 들여다보기라도 하는 듯이 내 얼굴을 바라보고 있는 거요? 성을 내고 싶거든 어서 내보시오. 나는 당신의 사랑 같은 건 원하지도 않소. 나 역시 당신을 사랑하지 않으니까. 당신한텐 아무것도 숨길 필요가 없는 거요! 당신이 어떤 인간인지 그걸 내가 모를 줄 아시오? 당신은 내가 무엇을 말하려는 것인지 벌써 다 알고 있소. 그건 당신의 눈을 보면 알 수 있단 말이오. 그러니 내가 당신한테 우리의 비밀을 감춘들 무슨 소용이 있겠소? 어쩌면 당신은 그걸 내 입으로 말하는 걸 듣고 싶어 하는지도 모르겠소. 그렇다면 내 들려주리다. 우리는 당신과 손을 잡고 있는 게 아니라 그 '악마'와 손을 잡고 있소—이것이 우리의 비밀이오! 우리는 이미 오래전부터 당신을 버리고 '그'와 한패가 되어 왔소. 벌써 8세기 전부터의 일이오. 옛날에 당신이 분연히 거부한 것을, 그가 이 지상의 왕국을 가리켜 보이며 당신에게 권했던 그 마지막 선물을, 우리는 8세기 전에 그로부터 받았던 거요. 우리는 그의 손에서 로마와 카이사르의 검劍을 받아 쥐고, 우리만이 이 지상의 유일무이한 왕자라고 선언했소. 하기는 오늘에 이르기까지 이 사업은 완전히 수행되지는 못했으나, 그것은 우리의 잘못이 아니오. 비록 이 사업이 아직 초기의 상태에 있기는 하지만, 어쨌든 이미 착수된 것만은 사실이오. 아직도 완성되려면 오랜 세월을 기다려야 하고, 이 지구는 아직도 많은 고통을 겪어야 하겠지만, 그래도 우리는 끝내 목적을 관철하여 카이사르가 될 것이며, 그때야 비로소 우리는 인류의 세계적 행복을 생각할 수 있을 것이오. 그렇지만 당신은 그때 이미 카이사르의 검을 손에 잡을 수 있었는데 어째서 그 마지막 선물을 거부했소? 그때 그 위대한 악마의 제삼의 권고를 받아들였던들, 당신은 지상의 인류가 구하고 있는 모든 것을 충족시켜 주었을 거요. 인류는 누구를 숭배할 것이며 누구에게 양심을 맡길 것인가, 그리고 모든 인간이 하나의 공통된 개미집같이 세계적으로 결합하는 방법은 무엇인가 하는 문제를 해결해 줄 수 있었을 거란 말이요. 세계적 결합의 요구야말로 인류의 제삼의 고민거리이며, 마지막 고민거리이기 때문이오. 전 세계적으로 보아 인류는, 어떻게 해서든 전 세계적인 통합을 이룩하려고 항상 노력해 왔소. 위대한 역사를 가진 위대한 국민은 많이 있었으나, 이들 국민은 높은 위치를 차지하면 할수록 더욱더 불행하게 되는 것이었소. 왜냐하면, 남보다 월등하게 강한 자일수록 인류의 세계적 결합의 요구를 더욱 강하게 느끼기 때문이오. 티무르나 칭기즈칸과 같은 위대한 정복자들은 우주 전체를 정복하려고 선풍과 같이 이 지상을 휩쓸었으나, 그들 역시 무의식중에 인류의 이와 같은 세계적 결합의 요구를 표현한 것이었소. 전 세계와 카이사르의 주의朱衣[76]를 손안에 넣었을 때, 그때야 비로소 세계적 왕국을 건설할 수도 있고 세계적인 안식을 줄 수도 있는 것이오. 왜냐하면, 인간의 양심을 지배하고 그들의 빵을 손아귀에 쥐고 있는 사람이 아니고서는 아무도 인간을 지배할 수가 없기 때문이오. 우리는 카이사르의 것을 취했소. 그것을 취했으니 물론 당신을 버리고 그를 따라 갔소. 오오, 인간의 자유로운 지혜, 그 과학, 그리고 인육人肉 탐식의 무법 시대無法時代가 앞으로도 몇 세기는 더 계속될 거요. 그도 그럴 것이 그들은 우리의 힘을 빌지 않고 바벨탑을 건설하기 시작했기 때문에, 결국은 인육 탐식에까지 이르게 될 테니 말이오. 그러나 종국에 가서는 이 야수野獸가 우리에게로 기어 와서 우리의 발을 핥으며, 그 눈에서 피눈물을 쏟을 것임이 틀림없소. 그러면 우리는 그 야수를 타고 앉아 잔을 높이 들 것인데, 그 잔에는 '신비'라고 쓰여 있을 거요. 그러나 그때야 비로소 인류는 평화와 행복의 왕국을 맞이하게 되는 것이오. 당신은 자기의 선택된 사람들을 자랑하지만, 그 대신 당신에겐 그 선택된 사람들밖엔 없지 않소. 그러나 우리는 모든 사람에게 안식을 줄 것이오. 그뿐이 아니오. 그 선택된 사람들, 선택된 사람이 될 수 있을 만큼 강한 힘을 지닌 사람

76 옛 로마의 황제와 추기경만이 착용하던 복장으로 제위帝位의 상징.

들 가운데서도 대다수의 사람들은 당신을 기다리기에 지쳐서, 그 정신력과 정력은 전혀 다른 분야에 쏟아 버렸고, 또 앞으로도 그렇게 할 것이오. 그리하여 마침내는 당신을 향해 자유의 반기反旗를 높이 들게 될 거요. 하기는 당신 자신도 그런 깃발을 높이 든 적이 있었으니까……. 이에 반해 우리 쪽은 모든 사람이 행복하게 되어, 당신의 소위 자유로운 세계에서는 도처에서 행해지고 있는 그러한 반란이나 살육 행위가 근절되고 말 것이오. 그렇소, 그들이 우리를 위해서 자기의 자유를 버리고 우리에게 복종할 때, 그때야 비로소 그들은 참으로 자유롭게 될 것이라고 우리는 설복할 것이오. 우리의 말이 옳을 것이냐, 혹은 거짓말이 될 것이냐? 아니, 그들은 반드시 우리의 말이 옳다고 확신할 거요. 왜냐하면, 당신의 그 자유 덕분에 얼마나 무서운 노예 상태와 혼란 속에 빠졌던가를 그들은 상기할 테니 말이요. 자유니, 자유로운 지혜니, 과학이니 하는 것은 그들을 무서운 밀림 속으로 끌어들여 굉장한 기적과 해결 지을 수 없는 신비 앞에 세움으로써 그들 중에서 가장 사납고 반항적인 자들은 자살을 택하게 될 것이고, 반항적이기는 하지만 겁 많은 자들은 서로를 죽이게 될 것이며, 나머지 제삼의 부류에 속하는 무력하고 가련한 자들은 우리의 발밑으로 기어와서 이렇게 외치게 될 것이오.

'그렇습니다. 당신네들은 옳았습니다. 하느님의 신비를 지배하고 있는 것은 오직 당신네들뿐입니다. 그래서 우리는 당신네들한테로 돌아오기로 하였으니 제발 우리들을 우리들 자신으로부터 구해 주십시오.' 그들은 우리가 주는 빵을 받으면서, 그것이 우리가 그들 자신의 손으로 획득한 빵을 거둬들였다가 아무런 기적도 행함이 없이 그들에게 도로 나눠 주는 것이라는 점을 분명히 깨닫게 될 거요. 또한 그들은 우리가 돌을 빵으로 변하게 하지 않았다는 것도 알게 될 거요. 그러나 그들은 그 빵 자체보다도 그것을 우리의 손에서 받는다는 데 더욱 많은 기쁨을 느끼는 것이오. 왜냐하면 전에 우리가 없을 때는 그들 자신이 획득한 빵이 그들의 손안에서 돌로 변해 버렸었지만, 우리의 품 안에 돌아왔을 때는 그들이 그들의 수중에서 다시 빵으로 변한 것을 그들은 결코 안 잊을 것이기 때문이오. 영원히 복종한다는 것이 어떤 의미를 갖는 것인지 그들은 그야말로 뼈저리게 느끼게 될 거요! 이것을 이해하지 못하는 한, 인간은 언제까지나 불행에서 벗어날 수 없는 법이오. 그러나 이러한 무이해無理解를 조장한 것은 대체 누구였소, 말해 보시오! 양떼를 흩어지게 하여 이리저리 낯선 길로 쫓아 버린 것은 대체 누구였소? 그러나 그 양떼는 다시 한데 모여, 이번에는 영원히 복종하게 될 것인데, 그때 우리는 그들에게 대단치는 않지만 그래도 조용한 행복을, 천성이 연약한 동물에게 알맞은 행복을 줄 것이란 말이오. 그렇소! 우리는 기어코 그들을 설복하여 자부심을 품는 일이 없도록 만들어 보이겠소. 왜냐하면 당신은 그들의 지위를 끌어올림으로써 자부심을 갖도록 가르쳐 주었기 때문이오. 우리는 그들이 무력하고 불쌍한 어린애에 지나지 않으며, 어린애의 행복이야말로 가장 감미롭다는 것을 그들에게 증명해 보이겠소. 그러면 그들은 겁쟁이가 되어, 마치 암탉 품 안으로 모여드는 병아리처럼 두려움에 온몸을 떨며 우리들의 곁에 들러붙어 우리를 우러러 보게 될 거요. 그들은 경탄의 눈으로 우리를 쳐다보며 공포에 떨면서도, 그처럼 날뛰던 수익의 양떼를 진압할 수 있을 만큼 강력한 힘과 뛰어난 지혜를 가진 우리를 자랑으로 여기게 될 것이오. 우리가 성을 내면 그들은 전전긍긍하여 가엾게 떨면서 아녀자들처럼 금세 눈물을 흘릴 것이고, 우리가 좋은 낯으로 손짓을 하기만 하면 그들은 기쁨과 웃음에 싸여 어린애다운 행복한 노래를 부르며 희희낙락할 것이오. 물론 우리는 그들에게 노동을 시키겠지만, 여가가 있을 때에는 어린애다운 유희와 노래와 합창과 순진한 춤으로 시간을 즐기게 할 것이오. 그렇소, 우리는 그들의 죄까지도 용서해 주겠소. 그들은 무력하고 의지가 박약한 자들이므로 죄를 범하는 것을 허용하여 어린애처럼 우리를 따르게 할 것이오. 어떤 죄든지 우리의 허락만 받으면 모두 속죄될 것이라고 우리는 그들에게 말할 작정이오. 죄악을 허용하는 것은 우리가 그들을 사랑하고 있기 때문이며 그 죄에 대한 벌은 우리가 떠맡겠다고 일러 주겠소. 그러면 그들은 하느님 앞에서 자기들의 죄를 대신 맡아 준 은인이라 하여 우리를 숭배하게 될 것이며, 우리에게는 무엇 한 가지 숨기려 들지 않게 될 거란 말이오. 이들이 아내 이외에 정부情婦를 두고 사는 일도, 아이를 가지고 안 가지는 일도, 모든 것을 그 복종의 정도에 따라 허가하기도 하고 금지하기도 할 것이오. 이리하여 그들은 기꺼이 즐거운 마음으로 우리에게 복종하게 될 거요. 가장 괴로운 양심의 비밀까지도 그들은 하나도 숨김없이 모조리 우리한테 털어놓을 것이며, 우리는 모든 문제를 해결해 줄 것이오. 그러면 기꺼이 우리의 해결을 믿을 것이오. 그도 그럴 것이, 지금처럼 모든 것을 그들 자신이 자유롭게 해결지어야만 하는 커다란 부담과 무서운 고민으로부터 해방될 수 있기 때문이오.

이리하여 모든 인간은, 몇백만의 모든 인간은 행복을 누리게 될 것이오. 다만 그들을 통솔하는 몇만의 사람들은 여기서 제외될 것이오. 즉, 비밀을 간직해야 하는 우리들만은 불행을 감수해야 한단 말이오. 그러니까 몇십억의 행복한 갓난아기들과 선악을 판별하는 저주를 자기 몸에 지닌 몇만 명의 수난자受難者가 있는 것이오. 그들은 당신의 이름을 위해 조용히 죽어 갈 것이지만, 관棺 너머에서는 오직 죽음이 그들을 맞아 줄 것이오. 그러나 우리는 비밀을 간직한 채, 다름 아닌 그들의 행복을 위해, 천국의 영원한 보상을 미끼로 하여 그들을 유혹할 것이오. 왜 미끼라는 말을 쓰는가 하면, 설혹 저세상에 무언가가 있다 하더라도 그들과 같은 인간들에게 차례가 갈 것이 아니라는 건 뻔한 일이니까요. 사람들의 말이나 예언에 의하면, 당신은 다시 이 세상에 올 것이며, 또다시 모든 것을 정복하리라 했소. 선택받은 훌륭하고 강한 자들을 거느리고 오리라 했소. 그러나 우리는 이렇게 말할 테요. 그들은 다만 자기 자신을 구원했을 뿐이지만, 우리는 모든 사람을 구원해 주었다고. 또한 이런 말도 전해 내려오고 있소—결국은 그 야수를 타고 앉아서 '신비'를 손에 쥐고 있는 간부姦夫는 창피한 꼴을 당하게 될 것이며, 약한 자들이 또다시 봉기하여 그 주의紬衣를 찢고 '추한' 몸뚱이를[77] 사람들 앞에 발가벗겨 보일 거라고. 그러나 그때는 우리가 일어나, 죄 없는 몇십억의 행복한 어린아이들을 당신에게 가리켜 보일 것이오. 그들의 행복

77 《신약 성경》〈요한계시록〉 17~18장 참고.

을 위해 그들의 죄를 떠맡은 우리는 당신의 앞을 가로막고, '자, 우리를 심판할 용기가 있거든 어서 심판해 보시오!'라고 말할 테요. 알겠소, 나는 당신 같은 건 무섭지 않소. 나 역시 황량한 광야에 가서 메뚜기와 풀뿌리로 연명해 본 일이 있단 말이오. 당신은 자유라는 걸 가지고 인류를 축복했지만, 나 역시 그 자유를 축복한 적이 있었소. 나 역시 '수數를 채우기'를 갈망하여 당신의 소위 선택된 사람들 사이에, 위대하고 강한 사람들 사이에 한몫 끼어 보려 한 적이 있었단 말이오. 그러나 나는 허황된 꿈에서 깨어났으므로, 그따위 미치광이를 섬기기가 싫어졌소. 그래서 나는 광야에서 돌아와 당신의 위업에 수정을 가한 사람들 편에 서게 되었던 거요. 즉, 거만한 자들의 곁을 떠나, 겸손한 사람들의 행복을 위해, 겸손한 사람들한테로 돌아왔단 말이오. 머지않아 내가 말한 일들은 실현될 것이며, 우리의 왕국은 건설될 것이오. 또 한 번 되풀이하겠지만, 내일이면 당신도 그 온순한 양떼를 보게 될 것이오. 내가 손을 조금 들어 보이기만 하면, 그들은 앞을 다투어 달려 나와 당신을 불태울 장작더미에 시뻘건 숯 덩어리들을 던져 넣을 거란 말이오. 이렇게 해서 나는 우리를 방해하러 온 당신을 불태워 버릴 거요. 우리가 마땅히 화형에 처해야 할 사람이 있다면, 그것은 바로 당신이니까! 아무튼 내일 나는 당신을 불태워 죽일 테니 그리 아시오. Dixi(내가 할 말은 다 했소)."

이반은 말을 멈췄다. 그는 이야기에 열중하여 정신없이 지껄이고 있었으나 말을 마치자 갑자기 히죽 웃어 보였다.

줄곧 말없이 듣고만 있던 알료샤는 이야기가 끝날 무렵에 가서는 몹시 흥분하여 몇 번이나 형의 말을 가로막으려 하다가 억지로 참고 있는 눈치였으나, 마침내 둑이 터지기라도 한 듯이 입을 열었다.

"그렇지만…… 그건 말도 안 되는 얘깁니다!" 그는 사뭇 얼굴을 붉히면서 소리쳤다. "형님의 서사시는 그리스도에 대한 찬미는 될지언정 비난이 될 수는 없습니다……. 형님이 기대했던 것과는 딴판으로 말이에요. 그리고 형님의 그 자유론을 믿을 사람이 어디 있겠어요! 도대체 자유라는 걸 그런 식으로 해석할 수 있을까요? 그것이 과연 러시아 정교의 해석일 수 있을까요? 그것은 로마의 해석입니다. 아니, 로마 전체가 아니라, 로마 가톨릭 중에서도 가장 좋지 못한, 종교 재판의 심문관이라든가 예수회 회원이라든가 하는 사람들의 사상이란 말입니다! 더욱이 형님이 말씀하신 심문관과 같은 그런 황당무계한 인간은 도저히 있을 수가 없습니다. 자기가 대신 떠맡았다는 인간의 죄란 대체 무엇입니까? 인류의 행복을 위해 비밀을 간직한 채 스스로 저주를 짊어진 사람이란 대체 무엇입니까? 그런 사람이 도대체 언제 있었다는 겁니까? 우리도 예수회에 대해서는 알고 있어요. 예수회 사람들이 악평을 듣고 있는 건 사실이지만, 그래도 형님이 생각하고 있는 것과는 다릅니다. 다르고말고요. 전혀 비슷하지도 않습니다……. 그들은 다만 로마 교황을 제왕帝王으로 삼는 미래의 세계적 왕국을 위해 노력하는 로마의 군대에 지나지 않습니다. 이것이 그들의 이상이긴 하지만 거기에는 아무런 신비도 고상한 비애도 없어요……. 권력과 더러운 지상의 행복, 그리고 민중의 노예화, 이런 것을 목적으로 하는 지극히 단순한 희망에 불과하지요. 그 노예화란 것은 미래의 농노제와도 같은 것인데, 지주가 되는 것은 그들 자신일 겁니다. 그들의 사상이란 기껏해야 이 정도밖엔 안 됩니다. 아마 그들은 하느님조차 믿지 않을 거예요. 그러니까 형님이 말씀하시는, 고뇌하는 심문관 같은 건 단순한 환상에 지나지 않습니다."

"얘, 가만 좀 있거라" 하고 이반은 웃으며 말했다. "그렇게 흥분할 건 없어. 네가 환상이라고 우긴다면 환상이라고 해 두자! 물론 환상인 것만은 사실이야. 그렇지만 말이다, 정말로 너는 최근 몇 세기 동안의 모든 가톨릭 운동이 오직 더러운 행복만을 추구하는 권력에의 희망에 불과하다고 생각하니? 파이시 신부가 너한테 그런 소릴 하더냐?"

"아니, 그런 건 아닙니다. 파이시 신부는 오히려 형님과 비슷한 말씀을 하신 적이 있었어요……. 그렇지만, 물론 다른 뜻입니다. 그것과는 전혀 다른 뜻이었어요" 하고 알료샤는 황급히 고쳐 말했다.

"네가 '전혀 다른 뜻이었다'고 취소한대도, 어쨌든 그건 귀중한 정보임엔 틀림없다. 그런데 내가 너한테 묻고 싶은 게 있다. 어째서 너는 예수회 회원들이나 심문관들이 오직 더러운 물질적 행복만을 위해 단결했다고 우기느냐 말이다. 어째서 그들 중에는 위대한 비애와 고뇌 속에서 인류를 사랑하는 수난자가 한 사람도 존재할 수 없다는 거냐? 더러운 물질적 행복만을 바라고 있는 자들 가운데도, 적어도 한 사람쯤 내가 얘기한 노老 심문관과 같은 사람이 있었다고 상상할 수 있는 게 아니냐? 그는 광야에서 풀뿌리로 연명하면서 자기 자신을 자유롭고 완전한 것으로 만들기 위해 자신의 육욕을 정복하려고 필사적인 노력을 계속했지만, 인류를 사랑하는 마음만은 한평생 변함이 없었던 거야. 그러나 그는 갑자기 눈이 뜨여, 의지의 완성에 도달한다는 정신적 행복도 그다지 위대한 것이 못 된다는 걸 깨달았어. 왜냐면, 자기 혼자만이 의지의 완성에 도달한다면, 신의 피조물인 나머지 몇 억의 인간은 다만 조소의 대상으로 창조되었다는 것을 부득불 인정하지 않을 수 없기 때문이지. 사실 그들은 주어진 자유를 누릴 능력도 없으며, 그러한 가엾은 반역자들 속에서는 바벨탑을 완성할 거인이 나올 리 만무하다. 저 위대한 이상가理想家가 조화의 세계를 꿈꾸었던 것은 결코 이들 어리석은 인간들을 위해서가 아니다—이런 모든 것을 깨달았기 때문에 그는 광야에서 돌아와 현명한 사람들 편에 가담했던 거야. 그래, 너는 이런 일이 있을 수 없다는 거냐?"

"누구 편에 가담했다는 겁니까? 현명한 사람들이란 대체 누굽니까?" 알료샤는 극도로 흥분하여 소리쳤다. "그들에겐 그런 지혜 같은 건 털끝만큼도 없습니다. 그런 신비니 비밀이니 하는 건 없단 말이에요……. 있는 것은 다만 무신론뿐입니다. 그것이 그들의 비밀의 전부지요. 형님이 얘기한 노老심문관은 하느님을 믿지 않는 사람이에요. 그것이 그 노인의 비밀의 전부입니다!"

"그렇대도 좋다! 너도 드디어 알아챈 모양이구나. 사실 그렇다. 사실 그의 모든 비밀은 오직 거기에 포함되어 있는 거야. 그러나 그와 같은 인간에게도 그것은 커다란 괴로움이 아닐 수 없어. 그는 광야 속에서 고행을 하느라고 일생을 희생하면서도, 인류에 대한 사랑이라는 불치의 병을 떼어 버릴 수 없었던 사람이야. 그는 자기 생애의 황혼기에 이르러서야, 그 위대하고 무서운 정령精靈의 충고만이 연약한 반역자들을—'조소의 대상으로 창조된 미완성인 시험적 생물'을 얼마간이나마 견디기 쉬운 처지에 있게 할 수 있다는 것을 확신하게 되었던 거야. 이렇게 확신하자 그는 지혜로운 정령, 무서운 죽음과 파괴의 정령의 지시에 따라야 한다는 것을 깨달았지. 그러기 위해서는 거짓말과 속임수를 받아들여, 의식적으로 인간들을 죽음과 파괴로 이끌어야 하며, 그러면서도 그들이 어디로 끌려가는지 알아채지 못하게 함으로써, 적어도 그동안만이라도 그 가련한 맹인盲人들이 스스로 행복을 느끼도록 할 필요가 있다고 생각한 거야. 그런데 여기서 특히 지적할 것은, 이 속임수 역시 노인이 일생 동안 그 이상理想을 열렬히 신봉해 온 그리스도의 이름으로 행해진다는 점이야! 어찌 이것이 불행이 아니겠니? 만약 그 '더러운 행복만을 위해 권력을 추구하는' 군대 전체의 우두머리로 단 한 사람이라도 그런 사람이 나타난다면, 그 한 사람만으로도 비극을 낳는 데 충분하지 않겠니? 뿐만 아니라 그런 사람이 단 하나만이라도 우두머리가 된다면, 그 군대와 예수회를, 포함한 전 로마의 사업에 대한 참으로 지도적인, 고상하고 원대한 이념을 낳는 데 충분하지 않겠느냐 말이다. 나는 너한테 이렇게 단언한다—와 같은 '유일한 인간'은 모든 운동의 선두에 섰던 사람들 가운데 언제나 존재하고 있었다고. 나는 이것을 확신한다. 어쩌면 역대 로마 교황 중에도 그런 '유일한 인간'이 있었는지도 모르는 거야. 아니, 이처럼 집요하게 제멋대로 인류를 사랑하고 있는 이 저주할 노인의 정신은, 자기와 동류同類인 '유일한 인간'의 대집단 속에 현재도 엄연히 존재하고 있는지도 모르지. 그런데 이런 집단은 결코 우연한 것이 아니라, 오래전부터 비밀을 지키기 위해 조직된 종파宗派, 또는 비밀 결사로서 존재하고 있는 거야. 약하고 불행한 인간들로부터 그 비밀을 지키는 것은, 그들을 행복하게 하기 위한 것이지. 이것은 반드시 존재할 것이며 또 존재하지 않으면 안 될 거야. 내가 보기엔 프리메이슨freemason 같은 단체도 그 조직의 밑바닥에는 이와 비슷한 비밀이 있는 것 같아. 가톨릭교도들이 프리메이슨을 미워하는 까닭은 그것을 자기들의 경쟁자 내지는 이념의 단일성單一性의 파괴자라고 보기 때문이야. 양떼도 하나, 목자牧者도 하나여야 한다는 거지……. 그런데 내가 이렇게 자기 사상을 변호하다 보니 마치 너의 비평에 쩔쩔매는 작자作者와 같은 꼴이 되었구나. 그러니 이젠 그만해 두자."

"형님 역시 프리메이슨의 일원인지도 모르겠습니다!" 알료샤는 불쑥 이렇게 말했다. "형님은 하느님을 믿고 있지 않아요" 하고 다시 말했으나 그의 음성은 몹시 서글프게 들렸다. 그는 형이 자기를 냉소적인 눈으로 보고 있는 것같이 느껴졌던 것이다.

"그런데 형님의 시는 어떻게 끝이 맺어지지요?" 갑자기 눈을 내리깔며 알료샤는 물었다. "아니면 그것으로 끝인가요?"

"나는 이렇게 끝을 맺을 작정이었어. 심문관은 말을 마치고 나서 한참 동안 '죄수'의 대답을 기다렸지. 그는 상대방의 침묵이 견딜 수 없이 괴로웠어. 그러나 죄수는 조용히 노인의 눈을 들여다보며, 뭐라고 대꾸할 기색도 없이 그냥 귀를 기울이고 있을 뿐이야. 노인은 아무리 무섭고 뼈아픈 말이라도 좋으니 뭐라고 말해 주기를 안타깝게 기다렸어. 그러나 갑자기 죄수는 아무 소리 없이 노인에게 다가오더니, 아흔 살이나 먹어 핏기를 잃은 그 입술에 조용히 입을 맞췄지. 그것이 대답의 전부였어. 노인은 부르르 몸을 떨었었고, 그의 입술 언저리는 경련을 일으킨 듯 움직인 것 같았으나, 그는 곧 문 쪽으로 걸어가서 철문을 열어젖히고는 죄수를 보고 이렇게 말하는 거야—'자, 어서 나가시오. 그리고 다시는 오지 마시오. 무슨 일이 있어도 영영 오지 말란 말이오!' 그리하여 '도시의 어두운 광장'으로 풀려나온 죄수는 조용히 그곳을 떠나 버렸지."

"그래서 그 노인은 어떻게 됐죠?"

"그때의 그 키스는 노인의 가슴속에서 불타고 있었지만, 그래도 여전히 자기의 이념을 고수하고 있었지."

"그리고 형님 역시 그 노인과 한패로군요, 형님도?" 알료샤는 슬픈 듯이 외쳤다.

이반은 소리를 내어 웃었다.

"이거 봐, 알료샤, 이건 다 잠꼬대 같은 얘기야. 시라고는 단 두 줄도 써 본 일이 없는 엉터리 학생의 엉터리 시에 불과해. 무엇 때문에 너는 그처럼 심각하게 받아들이는 거냐? 그래 너는 내가 정말로 예수회 사람들을 찾아가서 그리스도의 위업에 수정을 가하고 있는 자들과 한패가 될 거라고 생각하니? 천만에, 그런 건 나하곤 상관없는 일이야! 내가 너한테 말하지 않았느냐—난 서른 살까지만 살면 그만이라고. 서른 살이 되면, 그때는…… 술잔을 마룻바닥에 동댕이치는 것뿐이야!"

"그렇지만 수액樹液으로 끈적거리는 새잎은 어떡하고요? 그리고 귀중한 무덤들은? 감청색 하늘은? 사랑하는 여성은? 그럼 형님은 어떻게 살아나가겠다는 겁니까? 어떻게 그런 것들을 사랑하겠느냐 말입니다" 하고 알료샤는 슬픔에 싸인 어조로 소리쳤다. "가슴과 머릿속에 그와 같은 지옥을 품고, 과연 그렇게 할 수가 있을까요? 아니, 형님은 틀림없이 예수회 사람들을 찾아가려고 여길 떠나는 거예요……. 그게 아니라면 자살이라도 해 버릴 겁니다. 그렇지 않으면 도저히 견디어 낼 수 없을 테니까요!"

"무엇이든 견디어 낼 만한 힘은 있어!" 이번엔 아주 냉소적인 어조로 이반은 대꾸했다.

"그건 어떠한 힘이죠?"

"카라마조프적인 힘이지……. 카라마조프적인 저열한 힘 말이야."

"음탕 속에 빠져들고, 타락 속에서 영혼을 질식시키는 것 말인가요? 그렇죠, 형님?"

"그럴지도 모르지……. 그러나 그것도 서른 살까지야. 어쩌면 거기서 벗어날 수 있을지도 몰라, 그때는."

"어떻게 무엇에 의지하여 벗어난단 말입니까? 형님 같은 사상을 가지고는 불가능합니다."

"그것 역시 카라마조프식으로 하면 되지."

"그건 무슨 짓을 해도 상관없다는 뜻인가요? 정말로 무슨 짓을 해도 좋을까요,

형님?"

이반은 미간을 찌푸렸으나, 갑자기 얼굴빛이 창백하게 변했다.

"흠, 너는 어제 미우소프의 분통을 터뜨렸던 그 말을 끌어다 대는구나……. 그때 드미트리 형이 순진하게 튀어나와 몇 번이나 그 말을 되풀이했지" 하며 그는 일그러진 미소를 흘렸다. "하긴 '무슨 짓을 해도 상관없다'라고 한대도 무방할 거야. 일단 입 밖에 나온 말이니 굳이 취소하지는 않겠다. 그러고 보니 미챠의 주장의 변형變形도 제법 괜찮을걸."

알료사는 잠자코 그를 바라보았다.

"얘, 알료샤. 나는 출발을 앞두고, 이 넓은 세상에서 그래도 너만은 내 친구라고 생각했었지만." 이반은 별안간 예측하지 못했던 강렬한 감정에 사로잡힌 듯 이렇게 말했다. "그러나 이제는 너의 가슴속에도, 귀여운 은둔자의 가슴속에도 내가 거처할 장소가 없다는 걸 알았다. 하지만 '무슨 짓을 해도 상관없다'는 공식은 부정하지 않겠어. 어떠냐. 너는 이 공식 때문에 나를 버릴 테지, 그렇지 않니?"

알료샤는 자리에서 일어나 형에게로 다가가서 말없이 그 입술에 입을 맞췄다.

"이건 문학적 표절인걸!" 이반은 갑자기 일종의 환희에 휩싸여 이렇게 외쳤다. "너는 내 서사시에서 그 키스를 훔쳐 냈구나! 아무튼 고맙다. 그럼 알료샤, 이만 자리를 뜨자. 이젠 가 봐야 할 시간이야. 너도 그렇고 나도 그렇고."

그들은 밖으로 나오다가 요리점 현관에서 걸음을 멈췄다.

"얘, 알료샤" 하고 이반은 확고한 어조로 입을 열었다. "내가 만일 정말로 끈적끈적한 새잎에 마음이 끌린다 해도 널 상기함으로써 비로소 그것을 사랑할 수 있을 거야. 네가 이 세상 어느 곳에 있다는 그 한 가지 생각만으로도, 내가 삶을 단념하지 않게 하기엔 충분해. 그렇지만, 이런 얘긴 너도 싫증이 났겠구나? 나의 사랑에 고백이라고 생각해 둬도 무방하다. 아무튼 이만 헤어지기로 하자. 너는 오른쪽으로 가고, 나는 왼쪽으로 가고, 우린 더 이상 말할 게 없을 거야, 그렇잖니? 만약 내가 내일 떠나지 않고 (떠나긴 틀림없이 떠날 모양이지만) 어쩌다 너와 또 만나게 된대도 이런 문제에 대해선 더 이상 아무 말도 말아 주었으면 좋겠다. 정말 이것만은 신신당부해 둔다. 그리고 드미트리 형에 대해서도 제발 아무 말 말아 다오." 그는 갑자기 성급한 어조로 이렇게 덧붙였다. "이젠 모든 걸 속 시원히 털어놓은 셈이니까, 더 이상 할 말이 없을 거야. 그렇지 않니? 그건 그렇고 너한테 한 가지 약속해 두겠다. 내가 서른 살이 되어 '잔을 마룻바닥에 동댕이치고' 싶어졌을 때, 나는 네가 어디 있건 또 한 번 너와 얘기하러 찾아오겠다. 설사 내가 그때 미국에 가 있더라도 반드시 찾아올 테니 그리 알아라. 너와 얘기하기 위해 일부러 오는 거야. 네가 그때 어떤 인간이 되어 있을 것인지 한번 만나보는 것만으로도 무척 유쾌할 게다. 어떠냐, 굉장히 엄숙한 약속이지? 그러나 정말로 우리는 이렇게 이별하여 앞으로 칠 년이나 십 년쯤은 못 만나게 될지도 몰라. 자, 어서 너의 세라픽스 신부神父Pater Seraphicus[78]한테 가 보렴. 거의 죽어 가고 있다니 말이야. 혹시 네가 없는 사이에 그 사람이 죽으면 내가 공연히 너를 잡아 뒀다고 나를 원망할 게 아니냐. 그럼 잘 가거라. 한 번만 더 키스해 주고, 그래, 됐다……. 이젠 가거라."

이반은 홱 몸을 돌리더니, 뒤를 돌아보려고 하지도 않고 그냥 성큼성큼 걸어갔다. 그것은 물론 어제와는 전혀 성질이 다른 이별이긴 했으나, 어제 맏형 드미트리가 알료샤에게서 떠나가던 때의 모습과 아주 흡사한 데가 있었다. 이 기묘한 인상은 때마침 어두운 서글픔에 잠긴 알료샤의 머릿속을 화살처럼 스치고 지나가는 것이었다. 그는 형의 뒷모습을 바라보며 잠시 동안 그 자리에서 있었다. 그는 문득 이반이 어쩐지 휘청거리는 것 같은 동작으로 걸음을 걷는다고 느꼈다. 그것은 뒤에서 볼 때, 어깨가 왼쪽 어깨보다 약간 처져 내려간 것같이 보였다. 전에는 미처 알아채지 못했던 일이었다.

그러나 알료샤 역시 몸을 홱 돌려, 수도원을 향해 거의 달리다시피 걸음을 재촉했다. 벌써 날이 꽤 저물어 어쩐지 무서운 생각이 들 지경이었다. 그의 마음속에는 무언가 설명할 수 없는 새로운 것이 차츰 고개를 쳐들고 있었다. 그가

78 괴테의 《파우스트》에서 인용.

수도원 숲에 들어섰을 때, 어제저녁처럼 바람이 일기 시작하며, 수백 년 묵은 노송老松이 주위에서 음산하게 설레는 것이었다. 그는 거의 뛰다시피 걷고 있었다. 'Pater Seraphicus—형님은 어디서 이 이름을 끌어다 댄 모양인데, 대체 어디서 끌어다 댄 것일까?' 하는 생각이 알료샤의 머릿속에 떠올랐다. '이반 형은 정말 가엾은 인간이야. 언제 또 그 형님을 만날 수 있을까?…… 아아, 벌써 암자로구나! 그렇다, 바로 저기 계신 분이 Pater Seraphicus이시다. 그분이 나의 영혼을 구원해 주실 게다—악마로부터 영원히!'

그 후 알료샤는 일생을 통해 몇 번이나 이때 일을 회상하며 의아스럽게 여기곤 했는데, 그것은 다름 아니라, 이반 형과 헤어졌을 때 어떻게 그처럼 완전히 드미트리 형에 대해 잊을 수 있었던가 하는 의문이다. 그날 낮, 그러니까 불과 몇 시간 전까지만 해도, 무슨 일이 있어도 드미트리를 꼭 찾아내야만 하며, 만일에 그를 찾지 못하면 그날 밤 안으로 수도원에 돌아가지 못하는 한이 있어도 결코 읍내를 떠나지 않겠다고 그처럼 굳게 결심하지 않았었던가.

6. 아직은 매우 희미한 것이지만

한편, 알료샤와 헤어진 이반은 집을 향해, 즉 표도르 파블로비치의 집을 향해 걷기 시작했다. 그런데 이상하게도 그는 별안간 견딜 수 없는 우울감에 사로잡혔다. 뿐만 아니라 그 우울감은 한 걸음 한 걸음 집이 가까워짐에 따라 더욱더 심해지는 것이었다. 그러나 이상한 것은 우울감 자체가 아니라, 그 우울감의 원인이 무엇인지 이반 자신도 설명할 수가 없다는 점이었다. 그전에도 우울감을 느끼는 일은 자주 있었으니까, 이런 순간에 그런 기분을 느낀다고 해서 별로 이상할 것은 없었다. 사실, 내일이면 그는 자기를 이곳으로 끌고 왔던 모든 것과 깨끗이 인연을 끊고, 크게 방향을 전환해서 그전과 마찬가지로 혼자 외로이 앞길을 예측할 수 없는 새로운 길을 떠나려는 것이다. 희망도 없진 않았으나, 과연 그 희망이 무엇인지 자기 자신도 알 수가 없었다. 인생에 대한 기대도 지나치리만큼 컸지만, 그 기대나 희망이 과연 어떤 것인지 자기 자신도 뭐라고 분명하게 설명할 수가 없는 것이다. 이러한 새로운 미지未知의 것에 대한 불안감이 그의 마음속에 자리 잡고 있었던 것은 사실이었으나, 지금 이 순간 그를 괴롭히고 있는 것은 그와는 전혀 다른 것이었다.

'혹시 아버지 집에 대한 혐오감은 아닐까?' 하고 이반은 생각했다. '아무래도 그런 것 같아. 이젠 그 집이라면 생각만 해도 지긋지긋하니까. 하긴 그 더러운 문지방을 넘는 것도 오늘이 마지막이겠지만, 그래도 불쾌하기야 매한가지지……. 아니, 그게 아니야. 그럼 알료샤와 헤어졌기 때문일까? 그 애하고 그런 얘기를 했기 때문일까? 벌써 몇 해 동안이나 사회 전체에 대해 침묵을 지키면서 말할 가치조차 없다고 생각해 온 내가 어쩌다 갑자기 그런 쓸데없는 소리를 지껄여 댔으니 그럴 수도 있겠지.' 사실 그것은 젊은이로서의 무경험과 허영심에 대한 자기 불만自己不滿이었는지 모른다. 즉, 알료샤와 같은 어린애한테 자기가 생각하고 있는 바를 제대로 표현하지 못한 데 대한 자기 불만이었을 것이다. 더욱이 알료샤로 말하면, 그가 마음속으로 은근히 점찍어 놓았던 상대가 아닌가. 물론 그런 자기 불만도 있었을지도 모른다. 아니, 반드시 있었을 것이다. 그러나 역시 이것도 저것도 아닌 것 같았다. '우울감 때문에 가슴이 답답해 죽겠는데, 대체 내가 무엇을 원하고 있는지 그것조차 알 수 없거든. 차라리 아무 생각도 않는 편이 좋겠다.'

이반은 아무 생각도 하지 않으려고 애썼으나, 그것 역시 소용없었다. 무엇보다 중요한 것은, 이 우울감이 우발적이면서도 아주 외부적인 성질을 띠고 있기 때문에 한층 더 사람의 마음을 초조하게 한다는 점이었다. 이반 자신도 그것을 느낄 수 있었다. 그것은 마치 물건이 어디 툭 삐져나와 있는 것 같은 느낌이라고 할까. 예를 들면, 어떤 물건이 눈앞에 비죽 나와 있는 것을, 얘기를 하거나 일을 하기에 열중하여 오랫동안 알아채지 못하고 있다가, 어쩐지 마음에 불안을 느끼고 마침내 그 방 패물을 제거해 버리지만, 대개의 경우 그것은 아주 보잘것없는 우스꽝스런 물건—엉뚱한 곳에 놓아둔 채 잊고 있던 물건이라든가 방바닥에 떨어진 손수건이라든가, 책꽂이에 끼워 놓지 않았던 책이라든가 하는 물건이기가 일쑤인 것이다.

마침내 이반은 더없이 불쾌하고 초조한 기분으로 아버지 집에 당도했다. 그러나 대문에서 열다섯 걸음쯤 떨어진 곳에서 그쪽을 보았을 때, 갑자기 그는 자기 마음을 그처럼 괴롭히고 불안케 한 원인이 무엇인가를 알 수 있을 것 같았다.

대문 앞 벤치에는 하인 스메르쟈코프가 선선한 저녁 바람을 쐬고 앉아 있었다. 이반은 그를 본 순간, 자기 마음속에도 이 하인 스메르쟈코프가 들어앉아 있어, 그것 때문에 그처럼 기분이 우울했다는 것을 깨달았다. 갑자기 모든 것이 환한 빛을 받은 듯 분명해졌다. 아까 알료샤가 스메르쟈코프와 만났다는 얘기를 했을 때도 무언가 어둡고 불길한 그림자 같은 것이 그의 가슴을 푹 찔러 반사적으로 증오감을 일으켰었다. 그다음 이야기에 열중하는 바람에 스메르쟈코프에 대해서는 잠깐 잊고 있었으나, 그래도 가슴속에 여전히 남아 있다가, 이반이 알료샤와 헤어져 혼자 집을 향해 걷기 시작하기가 무섭게 잊혔던 이 감각이 다시 머리를 쳐들고 일어나 꿈틀거리기 시작했던 것이다. '저런 하잘것없는 녀석 때문에 이렇게까지 내가 불만을 느끼다니!' 이렇게 생각하자 그는 화가 치밀어 견딜 수가 없었다.

사실 말이지, 이반 표도로비치는 요즘 와서 이자가 무척 싫어졌었다. 특히 최근 이삼일 동안은 그것이 더욱 심하였다. 그에 대한 거의 증오에 가까운 감정이 날이 갈수록 더해 가는 것은 이반 자신도 느끼게 되었던 것이다. 이러한 증오의 감정이 이렇게까지 자라게 된 것은, 이반이 이곳에 처음 돌아왔을 때 그와는 전혀 반대되는 현상이 일어났었기 때문인지도 모른다. 그 당시, 이반은 스메르쟈코프에 대해 그 어떤 특별한 관심을 표시했을 뿐 아니라, 그자를 무척 기발한 인간이라고까지 생각했었다. 이 하인이 자기와 이야기를 하게 만든 것은 이반 자신이었지만, 그럴 때마다 그의 조리가 닿지 않는 말투라기보다 그의 생각이 몹시 불안정한 데 번번이 놀라게 되는 것이었다. 그리고 무엇이 이 사색하는 사나이의 마음을 그처럼 쉴 새 없이 짓궂게 뒤흔드는 것인지 이반은 알 수가 없었다.

이반은 그자와 철학적인 문제에 대해서도 이야기했고, 창세創世 때 태양과 달과 별들은 나흘째 되는 날에야 만들어졌다고 되어 있는데, 그렇다면 어떻게 해서 첫날에 빛이 있을 수 있었느냐, 그리고 이 사실을 어떻게 해석해야 할 것이냐 하는 문제까지도 화제에 올린 적이 있었다. 그러나 얼마 안 있어 이반은, 문제는 결코 태양이나 달이나 별 같은 데 있지 않다는 것을 깨달았다. 물론 태양이나 달이나 별들이 흥미 있는 문제인 것만은 사실이지만, 스메르쟈코프에게는 어디까지나 제삼의적第三義的인 것에 지나지 않으며 그에게 필요한 것은 그와는 전혀 다른 문제였다. 그리고 때에 따라 정도의 차이는 있었지만, 어쨌든 한없는 자존심이, 더욱이 모욕당한 자존심이 이 하인의 얼굴에 역력히 나타나는 것이었다. 이반은 그것이 몹시 마음에 들지 않았다. 여기서부터 그와 혐오감이 싹트기 시작했다.

그 후 집안에 내분이 일어나서 그루셴카가 등장하고, 드미트리 형과의 문제가 일어나기도 하여 여러 가지 골치 아픈 일들이 계속되었을 때, 두 사람은 여기 대해서도 서로 이야기한 적이 있었다. 하기는 이런 이야기를 할 때면 스메르쟈코프는 언제나 몹시 흥분한 태도를 보이기는 했지만, 그가 과연 어떤 방향으로 그런 문제가 해결되기를 희망하고 있는지는 좀처럼 파악할 수가 없었다. 뿐만 아니라, 그가 무의식중에 표면에 드러내곤 하는 막연한 희망이, 너무나 비논리적이고 두서가 없는 데 새삼 놀라지 않을 수 없었다. 스메르쟈코프는 늘 무언가를 캐내려는 듯이 미리 생각해 두었던 것 같은 간접적인 질문을 던지는 것이었지만, 그 목적이 무엇인지는 설명하려 하지 않았다. 그리고 언제나 자기 질문의 가장 중요한 대목에 가서, 갑자기 입을 다물어 버리든가, 전혀 다른 화제를 끄집어내든가 하는 것이었다.

그러나 마침내 이반의 마음을 철저하게 자극하여 극도의 혐오감을 불러일으키게 한 것은, 스메르쟈코프가 그에게 거리낌 없이 드러내 보이기 시작한, 구역

질날 만큼 뻔뻔스런 태도였다. 더욱이 그것은 날이 갈수록 더욱더 심해지는 것이었다. 그렇다고 해서 이반에게 실례가 되는 태도를 취하는 것은 아니며, 오히려 그는 언제나 더없이 공손한 어조로 얘기를 하는 것이었다. 그러나 무엇 때문인지, 스메르쟈코프는 자기와 이반 사이에 어떤 연대 관계라도 있는 것같이 생각하는 눈치였다. 즉, 두 사람 사이에는 이미 그 어떤 밀약密約과 같은 것이 성립되어 있어, 두 사람만은 알고 있지만, 주위에 득실거리는 속인俗人들은 알 까닭이 없는 것이라는 듯한 말투로 언제나 말을 하는 것이었다. 하기는 그때만 해도 이반은 자기 마음속에서 나날이 심해져 가는 혐오감의 진정한 원인을 오랫동안 깨닫지 못하고 있다가, 최근에 와서야 겨우 그것이 무엇인가를 알아챌 수 있었다.

몸서리치는 혐오감에 휩싸여 이반은 스메르쟈코프에겐 외면한 채 말없이 문 안으로 들어가려 했다. 그런데 스메르쟈코프가 벤치에서 벌떡 일어났다. 그 동작 하나만으로도, 이반은 이자가 자기에게 무슨 특별한 얘기를 하려 한다는 것을 대번에 눈치챘다. 이반은 흘끗 그쪽으로 눈을 주고 멈춰 섰다. 방금 결심한 대로 모르는 체하고 그냥 지나가지를 못하고 여기서 갑자기 걸음을 멈추었다는 것을 의식하자, 이반은 치가 떨릴 만큼 화가 치밀어 올랐다. 그는 분노와 혐오에 사로잡혀, 거세승去勢僧처럼 여윈 스메르쟈코프의 얼굴이며, 빗으로 깨끗이 빗어 올려 닭의 볏처럼 만든 앞머리를 노려보았다. 약간 가늘게 뜬 그 왼쪽 눈은 '마치 어디 가시는지 그냥 지나가 버리지 않는 걸 보니, 역시 우리들처럼 현명한 사람들은 서로 얘기할 일이 있는가 보군요' 하는 듯이 미소를 품고 깜박거리고 있었다.

이반 표도로비치는 부르르 몸을 떨었다. '비켜라, 이놈아. 내가 너 같은 놈하고 상대할 줄 아니, 바보 자식!' 하고 호통을 치려 했으나, 실제로는 전혀 다른 말이 입 밖에 나와 버린 데 대해 그는 스스로 놀라지 않을 수 없었다.

"아버지는 아직 주무시고 계신가? 아니면 일어나셨나?" 그의 어조는 뜻밖에도 조용하고 부드러웠다. 그러고는 곧 벤치에 걸터앉았다. 이것 역시 전혀 뜻하지 않은 일이었다. 그리고, 나중에 가서야 생각난 일이기는 하지만, 그 순간 그는 거의 공포에 가까운 것을 느꼈던 것이다. 스메르쟈코프는 그 앞에 뒷짐을 지고 서서, 자신에 넘치는, 거의 엄숙하기까지 한 눈으로 그를 바라보고 있었다.

"아직 주무시고 계십니다." 그는 자못 침착한 어조로 대답했다. 그것은 마치 '먼저 말을 건넨 것은 당신이지 내가 아닙니다'라는 것 같은 말투였다. "나는 당신한테는 정말 놀랐습니다, 도련님." 잠시 말을 끊었다가, 일부러 그러는 것같이 눈을 내리뜨며 그는 이렇게 덧붙였다. 그러고는 오른쪽 발을 앞으로 내밀고 번쩍거리는 구두코 끝을 요리조리 움직거리는 것이었다.

"놀라긴 뭣 때문에 놀라?" 이반은 자신을 억제하려고 애쓰며 무뚝뚝한 어조로 이렇게 말했으나, 문득 자기 자신이 강한 호기심에 사로잡혀 있기 때문에, 그것을 만족시키기 전에는 좀처럼 이 자리를 뜨지 않을 것만 같아서 스스로 정이 떨어질 지경이었다.

"체르마쉬냐에는 왜 안 가십니까?" 스메르쟈코프는 갑자기 눈을 치뜨며 허물없는 태도르 싱긋 웃었다. '내가 왜 웃는지 아시겠죠. 만일 당신이 영리한 분이라면 말입니다.' 가늘게 뜬 그의 왼쪽 눈은 이렇게 말하는 것 같았다.

"내가 체르마쉬냐엔 뭣 하러 가지?" 이반은 놀라서 물었다.

스메르쟈코프는 잠시 동안 말이 없었다.

"주인어른께서 당신한테 간청하다시피 하지 않았습니까?" 한참 만에 그는 천천히 대꾸했으나, 자기 자신이 이 대답을 그리 중요하게 생각하지는 않는 눈치였다. '무슨 말이든 해야 할 테니까. 이런 대수롭잖은 문제를 끄집어내어 얼버무리고 있는 거죠'라는 것 같은 표정이었다.

"망할 녀석 같으니, 할 말이 있거든 똑똑히 말할 것이지!" 마침내 이반은 온순한 태도에서 우악스런 태도로 돌변하여 성을 내며 소리쳤다.

스메르쟈코프는 앞으로 내놓았던 오른발을 끌어당겨 왼발에 갖다 붙이며 자세를 바로잡았으나, 여전히 여유 있는 침착한 태도로 미소를 띠운 채 상대방의 얼굴에서 눈을 떼지 않고 있었다.

“뭐 대단한 건 아닙니다. 그저 말이 나온 김에……”

다시 침묵이 흘렀다. 두 사람은 거의 1분 동안이나 말이 없었다. 이반은 자리를 차고 일어나서 단단히 화를 내 보여야 할 때라고 생각했으나, 스메르쟈코프는 그 앞에 버티고 선 채 무언가를 기다리고 있는 듯했다. ‘당신이 화를 내는지 안 내는지 어디 봅시다.’ 적어도 이반에게는 이렇게 생각됐다. 마침내 이반은 일어서려고 몸을 움직였다. 그러자 스메르쟈코프는 기다리고 있었다는 듯이 이 순간을 이용하여 말을 시작했다.

“도련님, 나는 참으로 난처한 입장에 빠져 있습니다. 대체 어떡하면 좋을지 알 수가 있어야죠.” 그는 한마디, 한마디 끊어 가며 똑똑하게 말하고는, 마지막 한 마디와 함께 한숨을 내쉬었다. 이반은 다시 벤치에 주저앉아 버렸다.

“그 양반들은 두 분이 다 제정신을 잃고 어린애와 똑같이 되어 버렸거든요” 하고 스메르쟈코프는 말을 계속했다. “이건 당신의 아버님과 드미트리 형님을 두고 하는 말입니다. 지금이라도 곧 잠이 깨시면 주인어른께서는 나를 붙잡고, ‘그래 그 여자는 안 왔니? 왜 여태 오지 않았어?’라고 귀찮게 물으실 겁니다. 자정이 가까울 때까지, 아니, 자정이 넘을 때까지 같은 말을 물으셨거든요. 그런데 만일 아그라페나 알렉산드로브나(그루셴카)가 오시지 않으면, (그분은 어쩌면 아주 올 생각을 안 하고 계신지도 모르지만요) 이튿날 아침이 되기가 무섭게 또 나한테 덤벼드시며, ‘왜 안 왔니? 어째서 안 왔느냐 말이다? 대체 언제 온다는 거냐?’ 하고 마치 내가 그걸 알고 있기라도 한 것처럼 야단을 치십니다. 그런데 또 한편으로는, 날이 저물기가 무섭게, 아니, 그보다 빠를 때도 있습니다만, 드미트리 형님께서 손에 무기를 들고 이웃집 정원에서 나타나선, ‘이 악당 놈아, 만일 그 여자가 여기 찾아오는 걸 제때에 발견해서 나한테 알리지 않으면 그때는 누구보다도 먼저 네놈을 죽여 버릴 테니 그리 알아라’ 하시며 사뭇 협박조로 나오십니다. 그리고 또 밤이 새어 아침이 되면, 이번엔 주인어른께서 나를 못살게 구십니다. ‘왜 안 왔니? 이제 곧 올 것 같으냐?’ 그 부인께서 안 오시는 게 마치 내 책임이라도 되는 것같이 말씀하십니다. 이렇게 두 분의 역정이 날이 갈수록, 아니, 시간이 갈수록 더욱더 심해지기만 하기 때문에, 나는 무서워 견딜 수가 없어서 차라리 자살이라도 해 버릴까 하는 생각이 들기까지 합니다. 정말이지 그분들한텐 진절머리가 날 지경입니다."

"그런데 무엇 때문에 끼어들었지? 왜 드미트리 형한테 정보를 제공하기 시작했느냐 말이야?" 하고 이반은 화를 내며 말했다.

"끼어들지 않을 수가 있어야죠. 그러나 곧이곧대로 말씀드린다면 결코 내가 끼어든 건 아닙니다. 나는 처음부터 말 한마디 하지 못하고 줄곧 벙어리 노릇만 하고 있었습니다. 그저 그분이 제멋대로 나를 자기의 심부름꾼으로—리챠르드로 삼으신 것뿐이지요. 그때부터 드미트리 표도로비치는 나만 보시면, '이 악당놈아, 그 여자가 찾아오는 걸 놓치면, 너를 죽여 버릴 테니 그리 알아라!'라는 말만 되풀이하십니다. 도련님, 나는 내일 틀림없이 오랫동안 발작을 일으킬 것만 같습니다."

"오랫동안 발작을 일으키다니 그게 무슨 말이지?"

"간질병의 발작이 장시간 계속된단 말씀입니다. 몇 시간이나, 아니 어쩌면 하루나 이틀쯤 계속될지 모릅니다. 언젠가 한번은 사흘 동안이나 계속된 적이 있었으니까요. 그때는 다락방에서 떨어져서 그랬는데, 끝나는가 하면 또 시작되고 해서 사흘 동안이나 제정신으로 돌아오지를 못했었습니다. 주인어른께서 게르첸슈투베라는 의사 선생을 불러 주셨지요. 그래서 의사 선생이 내 머리에 얼음찜질을 하고 약도 한 가지 지어 주었습니다……. 정말 그땐 죽을 뻔했습니다."

"그렇지만 간질병은 언제 발작이 일어날지 미리 알 수는 없다고들 하던데, 자넨 어떻게 내일 발작이 일어날 거란 말을 하지?" 어떤 초조한 호기심을 느끼며 이반은 이렇게 물었다.

"그건 그렇습니다. 미리 알 수야 없지요."

"그리고 그때 발작이 일어난 건 다락방에서 떨어졌기 때문이라면서?"

"다락방이야 날마다 올라가니까 내일 또 거기서 떨어질지도 모르지요. 만일 다락방에서 떨어지지 않는다면 지하실 층계에서 떨어질지도 모릅니다. 지하실에도 날마다 오르내릴 일이 있으니까요."

이반은 한참 동안 그의 얼굴을 들여다보았다.

"되는대로 허튼소리를 늘어놓고 있는 거지? 내가 다 알아. 자네가 하는 소리는 도무지 알아들을 수가 없군그래." 나직한 목소리였으나 어딘지 협박하는 것 같은 어조였다. "그러니까 자넨 내일부터 사흘 동안 간질병을 앓는 체하겠다는 말이로군? 그렇지?"

스메르쟈코프는 땅을 내려다보며 또다시 오른쪽 발끝을 움직거리고 있다가 제자리로 당기더니, 이번엔 왼쪽 발을 앞으로 내밀고는 얼굴을 쳐들며 빙긋 웃었다.

"설사 내가 그렇게 한다 하더라도, 즉 앓는 흉내를 낸다 하더라도, (그것은 경험이 있는 사람에겐 그리 어려운 일이 아니지요) 나로서는 자기의 생명을 보존하기 위해 그런 방법을 이용할 수 있는 충분한 권리가 있을 겁니다. 내가 앓아눕고 있으면, 아그라페나 알렉산드로브나가 주인어른을 찾아온 대로 병자인 나를 보고 '왜 알리지 않았느냐'고 따질 수는 없을 테니까요. 드미트리 표도로비치도 설마 그렇게까지 나오실 수는 없을 게 아닙니까?"

"못난 녀석 같으니!" 분노에 얼굴을 일그러뜨리며 이반은 벌떡 일어났다. "무엇 때문에 자넨 밤낮 자기 목숨 걱정만 하고 있는 건가? 드미트리 형이 그런 협박을 했다 해도 그건 단지 홧김에 하는 말에 불과한 거야. 드미트리 형은 너 같은 건 절대 죽이지 않아. 혹시 사람을 죽인대도, 너 같은 건 죽이지 않는단 말이야."

"파리 새끼 죽이듯 죽여 버리실 겁니다. 내가 제일 먼저 그분 손에 죽을 거예요. 그러나 그보다도, 더욱 염려되는 것이 있습니다—만약에 그분이 주인어른께 무슨 엉뚱한 짓을 하는 경우 나도 공범으로 몰리게 되지나 않을까 하는 겁니다."

"자네가 왜 공범으로 몰린다는 건가?"

"왜 공범으로 몰릴 우려성이 있느냐 하면, 내가 바로 그 암호를 그분에게 몰래 알려 주었기 때문입니다."

"암호라니 무슨 암호? 그걸 누구한테 알려 줬다는 건가? 답답하게 굴지 말고 똑똑히 말해 봐!"

"이렇게 된 이상 죄다 고백할 수밖에는 없군요." 스메르쟈코프는 거드름스럽게 말꼬리를 길게 끌면서 말했다. "실은 나와 주인어른 사이에 한 가지 비밀이 있습니다. 당신도 아시다시피, (혹시 알고 계신다면 말입니다만) 주인어른께서는 지난 며칠 동안 밤이 되면, 아니, 어떤 때는 저녁만 되면 곧 안에서 방문을 잠가 버리십니다! 하기는 요즘 도련님께선 저녁 일찍이 이층 도련님 방으로 올라가 버리실뿐더러 어제는 온종일 방에 들어앉아 계셨으니까, 주인어른께서 별안간 문단속을 엄중히 하시게 된 걸 모르실 겁니다. 주인어른께선 그리고리 바실리예비치가 왔다고 해도 음성으로 본인이라는 걸 확인하시기 전에는 절대로 문을 열어 주지 않습니다. 그렇지만 그리고리 바실리예비치는 요즘 안채에 들어오는 일이 없기 때문에 방 안에서 주인어른의 시중을 드는 것은 나 하나밖엔 없습니다. 이건 아그라페나 알렉산드로브나와의 소동이 벌어진 후부터 주인어른께서 직접 정해 주신 일이지요. 그러나 밤이면 주인어른의 분부로, 나는 한밤중까지 망을 보기 위해 바깥채로 물러 나옵니다. 즉, 한밤중까지 잠자리에 들지 않고 이따금 뜰 안을 한 바퀴씩 돌며 아그라페나 알렉산드로브나가 오시기를 기다리고 있어야만 합니다. 주인어른께선 벌써 며칠 째나 미친 사람처럼 그분이 오시기를 기다리고 계시거든요. 주인어른의 생각으로는 그분이 드미트리 표도로비치를 (주인어른께선 언제나 미치카라 부르십니다만) 무서워하고 계시니까 밤이 꽤 깊어서야 뒷길로 해서 오실 거라는 겁니다. '그러니까 너는 자정이 될 때까지, 아니, 좀 더 늦게까지 망을 보고 있어야 한다. 만일 그 여자가 오거든 내 방문을 두드리든가, 뜰에서 창문을 두드리든가 해라. 처음에는 좀 천천히 두 번, 그다음에는 좀 더 빨리 세 번, 이렇게 연거푸 두드리면, 그 여자가 온 줄 알고 내가 살그머니 문을 열어 주마'라고 주인어른께서 말씀하셨습니다. 그리고 혹시 급히 알려야만 할 일이 일어날 경우에 대비하여 또 한 가지 암호를 가르쳐 주시더군요. 그것은 처음에 좀 빠르게 두 번 두드린 다음, 조금 사이를 둔 후 또 한 번 쾅 하고 세차게 두드리는 겁니다. 그러면, 무슨 급한 일로 내가 주인어른을 뵙고 싶어 하는 걸로 아시고, 즉시 문을 열어 주시면 내가 들어가서 보고하기로 되어 있습니다. 이것은 아그라페나 알렉산드로브나가 직접 오시지 못하고 심부름꾼을 시켜 소식을 전할 경우를 예상한 것이지요. 그리고 또 드미트리 표도로비치도 오실지 모르니까, 그때는 그분이 가까이 와 계시다는 걸 주인어른께 알려야 합니다. 주인어른께선 그분을 몹시 두려워하고 계시기 때문에, 비록 아그라페나 알렉산드로브나가 오셔서 주인어른과 두 분이 문을 잠그고 방 안에 들어 앉아 계실 때라도, 드미트리 표도로비치가 가까이 나타나시면 나는 곧 문을 연거푸 세 번 두드려 그것을 주인어른께 알려 드려야만 합니다. 그러니까 다섯 번 두드리는 첫째 암호는 '아그라페나 알렉산드로브나가 오셨습니다'라는 뜻이고, 두 번과 한 번, 이렇게 세 번 두드리는 둘째 암호는 '급히 말씀드릴 일이 있습니다'라는 뜻이지요. 이건 주인어른께서 몇 번이나 실제로 해보이시며 설명해 주신 암호입니다. 넓은 세상에서 이 암호를 알고 있는 건 나와 주인어른 이렇게 두 사람뿐입니다. 그러니까 주인어른께선 조금도 의심치 않고, 누구냐고 소리쳐 물어보지도 않고, (주인어른께선 큰 소리를 내는 걸 몹시 두려워하시거든요) 얼른 문을 열어 주실 겁니다. 그런데 이 중요한 암호가 이제는 드미트리 표도로비치에게 알려졌단 말입니다."

"어떻게 알려졌어? 자네가 고해바쳤겠지? 어떻게 감히 그런 짓을 했나?"

"너무나 무서워서 그랬습니다. 그분한테 말하지 않으래야 않을 수가 없었어요. 드미트리 표도로비치는 날마다 나를 붙잡고는, '너 나를 속이고 있지? 무언가 나한테 숨기고 있는 게 분명해. 바른대로 말하지 않으면 두 다리를 부러뜨려 버릴 테다!'라고 을러멘단 말입니다. 그래서 나는 하는 수 없이 그분에게 이 암호를 알려 드렸지요. 그렇게 함으로써 내가 노예와 같이 순종한다는 것을 보여 드리고, 그분을 속이기는커녕 오히려 뭐든지 죄다 고해바친다는 걸, 믿게 하려

했던 겁니다."

"만약에 드미트리 형이 그 암호를 이용하여 들어가려는 기색이 보이거든, 그 때는 자네가 가로막고 못 들어가게 해야 하네."

"그야 나도 그분이 난폭한 짓을 할 것 같은 눈치면 어떻게 해서든 용기를 내어 들여보내지 않도록 하겠습니다만, 만약에 내가 발작을 일으켜 누워 있게 되면 도저히 그렇게 할 수는 없는 일 아닙니까?"

"망할 녀석 같으니! 무엇 때문에 자네는 발작을 일으킬 것이라고 단정하지? 자넨 나를 놀리려고 그러는 건가?"

"내가 당신을 놀리다니, 어찌 감히 그런 짓을 하겠습니까. 더욱이 이런 무서운 일이 눈앞에 닥쳐오고 있는데 어디 농담을 할 형편이나 됩니까? 그저 어쩐지 발작을 일으킬 것 같은 예감이 드는군요. 무섭다는 생각만으로도 발작은 틀림없이 일어날 겁니다."

"되지도 않은 소리 작작해! 만일 자네가 드러눕게 되면 그리고리가 대신 망을 볼 거야. 미리 알려 주기만 하면 그리고리는 절대로 형님을 들여보내지 않을 테니까."

"주인어른의 분부 없이는 절대로 그 암호를 그리고리 바실리예비치한테 알려 줄 수 없습니다. 그리고 그리고리 바실리예비치가 형님이 오시는 소리를 듣고 들여보내지 않을 거라고 말씀하시지만, 공교롭게도 그 사람은 어제부터 몸이 시원치 않아서, 내일은 마르파 이그나치예브나가 치료를 하게 되어 있습니다. 그렇게 하기로 아까 작정이 되었으니까요. 그런데 그 치료법이라는 게 매우 재미있습니다. 마르파 이그나치예브나는 물약 같은 걸 만들 줄 알아서 언제나 떨어지지 않게 그 물약을 저장해 두고 있지요. 무슨 약초를 보드카에 담가서 만든 아주 지독한 약입니다. 그런 비방秘方을 그 노파가 알고 있단 말입니다. 그리고리 바실리예비치는 해마다 세 번가량 무슨 중풍에 걸리기라도 한 것처럼 허리를 못 쓸 때가 있는데, 그런 때는 이 약으로 치료를 하지요. 1년에 3번씩은 꼭 그렇다고 합니다. 그런 때 마르파 이그나치예브나는 이 물약을 수건에 적셔 가지고 반 시간가량 영감님의 등을 벌겋게 부어오를 때까지 들입다 문질러 댄 다음, 무슨 주문 같은 걸 외면서 병에 남아 있는 약을 영감님한테 마시게 합니다. 하긴 나머지를 죄다 마시게 하지는 않지요. 이런 경우엔 얼마쯤 남겼다가 자기도 함께 마셔 버립니다. 그런데 양쪽이 다 술을 마실 줄 모르는 사람들이라, 그대로 그 자리에 곤드라져 오랫동안 일어나지 못하고 그냥 잠을 잡니다. 그리고 리 바실리예비치는 잠을 깨면 언제나 병이 나아 버리지만, 마르파 이그나치예브나는 잠이 깬 후 언제나 골치가 아프다고 합니다. 사정이 이러하니까, 만약에 마르파 이그나치예브나가 내일 정말로 치료를 한다면, 그 사람들이 드미트리 표도로비치가 오시는 소리를 듣고 그분을 들여보내지 않으리라고는 도저히 기대할 수 없는 일 아닙니까. 그 사람들은 정신없이 자고 있을 테니까요."

"그런 어처구니없는 소리가 어디 있어! 일부러 꾸민 것처럼 모든 일이 한꺼번에 일어나다니…… 자넨 지랄병 발작을 일으키고, 그 사람들은 둘이 다 정신없이 잠들고!" 하고 이반은 고함을 쳤다.

"자네가 일부러 일을 그렇게 꾸미는 건 아닌가?" 불쑥 이렇게 말하고 이반은 무섭게 미간을 찌푸렸다.

"내가 어떻게 그런 일을 꾸미겠습니까……. 그리고 또 무엇 때문에 그런 일을 꾸미겠어요? 모든 일은 오직 드미트리 표도로비치의 생각 여하에 달려 있는 게 아닙니까?…… 무슨 짓이든 하려고만 한다면 그분은 해내고야 말 겁니다. 정말이지 내가 그분을 끌어내다 주인어른 방에 떠밀어 넣을 이유가 어디 있겠습니까."

"그렇다면 뭣 때문에 형님이 아버지한테 온다는 거지? 그것도 꼭 몰래 와야만 할 필요가 어디 있어? 네 말대로 아그라페나 알렉산드로브나가 절대로 오지 않는다면 말야?" 이반은 얼굴이 파래지도록 화를 내며 말을 계속했다. "자네 자신도 그렇게 말하지만, 나도 여기 와서 살고 있는 동안에, 아버지는 꿈을 꾸고 있을 뿐 그 더러운 계집은 절대로 오지 않을 것이라는 확신을 얻었어. 그 계집이 오지도 않는데, 뭣 때문에 형님이 아버지 방에 행패를 부리러 들어가느냐 말이야? 말해 봐! 나는 네놈의 뱃속을 알고 싶단 말이다."

"그분이 무슨 목적으로 오시는지는 당신 자신이 잘 아실 텐데 구태여 내 생각까지 물으실 건 없지 않습니까? 그분은 그저 홧김에 오실 것이지만, 혹시 내가 앓아눕는다면 그때는 또 의심을 일으켜서 어제 모양 참지를 못하고 집안을 온통 뒤지러 올지도 모릅니다—혹시 그 여자가 자기 눈을 피해서 몰래 오지나 않았을까 하고 말이죠. 더욱이 그분은 주인어른한테 3천 루블의 돈을 넣어 봉해 둔 큼직한 봉투가 있다는 것도 잘 알고 계십니다. 그 봉투는 세 겹으로 봉하고 다시 노끈으로 묶은 다음, '나의 천사 그루셴카에게, 만일 그대가 나한테 온다면'이라고 직접 주인어른의 손으로 쓰셨는데, 또 사흘 후에는 '귀여운 병아리에게'라고 덧붙여 써넣으셨습니다. 바로 이것이 수상쩍단 말입니다."

"개수작 마라!" 이반은 거의 미친 사람처럼 소리를 질렀다.

"드미트리 형은 돈 같은 것을 강탈하러 올 사람이 아니야. 더욱이 그것 때문에 아버지를 죽이거나 할 사람은 절대로 아니야. 어제 같은 경우에는, 원래 성미가 급한 어리석은 사람이 극도로 격분했으니까 혹시 그루셴카 때문에 아버지를 죽일 수도 있었겠지만, 강도질을 하러 오다니, 그건 말도 안 돼!"

"그렇지만 도련님, 그분은 지금 돈이 무척 필요하거든요. 그분은 지금 돈 때문에 말 못 할 곤경에 빠져 있습니다. 얼마나 곤란을 당하고 있는지 아마 당신은 모르실 겁니다." 스메르쟈코프는 어디까지나 침착한 태도로 지극히 분명하게 설명하기 시작했다. "뿐만 아니라 그분은 그 3천 루블이라는 돈을 마치 자기 돈이나 되는 것처럼 생각하고 계십니다. '아버지는 아직도 나한테 일금 3천 루블을 지불할 의무가 있어'라고 직접 말하신 적이 있으니까요. 그리고 또 한 가지 틀림없는 사실이 있습니다. 도련님 자신이 한번 판단해 보십시오. 다름 아니라, 아그라페나 알렉산드로브나는 자기가 원하기만 한다면 문제없이 주인어른을, 즉 표도르 파블로비치를 설득하여 자기와 결혼하도록 만들어 버릴 거란 말입니다. 이건 틀림없는 얘깁니다. 그 여자가 원하기만 한다면 말이죠. 그러나 어쩌면 그 여자는 그걸 원할는지도 모릅니다. 나는 그 여자가 오지 않을 것이라고 말씀드렸습니다만, 오고 안 오고 하는 것은 별문제로 하고, 이 집 주인어른의 정식 부인이 되고 싶은 마음이 생길지도 모르지 않습니까. 삼소노프라는 그 여자의 서방인가 하는 상인이 그렇게 하는 게 약은 짓이라고 아주 노골적으로 그 여자한테 말하면서 웃어 대더라는 말을 나는 들어 알고 있습니다. 그리고 그 여자도 무척 영리한 사람이니까, 드미트리 표도로비치처럼 알몸뚱이 하나밖엔 없는 남자와 결혼할 리 만무합니다. 이런 사정을 고려하여 한번 판단해 보시란 말입니다. 도련님, 만일 그렇게 된다면, 드미트리 표도로비치나 도련님이나 알렉세이 표도로비치나, 주인어른이 돌아가신 후에 단 1루블도 받을 수 없게 될 겁니다. 왜냐하면 아그라페나 알렉산드로브나가 주인어른과 결혼하는 것은 모든 것을 자기 명의로 바꾸어 전 재산을 혼자 가로채자는 데 목적이 있을 테니까요. 그러나 일이 그렇게 되기 전에 주인어른께서 돌아가신다면 도련님들에겐 즉시 4만 루블이라는 돈이 각각 차례 가게 될 겁니다. 주인어른께서 그처럼 미워하시는 드미트리 표도로비치도, 유언장이 작성되어 있지 않으니까 똑같은 금액을 물려받게 될 게 아닙니까……. 이 점을 그분은 잘 알고 계신단 말입니다."

이반의 안면 근육이 이상하게 일그러지며 바르르 떠는 것 같았다. 그는 갑자기 얼굴을 붉혔다.

"그럼 도대체 네놈은 뭣 때문에" 하고 그는 얼른 스메르쟈코프의 말을 가로챘다. "그런 걸 알면서도 나더러 체르마쉬냐에 가라고 권했니? 무슨 속셈으로 그런 소릴 했어? 내가 떠나 버리면 그사이에 무서운 일이 일어날 게 아니냐." 이반은 간신히 숨을 몰아쉬고 있었다.

"그건 틀림없습니다." 스메르쟈코프는 명확한 어조로 나직이 말했다. 그러면서도 한편으론 이반의 눈치를 열심히 살피고 있었다.

"뭐가 틀림없어?" 간신히 자기 자신을 억제하며 무섭게 눈을 번쩍이면서 이반은 되물었다.

"나는 도련님을 동정해서 그렇게 권했던 겁니다. 내가 만일 도련님의 입장에 있다면 이런 일에 개입하느니보다, 차라리 모든 걸 포기하고 떠나 버릴 겁니다.” 번쩍이는 이반의 눈을 노골적인 표정으로 정시하면서 스메르쟈코프는 이렇게 대답했다. 양쪽 다 잠시 말이 없었다.

“자넨 아무래도 천치 바보인 것 같아. 게다가 굉장한 악당임이 틀림없어.” 이반은 벌떡 벤치에서 일어났다. 그리고 곧 문 안으로 들어가려다가 갑자기 걸음을 멈추고, 스메르쟈코프를 돌아보았다. 그러자 이상한 일이 일어났다—이반은 느닷없이 경련을 일으킨 듯 입술을 악물고 주먹을 불끈 쥐었다. 금세 스메르쟈코프에게 달려들 것 같은 기세였다. 스메르쟈코프는 재빨리 그것을 눈치채고 주춤 뒤로 물러났다. 그러나 스메르쟈코프는 이 순간을 무사히 넘길 수 있었다. 이반은 무언가 망설이는 듯 말없이 문 쪽으로 몸을 돌려 버렸다.

“나는 내일 모스크바로 떠나겠다. 자네가 알고 싶다면 말해 주겠는데, 나는 내일 아침 일찌이 떠나 버리겠어…… 이것으로 마지막이야!” 그는 증오의 빛을 나타내며, 한마디 한마디 끊어 가면서 커다란 소리로 말했다. 후에 그는 뭣 때문에 그때 그런 말을 스메르쟈코프에게 했었는지, 자기 자신 이상하게 여겼던 것이다.

“그게 상책입니다.” 스메르쟈코프는 기다리고 있었다는 듯이 얼른 말을 받았다. “하긴 여기서 무슨 일이 일어날 경우, 모스크바에 전보를 쳐서 다시 오시도록 하게 될지도 모르겠습니다만.”

이반은 또다시 걸음을 멈추고 하인에게로 홱 돌아섰다. 그러자 스메르쟈코프에게 어떤 변화가 일어난 것 같았다. 여태까지의 뻔뻔스럽고도 퉁명스런 표정이 순식간에 사라지고 얼굴 전체는 극도의 주의와 기대를 나타내고 있었으나, 그것은 무엇에 질린 것 같은 비굴한 표정이기도 했다.

‘더 말할 것은 없습니까, 덧붙일 말은 없어요?’ 뚫어질 듯이 이반을 응시하는 그 눈에서는 이런 뜻을 읽을 수 있었다.

“체르마쉬냐라면 전보를 쳐서 나를 부를 수 없나?…… 무슨 일이 일어날 경우에 말야?” 자기 자신 무엇 때문인지도 모르고 이반은 갑자기 음성을 높여 이렇게 소리쳤다.

"체르마쉬냐에 가 계시더라도…… 역시 알려 드리죠." 스메르쟈코프는 당황한 듯이, 거의 속삭이는 듯한 어조로 중얼거렸으나, 그러면서도 여전히 이반의 얼굴을 뚫어지게 보고 있었다.

"그러나 자네가 나한테 체르마쉬냐로 가기를 강권하는 건 모스크바는 멀고 체르마쉬냐는 가까우니까 여비를 아끼려는 생각에선가 보군. 아니면 내가 공연히 먼 길을 오가는 게 가엾어서 그러는 건가?"

"사실이 그렇습니다." 스메르쟈코프는 음흉한 웃음을 지으며 띄엄띄엄 중얼거리면서, 또다시 경련적인 몸짓으로 얼른 뒤로 물러설 채비를 하는 것이었다. 그러자 이반은 느닷없이 웃음을 터뜨려 스메르쟈코프를 놀라게 했다. 그는 연방 껄껄거리면서 급히 문 안으로 들어가 버렸다. 그 순간 누구든 그의 얼굴을 본 사람은, 그가 결코 유쾌해서 웃는 게 아니라는 것을 대번에 알아챘을 것이다. 또한 이반 자신도 그 순간, 자기의 마음속에 떠오른 것을 좀처럼 설명할 수 없었을 것이다. 그의 몸짓이나 걸음걸이는 마치 경련을 일으키기라도 한듯 싶었다.

7. '현명한 사람과는 얘기를 좀 해도 재미가 있다'

말하는 태도 역시 마찬가지였다. 넓은 홀로 들어가서 표도르 파블로비치를 만나자, 그는 느닷없이 두 손을 내저으며 "아버지를 보고, 나는 이 층 내 방으로 가는 길입니다. 아버님 방에 가는 게 아니에요. 또 뵙겠습니다"라고 외치고는 아버지의 얼굴을 쳐다보려고도 않고 그냥 지나가 버렸다. 그 순간, 이 노인에게 극도의 증오를 느꼈다는 것은 얼마든지 있을 수 있는 일이기는 하지만, 그처럼 노골적인 증오감을 표시하는 데는 표도르로서도 뜻밖이 아닐 수 없었다. 더욱이 노인은 시급히 그에게 할 얘기가 있어서 일부러 그를 만나러 홀에까지 나왔던 것이다. 그처럼 퉁명스런 인사를 듣고 노인은 말없이 서서 층으로 올라가는 아들이 보이지 않을 때까지 뒷모습을 조소 어린 눈길로 지켜보았다.

"저 녀석이 왜 그래?" 뒤따라 들어온 스메르쟈코프에게 노인은 성급히 물어보았다.

"뭐 화나는 일이 있는 모양인데, 어디 도련님의 심중을 알 수 있어야죠." 하인은 회피하는 듯한 말투로 중얼거렸다.

"망할 녀석 같으니! 어서 실컷 화를 내 보라지! 너도 사모바르를 갖다 놓고 어서 나가 봐라. 그런데 뭐 별다른 일은 없었니?"

그러고는 방금 스메르쟈코프가 이반에게 호소했듯이, 여러 가지 질문을 연달아 퍼붓기 시작했다. 그것은 노인이 기다리고 있는 바로 그 여자에 관한 질문들뿐이니까, 여기서 새삼스레 그 질문을 되풀이할 필요는 없을 것이다. 반 시간 후에 이 집은 문단속이 완전히 되었다. 그리고 이 미친 영감은 뛰는 가슴을 안고 약속된 암호인 노크 소리가 다섯 번 들려오기를 기다리면서, 이따금 어두운 창밖을 내다보곤 하는 것이었으나, 캄캄한 방 이외엔 눈에 띄는 것이라곤 아무것도 없었다.

벌써 꽤 늦은 시간이었는데도 이반은 잠을 자지 않고 생각에 잠겨 있었다. 이날 밤에 그는 아주 늦게 새벽 두 시경에야 잠자리에 들었다. 그러나 지금은 그의 사상의 흐름을 자세히 전하지 않기로 하겠다. 더욱이 지금은 그의 영혼 속을 들여다볼 때가 아니다. 그의 영혼에 대해서는 앞으로 얘기해야 할 기회가 있을 것이다. 뿐만 아니라, 지금은 비록 독자에게 전달하고 싶어도 그것은 대단히 어려운 일일 것이다. 왜냐하면 그의 머릿속에 있는 것은 어떤 사상이라기보다는, 무언가 걷잡을 수 없이 모호할뿐더러 뒤죽박죽 헝클어진 것이기 때문이다. 이반 자신도 자기 마음이 갈피를 잡을 수 없이 혼란되고 있음을 느끼고 있었다. 게다가 전혀 뜻하지 않았던 갖가지 기이한 욕망이 솟아올라 그를 괴롭히는 것이었다. 예를 들면 이미 자정이 지난 시각에 별안간 아래층으로 내려가 문을 열고 바깥채로 달려가서 스메르쟈코프를 죽도록 패주고 싶은 생각이 불현듯 치밀어 오르는 것이었다. 그러나 무엇 때문에 그런 충동을 느꼈느냐고 누가 묻는다면, 이 세상에 두 번 다시 없을 만큼 심한 모욕을 자기에게 가한 인간으로서 그 하인이 미웠다는 것밖엔 아무런 정확한 이유도 댈 수 없었을 것이다.

그리고 또 한편으로는, 이날 밤에 그는 무어라 설명할 길 없는 비열한 두려움에 사로잡혀, 그 때문에 갑자기 육체적인 힘마저 잃는 것같이 느꼈다. 그는 골치가 아팠고 현기증까지 났다. 마치 누구한테 복수라도 하려는 것처럼 증오심이 그의 가슴을 찌르는 것이었다. 아까 알료샤와 주고받은 얘기를 상기하고는 그 동생에게까지 증오감을 느꼈고, 때로는 자기 자신이 미워 견딜 수가 없었다. 카체리나 이바노브나에 대해서는 거의 생각하려고조차 하지 않았다. 그는 아까 낮에 그녀를 보고 '내일은 모스크바로 떠나 버리겠다'고 큰소리를 치고 단언했을 때에도, 마음속으로는 '쓸데없는 소리, 네가 가기는 뭘 가. 지금 네가 큰소리를 치듯 그렇게 쉽게 떠나 버릴 수는 없을걸' 하고 자기 자신에게 속삭인 것을 똑똑히 기억하고 있었으므로, 이때 이렇게 그녀에 대해 잊을 수 있었던 것이 두고두고 이상하게 여겨졌다.

꽤 오랜 시일이 지난 후, 그날 밤 일을 회상할 때마다 이반의 마음에 참을 수 없는 혐오감을 불러일으키곤 하는 사실이 한 가지 있었다. 그것은 다름 아니라, 그날 밤 자기가 이따금 소파에서 벌떡 일어나서는 누가 몰래 엿보지나 않나 겁이 나기라도 하는 듯이 살그머니 방문을 열고 층계 위에까지 나가 귀를 바싹 기울이고는, 아래층 방에서 서성거리는 아버지의 동경을 살피곤 했다는 사실이다. 그는 한참 동안씩—거의 5분가량씩이나, 어떤 괴이한 호기심에 사로잡혀 두근거리는 가슴을 안고 숨을 죽여 가며 귀를 기울이고 있었다. 그러나 무엇 때문에 이런 짓을 하는지, 무엇 때문에 귀를 기울이고 있는지는 물론 이반 자신도 알 수가 없었다. 그 후 그는 일생 동안 이것을 '비열한' 짓이라고 불렀다. 마음속 깊은 곳에서, 이것을 자기 생애에서 가장 비열한 짓이었다고 생각했다. 표도르 파블로비치에 대해서는 그때 증오 같은 것은 전혀 느끼지 않았고, 다만 비상한 호기심밖엔 느끼지 않았었다. 지금 아버지는 아래층 자기 방에서 어떤 꼴을 하고 서성거리고 있을까, 지금 혼자서 대체 뭘 하고 있는 걸까 하고 생각해 보기도 하고, 지금쯤 아버지는 필시 어두운 창밖을 내다보다가는 금세 갑자기 방 한가운데 우뚝 걸음을 멈추고 누가 노크를 하는 거나 아닐까 하고 초조하게 기다리고 있을 거라고 상상해 보기도 하는 것이었다. 이렇게 이반은 아버지의 동정을 엿들으려고 두 번이나 층계에까지 나갔다.

두 시경에 주위가 쥐 죽은 듯 조용해지고 표도르 파블로비치까지도 잠자리에 들었을 때에야, 이반은 몹시 피로함을 느꼈으므로 곧 잠을 자야겠다고 단단히 마음먹고 자리에 누웠다. 과연 그는 곧 잠이 들어 꿈 한 번 꾸지 않고 깊은 잠에 떨어져 들어갔다. 그러나 그는 아침 일찍이, 날이 샐 무렵인 7시경에 깨어났다. 눈을 뜨자, 그는 이상하게도 온몸에 어떤 놀라운 정력이 충만해 옴을 느끼며, 얼른 일어나서 옷을 갈아입은 다음, 트렁크를 꺼내서 즉시 짐을 꾸리기 시작했다. 속옷가지는 마침 어제 아침에 세탁소에서 죄다 찾아다 놓았었으므로, 이반은 모든 일이 순조롭게 진행되어 이 급작스런 출발을 방해하는 것이 하나도 없다고 생각하니 절로 미소가 떠오를 지경이었다. 사실 그의 출발은 급작스런 것이었다. 비록 이반이 어제 카체리나와 알료샤 앞에서 그다음엔 스메르쟈코프에게 오늘의 출발을 예고했다고는 하지만, 어젯밤 자리에 들 때는 출발에 대해 전혀 생각지도 않았었기 때문이다. 적어도 아침에 눈을 뜨자마자, 우선 트렁크를 꺼내 짐을 꾸려야겠다는 생각은 염두에도 없었다는 것을 그는 분명히 기억하고 있었다. 어쨌든 트렁크와 룩색Rucksack[79*]을 다 꾸렸다. 9시경에 마르파 이그나치예브나가 올라와서 "차는 어디서 드시겠습니까? 이 방에서 드시겠습니까, 아니면 아래층으로 내려오시겠습니까?" 하고 날마다 묻는 질문을 되풀이했다. 이반은 아래층으로 내려갔다. 그의 언동에는 어딘지 산란하고 초조한 빛이 엿보였지만, 그래도 겉보기엔 제법 유쾌한 듯이 보였다. 아버지에게 상냥하게 인사를 하고, 특히 건강 상태가 어떠냐고까지 물은 다음, 그는 아버지의 대답을 듣기도 전에, 한 시간 후엔 모스크바로 영영 떠날 작정이라고 언명하고 나서, 마차를 불러 달라고 부탁했다. 그러나 노인은 인사치레로나마 아들의 출발을 슬

79* 배낭.

펴하는 것조차 잊고, 놀라는 기색도 없이 이 말을 듣고 있었다. 그리고 출발을 슬퍼하는 대신에 하필이면 자기 자신의 어떤 중요한 용건을 생각해 내 가지고 갑자기 수선을 떨기 시작했다.

"너도 참! 그런 법이 어디 있니! 어제 말해 줄 것이지……. 하지만 아무래도 상관없다. 지금이라도 늦지는 않아. 그런데 얘야, 너 이 애비한테 자비를 베푸는 셈 치고 체르마쉬냐에 들러 주지 않으련? 볼로비야, 역驛에서 왼쪽으로 구부러져서 불과 12킬로가량만 가면 바로 거기가 체르마쉬냐다."

"미안하지만 안 되겠습니다. 철도선까지 가려면 80킬로나 되는데, 모스크바행 열차는 오늘 저녁 7시에 떠나니까 그 차를 잡아타기도 바쁠 지경인걸요."

"그렇다면 내일이나 모레 차를 타면 될 게 아니냐. 오늘은 체르마쉬냐에 들르도록 해라. 조금만 수고하면 애비를 안심시킬 수 있을 텐데! 여기서 볼일이 없다면 벌써 오래전에 내가 달려갔다 왔을 거야. 그쪽 일도 그만큼 긴급하단 말이다. 그러나 이쪽 사정 때문에 난 꼼짝도 할 수 없는 형편이야……. 다름 아니라 거기 있는 내 임야林野는 두 구역에—베기체프와 쟈치킨에 걸쳐 있는데, 거기는 그야말로 무인지경이나 다름 없는 곳이다. 그런데 이 지방 상인인 마슬로프 부자父子가 나무를 벌채하겠다면서 재목 값을 8천 루블밖엔 안 보는 거야. 작년엔 1만 2천 루블로 사겠다는 작자가 있었는데 그만 흥정이 깨지고 말았어. 그건 이 지방 사람이 아니었지—하긴 그러니까 흥정을 붙일 수도 있었겠지만 말이야. 이 지방 사람이라면 지금으로선 아무도 나서지 못하고 있거든. 백만장자인 마슬로프 부자는 무슨 일이 있어도 자기네가 부른 값으로 사고야 마는 성미야. 그리고 이 지방에서는 그자들을 상대로 경쟁할 만한 사람은 하나도 없어. 그런데 지난 목요일에 갑자기 일린스키 신부한테서 고르스트킨이라는 상인이 나타났다는 기별이 왔어. 고르스트킨은 나도 잘 아는 상인인데, 무엇보다도 그자가 이 지방 사람이 아닌 포그레보프 사람이라는 점이 중요하단 말이야. 그러니까 마슬로프를 무서워하지는 않을 거란 말이지. 아무튼 고르스트킨이 그 임야를 1만 2천 루블로 사겠다고 한다는 거야, 알아듣겠니? 신부의 편지로는 그자가 앞으로 일주일밖엔 머물러 있지 않을 모양이니, 네가 가서 그자와 흥정을 해 줘야겠단 말이다."

"그렇다면 아버지가 신부한테 편지를 써 보내면 될 거 아닙니까. 그 사람이 흥정을 붙여 줄 겁니다."

"그런 건 통할 줄 모르니 탈이지. 그 신부라는 사람은 장삿속엔 눈이 어둡거든. 인간이야 틀림없지. 그 사람이라면 당장에라도 2만 루블쯤 영수증 없이 맡겨 둘 수 있어. 그렇지만 장삿속엔 캄캄하다. 심지어는 까마귀한테까지라도 속아 넘어갈 위인이니까. 그 주제에 학자라니 참 놀랄 수밖엔 없지. 그런데 그 고르스트킨은 겉보기엔 소매 없는 푸른 외투 같은 걸 입고 다니는 게 순진한 농부 같지만, 속은 더할 나위 없는 악당이거든. 그게 곤란하단 말이야. 게다가 형편없는 거짓말쟁이야. 어떤 땐 무엇 때문에 거짓말을 하는 건지 짐작도 할 수 없는 거짓말을 태연히 한다니까. 재작년엔가도 마누라가 죽어서 후취를 얻어 산다는 말을 했는데 알고 보니 그게 새까만 거짓말이었어. 정말 어이가 없을 정도야. 마누라는 죽기는커녕 시퍼렇게 살아서 지금도 사흘에 한 번씩 그자를 두드려 패주고 있다지 않니. 그러니까 이번에 그자가 1만 2천 루블로 내 임야를 사겠다는 것도 참말인지 거짓말인지 알아내야 하겠단 말이다."

"그렇다면 나 같은 건 소용없습니다. 나도 그 방면엔 눈이 어두우니까요."

"가만 있거라. 너도 소용이 된다니까. 내가 그자의 버릇을 죄다 가르쳐 주마. 나는 그 고르스트킨이란 자하고 벌써 오래전부터 거래를 해 왔기 때문에 잘 알고 있다. 너는 우선 그자의 수염을 잘 봐야 한다. 그자의 수염은 불그죽죽한 게 초라하게 보이지만, 그 수염을 떨며 성을 내고 말을 하면 일은 제대로 돼 가는 거야. 정말로 흥정을 할 마음이 있어서 하는 말이니까. 그러나 그자가 왼손으로 수염을 쓰다듬으며 싱글거리고 있으면, 그땐 너를 속이려고 간계를 꾸미고 있는 게 분명해. 그자의 눈을 봐선 안 돼. 그 눈으론 아무것도 알 수 없어. 속이 시커먼 악당이니까. 그러니 너는 수염을 보도록 해라. 내가 그자한테 편지를 써 줄 테니 그걸 갖고 가서 그자한테 보여라. 그자의 이름은 고르스트킨이지만, 정말은 고르스트킨이 아니라 랴가브이Lyagavy[80]야. 그렇다고 너는 그자를 보고 랴가브이라고 불러서는 안 된다. 그랬다간 화를 낼 테니까. 만일 그자하고 얘기를 해 봐서 일이 잘되어 가는 것 같거든 곧 나한테 편지를 해 다오. 그저 '거짓말을 하는 건 아닙니다'라고만 써 보내면 된다. 처음엔 1만 1천 루블로 버티다가 나중에 가서 1천 루블 쯤 깎아 줘도 좋아. 그러나 그 이하는 절대로 안 돼. 너도 생각 좀 해 보렴—8천 루블과 1만 1천 루블이라면 무려 3천 루블의 차이가 있지 않느냐 말이다. 이 3천 루블은 거저 얻는 거나 다름없는 돈이야. 사실 말이지 작자는 곧 나타나지 않는데 나는 돈에 몰려 죽을 지경이거든. 아무튼 그자가 진정으로 그런다는 기별만 있으면 그땐 내가 어떻게 해서든 시간을 내서 직접 그리로 달려가 결말을 내겠다. 그렇지만 아직은 그 신부의 혼자 생각일지도 모르니까 내가 거기까지 달려갈 필요가 없단 말이다. 그래 내 말대로 가 주겠니?"

"그렇지만 난 시간이 없어요. 용서하십시오."

"그러지 말고 애비를 도와주렴. 네 은혜는 잊지 않겠다! 너희들은 하나같이 인정이 없어 탈이야! 하루나 이틀쯤 안 될 게 뭐냐? 지금 너는 어디로 간다는 거냐—베니스로 가는 거냐? 네가 가는 그 베니스가 하루 이틀 사이에 죄다 무너져 버릴 리는 만무하지 않니? 알료샤를 보내도 좋지만 이런 일에 그 애가 무슨 소용이 있겠니? 내가 부탁하는 건 네가 영리한 인간이기 때문이야. 네가 영리하다는 것쯤 내가 모를 줄 아니? 임야를 팔고 사는 일에는 문외한일는지 모르지만, 그래도 너는 눈치가 빨라. 정말로 그자가 살 생각이 있는지 없는지 그것만 확인하면 되는 거야. 내 말대로 그자의 수염을 봐라—수염이 떨리면 정말이라는 걸 알 수 있으니까."

"아버지는 강제로 그 저주할 체르마쉬냐로 나를 쫓으시는 건가요, 네?" 이반은 적의를 품은 미소를 지으며 소리쳤다.

표도르 파블로비치는 아들의 적의를 눈치채지 못했는지, 아니면 눈치채려 하지도 않았는지, 다만 그 미소만을 잡고 늘어졌다.

80 사냥개의 일종. 빈틈없는 놈이란 뜻.

"그럼 가는 거지, 응, 가는 거지? 내 곧 편지를 한 장 써 주마."
"모르겠습니다, 가게 될지 어떨지 모르겠어요. 가는 도중에 결정하겠습니다."
"도중에라니, 지금 결정해라. 그러지 말고 아주 여기서 결정해라, 응! 거기 가서 얘기가 제대로 되거든 곧 몇 줄 써서 그 신부한테 맡겨라. 그렇게 하면 그 사람이 즉시 그 편지를 나한테 보내 줄 테니까. 그다음에는 너를 잡지 않을 테니 베니스건 어디건 갈 데로 가려무나. 볼로비야 역까지는 신부가 자기 마차로 너를 태워다 줄 거고."
노인은 기뻐서 어쩔 줄 모르며, 편지를 쓰고, 마차를 부르고, 이반에게 간단한 안주와 코냑을 권하는 것이었다. 그는 기쁠 때면 으레 말수가 많아지곤 했지만, 오늘만은 웬일인지 자기 자신을 억제하고 있는 듯싶었다. 예를 들면, 드미트리에 대해서는 한마디도 비치지 않았다. 그는 아들과의 이별을 서운해하는 기색이라고는 조금도 없을뿐더러 무슨 말을 해야 할지조차 모르는 눈치였다. 이반도 그것을 똑똑히 알아챘다. '하긴 아버지도 나한테 어지간히 싫증을 느꼈을 거야' 하고 그는 생각했다. 아들을 따라 현관 앞 층계까지 나왔을 때에야 노인은 약간 수선을 떨며 아들에게 입을 맞추려고 다가서려 했다. 그러나 이반은 키스를 피하려는 듯 얼른 손을 내밀어 악수를 청했다. 노인도 대번에 그것을 눈치채고 금세 점잔을 뺐다.
"그럼 잘 가거라, 잘 가거라!" 그는 층계 위에서 이렇게 되풀이했다. "내가 살아 있는 동안에 또 오겠지? 꼭 오너라. 언제든지 반갑게 맞아 주마. 그럼 부디 몸조심해서 잘 가거라."
이반은 여행용 마차에 올라탔다.
"잘 가거라, 이반! 이 애비를 너무 욕하지 마라!" 마지막으로 아버지는 이렇게 외쳤다.
집안 식구들이 모두—스메르쟈코프와 마르파와 그리고리가 작별 인사를 하러 나왔다. 이반은 그들에게 각각 10루블씩 쥐여 주었다. 그가 마차 안에 자리를 잡고 앉았을 때, 스메르쟈코프가 양탄자를 바로잡아 주려고 뛰어올라 왔다.

"알겠지……. 결국 나는 체르마쉬냐로 가게 되었어." 무엇 때문인지 이반은 불쑥 이런 말을 입 밖에 내고 말았다. 엊저녁처럼 또다시 저도 모르게 말이 흘러나오고 만 것이다. 게다가 신경질적인 괴상한 웃음까지 따라 나왔다. 그 후에도 그는 오래도록 이때 일을 기억하고 있었다.

"그럼 '현명한 사람과는 얘기를 좀 해도 재미있다'라는 말은 참말이군요." 스메르쟈코프는 이반의 얼굴을 뚫어질 듯이 쳐다보며 자신 있는 어조로 말을 받았다.

마차는 집을 떠나 쏜살같이 달리기 시작했다. 나그네의 마음속은 뿌옇게 흐려 있었으나, 그래도 그는 주위의 들과 언덕과 수목들과 맑게 갠 하늘을, 높이 날아가는 기러기 떼를 열심히 바라보는 것이었다. 그러자 갑자기 그는 기분이 좋아져서 마부한테 말을 건네 보았다. 그는 이 농사꾼의 대답에 굉장히 흥미를 느낀 것 같았으나, 조금 후에 생각해 보니, 농사꾼의 대답은 그저 그의 귀를 스치고 지나갔을 뿐 실제로는 하나도 알아듣지 못했다는 것을 깨달았다. 그는 입을 다물어 버렸으나 그래도 기분이 상쾌했다. 공기는 신선하고 시원했으며, 하늘은 맑게 개어 있었다. 문득 알료샤와 카체리나의 모습이 머릿속에 떠올랐다. 그러나 그는 부드럽게 웃으며 조용히 입김을 불어 그 정다운 환상들을 날려 보내고 말았다. '앞으로 그들의 시대가 찾아올 날이 있을 거야' 하고 그는 생각했다. 역참驛站에서는 말을 바꾸고 나서 곧 볼로비야를 향해 달렸다. '현명한 사람과는 얘기를 좀 해도 재미있다는 건 대체 무슨 뜻일까?' 문득 이런 생각이 떠오르자 그는 숨이 콱 막히는 듯싶었었다. '그리고 또 나는 무엇 때문에 체르마쉬냐에 간다고 그 녀석에게 보고를 했을까?'

이윽고 볼로비야 역에 도착했다. 마차에서 내리기가 무섭게 이반은 역마차 마부들에게 둘러싸였다. 그는 체르마쉬냐까지 13킬로의 시골길을 사설私設 역마차를 타고 가기로 하고, 곧 마차를 준비하도록 일렀다. 그리고 역참 안으로 들어가서 주위를 둘러보고, 역참지기 마누라 얼굴을 흘끔 들여다보고는 갑자기 현관으로 되돌아 나왔다.

"체르마쉬냐엔 가지 않겠어. 그보다도 7시까지 철도역에 댈 수 있겠나?"

"댈 수 있고말고요. 마차를 끌어낼까요?"

"빨리 끌어내게. 그리고 내일 누가 읍내로 들어갈 사람은 없나?"

"없긴 왜 없어요. 여기 이 미트리도 내일 들어갑니다."

"그럼 미트리, 내 심부름 좀 해 주겠나? 다름 아니라, 우리 아버지 표도르 파블로비치 카라마조프한테 들러서, 내가 체르마쉬냐에는 가지 않았다는 말을 전해 주게. 그렇게 해 줄 수 있겠지?"

"있고말고요. 꼭 들르죠. 저는 표도르 파블로비치를 오래전부터 잘 알고 있습니다."

"자, 이건 술값으로 주는 돈이니 받아 두게. 보나마나 아버지한테서는 받지 못할 테니까" 하며 이반은 쾌활하게 웃었다.

"물론 주실 리가 만무하죠." 미트리도 따라 웃었다. "고맙습니다. 틀림없이 그렇게 전해 드리겠어요."

오후 7시에 이반은 기차에 몸을 싣고 모스크바를 향해 떠났다. '지나간 일들은 모두 잊어버리자. 물론 과거의 세계로부터는 아무런 소식도 기별도 들려오는 일이 없도록 영영 떠나 버려야지. 뒤를 돌아보지 말고 오직 새 세계만을, 새 고장만을 바라보고 가야 한다!' 그러나 그의 영혼은 환희를 느끼는 대신에 여태까지 경험해 보지 못한 어둠에 휩싸였고, 그의 가슴은 깊은 슬픔에 짓눌리는 것이었다. 그는 밤새껏 생각에 잠겨 있었으나, 기차는 마냥 달리기만 했다. 날이 샐 무렵 기차가 모스크바 시내로 들어설 때에야 그는 퍼뜩 제정신으로 돌아왔다.

'나는 비열한 인간이다!' 하고 그는 마음속으로 속삭였다.

한편, 표도르 파블로비치는 아들을 떠나보내고 난 후 지극히 만족한 기분이었다. 그는 2시간 동안이나 거의 행복에 잠겨 코냑 잔을 기울이고 있었다. 그런데 별안간 집안의 모든 사람들에게 더없이 난처하고, 더없이 불쾌한 사건이 발생하여 표도르 파블로비치의 마음을 극도의 혼란 속으로 몰아넣어 버렸다. 다름 아니라, 스메르쟈코프가 뭣 때문인지 지하실에 갔다가 층계 꼭대기에서 밑으로 굴러떨어진 것이다. 마침 마르파가 뜰 안에 있다가 그 소리를 이내 들었기 때문에 그래도 다행한 편이었다. 마르파는 그가 떨어지는 것은 보지 못했지만, 그 대신 소리 지르는 것을 들었던 것이다. 그것은 오래전부터 여러 번 들어온 부르짖음, 발작을 일으켜 졸도하는 지랄병 환자의 독특하고도 괴상한 부르짖음이었다. 그는 층계를 내려가려다가 발작을 일으킨 것일까? 그렇다면 그대로 의식을 잃고 밑으로 굴러떨어지는 것이 당연하다. 아니면 발을 헛디뎌 떨어지는 순간에 충격을 받았기 때문에 원래가 지랄병 환자인 그가 발작을 일으켰는지, 그것은 알 도리가 없는 일이지만, 아무튼 그가 지하실 밑바닥에서 입에 거품을 물고 온몸이 경련을 일으켜 몸부림치고 있는 것을 발견한 것이다. 처음에 집안사람들은 그가 팔이나 다리를 다치고 전신에 타박상을 입었을 것이라 생각했으나 '하느님 덕분에' (마르파의 말을 빈다면) 아무 일도 없이 무사했다. 다만 지하실에서 그를 '속세'로 끌어내기가 용이하지 않아서 이웃 사람의 도움을 받아 간신히 끌어냈다.

이 소동이 벌어졌을 때, 표도르 파블로비치도 시종 그 자리에 있었는데, 그는 몹시 놀라 어쩔 줄 몰라 하는 얼굴로 직접 거들기까지 했다. 그러나 병자는 좀처럼 의식을 회복하지 못했다. 발작은 때때로 멈췄다가는 또다시 일어나곤 하는 것이었다. 그래서 사람들은 작년에 어쩌다 다락방에서 떨어졌을 때와 똑같은 일이 되풀이될 것이라고 결론지었다. 작년에 머리에다 얼음찜질을 해 주었던 일을 상기하고, 마르파가 아직도 지하실에 남아 있는 얼음을 좀 가져왔다. 표도르 파블로비치는 저녁녘에 게르첸슈투베 선생을 부르러 보냈다. 의사는 곧 와서 병자를 자세히 진찰한 후, (그는 이 지방에서 제일 꼼꼼하고 친절한 의사이며 가장 존경받는 노인이었다) 이건 상당히 심한 발작이니까 '위험한 결과를 초래할지도 모른다'고 말했다. 그리고 지금은 게르첸슈투베 선생 자신도 병세를 확실히 파악할 수 없으며, 만약에 내일 아침까지 약의 효과가 없으면 내일은 또 다른 약을 써 보겠노라고 했다. 병자는 그리고리와 마르파가 쓰고 있는 방과 이웃한 바깥채의 방으로 옮겨졌다.

이런 일이 있은 후에도 표도르 파블로비치는 온종일 여러 가지 재난을 연거푸 겪어야 했다. 식사는 마르파가 만들어 내왔는데, 스메르쟈코프의 솜씨에 비하면 수프는 마치 '구정물'이나 다름없었고, 닭고기는 지나치게 물기가 없어서 도저히 씹을 수가 없을 지경이었다. 마르파는 주인어른의 심한 꾸지람(하기는 당연한 꾸지람이긴 하지만)에 대해, 그 닭은 원래가 늙어 빠진 것이었고, 또 자기는 요리 공부를 해 본 일이 없으니 할 수 없는 일 아니냐고 항의했다. 저녁때가 되어 또 한 가지 걱정거리가 생겼다. 벌써 이틀 전부터 몸이 시원치 않다던 그리고리가 하필이면 이런 때 허리를 못쓰게 되어 그만 드러누워 버렸다는 보고를 받은 것이다.

표도르 파블로비치는 되도록 일찍이 차를 마신 다음 안채에 혼자 들어박혀 있었다. 그는 무섭고도 불안한 기대에 싸여 있었다. 그도 그럴 것이, 바로 이날 밤에 그루셴카가 틀림없이 오리라고 굳게 믿고 있었기 때문이다. 아침에 스메르쟈코프한테서 '그분이 오늘 꼭 오시겠다고 약속하셨습니다'라는 보장을 받았던 것이다. 이 끈덕진 노인의 심장은 초조하게 고동치고 있었다. 그는 텅 빈 방들을 돌아다니며 연방 귀를 기울이곤 했다. 어디선가 드미트리가 망을 보고 있는지도 모르니까 귀를 바싹 세우고 있어야만 한다. 그리고 그 여자가 창문을 두드리면 (스메르쟈코프는 어디서 어떻게 노크해야 하는가를 그 여자한테 가르쳐 주었다고 이틀 전에 보고했다) 단 1초라도 밖에서 더 기다리지 않도록 얼른 문을 열어 주어야 한다. 혹시 그 여자가 무엇에 놀라 도망쳐 버렸다간 큰일이니까. 표도르는 마음이 몹시 어수선하기는 했지만, 그래도 이처럼 달콤한 희망에 젖어 들었던 일은 아직 한 번도 없었다. 이번만은 그 여자가 틀림없이 찾아올 것이라고 거의 자신 있게 말할 수 있지 않은가!

제6편 러시아의 수도사

1. 조시마 장로와 그의 손님들

불안하고도 아픈 가슴을 안고 장로의 암자에 들어섰을 때, 알료샤는 깜짝 놀라 문턱에서 멈칫 서 버렸다. 이미 의식을 잃고 숨이 끊어져 가고 있을 것이라고 염려했던 장로가 뜻밖에도 소파에 일어나 앉아 있는 게 아닌가. 병고 때문에 지칠 대로 지친 몸이기는 하지만, 그래도 제법 쾌활한 얼굴로 자기를 둘러싼 손님들과 조용하면서도 명랑한 대화를 나누고 있는 것이었다. 하지만 그는 알료샤가 돌아오기 10분 전에 겨우 자리에서 일어났던 것이다. 손님들은 그전에 이미 암자에 모여 장로가 눈을 뜨기를 기다리고 있었다. 그것은 '장로께서는 오늘 아침에 친히 약속하신 바와 같이, 다시 한번 자기가 사랑하는 사람들과 얘기하기 위해 반드시 일어나실 것이다'라고 파이시 신부가 자신 있게 예고했기 때문이었다. 파이시 신부는 숨이 넘어가고 있는 장로의 이 약속과 그 밖의 모든 말을 믿어 의심치 않았다. 비록 장로의 의식뿐만 아니라 호흡조차 멎어 버린 것을 자기 눈으로 본다 하더라도, 다시 한번 일어나서 작별을 고하겠다는 약속을 들은 이상 그는 죽음 자체까지도 믿지 않고, 죽어 가는 사람이 다시 소생해서 약속을 이행하기를 언제까지나 기다리고 있었을 것이다. 사실 오늘 아침에 조시마 장로는 잠이 들기 전에 그를 보고, '내가 진심으로 사랑하는 당신들과 다시 한번 이야기를 나누고, 당신들의 정다운 얼굴을 바라보면서 또 한 번 내 마음을 털어놓기 전에는 절대로 죽지 않을 거요'라고 분명히 말했던 것이다. 아마도 최후의 기회가 될 오늘의 담화를 듣기 위해 모인 사람은, 오래전부터 장로를 정성껏 섬기어 온 그의 친구들이었다. 그들은 모두 네 사람이었다. 이오시프 신부와 파이시 신부, 그리고 암자의 책임자인 수사 신부 미하일도 끼어 있었는데, 아직 나이가 그리 많지 않은 이 사람은 학식도 별로 없는 평수사平修士에 지나지 않았으나, 강한 의지와 확고부동한 신앙의 소유자로서, 외모는 무뚝뚝하게 보이지만 마음속으로는 깊은 법열法悅을 느끼고 있는 사람이었다. 그러나 그는 그것을 마치 수치스러운 일인 것처럼 감추고 있음이 명백했다. 넷째 손님은 가난한 농가의 출신인 안핌이라는 아주 늙은 수사였는데, 그는 거의 문맹에 가까운 사람이었지만, 말이 없고 조용한 성격이어서 다른 사람과 말도 별로 하는 일이 없었다. 그는 겸허한 사람들 중에서도 특히 겸허한 사람으로, 마치 자기의 지혜로는 도저히 미칠 수 없는 그 어떤 위대하고도 무서운 존재에 영원히 겁을 먹은 것 같은 태도였다. 조시마 장로는 항상 두려움에 떨고 있는 것 같은 이 늙은 수사를 무척 사랑했고, 일생 동안 특별한 존경으로 그를 대해 주었다. 그러나 장로 자신이 예전에 그와 둘이서 여러 해 동안 거룩한 러시아 전국을 두루 돌아다닌 일까지 있었음에도 불구하고, 어쩌면 그에게는 다른 누구에게보다도 말을 적게 했을는지도 모를 일이었다. 러시아 전국을 돌아다녔다는 것은, 오랜 옛날, 즉 40년이나 이전에 조시마가 코스트로마의 조그만 수도원에서 처음으로 수도 생활을 시작한 무렵의 일이었는데, 수도사가 된 후 얼마 안 있어, 그 빈약한 수도원을 위해 성금을 거두려고 안핌과 함께 전국 순례의 길에 올랐던 것이다.

일동은, 주인이나 손님들이나, 모두 장로의 침대가 놓여 있는 둘째 방에 자리를 잡고 앉았다. 앞에서도 말한 바 있지만, 이 방은 아주 좁아서, 네 사람의 손님은 조시마 장로의 의자를 둘러싸고 첫째 방에서 가져온 의자에 겨우 앉을 수 있었다. (그 밖에 견습 수도생인 포르피리는 시종 서 있었다) 벌써 날이 저물기 시작해서, 성상 앞에 켜 놓은 성등聖燈과 촛불이 방 안을 밝혀 주고 있었다. 어리둥절해서 문턱에 서 있는 알료샤를 발견하자, 장로는 반갑게 미소를 지어 보이며 손을 내밀었다.

"어서 오너라. 잘 왔다, 잘 왔어. 네가 이제야 왔구나. 하긴 오리라는 건 나도 알고 있었다."

알료샤는 그에게로 다가가서 이마가 땅에 닿으리만큼 공손히 절을 하고는 갑자기 울음을 터뜨렸다. 어쩐지 가슴이 찢겨지며 영혼이 떨기 시작하는 것 같은 느낌이었다. 그는 목을 놓아 울고 싶은 심정이었다.

"왜 그러느냐, 우는 건 좀 더 기다리는 게 좋을 것 같구나." 장로는 오른손을 알료샤의 머리에다 얹고 미소 지었다. "나는 이렇게 일어나 앉아서 얘기를 하고 있지 않니. 지금 같아선 아직도 20년쯤은 더 살 수 있을 것 같다. 어제 브이셰고리에에서 리자베타라는 딸을 안고 온 그 선량한 여인이 말한 것처럼 말이다. 오오, 주여, 그들 모녀를 보살펴 주시옵소서! (하며 그는 성호를 그었다) 그런데 포르피리, 그 여인이 바친 성금을 내가 일러 준 곳에 갖다 주었니?"

그것은 어제 장로의 숭배자인 쾌활한 여인이 '나보다 더 가난한 여자에게 전해 주십시오' 하면서 내놓은 60코페이카가 생각나서 하는 말이었다. 이런 종류의 성금은, 저마다 다른 이유로, 자기 자신에게 자발적으로 부과한 일종의 속죄적 고행이라는 형식으로 행하여지는 것인데, 그 돈은 반드시 자기의 노동으로 번 것이라야만 했다. 장로는 이미 엊저녁에 포르피리를 보내어, 최근의 화재로 집을 잃고 아이들과 함께 동냥을 다니고 있는 어느 과부에게 전하도록 했던 것이다. 포르피리는 장로의 분부대로 '익명의 자선가'의 이름으로 그 돈을 확실히 전했노라고 급히 보고했다.

"자, 이젠 일어나거라." 장로는 알료샤에게 다시 말했다. "네 얼굴을 좀 보여 주렴, 집에 가서 형님을 만나보고 왔니?" 장로가 이처럼 확고한 어조로 형님들이라 하지 않고 형님이라고 한 사람만을 지적하여 물어보는 것이 알료샤에겐 이상하게 생각되었다. 그러나 어느 형을 말하는 것일까? 어느 형이든 간에 장로가 어제와 오늘 자기를 읍내로 내보낸 것은 그중 한 사람의 형 때문일 것이다.

"둘 중에서 한 사람밖엔 만나지 못했습니다" 하고 알료샤는 대답했다.

"내가 말하는 건 어제 내가 이마를 땅에 대고 절한 너의 맏형 말이다."

"그 형님은 어제는 만났지만 오늘은 아무리 해도 만날 수 없었습니다" 하고 알료샤는 말했다.

"빨리 만나보도록 하거라. 내일도 또 나가서 빨리 찾아봐라. 만사를 제쳐 놓고 속히 서둘러야 해. 아직은 그 어떤 무서운 변고를 미연에 방비할 수 있을지도 모른다. 나는 어제 그 사람이 앞으로 겪어야 할 위대한 고난 앞에 머리를 숙였던 거야."

그는 갑자기 입을 다물고 무언가 생각에 잠기는 듯했다. 이상한 말이었다. 어제 장로가 절하는 장면을 목격한 이오시프 신부는 파이시 신부와 서로 눈짓을 했다. 알료샤는 더 이상 참을 수가 없었다.

"장로님, 스승님" 하고 그는 몹시 흥분하여 입을 열었다. "지금 하시는 말씀은 너무나 막연합니다……. 형님이 앞으로 겪어야 할 고난이란 대체 어떤 것입니까?"

"공연히 캐고 드는 게 아니야. 어제 나는 무언가 무서운 것을 느꼈던 거야……. 어제 그 사람의 눈초리는 마치 자기의 운명을 말해 주고 있는 것 같았어. 그 사람의 눈초리가 어찌나 이상스러웠던지……. 나는 그 사람이 자기 자신에게 가하려는 재앙을 즉각적으로 알아채고 가슴이 써늘해 옴을 느꼈다. 나는 일생 동안에 한두 번 자기 운명을 그대로 나타내고 있는 눈초리를 본 적이 있지만, 슬프게도 그 사람들의 운명은 내 예상대로 맞아들어 갔어. 알렉세이, 내가 너를 읍내로 내보낸 것은, 형제로서의 너의 얼굴이 그 사람에게 도움을 줄 수 있을 것이라 생각했기 때문이야. 그러나 모든 것은 하느님의 뜻대로 되는 거니까, 우리의 운명 역시 예외일 순 없지. '만약에 밀 한 알이 땅에 떨어져 죽지 아니하면 한 알 그대로 있고 죽으면 많은 열매를 맺느니라'고 하신 말씀을 잘 기억해 두거라. 그런데 알렉세이, 나는 여태까지 그러한 얼굴을 가진 너를 마음속으로 여러 번 축복해 왔다. 이것도 알아 두는 게 좋을 거야." 장로는 조용히 웃으며 이렇게 말했다. "나는 너에 대해 이렇게 생각하고 있어—너는 이 수도원 담 밖으로 나가더라도 역시 수도사로서 속세에서 살게 될 게다. 수많은 적을 가지게 되겠지만, 그 적들조차도 너를 사랑하게 될 거야. 또한 인생은 너에게 여러 가지 불행을 가져오겠지만, 그 불행으로 하여 너는 행복해질 수도 있을 것이며, 인생을 축복할 수도 있을 것이며, 다른 사람들로 하여금 인생을 축복하게 할 수도 있는 거야. 이것이 무엇보다 중요하지. 알겠니? 너는 이러한 인간이란 말이다.” “그런데 여러분” 하고 그는 즐거운 미소를 띠우며 손님들에게 얼굴을 돌렸다. “이 젊은이의 얼굴이 왜 나에게 이처럼 사랑스러운 것이 되었는가를 나는 오늘날까지 당자인 알렉세이에게 얘기한 일이 없었소. 나는 이제야 비로소 그것을 얘기하려는 거요. 이 젊은이의 얼굴은 나에게는 추억과 예언과도 같은 것이었소. 내 인생의 새벽이라 할 수 있는 어린 시절에, 내게는 형이 하나 있었는데, 그 형은 불과 열일곱밖에 안 된 나이에 내가 보는 앞에서 죽어 갔지요. 그 후 나이를 먹어 감에 따라 나는 그 형이야말로 나의 운명에 있어 하느님의 지표指標 내지는 숙명이라고도 할 만한 구실을 하였다는 것을 점점 믿게 되었소. 만약에 그 형이 나의 생활 속에 나타나지 않았더라면, 만약에 그 형이 처음부터 존재하지 않았더라면, 나는 필시 수도사가 되지도 못했을 것이고, 따라서 이 보람 있는 길로 들어서지도 못했을 것이니까요. 그가 처음 나타난 것은 나의 어린 시절의 일이었지만, 나의 나그네 길도 거의 끝날 무렵이 된 이제 그의 재래再來라고도 할 만한 것이 내 눈앞에 나타난 것이오. 여러분, 이상하게도 나는 알렉세이가 외모는 조금밖엔 닮지 않았는데도 정신적으로는 너무나도 닮은 것 같아서, 알렉세이를 바로 그 젊은이로, 즉 나의 형으로 생각한 적이 한두 번이 아니었소. 나의 인생행로의 끝에 이르러 그 어떤 추억과 영감을 주기 위해 신비롭게 나를 찾아온 형인 것만 같이 생각되었단 말이오. 그래서 이러한 나 자신과 이처럼 괴이한 공상에 스스로 놀라기까지 했지요. 포르피리, 너 내가 지금 한 얘기 들었니?” 하고 그는 옆에 서 있는 견습 수도생에게 말했다. “내가 너보다 알렉세이를 더 사랑한대서 네 얼굴에 실망의 빛이 떠오르는 것을 나는 여러 번 봤지만, 이젠 너도 그 까닭을 알았겠지? 그러나 나는 너도 역시 사랑하고 있어. 그것을 알아 다오. 나도 네가 실망하는 것을 보고 얼마나 가슴이 아팠는지 모른다. 그럼 여러분 나는 지금 그 젊은이, 즉 내 형의 얘기를 하기로 하겠소. 왜냐하면 나의 생애에 있어 그만큼 예언적이며, 감동적인 고귀한 일은 두 번 다시 없었기 때문이오. 내 가슴은 깊은 감동을 받았던 것이오. 지금 이 순간 나는 자기 생애를 또 한 번 되풀이해서 경험하듯이 모든 것이 생생하게 눈앞에 떠오르고 있소.”

여기서 지적해 두어야 할 것은 조시마 장로가 그 생애의 마지막 날에 자기를 찾아온 손님들에게 한 이야기는 부분적으로 기록되어 보존되고 있다는 사실이다. 그것은 알렉세이 표도로비치 카라마조프가 장로가 죽은 후 얼마 안 되어 기념으로 적어 둔 것이다. 그러나 그것이 그날의 담화만을 적은 것인지, 혹은 그 이전의 담화 속에서도 임의로 뽑아내어 첨가했는지는 뭐라고 단언하기 어렵다. 뿐만 아니라, 장로의 이 기록을 보면, 장로의 담화는 지극히 유창한 것이어서 마치 그가 친구들에게 자기의 일생을 소설체로 들려 준 것같이 생각되지만, 이것은 사실과는 약간 다르게 기록되었던 것이다. 그도 그럴 것이, 그날 밤의 담화는 주객이 함께 나눈 것이었으므로, 비록 손님들이 주인의 말을 가로채는 일이 별로 없었다 하더라도, 그들 역시 이 담화에 끼어들어 몇 마디 의견을 말하기도 하고 때로는 자기들 자신의 이야기도 늘어놓았을 것이기 때문이다. 게다가 장로는 가끔 숨이 차서 말이 막히고, 잠깐 쉬려고 침대에 눕기까지 했으므로, 그의 이야기가 그처럼 거침없이 진행되었을 리는 만무한 것이다. 물론 장로는 아주 침대에 누워 버리지는 않았고, 손님들도 자리를 뜨거나 하지는 않았었다. 한두 번 성경을 낭독하기 위해 담화가 중단된 일도 있었는데, 성경 낭독은 파이시 신부가 맡아서 했다. 여기서 또한 주목할 만한 점은, 손님들 중의 누구도 장로가 오늘 밤에 죽어 버리리라는 생각은 꿈에도 하지 않았다는 사실이다. 그는 낮에 푹 자고 났기 때문에 그 생애의 마지막 날 밤에 친구들을 상대로 장시간 이야기를 나눌 수 있을 만한 힘을 새로 얻은 것같이 보였다. 그것은 그의 체내에 거의 믿을 수 없을 만한 활력을 준, 최후의 감동이라고도 할 만한 것이었다. 그러나 그것도 오래 계속되지는 못했다. 그의 명맥이 갑자기 툭 끊어져 버렸기 때문이다……. 하지만 여기 대해서는 뒤로 미루기로 하고, 지금은 다만 알렉세이 카라마조프의 기록에 의해 장로의 이야기를 전하는 데 그치기로 하겠다. 그렇게 하는 편이 비교적 간결하여 읽는 데도 힘이 덜 들 것이기 때문이다. 그러나 거듭 말하거니와, 알료샤가 이전의 담화 속에서 많은 부분을 떼어다가 여기에 첨가한 것은 물론이다.

2. 고故 조시마 장로의 생애 전기적傳記的 기록(장로 자신의 말을 토대로 하여 알렉세이 카라마조프가 이를 엮었음)

(A) 조시마 장로의 젊은 형

사랑하는 수사 신부 여러분, 나는 먼 북부 지방 모 현縣의 B 시市에서 태어났다. 아버지는 귀족이기는 했지만, 명문 출신이라고는 할 수 없었고, 높은 관등官等을 가지고 있는 것도 아니었다. 그분은 내가 겨우 두 살이 되었을 때 세상을 떠나셨기 때문에, 나는 아버지를 전혀 기억하지 못한다. 그분이 어머니에게 남겨 주고 간 것은, 조그마한 목조 가옥 한 채와 약간의 재산이었다. 그것은 그리 많다고는 할 수 없었으나, 그래도 어머니가 아이들을 거느리고 별로 군색함이 없이 지내기에는 충분한 것이었다. 우리 형제는 단둘밖엔 없었다. 즉 나(지노비)와 마르케르뿐이었다. 나보다 여덟 살 위인 형은 무슨 일에나 곧잘 열중하고 성미가 또한 급하긴 했으나, 마음씨는 착한 편이어서 남을 비웃거나 하는 일은 전혀 없었고, 또한 이상할 만큼 말수가 적은 사람이었다. 특히 집에서 어머니나 나나 하인들을 대할 때는 더욱 말이 없었다. 중학교 성적은 좋은 편이었고, 친구들과 싸우는 일도 없었지만, 그렇다고 누구와 친하게 사귀거나 하는 일은 없었다. 적어도 어머니의 기억에 의하면 형은 그런 사람이었다는 것이다.

세상을 떠나기 반년 전, 그러니까 이미 만 17살이 되었을 때, 형은 우리 고장에 정배되어 온 정치범인 유형수流刑囚 한 사람을 빈번히 찾아다니기 시작했다. 이 사람은 자유사상 때문에 모스크바에서 우리 고장으로 귀양 온 이름 있는 학자로, 대학에서도 철학가로서 두각을 나타낸 인물이었다. 그는 무엇 때문인지 마르케르를 좋아하여 자기 처소에 드나들도록 허가했던 것이다. 형은 그 사람 집에 저녁마다 가서 살다시피 하며 그해 겨울을 보냈는데, 결국 이 유형수는 자원해서 관직을 얻게 되어 페테르부르크로 소환되었다. 그의 뒤에는 몇몇 유력한 보호자들이 붙어 있었던 것이다.

얼마 후 사순절이 시작됐을 때, 마르케르는 단식을 지키기는커녕 '그건 모두 잠꼬대 같은 어리석은 소리야, 하느님은 절대로 없어'라고 욕설과 조소를 퍼부어 어머니와 하인들은 말할 것도 없고, 나이 어린 나까지도 겁을 집어 먹게 했다. 그때 나는 겨우 아홉 살밖엔 안 되었지만, 그래도 그런 말을 듣고는 얼마나 놀랐는지 모른다. 우리 집에는 하인이 넷 있었는데, 그들은 모두 지면이 있는 지주의 명의로 우리 집에서 사들인 농노農奴들이었다. 지금도 기억하고 있지만, 어머니는 그들 중에서 나이 먹은 절름발이 식모 아피미야를 60루블에 다시 팔고, 그 대신 보통 식모를 고용한 일이 있었다.

그런데 사순절 제6주에 들어섰을 때, 갑자기 형이 앓기 시작했다. 그러지 않아도 형은 평소부터 건강이 좋지 않았고, 가슴이 얄팍해서 폐병에 걸리기 쉬운 체질이었다. 키는 작은 편이 아니었지만, 몸집이 호리호리한 게 겉보기에도 약골로 보였다. 그러나 얼굴은 무척 단정하게 생긴 편이었다. 처음엔 감기가 들었겠거니 생각했었는데, 왕진 온 의사는 어머니의 귀에다 대고 급성 폐결핵이기 때문에 봄을 넘기기 어려울지 모르겠다고 소곤거렸다. 어머니는 눈물을 흘리면서, 형을 붙잡고 조심스런 어조로, (그것은 형을 놀라게 하지 않으려는 생각에서였다) 제발 단식을 지키고 교회에 가서 성찬을 받아 달라고 애원했다. 그때만 해도 형은 아직 자리에 드러눕지는 않았던 것이다. 어머니의 말을 듣자 형은 몹시 화를 내며 교회에 대해 욕설을 퍼부었으나, 그러면서도 무언가 생각에 잠기는 것 같은 눈치였다. 형의 병세가 심상치 않으므로, 어머니는 형에게 기력이 남아 있는 동안에 단식을 지켜 성찬을 받게 하려는 것이라는 점을 형은 대번에 알아챘다. 하기는 형도 자기의 건강이 좋지 않다는 것은 벌써 오래전부터 알고 있었다. 이것은 그보다 1년 전의 일이지만, 한번은 식사 때 나와 어머니에게 침착한 어조로 "나는 어머님이나 동생과 함께 이 세상에서 살 수 없는 인간이에요. 아마 앞으로 1년도 못 사는지 모릅니다"라고 말한 적이 있는데, 그것이 마치 예언처럼 되어 버린 것이다.

사흘가량 지나서 신성 주간이 되었다. 화요일 아침부터 형은 교회에 나가기 시작했다. "어머니, 이건 순전히 어머니를 기쁘게 해 드리려고, 어머니를 안심시켜 드리려고 하는 거예요" 하고 형은 어머니에게 말했다. 어머니는 기쁨과 슬픔 때문에 그만 울음을 터뜨리고 말았다. "저 애가 갑자기 저렇게 변한 걸 보니 앞으로 얼마 남지 않았나 보다." 그러나 형은 교회에 오래 다니지를 못하고 병석에 누워 버렸으므로, 참회식이나 성찬식도 집에서 거행할 수밖엔 없게 되었다.

향기에 가득 찬 맑은 봄 날씨가 계속되었다. 그해의 부활절은 예년보다 늦게 있었다. 형은 밤새껏 기침을 하고 잠도 제대로 못 자면서도 아침이 되면 언제나 단정하게 옷을 갈아입고 안락의자에 앉아 있던 것을 나는 기억한다. 앓고 있으면서도 명랑하고 즐거운 얼굴로 조용히 앉아서 미소 짓던 그 모습이 지금도 눈에 선하다. 정신적으로도 형은 전과는 딴판이었다—별안간에 그 마음속에 놀라운 변화가 일어난 것이다! 늙은 유모가 형의 방에 들어와서, "도련님, 이 방에도 성상聖像 앞에 등불을 켤까요?" 하면, 전에는 그것을 허락하지 않고 켜 놓은 등불까지 꺼버리고 하던 형이, "좋아요, 할머니, 어서 켜세요. 전엔 성등조차 못 켜게 했으니 나는 참 못된 놈이었어요. 할머니가 불을 켜고 기도를 드리면 나는 할머니를 보며 기쁜 마음으로 기도를 드리겠어요. 그러면 둘이서 함께 하느님 앞에 기도를 드리게 되는 게 아니겠어요."

우리들에겐 이런 말을 하는 형이 이상하게 느껴졌다. 어머니는 자기 방에 들어앉아 울기만 했으나, 그래도 형의 방에 들어올 때는 눈물을 닦고 명랑한 표정을 지으려고 애쓰는 것이었다.

"어머니, 울지 마세요." 형은 늘 이렇게 말하곤 했다. "나는 앞으로 오래오래 살 수 있을 거예요. 어머니와 함께 언제까지나 즐겁게 살 수 있을 거예요. 인생이란 정말 기쁘고 즐거운 것이로군요!"

"얘야, 그게 무슨 소리냐, 밤마다 열이 나고 기침이 심해져서 가슴이 터지지나 않을까 걱정될 지경인데 뭐가 그렇게 즐겁단 말이냐?"

"어머니, 울지 마세요" 하고 형은 대답하는 것이었다. "인생은 낙원이에요. 우린 모두 낙원에서 살고 있는 거예요. 다만 우리가 그걸 알려고 하지 않을 뿐이죠. 만약에 우리가 그걸 알려고만 한다면, 이 지상에는 내일에라도 낙원이 이루어질 거예요.”

형의 어조가 너무나 이상하고 너무나 확고한데 우리는 모두 놀랐으며, 또한 그 말에 감동하여 눈물을 흘리기까지 했다. 친지들이 찾아오거나 하면 형은 이렇게 말했다.

“당신들은 정말 진실한 분들이십니다. 대체 내가 뭘 했다고 이처럼 당신들의 사랑을 받는 걸까요. 당신들은 무엇 때문에 나 같은 인간을 사랑해 주십니까? 그리고 나는 왜 여태까지 그걸 몰랐을까요? 왜 여태까지 고마운 줄을 몰랐을까요?”

그리고 형의 방에 드나드는 하인들에게 언제나 이런 말을 했다. “당신들은 참 친절한 사람들이야. 왜 당신들은 이토록 정성껏 내 시중을 들어주는 거요? 내게 과연 그런 정성을 받을 만한 자격이 있을까? 만약에 하느님의 뜻으로 살아남게 된다면, 그때는 내가 당신들 시중을 들겠소. 사람은 서로 돕고 서로 시중을 들어주어야 하는 거요.”

어머니는 이 말을 들으며 고개를 흔들었다. “얘야, 네가 그런 말을 하는 건 너의 병 탓이다.”

“어머니, 사랑하는 어머니” 하고 형은 말하는 것이었다. “그야 물론 주인과 하인의 구별이 아주 없어질 리는 없겠죠. 그렇지만 내가 우리 집 하인들의 시중을 든다고 해서 안 된다는 법은 없지 않아요? 저 사람들이 나를 위해 주는 것처럼 나도 저 사람들을 위해 주겠어요. 그보다도 나는 이렇게 말하고 싶어요—우린 누구나 다른 모든 사람들에 대해 죄가 있다고 말이에요. 그중에서도 내가 제일 죄 많은 인간이죠.”

어머니는 이 말을 듣고 어이없다는 듯이 웃음을 띠우기까지 했다. 울면서 웃었던 것이다.

“네가 누구보다도 죄가 많다니 그게 무슨 말이냐? 세상에는 살인범이나 강도 같은 죄인도 많은데 너는 대체 무슨 죄를 지었기에 제일 죄가 많다고 그러는 건지 알 수가 없구나.”

“어머니, 어머니는 내 귀중한 피와도 같은 분입니다. (형은 그때 뜻밖에도 이런 애정 어린 말들을 하게 되었었다) 어머니, 내 사랑, 내 기쁨, 내 피처럼 소중한 어머니, 정말이지 우리는 누구나 모든 사람 앞에 모든 일에 대해 죄가 있는 거예요. 뭐라고 설명하면 좋을지 모르겠지만, 그것이 정말이라는 것을 나는 괴로우리만큼 마음속에 느끼고 있어요. 어째서 우리는 여태까지 이 세상에 살면서 그것을 모르고 서로 화를 내곤 했을까요?”

이렇게 형은 더욱 강한 감격과 환희에 싸여, 사랑에 충만된 마음으로 매일 아침잠에서 깨어나는 것이었다. 에이젠슈미트라는 늙은 독일 의사가 왕진을 오면 형은 곧잘 이런 농담을 하기도 하였다.

“의사 선생님, 하루쯤 더 이 세상에 살 수 있을까요?”

“하루는커녕, 아직도 여러 날 더 살 수 있을 거요” 하고 의사는 대답했다. “아직도 몇 달은, 아니 몇 년쯤은 문제없습니다.”

“몇 달은 뭐고, 몇 년은 뭡니까!” 하고 형은 소리쳤다. “그렇게 날수를 계산할 필요가 어디 있어요! 인간이 행복이라는 행복을 죄다 경험하는 데는 하루면 충분합니다. 그런데 여러분, 우리는 무엇 때문에 서로 싸우고, 서로 무안을 주고, 서로 앙심을 품고 있는 걸까요? 그러느니보다 차라리 뜰에 나가 산책을 하며 즐기기도 하고, 서로 사랑하고 칭찬하면서 입을 맞추며 우리들의 인생을 축복합시다.”

“아드님께선 오래가시지 못할 겁니다.” 현관까지 배웅 나온 어머니에게 의사는 이렇게 말했다. “병 때문에 정신 착란증까지 일으켰어요.”

형의 방 창문은 뜰 쪽으로 나 있었는데, 뜰에는 고목이 우거져 그늘을 이루고, 그 가지에는 새싹이 움트고 있었다. 철 이른 새들이 날아와 창밖에서 지저귀는 것을 사랑스런 눈으로 바라보다가, 형은 갑자기 새들을 향해 용서를 빌기 시작하는 것이었다.

“하느님의 새들아, 기쁨의 새들아, 나를 용서해 다오. 나는 너희들한테도 많은 죄를 지었구나.” 우리들 중에 이 말을 이해하는 사람은 아무도 없었으나, 형은 기쁨에 넘쳐 눈물까지 흘리고 있었다. "아아, 내 주위는 이와 같은 하느님의 영광으로 가득 차 있다. 새들, 나무들, 풀밭과 푸른 하늘…… 그런데도 나만은 치욕 속에 살면서 이 모든 것을 더럽히고, 이러한 아름다움과 영광을 외면하고 있었구나."

"너는 자기에게 너무 많이 죄를 뒤집어씌우고 있어." 어머니는 울면서 이렇게 말하곤 했다.

"어머니, 내 소중한 어머니, 나는 기뻐서 우는 거예요. 슬퍼서 우는 게 아니란 말이에요. 내가 모든 사람에 대해 죄인이 되는 건 나 자신이 그것을 원하기 때문이죠. 다만 어머니한테 알아듣도록 설명할 수가 없을 뿐예요. 그도 그럴 것이 모든 사람을 사랑하려면 어떻게 해야 하는지조차 모르는 형편이니까요. 비록 내가 모든 사람에 대해 죄를 지었다 해도, 그 대신에 그들은 나를 용서해 줍니다. 이것이 바로 천국이지요. 나는 지금 천국에 있는 게 아닐까요?"

그 밖에도 여러 가지 일들이 있었지만, 그것을 일일이 생각해 낼 수도 없거니와 기록할 수도 없다. 그러나 한 가지 생각나는 일이 있다. 어느 날, 나는 혼자서 형의 방에 들어가 보니, 마침 다른 사람은 아무도 없었다. 맑게 갠 저녁녘이어서 서쪽에 기울어진 태양이 방 안을 가로질러 비스듬한 광선을 던지고 있었다. 형은 나를 보자 손을 들어 부르는 시늉을 했다. 나는 그 옆으로 다가갔다. 그러자 형은 두 손으로 내 어깨를 잡고 감격 어린, 사랑스런 눈으로 내 얼굴을 들여다보는 것이었다. 아무 말 없이 얼마 동안 그렇게 나를 보고만 있다가 이윽고 입을 열었다.

"자, 이젠 나가서 놀아라. 나 대신에 살아 다오!"

그래서 나는 밖으로 놀러 나갔다. 그 후 나는 일생 동안 몇 번이나 형이 나에게 자기 대신에 살아 달라고 한 말을 눈물과 함께 상기하곤 했었다. 그 당시엔 우리들이 이해하지 못하였지만, 그 밖에도 형은 아름답고 경탄할 만한 말을 많이 남겨 놓고 갔다. 형은 부활제가 지난 후 3주일 만에 숨을 거두고 말았다. 말은 하지 못했으나 의식은 분명하여, 최후의 순간까지 조금도 다름이 없었다. 얼굴은 여전히 행복하게 보였고, 눈은 희색을 띠고 있었으며, 시선을 돌리다가 우리들의 모습을 발견하고는 미소를 지어 보이며, 가까이 오라는 시늉을 하는 것이었다. 그래서 형의 죽음에 대해서는 읍내에 여러 가지 소문이 퍼지기까지 했었다. 이러한 모든 일들은 그 당시 나의 마음에 깊은 충격을 주었으나, 그렇다고 그다지 심각한 것은 아니었다. 물론 형의 장례 때는 나도 무척 울었다. 아직 철없는 어린애에 지나지 않았지만, 이러한 일들은 내 마음에 씻을 수 없는 인상을 남겼고, 그 어떤 감정을 깊이 심어 주었던 것이다. 그러니까 때가 오면 갑자기 그것이 머리를 쳐들고 부름에 응하기 마련이다. 과연 그런 일이 사실이 되어 나타났던 것이다.

(B) 조시마 장로의 생애에 있어서의 성서聖書의 의의意義

결국 나는 어머니와 단둘이 남게 되었다. 얼마 후 우리가 아는, 친절한 사람들이 어머니에게 이렇게 권고했다—이제 당신한테는 아들 하나밖엔 남지 않았는데 살림이 군색한 것도 아니고, 약간의 재산도 있으니 남들처럼 아들을 페테르부르크로 보내는 게 좋겠다, 이런 곳은 아들의 출세를 방해하는 것밖엔 안 된다, 라는 것이었다. 이렇게 말하며 그들은 나를 페테르부르크의 육군 유년 학교幼年學校에 보내어 후에 근위사단近衛師團에 들어가게 하라고 어머니를 설득했다. 어머니는 하나밖에 없는 아들과 어떻게 헤어져서 사느냐고 오랫동안 망설이고 있었으나, 많은 눈물을 흘린 후에 마침내 나의 장래를 위해 결심을 하기에 이르렀다. 어머니는 나를 데리고 페테르부르크로 가서 유년 학교에 입학시켜 주었는데, 그 후 나는 어머니를 다시 뵙지 못하고 말았다. 어머니는 3년 동안 아들을 생각하며 탄식과 슬픔으로 세월을 보내다가 그만 세상을 떠나고 만 것이다.

부모의 집에서 내가 얻은 것이라고는 귀중한 추억뿐이었다. 왜냐하면, 인간에겐 부모의 집에서 보낸 유년 시대의 추억보다 더 귀중한 것은 없기 때문이다. 가정 내에 조금이라도 애정과 화합이 있는 한 이것은 누구에게나 그런 법이다. 아니, 가장 화목하지 못한 가정에서도, 그 사람의 마음이 귀중한 것을 찾아낼 힘만 가지고 있다면 얼마든지 귀중한 추억을 간직할 수 있을 것이다. 나는 우리 가정에 관한 추억 속에, 성서 이야기에 관한 추억도 포함시키기로 하겠다. 부모의 집에 있을 때 나는 아직 어린 나이였지만 그래도 이 이야기에 무척 흥미를 느꼈었다. 그 당시의 나는 《신약 및 구약성서에서 추려 낸 104편의 이야기 A Hundred and Four Stories from the Old and New Testament》라는 아름다운 삽화가 가득 들어 있는 책을 한 권 가지고 있었는데, 이 책으로 나는 독서를 배웠다. 지금도 이 책은 내 방 선반 위에 놓여 있다. 귀중한 기념품으로 보존하고 있는 것이다.

그러나 아직 글 읽기를 배우기 전에 처음으로 깊은 정신적 감동 같은 것을 느꼈을 때의 일을 지금도 나는 기억하고 있다. 내가 아직 여덟 살밖엔 안 되었을 때의 일인데, 그해 신성 주간 월요일에 어머니는 나 하나만을 데리고 (그때 형이 어디 있었는지는 생각나지 않는다) 교회 미사에 참례하러 갔다. 지금도 그때 일을 회상하면 모든 것이 눈에 선하다. 맑게 갠 날씨여서 향로에서 일어나는 연기는 천천히 위로 피어오르고, 머리 위 둥근 천장에 달린 조그만 창문에서는 햇빛이 교회당 안으로 쏟아져 내려왔다. 향 연기는 물결처럼 너울거리며 거기까지 올라가서는 그 햇빛 속에 녹아들어 가는 것이었다. 그것을 감격 어린 눈으로 바라보면서 나는 처음으로 하느님 말씀의 최초의 씨앗을 의식적으로 내 영혼 속에 받아들였다. 조그만 소년 하나가 커다란 책을 들고—그때 내게는 그 소년이 간신히 그것을 들어 옮긴다고 생각되었을 만큼 커다란 책을 들고, 교회당 한가운데로 나오더니 그것을 성서대聖書臺 위에 놓고 책장을 들추며 읽기 시작했다. 그러자 나는 생전 처음으로 깨달았다—하느님의 교회에서 읽는 것이 어떤 것인가를 비로소 깨달았던 것이다.

우즈 땅에 욥이라는 정직하고 경건한 사람이 살고 있었다.[81] 그는 막대한 재산을 가진 자로서 낙타와 양과 나귀 등을 헤아릴 수 없을 만큼 많이 기르고 있었다. 그의 아이들은 언제나 즐겁게 놀았고, 그도 그 아이들을 무척 사랑하여 아

81 《구약 성경》〈욥기〉 1장 참고.

이들을 위해 하느님께 늘 기도를 드렸다. 어쩌면 아이들도 장난을 치다가 무슨 죄를 지었는지 모르기 때문이다. 그런데 어느 날 악마가 하느님의 아들들과 함께 주님 앞으로 올라가서 땅 위와 땅 밑을 고루 돌아보고 왔노라고 했다.

"그러면 내 종인 욥을 만났느냐?" 주님은 이렇게 물으시며, 위대하고 거룩한 자기 종 욥을 악마 앞에서 자랑하셨다. 그 말을 듣고 악마는 히죽 웃으며, "그 사람을 내게 맡겨 주십시오. 그러면 당신의 그 종이 불평을 말하며 당신의 이름을 저주하는 것을 보여 드리겠습니다."

그래서 하느님은 자기의 사랑하는 종을 악마의 손에 맡기셨다. 그러자 악마는 욥의 아이들과 가축들을 죄다 죽여 없애 버리고 그 막대한 재산을 마치 하늘에서 떨어지는 벼락과도 같은 재빠른 솜씨로 순식간에 탕진시켜 버렸다. 욥은 자기 옷을 갈가리 찢고 땅에 엎드려 큰 소리로 외쳤다. "어머니 뱃속에서 벌거숭이로 나왔으니, 역시 벌거숭이로 땅에 돌아가리로다. 주님께서 주신 것을 주님께서 도로 가져가셨을 뿐, 주님의 이름에 영원히 영광이 있을지어다."

친애하는 수사, 신부들이여, 지금 내가 눈물을 보인 것을 용서하시라. 이 눈물은 내 유년 시대가 다시 내 눈앞에 떠오르고, 그 당시 여덟 살짜리 어린아이의 조그만 가슴이 호흡한 것과 똑같은 호흡을 지금도 나는 이 가슴으로 느끼며, 그 당시와 똑같은 경이驚異와 혼란과 희열을 느끼고 있기 때문이다. 그 당시 낙타 떼와 하느님께 수작을 건 악마, 자기 종을 멸망의 길로 몰아넣은 하느님과 '오오, 주여, 당신은 내게 벌을 내리셨나이다. 그러나 당신의 이름에 길이 영광이 있을지어다'라고 외친 그 종, 이러한 것들이 나의 상상을 가득 채워 버렸던 것이다. 그리고 조용하고도 감미롭게 교회당 앞에 울려 퍼지는 '나의 기도를 받아들이소서'라는 성가 소리, 신부가 들고 있는 향로에서 또다시 피어오르는 향 연기, 무릎을 꿇고 엎드린 사람들의 기도 소리!

그때부터 나는 (바로 어제도 그 책을 손에 들었었지만) 눈물 없이는 이 거룩한 이야기를 읽을 수가 없었다. 아아, 이 이야기 속에는 상상도 할 수 없을 만큼 위대하고 신비로운 것이 얼마나 많이 포함되어 있는가! 그 후 나는 그것을 조소하고 비난하는 자들의 말을 들었으나 그것은 모두 교만하기 짝이 없는 말들이었다.

"자기의 성자聖者 중에서도 가장 사랑하는 자를 악마의 놀음가마리로 만들어 그 아이들을 빼앗고, 그 자신도 질병과 악성 종창 때문에 사금파리로 고름을 짜내야 하는 쓰라린 고통을 맛보게 하다니, 아무리 하느님이라도 그건 너무하지 않은가? 더욱이 그 목적은 무엇인가? 다만 악마에게 '봐라, 나의 성자는 나를 위해 이러한 고통까지도 능히 참아 내지 않느냐!' 하고 자랑하려는 것 이외엔 아무런 목적도 없는 것이다."

그러나 바로 여기에 신비가 있는 것이다. 순간적으로 나타났다가 사라지는 지상의 모습과 영원한 진리가 여기서 서로 접촉하고 있다는 점에 바로 위대함이 있는 것이다. 여기서는 조물주가 그 우주 창조의 최초의 며칠 동안에 '내가 창조한 것은 선하도다'라는 찬탄으로 하루하루의 일을 완성하신 것과 마찬가지로, 하느님께서는 욥의 장한 모양을 보시고 다시금 자기의 창조물을 자랑하신 것이다. 그리고 욥이 하느님을 찬송한 것은 비단 하느님 한 분에 대한 봉사일 뿐만 아니라, 하느님의 영원한 창조물에 대한 봉사이기도 했다. 그것은 그가 애초부터 그러한 사명을 지니고 있었기 때문이다. 아아, 이 얼마나 위대한 책이며, 얼마나 위대한 교훈이냐! 성서란 얼마나 고마운 책이며, 얼마나 위대한 기적이냐! 그리고 이 책으로 하여 얼마나 큰 힘이 인간에게 부여되었는지 모른다! 여기에는 세계와 인간, 그리고 인간의 성질이 부각되어 있는 것이다. 뿐만 아니라, 일체의 것의 이름이 영원히 지적되어 있지 않은가. 그리고 이 책으로 하여 얼마나 많은, 신비가 해결되고 계시되었는가! 하느님께서는 욥으로 하여금 다시 분기奮起케 하여 그에게 다시 재산을 돌려주신 것이다. 그리하여 다시 여러 해가 지나가고, 그는 새 아이들의 어버이가 되고 그 아이들을 사랑하게 된다. 하지만 사람들은, '아아, 그럴 수가 있을까! 전의 아이들을 모두 잃고서도, 전의 아이들을 모두 빼앗기고서도 어찌 새 아이들을 사랑할 수 있단 말인가? 아무리 새 아이들이 귀엽다 하더라도 전의 아이들 생각을 할 때 과연 전처럼 완전한 행복을 누릴 수가 있을까?' 하고 생각할지 모른다. 그러나 그것은 가능한 것이다. 얼마든지 행복할 수가 있는 것이다. 과거의 슬픔은 인생의 위대한 신비에 의해 차츰 고요하고도 감격에 찬 기쁨으로 변해 가는 법이다. 젊은 날의 끓어오르는 혈기 대신에, 온화하고 청명한 노년기가 찾아드는 것이다. 날마다 나는 떠오르는 아침 해를 축복하고, 내 마음은 이전과 마찬가지로 아침 해를 향해 노래를 부르지만, 그러나 이제는 떨어져 가는 저녁 해를, 비스듬히 비치는 저녁 햇살을 더욱 사랑한다. 그리고 그 햇살과 함께, 조용하고 부드러운 감격에 찬 추억을, 나의 길고도 축복받은 생애 중에서 떠오르는 그리운 사람들의 모습을 사랑한다—그러한 모든 것 위에는 사람의 마음을 감동시키고 화해시키며, 또한 모든 것을 용서하는 하느님의 진리가 있는 것이다! 나의 생애는 이제 끝나려 하고 있다. 나는 그것을 알고 있으며 또 느끼고 있다. 그러나 얼마 남지 않은 하루하루가 찾아올 때마다, 나의 지상에서의 생활이, 눈앞에 다가오고 있는 새롭고 끝없는 미지의 생활과 이미 연결되고 있음을 나는 느낀다. 그러한 새 생활을 예감할 때 나의 영혼은 환희에 떨고 지성은 밝게 빛나고, 감정은 희열에 흐느끼는 것이다.

친구들이여, 나는 이런 말을 들은 적이 한두 번이 아니었다. 특히 최근에 이르러 더욱 빈번히 듣게 되었다. 다름 아니라, 우리나라의 성직자들이, 특히 시골 성직자들이, 적은 수입과 낮은 지위에 관해 도처에서 불만을 호소하고 있을 뿐더러, 나아가서는 신문 잡지의 힘을 빌려, (나도 직접 읽은 적이 있지만) '우리는 너무나 수입이 적어서 이제는 민중에게 성경을 가르칠 수도 없다. 비록 루터파派나 그 밖의 이단자들이 양떼를 빼앗아 간대도 우리의 수입이 너무나 적으니 우리로서는 어쩔 도리가 없다'라고 공인하는 자까지 있다. 오오, 주여, 그들에게 그처럼 귀중한 수입을 다소나마 늘려 주시옵소서 하고 나는 생각했다. (왜냐하면 그들의 불평 또한 정당한 것이기 때문이다) 그러나 사실대로 말해서, 만약에 이 문제에 대해 누구에게든 죄가 있다면 그 죄의 태반은 우리들 자신에게 있는 것이다. 왜냐하면, 비록 여가가 없어 언제나 노동과 예배에 시달리고 있다는 그들의 말에 일리가 있다 하더라도, 밤낮없이 그런 것은 아닐 테니 일주일의 단 한 시간쯤은 하느님을 상기할 수 있는 여유가 있을 게 아닌가. 더욱이 일 년 열두 달 계속해서 일에 몰릴 리도 없는 것이다. 처음엔 아이들만이라도 좋으니 일주일에 한 번쯤 저녁때라도 자기 집에 모이게 하면 어떨까? 그러노라면 아버지들도 소문을 듣고 차차 성경 이야기를 들으러 모여들게 될 것이다. 그렇다고 이것을 위해 커다란 건물을 세울 필요는 없다. 그저 자기 집에 모이게 하면 되는 것이다. 또한 자기 집을 더럽힐까 염려할 것도 없다. 불과 한 시간쯤 모였다가 헤어지는 것뿐이니까. 사람들이 모이면 이 책을 펼쳐 놓고, 어려운 문자를 쓰거나, 거드름을 피우거나 하지 말고 친절하고 부드러운 어조로 읽어 주면 된다. 이때 자기가 읽어 주고 있다는 것을, 그리고 사람들이 그것을 듣고 이해한다는 것을 기쁘게 생각하며, 자기 자신도 이 책의 말씀에 귀를 기울여야 할 것이다. 그리고 이따금 낭독을 멈추고 어려운 말을 설명해 주어야 한다. 염려할 건 조금도 없다—모두들 무엇이든 알아들을 테니까. 정교正敎를 믿는 백성들은 무엇이든 다 알아들을 수 있는 것이다! 아브라함과 사라, 이삭과 리브가[82]에 관해 읽어 줄 것이며, 그다음 야곱이 라반한테 가서, 꿈에 하느님과 싸우고 '이곳은 두섭다'고 말한 이야기도 읽어 주어, 민중의 경건한 마음에 깊은 감명을 줄 것이다.

그리고 또 민중에게, 특히 아이들에겐 다음 이야기를 읽어 주면 좋을 것이다. 형들이 친동생 요셉을—해몽解夢의 명수이며 위대한 예언자인 귀여운 소년 요셉을 노예로 팔아먹고는, 아버지에겐 야수가 동생을 잡아먹었다고 말하며 피 묻은 옷을 내보인다. 그 후 형들이 곡물을 사려고 이집트로 갔더니, 그때는 이미 형들도 알아보지 못할 만큼 훌륭한 고관이 되어 있던 요셉이 그들을 괴롭히고 죄를 씌워 형제 중의 하나인 베냐민을 잡아 가둬 버렸다. 그러면서도 그는 어디까지나 형들을 사랑하고 있었다—'나는 당신네들을 사랑합니다. 사랑하면서도 괴롭히는 것입니다.' 그도 그럴 것이, 그는 옛날에 자기가 뜨거운 사막의 어느 우물가에서 상인들에게 노예로 팔렸던 일이며, 그때 형들에게 제발 자

82 《구약 성경》〈창세기〉 참고.

기를 다른 나라로는 팔지 말아 달라고 두 손 모아 빌던 일이며 여태까지 좀처럼 잊어버릴 수가 없었지만, 오랜 세월이 지난 후에 이렇게 형들을 만나게 되니 다시금 그들에게 무한한 사랑을 느끼지 않을 수 없었기 때문이다. 그러나 요셉은 사랑을 느끼면서도 그들을 힐난하고 괴롭히는 것이었다. 그는 마음의 고통을 견디다 못해 마침내 그들의 곁을 떠나 자기 침소로 들어가서 몸을 던지고 울음을 터뜨리고 만다. 얼마 후 그는 눈물을 닦고 밝은 얼굴로 그들 앞에 나타나서, "형님들, 나는 요셉입니다. 당신들의 동생입니다" 하고 자기의 본명을 밝히는 것이다. 그다음엔, 늙은 아버지 야곱이 귀여운 아들이 아직도 살아 있다는 소식을 듣고 얼마나 기뻐했는지, 그 얘기도 읽어 주는 게 좋을 것이다. 야곱은 그 소식을 듣고는 고향 땅을 버리고 이집트로 떠났는데 결국은 낯선 이국땅에서 죽게 된다. 그때 그는 한평생 온순하고 소심한 자기 가슴속에다, 남몰래 간직해 두었던 위대한 말을 영원한 유언으로 이 세상에 남겼는데, 그것은 다름 아니라 그 자손, 즉 유다의 자손 중에서 이 세상의 위대한 희망이며 화해자和解者인 구세주가 출현하리라는 예언이다!

친애하는 수사 신부들이여, 여러분들이 이미 옛날부터 잘 알고 있을뿐더러 나보다도 백배나 더 능숙하고 요령 있게 가르칠 수 있는 얘기를 마치 어린애처럼 재잘거리고 있는 나를 불쾌하게 생각지 말고 용서해 주기 바란다. 나는 다만 감격에 겨워 이런 얘기를 하고 있는 것이다. 그리고 이 거룩한 책을 무한히 사랑하기 때문에 흘리는 내 눈물도 용서해 주기 바란다. 이 책을 민중에게 읽어 주는 성직자에게도 역시 눈물이 있는 편이 좋겠다. 그러면 듣고 있는 사람들의 가슴도 반응을 일으켜 떨기 시작하는 것을 알게 될 것이다. 필요한 것은 다만 한 알의 씨앗뿐이다. 그것을 민중의 가슴에 떨어뜨린다면 그 씨앗은 한평생 죽지 않고 그 가슴속에 살아남아서, 마치 밝게 빛나는 등불과도 같이 어떠한 암흑, 어떠한 죄악 속에서도 존재를 계속할 것이다. 그렇다고 길게 설명을 늘어놓거나 설교를 할 필요는 없다. 그럴 필요는 조금도 없는 것이다. 그들은 모든 것을 문제없이 이해할 테니까. 그래 그들 민중에게 그것을 이해할 능력이 없다고 생각하는가? 그렇다면 아름다운 에스더와 교만한 와스티의 서글프고도 감명 깊은 얘기[83]를 시험 삼아 들려주는 게 좋을 것이다. 아니면, 고래 뱃속에 들어간 예언자 요나의 기적적인 얘기[84]도 좋다. 그리고 그리스도의 우화寓話 또한 잊지 말아야 한다. 이것은 주로 〈누가복음〉[85]에서 택하는 게 좋을 것이다. (나도 그렇게 해 왔다.) 그리고 〈사도행전〉[86] 중에서는 사울(사도바울의 본명)의 개종改宗 얘기를, 무슨 일이 있어도 이것만은 꼭 읽어 주어야 한다. 마지막으로 《순교자전》 중에서는 하느님의 아들 알렉세이의 생애와 위대하고 행복한 순교자들 중에서도 가장 위대한 순교자이며, 하느님의 목격자이며 그리스도의 숭배자인 이집트의 마리아의 생애를 택하여 읽어 주는 게 좋겠다. 그렇게 한다면 이런 단순한 얘기로 능히 민중의 마음에 깊은 감명을 줄 수 있을 것이다. 그것도 일주일에 한 시간이면 족하다. 자기의 작은 수입 같은 건 문제 삼지 말고 일주일에 단 한 시간씩만 그 일에 바치면 된다. 그렇게 하면 우리나라의 백성들이 얼마나 자비심 많고 감사할 줄을 아는 사람들인가를 깨닫게 될 것이다. 그들은 성직자의 열성과 감동적인 그 말을 언제까지나 기억하면서 그의 은혜에 백배나 더 많이 보답할 것이다. 그들은 자진해서 성직자의 밭일이나 집안일을 도울 것이며, 전보다도 더한층 그를 존경하게 될 것이다—이것만으로도 그의 수입은 실질적으로 증가하는 셈이다.

이것은 너무나 단순한 착상이어서, 경우에 따라선 웃음거리가 될까 두려워 입 밖에 내서 말하는 것조차 주저될 지경이지만, 이것은 어디 내놔도 부끄럽지 않은 진리인 것이다! 하느님을 믿지 않는 자는 하느님의 백성들도 믿지 않는다. 일단 하느님의 백성들을 믿게 된 자는 비록 자기 자신은 그때까지 전혀 믿지 않았다 하더라도 백성들이 신성시하는 것에 대해 눈을 뜨게 될 것이다. 오직 민중

83 《구약 성경》〈에스더서〉 참고.
84 《구약 성경》〈요나서〉 참고.
85 《신약 성경》 참고.
86 《신약 성경》 참고.

과 그들의 미래의 정신력만이, 어머니인 대지大地로부터 유리遊離된 우리나라의 무신론자들을 옳은 길로 전향시킬 수 있는 것이다.

사실 말이지, 그리스도의 말씀이라 하더라도 실례를 들지 않는다면 대체 무슨 소용이 있겠는가? 하느님의 말씀이 없다면 민중에겐 오직 파멸이 있을 뿐이다. 왜냐하면 민중의 영혼은 하느님의 말씀을 애타게 원하고 있으며 모든 아름다운 것의 감득感得을 갈망하고 있기 때문이다.

내가 젊었을 때니까 거의 40년 전의 옛날이야기지만, 나는 안핌 신부와 함께 어느 수도원을 위해 성금을 모으면서 러시아 전국을 돌아다닌 일이 있었다. 어느 날 우리는 선박이 내왕하는 큰 강기슭에서 어부들과 함께 밤을 새우게 되었다. 그때 용모가 단정한 젊은 농부 하나가 우리 옆에 자리를 잡고 앉았다. 열여덟 살가량 되어 보이는 젊은이였는데, 이튿날 어느 상인의 거룻배를 끌기 위해[87] 목적지를 향해 급히 가고 있는 중이었다. 나는 이 젊은이가 감동 어린 맑은 눈으로 자기 앞을 바라보고 있는 것을 발견했다. 그것은 밝고 고요하고 따뜻한 7월의 밤이어서, 넓은 수면에선 뽀얀 안개가 피어올라 우리의 기분을 상쾌하게 해 주었다. 이따금 물고기가 철퍼덕 거리는 소리가 들릴 뿐, 새들의 울음소리도 없었고, 사방은 엄숙할 만큼 고요하여, 만물이 하느님에게 기도를 드리는 것 같았다. 그날 밤 잠을 자지 않은 것은 그 젊은이와 나 두 사람뿐이었다. 우리는 하느님의 세계의 아름다움과 그 위대한 신비에 대해 얘기를 주고받았다. 한 오라기의 풀잎, 한 마리의 갑충甲蟲, 한 마리의 개미, 한 마리의 꿀벌, 이와 같은 모든 것이 지성知性을 지니고 있지 못하면서도 신기할 만큼 자기들의 길을 알고 있어, 하느님의 신비를 증명하며 쉴 새 없이 그것을 수행하고 있지 않은가! 이런 얘기를 하다가 나는 이 귀여운 젊은이의 마음이 점점 타오르기 시작한 것을 알아챘다. 그는 숲과 숲에 사는 새를 무척 좋아한다고 말했다. 그리고 자기는 새잡이꾼이어서 모든 새들의 울음소리를 하나하나 분간할 수 있을뿐더러 그 새들을 가까이 부를 줄도 안다는 것이었다.

87 상류로 가는 짐배는 여러 명의 예선부曳船夫들이 인력으로 끌어 올렸음.

“나는 숲속에 있을 때가 제일 좋아요” 하고 그는 말했다. “그렇지만 나는 모든 것이 다 즐겁기만 해요.”

“그렇고말고” 하고 나는 대답했다. “모든 것이 다 즐겁고 모든 것이 다 아름답지. 왜냐하면 모든 것이 죄다 진리이니까. 저 말을 보렴. 저렇게 큰 짐승이 인간 곁에 아무렇지도 않은 얼굴을 하고 서 있지 않니? 그리고 소를 보아라. 언제나 머리를 수그리고 생각에 잠긴 채 인간에게 젖을 주기도 하고 인간을 위해 일을 하기도 하지. 말이나 소의 얼굴을 보아라. 얼마나 온순한 표정이냐! 걸핏하면 사정없이 채찍질을 하는 인간을 그처럼 따를 수가 있을까! 악의라곤 털끝만큼도 없는 저 표정, 인간을 한결같이 신뢰하는 저 아름다운 얼굴! 그들에겐 아무런 죄도 없다, 이렇게 생각만 해도 가슴이 뻐근해 오지. 왜냐하면 인간을 제외한 모든 것은 절대로 죄를 짓는 법이 없도록 창조되었으니까. 그리스도께서는 우리 인간보다도 먼저 그들과 더불어 계셨던 거야.”

“정말 그래요?” 하고 젊은이가 물었다. “그럼 그리스도께서는 소나 말과도 함께 계신단 말씀인가요?”

“함께 계시지 않을 리가 있겠니” 하고 나는 말했다. “하느님의 ‘말씀’은 이 세상의 모든 것을 위해 있는 것이니까. 하느님의 모든 창조물과 모든 생물은 하나하나의 나뭇잎까지라도, 하느님의 ‘말씀’을 지향하고 나아가면서 하느님의 영광을 노래하고, 그리스도를 위해 환희의 눈물을 흘리고 있는 거야. 그러나 자기 자신은 그것을 의식하지 못하고 있어. 다만 죄를 모르는 일상생활의 신비에 의하여 그것이 행하여지고 있을 뿐이지. 저기 숲속에는 무서운 곰이 싸돌아다니고 있어. 곰은 사납고 위험한 짐승이긴 하지만, 그것은 결코 곰의 죄가 아니야.” 이렇게 말하고, 나는 예전에 숲속 조그만 암자에 은둔해 있는 위대한 성자 앞에 굶주린 곰 한 마리가 나타났던 얘기를 들려주었다. 그 위대한 성자는 곰을 가엾게 여겨 서슴지 않고 가까이 다가가서 빵 한 덩어리를 주면서 “이제는 가거라, 그리스도께서 너와 함께 계시니까”라고 말하자, 그 사나운 짐승은 조금도 사람을 해치지 않고 순순히 물러가 버렸다는 것이다. 젊은이는 곰이 사람을 해치지 않고 물러갔다는 얘기와 그리스도께서 곰과도 함께 계시다는 말에 몹시 감동한 것 같았다. "그것 참 좋은 얘기로군요! 하느님께서 만드신 것은 무엇이든 아름답고 훌륭해요!" 젊은이는 조용하고 감미로운 생각에 잠긴 채 앉아 있었다. 내 얘기를 잘 이해한 모양이었다. 이윽고 그는 내 곁에서 가볍고 순진한 마음으로 잠들어 버렸다.

"주여, 이 젊은이에게 축복을 내리옵소서!" 그때 나는 잠자기 전에 그를 위해 기도를 드렸다. "주여, 당신께서 창조하신 사람들에게 평화와 광명을 보내 주시옵소서!"

(C) 수도사가 되기 전 조시마 장로의 청년 시대의 회고 · 결투

페테르부르크의 육군 유년 학교에서 나는 거의 8년이란 긴 세월을 보냈다. 그리고 새 교육을 받음에 따라 유년 시대에 받았던 인상은 그 대부분을 어느 구석에 몰아넣어 버렸다. 그러면서도 아주 잊어버린 것이라고는 한 가지도 없었던 것이다. 그 대신 여러 가지 새로운 습관과 의견을 섭취한 결과 거의 야만적이라고 할 만큼 잔인하고 어리석은 인간이 되어 버렸다.

겉치레만의 예절과 사교술은 프랑스어와 함께 배워 익혔지만, 유년 학교에서 우리를 돌봐 주고 있는 사병들 같은 것은 우리 눈에는 개돼지만도 못하게 보였다. 물론 나 역시 그렇게 생각했다. 아니, 어쩌면 그중에서도 내가 제일 심했는지 모른다. 그도 그럴 것이 나는 동료들 중에서도 모든 면에서 감수성이 가장 예민했으니 말이다. 우리는 학교를 졸업하여 장교가 되었을 때, 자기 연대聯隊의 명예를 지키기 위해서라면 기꺼이 피를 흘릴 각오였으나, 참된 명예란 과연 어떤 것인지 그것을 아는 사람은 우리들 중에 거의 아무도 없었다. 설사 알고 있었다 하더라도 나 자신이 제일 먼저 그것을 조소했을 것이다. 음주와 방탕과 만용蠻勇 등은 우리들 사이에선 거의 자랑거리가 될 지경이었다. 그렇다고 해서 우리가 모두 더러운 인간들이었다는 뜻은 결코 아니다. 이 청년들은 모두 선량한 인간들이었으나 소행이 나빴을 뿐이다. 그중에서도 내가 제일 나빴다. 가

장 큰 원인은, 내가 마음대로 처리할 수 있는 재산이 생겼다는 점이다. 그래서 나는 젊은 혈기가 이끄는 대로 아무 거리낌 없이 쾌락만을 쫓아 돌진했다. 다시 말해서, 돛을 죄다 올리고 배를 달리게 했던 것이다.

그런데 한 가지 이상한 점은, 그 당시에도 나는 책을 읽고 있었을뿐더러 독서에 커다란 만족을 느끼고 있었다는 사실이다. 그러나 성경책만은 그때 한 번도 펴 본 적이 없었다. 그러면서도 항상 그것을 몸에 지니고, 어디를 가나 반드시 가지고 다녔다. 사실 이 책만은 무의식중에 귀중히 간직하고 있었다. '한 시간만 더 있다가, 하루만 더 있다가, 한 달만, 한 해만 더 있다가'라는 심정이었을 것이다.

그렇게 4년 가까이 근무한 후, 나는 그 당시 우리 연대가 주둔하고 있던 K 시市에 가서 살게 되었다. K 시의 사교계는 색다른 일들이 많았고, 사람들도 꽤 많아서 흥겨울뿐더러 손님 대접도 좋았고 모든 것이 호화로웠다. 어디를 가나 나는 환영을 받았다. 나는 원래가 쾌활한 성격인 데다가 돈도 제법 잘 쓴다는 소문이 돌았기 때문이다. 사실 이런 점은 사교계에서 적지 않은 의미를 가지는 법이다. 그런데 여기서 어떤 사건이 발생하여 모든 일의 발단이 되었던 것이다.

나는 젊고 아름다운 아가씨 하나와 가까이 사귀게 되었다. 총명하고 위엄 있고 명랑한 성격을 가진 의젓한 아가씨였다. 그 지방의 명사名士인 양친은 지위도 재산도 있고 상당한 권세도 가지고 있었는데, 그 집 사람들은 언제나 나를 친절하게 맞아 주었다. 내가 보기엔 그 아가씨가 나한테 호의를 가지고 있는 것 같아서, 내 마음은 그러한 상상으로 마냥 불타오르기 시작했다. 이것은 나중에야 깨달은 일이지만, 실제에 있어 나는 그 아가씨를 그렇게까지 열렬히 사랑했던 것은 아니고, 다만 그 고상한 성격과 지성을 존경했을 따름이었다. 이것은 나로서도 어쩔 수 없는 일이었다. 아무튼 그때는 이기심이 앞서서 결혼 신청까지는 하지 못하고 말았다……. 그때만 해도 혈기 왕성한 나이였을뿐더러, 돈도 꽤 가지고 있었으므로 자유분방한 독신 생활의 유혹과 손을 끊는다는 것이 괴롭기도 하고 두렵기도 했던 것이다. 물론 상대방에게 어느 정도 암시를 주기는 했지만,

어쨌든 결정적인 행동만은 당분간 보류하기로 했다. 그런데 그때 갑자기 나는 다른 지방으로 2개월 간 파견 명령을 받았다.

두 달 후에 돌아와 보니, 뜻밖에도 그 여자는 이미 교외郊外에 사는 부유한 지주와 결혼한 후였다. 상대방은 나보다는 나이가 많았으나 아직 젊은 편이었고, 나와는 달리 수도 페테르부르크에, 그것도 상류 사회에 많은 친지들을 가지고 있었던 데다가, 성격도 무척 상냥하고, 내가 전혀 받지 못한 훌륭한 교육도 받은 사람이었다. 나는 이 예기치 못한 사실에 심한 충격을 받아 정신이 얼떨떨할 지경이었다. 그러나 이처럼 충격을 받은 가장 큰 원인은, 그 젊은 지주가 이미 오래전부터 그 여자의 약혼자였다는 것을 그때야 비로소 알았다는 사실이다. 나 자신도 전에 여자네 집에서 몇 번이나 그 사내를 만났음에도 불구하고, 자신의 자만심 때문에 눈이 어두워 전혀 그것을 눈치채지 못했던 것이다. '누구나가 다 알고 있는 일을 어째서 나만이 모르고 있었단 말인가!' 이런 생각이 무엇보다도 나에게 굴욕을 느끼게 했다. 나는 갑자기 억제할 길 없는 증오감에 사로잡혔다. 나는 혼자서 얼굴을 붉히며 지난 일을 돌이켜 생각해 보았다. 그 여자에게 거의 알아들을 수 있을 만큼 은근히 사랑을 고백한 일도 여러 차례 있지 않았는가. 그런 때 그 여자가 내 말을 제지하거나 실정을 밝히려 하지도 않은 것을 보면, 처음부터 나를 조롱하려 했음이 분명하다는 결론에 도달했다. 물론 훨씬 후에 가서 여러 가지를 곰곰이 생각해 본 결과 그 여자가 결코 나를 조롱하려 한 게 아니었다는 것을 알게 되었다. 오히려 그와는 반대로 내 입에서 그런 말이 나올 때마다 농담으로 막아 버리고 화제를 다른 데로 돌려버리곤 했던 것이다. 그러나 그 당시에는 그런 걸 생각해 볼 여유조차 없었기 때문에, 내 마음속에는 불타오르는 복수심 이외엔 아무것도 없었다. 지금도 그때 일을 회상할 때마다 이상하게 여겨지곤 하지만, 이러한 분노나 복수심은 나 자신에게도 결코 유쾌한 것이 아니었을 뿐만 아니라, 심한 고통이기도 했다. 나는 원래가 낙천적인 성격이어서 누구에게나 오랫동안 원한을 품고 있을 수 없는 인간이었기 때문이다. 그래서 나는 의식적으로 자기 마음에 불을 지르듯 노력해야만 했다. 그 결과 마침내 나는 추악하고도 가소로운 인간이 되어 버렸던 것이다.

나는 기회가 오기만을 기다리고 있었다. 그러다가 어느 날 여러 사람들이 있는 자리에서, 그야말로 엉뚱한 트집을 잡아 가지고 나의 '경쟁자'에게 모욕을 주는 데 성공했다. 다름 아니라, 그 당시의 어떤 중대한 사건[88]에 관한 그의 의견을 조소한 것이다—그것은 1826년의 일이었다. 사람들의 말에 의하면 나의 조소가 제법 교묘하게 신랄했다는 것이었다. 이렇게 그를 조소하고 나서 그에게 해명을 강요했는데, 그때 내가 지극히 무례한 태도를 취했기 때문에, 그와 나 사이에 사회적 지위로 보거나, 관등으로 보거나, 연령으로 보거나, 현격한 차이가 있었음에도 불구하고, 마침내 그는 나의 도전에 응하지 않을 수 없게 되었던 것이다. 이것은 나중에야 알게 된 사실이지만 그도 역시 나에 대한 질투감 때문에 나의 도전에 응했던 모양이다. 그는 결혼 전에도 자기 약혼녀 때문에 나를 어느 정도 질투하고 있었으므로, 만일 나한테 모욕을 받고도 겁이 나서 결투를 신청하지 못했다는 소문이 아내의 귀에 들어가게 되면, 그녀는 자연히 남편인 자기를 멸시하게 될 것이고, 자기에 대한 애정도 흔들리게 될 것이라고 생각했던 것이다. 나는 즉시 결투의 입회인立會人을 구했는데, 그는 우리 연대의 중위였다. 그 당시 결투는 엄중히 단속되고 있기는 했지만, 그래도 군인들 사이에서는 그것이 마치 일종의 유행처럼 되어 있었다—인간의 야만적인 편견은 가끔 그렇게까지 성장하여 깊게 뿌리를 박는 법이다.

그때가 6월 말경이었는데, 우리들의 결투는 다음 날 아침 7시, 장소는 그 도시의 교외로 결정되었다. 그런데 여기서 나의 마음속에 갑자기 그 어떤 숙명적인 변화가 일어난 것이다. 그날 밤 성난 짐승처럼 추악한 꼴을 하고 숙소에 돌아온 나는, 당번병인 아파나시한테 화를 내어 그의 얼굴을 두 번이나 사정없이 후려갈겨 피투성이가 되게 했다. 그는 내 밑에서 근무하게 된 지가 그리 오래지는 않았으나, 전에도 나는 걸핏하면 그에게 손찌검을 하곤 했었다. 그렇지만 이날

88 1825년 12월 14일에 일어난 12월 당원의 봉기를 뜻함.

처럼 잔인한 짓을 한 일은 아직 한 번도 없었던 것이다. 이렇게 말하면 여러분은 곧이듣지 않을지 모르지만, 그때부터 40년이라는 세월이 흘러간 지금도, 나는 그 일을 생각하면 수치와 고통을 느끼지 않을 수 없다. 나는 잠자리에 누웠다. 세 시간가량 자고 나서 눈을 떠 보니 어느새 동이 트기 시작하고 있었다. 더 이상 잠을 잘 생각도 없었으므로, 벌떡 일어나 창가로 다가가서 창문을 열었다. 내 방 창문은 정원 쪽으로 나 있었는데, 창밖을 내다보니 마침 아침 해가 솟아오르고 있어 모든 것이 따뜻하고 아름답게 보였고, 어디선가 새들이 지저귀고 있었다.

이건 대체 어쩐 일일까? (나는 문득 이런 생각을 했다) 내 마음속에 무언가 추악하고 비열한 것이 느껴지는 건 대체 무슨 까닭일까? 이제부터 남의 피를 흘리러 가려 하고 있기 때문일까? 아니, 그런 것 같진 않다. 그럼 죽음이 두려워서, 상대방의 손에 죽게 될까 겁이 나서 그러는 걸까? 아니, 그것이 아니다. 그와는 전혀 다르다……. 그러자 나는 순간적으로 그 까닭이 무엇인지를 깨달았다. 어젯밤에 아파나시를 구타한 것이 마음에 걸려 있었던 것이다! 마치 모든 광경이 또 한 번 재연되듯 머릿속에 분명하게 떠올랐다. 눈앞에는 아파나시가 서 있고 나는 힘껏 그의 안면을 후려갈긴다. 그는 대열 속에서 있을 때처럼 부동자세를 취한 채 고개를 번쩍 들고서 눈을 부릅뜨고 있다. 내 주먹에 얻어맞을 때마다 부르르 몸을 떨 뿐, 주먹을 막으려고 감히 손을 쳐들지도 못하는 것이다—이것이 과연 인간이 할 수 있는 짓인가, 인간이 인간을 때리다니! 이러한 범죄가 또 어디 있으랴! 나는 마치 날카로운 바늘에 영혼이 꿰뚫린 것 같은 기분이었다. 나는 얼빠진 사람처럼 멍하니 서 있었다. 밖에서는 태양이 빛나고, 나뭇잎들은 즐겁게 설레고, 새들은, 아아, 새들은 하느님을 찬양하는 노래를 부르고 있다……. 나는 두 손으로 얼굴을 가리고 침대 위에 쓰러져 소리를 내어 울기 시작했다. 이때 나는 마르케르의 모습과 죽기 전에 그가 하인들에게 하던 말을 상기했다. "당신들은 참 친절한 사람들이야. 왜 당신들은 이토록 정성껏 내 시중을 들어주고 있소? 무엇 때문에 나를 사랑하는 거요? 내게 과연 그만한 자격이 있을까?"

'아아, 정말로 내게 그만한 자격이 있단 말인가?' 하는 생각이 내 머릿속을 스치고 지나갔다. '도대체 무슨 자격이 있기에 나는 자기와 똑같은 인간—하느님의 모습과 비슷하게 창조된 다른 인간을 내게 시중들게 한단 말인가?' 이러한 의문이 난생 처음으로 내 가슴을 꿰뚫었던 것이다. "어머니, 내 피와도 같이 소중한 어머니, 정말이지 우리는 누구나 모든 사람 앞에, 모든 일에 대해 죄가 있는 거예요. 다만 사람들이 그걸 모르고 있을 뿐이죠. 만일 사람들이 그걸 안다면 당장에 천국이 이루어질 거예요!" 하던 형의 말을 상기하고 나는 눈물을 흘리며 생각했다.

'아아, 하느님, 이것이 틀린 말이라 할 수 있을까요? 사실이지 나는 모든 사람에 대해 죄인입니다. 어쩌면 누구보다도 제일 죄가 많을지 모릅니다. 이 세상에서 누구보다도 나쁜 인간일지 모릅니다!' 그러자, 바로 이 순간 모든 진리가 밝은 빛을 받아 홀연히 내 눈앞에 떠올랐다. 대체 나는 지금 무슨 짓을 하려는 건가? 나에게 아무런 잘못도 없는, 선량하고 총명하고 고결한 신사를 죽이려는 게 아닌가? 그리고 그의 아내로부터 영원히 행복을 빼앗고 고통을 줌으로써 결국은 그 여자까지 죽여 버리려는 게 아닌가? 나는 침대에 엎드려 베개에 얼굴을 파묻은 채 시간이 가는 줄도 모르고 있었다. 갑자기 나의 친구인 중위가 권총 두 자루를 들고 나를 데리러 방 안으로 들어왔다.

"아, 벌써 일어나 있었군. 잘됐어. 시간이 됐으니 어서 가세."

나는 당황하여 어찌할 바를 모르고 허둥거렸으나, 아무튼 마차를 타러 밖으로 나왔다.

"여기서 잠깐만 기다려 주게" 하고 나는 그에게 말했다. "지갑을 잊고 왔어. 내 얼른 달려갔다 올 테니."

나는 혼자서 숙소로 되돌아와 곧장 아파나시의 방으로 뛰어 들어갔다.

"아파나시, 어제 내가 두 번이나 자네 얼굴을 때렸는데 제발 나를 용서해 주게" 하고 나는 말했다.

그는 겁에 질린 듯이 흠칫 몸을 떨며 내 얼굴을 바라보고 있었다. 나는 이것만으로는 부족한 것같이 생각되어, 예복을 입은 채로 느닷없이 그의 발밑에 몸을 던져 이마를 방바닥에 대고 "나를 용서해 주게!"라고 했다.

여기에는 아파나시도 정말 소스라치게 놀라지 않을 수가 없었던 모양이다.

"중위님, 나리님, 대체 이게 무슨 짓입니까……. 저 같은 게 어찌 감히."

그는 내가 아까 그랬던 것처럼 갑자기 두 손으로 얼굴을 가리고 창문 쪽으로 몸을 돌리더니 사뭇 온몸을 떨며 흐느껴 우는 것이었다. 나는 친구한테로 달려 나와 마차에 뛰어오르기가 무섭게 "가세" 하고 소리쳤다.

"보았나, 자네, 승리자의 모습을?" 나는 친구에게 말했다. "지금 자네 앞에 있는 내가 바로 그 승리자란 말일세!"

나는 환희에 넘쳐 연방 큰 소리로 웃으며 지껄여 댔으나, 무슨 소리를 지껄였는지는 기억에 없다.

그는 내 얼굴을 쳐다보며 이렇게 말했다. "장하이, 장해! 그만하면 군복의 명예를 지킬 수 있을 걸세."

그리하여 우리는 지정된 장소에 도착하였다. 상대방은 벌써 거기 와서 우리를 기다리고 있었다. 나와 상대방은 서로 12보의 거리를 두고 마주 섰다. 처음 일발은 상대방이 쏘게 되어 있었다. 나는 명랑한 얼굴로 눈 하나 깜박 않고 그의 앞에 서서 다정스럽게 그를 바라보고 있었다. 나는 내가 할 일을 알고 있었던 것이다. 이윽고 그는 방아쇠를 당겼다. 그러나 총탄은 나의 뺨을 스치고 귀 끝을 약간 건드렸을 뿐이었다.

"아아, 천만다행입니다" 하고 나는 소리쳤다. "당신은 사람을 죽이는 일을 면하게 되었군요?" 나는 권총을 집어 들고 뒤로 몸을 돌려 그것을 멀리 수풀 속으로 던져 버렸다. "네가 있을 장소는 거기다!" 하고 나는 소리쳤다.

그러고는 상대방에게로 돌아서서, "이 어리석은 젊은 놈을 용서하십시오. 나는 까닭 없이 당신을 모욕했을뿐더러 당신에게 권총을 들지 않을 수 없도록 강요했습니다. 나는 당신보다 열 배나 더 나쁜 놈입니다. 아니, 그보다 더 할는지도 모르지요. 당신이 이 세상에서 제일 존경하고 계신 그분에게 이 말을 전해 주십시오."

내 말이 디처 끝나기도 전에 세 사람은 일제히 고함을 쳤다.

"그게 무슨 말이오?" 하고 상대방은 성을 내며 말했다. "싸울 생각이 없다면 무엇 때문에 여기까지 사람을 불러냈소?"

"어제까지만 해도 나는 정말 바보였습니다만, 오늘은 좀 나아진 것 같습니다." 나는 유쾌한 어조로 이렇게 대답했다.

"어제까지 당신이 바보였다는 건 옳은 말이지만, 오늘 일은 당신의 말만으론 좀처럼 이해할 수가 없군요."

"브라보!" 나는 손뼉이라도 칠 듯이 열을 올리며 소리쳤다. "그 점에서는 나도 당신과 동감입니다. 이것이 당연하니까요!"

"대체 당신은 쏠 셈이요, 그만둘 셈이요?"

"그만두겠습니다. 만일 원하신다면 한 번 더 쏘십시오. 하지만 쏘지 않는 편이 좋을 겁니다." 양쪽 입회인들(특히 나의 입회인)이 떠들어 대기 시작했다.

"결투장에서 적에게 사죄를 하다니 연대의 명예를 더럽혀도 분수가 있지! 정말 이럴 줄은 꿈에도 몰랐어!"

나는 웃음을 거두고 그들 앞에 섰다.

"여러분, 요즘 세상에 자기의 어리석음을 뉘우치고 여러 사람 앞에서 자기 잘못을 사죄하는 인간을 보는 것이 당신들에겐 그렇게도 이상합니까?"

"그렇지만 구태여 결투장에서 그렇게 할 필요는 없지 않나!" 나의 입회인이 또 다시 소리쳤다.

"바로 그 점이 문제란 말입니다" 하고 나는 그들에게 대답했다. "그야말로 기묘하다고나 할까요. 왜냐하면, 나는 의당 여기 도착하자마자 상대방이 권총을 쏘기 전에 사죄하여 상대방에게 살인이라는 큰 죄를 범하지 않게 했어야 하는 겁니다. 그러나 우리는 우리 자신의 손으로 사회 조직을 지극히 추악한 것으로 만들어 버렸기 때문에, 그러한 행위는 거의 불가능한 일로 되어 있습니다. 내가

12보 거리에서 상대방의 사격을 받은 후라야 나의 그런 말이 비로소 그 어떤 의미를 지닐 수 있게 되는 것이니까요. 만약에 내가 여기 도착하자마자, 상대방이 총을 쏘기도 전에 그런 말을 했다면 사람들은 대번에 '겁쟁이 같으니, 권총이 무서워 저러는구나. 저런 놈의 말은 들을 필요도 없다'라고 단정해 버렸을 게 아닙니까, 여러분" 나는 갑자기 이렇게 외쳤다. 그것은 진심으로부터 솟아오르는 외침이었다. "우리들의 주위에 있는 하느님의 선물을 보십시오. 맑은 하늘, 신선한 공기, 부드러운 풀, 귀여운 새들…… 자연은 한없이 아름답고 더없이 순결하지 않습니까. 그런데 우리는, 오직 우리 인간만은 어리석게도 하느님의 은총을 모르고, 인생이 낙원이라는 것을 이해하지 못하고 있습니다. 우리가 그것을 이해하려고만 한다면, 당장에라도 아름답게 꾸민 낙원이 나타날 것이며, 우리는 서로 껴안고 울 게 될 것입니다."

나는 더 말하고 싶었으나 그 이상 계속할 수가 없었다. 무언가 감미롭고도 싱싱한 감격에 숨이 막혀 오는 것 같았고, 가슴은 일찍이 경험해 보지 못한 행복감으로 가득 찼다.

"당신의 말은 모두가 도리에 맞는 훌륭한 것입니다." 상대방은 나에게 말했다. "그렇지만 어쨌든 간에 당신은 좀 이상한 분이로군요."

"어서 웃으십시오" 하고 나도 웃으면서 말했다. "그러나 후에 가서는 당신도 인정해 주실 겁니다."

"아니, 지금이라도 나는 기꺼이 찬동할 용의가 있습니다. 자, 나와 악수해 주십시오. 당신은 정말로 진지한 분이신 것 같군요."

"아닙니다, 지금은 안 돼요. 앞으로 내가 좀 더 훌륭한 인간이 되어 당신의 존경을 받을 만하게 되었을 때 악수를 하기로 합시다. 금세 그렇게 하는 편이 당신도 유쾌할 테니까요."

우리는 집으로 돌아왔다. 돌아오는 길에 나의 입회인은 여러 말로 나를 힐난했으나, 그럴 때마다 나는 아무 말 않고 그에게 키스를 해 주었다. 나의 동료들은 곧 이 얘기를 듣고 나한테 제재를 가하기 위해 그날 중으로 모두 한자리에 모였다.

"군복을 더럽혔으니 당장 퇴직원을 내게 해야 한다"라는 것이었다.

"그러나 어쨌든 그는 적의 총탄 앞에 태연히 서지 않았는가"라고 나를 변호하고 나서는 사람도 있었다.

"그건 그렇지만, 그다음 총알이 무서워 결투장에서 용서를 빌었던 것이다."

그러자 내 편을 드는 사람들은 이렇게 반박했다—"정말로 총탄이 무서웠다면, 용서를 빌기 전에 상대방에게 총을 쏘았을 것이 아닌가. 그러나 그는 총탄을 잰 권총을 숲속에 던져 버렸던 것이다. 여기에는 무언가 전혀 다른, 우리가 모를 특이한 사정이 반드시 있을 것이다."

나는 잠자코 듣고만 있었다. 동료들의 얼굴을 바라보고 있노라니까 기분이 유쾌해졌다. "여러분" 하고 나는 말했다. "퇴직원에 대해서라면 염려할 것 없습니다. 이미 수속을 끝냈으니까요. 오늘 아침에 나는 연대 본부에 퇴직원을 제출했습니다. 퇴직 발령이 나는 대로 나는 곧 수도원으로 들어갈 작정입니다. 실은 내가 퇴직하는 것도 그것 때문이지요."

내 말이 끝나자마자 동료들은 일제히 웃음을 터뜨렸다.

"처음부터 그렇게 말할 것이지. 아무튼 이젠 다 알았네. 수도사한테 따지고 들 수도 없는 일 아닌가."

그들은 한참 동안이나 그냥 웃어댔다. 그러나 그것은 결코 냉소가 아니라, 다정스럽고 유쾌한 웃음이었다. 동료들은, 가장 과격하게 나를 비난하던 사람들까지도, 갑자기 나를 사랑해 주기 시작했다. 퇴직 발령이 나기까지 한 달 동안은 모두들 나를 두 손으로 떠받들 듯이 하고 다녔다. 누구나 만나는 사람마다 "여보게, 수도사!" 하고 상냥하게 말을 건네주었으나, 개중에는 나를 애석하게 여겨 번의를 권하는 사람도 있었다.

"도대체 자네, 어쩌려고 그러나?" 하는 사람이 있는가 하면, "아니, 저 친구는 우리 동료들 중에서도 용감한 사내이기 때문에 태연히 적의 사격을 받을 순 있었으나, 자기 권총을 쏘지 않은 것은 바로 그 전날 밤에 수도사가 되라는 꿈을 꾸었기 때문일 거야" 하는 사람도 있었다.

그 도시에 사교계에서도 이와 거의 똑같은 일이 일어났다. 전에는, 특히 나를 주목했다고는 할 수 없고 그저 친절히 대해 주었을 뿐이었는데, 이제는 갑자기 모든 사람이 앞을 다투어 나와 사귀려 했고, 나를 자기 집에 초청하는 것이었다. 사람들은 내 행위를 웃음으로 받아들이면서도, 한편으로는 나를 사랑해 주었다. 여기서 한 가지 지적해 둘 것은, 우리들의 결투에 대해 누구나가 공공연하게 얘기하고 있었음에도 불구하고, 부대 본부에서는 이것을 묵살해 버렸다는 사실이다. 그도 그럴 것이, 나의 상대방은 우리 부대의 장군과 가까운 친척 관계에 있었고, 또 사건이 피를 보지 않고 무슨 장난처럼 끝났을뿐더러, 내가 퇴직원을 제출했기 때문에 모든 일을 농담으로 돌려 버리고 말았기 때문이다. 나는 세상 사람들의 조소 같은 건 염두에도 두지 않고 이 사건에 대해 거리낌 없이 말하기 시작했다. 그것은 그들의 웃음이 결코 악의에서 나온 것이 아니라, 선의의 웃음이었기 때문이다. 이런 얘기는 주로 부인네들이 모이는 야회 석상 같은 데서 벌어지곤 했다. 부인네들이 내 얘기에 더욱 흥미를 느꼈고, 그래서 남자들까지 귀를 기울여 듣도록 강요하는 것이었다.

"그렇지만, 어떻게 그런 말을 할 수 있을까요, 자기는 모든 사람에 대해 죄가 있다고 말이에요?" 사람들은 나한테 맞대 놓고 이렇게 빈정거렸다. "그렇다면, 예를 들어, 저도 당신에 대해 죄가 있단 말씀인가요?"

"그걸 당신네들이 알 까닭이 없지요" 하고 나는 대답했다. "온 세상이 오랜 옛날부터 그릇된 길로 떨어져 들어가, 터무니없는 허위를 진리라 믿고 타인에게까지 똑같은 허위를 요구하고 있는 형편이니까요. 그런데 나는 굳게 마음을 먹고 생전 처음으로 진심에서 우러나는 행동을 취했습니다. 그랬더니 당신네들은 나를 마치 미친 사람으로 취급하기 시작했습니다. 그야 물론 나를 사랑해 주기는 했지만, 그래도 한편으로는 나를 웃음가마리로 생각하고 있지 않느냐 말입니다."

"어찌 당신 같은 분을 사랑하지 않을 수 있겠어요?" 하며 그 집 안주인이 커다란 소리로 웃어댔다. 그 자리에는 손님이 꽤 많이 모여 있었는데, 이때 갑자기 여자 손님들 가운데서 한 사람의 젊은 부인이 일어섰다. 그것은 그 결투의 원인이 되었던 바로 그 여자, 최근까지 나의 미래의 아내로 생각했던 바로 그 여자였다. 나는 그 여자가 이 야회에 온 것을 전혀 모르고 있었다. 그녀는 일어나서 나한테 다가오더니 손을 내밀며 말했다.

"실례지만, 저는 당신을 비웃지 않는 맨 첫 사람이라는 것을 말씀드리고 싶어요. 비웃기는 고사하고 저는 그때 당신이 취하신 행동에 대해 눈물로써 감사를 드리며, 또한 당신을 깊이 존경하고 있습니다."

그녀의 남편도 가까이 다가왔다. 그러자 그 자리에 모인 사람들이 나한테 키스라도 할 듯이 일제히 몰려들었다. 나는 형언할 수 없는 기쁨을 느꼈으나, 이때 갑자기 다른 사람들과 함께 나한테 다가오고 있는 어떤 나이 지긋한 신사의 모습이 누구보다도 내 주의를 끌었다. 전부터 나는 이 사람의 이름은 알고 있었지만, 별로 안면이 있는 사이도 아니었으므로 그날 저녁까지 한 번도 서로 말을 건넨 일조차 없었다.

(D) 이상한 방문객

그는 이미 오래전부터 그 도시에서 관리 생활을 해 온 사람으로, 사회적으로도 훌륭한 위치에 있었으며 모든 사람들에게 존경을 받았을뿐더러, 자선가로서도 유명한 부자富者였다. 그는 양로원과 고아원에 막대한 돈을 기부했고, 그 밖에도 남모르게 익명으로 여러 가지 자선을 베푼 사실이 그가 죽은 후에야 비로소 알려졌던 것이다. 그때 나이는 50세 전후, 용모는 좀 딱딱하게 보였고, 게다가 말수가 아주 적은 편이었다. 결혼을 한 지는 불과 10년밖엔 안 되어 부인은 아직 젊은 나이였는데, 두 사람 사이에는 나이 어린 아들이 셋 있었다. 그런데 앞서 말한 야회가 있은 다음 날 저녁에 내가 집에 혼자 들어앉아 있으려니까, 갑자기 문이 열리더니 바로 이 신사가 들어오는 것이었다.

여기서 한마디 말해 둘 것은, 그때 나는 이미 전에 있던 집에서 숙소를 옮겼었다는 사실이다. 퇴직원을 제출하는 즉시로 관리의 미망인인 어느 노파네 집에

방을 얻어, 그 집 하녀한테 시중을 들게 하고 있었다. 내가 이 집으로 이사를 한 것은, 그날 결투에서 돌아오는 길로 아파나시를 곧 중대로 돌려보냈기 때문이었다. 그에게 그런 짓을 하고 나서 그 얼굴을 보기가 부끄러웠던 것이다. 사실 마음의 준비가 되어 있지 않은 속세의 인간이란 올바른 행위를 하고서도 부끄러움을 느끼기가 일쑤인 것이다.

"나는" 하고 방에 들어온 신사는 입을 열었다. "지난 며칠 동안 여러 곳에서 당신의 얘기를 매우 흥미 있게 들었습니다. 그래서 좀 더 자세한 얘기를 듣고 싶어 이렇게 직접 찾아뵙기로 한 것입니다. 미안하지만 나의 이 커다란 희망을 이루게 해 주실 수 있겠습니까?"

"물론입니다. 나로서도 그것은 매우 기쁜 일일뿐더러 더없는 영광으로 생각합니다." 이렇게 말하면서도 나는 내심으로 적이 당황하지 않을 수 없었다. 그만큼 나는 처음부터 그의 태도에 강한 충격을 받았던 것이다. 모든 사람들이 호기심을 가지고 내 얘기를 들어 주기는 했지만 이렇게까지 진지하고 심각한 태도로 나한테 접근해 온 사람은 아직 하나도 없었다. 뿐만 아니라 이 사람은 일부러 내 숙소에까지 찾아온 것이다. 그는 의자에 앉았다.

"나는 당신한테서" 하고 그는 말을 계속했다. "위대한 정신력을 발견했습니다. 왜냐하면 당신은 모든 사람의 비웃음을 무릅쓰고 자기가 옳다고 생각하는 바를 용감하게 실천에 옮김으로써 진리를 위해 봉사하셨으니까요."

"그것은 과장된 찬사인 것 같습니다" 하고 나는 말했다.

"아니, 절대로 과장이 아닙니다" 하고 그는 대답했다. "사실 말이지 그런 일을 감행한다는 것은 당신이 생각하시기보다는 훨씬 어려운 일입니다. 내가 이렇게 찾아뵌 것도 실은 바로 그 점에 깊이 감동했기 때문이지요. 당신이 결투장에서 사과하기로 결심하셨을 때 대체 어떠한 느낌이 들었었는지요. 이런 무례한 질문을 불쾌하게 여기시지 않으신다면, 그리고 그때 일을 기억하고 계시다면, 그 점을 자세하게 들려주실 수 없을까요? 혹시 나의 질문을 경솔한 동기에서 나온 것이라고 생각하실지도 모르겠습니다만, 실은 그와는 반대로, 나대로의 말 못할 동기가 있어서 이렇게 여쭈어 보는 것입니다. 만일 하느님의 뜻으로 우리 두 사람이 좀 더 가까이 사귈 수 있게 되면 앞으로 설명할 기회가 있으리라 생각합니다만."

그가 말하고 있는 동안 나는 그의 얼굴을 똑바로 바라보고 있었다. 그러자 이번엔 나 자신이 신사에 대해 강한 신뢰감과 이상한 호기심을 불현듯 느끼게 되었다. 나는 이 사람의 마음속에도 어떤 심상치 않은 비밀이 숨어 있다는 것을 직감했던 것이다.

"내가 상대방에게 용서를 빌었을 때 어떠한 느낌이 들었었느냐고 물으십니다만" 하고 나는 대답했다. "그보다도 차라리 처음부터 얘기하는 편이 좋을 것 같습니다. 이건 아직 아무에게도 하지 않은 얘기지요." 여기서 나는 아파나시와의 사이에 있었던 일이며, 이마를 땅에 대고 그에게 절을 한 일이며 죄다 얘기했다. "이만큼 말씀드리면 당신도 짐작하시겠지만" 하고 나는 말을 맺었다. "집에서 이미 결심한 일이었기 때문에, 정작 결투장에 나갔을 때는 마음이 훨씬 가벼웠습니다. 일단 이 길로 발을 내디디고 보니, 앞으로 더 나가는 것은 조금도 두렵지 않을뿐더러 오히려 즐겁고 유쾌하더군요."

내 얘기를 듣고 나자 그는 말할 수 없이 다정스런 눈으로 나를 바라보았다. "참으로 재미있는 얘기를 들었습니다. 앞으로도 종종 찾아뵙겠습니다."

그 후부터 그는, 거의 매일 저녁 나를 찾아오게 되었다. 만일 그가 자기 얘기도 했다면 우리는 좀 더 가까운 친구가 될 수 있었을 것이다. 그러나 그는 자기 얘기는 한마디도 하지 않고 언제나 나에 관해서만 캐묻는 것이었다. 그럼에도 불구하고 나는 그가 무척 마음에 들어서, 진심으로 그를 신뢰하고 나의 모든 감정을 솔직히 털어놓았다. '그 사람의 비밀 같은 건 알 필요도 없지. 그 사람이 옳은 인간이란 것은 틀림없으니까' 하고 생각했기 때문이다. 더욱이 그는 점잖은 사람이었고, 연령으로 보아도 나와는 상당한 차이가 있었음에도 불구하고, 일부러 나 같은 애송이를 찾아다녔고, 또 내 앞에서 거드름을 피우거나 하는 일도 전혀 없었다. 뿐만 아니라, 그는 무척 현명한 사람이었으므로 나는 그에게서 여러 가지로 유익한 것을 배울 수 있었다.

"인생이 낙원이라고." 그는 불쑥 이런 말을 했다. "나도 오래전부터 생각하고 있었습니다." 그러고는 얼른 이렇게 덧붙였다. "실은 거기 대해서만 생각하고 있으니까요" 하며 그는 나를 보고 상냥하게 웃었다. "그 점에 대해서 나는 당신 이상으로 확신을 가지고 있지요. 그 이유는 차차 알게 될 겁니다."

이 말을 듣고 나는 속으로 생각했다. '이 사람은 필시 무언가를 나한테 고백하려는가 보군.'

"낙원은 우리들 각자의 마음속에 숨어 있는 것입니다. 이렇게 말하는 나 자신의 마음속에도 물론 숨어 있지요. 따라서 내가 원하기만 한다면, 그 낙원은 내일이라도 당장 내 앞에 나타나서 한평생 사라지지 않을 것입니다."

그는 몹시 감동된 어조로 말을 하며, 마치 나의 반응을 살피기라도 하는 듯이 이상스런 눈으로 내 얼굴을 바라보는 것이었다.

"그러니까" 하고 그는 계속했다. "인간은 누구나 자기 자신의 죄 이외에도 모든 사람에 대해 죄가 있다는 당신의 생각은 절대로 옳은 것입니다. 그러한 사실을 당신이 순식간에 그처럼 완전하게 터득하셨다는 것은 참으로 경탄할 만한 일입니다. 사람들이 그것을 이해할 때, 하늘의 왕국은 그들에게 있어 이미 꿈이 아니라 현실로서 나타날 것입니다. 이것은 절대적인 진리입니다."

"그렇지만 언제 그렇게 된단 말씀입니까?" 나는 슬픈 어조로 이렇게 외쳤다. "과연 언젠가는 정말로 그것이 실현될까요? 우리들의 꿈에 불과한 건 아닙니까?"

"그럼 당신도 역시 믿지 않으시는군요. 자기 입으로 그렇게 설교는 하고 있으면서도 믿지 않는 거예요. 잘 들으십시오. 당신이 말하는 그 꿈은 반드시 실현됩니다. 그렇게 믿어 틀림없을 거예요. 그러나 지금 당장에 실현되는 건 아닙니다. 모든 움직임에는 저마다의 법칙이 있으니까요. 이것은 정신적이며 심리적인 문제이기 때문에 이 세상을 새로 뜯어고치려면, 우선 인간 자신이 심리적으로 전혀 새로운 길로 방향을 바꿀 필요가 있습니다. 인간이 모든 사람에 대하여 정말로 참된 형제가 되기 전에는 이 세상에 진정한 화목이 이루어지지는 않을 것입니다. 인간이란 어떠한 과학의 힘으로도, 또한 어떠한 이익을 내세워도 결코 공평하게 그 재산이나 권리를 나눠 가질 수는 없는 법입니다. 누구나가 자기 몫이 적다고 불평을 할 것이며, 원망하고 질투하면서 서로 다툴 것입니다. 당신은 언제 그것이 실현되겠느냐고 물으셨지만, 실현되기는 반드시 실현됩니다. 다만 인간의 '고립孤立' 시대라는 것이 먼저 종말을 고해야만 합니다."

"고립이라뇨?" 하고 나는 물었다.

"그것은 지금—특히 우리 시대에 도처에서 군림하고 있는 것입니다만, 그것은 아직도 극한에 도달하지 않았을뿐더러, 종말을 고해야 할 시기도 아직 도래하지 않았습니다. 왜냐하면, 지금은 누구나가 될 수 있는 대로 자기의 개인성을 확립하려고 애쓰면서 자기 혼자서만 충실한 삶을 향유하려 하고 있기 때문입니다. 그러나 그러한 노력에도 불구하고, 그 결과로서 얻을 수 있는 것은 충실한 삶이 아니라 완전한 자살 행위일 뿐입니다. 그도 그런 것이, 그들은 완전한 자아自我를 실현하려다가 오히려 극도의 고립 상태에 빠져 버리기 때문입니다. 현대의 인간은 모두가 개개의 단위로 분리되어 제각기 자기 구멍 속에 숨어 있는 것입니다. 모든 인간이 서로 멀찌감치 떨어져서 자기 자신을 숨기고, 자기가 가진 물건을 은닉하고 있단 말입니다. 그래서 결국은 자기도 남들에게 외면을 하고, 남들도 자기에게 외면을 하게 만드는 것입니다. 혼자서 몰래 재산을 축적하며 '나는 이젠 이만큼 강해졌다, 이렇게 생활이 보장되었다'라고 생각하고 있지만, 재산을 축적하면 할수록 자기가 자살적인 무력無力 상태에 빠져들어 간다는 것은 꿈에도 모르고 있단 말입니다. 왜냐하면, 자기 하나의 힘만을 믿고, 하나의 단위로서 전체로부터 고립되어서, 다른 사람의 도움도, 자기 이외의 인간이나 인류 전체까지도 믿지 않도록 자기 마음을 길들임으로써 오직 자기의 돈과 자기가 획득한 권리를 상실할까 봐서, 그것만이 두려워 전전긍긍하고 있기 때문입니다. 개개인의 생활의 완전한 보장은 결코 고립된 인간의 개별적인 노력에 있는 것이 아니라, 인류 전체의 결합에 있는 것인데, 지금은 어느 나라에서나 인간의 이성은 이 사실을 냉소하고 부정하려 드는 경향이 있습니다. 그러나 이 무서운 고립 상태도 언젠가는 종말을 고하고, 인간이 제각기 떨어져 산다는 것이 얼마나 부자연한 일인가를 모든 사람이 일제히 깨닫게 될 때가 반드시 오고야 말 것입니다. 시대사조 역시 그렇게 변천하여, 사람들은 자기가 얼마나 오랫동안 어둠 속에 갇혀 빛을 보지 못하고 살아왔는가를 생각하고 스스로 놀라지 않을 수 없게 되겠지요. 그리고 그때야말로 '사람의 아들'의 깃발이 하늘 높이 휘날리게 될 것입니다……. 그렇더라도 그때까지는 그 깃발을 소중히 여겨야 합니다. 비록 단 한 사람이라도, '신에 미친 사람'이라는 냉소를 무릅쓰고 자진하여 모범을 보여 줌으로써, 인간의 영혼을 고립 상태로부터 동포애적인 결합의 길로 이끌어야 할 것입니다. 그것이 바로 이 위대한 사상을 살리는 길입니다."

우리들은 저녁마다 이처럼 환희에 찬 열렬한 대화로 시간을 보냈다. 나는 사교계와 손을 끊고, 이웃 사람도 별로 방문하지 않게 되었다. 뿐만 아니라 이제는 사람들도 나에 대한 열이 점점 식어 가고 있었다. 이것은 그들을 비난하는 뜻으로 하는 말은 아니다. 그들은 여전히 나를 사랑했고, 또한 유쾌하게 대해 주었기 때문이다. 그러나 유행이라는 것이 실제에 있어 사교계를 적지 않게 지배하고 있다는 점은 역시 부인할 수 없을 것이다. 마침내 나는 이 이상한 방문객을 환희에 가까운 눈으로 바라보게 되었다. 그것은 그의 높은 교양이 내게 즐거움을 주었을뿐더러, 그가 마음속에 어떤 계획을 품고, 어쩌면 위대한 고행을 준비하고 있는지도 모른다는 예감이 들었기 때문이다. 그러나 나는 그의 비밀에 대해 노골적으로 흥미를 표시하거나, 직접 질문을 던지거나 한 일도 없거니와, 암시 비슷한 말로 은근히 떠본 일조차 없었다. 그것이 또한 그의 마음에 들었는지도 모른다. 그러나 마침내 나는 그 자신이 내게 무언가를 고백하고 싶어 무척 괴로워하고 있다는 것을 눈치채기에 이르렀다. 적어도 그가 나를 방문하기 시작한 지 한 달가량 되었을 때는 그것이 너무나 분명히 나타나기 시작했다.

"당신은 알고 계십니까?" 하고 언젠가 그는 나한테 물었다. "요즘 주위에서는 대단한 호기심을 가지고 우리 두 사람을 보고 있습니다. 내가 이렇게 자주 당신을 방문하는 데 모두들 놀라고 있는 모양이에요. 하지만 어서 맘대로들 하라지요. '머지않아 모든 것이' 밝혀질 테니까요."

어떤 때는 갑자기 무서운 흥분 상태에 빠져들어 가는 수가 있었는데, 그럴 때면 그는 거의 언제나 자리에서 일어나 자기 집으로 돌아가 버리곤 했다. 또 어떤 때에는 한참 동안이나 내 얼굴을 뚫어질 듯이 바라볼 때도 있었다. '이제 곧 무슨 얘기를 하려는가 보군.' 내가 이렇게 생각하고 있노라면, 그는 갑자기 마음이 변해서 아무것도 아닌 평범한 이야기를 시작하는 것이었다. 그리고 또 그는 두통이 난다는 소리를 자주 하게 되었다.

그런데 한 번은 장시간에 걸쳐 이야기에 열을 올리고 난 후, 별안간 안색이 창백해지며 경련이라도 일으킨 듯 얼굴을 일그러뜨리고는 내 얼굴을 뚫어지게 응시하는 것이었다.

"왜 그러십니까?" 하고 나는 물었다. "기분이 언짢으신 모양이로군요?"

그러기 조금 전에 그는 또 두통이 난다는 말을 했던 것이다.

"나는 말입니다……. 나는…… 사람을 죽인 일이 있답니다."

이렇게 말하고 그는 미소를 지어 보였으나, 그 얼굴은 백지장처럼 창백했다. '왜 이 사람은 웃고 있는 걸까?' 하는 상념이, 미처 다른 무엇을 생각해 볼 여유도 주지 않고 내 가슴을 꿰뚫고 지나갔다. 나 역시 얼굴빛이 창백해지는 것 같았다.

"대체 그건 무슨 말씀이십니까?" 하고 나는 소리쳤다.

"아시겠습니까." 여전히 창백한 미소를 입가에 머금은 채 그는 이렇게 대답했다. "나는 처음 한마디를 입 밖에 내는 데 얼마나 힘이 들었는지 모릅니다. 그러나 이제 말을 하고 나니 나도 바른길로 들어선 것 같군요. 이젠 그냥 앞으로 나가기만 하면 되겠지요."

나는 좀처럼 그의 말을 믿을 수가 없었다. 결국은 믿게 되었지만, 그것은 그가 사흘을 계속해서 나를 찾아와 모든 사정을 상세하게 얘기해 준 다음의 일이었다. 처음에 나는 그가 미친 줄 알았으나, 마침내 그것이 사실이라는 것을 확신하지 않을 수 없게 되어, 더없는 슬픔과 놀라움을 느꼈던 것이다.

그는 14년 전에 젊고 아름다운 부유한 지주의 미망인에게 그처럼 무서운 대죄를 범하였던 것이다. 그 부인은 시골에서 나왔을 때 거처하기 위해서 시내에 자기 집을 한 채 가지고 있었다. 그녀를 열렬히 사모하게 된 그는 상대방에게 사랑을 고백하고 자기와 결혼해 줄 것을 간청하기에 이르렀다. 그러나 그녀에게는 그때 이미 마음을 허락한 남자가 있었다. 그 남자는 명문 출신인 고급 장교로 그 당시 일선에 나가 있었으나, 곧 자기한테 돌아올 것으로 그녀는 기대하고 있었다. 그래서 그녀는 그의 청혼을 거절하고, 앞으로는 자기한테 오지 말아 달라고 간청했다. 그는 더 이상 여자의 집에 드나들지는 않았지만, 그 집의 구조를 잘 알고 있었으므로, 사람들에게 발각될 위험을 무릅쓰고, 어느 날 밤 정원으로 해서 그 집 지붕으로 기어올라갔다. 그러나 이것은 흔히 볼 수 있는 일이지만, 가장 대담한 범죄일수록 더욱 성공하기 쉬운 법이다. 통기창通氣窓을 통해 다락방으로 기어들어 간 그는 사다리를 타고 거실로 내려갔다. 사다리 밑에 있는 쪽문이 하인들의 부주의로 인해 가끔 잠기지 않은 채로 있다는 것을 그는 알고 있었던 것이다. 그날도 그러한 부주의를 기대했던 것인데, 과연 쪽문은 잠겨 있지 않았다.

아래로 내려온 그는 어둠 속을 더듬어 불빛이 새어 나오는 여자의 침실로 다가갔다. 마침 두 하녀는 허락도 없이 이웃집 생일잔치에 몰래 빠져 나가고 없었다. 그 밖의 하인들은 아래층 행랑방이나 부엌에서 자고 있었다. 그 여자의 잠자는 모습을 보자 그의 마음속에서는 정욕의 불길이 타올랐으나, 다음 순간 복수와 질투에서 오는 분노에 사로잡혀서, 마치 술 취한 사람처럼 제정신을 잃고 여자의 곁으로 다가가자마자 그 심장 한가운데를 단도로 푹 찔렀다. 여자는 비명조차 지르지 못하고 죽어 버렸다. 그는 악마와 같은 무섭고 교활한 솜씨로 하인들에게 혐의가 걸리도록 꾸며 놓았다. 우선 여자의 지갑을 훔쳤고, 베개 밑에서 꺼낸 열쇠로 장롱을 열어 몇 가지 물건을 훔쳤으나, 어느 모로 보아도 무식한 하인이 한 것같이 만들었다. 즉 귀중한 서류에는 손도 대지 않고 현금만을 훔쳐 낸 것이다. 그리고 부피가 좀 큰 금붙이를 몇 개 훔쳐 내면서도, 그보다 열 배나 값이 나가더라도 부피가 작은 것에는 일체 손을 대지 않았다. 그 밖에도 그는 자기가 기념으로 가질 물건을 몇 가지 집어 들었으나, 거기 대해서는 나중에 또 얘기하기로 하겠다. 이처럼 무서운 범죄를 저지르고 나서 그는 들어갈 때와 같은 방법으로 그 집에서 나왔다.

다음 날 일대 소동이 벌어졌을 때에도, 그리고 그 후 그의 일생을 통하여, 이 흉악한 진범인을 조금이라도 의심한 사람은 아무도 없었던 것이다! 뿐만 아니라, 그가 그 여자에게 애정을 품고 있었다는 것을 아는 사람조차 없었다. 언제나 말수가 적은 그는 자기의 심중을 털어놓을 만한 친구가 없었기 때문이다. 그는 마지막 두 주일가량은 한 번도 여자를 방문한 일이 없었으므로, 사람들은 그를 피해자와 안면이 있을 뿐 그다지 가까운 사이가 아닌 사람 정도로밖엔 생각하지 않았다. 살인 혐의는 농노 출신인 표트르라는 하인이 꼼짝 못하게 뒤집어쓰고 말았다. 공교롭게도 모든 사정이 그 혐의를 확증하게 되었던 것이다. 죽은 여주인은 자기 영지에서 차출할 신병新兵으로 이 하인을 군대에 내보내려고 점찍어 놓고 있었는데, 그것은 이 하인이 홀몸인 데다가 품행이 좋지 않았기 때문이다. 여주인은 자기의 이러한 의향을 별로 숨기려 하지도 않았기 때문에 본인인 표트르 자신도 그것을 잘 알고 있었다. 이 일 때문에 몹시 분개한 그가 선술집에서 잔뜩 취해 가지고 자기 주인을 죽여 버리겠다고 큰소리치는 것을 사람들은 들은 적이 있었다. 여자가 살해당하기 이틀 전에 그는 주인집을 뛰쳐나와서 시내 어느 구석에 숨어 있었다. 그리고 살인 사건이 일어난 다음 날 그는 술에 취해 교외 길가에 송장처럼 쓰러져 있는 것이 발견되었는데, 이때 그의 호주머니 속에는 단도가 들어 있었고, 게다가 오른쪽 손바닥에는 피까지 묻어 있었다. 그는 코피가 묻은 것이라고 우겼으나, 아무도 그 말을 곧이들으려 하지 않았다. 그리고 하녀들은 자기들이 잔칫집에 갔었기 때문에 돌아올 때까지 현관

문을 그냥 열어 놓았었다고 자백했다. 그 밖에도 이와 비슷한 여러 가지 증거가 드러나서, 결국 이 무고한 하인은 구속되고 말았다.

그 후 곧 재판이 시작되었는데, 일주일이 지났을 때 피고는 열병에 걸려 의식을 잃은 채 병원에서 죽어 버렸다. 이것으로 사건은 일단 끝장이 나고, 그다음은 하느님의 손으로 넘어가게 되었다. 그리하여 재판관이나 검찰이나 일반 시민이나 할 것 없이 모든 사람들이, 범인은 틀림없이 죽은 하인이라고 단정하고 말았다. 이때부터 하느님의 벌이 내리기 시작했던 것이다.

이상한 손님, 즉 이제는 이미 나의 친구가 된 그는, 처음 얼마 동안은 양심의 가책 같은 걸 전혀 느끼지 않았었노라고 했다. 오랫동안 괴로워한 것은 사실이었지만, 그것은 양심의 가책 때문이 아니라, 다만 사랑하는 여자를 애석하게도 죽여 버렸다, 그 여자는 이미 이 세상에 없다, 정욕의 불길은 아직도 자기 피 속에 불타오르고 있는데 그 여자를 죽임으로써 자기 자신의 사랑마저 죽여 버린 것이다, 라는 실망 때문이었다. 아무 죄도 없는 사람의 피를 흘렸다거나, 자기 손으로 사람을 죽였다거나, 하는 생각은 그 당시 거의 염두에도 없었다. 그보다도 그 여자를 그냥 놔두었더라면 필경 다른 사내의 아내가 되었을 것이라는 상념은, 그로서는 도저히 참을 수 없는 일이었으므로, 그는 오랫동안 자기 양심에 비추어 보아 그렇게 하는 도리밖엔 없었다고 확신하고 있었다.

하기는 무고한 하인이 체포되었다는 사실이 처음엔 그를 괴롭혔으나, 피고의 갑작스러운 병과 사망은 그를 완전히 안심시켰다. 왜냐하면, 피고의 죽음은 모든 점으로 보아 (그 당시 그는 이렇게 판단했던 것이다) 체포라든가 공포에 기인하는 것이 아니라, 주인집을 뛰쳐나온 후 술에 만취되어 온밤을 축축한 땅 위에서 뒹굴었을 때 걸린 감기가 원인이 되었기 때문이다. 여자한테서 돈과 물건을 훔쳤다는 데 대해서도 그는 별로 거리끼는 점이 없었다. 왜냐하면 그것은 (그는 역시 이런 식으로 판단했다) 물건이 탐나서 훔친 것이 아니라 혐의를 받지 않기 위한 방편에 지나지 않았기 때문이다. 훔친 금액은 그리 많지 않았으므로, 얼마 후 그는 그 전액을, 아니 그보다 더 많은 돈을, 당시 이 도시에 건립된 양육원에 기부했다. 이것은 금품을 훔친 데 대해 자기 양심을 편하게 하기 위해서 일부러 한 일이긴 했으나, 이상하게도 얼마 동안이라기보다 꽤 오랫동안 그의 양심은 정말로 평온을 얻을 수 있었다—이것은 그가 자기 입으로 나한테 한 말이다.

그 후부터 그는 자기 직무에 열성을 기울이기로 했다. 어렵고 귀찮은 일은 도맡아 하다시피 하는 동안에 2년가량 지나갔는데, 원래가 강한 성격의 소유자인지라 과거의 일은 거의 잊고 있었고, 간혹 그 일이 머리에 떠오를 때에는 아예 생각지 않기로 노력했다. 한편 그는 자선 사업에도 힘을 기울여 그 도시에 여러 가지 시설을 마련하기도 하고, 기부를 하기도 했다. 그래서 양쪽 수도[89]에까지 이름이 알려지게 되어, 모스크바와 페테르부르크의 자선가 협회 위원으로 선출되었다.

그러나 마침내 그는 지난 일로 하여 괴로운 생각에 잠기기 시작했고, 자기 자신의 힘으로는 더 이상 어찌할 수 없는 상태에까지 이르렀다. 마침 그 무렵에 아름답고 총명한 어느 아가씨에게 마음이 쏠려, 얼마 후에는 아가씨와 결혼하게 되었는데, 그것은 결혼이 그의 고독한 우울증을 몰아내 줄 수 있겠거니, 새 길에 들어서서 처자에 대한 의무를 성의 있게 수행함으로써 지난날의 추억에서 완전히 벗어날 수 있겠거니 하는 기대가 있었기 때문이었다. 그러나 결과는 그의 기대와 정반대되는 사실로서 나타났다. 결혼하고 한 달도 되기 전에 '아내는 나를 그토록 사랑해 주는데 만약에 그 일을 알게 되면 어떡하나?' 하는 생각이 끊임없이 그의 마음을 혼란케 하는 것이었다. 아내가 처음으로 임신했다는 것을 그에게 알렸을 때 그는 몹시 당황했다. '나는 지금 새 생명을 부여하려 하고 있다, 그러나 전에는 생명을 빼앗은 일도 있지 않으냐.' 아이들이 생겼다. '나 같은 놈이 어찌 감히 아이들을 사랑하고 가르치고 양육할 수 있겠는가! 살인을 한 내가 어떻게 감히 아이들 앞에서 덕행德行을 운운할 수 있겠는가!' 아이들이 아름답게 자라는 것을 보면 마음껏 애무해 주고 싶은 마음이 일어나곤 했다. '그러

89 페테르부르크와 모스크바.

나 나는 저 애들의 티 없이 맑은 얼굴을 바라볼 수가 없다. 나는 그럴 자격조차 없는 인간이다.'

마침내 그는 자기 손에 죽은 희생자의 피가, 자기 손에 파멸된 그 젊은 생명이, 복수를 외치는 그 피가 무서운 형상으로 자꾸만 눈앞을 얼씬거리는 것 같아 도저히 견딜 수가 없게 되었다. 그리고 그는 줄곧 악몽에 시달리게 되었으나 원래가 꿋꿋한 인간인지라, 오랫동안 이 고통을 참아 냈다. '남모르는 고통으로 모든 것을 속죄할 수 있으리라' 생각했으나 이러한 기대도 결국은 허사였다. 세월이 흐름에 따라 고통은 더욱더 심해 갈 뿐이었다.

세상 사람들은, 그의 엄하고 음침한 성격을 두려워하고는 있었으나, 그래도 그의 적극적인 자선 행위 때문에 그를 존경하게 되었다. 허나 존경을 받으면 받을수록 그는 더욱 견디기가 어려웠다. 나에게 고백한 바에 의하면, 그는 차라리 자살을 해 버릴까 하는 생각까지 했었다는 것이다. 그러나 자살 대신에 그와는 또 다른 공상이 머릿속에 떠오르기 시작했다—그것은 처음엔 미치광이 짓과 다른 바 없는 불가능한 일로 생각되었으나, 날이 갈수록 점점 그의 마음속에 파고들어 마침내는 털어 버릴 수 없게 되고 말았다. 그 공상이란 다름이 아니라 분연히 일어나서 군중 앞으로 나아가 자기가 살인범이라는 것을 모든 사람에게 고백하자는 것이었다.

이러한 공상을 품은 채 그는 3년이란 세월을 보냈다. 그동안에 이 공상은 여러 가지 형태를 취하여 그의 눈앞에 나타났다가는 꺼지곤 했다. 마침내 그는 자기 죄를 고백하기만 하면 자기의 병든 영혼이 완쾌되어 영원한 평안을 얻을 수 있으리라고 확신하기에 이르렀다. 하지만 이것을 어떻게 실천에 옮길 것인가? 이것을 생각하면 그의 신념은 공포로 변해 버리는 것이었다. 바로 이때 나의 결투 사건이 일어났던 것이다.

"당신과 사귀게 된 후 나는 비로소 결심했습니다."

나는 그의 얼굴을 바라보았다.

"그게 정말입니까?" 나는 손뼉을 탁 치며 이렇게 외쳤다. "그처럼 하찮은 사건이 당신의 가슴속에 그런 결심을 낳게 하다니!"

"이 결심은 이미 3년 전부터 자라 온 것입니다" 하고 그는 대답했다. "당신의 사건은 다만 거기에 자극을 주었을 뿐이지요. 당신과 사귀면서 나는 얼마나 자신을 책망하고 당신을 부러워했는지 모릅니다." 그는 거의 엄숙에 가까운 표정으로 이렇게 말했다.

"그렇지만 아무도 당신의 고백을 곧이듣지 않을 겁니다" 하고 나는 말했다. "벌써 14년 전의 일이니까요."

"아주 확실한 증거를 가지고 있습니다. 그것을 제시하겠습니다."

나는 눈물을 흘리며 그에게 키스했다.

"그런데 한 가지만, 꼭 한 가지만 당신의 의견을 들려주십시오!" 그는 마치 모든 것이 내 말 한마디에 달린 것 같은 어조로 말했다. "아내와 아이들은 어떻게 될까요! 아내는 슬픔을 이기지 못하고 죽어 버릴지도 모릅니다. 그리고 아이들은 귀족의 칭호와 영지를 빼앗기지는 않겠지만, 영원히 죄수의 자식이 될 게 아닙니까. 뿐만 아니라, 아이들의 가슴속에 어떠한 기억을 남기게 될지 생각만이라도 해 보십시오!" 나는 아무 말도 하지 않았다.

"그때 그들과 헤어져야 합니까? 그들을 영원히 버려야만 합니까? 영원히 말입니다, 영원히!"

나는 말없이 앉아서 마음속으로 기도를 드리고 있었다. 마침내 나는 자리에서 일어났다. 어쩐지 무서운 느낌이 드는 것이었다.

"어떡하면 좋을까요?" 금세 그는 나를 쳐다보았다.

"가십시오." 나는 말했다. "가서 모든 사람한테 고백하십시오. 만사는 물에 흘러가 버리고 오직 진실만이 남을 것입니다. 아이도 성장하면 당신의 그 위대한 결단이 얼마나 숭고한 것이었는가를 이해하게 되겠지요."

그때 그는 단호한 결단을 내린 것 같은 표정으로 내 앞에서 물러갔다. 그러나 그 후에도 여전히 결단을 내리지 못하고 두 주일 동안이나 매일 저녁 나를 찾아와서는 언제까지나 마음의 준비만을 되풀이하는 것이었다. 이러한 그의 태도에 내 마음은 아주 지쳐 버릴 지경이었다. 그런가 하면 어떤 때는 단호한 얼굴을 하고 찾아와서 감격 어린 어조로 이런 말을 할 때도 있었다.

"이제야 똑똑히 알았습니다. 나에게 천국이 찾아오려 하고 있습니다. 내가 고백하기만 하면 천국은 당장에 찾아올 것입니다. 14년 동안 나는 지옥 속에서 살았습니다만, 이제는 정말 고통을 감수하고 싶어졌습니다. 모든 고통을 달게 받고 참된 생활을 시작하렵니다. 거짓으로 이 세상을 속이고 살면 다시는 돌이킬 수 없게 될 것입니다. 지금 같아서는 이웃 사람은 고사하고 자기 아이들조차도 사랑할 용기가 나지 않습니다. 아아, 아이들도 나의 고통이 얼마만한 가치가 있었는가를 이해하고 나를 책망하지 않겠지요! 하느님은 힘 속에 계시는 게 아니라 진리 속에 계시니까요."

"이해하고말고요. 모두들 당신의 위대한 행위를 이해할 것입니다" 하고 나는 말했다. "지금 당장이 아니더라도 나중에는 반드시 이해할 겁니다. 당신은 진리를 위해 행동하셨으니까요. 이 지상의 것이 아닌 고원高遠한 진리를 위해서 말입니다."

이럴 때는 위안을 받은 듯한 표정으로 돌아갔으나, 다음 날에는 또다시 독기를 품은 창백한 얼굴을 하고 나타나서는 냉소적인 어조로 말하는 것이었다.

"내가 찾아올 때마다 당신은 마치 '아직도 고백하지 않았느냐?'라는 듯이 호기심에 찬 눈초리로 나를 보시는군요. 그러나 조금만 더 기다려 주십시오. 그리고 너무 멸시하지는 마십시오. 이건 당신이 생각하시는 것처럼 그렇게 쉬운 일이 아니니까요. 어쩌면 아주 고백을 단념해 버릴지도 모릅니다. 그렇더라도 당신은 설마 밀고 같은 건 하시지 않겠지요?"

그러나 나는 호기심에 찬 눈초리로 바라보기는 고사하고, 그의 얼굴을 쳐다보는 것조차 겁이 났다. 나는 병이라도 걸릴 것처럼 괴로웠고 마음은 눈물로 가득 차 있었다. 밤에는 잠도 제대로 이루지 못할 지경이었다.

"나는 지금" 하고 그는 말을 계속했다. "아내한테서 오는 길입니다. 아내란 대체 어떤 것인지 당신은 이해하십니까? 내가 집을 나올 때 아이들은 '안녕히 다녀오세요, 아버지. 빨리 돌아오셔서 우리와 함께 어린이 독본을 읽어요, 네?' 하고 외치더군요. 아니, 당신은 도저히 이것을 이해하시지 못할 겁니다! 타인의 비애는 누구나 이해할 수 없는 법이니까요."

그의 눈은 번쩍이고 입술은 경련을 일으킨 듯 떨고 있었다. 그러더니 갑자기 주먹을 움켜쥐고, 위에 놓인 물건이 튀어 오를 만큼 세차게 탁자를 내리쳤다. 평소에는 거동이 극히 침착한 사람이어서, 이런 일은 처음이었다.

"도대체 그럴 필요가 있을까요?" 그는 버럭 고함을 질렀다. "과연 그렇게 해야만 할까요? 나 대신에 유죄판결을 받거나 유형流刑을 당한 사람은 아무도 없는데 말입니다. 그때 그 하인은 병으로 죽은 것이니까요. 그리고 나로 말하면 그동안에 겪은 고통으로 이미 충분한 형벌을 받은 셈이 아닙니까? 뿐만 아니라 내가 고백한대도 그것을 곧이들을 사람은 하나도 없을 것이고, 증거를 제시한대도 믿으려 들지 않을 겁니다. 그런데 무엇 때문에 자수를 꼭 해야 한다는 겁니까? 내가 저지른 죄를 씻기 위해서라면 한평생 고통을 받을 용의가 있습니다. 다만 아내와 아이들에게까지 슬픔을 안겨 주고 싶지 않다는 것뿐입니다. 과연 처자들까지도 나와 함께 파멸시키는 게 옳은 일일까요? 이런 경우 진리는 어디 있는 겁니까? 과연 세상 사람들은 그 진리를 인정하고 옳게 평가하여 그것을 존경하게 될까요?"

'이럴 수가 있나!' 나는 속으로 생각했다. '이런 판국에 세상 사람들의 존경 같은 걸 찾다니!' 그러자 나는 그가 한없이 가엾게 여겨져서 그의 괴로움을 덜어 줄 수만 있다면 그와 운명을 함께 해도 좋다고까지 생각했다. 그는 거의 제정신이 아닌 것같이 보였다. 그러한 결심을 위해서는 그가 과연 어떠한 대가를 치러야 하는가를 나는 이지理智의 힘으로 뿐만 아니라 온 영혼으로 직감하고 온몸에 전율을 느꼈다.

"어서 내 운명을 결정해 주십시오!" 하고 그는 또다시 외쳤다.

"가서 자백하십시오." 나는 그에게 속삭였다. 큰 소리는 나오지 않았으나 그래도 나는 단호한 어조로 속삭였던 것이다. 그리고 나서 탁자 위에 놓여 있던 노역판露譯版 성서를 집어 들고, 〈요한복음〉[90] 12장 24절을 그에게 펼쳐 보였다.
"내 진실로 진실로 너희에게 이르노니, 한 알의 밀이 땅에 떨어져 죽지 아니하면 한 알 그대로 있고, 죽으면 많은 열매를 맺느니라."
나는 그가 오기 직전에 이 구절을 읽었던 것이다. 그는 그것을 읽었다.
"옳은 말씀입니다" 하며 그는 입가에 쓴웃음을 지었다. "하지만 이런 책 속에서는." 잠시 말을 끊었다가, 그는 다시 계속했다. "가끔 가슴이 서늘해지는 구절에 부딪히게 되지요. 그것을 남의 코끝에다 들이대는 건 쉬운 일입니다. 그렇지만 이것을 쓴 건 누굽니까? 설마 인간이 쓴 건 아니겠지요?"
"성령聖靈이 쓰셨을 겁니다" 하고 나는 말했다.
"그렇게 입을 놀리는 것쯤 당신에겐 아주 쉬운 일일 겁니다." 그는 또 한 번 쓴웃음을 지어 보였는데, 이번엔 거의 증오에 가까운 것이었다.
나는 다시 책을 집어 들어 다른 곳을 펼쳐, 〈히브리서〉[91] 10장 31절을 그에게 보여 주었다. 그는 그 구절을 읽었다.
"살아 계신 하느님의 손에 떨어져 들어가는 것은 무섭도다."
읽고 나더니 그는 그대로 책을 던져 버렸다. 그러고는 온몸을 후들후들 떠는 것이었다.
"무서운 말씀입니다" 하고 그는 말했다. "더 할 말이 없군요. 꼭 들어맞는 구절을 골라내셨습니다." 그는 의자에서 일어섰다.
"그럼 이만 실례하겠습니다……. 아마 다시는 못 오게 될는지도 모르겠습니다……. 천국에서나 만나기로 하지요. '살아 계신 하느님의 손에 떨어져 들어가' 14년—지난 14년이야말로 그렇게 부르는 것이 타당하겠지요. 내일은 그 손을 보고 제발 나를 좀 놓아 달라고 간청해 보겠습니다."
나는 그를 포옹하고 작별의 키스를 하고 싶었으나, 그럴 용기가 나지 않았다. 그토록 그의 얼굴은 무섭게 일그러져서 고통스럽게 보였던 것이다. 그는 밖으

90 《신약 성경》 참고.
91 《신약 성경》 참고.

로 나가 버렸다.

'아아, 저 사람은 대체 어디로 가는 것일까?' 하고 나는 생각했다. 나는 성상 앞에 무릎을 꿇고, 우리의 청을 지체 없이 들어주시는 보호자이신 성모 마리아께 그를 위하여 울면서 기도를 드렸다. 내가 눈물 속에서 기도를 드리고 있는 사이에 30분가량이 지났다. 벌써 밤이 꽤 깊어 자정이 가까운 시각이었다. 갑자기 문이 열리더니 또다시 그가 내 방으로 들어왔다. 나는 소스라치게 놀랐다.

"어디 갔다가 오십니까?" 하고 나는 물었다.

"저…… 무언가 잊고 간 것 같아서…… 아마 손수건을…… 아니 뭐 잊은 게 없더라도 잠깐 앉았다가 가겠습니다."

그는 의자에 걸터앉았다. 나는 그 옆에 서 있었다.

"당신도 앉으십시오" 하고 그는 말했다.

나도 앉았다. 우리는 30분가량 말없이 앉아 있었다. 그는 뚫어지게 내 얼굴을 바라보고 있다가 갑자기 히죽 웃어 보였다. 지금도 나는 그때 일을 기억하고 있지만, 그는 벌떡 일어나서 나를 힘껏 포옹하고 키스를 하는 것이었다.

"기억해 두게, 내가 자네한테 오늘 두 번째로 왔다는 것을. 알겠나. 이 점을 잘 기억해 두게!"

그는 처음으로 나를 '자네'라고 불렀으나, 이렇게만 말하고는 다시 나가 버렸다. '내일은 틀림없겠군' 하고 나는 생각했다.

과연 내가 예측한 대로였다. 다음 날이 마침 그의 생일이라는 것을 나는 그날 저녁에만 해도 전혀 모르고 있었다. 나는 지난 며칠 동안 한 번도 외출한 일이 없었기 때문에, 아무한테도 그런 것을 들을 기회가 없었던 것이다. 그의 생일에는 해마다 큰 잔치가 벌어졌고, 그 도시의 거의 모든 사람이 모여드는 것이 상례로 되어 있었다. 이번에도 역시 많은 손님들이 모였다. 식사가 끝나자 그는 방 한가운데로 나섰는데, 그 손에는 한 장의 종이가 쥐여져 있었다. 그것은 그가 소속된 관청의 장관에게 제출할 정식 자백서였던 것이다. 마침 장관도 연회에 참석하고 있었기 때문에, 그는 그 자백서를 손님 일동 앞에서 큰 소리로 읽었다. 거기에는 범행의 경과가 세부에 이르기까지 자세히 기록되어 있었다.

"나는 나 자신을 극악무도한 악한으로 규정하여 인간 사회로부터 추방하려는 것입니다. 하느님께서 나를 찾아 주셨으니, 나는 기꺼이 형벌을 감수하겠습니다"라는 말로 자백서는 끝을 맺고 있었다.

그러고 나서 그는 자기 범죄의 증거품으로, 14년 동안 간직해 두었던 물건들을 죄다 꺼내서 탁자 위에 벌려 놓았다. 혐의를 피하려고 훔친 피살자의 금붙이, 피살자의 목에서 풀어 가졌던 커다란 목걸이와 십자가, (목걸이에는 약혼자의 사진이 들어 있었다) 수첩, 그리고 마지막으로 두 통의 편지—한 통은 약혼자가 곧 돌아온다는 것을 알린, 피살자 앞으로 온 편지이고, 또 한 통은 그녀가 다음 날 우체국에 가져가려고 반쯤 쓰다가 책상 위에 그냥 놓아두었던 답장이었다. 그는 이 두 통의 편지를 범행한 후에 집으로 가지고 왔던 것이다—그러나 무엇 때문이었을까? 불리한 증거품으로 의당 없애 버려야 할 것을 14년 동안이나 간직해 둔 것은 대체 무엇 때문이었을까?

어쨌든 결과는 다른 방향으로 나타났다. 사람들은 놀라움과 공포에 사로잡혀 대단한 호기심을 가지고 그의 말에 귀를 기울였으나, 마치 병자의 헛소리라도 듣는 것처럼 누구 한 사람 믿으려 들지 않았다. 그리고 이삼일 후에는 어느 집에서나, 그 사람은 가엾게도 머리가 돌아버린 모양이라고 단정하고 말았다. 경찰 당국과 재판소는 사건의 심리에 착수하지 않을 수 없었으나, 얼마 후에는 그들도 당분간 그 심리를 보류하기로 결정했다. 제시된 물건들과 편지는 신중히 고려할 만한 가치가 있는 것이었지만, 설혹 그 증거물이 틀림없다는 것이 밝혀진다 하더라도, 그것만을 근거로 하여 유죄판결을 내릴 수는 없다는 결론에 도달했던 것이다. 더욱이 그 증거물이란 것도, 피살자가 자기 친구인 그에게 직접 보관을 위임했을 수도 있는 일이다. 하기는 나중에 내가 들은 이야기지만, 그 증거물이 진짜라는 것은 피살자의 친척이나 친구들에 의해 증명되었으므로 그 점에 대해서는 의문의 여지가 없었다고 한다. 아무튼 이 사건은 재판소에서 결심結審에 이를 운명을 지니고 있지 않았던 것이다.

그 후 오륙일가량 지났을 때, 이 불행한 사람이 갑자기 병에 걸려서 생명이 위독하다는 소문을 모든 사람들은 듣게 되었다. 무슨 병이었는지는 똑똑히 설명할 수 없었으나, 사람들의 말로는 심장 기능 장애인가 하는 것이었다고 한다. 그러나 얼마 안 있어 다음과 같은 사실이 밝혀졌다. 의사들은 그의 부인의 간청에 따라 병자의 정신 상태를 진찰한 결과 정신 착란의 증상이 보인다는 진단을 내렸다는 것이다. 사람들은 앞을 다투어 진상을 물으려고 나한테 달려왔으나, 나는 아무것도 말하지 않았다. 그러나 내가 그를 문병하려 하자, 그들은 (특히 그의 부인은) 오랫동안 말리면서 그를 만나지 못하게 했다.

"그이를 그렇게 미치게 한 것은 바로 당신이 아닙니까?" 하고 그녀는 말하는 것이었다. "그이는 전부터 침울한 성격이긴 했지만, 특히 작년부터는 갑자기 흥분하여 이상한 짓을 하는 걸 우리는 모두 눈치챘었지요. 그런데 이번엔 당신이 나타나서 그이를 아주 파멸시키고 만 거예요. 그이한테 이상한 짓을 하도록 충동한 건 바로 당신이에요. 지난 한 달 동안 그이는 줄곧 당신한테만 붙어 있었으니까요."

어찌 그뿐이랴. 그의 부인은 말할 것도 없고, 그 도시의 모든 사람들이 나한테 덤벼들어 나를 비난하기 시작한 것이다. "모든 게 다 네 탓이다!"라고 입을 모아 나를 욕하는 것이었다. 나는 아무 말도 하지 않았지만, 마음속으론 무척 기뻤다. 자기 자신에게 반기反旗를 들고, 자기 자신에게 벌을 준 이 불행한 사람에 대한 하느님의 명백한 자비를 거기서 발견했기 때문이다. 나는 그가 정말로 정신 이상을 일으켰다고는 믿지 않았다.

마침내 나는 그와의 면회를 허락받았다. 병자 자신이 나와 작별 인사를 하고 싶다고 고집을 부린 때문이었다. 병실에 들어서자마자 나는 그의 목숨이 며칠은 고사하고 몇 시간밖엔 남지 않았다는 것을 알아챘다. 그는 수척할 대로 수척해서 얼굴빛은 누렇고, 손은 떨리고, 숨은 가빴으나, 두 눈만은 감격과 기쁨에 차 있었다.

"기어이 뜻을 이루고 말았네!" 하고 그는 말했다. "벌써부터 자넬 꼭 만나고 싶었는데 왜 와 주지 않았나?"

나는 사람들이 만나지 못하게 했다는 말은 하지 않았다.

"하느님께서 나를 가엾게 여겨 자기 곁으로 부르고 계셔. 죽을 때가 됐다는 건 나도 알지만, 십몇 년 만에 나는 처음으로 기쁨과 평화를 느끼고 있네. 나는 내가 해야 할 일을 하고 난 바로 그 순간 내 마음속에 천국을 느꼈지. 이제는 아무 거리낌 없이 아이들을 사랑할 수가 있고 입을 맞춰 줄 수도 있어. 그러나 내 말을 곧이듣는 사람은 아무도 없다네. 내 아내도 판사들도 믿으려 들지를 않아. 아이들 역시 제대로 믿지 않을 거야. 이것만으로도 아이들에 대한 하느님의 자비를 알 수 있지 않겠나. 내가 지금 죽더라도 내 이름은 아이들에게 아무런 오점도 남기게 되지 않을 테니까. 나는 벌써 하느님 곁에 있는 것 같은 느낌이 들어서 마음은 천국에 있는 것처럼 즐겁기만 하네……. 나는 할 일을 다 했어."

그는 더 이상 말을 못 했다. 가쁜 숨을 몰아쉬면서도, 내 손을 꼭 잡으며 타오르는 듯한 눈으로 나를 바라보고 있었다. 그러나 우리는 오래 얘기할 수는 없었다. 그의 부인이 우리를 살피러 쉴 새 없이 드나들었기 때문이다. 그래도 그는 틈을 타서 나에게 속삭였다.

"자네 기억하고 있나, 그때 오밤중에 내가 두 번째로 자네한테 되돌아갔던 일을 잘 기억해 두라고 당부했었지? 내가 왜 되돌아갔었는지 자네 아나? 실은 자네를 죽이려 했던 거야!"

나는 흠칫 몸을 떨었다.

"나는 그때 자네 집에서 캄캄한 밖으로 달려 나와 자신과 싸우며 거리를 방황했어. 그러자 갑자기 자네가 못 견디게 미워지더군. '이제 그자는 나를 속박할 수 있는 유일한 인간이다' 하고, 나는 생각했지. '그자는 나의 재판관이기도 하다. 이젠 그자가 모든 걸 다 알고 있으니까, 내일이라도 나는 형벌을 감수할 도리밖엔 없게 되었다.' 그렇다고 자네가 밀고할 것을 두려워한 건 아니야. (그런 건 생각해 본 일조차 없어) 다만 '내가 만일 자수하지 않는다면 무슨 면목으로 그자를 대한단 말인가?'라고 생각했던 거야. 설사 자네가 이 세상 끝에 가 있다

하더라도, 죽지 않고 살아 있는 동안은 결국 매한가지가 아니겠나. 자네가 살아 있어서 모든 일을 알고 나를 심판할 것이라는 상념을 나는 도저히 참아 낼 수가 없었어. 나는 자네가 모든 것의 원인인 것처럼, 그리고 모든 책임이 자네에게 있기라도 한 것처럼 자네를 미워했어. 그래서 나는 자네한테 되돌아갔던 거야. 그때 자네 책상 위에 나이프가 놓여 있던 것을 상기했지. 나는 의자에 앉아 자네한테도 앉기를 권했었어. 그리고 1분 동안이나 곰곰이 생각해 보았지. 만약에 내가 자네를 죽인다면, 옛날의 범죄를 자백하지 않더라도 자네를 죽인 살인죄 때문에 결국은 파멸하고야 말 것이다. 그러나 나는 그런 일은 전혀 생각지도 않았거니와 그때는 생각하고 싶지도 않았어. 다만 자네가 못 견디게 미웠고 모든 일에 대해서 자네한테 복수하고 싶은 생각밖엔 없었던 거야. 그러나 하느님께서는 내 마음속의 악마를 정복하셨어. 아무튼 잘 기억해 두게. 자네가 그때만큼 죽음에 접근했던 일은 아직 한 번도 없었을 걸세.”

일주일 후에 그는 죽었다. 그 도시의 모든 사람들이 그의 관을 따라 묘지까지 갔다. 대사제大司祭의 감격 어린 조사弔辭가 있었다. 사람들은 그의 수명을 단축시킨 무서운 병을 한탄했다. 그러나 장례식이 끝나자, 모든 사람들이 나를 적대시하여 두슨 모임 같은 데는 초대조차 하지 않게 되었다. 물론 개중에는 그의 고백의 진실성을 믿는 사람들도 있었다. 처음에는 몇 사람 되지 않았으나 점점 그 수가 늘어갔다. 그들은 뻔질나게 나를 찾아와서는 대단한 호기심과 기쁨을 가지고 여러 가지로 캐묻는 것이었다. 인간에겐 올바른 사람의 타락과 오욕을 좋아하는 성질이 있기 때문이다. 그러나 나는 끝까지 입을 다물고 한마디도 말하지 않았다. 그리고 얼마 안 있어 그 도시를 떠나, 5개월 후에는 그처럼 분명하게 이 길을 가리켜 준 ‘눈에 보이지 않는 손가락’을 축복하면서, 하느님의 은총으로 이 장엄하고도 확고한 길로 발을 들여놓게 되었다. 그러나 오늘에 이르기까지 나는 많은 괴로움을 감내한 하느님의 종 미하일을 잊지 않고 날마다 기도를 드리고 있다.

3. 조시마 장로의 담화와 설교 중에서

(E) 러시아의 수도사와 그 가능한 의의意義에 대하여

경애하는 수사, 신부 여러분, 수도사란 대체 무엇인가? 현대 문명사회에 있어서 '수도사'란 말은 이미 냉소의 뜻으로 발음되고 있을뿐더러, 심지어는 이 말을 욕설로 쓰고 있는 자들도 있다. 이것은 날이 갈수록 점점 심해지는 경향이 있다. 그야 물론 수도사 중에도 무위도식을 일삼는 게으름뱅이, 음탕한 호색꾼, 오만불손한 무뢰한無賴漢 따위가 많이 섞여 있는 것은 사실이다. 교육을 받은 일반 사회인들은 이 사실을 지적하며 "너희들은 사회에 무익한 게으름뱅이이고, 남의 노고로 살아가는 몰염치한 거지들이다"라고 말한다. 그러나 수도사 중에도 참으로 겸허하고 온순한 사람이 많이 있어서, 고독과 정적 속에서 열렬한 기도를 드리기를 갈망하고 있다. 그런데 세상 사람들은 이러한 수도사들에겐 주의를 돌리지 않고, 아예 묵살하고 있다고 해도 과언이 아니다. 이런 형편이므로 만일 이처럼 고독한 기도를 갈망하는 겸허한 수도사 가운데서 또다시 러시아의 대지大地를 구할 사람이 출현할지도 모른다고 말한다면 세상 사람들은 몹시 놀랄 것이다. 사실 그러한 수도사들은 정적 속에 들어앉아 '이 한 시간, 이 하루, 이 한 달, 이 한 해를' 하는 식으로 준비를 게을리하지 않고 있다. 그들은 아직도 고독 속에 들어박혀 먼 옛날의 선배들인 사도使徒와 순교자들로부터 전해 내려오는 그리스도의 빛나는 모습을 하느님의 진리 그대로 순수하게 간직하면서, 때가 오면 이 세상의 비뚤어진 진리 앞에 모습을 높이 쳐들어 보이려 하고 있다. 이것은 참으로 위대한 사상이다. 이 별은 동쪽 하늘에서 빛나기 시작할 것이다.

나는 수도사에 대하여 이와 같은 견해를 가지고 있다. 이것은 과연 거짓된 자만일까? 세상 사람들의 현상이 어떠한가를 보라. 민중 위에 군림하고 있는 사회에서 과연 하느님의 모습과 그 진리가 왜곡되어 버리지 않았다고 할 수 있을까? 그들의 사회에는 과학이라는 것이 있다. 그러나 과학에는 인간의 오감五感

에 의해 확인된 것 이외엔 아무것도 없다. 인간 존재의 귀중한 일면을 형성하고 있는 정신세계는 일종의 승리감과 함께, 아니, 증오감과 함께 완전히 거부되고 근절되었다. 그들은 자유라는 것을 구가하고 있지만, (최근에 이르러 이런 경향은 특히 심하다) 그들의 이른바 자유 속에서 발견할 수 있는 것은 대체 무엇인가? 오직 굴종과 자멸밖엔 없지 않은가! 세상 사람들은 이렇게 말하고 있다— "너희들도 욕구를 가지고 있으면 얼마든지 그것을 충족시켜라. 너희들도 귀족이나 부호富豪와 동등한 권리를 소유하고 있으니까. 욕구를 충족시키기를 두려워해서는 안 되며, 오히려 그것을 증진시켜야 한다." 이것이 바로 그들의 교의教義인 것이다. 그들은 그 속에 자유가 있다고 생각하고 있다.

하지만 이 욕구 증진의 권리에서 어떠한 결과가 나타났는가? 금세 부유한 자에게는 고독과 자멸, 가난한 자에게는 선망羨望과 살인이 있을 뿐이다. 그것은 권리만을 부여하고 욕구 충족의 방법을 제시하지 않았기 때문이다. 그들은 이렇게 주장한다—인간 상호 간의 거리는 단축되고 사상은 공간을 통하여 전달됨으로써 인류는 날이 갈수록 형제적인 관계로 더 밀접하게 결합되어 간다고.

오오, 이러한 결합을 결코 믿어서는 안 된다! 세상 사람들은 자유라는 것을 욕구의 증진과 급속한 충족으로 해석함으로써 그들 자신의 본질을 왜곡하고 있는 것이다. 왜냐하면, 그것은 무의미하고도 어리석은 욕망과 습관과 당치도 않은 공상을 수없이 파생시키기 때문이다. 사람들은 오직 상호 간의 선망과 음욕과 자만을 위해서 살고 있을 뿐이다. 연회의 방문, 자가용 마차와 관등官等, 노예와 하인을 가진다는 것이 그들에게는 필요불가결한 것으로 지어 있기 때문에, 그 필요를 충족시키기 위해서는 명예와 인간애, 심지어는 자신의 생활까지도 희생시킨다. 개중에는 그것을 충족시킬 수가 없다 하여 자살까지 하는 사람도 있을 지경이다. 그리 부유하지 못한 사람들 사이에서는 이와 똑같은 현상을 볼 수 있지만, 가난뱅이들 사이에서는 욕구의 불만과 선망을 아직은 음주로 달래고 있다. 그러나 그들은 오래지 않아 술 대신에 사람의 피를 마시게 될 것이다. 그렇게 될 수밖엔 없지 않은가. 나는 묻고 싶다—이와 같은 인간이 과연 자유스러울 수 있겠느냐고? 나는 '이상을 위한 투사' 한 사람을 알고 있는데, 그가 직접 나한테 말한 바에 의하면, 형무소에서 흡연의 자유를 박탈당했을 때 담배를 피우고 싶어 어찌나 고통을 느꼈던지, 담배 한 대만 얻을 수 있다면 자기의 '이상'을 팔아먹어도 좋다고까지 생각했었다고 한다. 이런 자들이 입으로는 '인류를 위해 싸우겠다'고 큰소리를 치고 있는 것이다.

대체 이와 같은 자가 어디로 가서 무슨 일을 하겠다는 건가? 기껏해야 단시일에 해치우는 어떤 거친 행동 따위는 할 수 있을지 몰라도, 결코 오랫동안 지속할 수는 없는 법이다. 그렇기 때문에 그들이 자유를 얻는 대신에 노예와 다름없는 상태로 떨어지고, 인류의 결합에 대한 봉사 대신에, 그와는 반대로 나의 청년 시대에 나의 스승인 이상한 방문객이 말한 것처럼, 고립과 고독에 빠지고 만다는 것은 지극히 당연한 일이다. 그리하여 인류에 대한 봉사라든가, 인간의 형제적 결합이라든가 하는 사상은 이 세상에서 점점 사라져 가고, 심지어는 이 사상을 조소의 대상으로 삼기에 이른 것이다. 제멋대로 생각해 낸 무수한 욕망을 충족시키는 데만 익숙해진 자주성 없는 인간이 어찌 그러한 습관에서 벗어날 수 있겠는가? 그리고 도대체 어디로 갈 수 있겠는가? 고립 상태에 익숙해진 인간에게 인류 전체가 무슨 소용이겠는가. 결국 그들은 물질을 많이 쌓아 올림에 따라 기쁨을 점점 상실하는 결과에 이르고 만 것이다.

수도사의 길은 이와는 전혀 다르다. 사람들은 복종과 단식, 그리고 기도 같은 것을 냉소하기까지 하지만, 오직 그러한 것들 속에만 참된 자유에 도달하는 길이 숨어 있는 것이다. 불필요한 욕망을 잘라 버리고, 자존심에 기인하는 거만한 자기 의지를 복종으로 억제하면서, 하느님의 도움을 빌려 정신적인 자유와 그에 따르는 정신적 환희를 획득하는 것이다! 과연 어느 쪽이 위대한 사상을 선양하고 그에 봉사할 자질을 지니고 있는 것일까 고독 속에 빠져 있는 부자인가, 아니면 물질이나 습관의 포악으로부터 '해방된' 자인가? 수도사는 그의 은둔 생활로 하여 가끔 비난을 받고 있다—'너는 너 자신만의 구원을 위해 수도원 담장 안에 들어박혀 인류에 대한 동포애적 봉사를 잊고 있지 않느냐.' 그러나 과연 어느 쪽이 동포애를 위해 보다 더 노력하고 있는가는 좀 더 두고 보면 알게 될 것이다. 왜냐하면, 고독 속에 빠져 있는 것은 우리들이 아니라 그들 자신이며, 다만 그들이 그것을 깨닫지 못하고 있을 뿐이기 때문이다. 우리 수도사들 속에서는 옛날부터 민중의 참된 지도자들이 많이 배출되었다. 그런데 지금이라고 해서 그런 사람이 나타나지 않으리라는 법은 없지 않은가? 그들처럼 온순하고 겸허한 금욕과 침묵의 고행자들이 또다시 나타나서 위대한 사업을 위해 헌신하게 될 것이다. 러시아의 구원은 민중 속에 있다. 그리고 러시아의 수도원은 옛날부터 민중과 함께 있었다. 만일 민중이 고독 속에 들어박히면 우리도 함께 고독 속에 들어박힌다. 민중은 우리와 마찬가지로 하느님을 믿고 있다. 하느님을 믿지 않는 활동가는, 비록 그가 순수한 열정과 천재적 두뇌의 소유자라 하더라도, 우리 러시아에서는 아무런 일도 성취할 수 없을 것이다. 이 점을 기억해 둘 필요가 있다. 마침내는 민중이 무신론자를 맞아 싸워 그를 정복하고 정교 밑에 하나로 결합된 러시아가 출현할 것이다. 따라서 우리는 민중을 보살펴 주고 그들의 마음을 수호해야 하는 것이다. 이것은 수도사로서의 당신들의 위대한 사업이다. 민중이야말로 하느님의 체현자體現者이기 때문이다.

(F) 주인과 하인에 관하여, 그들은 정신적으로 서로 형제가 될 수 있는가?

그러나 슬프게도 세상 사람들이 말하듯 민중에게도 역시 죄가 있는 것이다. 부패와 타락의 불길은 눈에 뜨일 만큼 점점 만연하여, 상류층으로부터 아래로 타내려가고 있다. 고립의 정신은 민중 속에서도 나타나기 시작하였다. 부농富農과 착취자가 고개를 쳐들고, 이제는 상인조차 존경을 요구하게 되었으며, 교양이라곤 털끝만큼도 없는 자가 마치 교양 있는 신사처럼 행세하려 든다. 그리고 그것을 위하여 고래의 풍습을 멸시하고 조상의 신앙까지도 부끄러운 것으로 생각하게 되었다. 그리고 뻔질나게 공작公爵들의 집을 찾아다니긴 하지만, 어디까지나 그들은 타락한 농민에 지나지 않는다. 민중은 음주 때문에 부패해 가고 있으면서도 그 습관에서 벗어나지를 못한다. 그들은 자기 처자에게까지 잔인한 행동을 수없이 감행하고 있다. 이 모든 것이 음주에 기인하는 것이다. 나는 여러 곳의 공장에서 여남은 살밖엔 안 된 아이들을 많이 보아 왔다. 여윌 대로 여위고 지칠 대로 지쳐서 등까지 구부정한 그 아이들이 벌써부터 방탕이라는 걸 알고 있으니 기막힌 일이다. 숨 막힐 듯한 건물, 기계의 소음, 온종일 계속되는 노동, 추잡한 말과 술, 또 술—아아, 이것이 과연 아이들의 영혼에 필요한 것일까? 그들에게는 태양이 필요한 것이다. 어린애다운 놀이가 필요한 것이다. 가는 곳마다 그들에게 밝은 모범을 보여 주어야 할 것이고, 단 한 방울이라도 좋으니 그들에게 애정을 부어 주어야 할 것이다. 수사 신부 여러분, 아이들에 대한 이 같은 학대를 근절시키기 위하여 여러분은 한시바삐 분기하여 계몽에 앞장서지 않으면 안 된다.

그렇지만 결국 하느님께서는 우리 러시아를 구해 주실 것이다. 비록 민중이 타락하여 구린내 나는 죄악 속에서 벗어나지 못하고 있다 하더라도, 그들은 자기들이 나쁜 짓을 하고 있으며, 하느님께서는 자기들의 그러한 죄를 저주하고 계시다는 것을 잘 알고 있기 때문이다. 우리나라 민중은 아직도 열심히 진리를 믿고 있으며, 하느님의 존재를 인정하고 감격의 눈물을 흘리고 있는 것이다.

하지만, 상류 사회에 있어서는 전혀 사정이 다르다. 그들은 과학이라는 것을 섬기면서, 예전처럼 그리스도의 힘을 빌리려 하지 않고 오직 자기들의 두뇌만으로 공정한 사회를 실현시키려 하고 있다. 그리고 이제는 이미 범죄도 없고 죄악도 없다고 큰소리치고 있다. 하기는 그들의 사고방식에 의하면 그것은 지극히 당연한 말이다. 만일에 하느님이 존재하지 않는다면 범죄 역시 존재할 수 없을 것이기 때문이다. 유럽에서는 이미 민중이 폭력으로 부유층에 항거하고 있다. 그리고 민중의 지도자들은 도처에서 그들을 유혈로 이끌어 가면서 "너희들의 분노는 당연한 것이다"라고 가르치고 있다. 그러나 그들의 분노는 잔인한 것이기 때문에 마땅히 저주를 받아야 한다. 그러나 하느님께서는 여태까지도 여러 차례 구해 주신 것처럼 우리 러시아를 반드시 구해 주실 것이다. 하느님의 구원은 민중으로부터, 그들의 신앙과 순종으로부터 올 것이다.

수사 신부 여러분, 민중의 신앙을 수호하도록 노력하라. 이것은 결코 꿈이 아니다. 나는 일생 동안 우리의 위대한 민중이 간직하고 있는 참되고 빛나는 자질에 감탄해 왔다. 나는 직접 보아 왔기 때문에 그것을 증언할 수 있다. 내 눈으로 직접 보고 경탄해 마지않았던 것이다. 우리 민중의 추악한 죄악과 가난에 지친 그 처참한 모습에도 불구하고, 나는 그것을 보고 확인할 수 있었다. 그들은 2백 년 동안이나 농노 시대를 거쳐 왔으면서도 결코 비굴하지 않으며, 그 태도와 거동이 자유스러우면서도 건방진 데라곤 조금도 없다. 그리고 복수심이나 시기심 같은 건 찾아볼 수도 없다. '당신은 훌륭한 분이오. 돈 많고 현명하고 재능이 있소—참으로 좋은 일이오. 하느님께서 당신을 축복하실 거요. 나는 당신을 존경하오. 그러나 나도 역시 인간이라는 걸 알고 있소. 그렇기 때문에 나는 당신을 시기하지 않고 존경할 수도 있는 것이오. 또한 그렇게 함으로써 나의 존엄성을 당신한테 보여 주고 있는 셈이지요.'

정말로 이런 말을 입 밖에 내서 하지는 않는다 하더라도 (사실 그들은 아직 이런 말을 할 줄 모르고 있으니까) 그들은 이런 식으로 '행동하고' 있다. 이것은 내가 직접 보아 왔고, 직접 경험해 온 것이다. 여러분은 믿지 않을지도 모르지만, 우리 러시아의 민중은 가난하면 가난할수록, 비천하면 비천할수록 이와 같은 위대한 진리를 더욱 뚜렷하게 지니고 있다. 왜냐하면, 그들 중에서도 돈 있는 부농이니 착취자니 하는 자들은 이미 그 대부분이 타락해 버렸기 때문이다. 이것은 주로 우리들의 태만과 부주의에 기인하는 것임을 알아야 한다!

그러나 하느님께서는 자기의 자식들을 반드시 구해 주실 것이다. 왜냐하면, 러시아의 위대함은 그 겸허 속에 있기 때문이다. 나는 우리나라의 미래를 꿈속에서 본다. 아니, 나는 벌써 그것이 눈앞에 똑똑히 보이는 것 같다. 그때는 가장 타락한 부자들까지도 마침내는 가난한 사람들 앞에서 자기의 부富를 부끄럽게 생각하게 될 것이며, 가난한 자들도 그들의 겸허한 태도를 보고 그 마음을 이해하게 되어 그들에게 양보하고 기쁨과 사랑으로 그들의 아름다운 수치에 대답하게 될 것이다. 반드시 이러한 결과를 보게 되리라 믿어도 좋다. 대세는 이와 같은 방향으로 움직이고 있으니까. 평등이란 다만 인간의 정신적 존엄 속에만 존재하는 것이며, 이것을 이해하는 것은 오직 우리나라의 민중뿐이다. 우리가 서로 동포적 관계에 있다면 동포 간의 친밀한 결합도 이루어질 것이지만, 그러한 결합이 이루어지기 전에는 부의 공평한 분배는 있을 수 없는 것이다. 우리가 그리스도의 모습을 고이 간직하고만 있으면, 그것은 귀중한 금강석과도 같이 온 세계에 빛나게 될 것이다……. 그대로 이루어지이다, 아멘!

수사 신부 여러분, 나는 언젠가 한번 감격적인 사건에 부딪힌 일이 있었다. 전국을 순례하고 있을 때, 현청縣廳 소재지인 K 시에서, 전에 나의 당번병으로 있던 아파나시를 만났는데, 그것은 우리가 헤어진 후 8년 만의 상봉이었다. 그는 시장에서 우연히 나를 발견하고 나한테 달려와서는, 사뭇 그러안을 듯이 반가워했다. "아니, 이거 나리님 아니십니까? 이게 꿈입니까 생십니까?" 그는 나를 자기 집으로 끌고 갔다. 이미 제대하여 결혼을 하고 어린애를 둘이나 거느리고 있는 그는, 아내와 함께 시장에서 조그만 노점을 벌이고 그날그날을 살아가고 있었던 것이다. 방 안은 초라하긴 했지만, 그래도 깨끗하고 기쁨에 넘쳐 있었다. 그는 나를 의자에 앉히더니, 사모바르를 내놓고, 아내를 부르러 사람을 보내고 하여, 마치 내가 나타났기 때문에 무슨 잔치라도 벌어진 것같이 서두르는 것이었다. 그는 아이들을 내 옆으로 데리고 와서, "나리님, 이 아이들을 축복해 주십시오" 하고 간청했다.

"나 같은 게 어떻게 축복을 하겠나" 하고 나는 대답했다. "나는 보잘것없는 일개 수도사에 지나지 않으니까, 아이들을 위해 하느님께 기도를 드리기로 하겠네. 그보다도 아파나시 파블로비치, 나는 그날 이후 매일같이 자네를 위해 하느님께 기도를 드리고 있네. 모든 일이 자네한테서 비롯된 것이니까." 나는 될 수 있는 대로 알아듣기 쉽게 그때의 사건을 설명해 주었다. 그런데 그는 어찌된 일인지 내 얼굴만 물끄러미 바라보고 있었다. 이전에 자기 상관이었고 장교였던 내가 이런 옷차림에 이런 꼴을 하고 있는 것이 아무래도 이해가 가지 않는 모양이었다. 마침내 그는 울음을 터뜨리고 말았다.

"자네 왜 우나?" 하고 나는 말했다. "자네는 나에겐 잊을 수 없는 사람이야. 그보다도 나를 위해 기뻐해 주게. 나의 앞길에는 기쁨과 광명이 넘쳐 있으니까."

그는 많은 말을 하지는 않았으나, 연방 한숨을 내쉬면서 감동한 듯이 고개를 끄덕여 보이는 것이었다.

"그럼 재산은 다 어떻게 하셨습니까?" 하고 그는 물었다.

"수도원에 바치고 말았지. 우리는 공동생활을 하고 있으니까" 하고 나는 대답했다.

차를 마시고 나서 나는 작별 인사를 하려 했다. 그러자 그는 갑자기 반 루블짜리 은전을 내놓으며 수도원에 바치는 것이니 받아 달라고 했다. 그러고는 또 반 루블짜리 은전 하나를 내 손에 쥐여 주며 황급히 말하는 것이었다.

"이건 순례에 다니시는 당신에게 드리는 것입니다. 혹시 쓰실 데가 있을지도 모르니까요." 나는 그 은전을 받아 넣고 그들 내외에게 인사를 하고는 기쁜 마음으로 그곳을 떠났다. 그리고 길을 걸으며 이렇게 생각했다. '이제부터는 양쪽이 다—자기 집에 있는 그도, 이렇게 길을 걷고 있는 나도, 하느님께서 우리를 다시 만나게 해 주신 것을 생각하면서, 즐거운 마음으로 고개를 끄덕이며 미소짓기도 하고 한숨을 짓기도 할 것이다.'

그 후 다시는 그를 만나보지 못했다. 나는 그의 상관, 즉 주인이었고, 그는 나의 부하, 즉 하인이었지만, 이렇게 두 사람이 감격에 넘쳐 정다운 키스를 나누었을 때, 두 사람 사이에는 위대한 인간적 결합이 이루어진 것이다. 여기 대해 나는 여러 가지로 생각해 본 결과 지금은 다음과 같은 견해를 품고 있다. '이처럼 위대하고도 순박한 결합이 때가 오면 도처에서, 우리 러시아 사람들 사이에 실현될 것이라는 생각은 과연 상상조차 할 수 없는 일일까? 아니, 나는 실현될 것을 믿고 있다. 그 시기는 눈앞에 다가오고 있는 것이다.'

여기서 나는 하인에 관하여 좀 더 부언해 두고 싶다. 나는 소싯적에 하인들에게 자주 화를 내곤 했다. 식모가 너무 뜨거운 음식을 가져왔다느니, 당번병이 옷의 먼지를 털지 않았다느니, 하는 따위 이유에서였다. 그러나 그때 어린 시절에 들어 두었던 형의 사상이 갑자기 내 마음을 비춰 주었다. '나는 과연 다른 사람에게 시중을 들게 하거나, 가난하고 무지하다고 해서 다른 사람들은 마구 부려먹을 자격이 있는 것일까?' 그때 나는 이처럼 간단명료한 생각이 너무나 늦게 머릿속에 떠오른 데 스스로 놀라지 않을 수 없었다.

세상에서는 하인 없이 산다는 것이 불가능한 일이겠지만, 그 대신 자기 집 하인들에게, 그들이 하인이 아니었을 때보다도 정신적으로 더욱 자유스럽게 해 주어야 한다. 하인들을 위해 주인 자신이 하인이 되어, 하인들에게도 이 점을 이해시킬 필요가 있다. 주인은 자기가 주인이라는 자만을 없애고, 하인은 주인에게 불신을 품지 않도록 하는 것이 과연 불가능한 일일까? 그리고 하인을 자기 친척처럼 생각하고, 마침내는 그를 자기 가족의 일원으로 받아들이는 데 기쁨을 느낀다는 것이 과연 불가능한 일일까? 이것은 지금 당장에라도 실행할 수 있는 일일뿐더러 앞으로 올 장엄한 인류 결합의 기초가 되는 것이기도 하다. 그때가 오면 인간은 오늘날과 같이 자기를 위해 하인을 구하거나, 자기와 똑같은 인간을 하인으로 삼기를 원치 않고, 오히려 그와는 반대로 복음서의 가르침을 따라 자기 자신이 모든 사람의 하인이 되기를 진심으로 원하게 될 것이다.

그리고 결국에 가서 인간은 오늘날처럼 잔인한 쾌락—탐욕과 음욕과 허영과 자만과 시기에 찬 상호 간의 경쟁에서가 아니라, 교화와 자비의 대사업 속에서만 기쁨을 느끼게 될 것이다. 이것은 과연 공상에 지나지 않을까? 아니, 이것은 결코 공상이 아니며, 더욱이 그 시기가 눈앞에 다가왔다는 것을 나는 확신한다. 사람들은 '대체 언제 그 시기가 오는 겁니까? 정말 올 것 같기는 합니까?' 하고 웃으며 묻는다. 그러나 우리는 그리스도와 더불어 이 위대한 사업을 완성할 것이라고 나는 믿는다. 이 지상의 인류 역사를 보면, 불과 십 년 전까지만 해도 도저히 불가능한 것으로 생각되던 사상이 신비로운 시기의 도래와 함께 갑자기 고개를 쳐들고 전 지구를 휩쓴 예는 얼마든지 있는 것이다. 이와 똑같은 일이 우리나라에서도 일어나, 러시아 민중의 모습이 온 세계에 빛나며, 모든 사람들이 입을 모아 "건축가가 소용없다고 내버린 돌이, 이제는 건축물의 중요한 초석이 되었다"라고 경탄해 마지않을 것이다.

나는 우리를 조소하는 자들에게 이렇게 되묻고 싶다. "만일 우리들의 생각이 공상이라면, 당신네들이 그리스도의 힘을 빌지 않고 자기 두뇌만으로 세우겠다는 건물은 대체 언제 낙성落成을 보게 됩니까? 언제 그 공평한 사회는 실현됩니까?"라고. 만약에 그들이, 자기들이야말로 인류의 결합을 위해 노력하고 있다고 주장한다 하더라도, 그것을 진심으로 믿는 자는 그들 중에서도 두뇌가 가장 단순한 자들뿐일 것이다. 하지만 그렇게까지 두뇌가 단순할 수가 있을까! 실제에 있어 공상적 경향은 우리들보다 그들에게 더 많다. 그들은 공평한 사회를 이룩하려 하지만, 그리스도를 부정했기 때문에 결국은 세계를 피바다로 만들 것이다. 왜냐하면, 피는 피를 부르고, 칼을 뽑아 드는 자는 칼에 죽기 때문이다. 그래서 만일 그리스도의 약속이 없었다면, 인간은 이 지상에 마지막 두 사람이 남을 때까지 서로 죽일 것이다. 그리고 이 마지막 두 사람조차도 그 자만심 때문에 서로 돕지를 못하고 그중 하나가 상대방을 죽이고, 결국은 자기 자신도 파멸시키고 말 것이다. 만약에 겸손하고 온순한 자를 돌봐 주실 것이라는 그리스도의 약속이 없었다면, 정말로 그렇게 되었을지도 모른다.

지금도 기억하고 있지만, 그 격투 사건이 있은 후, 아직도 군복을 입고 있을 무렵에, 내가 이 하인에 관한 문제를 사람들 앞에서 논했을 때, 모두들 깜짝 놀라 "그렇다면 우리는 하인을 안락의자에 모셔 놓고 손수 차를 날라다 바쳐야 한단 말인가?"라고 묻는 것이었다. 그때 나는 "간혹 그렇게 해서 안 될 건 없지 않습니까"라고 대답했었다. 그러나 그들은 모두 코웃음을 치고 말았다. 그들의 질문도 경솔한 것이었고, 내 대답 역시 분명치 못한 것이었지만, 그래도 그 속에 어느 정도의 진리는 포함되어 있다고 나는 생각한다.

(G) 기도, 사랑, 타계他界와의 접촉에 관하여

젊은이여, 기도를 드리는 걸 잊어서는 안 된다. 그대가 기도를 드릴 때마다, 그 기도가 진심에서 우러나온 것이라면, 반드시 새로운 감정이 솟아오를 것이다.

바로 그 감정 속에 그대가 여태까지 몰랐던 사상이, 그대에게 새로운 힘을 부여하는 사상이 포함되어 있는 것이다. 그리하여 그대는 기도가 일종의 교육이라는 것을 깨닫게 되리라. 한 가지 더 기억해 두어야 할 것은, 날마다 틈 있는 대로 '주여, 오늘 하루 당신 앞으로 부르심을 받은 모든 사람을 긍휼히 여기소서'라고 마음속으로 반복하는 일이다. 왜냐하면 매 시간마다, 아니 매 순간마다 수천 명의 사람들이 이 지상의 생활을 떠나, 그 영혼이 하느님 앞으로 불려 가고 있기 때문이다. 그리고 그들 중의 많은 사람이 슬픔과 낙담 속에서 혼자 쓸쓸히 이 세상을 하직하고 있는 것이다. 누구 하나 그를 가련히 여기는 사람도 없고, 그가 과연 이 세상에 살아 있었는지 어떤지 그것조차 누구 하나 아는 사람이 없다. 그때 그런 사람의 명복을 비는 그대의 기도가, 지구의 반대편 끝으로부터 하느님의 어좌를 향해 올라갈 것이다. 그대와 그가 서로 모르는 사이라 하더라도 그런 건 상관없는 일이다. 공포에 싸여 하느님 어전에 선 사람의 영혼은, '자기와 같은 자를 위해서도 기도를 드려 주는 사람도 있다, 자기와 같은 자까지도 사랑해 주는 사람이 지상 어딘가에 남아 있다'라고 생각하는 것만으로도 그 순간에 얼마나 큰 감격을 느낄지 모른다. 또한 하느님께서도 그대들 두 사람을 더욱 자비 깊은 눈으로 바라보실 것이다. 그대가 그를 그만큼 가엾이 여긴다면, 그대보다 더욱 한없이 자비로운 사랑을 지니신 하느님께서는 얼마나 그를 긍휼히 여기시겠는가. 하느님께서는 그대를 보아서라도 반드시 그를 용서해 주실 것이다.

형제들이여, 인간의 죄를 두려워하지 말라. 죄에 빠진 사람이라도 사랑하도록 하라. 그것은 이미 하느님의 사랑에 가까운 것으로, 이 지상에서의 최고의 사랑이기 때문이다. 또한 하느님의 모든 창조물을, 그 전체와 그 하나하나의 부분을 사랑하라. 한 닢의 나뭇잎, 한 줄기의 햇빛이라도 그것을 사랑하도록 하라. 동물을 사랑하고, 식물을 사랑하고, 모든 사물을 사랑하라. 모든 사물을 사랑한다면 그 사물 속에서 하느님의 신비를 발견하게 될 것이다. 일단 그것을 발견하면 그다음부터는 날이 갈수록 더욱 깊이 더욱 많은 것을 인식하게 될 것이다. 그리하여 마침내는 완전한 보편적인 애정으로 온 세계를 사랑할 수 있을 것이다. 동물을 사랑하라. 하느님께서는 그들에게 초보적인 사고력과 온화한 기쁨을 부여했다. 동물을 괴롭히거나 학대해서는 안 되며, 그들에게서 그 기쁨을 빼앗음으로써 하느님의 뜻을 거역해서는 안 된다. 인간은 결코 동물보다 우월한 존재는 못 된다. 그들에게는 아무런 죄도 없는데, 인간은 위대한 재능을 지녔으면서도 지상에 출현함으로써, 이 대지를 부패시키고 거기에 더러운 발자취를 남겨두고 가기 때문이다. 슬프게도 우리는 거의 모두가 다 여기에 해당되는 것이다! 특히 어린이를 사랑하도록 하라. 그들은 천사와도 같이 순진무구하며, 우리들의 마음을 감동시키고 정화시키기 위해 살고 있을뿐더러, 우리를 인도하는 지표이기도 하기 때문이다. 어린이들을 괴롭히는 자에게 화가 있을지어다. 어린이에 대한 사랑을 내게 가르쳐 준 것은 안핌 신부님이었다. 마음씨 상냥하고 말수 적은 그는 나와 함께 순례를 하는 동안, 우리가 받은 동전으로 과자나 알사탕 같은 걸 사서는, 자주 어린이들에게 나눠 주곤 했었다. 그는 어린이들 옆을 지나갈 때면 언제나 마음속에 깊은 감동을 느끼지 않을 수 없는 그런 성질의 사람이었다.

우리는 어떤 종류의 상념 앞에서 가끔 의혹을 느끼게 된다. 특히 타인의 죄과를 보았을 때는 더욱 망설임을 느끼게 되는 것이다. 그리고 "이런 사람은 힘을 가지고 체포해야 할 것인가, 아니면 겸허한 사랑으로 사로잡아야 할 것인가?"라고 자문한다. 그러나 어떤 경우에라도 "겸허한 사랑으로 사로잡아야 한다"고 결심해야 한다. 일단 이렇게 결심만 한다면 온 세계를 정복할 수도 있을 것이다. 겸허한 사랑이야말로, 모든 힘 중에서 이와 비길 만한 것이 없을 만큼 가장 강하고 가장 무서운 힘이다.

날마다, 한 시간마다, 아니, 1분마다 자기 주위를 살피며, 자기 마음의 모습이 항상 단정하도록 조심해야 한다. 가령 어린아이 옆을 지나갈 때, 마음속에 노여움을 품고 추악한 꼴을 하거나, 입에 담지 못할 말을 함부로 내뱉는다면, 비록 이쪽에서는 그 아이를 알아보지 못했다 하더라도, 아이 쪽에서는 이쪽을 똑똑히 보고 있는지도 모르는 일이다. 그리하여 이쪽의 추잡한 모습은 아이의 순진한 가슴에 깊이 새겨질지도 모른다. 즉 이쪽에서는 아무것도 모르는 사이에 아이의 마음속에다 악의 씨를 뿌린 셈이 된다. 그리고 그 씨는 점점 크게 성장해 가는 것이다. 이 모든 것은 어린아이에 대해 세심한 주의를 돌리지 않았기 때문이고, 조심성 있는 실행적인 사랑을 자기 마음속에 배양하지 않았기 때문이다. 형제들이여, 사랑은 곧 교사教師이다. 그러나 우선 그것을 획득하는 방법을 알 필요가 있다. 왜냐하면, 그것을 획득한다는 것은 지극히 어려운 일이어서, 값비싼 대가를 치르고 장시일에 걸친 노력 끝에야 겨우 얻어지는 것이기 때문이다. 또한 우리에게 요구되는 것은 순간적인 우연한 사랑이 아니라, 오래도록 영속하는 사랑이기 때문이다. 순간적인 우연한 사랑이라면 누구나 다 할 수 있다. 악한 인간도 할 수 있다.

나의 형은 새들에게 용서를 빌었었는데, 이것은 전혀 무의미한 일 같지마는, 실은 옳은 일이었다. 세상만사는 대해大海와 같아서 모든 것이 흘러들어 합쳐지기 때문에, 한쪽 끝을 건드리면 세계의 다른 한쪽 끝까지 그 운동이 미치게 마련인 것이다. 새들에게 용서를 비는 일이 우스꽝스런 짓일지는 모르지만, 만일에 인간이 현재보다 조금만이라도 더 고상해진다면, 그 옆에 있는 새들도, 그 밖의 모든 동물들도, 한결 마음이 가벼워질 것이다. 다시 되풀이하거니와, 세상만사는 대해와도 같은 것이다. 이것을 깨닫는다면 인간도 완전한 사랑의 자각에 가책을 받아 일종의 환희를 느끼면서 새들에게 자기 죄를 용서해 달라고 기도를 드리게 될 것이다. 설혹 남의 눈에는 아무리 무의미하게 보일지라도, 우리는 이 환희를 소중히 여기지 않으면 안 된다.

나의 친구들이여, 하느님께 기쁨과 즐거움을 간구하라. 어린이들처럼, 하늘을 나는 새들처럼 즐거운 마음을 지니도록 하라. 그렇게 하면 당신의 사업을 타인의 죄악이 방해하는 일은 없을 것이다. 그러니까 타인이 여러분의 사업의 완성을 방해할까 염려할 필요는 조금도 없다. "죄악과 부정의 힘이 너무나 강하다. 추악한 주위 환경의 힘이 너무나 강하다. 그런데 우리는 너무나 고독하고 무력하기 때문에, 추악한 주위 환경의 방해를 받아 도저히 이 훌륭한 사업을 완성할 수가 없다"라고 실망해서는 안 된다. 이와 같은 약한 마음을 물리치도록 노력하라! 이러한 경우에 단 하나인 구원의 길은, 자기 자신을 인간의 모든 악의 장본인으로 내세우는 방법이다. 친구들이여! 실제에 있어 이것은 틀린 말이 아니다. 왜냐하면, 진심으로 자기를 모든 죄악의 장본인으로 생각하자마자, 그것은 어디까지나 사실이며, 자기는 모든 사람에 대하여 죄 많은 인간이라는 것을 대번에 깨닫게 될 것이기 때문이다. 그러나 자기의 나태와 무기력을 타인의 탓으로 돌리는 사람은 결국은 사탄의 교만에 동화되어 하느님께 불평을 말하게 될 것이다.

나는 사탄의 교만에 관해서 다음과 같이 생각한다. 즉 그 교만은 지상의 우리들에겐 좀처럼 이해하기 힘든 것이기 때문에, 자칫하면 과오에 빠져 거기에 휩쓸려 들어가기가 쉬우며, 그러면서도 무슨 위대하고 훌륭한 일이라도 하고 있는 것같이 생각하기가 일쑤인 것이다. 뿐만 아니라, 우리 인간 본성의 가장 강렬한 감정이나 움직임 속에도, 우리가 이 지상에서는 이해할 수 없는 것이 많으므로, 이 사실이 자기의 과오에 대한 변명이 될 수 있을 거라고 엉뚱한 생각을 해서는 안 된다. 영원한 심판자이신 하느님께서는 인간이 이해할 수 있는 것을 심문하시는 것이지, 이해할 수 없는 것을 심문하시는 것은 결코 아니다. 이것은 앞으로 자기 자신이 알게 될 것이다. 그때는 모든 사물을 올바르게 보게 되어 더 이상 왈가왈부하지 않을 테니까. 이 지상에서 우리는 길 잃은 방랑객과 다를 것이 없으므로, 만약에 우리 앞에 그리스도의 귀하신 모습이 없었다면, 우리는 대홍수大洪水 전의 인류처럼 길을 잘못 들어, 완전히 파멸해 버리고 말았을 것이다. 이 지상에서는 많은 것이 우리들로부터 숨겨져 있으나, 그 대신에 우리들에게는 다른 세계—보다 높은 세계와 실제로 연락을 맺고 있는 신비롭고 귀중한 감각이 부여되었다. 뿐만 아니라, 우리의 사상과 감정의 근원은 이 지상이 아닌 다른 세계에 뿌리박고 있다. 이 때문에 철학자들이, 사물의 본질은 이 지상에서 구명할 수 없다고 말하고 있는 것이다.

하느님께서는 타계他界에서 씨를 받아다가 이 지상에 뿌려 자기의 화원을 만드셨다. 그리하여 싹틀 수 있는 것은 모두 싹트고 자라서 지금도 삶을 누리고 있지만 그것은 오직 자기가 신비로운 타계와 접촉을 유지하고 있다는 감정만으로 살아가고 있는 것이다. 만약에 인간이 지니고 있는 이 감정이 약화되든가 소멸되든가 한다면, 인간의 내부에 성장한 것도 역시 죽어 없어질 것이다. 그렇게 되면 인생에 대해서 흥미를 잃고 심지어는 인생을 증오하게까지 될 것이다. 나는 이렇게 생각하고 있다.

(H) 사람은 동포의 심판자가 될 수 있는가? 최후까지의 신앙

사람은 어느 누구의 심판자도 될 수 없다는 것을 특히 기억해 둘 필요가 있다. 그것은 심판자 자신이, 자기도 지금 눈앞에 서 있는 사람과 똑같은 죄인이라는 것, 아니 자기야말로 이 사람의 범죄에 대해 다른 누구보다도 가장 책임이 있다는 것을 인정하지 않는 한 이 지상에서는 아무도 죄인을 심판할 수 없기 때문이다. 이것을 이해할 때에야 비로소 심판자가 될 수 있는 것이다. 언뜻 생각하기엔 이치에 닿지 않는 말 같지만, 이것은 움직일 수 없는 진리이다. 만일 그대가 정직했다면 지금 눈앞에 서 있는 죄인도 생기지 않았을지 모른다. 그대가 자기의 뜻대로 심판을 받게 될 죄인의 죄를 자기 자신이 짊어질 수만 있다면 즉시 그것을 실행에 옮겨 그를 위해 고통을 받을 것이며, 죄인은 책망하지 말고 곧 놓아주도록 하여라. 비록 국법에 의하여 심판자로 임명되었더라도 사정이 허락하는 한 이러한 정신 밑에서 행동해야만 한다. 그렇게 하면 죄인은 석방된 후에 그대의 심판보다도 더욱 가혹하게 자기 자신을 심판할 것이다. 만약에 죄인이 그대의 키스에 대하여 조금도 감동된 빛이 없이 그대에게 조소를 퍼붓고 가 버린다 하더라도, 그런 것에 마음이 흔들리기나 해서는 안 된다. 그것은 그에게 아직 때가 오지 않았다는 것을 의미할 뿐, 올 때는 그것은 반드시 오고야 말 것이다. 혹시 오지 않는다 하더라도 문제될 것은 없다. 만일 그가 깨닫지 못한다면, 다른 사람이 그 대신에 그것을 깨닫고 괴로워하며 자기 자신을 심판하고 책하게 될 것이고, 그리하여 진리는 이루어지게 되는 것이다. 이것을 믿어야 한다. 바로 그 속에 옛 성현들의 모든 희망과 모든 신앙이 포함되어 있기 때문이다.

꾸준하고도 부지런히 일하라. 밤에 잠자리에 들어갈 때 '나는 할 일을 다 못 했다' 하는 생각이 들거든 곧 일어나서 그 일을 마치도록 해야 한다. 그리고 그대 주위의 사람들이 하나같이 짓궂고 냉혹한 인간들뿐이어서 그대의 말을 귀담아 들으려 하지 않거든, 그들 앞에 엎드려서 용서를 빌어야 할 것이다. 그들이 그대 말에 귀를 기울이려 하지 않는 것은 사실상 그대에게도 책임이 있기 때문이다. 만일 그들이 화를 내서 도저히 말을 건넬 수조차 없거든, 꾹 참고 말없이 그들에게 봉사해야 할 것이다. 그렇다고 결코 희망을 잃어서는 안 된다. 그리고 또 모든 사람이 그대를 버리거나 강제로 그대를 몰아내거든, 그때는 혼자서 대지에 엎드려 흙에 입 맞추며 눈물로 땅을 적시도록 하라. 그렇게 하면 고독한 그대의 모습을 누구 한 사람 보지도 듣지도 못했다 하더라도, 땅은 그대의 눈물로부터 열매를 줄 것이다. 최후까지 믿어야 한다. 설혹 이 지상의 모든 사람이 타락해 버리고 그대 한 사람밖엔 믿는 사람이 없게 되더라도, 혼자 남은 그대가 재물을 바치고 하느님을 찬송하면 되는 것이다. 만일 그런 사람 둘이 만나게 된다면 그때는 이미 전술 세계, 생명 있는 사랑의 세계가 출현한 것이니, 두 사람은 감격 속에 서로 포옹하고 하느님을 찬송해야 한다. 비록 단 두 사람이기는 하지만, 그래도 하느님의 진리가 실현된 것이다.

가령 그대가 죄를 범하여, 그 쌓이고 쌓인 수많은 죄 때문에, 아니면 뜻하지 않게 돌발적으로 범한 단 한 가지 죄 때문에, 죽도록 뉘우치고 슬퍼하는 경우가 있다 하더라도 다른 사람을 생각하고 다른 올바른 사람을 생각하고 기뻐하도록 하라. 그대 자신은 죄를 범했지만, 그 대신에 죄를 범하지 않은 정직한 사람이 있다는 것을 생각하고 기뻐하라.

만일 다른 사람의 악행 때문에, 참을 수 없는 분노와 비애를 느껴, 그 악한에게 복수하고 싶은 욕망이 일어나더라도, 무엇보다도 그러한 감정을 멀리하도록 하라. 그런 때엔 그 사람의 악행에 대한 책임이 자기에게 있다고 생각하고, 즉시 고통을 찾아 나서야 한다. 그 고통을 감수하고 끝까지 참아 내면 마음의 노여움은 풀어지고, 자기에게도 정말 잘못이 있다는 것을 깨닫게 될 것이다. 왜냐하면 그대는 죄 없는 유일한 인간으로서 악한들에게 빛을 줄 수 있었음에도 불구하고 그렇게 하지 않았기 때문이다. 만일 그대의 빛으로 다른 사람들의 길을 밝게 비춰 주었더라면 악행을 범한 자도 그 빛으로 하여 그것을 범하지 않았을지도 모른다. 그러나 만일 그대가 빛을 주었음에도 불구하고, 사람들이 죄악에서 구원을 받지 못한다 하더라도, 끝까지 마음을 굳게 먹고 천국의 빛의 힘을 의심하지 말아야 한다. 지금 당장 구원을 받지 못한다 하더라도, 언젠가는 구원을 받을 날이 올 것이라 믿어야 한다. 만일 끝까지 구원을 못 받는다면, 그 자손들이 구함을 받을 것이다. 그대는 죽어도 그 빛은 사라지지 않을 것이며, 올바른 사람은 이 세상을 떠나도 그 빛은 뒤에 남을 것이기 때문이다.

사람은 그 구원자가 죽은 후에야 비로소 구원을 받게 마련이다. 인간이란 족속은 예언자를 배척하고 학대하지만, 또한 그들은 자기들이 괴롭힌 순교자를 존경하고 사랑하는 법이다. 그대들 전체를 위해 일하고 미래를 위해 노력하고 있는 것이다. 그러나 결코 보수를 바라지는 말라. 바라지 않더라도 그대들은 이미 이 세상에서 위대한 보수를 받고 있다—올바른 사람만이 받을 수 있는 정신적인 기쁨이 바로 그것이다. 높은 지위에 있는 자나 권세 있는 자를 두려워 말고, 항상 현명하고 의젓하게 행동하도록 하라. 무슨 일이든 그 한도와 시기를 알아야 한다. 특히 이것을 배워 익히도록 하라. 고독 속에 머물러서 기도를 드리도록 하라. 대지에 엎드려 땅에 입 맞추기를 좋아해야 한다. 대지에 입을 맞추고, 한평생 그것을 사랑하라. 환희의 눈물로 대지를 적시고, 그 눈물을 사랑하라. 또한 그 감격을 부끄러워 말고, 그것을 소중히 여기도록 하라. 그것은 극소수의 선택된 자들에게만 내리시는 하느님의 위대한 선물이기 때문이다.

(I) 지옥과 지옥의 불에 관하여, 신비적 고찰

수사, 신부 여러분, '지옥이란 무엇인가?'라는 문제를 고찰할 때, 나는 그것을 '이미 사랑할 수 있는 능력을 상실한 데서 오는 괴로움'이라고 해석한다. 시간으로도 공간으로도 측량할 수 없는 무한한 세계에서, 하나의 정신적 존재가 이 지상에 출현했을 때, 그에게는 '나는 존재한다. 그러므로 나는 사랑한다'라는 말을 자기 자신에게 할 수 있는 능력이 부여되었다. 그에게는 행동적인 '생명 있는' 사랑의 순간이 한 번, 꼭 한 번만 부여되었는데, 그것을 위해 주어진 것이 바로 지상 생활인 것이다. 이와 함께 그에게는 시간과 기한이 부여되었다. 그런데 결과는 어떠했는가? 이 행복한 존재는 하느님이 주시는 더없이 귀중한 선물을 거절하고 그것을 존중하거나 사랑하려 하지도 않았을 뿐만 아니라, 조소의 눈으로 그것을 보며 끝내 아무런 감동도 느끼지 않았던 것이다. 이러한 인간이라도 일단 이 지상을 떠나면, 부자와 나사로에 관한 우화[92]에 있는 것처럼, 아브라함의 가슴도 보게 될 것이고, 아브라함과 이야기도 할 것이며, 하느님 앞으로 올라가서 천국을 구경할 수 있을 것이다. 그러나 여태까지 누구를 사랑한 일도 없거니와, 타인의 사랑을 멸시해 온 자가 하느님 앞으로 올라가서 자기를 사랑해 준 사람들을 가까이 한다는 그 자체가 커다란 고통이 아닐 수 없다. 왜냐하면, 그는 그때야 비로소 환하게 눈이 뜨여 마음속으로 이렇게 말할 것이기 때문이다—"이제야 겨우 알겠군. 그러나 이제 와서 아무리 사랑하기를 원한다 해도, 나의 지상 생활은 이미 끝나 버렸기 때문에 나의 사랑에는 아무런 의미도 희생도 없다. 지금 나의 가슴속에는 내가 지상에서 멸시한 정신적 사랑에 대한 갈망이 불길처럼 타오르고 있지만, 이제는 그것을 끄기 위한 한 방울의 생명수(즉 활동적인 지상 생활의 선물)도 아브라함은 갖다 주지 않는다. 이제는 지상의 생활도 없고 그것을 위한 시간도 없는 것이다! 비록 내가 다른 사람들을 위해 기꺼이 자기 목숨을 바칠 각오가 있다 하더라도 그것조차 이제는 불가능한 일이다. 사랑을 위해 희생할 수 있었던 생활은 이미 지나가 버리고, 이제 그 생활과 이곳에서의 생활과의 사이에는 끝없는 심연이 가로놓여 있기 때문이다."

지옥의 불은 물질적인 것이라고 사람들은 말한다. 나는 그 신비를 구명하려고도 생각지 않거니와 그것을 구명한다는 것은 무서운 일이기도 하다. 그러나 만

92 《신약 성경》〈누가복음〉 16장 19~23절 참고.

일 그것이 물질적인 불이라면 오히려 사람들은 기뻐할 것이라고 생각한다. 왜냐하면, 물질적인 고통으로 하여 그보다 더 큰 정신적인 고통을 일시나마 잊을 수 있으리라 생각하기 때문이다. 하지만 정신적인 고통은 외부적인 것이 아니라, 그들의 내부에 있는 것이기 때문에 그것을 제거해 버린다는 것은 불가능한 일이다. 설사 그것을 제거해 버릴 수 있다 하더라도 그로 하여 그들은 더욱더 불행해질 것이라 생각한다. 비록 천국에 있는 올바른 사람들이 그들의 고통을 보고 그들을 용서하여 끝없는 사랑으로 그들을 자기 곁으로 불러올린다 하더라도, 그들의 고통은 그로 인해 한층 더 증대될 것이다. 왜냐하면 그들의 마음속에는 그 호의에 보답하기 위한 능동적인 사랑을 갈망하는 불길이 더욱 뜨겁게 타오를 것이기 때문이다. 그러나 그것은 이미 불가능한 일이 아닌가. 그렇지만 나는, 그것이 불가능하다는 자각이야말로 마침내는 그 고통을 얼마간 덜어 주는 데 도움이 되지 않을까 하고 마음속으로 생각하는 것이다. 그 까닭은, 올바른 사람들의 사랑을, 즉 보답할 가능성이 전혀 없는 사랑을 받아들일 때, 그 온순하고 겸허한 행동 속에서, 자기가 지상에 있을 때 멸시했던 능동적인 사랑의 일면이라고나 할까, 또는 그와 유사한 작용이라고나 할까, 아무튼 그러한 무엇을 발견할 수 있을 것이기 때문이다……. 형제들이여, 나는 이것을 좀 더 분명히 설명할 수 없는 것을 유감스럽게 생각한다. 그러나 지상에서 스스로 자기 목숨을 끊은 자들이야말로 가엾은 인간들이다! 정말이지 자살보다 더 가엾고 불행한 자는 없을 것이라고 나는 생각한다. 그들을 위해서 하느님께 기도하는 것은 죄악시되고 있다. 교회 역시 표면적으로는 그들에게 등을 돌리고 있는 형편이지만, 나는 그들을 위해서도 기도를 드려도 무방할 것이라고 마음속으로 생각하고 있다. 그리스도께서도 이러한 사랑을 못마땅하게 여기실 리는 없지 않은가. 여기서 고백하거니와, 나는 한평생 그러한 사람들을 위해 마음속으로 기도를 드려 왔고, 지금도 날마다 기도를 드리고 있다.

아아, 그러나 지옥 속에는, 절대적 진리를 알고 그것을 인식했음에도 불구하고, 교만하고 사나운 태도를 끝내 버리지 않은 자들도 있다. 또한 사탄과 교만한 정신에 완전히 자기 몸을 내맡긴 무서운 인간들도 있는 것이다. 이러한 자들에게 있어서는, 지옥은 그들 자신의 의지에 의한 것이지만, 그렇다고 그들은 그것으로 만족할 수는 없는 것이다. 말하자면 그들은 자발적인 수난자라고 할 수 있다. 그들은 자기 자신을 저주하고 하느님과 삶을 저주했기 때문이다. 이를테면 사막에서 굶주린 자가 자기 몸의 피를 빨아먹기 시작하는 것처럼, 그들은 악의에 찬 자기의 교만을 먹고사는 것이다. 그러나 영원히 만족이라는 것을 모르는 그들은 용서를 거부하고, 자기를 부르는 하느님을 저주한다. 그들은 증오감 없이는 살아 계신 하느님을 보지 못하며, 생명의 신神이 아주 없어지기를 바란다. 그리고 신이 자기 자신과 자기의 창조물을 영영 없애 버리기를 요구한다. 그들은 영원히 자신의 분노의 불길 속에서 몸을 태우며, 죽음과 허무를 갈망한다. 그러나 그들에게는 끝내 죽음이 부여되지 않는 것이다.

알렉세이 표도로비치 카라마조프가 엮은 수기는 여기서 끝을 맺고 있다. 다시 되풀이하거니와, 이 수기는 불완전하고 단편적인 것이다. 예를 들면 전기적 자료만 하더라도 장로의 청춘 시대의 것은 초기에 관한 부분만이 포함되어 있을 뿐이다. 장로의 설교와 의견 속에는 각기 상이한 시기에 상이한 목적 하에서 설파한 말들이 하나의 완전한 형식으로 묶여져 있는 것을 볼 수 있다. 장로가 그의 인생의 마지막 몇 시간 동안에 한 말들은 정확히 구분되어 있지 않지만, 알렉세이 표드로비치가 이전의 설교 중에서 뽑아내어 이 수기에 함께 수록한 것과 비교·대조해 보면, 그때의 담화의 정신과 성격을 충분히 이해할 수 있을 것이다.

장로의 임종은 정말로 예기치 못했던 시간에 오고야 말았다. 그날 밤, 장로의 방에 모였던 사람들은 그의 죽음이 가깝다는 것을 잘 알고는 있었으나, 그래도 이렇게까지 갑작스레 찾아오리라고는 예상하지 못했었다. 아니, 그와는 반대로, 앞에서도 말한 바와 같이 장로의 친구들은 그날 밤 그가 명랑한 기분으로 말을 많이 하는 것을 보고, 일시적이나마 그의 건강 상태가 눈에 띄게 좋아졌다고 믿고 있었다. 후에 사람들이 이상하다는 얼굴로 얘기한 바에 의하면, 죽기 5

분 전까지도 그것을 전혀 예상하지 못했었다고 한다. 갑자기 장로는 가슴에 심한 고통을 느끼는 듯이 얼굴이 창백해지며 두 손으로 심장을 눌렀다. 사람들은 자리를 차고 일어나 일제히 그에게로 달려갔다. 그러나 그는 고통 속에서도 여전히 미소를 띠운 채 그들을 둘러보며 미끄러지듯 의자에서 내려와 무릎을 꿇었다. 그러고는 얼굴을 땅에 대고 엎드리더니, 두 손을 쭉 펴고 (방금 자기가 가르친 것처럼)환희에 넘치듯 대지에 입을 맞추고 기도를 드리면서, 조용히 기쁘게 그 영혼을 하느님께 바쳤다.

장로가 죽었다는 소식은 곧 암자 내에 퍼졌고 수도원에까지 전해졌다. 고인의 친구들과 직책상 입회의 의무를 지닌 사람들은 옛 의식에 따라 시체의 입관 준비를 시작했고, 나머지 수도사들은 모두 대성당에 모였다. 나중에 들은 바에 의하면, 장로가 죽었다는 소식은 날이 새기 전에 읍내로 전해졌고 아침 녘에는 거의 온 읍내 사람들이 이 사건에 관해 얘기하고 있었다. 그리고 수많은 사람들이 수도원을 향해 몰려왔다. 그러나 이 얘기는 다음 편으로 넘기기로 하고, 여기서는 다만, 그로부터 하루도 지나기 전에 모든 사람에게 전혀 뜻밖인 어떤 사건이 발생했다는 것만 미리 말해 두겠다. 그것은 수도원과 읍내 사람들에게 준 인상으로 보아, 어쩐지 불안감을 느끼게 하는 괴이하고도 모호한 사건이어서 그 후 여러 해가 지난 지금도, 많은 사람들의 마음을 불안케 한 그날 하루의 기억은 생생하게 남아 있는 것이다.

제 3 부

제7편 알료샤

1. 부취腐臭

고인이 된 수도사제修道司祭 조시마 장로의 유체遺體는 일정한 의식에 따라 매장해야 했으므로 사람들은 그 준비에 착수했다. 누구나 다 아는 바와 같이, 수도사나 성직에 있는 고행자의 유체는 물로 씻지 않게 되어 있다. 수도사인 자가 하느님의 부름을 받아 세상을 떠났을 때는—대의전서大儀典書에도 이렇게 쓰여 있다—"지명을 받은 수도사(즉 이 의식을 행하도록 임명된 자)가 더운 물을 축인 해면으로 죽은 자의 이마에서부터 가슴, 손, 발, 무릎에 열십자를 그리면서 유체를 닦을 것이며, 그 밖에는 여하한 일도 해서는 안 되느니라." 파이시 신부 자신이 이러한 모든 일을 집행했다. 유체를 더운 물로 닦은 다음 수도복을 입히고, 다시 망토 모양의 겉옷으로 쌌는데, 규칙에 따라 십자형으로 감기 위해 그것을 가위로 조금 잘랐다. 그리고 머리에는 팔각 십자가八角十字架[93]가 달린 두건을 씌웠다. 두건은 앞의 단추를 채우지 않은 채로 열어 두고, 고인의 얼굴을 검은 사紗로 덮은 다음, 손에는 구세주의 성상을 쥐어 주었다. 이러한 모양으로 유체는 새벽녘에 관 속에 누였다. (관은 이미 오래전부터 준비되어 있었다) 이 관은 장로가 생시에 수도사들과 일반 방문객들을 접견하던 암자 안 큰 방에 하루 동안 안치해 두기로 했다.

고인이 된 장로는 수도사 제직에 있는 고행자[94]였으므로, 빈소를 지키는 수도사들은 〈시편〉[95]이 아닌 복음서를 낭송해야 했다. 고인을 위한 진혼 미사가 끝나자, 이오시프 신부는 곧 낭송을 시작했다. 파이시 신부도 온종일 고인 앞에서 복음서를 낭송할 생각이었으나, 당장은 암자 책임자인 신부와 함께 딴 일에 쫓

93 비잔틴식 십자가를 말함.

94 러시아 정교正教 수도사로서는 제2위에 해당하는 성직. 주교위主敎位에 해당함.

95 《구약 성경》 참고.

겨 그럴 겨를이 없는 모양이었다. 그것은 수도원의 수도사들을 비롯하여 수도원 부설 숙박소와 읍내에서 모여든 사람들 사이에, 무언가 전례가 없을 만큼 심상치 않은, 이라기보다 차라리 '온당치 못하다'고 해야 할 동요와 초조한 기대의 빛이 나타나서, 시간이 갈수록 더욱 뚜렷해지기 시작했기 때문이다. 그래서 암자 책임자의 파이시 신부는 이와 같은 흥분과 동요를 가라앉히느라고 갖은 노력을 기울이고 있었다.

해가 높직이 떠오르자 이번엔 병자들—특히 병든 아이들을 데리고 오는 사람들이 읍내 쪽에서 모여들기 시작했다. 그들은 이제야말로 만병통치의 기적이 즉각적으로 나타날 것이라 믿고, 미리부터 이 순간을 기다리고 있었던 모양이다. 이 고장의 모든 사람들이 고인이 된 장로를 그 생존 시부터 의심할 여지없는 위대한 성자로서 깊이 추앙해 왔다는 것이 이제야 비로소 명백해진 셈이었다. 군중 속에는 반드시 무식한 평민이라고는 할 수 없는 사람들도 끼여 있었다.

이처럼 성급하게 노골적으로 나타난 신자들의 열렬한 기대라기보다 초조한 요구는, 파이시 신부에겐 분명히 도에 넘친 것으로 생각되었다. 그는 오래전부터 이것을 예상하고는 있었지만, 결과는 그가 예상한 것 이상이었던 것이다. 흥분한 수도사들을 만날 때마다 파이시 신부는 이렇게 그들을 타일렀다. "그렇게 당장 무슨 위대한 일이 일어날 것같이 기대한다는 건, 속세의 사람들이라면 모르되 우리에겐 도저히 있을 수 없는 경솔한 생각이오."

그러나 그의 말에 귀를 기울이는 사람은 거의 없었다. 파이시 신부도 그것을 눈치채고 적지 않게 불안을 느끼고 있었다. 하지만 파이시 신부 자신도, (사실을 사실대로 죄다 얘기한다면) 사람들의 너무나 성급한 기대에 분개하면서 그것이 분명히 경거망동이라 생각하고 있었음에도 불구하고, 마음속으로는 그들 흥분한 군중과 거의 똑같은 것을 바라고 있었고, 또한 자기 자신도 그것을 인정하지 않을 수 없었다. 그러나 거의 직감적으로 커다란 의혹을 자아내게 하는 일부 사람들을 만났을 때, 그는 특히 불쾌감을 느끼는 것이었다. 장로의 암자에 몰려든 군중 사이에서, 아직도 이 수도원에 머무르고 있는 오브도르스크의 수도사라든가 라키친 같은 사람의 모습을 발견했을 때, 파이시 신부는 혐오감 같은 것을 느꼈다. (하기는 그때 곧 그러한 자기 자신을 꾸짖기는 했지만) 그리고 이러한 의미에서의 요주의要注意 인물은 비단 이 두 사람만이 아니었음에도 불구하고, 어쩐지 갑자기 그 두 사람이 수상한 인물이라는 생각이 들었다.

오브도르스크의 수도사는 흥분한 군중 사이에서도 가장 눈에 띄게 수선을 떨고 다녔다. 그의 모습은 어느 곳, 어느 장소에서나 볼 수 있었다. 그는 어디서나 질문을 연발하고, 어디서나 귀를 기울이고, 어디서나 무슨 비밀이라도 지닌 것 같은 태도로 사람들과 소곤거리고 있었다. 그 얼굴은 몹시 초조한 빛을 띠고, 자기의 기대가 빨리 실현되지 않는 데 짜증이라도 부릴 것 같은 표정이었다.

한편 라키친으로 말하면, 이것은 나중에 알게 된 일이지만, 호흘라코바 부인의 특별한 부탁을 받고 그처럼 일찍부터 암자에 들어왔던 것이다. 마음씨는 좋지만, 무슨 일에나 주견이 없는 호흘라코바 부인은, 자기가 직접 암자에 들어갈 수는 없었으므로, 그날 아침잠이 깨어 조시마 장로가 죽었다는 소식을 듣자, 갑자기 참을 수 없는 호기심에 사로잡혀 자기 대신 라키친을 급히 암자로 보내어, '거기서 일어나는 모든 일'을 샅샅이 관찰하여 30분마다 편지로 보고하도록 당부했던 것이다. 부인은 라키친을 더없이 결백하고 신앙이 두터운 청년으로 생각하고 있었다……. 그만큼 그는 교묘하게 모든 사람의 비위를 맞출 줄 알았고, 조금이라도 자기에게 이로울 성싶으면 상대방이 누구건 그 사람의 마음에 들도록 되어 보이는 재능을 지니고 있었다.

하늘은 맑게 개어 태양이 눈부시게 빛나고 있었다. 참배자들의 대부분은 암자 근방의 무덤 주위에 몰려와 있었다. 무덤들은 주로 성당 근처에 많았으나, 암자의 경내에도 여기저기 흩어져 있었다. 암자 주위를 돌아보다가 파이시 신부는 문득 알료샤 생각이 났다. 날이 새기 전부터 꽤 오랫동안 그의 모습이 눈에 띄지 않았었다. 그러나 여기에 생각이 미치는 것과 거의 때를 같이하여, 파이시 신부는 암자 뜰 구석진 울타리 옆에 알료샤가 있는 것을 발견했다. 옛날에 여러 가지 고행으로 이름이 알려졌던 어떤 수도사의 묘석 위에 알료샤는 앉아 있었다. 그는 암자 쪽으로 등을 돌리고 울타리를 향해 앉아 있었기 때문에, 마치 묘비 뒤에 몸을 숨기고 있는 것같이 보였다. 그 옆으로 가까이 다가간 파이시 신부는 그가 두 손으로 얼굴을 가리고 온몸을 떨면서 소리도 없이 흐느끼고 있는 것을 보았다. 파이시 신부는 잠시 그 옆에 서 있었다.

"이젠 그만둬라, 알료샤. 자아, 그만 울어." 이윽고 그는 감동 어린 어조로 입을 열었다. "울긴 왜 우니? 슬퍼해야 할 게 아니라 기뻐해야 할 때가 아니냐? 오늘이 '그분'에겐 가장 위대한 날이라는 걸 너는 모르느냐? 지금 이 순간에 그분이 어디 계신 지 그걸 한번 생각해 보렴!"

알료샤는 어린애처럼 울어서 퉁퉁 부은 얼굴에서 손을 떼고 흘끗 그를 쳐다보았으나, 말 한마디 못 하고 곧 얼굴을 돌리더니, 다시 두 손으로 얼굴을 가려 버렸다.

"하긴, 그게 좋을는지 모르겠다." 파이시 신부는 생각에 잠기는 듯한 어조로 말했다. "어쩌면 그렇게 우는 편이 좋을지도 몰라. 그 눈물은 그리스도께서 너한테 보내 주신 것일 테니까."

'너의 비통한 눈물은 단순한 정신적인 위안에 지나지 않는 것이지만, 그래도 너의 사랑스러운 마음을 가볍게 해 주는 데 도움이 될 게다.' 그는 알료샤의 옆을 물러나, 애정 어린 마음으로 이 청년을 생각하면서 마음속으로 이렇게 덧붙였다. 그러나 그는 급히 그 자리를 떠났다. 알료샤를 보고 있으려니까 자기도 울음이 터져 나올 것같이 느꼈기 때문이다. 그러는 사이에 시간은 흘러갔다. 고인을 위한 수도원의 의식과 미사는 순서에 따라 진행되어 갔다. 파이시 신부는 관 옆에 붙어 있던 이오시프 신부와 교대하여 복음서의 낭송을 계속했다.

그러나 오후 세 시가 채 못 되어 전편前篇 끝머리에서 이미 언급한 바와 같은 사건이 발생하였던 것이다. 누구 한 사람 예기치 못했던 이 사건은 사람들의 기대와는 정반대되는 것이었기 때문에, 거듭 되풀이하거니와, 여기 대한 상세하고도 어리석기 짝이 없는 이야기는 지금까지도 읍내는 물론 이 지방 일대에서 마치 어제 일처럼 화제에 오르고 있는 형편이다. 여기서 또 한 번 나 자신의 개인적인 의견을 말해 두기로 하겠다. 나는 사람들의 마음을 미혹하게 하는 이 어처구니없는 사건을 상기할 때마다 거의 혐오에 가까운 감정을 느끼지 않을 수 없다. 더욱이 이 사건은 실제에 있어 아무런 의미도 없는 지극히 자연스러운 일이었던 것이다. 따라서 이것이 이 소설의 주인공인 (하기는 '미래의' 주인공이기는 하지만) 알료샤의 마음과 영혼에 그렇게까지 강력한 영향을 주지만 않았더라도, 나는 물론 이 사건에 대해서는 한마디도 언급하지 않고 그냥 이야기를 진행시켰을 것이다. 사실 이 사건은 그의 정신생활에 하나의 전환기를 이루었고, 그의 이성에 강한 충격을 주었을 뿐만 아니라, 한평생 변함없는 어떤 확고한 목적을 그에게 부여했던 것이다.

그건 그렇고, 하던 얘기를 다시 계속하기로 하자. 아직 날이 새기 전에 매장 준비를 끝낸 장로의 유체를 입관하고, 전에 방문객들을 위한 응접실로 사용되던 옆방으로 옮겨 놓았을 때, 관 옆에 붙어 있던 사람들 사이에, 창문을 열어 놔야 할 것인가, 어떤가 하는 의문이 떠올랐다. 그러나 누군가가 무의식중에 입 밖에 낸 이 물음에 응하는 사람은 아무도 없었고, 그래서 거의 묵살되어 버렸었다. 혹시 그 자리에 있던 몇몇 사람이 이 물음에 유의했는지는 모르지만, 그렇더라도 그것은 다만 다음과 같은 뜻으로 해석한 데 지나지 않았을 것이다—즉 이와 같은 성자의 유체가 썩거나 악취를 발할지 모른다고 생각한다는 것은 도저히 있을 수 없는 일이며, 그러한 의문을 품는 사람의 신앙의 부족과 천박성은 (냉소는 아닐지라도) 연민을 받아 마땅하다는 것이었다. 그도 그럴 것이 그들은 정반대되는 일을 기대하고 있었기 때문이다.

그런데 정오가 지나서 얼마 되지 않아 이상한 징조가 나타나기 시작했다. 관이 안치된 방 안에 드나들던 사람들은 자기 마음속에서 고개를 쳐들기 시작한 의혹을 처음엔 말없이 가슴속에 감추고, 상대방이 누구건 남에게 말하는 것을 몹시 꺼리고 있는 눈치였다. 그러나 오후 세 시경에는 그것이 너무나 분명해져서 더 이상 부정할 수 없을 만큼 되었기 때문에, 이 소식은 곧 암자 전체에 퍼져 참배자들 사이에 알려졌고, 순식간에 수도원으로 전해져서 모든 수도사들을 놀라게 한 다음, 마침내는 짧은 시간 내에 읍내에까지 퍼져, 신앙의 유무를 막론하고 모든 사람을 흥분의 도가니 속으로 몰아넣었다. 불신자들은 춤을 출 듯이 기뻐했지만, 신자들 중에도 오히려 불신자 이상으로 기뻐한 자들이 있었다. 그것은 고인이 된 장로가 일찍이 자기의 훈계 중에서 말한 바와 같이 '사람이란 올바른 자의 타락과 치욕을 기뻐하는 법'이기 때문이다.

까닭인즉, 관 속에서 조금씩 썩는 냄새가 나기 시작하더니, 시간이 경과함에 따라 더욱 심해져서, 오후 세 시경에는 누구나 뚜렷이 그것을 느낄 수 있게 되었던 것이다. 이것으로 하여 사람들 사이에서, 심지어는 수도사들 사이에서까지 즉각적으로 야기된, 점잖지 못한 소동과 추태는, 이 수도원의 과거 역사 전체를 들추어 봐도 찾아볼 수 없는, 아니, 상상조차 할 수 없는 일이었다. 다른 사람의 경우였다면 아마 이런 일은 절대로 일어나지 않았을 것이다. 그로부터 몇 해가 지난 후의 일이지만, 수도원 내에서도 지각 있는 몇몇 수도사들은 이날 하루 일을 상세히 상기해 보고는 어째서 그 수치스러운 사건이 그렇게 극도에까지 도달했을까, 하고 새삼 놀라움과 공포를 느꼈던 것이다. 사실 그전에도 엄한 계율 밑에서 경건한 생활을 함으로써, 모든 사람한테 인정받은 수도사나, 신앙심이 유달리 강한 장로가 죽었을 때, 그 겸허한 관 속에서 부취腐臭가 새어 나온 일이 종종 있었다. 그것은 모든 시체에서 볼 수 있는 지극히 자연스러운 현상이지만, 아무튼 그때는 수치스러운 소동은 고사하고 약간의 동요조차 나타난 적이 없었다. 물론 이 수도원에서도 오랜 옛날에 세상을 떠난 수도사 중에서 부취가 나지 않았다고 전해 내려오는 사람이 있기는 하다. 그런 사람에 관한 기억은 아직도 수도원 내에 생생하게 남아서 수도사들에게 감동적이고 신비적인 영향을 주어, 일종의 기적적인 사실로서, 그들의 가슴속에 간직되어 있었다. 즉 하느님의 뜻에 따라 때가 이르면 더욱 위대한 영예가 반드시 그 무덤에서 나타날 것이라는 하나의 약속처럼 생각되었던 것이다.

그러한 사람들 중에서, 특히 기억에서 사라지지 않고 남아 있는 수도사로는,

백다섯 살까지 살았다는 이오프 장로가 있다. 이 사람은 벌써 오래전에, 그러니까 19세기 십 년대에 세상을 떠난 유명한 고행자로서, 단식과 침묵을 엄격하게 지킨 것으로 알려져 있었는데, 처음으로 이 수도원을 방문하는 순례자들은 예외 없이 특별한 존경과 더불어 그의 무덤에 안내되어 이 무덤에 그 어떤 위대한 기적이 기대되고 있다는 신비적인 암시를 듣게 마련이었다. (그것은 그날 아침에 알료샤가 앉아 있는 것을 파이시 신부가 발견했던 바로 그 무덤이었다) 수도원 내에 생생하게 살아 있는 또 하나의 기억은, 수도사제 바르소노피 장로에 관한 것인데, 그는 죽은 지 얼마 안 되는 위대한 고행자로, 조시마 장로가 장로직을 물려받은 것도 바로 이 사람한테서였다. 그는 생존 시에 수도원을 찾아오는 순례자들에게 그야말로 '신들린 사람'으로 인정되고 있었다. 이 두 사람에 대해서는 다음과 같은 전설이 남아 있다. 그들은 관 속에 누였을 때에도 마치 살아 있는 사람처럼 얼굴이 환하게 빛났고, 장례 때에도 전혀 부패한 것 같지 않았다는 것이다. 개중에는 그 유체에서 향기까지 풍겼다고 주장하는 사람도 있었다.

비록 이러한 감격적인 기억들이 남아 있다고 하더라도, 조시마 장로의 관 옆에서 그처럼 경솔하고 어리석고 악의에 찬 소동이 일어난 직접적인 원인을 설명하기란 용이한 일이 아니다. 나의 개인적인 의견을 말한다면, 여기에는 각각 다른 여러 가지 원인이 한데 겹쳐서 그것이 동시에 작용했다고 봐야 할 것 같다. 예를 들면 그러한 원인 중에는 장로 제도를 해로운 새 제도라고 생각하는 뿌리 깊은 반감을 들 수 있는데, 이것은 수도원 내의 많은 수도사들의 마음속 깊이 숨어 있었다. 그리고 더욱 중요한 것은 성자로서의 고인의 신성한 지위에 대한 시기였다. 이것은 장로가 살아 있을 때부터 확고부동한 것으로 되어 버렸기 때문에 아무도 이론異論을 제기할 수 없게 되어 있었던 것이다. 고인이 된 장로는 기적적인 힘이라기보다는, 오히려 사랑의 힘으로 많은 사람의 마음을 끌어, 자기를 사랑하는 사람들로 자기 주위에 하나의 세계라고도 할 수 있는 것을 이루고 있었으나, 그럼에도 불구하고, 아니, 오히려 그 때문에 그를 시기하는 사람, 반대하는 사람도 적지 않게 나타났다. 개중에는 공공연하게 반감을 드러내 보이는 자가 있는가 하면, 뒷구멍으로 몰래 쑥덕거리는 자도 있었다. 이러한 반대자들은 비단 수도원뿐만 아니라 일반 사회에도 있었던 것이다. 장로는 누구에게도 해를 끼친 일이 없었으나, 그래도 그들은 '무엇 때문에 그가 그렇게까지 성인 대접을 받아야 하나?'라고 말하는 것이었다. 이 한 가지 의문만이 점점 빈번히 되풀이된 결과 마침내는 끝없는 증오의 심연이 이루어지고 말았다. 장로가 죽은 지 하루도 되기 전에 그렇게도 빨리 그의 유체에서 썩는 냄새가 풍기는 것을 보고 많은 사람들이 형언할 수 없는 기쁨을 느낀 이유가 바로 여기에 있다고 나는 생각한다. 이와 동시에, 여태까지 장로를 열렬히 존경하던 사람들 중에서도 이 사건으로 하여 수치를 느끼고, 마치 개인적인 모욕이라도 당한 것처럼 생각한 사람이 몇 사람이나 나타났다. 사건은 다음과 같은 순서로 전개되었던 것이다.

유체가 썩기 시작했음이 드러나자, 고인이 된 장로의 암자에 들어오는 수도사들의 얼굴만 보아도, 그들이 무엇 때문에 들어왔는지 대번에 알아챌 수 있게 되었다. 그들은 방 안에 들어와서 잠시 머물러 있다가는, 밖에서 떼 지어 기다리고 있는 다른 동료들에게 한시바삐 사실을 확증하기 위해 황급히 달려 나가곤 했다. 밖에서 기다리고 있는 사람들 중에는 수심에 잠기는 듯 고개를 설레설레 젓는 자도 있었으나, 그 밖의 사람들은 악의를 품은 눈길 속에 노골적으로 빛나기 시작한 기쁨의 빛을 숨기려고 하지 않았다. 그리고 이제는 아무도 그것을 나무라거나, 거기 대해 항의하려 하지도 않았다. 이것은 참으로 기이한 일이 아닐 수 없었다. 무엇보다 수도사들의 대다수가 죽은 장로에게 여태껏 존경을 바쳐오지 않았던가. 그러나 이번엔 필시 하느님께서 소수자에게 일시적인 승리를 내리셨음이 틀림없었다.

얼마 후에는 수도사 이외의 일반 민간인들도 형편을 탐지하려고 암자 안에 들어오기 시작했는데, 그것은 주로 교육 받은 조문객들이었다. 평민 계급에 속한 사람들은 암자 입구에 와글거리고 있기는 했으나, 안으로 들어오는 자는 별로 없었다. 오후 세 시가 지나자 일반 참배자들의 수가 눈에 띄게 격증했는데, 이것은 그 유혹적인 소문을 전해 들었기 때문임이 분명하였다. 여느 때 같으면 이런 날 수도원을 찾아올 리 만무한 사람들, 그런 생각조차 하지 않을 사람들까지도 일부러 마차를 몰고 달려오는 것이었다. 그중에는 높은 지위에 있는 저명인사들도 몇 사람 끼어 있었다. 그래도 표면상의 예의만은 아직 지켜지고 있었다. 파이시 신부는 엄한 표정을 짓고 확고한 어조로 한마디 한마디 힘을 금세 주며 계속해서 복음서를 낭송하고 있었다. 그는 벌써부터 무언가 이상한 일이 일어나고 있다는 것을 눈치채고 있었지만, 주위에서 일어나는 일에 무관심한 것 같은 태도를 취하고 있었다. 그러나 마침내는 사람들의 수군거림이 그의 귀에까지 들어가게 되었다. 그것은 처음엔 낮은 소리였던 것이 점점 높아지고 대담해져 갔다.

"이건 하느님의 심판이 인간의 판단과는 같지 않다는 걸 보여 주는 것이다!"라는 말소리가 갑자기 파이시 신부의 귀에 들어간 것이다. 이런 말을 제일 먼저 입 밖에 낸 것은, 착실한 신앙가로 알려진, 나이가 지긋한 읍내의 어느 관리였다. 그러나 이것은 벌써부터 수도사들이 서로 소곤거린 말을 큰 소리로 되풀이한 데 지나지 않았다. 수도사들은 벌써부터 이런 절망적인 말을 입에 올리고 있었는데, 무엇보다 좋지 않은 것은, 이런 말을 입에 올릴 때마다 일종의 승리감 같은 것이 얼굴에 나타나, 그것이 시시각각으로 뚜렷해져 갔다는 점이다. 그런데 얼마 후에는 표면상의 예의조차 무시되기 시작했다. 마치 그것을 무시할 권리가 자기에게 부여되기라도 한 것같이 사람들은 생각하는 모양이었다.

"그런데 어째서 이런 일이 일어나게 되었을까?" 수도사들 중에는 처음엔 동정하는 것 같은 어조로 이렇게 말하는 자들이 있었다. "뼈가 앙상할 정도로 바싹 마른 작달막한 몸집인데 대체 어디서 썩는 냄새가 나는 걸까?"

"이건 하느님께서 일부러 우리들에게 보여 주시려 한 것임이 틀림없어" 하고 다른 수도사들이 얼른 말을 받았다. 그리고 이 의견이 아무런 이의도 없이 즉석에서 받아들여졌다. 비록 그러한 냄새가 어느 누구의 시체에서나 볼 수 있는 자연적인 현상이라고는 하지만, 아무리 죄 많은 사람들의 시체일지라도, 썩는 냄새가 나는 것은 좀 더 시간이 경과한 후의 일이며, 적어도 일주야는 지나야 하는 것인데, 이것은 누가 보아도 지나치게 빠르지 않은가. 이것은 분명히 '자연을 초월한 것'이므로, 여기에는 반드시 하느님의 뜻이 작용했다고 보아야 한다는 것이 그들의 의견이었다. 이 의견은 부정할 수 없는 힘을 가지고 사람들의 마음에 충격을 주었던 것이다.

고인의 사랑을 받아 온 도서 담당 수도사인 이오시프 신부는, 평소엔 무척 온순한 사람이었으나, 이러한 몇몇 독설가들을 향해 "언제 어떠한 경우에나 똑같으리라는 법은 없지 않으냐"고 반박을 시도했다. 즉, '성자의 유체는 썩지 않는다'라는 것은 하나의 의견에 불과할 뿐 결코 정교회의 교의敎義라고는 할 수 없다는 것이었다. 정교가 가장 널리 전파된 나라, 예컨대 아도스 같은 곳에서도 시체 썩는 냄새가 난다 해서 이렇게 소동을 일으키는 일은 없다. 그리고 구원을 받은 자의 가장 큰 영예의 표적은 그 시체가 썩지 않는다는 것이 아니라, 시체가 여러 해 동안 땅속에 묻혀 완전히 썩어 버린 후의 그 뼈의 빛깔인 것이다. "만일에 뼈가 밀초처럼 노랗게 되어 있으면 하느님께서 죽은 사람을 의인으로서 축복하셨다는 가장 위대한 표적인 것이고, 만일에 뼈의 빛깔이 거무죽죽하게 되어 있으면 하느님께서 그 사람에게 영예를 내리시지 않았다는 것을 의미한다. 이것이 옛날부터 광명과 순결 속에서 확고하게 정교회를 지켜 온 위대한 성지聖地 아도스 사람들의 신조인 것이다"라고 이오시프 신부는 결론을 내렸다.

그러나 이 온순한 신부의 말은 아무런 효과도 거두지 못했을 뿐만 아니라, 오히려 조소적인 반항을 불러일으켰다. "그런 건 모두 새 것이라면 무턱대고 따르려 드는 엉터리 학자의 수작이니까 들을 필요도 없다" 하고 수도사들은 제멋대로 단정해 버렸다. "우리는 옛날부터 내려오는 교리를 따르면 그만이야. 요즘은 새로운 주장이 하도 나타나서 어디 그것을 일일이 따를 수가 있어야지" 하고 다른 수도사들이 부언했다.

"우리 러시아에도 아도스에 못지않은 훌륭한 성인들이 얼마든지 있었다. 아도스는 터키인들의 지배 하에서 모든 것을 다 잊어버린 것이다. 거기서는 벌써 오래전에 정교가 순수성을 상실하고 말았어. 첫째, 그들에겐 종鐘도 없지 않으냐" 하며 가장 냉소적인 자들은 이렇게 맞장구를 쳤다.

이오시프 신부는 서글픈 마음으로 그들에게서 물러갔다. 그 자신도 자기가 표명한 의견에 그다지 자신이 없었고, 어조 역시 확고한 것이 못 되었으므로 더욱 서글퍼지는 것이었다. 그러나 무언가 매우 온당치 못한 일이 벌어지고 있으며, 이미 공공연한 반항의 징조가 엿보이기 시작한 것을 알아채고는, 마음속에 적지 않은 혼란을 느꼈다. 이오시프 신부가 논박을 시도한 후로는 일부 수도사들의 신중론도 차차 자취를 감춰 버리게 되었다. 그리고 조시마 장로를 사랑했고, 장로 제도의 확립을 진심으로 받아들였던 모든 사람들은 갑자기 기가 죽어, 어쩌다 서로 만나는 일이 있어도 겁먹은 듯이 상대방의 눈치만 살피게 되었다. 한편 장로 제도를 실정에 맞지 않는 새로운 것이라 하여 반대해 온 자들은 의기양양하게 고개를 쳐들고 다녔다. "바르소노피 장로가 돌아가셨을 때는, 썩는 냄새가 나기는커녕 좋은 향내가 났었지." 그들은 악의에 찬 표정으로 이런 소리를 하는 것이었다. "그분은 장로라는 지위에 있었기 때문이 아니라, 스스로 올바른 길을 걸었기 때문에 그런 영광을 받았던 거야."

이런 말에 이어서 이번엔 조시마 장로를 비판하고 비난하는 소리까지 들리기 시작했다. "그 사람의 가르침은 옳지 않은 것이었어. 그 사람의 가르침에 의하면 인생은 눈물에 찬 인종忍從이 아니라, 위대한 기쁨이라는 거야." 그중에서도 무식한 자들은 이런 말을 했다. "그 사람의 신앙은 요즘의 유행을 따른 것으로, 물질적인 지옥 불을 인정하지 않았다 하더군." 더한층 지각없는 자들은 이렇게 맞장구를 쳤다. "그리고 단식도 그리 엄격하게 지키지는 않았어. 단 음식도 마음대로 먹었고, 차와 함께 버찌 잼도 먹었는데, 특히 그것을 좋아했기 때문에 귀부인들이 언제나 보내 주곤 했었지. 고행자가 차를 마시다니, 어디 있을 법이나 한 일인가?" 장로를 시기하는 자들의 입에서 이런 말이 흘러나왔다. "잔뜩 거드름 피우고 앉아서 말이야" 하고 가장 짓궂은 기쁨을 느끼는 자들은 냉혹하게 뇌까렸다. "자기가 무슨 성인이나 된 것처럼 사람들이 자기 앞에 무릎을 꿇는 것을 지극히 당연하다는 태도로 대하고 있었거든." "그 사람은 참회의 비밀을 남용했어." 장로 제도의 가장 맹렬한 반대자들은 악의에 찬 어조로 이렇게 수군거렸다. 더욱이 이들은 수도사들 중에서도 가장 나이가 많은 편에 속하며, 신앙 면에서도 지극히 준엄하여 진정한 의미에서의 금욕과 침묵의 고행자라 할 수 있는 사람들이었다. 그들은 조시마 장로의 생존 시에는 아무 소리도 없다가 이제 와서야 갑자기 입을 연 것이다. 이것은 참으로 무서운 일이었다. 왜냐하면 그들의 말은 아직 확고한 신념을 지니지 못한 젊은 수도사들에게 강한 영향을 주었기 때문이다. 오브도르스크의 성聖 실리베스트로 수도원에서 온 수도사는 이러한 모든 말들을 열심히 듣고 다녔다. 그는 연방 깊은 한숨을 내쉬고 고개를 끄덕이며, '그러고 보니 어제 페라폰트 신부가 하신 말씀은 옳은 판단이었군' 하고 속으로 생각했다. 바로 그때 페라폰트 신부 자신이 이 자리에 나타난 것이다. 그것은 마치 사람들의 동요를 더욱 격화시키려고 일부러 나타난 것같이 생각될 지경이었다.

앞에서도 이미 얘기한 바 있지만, 페라폰트 신부가 양봉장養蜂場에 있는 자기의 목조 암자에서 나오는 것은 극히 드문 일이었다. 심지어는 성당에도 오랫동안 나오지 않는 것이 예사로 되어 있었지만, 수도원 당국에서는 그를 '신들린 사람'이라 하여 관대히 보아 주었으며, 수도사들에 대한 일반적인 규칙을 그에게만은 적용하지 않기로 하고 있었다. 그러나 사실대로 말한다면, 그에게 관대하게 대하는 것은 수도원 당국으로서도 부득이한 일이었다. 그도 그럴 것이, 밤낮을 가리지 않고 기도만 드리고 있는 (사실 잠을 잘 때도 무릎을 꿇은 채로 잤다) 위대한 금욕주의자이며 침묵의 고행자인 그를, 그 자신이 복종하기를 원하지 않는 이상 일반적인 규칙에 억지로 얽매이게 한다는 것은 오히려 온당치 못한 일이기 때문이다. 만일 수도원 당국이 그렇게 한다면 수도사들은 이렇게 말할 것이다. "그분은 우리 수도원에서 누구보다도 신앙이 두텁고, 규칙에 복종하는 것보다 몇 배나 어려운 고행을 하고 있지 않은가. 그분이 성당에 나오지 않는 것은, 자기가 성당에 나와야 할 때를 잘 알고 있기 때문이다. 그분에겐 그분 자신의 규칙이 있는 것이다." 이러한 불평이나 항의가 있을 것을 예견하고 수도원 당국에서는 페라폰트 신부를 관대하게 방임해 두고 있었던 것이다.

그가 조시마 장로를 몹시 싫어했다는 것은 이미 누구나가 다 알고 있는 일이었다. 그런데 갑자기 '하느님의 심판은 인간의 그것과는 다르다, 이건 자연을 초월한 것이다'라는 소식이 페라폰트 신부의 암자에까지 전해졌다. 이 소식을 전하려고 제일 먼저 그에게로 달려간 사람들 중에는, 그 전날 그를 방문했다가 공포에 싸여 그곳을 물러갔던 오브도르스크의 수도사도 끼여 있었다고 보아야 할 것이다.

이것 역시 앞에서 말한 바 있지만 파이시 신부는 태연자약한 태도로 장로의 관 옆에 붙어 서서 복음서를 낭송하고 있었다. 그는 암자 밖에서 일어나고 있는 일을 보지도 듣지도 못했지만, 그래도 중요한 점만은 모두 마음속으로 정확히 추측하고 있었다. 그는 주위 사람들의 마음을 속속들이 알고 있었던 것이다. 그는 조금도 당황한 빛을 보이지 않고 두려움 없이 앞으로 일어날 일을 기다리면서, 이미 그의 형안炯眼에 비치고 있는 이 소동의 경과를 예리한 눈으로 지켜보고 있었다.

바로 그때 출입문 쪽에서, 분명히 이 자리의 예절을 파괴하는 심상치 않은 소음이 갑자기 그의 귀에 들려왔다. 그러자 문이 활짝 열리며 페라폰트 신부가 문지방에 나타났다. 그 뒤를 이어 여러 명의 수도사들이 현관 층계 밑으로 몰려드는 것이 암자 안에서도 똑똑히 보였다. 그 속에는 수도사 이외의 민간인들도 섞여 있었다. 그러나 그들은 암자에 들어오거나 층계를 올라오거나 하지는 않고, 그 자리에 멈춰 선 채, 페라폰트 신부가 무슨 말을 하고, 무슨 짓을 할 것인지, 숨을 죽이며 기다리고 있었다. 그들은 금세 자기들 자신이 무례한 언동을 자행하고 있었음에도 불구하고, 신부가 여기 온 이상 필시 무슨 일이 일어나고야 말 것이라 생각하고 일종의 공포감마저 느꼈던 것이다. 페라폰트 신부는 문지방에 서서 두 손을 위로 쳐들었다. 그러자 그 오른팔 밑으로 오브도르스크에서 온 수도사의 호기심 어린 날카로운 조그만 눈이 번쩍 빛났다. 그는 강렬한 호기심을 억제하지 못하고 페라폰트 신부의 뒤를 따라 층계를 뛰어올라 온 유일한 인물이었다. 이와는 반대로 그 밖의 다른 사람들은 문이 요란한 소리를 내며 활짝 열리자, 갑자기 공포에 싸여 서로 밀치며 뒷걸음질을 쳤다. 페라폰트 신부는 두 손을 높이 쳐들더니 큰 소리로 외쳤다.

"내 너를 쫓고 또 쫓으리라!" 그러고는 곧 사방의 벽과 네 구석을 향해 십자를 긋기 시작했다. 그를 따라온 사람들은 페라폰트 신부의 이러한 행동이 무엇을 뜻하는 것인지 대번에 알아챘다. 그는 어떠한 곳에 들어갈 때도 반드시 이러한 동작으로 악마를 쫓아내기 전에는 앉지도 않고 말도 하지 않는다는 것을 그들은 알고 있었기 때문이다.

"사탄이여, 물러가라, 사탄이여, 물러가라!" 그는 십자를 그을 때마다 일일이 이렇게 되풀이했다. "내 너를 쫓고 또 쫓으리라!" 하고 그는 또다시 고함을 쳤다.

그는 여느 때와 마찬가지로 허름한 수도복에 새끼줄로 허리를 동여맨 옷차림을 하고 있었다. 삼베로 만든 내의 밑으로는 흰 털이 가득 난 가슴팍이 드러나 보였다. 발은 문자 그대로 맨발이었다. 그가 두 손을 내젓기 시작하자, 수도복 속에 매달고 다니는 무거운 철쇄가 요란스럽게 절그럭거렸다.

파이시 신부는 복음서 낭송을 멈추고 그에게 다가가더니 상대방의 행동을 주시하며 그 앞에 우뚝 섰다.

"무엇하러 오셨습니까? 신부님, 무엇 때문에 질서를 문란케 하는 겁니까? 무엇 때문에 온순한 양떼의 마음을 어지럽히느냐 말입니다." 준엄한 눈초리로 상대방을 응시하며 마침내 그는 이렇게 말했다.

"무엇하러 왔느냐고? 그걸 묻고 싶은가?" 페라폰트 신부는 신들린 사람에 특유한 어조로 외쳤다. "나는 너희들의 손님들을—요사스런 마귀 새끼들을 여기서 몰아내려고 온 거야. 어디 내가 없는 사이에 얼마나 많이 모여들었는지 조사해 볼까. 내가 그놈들을 자작나무 비로 쓸어내 버려야지."

"마귀를 몰아내겠다고 하십니다만, 신부님 자신이 어쩌면 그 마귀에게 봉사하고 있는지 모릅니다." 파이시 신부는 두려운 빛도 없이 말을 이었다. "도대체 '나야말로 성인이다'라고 스스로 말을 할 수 있는 자가 누구겠습니까? 신부님은 그렇게 말할 수 있겠습니까?"

"나는 성인이 아니야. 나는 더러운 인간이야. 따라서 안락의자에 앉지도 않고, 우상처럼 받들어 섬겨 주기를 원하지도 않아!" 하고 페라폰트 신부는 호통을 쳤다. "요즘 인간들은 신성한 신앙을 파괴하고 있어. 고인이 된 너희들의 성인은" 하고 그는 관을 가리키며 군중을 향해 소리쳤다. "마귀의 존재를 부정했어. 그는 마귀를 쫓기 위해 사람들에게 약 같은 걸 먹였지. 그래서 방 구석구석에 거미 새끼처럼 마귀들이 우글거리게 된 거야. 그리고 이번엔 자기 몸에서 고약한 냄새를 풍기기 시작했어. 여기에 우리는 하느님의 위대한 계시를 볼 수 있는 거야."

사실 조시마 장로의 생존 시에 그런 일이 한 번 있었던 것이다. 어떤 수도사 한 사람이 날마다 악마의 꿈을 꾸었는데, 나중에는 눈을 뜨고 있을 때도 그것이 눈앞에 나타나게 되었다. 그가 극도의 공포에 싸여 이 일을 조시마 장로에게 고백했더니, 장로는, 쉴 새 없이 기도를 드리고 열심히 재계齋戒를 지켜보라고 권했다. 그러나 그것으로도 아무런 효과가 없음이 밝혀지자 장로는 기도와 재계를 계속하는 한편, 어떤 약을 한 가지 복용해 보라고 권했다. 이 일로 하여 그 당시 많은 사람들이 의혹을 품고 고개를 갸웃거리며 서로 수군거렸는데, 그중에서도 페라폰트 신부가 특히 심했다. 그것은 장로를 비난하는 몇몇 사람이 지체 없이 그에게 달려가서 장로의 이 '심상치 않은' 지시를 보고했기 때문이었다.

"나가 주십시오, 신부님!" 파이시 신부는 명령조로 말했다. "심판은 하느님께서 하실 일이지 인간이 할 일이 아닙니다. 지금 우리가 여기서 보는 '계시'는 신부님이나 나나 그 밖의 누구도 이해할 수 없는 성질의 것일지 모릅니다. 어서 나가 주십시오, 신부님. 그리고 선량한 양떼의 마음을 이 이상 어지럽히지 마시기 바랍니다!" 하고 파이시 신부는 단호한 어조로 되풀이했다.

"그 사람은 수도사로서 마땅히 지켜야 할 재계를 지키지 않았기 때문에 이런 계시가 나타난 거야. 이건 너무나 명백한 일이므로 감추는 것이 오히려 죄가 될 지경이지!" 이미 이성을 잃고 극도로 흥분한 이 광신자는 좀처럼 진정하려 들지 않았다. "부인네들이 몰래 갖다 주는 달콤한 과자에 유혹되는가 하면, 차까지 마시고 있지 않았느냐 말이다. 그리하여 배는 단 것으로, 머릿속은 교만한 생각으로 가득 차 있었지……. 그래서 이런 수치를 당하게 된 거야."

"그건 너무나 경솔한 말씀입니다, 신부님!" 하고 파이시 신부도 언성을 높였다. "당신의 엄격한 재계와 여러 가지 고행에는 저도 경탄해 마지않습니다만, 그 경솔한 말씀은 속세의 젊은이들이 하는 것과 다를 게 없지 않습니까! 자, 어서 나가 주십시오, 신부님, 이건 명령이올시다!" 파이시 신부는 결론을 내리듯 큰 소리로 이렇게 외쳤다.

"나가라면 나가지!" 페라폰트 신부는 약간 당황한 눈치였으나, 그래도 적의를 품은 어조르 대꾸했다. "너희들은 모두 대단한 학자님들이시니까! 지식이 있다고 해서 하잘것없는 나 같은 인간은 높은 데서 내려다보고 있었을 테지. 나는 무식함을 무릅쓰고 이곳에 왔는데, 여기 와 보니 조금 알고 있던 것까지 죄다 잊고 말았어. 그렇지만 하느님께서 이 하잘것없는 나를 너희들의 그 대단한 학문으로부터 지켜 주신 거야."

파이시 신부는 단호한 태도로 그 옆에 버티고 서서 기다리고 있었다. 페라폰트 신부는 잠시 입을 다물고 있다가 갑자기 서글픈 표정을 짓더니 오른손으로 턱을 받치고, 죽은 장로의 관을 바라보고 노래하는 것 같은 어조로 말하기 시작했다.

"내일이면 이 사람을 위해 모두들 〈우리를 도와주시는 보호자〉[96]를 불러 줄 테지—참으로 훌륭한 노래야. 그러나 내가 죽으면 기껏해야 〈지상의 기쁨〉[97]이나 불러 줄 거야." 그는 울먹이는 소리로 애처롭게 말했다. "게다가 거드름을 피우며 우쭐거리기까지 했으니……. 오오, 허황된지고!" 별안간 그는 미친 사람처

96 수도사제의 장례 때 부르는 성가.

97 평수도사의 장례 때 부르는 성가.

럼 이렇게 외치며 손을 한 번 휘두르더니 홱 돌아서서 쏜살같이 층계를 달려 내려갔다. 밑에서 기다리고 있던 군중은 갑자기 동요하기 시작했다. 어떤 사람들은 곧 그의 뒤를 쫓아갔으나, 또 어떤 사람들은 그 자리에서 그냥 머뭇거리고 있었다. 암자 문이 아직 그대로 열려 있는 데다가, 파이시 신부가 페라폰트 신부를 뒤쫓아 현관 앞까지 나와서 그의 거동을 지켜보고 서 있었기 때문이다. 그러나 극도로 흥분한 이 늙은이의 행동은 그것으로 끝난 것은 아니었다. 암자에서 스무 걸음쯤 걸어가더니, 그는 갑자기 저물어 가는 태양을 향해 걸음을 멈추고 두 손을 높이 쳐들었다. 순간 누구한테 발목을 잘리기라도 한 것처럼 그는 무서운 소리를 외치며 땅 위에 엎드렸다.

"우리 주는 이기셨도다! 그리스도는 저물어 가는 태양에 이기셨도다!" 태양을 향해 두 손을 뻗으면서 그는 미친 듯이 외치더니 땅에 얼굴을 대고 어린애처럼 소리를 내어 울기 시작했다. 그러고는 두 팔을 벌려 땅 위에 내던진 채 온몸을 떨며 흑흑 느껴 우는 것이었다. 이렇게 되자 군중은 한 사람도 남김없이 그에게로 달려갔다. 그에게 공명하는 오열 소리와 환희의 외침이 울려 퍼졌다……. 일종의 광란 상태가 모든 사람을 휩쓸었던 것이다.

"이분이야말로 성인이시다! 이분이야말로 의인이시다!"라는 환호성이 이제는 두려움 없이 사람들의 입을 뚫고 터져 나왔다. "이분이야말로 장로의 자리에 앉으셔야 할 분이시다!" 분노를 품은 다른 목소리가 이렇게 덧붙였다.

"이분은 그런 자리에 앉지 않으실 거야……. 자기 쪽에서 먼저 거절해 버리실걸……. 저주 받을 새 제도에 봉사하실 리가 있나……. 어리석은 자들의 흉내를 내실 리는 만무하지." 또 다른 목소리가 이렇게 말을 받았다. 이대로 내버려 두었다가는 어디까지 갈지 상상조차 할 수 없을 지경이었으나, 마침 그때 저녁 기도 시간을 알리는 종소리가 울려왔다. 모두들 황급히 성호를 긋기 시작했다. 페라폰트 신부도 일어나서 연거푸 성호를 그으며 자기 암자 쪽을 향해 뒤도 돌아보지 않고 걸어갔다. 그러면서 전혀 갈피를 잡을 수 없는 소리를 여전히 외치고 있었다. 몇 사람만이 그의 뒤를 따라갔을 뿐 대부분의 사람들은 흩어져서 저녁

기도식으로 달려갔다. 파이시 신부는 복음서 낭송을 이오시프 신부에게 부탁하고 자기는 층계 밑으로 내려왔다. 늙은 광신자의 흥분한 외침 따위 때문에 자기 신념의 동요를 느낄 그가 아니었지만, 어쩐지 갑자기 마음이 서글퍼지며 무언가 딴 일에 마음이 끌리는 것이었다. 파이시 신부 자신도 그것을 느끼고 있었다. 그는 걸음을 멈추고 불쑥 자기 자신에게 물어보았다. '내가 이렇게 낙담이라 할 만큼 서글픔을 느끼는 까닭은 무엇일까?' 그 순간, 이 갑작스러운 슬픔이 대수롭지 않은 특수한 사실에 기인한다는 것을 깨닫고 그는 적이 놀라지 않을 수 없었다. 그것은 다름 아니라, 암자 출입문 앞에 모여 든 흥분한 군중 속에 알료샤의 모습이 눈에 띄었었는데, 그는 이 청년을 발견하자마자 자기 마음속에 어떤 아픔 같은 것을 느꼈던 일이 이제 와서 생각났기 때문이었다. '과연 그 젊은이가 내 마음에 그처럼 커다란 의미를 가지고 있는 것일까?' 그는 한층 더 놀라 스스로 이렇게 물어보았다.

이때 마침 알료샤가 옆을 지나갔다. 어디론지 급히 가는 것 같았으나, 성당 쪽으로 가는 것은 아니었다. 두 사람의 눈이 마주쳤다. 알료샤는 얼른 시선을 돌려 눈을 내리깔았다. 이 젊은이의 태도만으로도 파이시 신부는 그의 마음속에 지금 급격한 변화가 일어나고 있다는 것을 알아챌 수 있었다.

"너까지 유혹에 빠졌느냐?" 파이시 신부는 느닷없이 외쳤다. "그래, 너도 저 신앙이 부족한 인간들과 한패란 말이냐?" 하고 그는 슬픈 어조로 덧붙였다.

알료샤는 걸음을 멈추고 흐릿한 표정으로 파이시 신부를 흘끗 쳐다보더니, 또 다시 시선을 돌려 아래로 눈을 내리깔았다. 그는 신부에게 외면을 한 채 엇비슷이 서 있었다. 파이시 신부는 주의 깊게 상대방을 관찰하고 있었다.

"어디로 그렇게 급히 가는 거냐? 기도식 종이 울리고 있는데" 하고 그는 또 물었다. 그러나 알료샤는 이번에도 대답이 없었다.

"아니면 암자를 나가 버리려는 거냐? 그렇다면 허가도 받지 않고 축복도 빌지 않는 건 드 무엇 때문이지?"

알료샤는 갑자기 입을 일그러뜨리며 히죽 웃더니, 말할 수 없이 이상한 눈으로 상대방을 쳐다보았다. 이 신부로 말하면, 그의 마음과 두뇌의 지도자이며 지배자였던 경애하는 장로로부터 임종 때 그의 장래의 지도를 위임받은 바로 그 당자가 아니었던가. 알료샤는 여전히 아무 대꾸도 없이 상대방에게 경의를 표시할 생각조차 하지 않는 듯이 갑자기 한 손을 내젓고는 암자에서 밖으로 나가는 문을 향해 급히 걸음을 옮겼다.

"다시 돌아오겠지!" 슬픔과 놀라움에 싸여 그의 뒷모습을 바라보며 파이시 신부는 중얼거렸다.

2. 이러한 순간

파이시 신부가 자기의 '귀여운 소년'이 조만간 다시 돌아오리라고 생각한 것은 물론 잘못된 판단이 아니었을뿐더러, 알료샤의 정신 상태의 참된 의미를 (완전하다고는 할 수 없어도 어쨌든 예리한 눈으로) 통찰했다고 해도 무방할 것이다. 그러나 솔직히 말한다면, 내가 사랑해 마지않는 이 젊은 주인공의 생애에 있어서의 이와 같은 기이하고 막연한 순간이 가지는 의의를 지금 여기서 정확히 전한다는 것은 지극히 어려운 일이 아닐 수 없다. 알료샤에게 던져진 질문―"그래 너도 저 신앙이 부족한 인간들과 한패란 말이냐?"라는 파이시 신부의 슬픈 질문에 대해서, 나는 물론 알료샤를 대신하여, "아니, 그는 신앙이 부족한 인간들과 한패가 아니다"라고 자신 있게 대답할 수 있을 것이다. 사실 여기에 대해서는 정반대로 해석하는 편이 옳을 지경이다. 즉, 그의 마음의 동요는 그의 신앙이 지나칠 만큼 두터웠기 때문에 일어난 것이었다. 그러나 어쨌든 동요가 일어난 것만은 사실이다. 그리고 그 동요는 그 후 상당한 시일이 경과한 후에도, 알료샤 자신이 이 슬픈 하루를 자기 생애에서 가장 괴로운 숙명적인 날의 하나로 기억할 만큼 가슴 아픈 것이었다.

그러나 만일 누가 단도직입적으로, "그의 마음에 그러한 비애와 불안이 발생한 것은, 장로의 시체가 곧 중병환자의 병을 낫게 하는 기적을 나타내는 대신에, 기대했던 것과는 반대로 너무나 빨리 부패하기 시작했기 때문이 아닌가?" 라고 묻는다면, 나는 서슴지 않고 "그렇다, 그것은 사실이다"라고 대답할 것이다. 나는 다만 너무 성급히 나와 젊은 주인공의 순결한 마음을 비웃지 말아 주기를 독자에게 간청하고 싶을 뿐이다. 그러나 필자인 나 자신으로 말하면, 그를 위해 용서를 빌 생각도 없거니와, 그의 단순하고 소박한 신앙을, 그의 나이가 아직 어리다거나 그가 습득한 학문이 변변치 못하다거나 하는 따위 이유를 들어 변명할 생각은 추호도 없을뿐더러, 오히려 그와는 반대로, 나는 그의 천성天性을 진심으로 존경하고 있다는 것을 여기서 분명히 말해 두고 싶다. 물론 세상에는 정신적인 여러 가지 인상을 신중하게 받아들이며, 사람을 사랑하는 태도 역시 열렬하지 못하고 뜨뜻미지근하며, 그 지성 또한 정확하기는 하지만 나이에 비해 지나치게 빈틈없는 (따라서 값싸게 보이는) 청년이 없는 것은 아니다. 이러한 청년이라면 나의 주인공의 마음에 일어난 것과 같은 일을 회피할 수도 있었을 것이다. 그러나 경우에 따라서는 비록 분별없는 짓이라 하더라도, 위대한 사랑에서 끓어오르는 감격에 몰두하는 편이, 전혀 냉담한 것보다는 훨씬 훌륭할 때가 있는 것이다. 청년 시대에는 특히 그렇다. 왜냐하면 언제나 지나치게 빈틈없는 청년은 어쩐지 믿음성이 없어 보이며, 따라서 가치 있는 인간이라고는 볼 수 없기 때문이다—이것이 나의 견해이다!

"그렇지만" 하고 분별 있는 사람들은 기를 쓰고 대들 것이다. "세상의 청년들 모두가 그러한 편견을 믿을 수는 없을뿐더러, 당신의 젊은 주인공이 반드시 만인의 모범이라고 할 순 없지 않은가." 여기 대하여 나는 또다시 이렇게 대답하겠다—"그렇다, 나의 주인공은 믿고 있었다. 신성불가침의 것으로 믿고 있었다. 그래도 역시 나는 그를 위해 용서를 빌지는 않겠다"라고.

위에서 나는 주인공을 위해 사죄를 하거나 변명을 하지 않겠다고 언명한 바 있지만, (하기는 너무 조급히 말한 것인지도 모른다) 앞으로의 이야기를 이해하는 데 도움이 되도록 다소의 설명을 첨가할 필요가 있을 것 같다. 내가 말하고 싶은 것은, 문제는 결코 기적에 있는 것이 아니라는 점이다. 즉 기적에 대한 경솔한 기대 때문에 그가 초조감을 느낀 것은 결코 아니었던 것이다. 그리고 그때 알료샤에게 기적이 필요했던 것은 어떤 신념의 승리를 위해서가 아니었다. (절대로 그게 아니다. 또한 전부터 그의 마음속에 자리 잡고 있던 어떤 관념이 대번에 다른 관념을 압도하기를 원했기 때문도 아니었다—오오, 그게 아니다. 절대로 그런 게 아니다!) 여기서 뭣보다도 먼저 그의 앞에 첫째 자리를 차지하고 있던 것은 하나의 얼굴, 오직 하나의 얼굴뿐이었다. 그가 사랑해 마지않는 장로의 얼굴, 그가 존경해 마지않는 의인의 얼굴, 바로 그것이었던 것이다. 그의 젊고 순결한 마음속에 숨겨져 있던 '모든 사람, 모든 사물에 대한 사랑'은 1년 전부터 줄곧 한 사람의 인물에게만 집중되어 있었다. 어쩌면 그 사랑은 비정상적인 것이었거나, 아니면 적어도 격정적인 것이었는지 모르지만, 어쨌든, 지금은 고인이 된 조시마 장로 한 사람에게만 집중되어 있었던 것이다. 사실 이 인물은 의심할 여지없는 이상理相으로 그처럼 오랫동안 그의 눈앞에 서 있었으므로, 그의 젊은 힘과 노력은 온통 이 이상 하나만을 향해 돌진할 수밖엔 없었다. 그래서 때로는 '모든 사람, 모든 사물'의 존재를 완전히 잊게 되는 일조차 있었다. (그 자신 나중에 가서야 생각난 일이지만, 그 전날 그렇게까지 염려했던 드미트리 형의 일조차 그는 이 괴로운 하루 동안 전혀 잊고 있었다. 그리고 그 전날 그처럼 열심히 생각했었음에도 불구하고 일류샤의 아버지에게 2백 루블을 전하는 일도 까맣게 잊고 있었던 것이다) 그러나, 거듭 되풀이하거니와, 그에게 필요했던 것은 기적이 아니라 '최고의 정의'였다. 그런데 이 정의는 무참히 무너져 버렸다고 그는 생각했다. 이 때문에 그의 마음은 뜻하지 않은 처참한 상처를 입었던 것이다. 그렇지만 이 '정의'가 알료샤의 기대 속에서 사건의 진전과 함께 기적의 형태를 취하여 자기의 경애하는 지도자의 시체를 통해서 지체 없이 나타나리라 믿었다고 해도 결코 이상할 것은 없지 않겠는가? 더욱이 수도원 내의 모든 사람들, 심지어는 알료샤가 높은 지성을 지닌 수도사로 숭배하고 있던 파이시 신부 같은 사람까지도 역시 그렇게 생각하고 그렇게 기대하고 있었다. 그래서 알료샤는 털끝만 한 의혹도 품지 않고 다른 모든 사람들과 똑같은 모양으로 자기의 꿈을 윤색하고 있었던 것이다. 뿐만 아니라 이미 오래전부터, 만 1년에 걸친 수도원 생활을 통하여, 이 꿈은 그의 마음속에 확고히 형성되어 그러한 기대가 거의 습관처럼 되어 있었다. 그러나 그가 갈망했던 것은 정의였다. 단순한 기적이 아니라 정의였던 것이다!

그런데 지금 온 세계에서 누구보다도 높이 받들어져야 할 것으로 굳게 믿었던 바로 그 사람이, 마땅히 누려야 할 영예 대신에 뜻밖에도 치욕의 구렁텅이로 끌려들어 가 사람들의 웃음가마리가 되지 않았는가! 도대체 무엇 때문일까? 이것은 누구의 심판일까? 누가 이 같은 판결을 내릴 수 있었을까? 이것이 이때 경험 없는 그의 순진무구한 마음을 괴롭힌 의문이었다. 그가 가슴속에 끓어오르는 분노와 모욕을 느끼지 않을 수 없었던 것은, 의인 중의 의인인 장로가, 자기보다 말할 수 없이 낮은 위치에 있는 경솔한 군중의 냉소적인 악의에 찬 조롱의 대상이 되었다는 사실이었다. 비록 기적 같은 건 없어도 좋다. 기적적인 일 같은 건 전혀 나타나지도 않고, 기대했던 바가 즉시 실현되지 않는대도 무방하다. 그러나 이 불명예는 무엇 때문이며, 이 치욕은 무엇 때문이며, 짓궂은 수도사들의 말마따나 '자연을 초월한' 급작스런 시체의 부패는 무엇 때문일까? 그리고 지금 그들이 페라폰트 신부와 함께 의기양양하게 떠들어 댄 그 '계시'라는 건 무엇 때문이며, 또 그들이 그런 소리를 떠들어 댈 권리를 얻기라도 한 것처럼 확신하고 있는 것은 대체 무엇 때문일까? 아아, 하느님의 섭리는 어디 있는가! 하느님의 손길은 어디 있단 말인가! 무엇 때문에 하느님은 '가장 그것이 필요한 순간에' (알료샤는 이렇게 생각했다) 자기의 손길을 뒤로 빼돌려 버리고, 맹목적이고 말 없는 무자비한 자연의 법칙 앞에 스스로 굴복하는 것같이 보이는 태도를 취했을까?

알료샤의 가슴이 피투성이가 되도록 괴로워한 것은 바로 이 때문이었다. 그리고 이미 말한 바와 같이, 이때 그의 눈앞에 무엇보다도 먼저 떠오른 것은 이 세상에서 그가 가장 사랑하는 그 사람의 얼굴, '치욕과 불명예의 낙인이 찍힌' 그 사람의 얼굴이었음은 말할 것도 없다! 나의 젊은 주인공의 이러한 불만이 경솔하고 몰지각한 것이라 한대도 상관없다. 그러나 나는 여기서 세 차례나 거듭 되풀이하거니와, (그리고 이것 역시 경솔한 말이라는 비난을 받을지 모르지만, 그 점은 나 자신이 미리 시인하는 바이다) 나의 젊은 주인공이 이러한 순간에 그다지 신중하지 못했다는 것을 나는 오히려 기쁘게 생각한다. 왜냐하면 지각이란 아주 바보 같은 인간이 아닌 이상 누구에게나 항상 떠오르게 마련이지만, 사랑으로 말하면, 이와 같은 특이한 순간에 젊은이의 가슴에 솟아오르지 않는다면 다시는 솟아오를 때가 없을 것이기 때문이다. 그렇지만 나는 알료샤에게 있어 숙명적이고도 암담한 이 순간에, 잠시 동안이나마 그의 머릿속에 떠오른 어떤 괴이한 현상에 대하여 여기서 말해 두어야만 하겠다. 그의 머릿속에 새로 떠오른 어떤 현상이란 어제 이반 형과의 대화에서 받은 괴로운 인상이었다. 그것이 지금, 하필이면 지금, 자꾸만 기억 속에서 되살아나는 것이었다. 그렇다고 해서 그의 근본적이고 선천적인 신앙이 그 마음속에서 동요하기 시작했다는 건 절대 아니다. 그는 자기의 하느님을 사랑하고 있었다. 갑자기 하느님에게 불만을 호소하기는 했지만, 그래도 그는 확고부동한 신앙을 지니고 있었다. 그럼에도 불구하고 어제 이반 형이 한 말을 상기할 때마다 무언가 막연하면서도 참을 수 없이 불길한 인상이 지금 갑자기 그의 가슴속에 되살아나서 점점 고개를 쳐들고 표면으로 떠밀고 나오려 하는 것이었다.

주위는 이미 황혼이 짙어지고 있었다. 암자를 나와 수도원 쪽을 향해 솔밭을 빠져나가고 있던 라키친이 갑자기 알료샤의 모습을 발견했다. 알료샤는 얼굴을 땅에 대고 나무 뒤에 누운 채 잠이 든 것처럼 꼼짝도 않고 있었다. 라키친이 가까이 다가가서 말을 건네었다.

"자네 여기 있었나? 알렉세이? 그래, 자네는……" 하고 그는 몹시 놀란 듯이 입을 열었으나 말을 하다 말고 입을 다물어 버렸다. 그는 '그래 자네는 이런 꼴이 되고 말았나?'라고 말하려 했던 것이다.

알료샤는 라키친을 거들떠보려 하지도 않았으나, 그래도 라키친은 상대방이 몸을 움직거리는 것으로 보아 그가 자기 말을 듣고 그 말의 뜻을 이해하고 있다는 것을 금세 눈치챘다.

"그런데 자네 어찌 된 일인가?" 하고 라키친은 자못 놀란 듯이 말을 계속했으나, 그 얼굴에 나타난 놀라움의 표정은 이미 미소로 변하기 시작했고, 그 미소는 점점 조소의 빛을 띠어 갔다.

"여보게, 난 벌써 두 시간 이상이나 자넬 찾아다녔어. 갑자기 자네가 거기서 자취를 감춰 버렸으니 말이야. 대체 여기서 뭘 하고 있는 건가. 이게 무슨 바보 같은 짓이야? 그러지 말고 날 좀 보게."

알료샤는 고개를 쳐들고 일어나 앉아 나무에 등을 기댔다. 그는 울고 있지는 않았으나, 그 얼굴은 고통스러운 표정을 띠고, 그 눈길은 초조의 빛을 나타내고 있었다. 그러나 그는 여전히 라키친에겐 외면한 채 어딘가 딴 데를 바라보고 있었다.

"이거 봐, 자네 얼굴이 아주 달라졌군그래. 전에 그처럼 평판이 좋았던 온유한 표정은 찾아볼래야 찾아볼 수가 없게 되었어. 누구한테 화가 나기라도 했나? 무슨 모욕을 받은 건 아닌가?"

"제발 가만 내버려 둬!" 하고 알료샤는 불쑥 한마디 했으나, 여전히 상대방에겐 외면을 한 채 간신히 한 손을 내저었을 뿐이었다.

"오호, 이게 어찌 된 일이지? 마구 악을 쓰는 걸 보니 속세의 죄 많은 인간들과 다를 게 없군그래. 천사 취급을 받고 있는 처지에 그래서야 쓰나. 알료쉬카, 너무 사람을 놀라게 하지 말게. 정말 이건 진정으로 하는 말이야. 나는 여기 온 후 꽤 오랫동안 무엇에 놀란 일이라곤 없었거든. 아무튼 나는 자네를 교양 있는 인간으로 알고 있었는데……."

알료샤는 비로소 그에게 눈을 주었다. 그러나 상대방의 말을 알아듣지 못한 것처럼 어쩐지 멍청한 얼굴을 하고 있었다.

"그래, 자네는 그 노인이 고약한 냄새를 풍기기 시작했다는 그것만으로 그처럼 풀이 죽어 버렸단 말인가? 그 노인이 정말로 기적을 나타내리라고는 설마 자네도 믿지 않았겠지?" 라키친은 다시금 더없이 진지한 놀라움을 느끼며 이렇게 외쳤다.

"믿고 있었어. 지금도 믿고 있어. 그렇게 믿고 싶어. 그리고 앞으로도 믿을 거야. 그 밖에 더 물을 말이 있나?" 알료샤는 흥분한 어조로 소리쳤다.

"더 이상 아무것도 묻지 않겠네. 하지만 요즘은 열세 살짜리 소학생도 그런 건 믿지 않는단 말이야. 그러나 그까짓 건 아무래도 좋아……. 그러니까 뭔가, 자네는 지금 하느님께 화를 내어 모반謀反을 일으킨 셈이로군. 계급도 올려 주시지 않았고, 경축일에 흔히 주는 훈장도 수여하지 않았다, 그 말이지! 참 이상한 친구 다 보겠군!"

알료샤는 눈을 가늘게 뜨고 한참 동안이나 라키친의 얼굴을 응시하고 있었다. 그러자 갑자기 그 눈 속에서 무언가 번득인 것이 있었다……. 그러나 그것은 라키친에 대한 분노는 아니었다.

"나는 하느님께 모반을 일으킨 건 아니야. 다만 '하느님의 세계를 인정하지 않는다'는 것뿐이지." 알료샤는 갑자기 일그러진 미소를 입가에 흘렸다.

"하느님의 세계를 인정하지 않는다는 건 대체 무슨 뜻인가?" 라키친은 상대방의 대답에 대해 잠시 생각하는 눈치더니 곧 이렇게 물었다. "그따위 잠꼬대 같은 소리가 어디 있어?"

알료샤는 아무 대꾸도 없었다.

"그런 시시한 얘긴 그만두고, 이제부터 실제적인 문제로 넘어가세. 자네 오늘 뭐 좀 먹었나?"

"생각이 안 나는……. 아마 먹었을 거야."

"자네 안색을 보니, 아무래도 뭐 좀 요기를 해서 기운을 낼 필요가 있을 것 같네. 그 얼굴을 보면 정말이지 가엾은 생각이 들 지경이야. 자넨 어젯밤에 한잠도 자지 않았을 테니까. 암자에서 모임이 있었다는 얘긴 나도 들었어. 그다음에 곧 그런 소동이 벌어졌으니까 기껏해야 성찬식에 쓰는 얄팍한 빵이나 한 조각 입에 넣었겠지. 지금 내 호주머니엔 소시지가 들어 있네. 읍내에서 나올 때

만일의 경우를 위해 집어넣어 가지고 온 거야. 하지만 자넨 아마 소시지 같은 건……"

"그 소시지 좀 주게나."

"히야! 이건 정말 놀라운데! 이렇게 되면 그야말로 완전한 모반이군! 바리케이드까지 쌓고서 말이야! 그렇지만 이런 걸 멸시할 이유는 하나도 없지. 자, 나하고 같이 가세……. 실은 나도 지금 보드카를 한 잔 들이켜고 싶던 참이야. 몸이 피로해서 견딜 수가 있어야지. 설마 보드카를 달란 소리는 못 할 테지만……. 어떤가, 자네도 한 잔 마셔 보겠나?"

"보드카도 좀 주게."

"아니, 뭐라고? 거참 희한한 소릴 하는군!" 라키친은 눈을 휘둥그렇게 떴다. "하긴 어느 쪽이든, 보드카건 소시지건 다 괜찮은 물건이야. 이런 기회를 놓쳐서는 안 되지. 그럼 가세."

알료샤는 말없이 땅에서 일어나 라키친의 뒤를 따랐다.

"이걸 자네 형 바네치카(이반의 애칭)가 본다면 아마 꽤 놀랄걸! 아 참, 자네 형 이반 표도로비치가 오늘 아침에 모스크바로 떠났다더군. 자네 알고 있나?"

"알고 있어." 알료샤는 마지못해 하는 것 같은 말투로 대답했다. 그러자 문득 맏형 드미트리의 모습이 그의 머릿속에 떠올랐다. 그러나 그것은 순간적으로 나타났다가 이내 사라져 버린 데 지나지 않았다. 하기는 이때 무언가 한시도 지체할 수 없는 긴급한 일—일종의 의무, 무서운 의무 같은 것을 상기했으나, 그런 생각도 그의 마음 깊이 파고들지를 못하고 아무런 인상도 남기지 못한 채 즉시로 그의 머릿속에서 사라져 금세 잊히고 말았다. 그런데도 이때 일은 그 후 오랫동안 알료샤의 기억 속에 남아 있었다.

"자네 형 바네치카는 언젠가 나를 가리켜 '무능한 자유주의의 주머니'라고 평한 일이 있었고, 자네 역시 언젠가 한번 홧김에 나더러 '파렴치한'이라고 말한 적이 있었지……. 그것도 좋아! 이제부터 나는 자네들이 얼마나 유능하고 결백한가를 잘 보아 둘 생각이야." (이 마지막 말만은 입속으로 중얼거렸다)

"그건 그렇고, 어떤가" 하고 그는 큰 소리로 말을 계속했다. "수도원 옆을 빠져 샛길로 해서 곧장 읍내로 들어가세나……. 아, 그렇군, 나는 호흘라코바 부인한테 잠깐 들러 봐야겠어. 실은 오늘 일어난 모든 일을 부인에게 적어 보냈더니, 부인은 즉석에서 연필로 답장을 써서 나한테 보내오지 않았겠느냐 말이야. (그 여자는 편지 쓰기를 무척 좋아하거든) '나는 조시마 장로와 같은 거룩한 분이 '그따위 꼴'이 될 줄은 꿈에도 몰랐어요!'라는 거야. 정말 그렇게 쓰여 있더라니까—그따위 꼴이라고 말이야! 부인 역시 분개하고 있음이 틀림없어. 자네나 그 여자나 모두가 어쩌면 그 모양일까! 아니, 잠깐만!" 그는 갑자기 이렇게 소리치며 걸음을 멈추더니 알료샤의 어깨를 잡아 세웠다.

"여보게, 알료쉬카." 라키친은 뜻밖에도 자기 마음에 찾아든 새로운 상념에 사로잡힌 채 상대방을 바라보며 그 눈빛을 살폈다. 그는 겉으로는 웃고 있었으나, 속으로는 이 뜻밖의 새로운 생각을 입 밖에 내기를 두려워하고 있음이 분명했다. 왜냐하면 지금 알료샤의 정신 상태는 그의 눈으로 볼 때 너무나 기이한, 전혀 예상치 못했던 현상이어서 좀처럼 그것을 믿기 어려웠기 때문이다. "알료쉬카, 자네 생각엔 지금 어디로 가는 게 좋을 것 같은가?" 한참 만에 그는 상대방의 비위를 맞추려는 것 같은 조심스러운 어조로 말했다.

"아무래도 좋아……. 자네 맘대로 하게."

"그루셴카한테 갈까, 어떤가? 가겠나?" 불안한 기대로 하여 사뭇 몸을 떨기까지 하면서 라키친은 마침내 이렇게 말했다.

"좋아, 그루셴카한테 가세." 알료샤는 침착한 어조로 곧 대답했다. 이것은 라키친에겐 너무나 뜻밖의 일이었다. 그는 알료샤가 조금도 주저하지 않고 이처럼 침착한 어조로 자기의 제의에 동의하리라고는 꿈에도 생각지 못했으므로, 하마터면 뒤로 껑충 물러설 뻔했다.

"뭐, 뭐, 뭐라고…… 이거 참!" 그는 너무나 놀라서 이렇게 소리쳤으나, 얼른 알료샤의 손을 움켜쥐고 황급히 샛길로 그를 끌고 들어갔다. 모처럼의 결심이 사라지지나 않을까 염려되었던 것이다.

그들은 말없이 걸었다. 라키친은 말을 건네는 것조차 조심스러웠다.

"그 여자가 얼마나 좋아할까, 얼마나……" 하고 그는 중얼거리다가 또다시 입을 다물어 버렸다. 그러나 그가 알료샤를 끌고 가는 것은 결코 그루셴카를 기쁘게 하기 위해서가 아니었다. 그는 빈틈없는 인간이어서 자기에게 이익이 될 만한 목적 없이는 무슨 일에건 손을 댈 리 만무했던 것이다. 지금 그에겐 두 가지 목적이 있었다. 첫째는 '올바른 사람의 오욕'을 보고 싶어 하는 복수적인 목적이었다. 그가 이미 오래전부터 바라고 있던 바와 같이, 알료샤가 '성인의 위치에서 죄인의 위치'로 타락하는 것을 볼 수 있을는지도 모르는 것이다. 둘째는 그 어떤 매우 유리한 물질적인 목적이었는데, 여기 관해서는 앞으로 얘기하게 될 것이다.

'드디어 이러한 순간이 찾아오고야 말았군' 하고 그는 짓궂은 기쁨을 느끼며 속으로 생각했다. '그러니 이 순간을 놓치지 않도록 덜미를 꼭 잡아야 해. 좀처럼 얻기 힘든 기회니까.'

3. 한 뿌리의 파

그루셴카는 소보르나야 광장 근처인, 읍내에서도 가장 번화한 곳에 있는 모로조바라는 상인의 미망인의 집에 살고 있었다. 그녀는 이 집 뜰 안에 따로 떨어져 있는 조그만 목조 건물에 세 들어 있었던 것이다. 모로조바네 집은 커다란 석조 이층 건물이었지만, 몹시 낡아서 겉보기엔 그리 훌륭하게 보이지는 않았다. 그 집에는 집주인인 늙은 과부가, 역시 상당히 나이 먹은 시집 못 간 두 조카딸과 함께 외롭게 살고 있었다. 그녀는 구태여 이 딴채를 세줄 필요까지는 없었으나, 그루셴카를 자기 집에 들인 것은 (이것은 벌써 4년 전의 일이다) 그루셴카의 보호자이며 자기의 친척이기도 한 상인 삼소노프의 비위를 맞추기 위해서였다. 이것은 누구나 알고 있는 사실이었다. 소문에 의하면, 질투심이 강한 그 노인이 자기의 '귀염둥이'를 모로조바네 집에 맡긴 것은, 이 노파가 자기 집에 새로 세든 젊은 여자의 품행을 날카로운 눈으로 감시해 주리라고 믿었기 때문이라는 것이다. 그러나 얼마 되지 않아서 노파의 날카로운 감시의 눈이 필요치 않다는 것을 알게 되었다. 그래서 결국 모로조바는 그루셴카 앞에 별로 나타나지 않게 되었고, 귀찮게 그녀의 행동을 감시하거나 하는 일도 전혀 없었다. 하기는 그 당시 겁먹은 듯이 수줍고 언제나 슬픈 얼굴로 생각에 잠겨 있는 여윈 몸집의 열여덟 살짜리 소녀를, 삼소노프 노인이 현청縣廳 소재지인 도시에서 이 집으로 데려온 것도 이미 4년 전의 일이니까, 그동안에 많은 세월이 흐른 셈이다. 그러나 이 소녀가 이때까지 어떤 생활을 해 왔는지, 거기 대해서 이 고장 사람들이 알고 있는 것은 그리 많지 않았고, 알고 있다는 것조차 그다지 믿을 만한 것은 못 되었다. 최근에 와서 많은 사람들이 이 '굉장한 미인'에 대해 관심을 표시하게 되었지만 (아그라페나 알렉산드로보나는 이 4년 동안에 이처럼 변모했던 것이다) 그래도 그녀에 관해 그 이상 자세한 것을 아는 사람은 아무도 없었다. 다만 이 소녀가 열일곱 살 때 어떤 장교한테 속아 넘어간 일이 있었는데, 얼마 후 그 장교는 그 여자를 버리고 타지방으로 가서 다른 여자와 결혼하여 버렸고, 그루셴카는 치욕과 빈궁 속에 혼자 남게 되었었다는 소문이 있을 뿐이다. 그때 그루셴카가 삼소노프 노인에 의해 빈궁 속에서 구출된 것은 사실이지만, 일설에 의하면, 그녀는 성직자 계급에 속하는 결백한 가정의 출신이라고도 했다. 다시 말해서 무보직無補職으로 있는 어떤 보제補祭가 아니면 그와 유사한 신분을 가진 사람의 딸이라는 것이다.

그런데 지난 4년 동안에 버림받은 가엾은 고아인 이 감상적인 소녀가, 혈색 좋고 토실토실한 러시아식 미인으로 변모했다. 대담하고 결단성이 있는 데다가 오만불손하고, 돈의 가치를 잘 알고 있을뿐더러 장삿속에 밝은 여자가 된 것이다. 그녀는 인색하고 조심성이 많아서 그 수단 방법에 대해서는 알 수가 없지만, 아무튼 자기 앞으로 벌써 상당한 재산을 모아 가지고 있다는 소문이 돌고 있었다. 다만 한 가지, 그루셴카한테 접근하기란 지극히 어려운 일이라는 것,

지난 4년 동안에 그녀의 사랑을 획득했다고 자랑할 수 있는 사내는 그녀의 보호자 격인 노인 한 사람을 제외하고는 아무도 없다는 것만은 누구나 굳게 믿고 있었다. 이것은 틀림없는 사실이었다. 그녀의 사랑을 획득해 보려고 적극적으로 나선 사내의 수도 적지 않았고, 특히 최근 2년 동안에는 그것이 심했지만, 그러한 시도는 모두 수포로 돌아가 버리고 말았기 때문이다. 개중에는 이 의지가 굳은 젊은 여인으로부터 단호하고도 냉소적인 거절을 받고, 희극적인 우스꽝스런 장면까지 연출하고서 무참히 물러서지 않을 수 없었던 자들도 있었다. 이것 역시 사람들에게 잘 알려진 일이지만, 이 젊은 여인이 최근에 와서, 특히 1년 전부터 이른바 '투기投機'에 손을 대기 시작했다는 것이다. 이 방면에 뛰어난 수완을 보였기 때문에, 나중에는 많은 사람들로부터 '진짜 유대 여자'라는 말까지 듣게 되었다. 그렇다고 비싼 이자를 받고 돈놀이를 한 것은 아니지만, 예를 들면, 그녀가 표도르 파블로비치 카라마조프와 결탁하여 얼마 동안 액면의 십분의 일이라는 헐값으로 어음 등속을 모조리 사들였다는 것은 세상이 다 아는 일이다. 그리고 그러한 어음 중에는 열 배나 되는 이익을 얻을 수 있는 것도 있었던 것이다.

삼소노프는 마지막 한 해 동안은 두 다리가 부어올라 걷지도 못하고 병석에 누워 있었다. 몇십만 루블이나 되는 큰 재산을 가진 이 늙은 홀아비는 인색하고 완고한 사람이었다. 그는 다 자란 아들들에겐 폭군과 같은 태도로 대하면서도, 자기의 피보호자에겐 꼼짝 못하고 있었다. 하기는 그도 처음에는 이 여자에게 엄격한 태도를 취하여, 그 당시 독설가들이 '단식일 메뉴밖엔 먹이지 않는다'라고 했을 만큼 어지간히 그녀를 학대했었다. 그러나 그루셴카는 자기의 정조에 대한 절대적 신뢰감을 노인의 가슴속에 심어 놓음으로써 자기 자신을 해방시키는 데 성공했다. 대단한 수완가인 이 노인 역시 (이미 고인이 된 지 오래지만) 주목할 만한 성격의 소유자였으나, 무엇보다도 굉장히 인색하고 돌처럼 완고한 것이 특징이었다. 그래서 그루셴카에게 홀딱 반해, 그녀 없이는 살 수 없을 정도였음에도 불구하고 (마지막 2년 동안은 정말로 그러했다) 여자에게 큰돈을 나눠 줄 생각은 하지 않았다. 비록 여자 쪽에서 돈을 안 주면 절교해 버리겠다고 위협한다 해도 절대로 말을 들어주지 않았을 것이다. 그러나 약간의 돈은 나눠 주었는데, 그것조차 세상 사람들에게는 놀라운 일이 아닐 수 없었다.

"너도 그리 어리석은 여자는 아니니까" 하고 그는 8천 루블가량의 돈을 떼어 주며 그녀에게 말했다. "너 자신이 이 돈을 잘 운용하도록 하거라. 그렇지만 이전과 같이 해마다 주는 일정한 생활비 이외엔 죽을 때까지 나한테서는 한 푼도 받지 못할 것으로 알아라. 유언장에도 네 앞으로는 아무것도 쓰지 않을 테니까."

그리고 그는 자기가 한 말 그대로 실행했다. 죽을 때 그는 자기의 전 재산을 한평생 머슴처럼 부려먹은 아들들과 며느리나 손자들에게 죄다 나눠 주고, 그루셴카에 대해서는 유언장에 일언반구도 써넣지를 않았다. 이 모든 것은 나중에야 알려진 일이었다. 그러나 '자기의 자본'을 운용하는 데 대한 그의 충고는 그루셴카에게 커다란 도움이 되었고, 그녀는 그것을 '사업'의 지침으로 삼았던 것이다.

표도르 파블로비치 카라마조프는 처음엔 '투기사업' 관계로 그루셴카와 손을 잡게 되었었는데, 나중에 가서는 자기도 모르는 사이에 그녀에게 홀딱 반해서 마침내는 아주 미쳐 버리게까지 되었다. 그때 이미 병상에서 재기 불능 상태에 있던 삼소노프는 이 말을 듣고 재미나서 죽겠다는 듯이 한바탕 웃어댔다고 한다. 그루셴카가 이 노인에게 무엇 한 가지 숨기는 일 없이 줄곧 솔직하게 대했다고 생각되는 점은 주목할 만한 사실이다. 그녀가 그렇게 대해 준 사람은 아마 세상에서 이 노인 하나밖엔 없었을 것이다. 그런데 최근에 와서, 갑자기 드미트리 표도로비치가 나타나서 그녀에게 사랑을 고백하자, 노인은 먼젓번처럼 웃으려 하지는 않았다. 오히려 이번에는 엄격하고 심각한 얼굴로 그루셴카에게 이렇게 충고했다.

"만일 네가 그 부자父子 중에서 어느 한쪽을 택해야 한다면 늙은이 쪽을 택하는 게 좋을 게다. 다만 그 더러운 늙은이가 너와 틀림없이 결혼하여 미리 얼마간의 재산을 네 명의로 떼어 준다는 조건으로라면 말이다. 그 대위하고는 가까이 하지 마라. 어차피 신통한 일은 없을 테니까."

이것은 그때 이미 죽음이 임박했음을 금세 스스로 예감하고 있던 늙은 호색꾼이 그루셴카에게 한 충고인데, 그는 이 충고를 준 후 5개월 만에 정말로 죽어 버리고 말았다.

여기서 한마디 말해 둘 것은, 그 당시 우리 고장에서도 꽤 많은 사람들이 그루셴카를 사이에 둔 카라마조프네 부자지간의 어리석고 추악한 경쟁에 대해 알고 있었지만, 양쪽에 대한, 즉 노인과 젊은 아들에 대해 그루셴카 자신의 태도의 참뜻을 이해하는 사람은 거의 없었다는 점이다. 그루셴카네 집에 있는 두 하녀까지도, 그 비극적인 대사건이 (여기 대해서는 나중에 얘기하겠지만) 일어난 후 법정에 소환되었을 때, 아그라페나 알렉산드로브나는 드미트리가 '죽이겠다고 협박하는 바람에' 무서워서 그를 상대해 주고 있었을 뿐이라고 증언했던 것이다. 그루셴카의 하녀는 둘밖에는 없었다. 하나는 그녀의 생가에서 데려온 늙어빠진 식모였는데 몸이 허약한 데다가 거의 귀머거리나 다름없었다. 또 하나는 이 노파의 손녀인 스무 살 먹은 원기 왕성한 젊은 처녀로, 그루셴카의 잔심부름을 맡아 하고 있었다. 그루셴카는, 지나칠 만큼 검소하게 살고 있었고, 방 안의 장식 같은 것도 초라하기 짝이 없었다. 그녀가 세 들어 있는 딴채는 방이 세 개밖에는 없었는데, 방 안에는 이 집주인의 소유물인 20년대(19세기)식의 낡은 마호가니 가구가 놓여 있었다. 라키친과 알료샤가 들어갔을 때는 벌써 캄캄했었으나, 방 안에는 아직 불도 켜져 있지 않았다. 그루셴카는 응접실에 있는 커다란 소파에 누워 있었다. 그것은 등받이가 달린, 마호가니에 헐어 떨어진 가죽을 씌운 초라하고 볼꼴 사나운 딱딱한 소파였다. 그녀의 머리 밑에는 침대에서 가져온 흰 닭털 베개가 두 개 놓여 있었다. 그녀는 두 손을 머리 밑에 넣고 몸을 쭉 뻗고서 천장을 바라보며 꼼짝 않고 누워 있었다. 누구를 기다리고 있는 중인지 검은 비단옷을 단정하게 입고, 머리에는 가벼운 레이스 모자를 쓰고 있었는데, 그것이 그녀에게는 썩 잘 어울리는 것이었다. 그리고 어깨에 역시 레이스로 된

숄을 두르고, 그 앞자락을 큼직한 순금 브로치로 여미고 있었다. 사실 그녀는 누군가를 기다리고 있었던 것이다. 그래서 그녀는 우울한 심정에 싸여 소파에 누운 채 약간 해쓱해진 얼굴을 하고 눈과 입술이 뜨겁게 달아오르는 것 같은 초조감을 느끼면서 오른쪽 발끝으로 팔걸이를 톡톡 차고 있었다.

라키친과 알료샤가 나타나자 약간의 소동이 일어났다. 그루셴카가 소파에서 벌떡 일어나 겁을 집어먹은 어조로, "누가 오셨지?" 하고 외치는 소리가 문간방에까지 들려왔다. 그러나 손님들을 맞으러 나온 젊은 하녀는 곧 방 안에 있는 주인에게 이렇게 소리쳤다.

"그분이 아녜요. 다른 분들이에요. 그분하곤 상관없는 손님들인걸요."

"대체 무슨 일일까?" 라키친은 알료샤의 손을 잡고 응접실로 안내하면서 혼자 중얼거렸다.

그루셴카는 아직도 겁에 질려 있는 것 같은 꼴을 하고 소파 옆에 서 있었다. 곱슬곱슬한 암갈색 머리털이 갑자기 레이스 모자 밑으로 삐져나와 오른쪽 어깨 위로 흘러내렸다. 그러나 손님들의 얼굴을 보고 누구라는 것을 확인할 때까지, 머리털이 흘러내린 것도 모르는지 그것을 매만지려 하지도 않았다.

"아아, 당신이었군요, 라키트카(라키친의 애칭)! 나는 깜짝 놀랐어요. 누구를 데려왔죠? 누구에요, 같이 온 분은? 어머나, 난 또 누구라고!" 그때서야 알료샤를 알아보고 그녀는 호들갑스럽게 외쳤다.

"우선 촛불이라도 가져오라 해요!" 이 집에서 명령을 내릴 수 있는 권리까지도 가지고 있는 허물없는 사이라는 것을 보여 주기라도 하려는 듯이 라키친은 거리낌 없는 어조로 말했다.

"촛불요? 그렇군요, 촛불이 필요하군요……. 페냐, 촛불 좀 가져오렴……. 그렇지만 하필이면 이런 때에 저분을 데려오시다니!" 그녀는 턱으로 알료샤 쪽을 가리키며 다시 한번 외쳤다. 그러고는 거울 앞으로 가서 양손으로 재빨리 흐트러진 머리를 매만지기 시작했다. 무엇 때문인지 그녀는 기분이 좋지 않은 것 같았다.

"나 때문에 뭐 기분이라도 언짢은가요?" 라키친은 금세 성이 난 것처럼 이렇게 물었다.

"너무 사람을 놀라게 하니까 그렇죠, 라키트카, 다른 뜻은 아녜요" 하고 그루셴카는 미소를 띠우면서 알료샤 쪽을 돌아보았다. "나를 무서워할 건 없어요, 알료샤. 당신이 찾아와 주어서 난 얼마나 기쁜지 모르겠어요. 정말 뜻밖의 손님이군요. 하지만 라키트카, 당신 때문에 나는 깜짝 놀랐다니까요! 미챠가 달려들어 온 거나 아닌가 생각했죠. 실은 아까 그이한테 거짓말을 했거든요. 언제나 내 말을 믿으라고 그이한테 다짐까지 받고서는 나 자신이 거짓말을 했단 말이에요. 오늘 저녁은 우리 영감님한테, 쿠지마 쿠지미치(삼소노프)한테 가서 늦게까지 돈 계산을 해 줘야 한다고 그이를 속였거든요. 하기는 매주 한 번씩 그 영감님한테 가서 밤늦게까지 함께 돈 계산을 해 주게 되어 있어요. 방문을 잠그고 영감님이 톡탁톡탁 수판을 튀기면 나는 옆에 앉아서 장부에 기입하는 거예요. 영감님은 나밖엔 신용하는 사람이 없거든요. 미챠는 내가 오늘 거기 가 있는 줄 알 거예요. 그렇지만 나는 집에 들어앉아서—여기 이렇게 혼자 앉아서, 좋은 기별이 오기를 기다리고 있는 중이죠. 그런데 페냐가 무슨 생각으로 당신들을 들여놓았을까! 페냐, 페냐! 얼른 밖으로 나가서 대문을 열고 혹시 대위님이 보이지 않나 둘러봐라. 어디 숨어서 살피고 있을지 모르니까. 난 정말 무서워 죽겠어!"

"아무도 없어요, 아그라페나 알렉산드로브나. 방금 내다보고 온 걸요. 그리고 지금도 문틈으로 밖을 내다보고 있어요. 저도 무서워서 이렇게 떨고 있는데요, 뭐!"

"페냐, 덧문은 죄다 닫혔니? 커튼도 내리는 게 좋겠다……. 이렇게!" 하며 그녀는 제 손으로 두꺼운 커튼을 내렸다. "이렇게 하지 않으면 그이가 불빛을 보고 곧 뛰어들 거야. 알료샤, 나는 오늘 당신 형님 미챠가 무서워 죽겠어요."

그루셴카는 커다란 소리로 지껄였다. 그녀는 마음이 조마조마한 것 같기는 했지만, 그러면서도 한편으로는 무엇 때문인지 거의 환희에 가까운 상태에 있는 듯싶었다.

"어째서 오늘은 그렇게 미챠가 무섭지요?" 하고 라키친이 물었다. "평소에는 그 사람한테 쩔쩔매는 것 같지는 않았는데, 오히려 저쪽에서 당신의 장단에 춤을 추어 왔다 해도 과언이 아니잖소."

"내가 말하지 않았어요, 아주 좋은 기별이 오기를 기다리고 있는 중이라고. 그래서 지금 미챠가 나타나면 곤란하단 말이죠. 그렇지만 그이는 내가 정말 쿠지마 쿠지미치한테 가 있으리라고는 믿지 않을 거예요. 왜 그런지 그럴 것만 같군요. 지금쯤 아마 그이는 자기 아버지 집 뒤뜰에 앉아서 내가 거기 나타나지나 않는지 망을 보고 있겠죠. 만일 정말로 거기 앉아 있다면 여긴 오지 않을 테니까 오히려 다행이에요! 하지만 나는 정말 쿠지마 쿠지미치한테 갔다 왔어요. 미챠는 거기까지 바래다줬죠. 나는 그이한테 말했어요—밤중까지 거기 있을 테니 밤 열두 시가 되면 다시 그리로 와서 나를 집에 바래다 달라고요. 그랬더니 그이는 그냥 돌아가 버리더군요. 나는 영감님한테 십 분쯤 있다가 다시 이리로 돌아왔는데, 어찌나 무서웠던지 마구 뛰어왔다니까요……. 그이를 만나기라도 했다가는 큰일이거든요."

"그런데 어딜 또 가려고 그렇게 옷치장을 하고 있소. 거참 이상한 모자도 다 있군!"

"그렇게 말하는 당신이야말로 참 이상하군요. 라키친! 좋은 기별이 있기를 기다리고 있는 중이라고 말하지 않았느냐 말이에요. 기별이 오기만 하면 즉시 날아가는 거죠. 그렇게 되면 당신들과는 만나자 이별이지만……. 그래서 언제든지 나갈 수 있도록 이렇게 차려입고 앉아 있는 거예요."

"대체 어디로 날아간다는 거요?"

"너무 많은 걸 알면 빨리 늙는답니다."

"참 놀라운 일인걸. 무언가 굉장히 기쁜 모양인데…… 난 당신이 그렇게 기뻐하는 걸 여태까지 한 번도 본 일이 없었어요. 마치 무도회에라도 나가는 것처럼 차려입었군" 하며 라키친은 그녀를 아래위로 훑어보았다.

"당신은 무도회에 대해 아는 게 많을 테니까요."

"그럼 당신은 많이 알고 있단 말이오?"

"적어도 무도회라는 걸 본 일이야 있죠. 재작년에 쿠지마 쿠지미치가 아들을 장가보낼 때 합창대 석에서 구경했어요. 그렇지만 라키트카, 여기 이렇게 귀하신 분이 서 계신데 당신 같은 사람을 상대하고 있을 수는 없지 않겠어요? 진짜 손님은 이분이시니까요. 알료샤, 난 당신이 눈앞에 있는데도 어쩐지 내 눈이 믿어지지 않는군요. 오오, 당신이 제 발로 나를 찾아와 주다니! 정말로 꿈에도 생각지 못할 일이에요. 오늘뿐만 아니라, 전에도 나는 당신이 여기까지 오리라고 기대해 본 일은 한 번도 없었거든요. 공교롭게도 때가 좀 거북하긴 하지만, 그래도 나는 얼마나 반가운지 모르겠어요! 자, 여기 소파에 앉으세요. 네, 그렇게. 당신은 나의 초승달 같은 분이에요. 나는 아직도 좀 얼떨떨한 것 같아요……. 정말 유감스럽군요. 라키친, 이분을 어제나 그저께쯤 모시고 왔더라면 좋았을 걸! 그렇지만 어쨌든 나는 기뻐요. 어쩌면 그저께가 아니라 오늘 이 시간에 모시고 온 것이 오히려 잘된 일인지도 모르죠."

그녀는 날렵한 동작으로 소파에 앉더니, 알료샤와 나란히 자리를 잡고 환희에 싸인 눈으로 그의 얼굴을 바라보았다. 사실 그녀는 진심으로 기뻤던 것이다. 따라서 그녀가 한 말은 결코 거짓말이 아니었다. 그녀의 두 눈은 반짝이고, 입술은 웃고 있었는데, 그것은 참으로 착하게 보이는 밝은 웃음이었다. 알료샤는 이처럼 선량한 표정을 그녀의 얼굴에서 발견하게 될 줄은 미처 몰랐었다. 그는 어제까지만 해도 이 여자와 별로 만난 적이 없었으므로, 그녀에 대해 제멋대로 무시무시한 개념을 품고 있었다. 그리고 또 어제는 카체리나 이바노브나에 대한 이 여자의 악의에 찬 교활한 행동을 목격하고 무서운 충격을 받은 바 있기 때문에, 지금 갑자기 그녀에게서 전혀 딴사람 같은 뜻밖의 인간을 발견하게 되어 그는 적이 놀라지 않을 수 없었다. 그는 지금 자기 자신의 슬픔에 짓눌려 있기는 했지만, 그래도 그의 시선은 저도 모르게 여자에게 쏠려 주의 깊게 그녀를 관찰하는 것이었다. 그녀의 거동 역시 어제와는 딴판으로 무척 호감이 갔다. 어제의 그 아양 섞인 말투나 거드름스러운 요염한 몸짓 같은 것은 거의 찾아볼 수조차 없었고, 모든 것이 소박하고 순진하게만 보였다. 동작 또한 민첩하고 단순하여 신뢰감에 넘쳐 있었다. 그러나 그녀는 몹시 흥분하고 있었다.

"아이 참, 오늘은 어째서 모든 일이 이렇게 척척 맞아 들어갈까요, 정말!" 하고 그녀는 다시 지껄이기 시작했다. "그런데 알료샤, 당신이 찾아온 것이 왜 이렇게 기쁜지 나 자신도 잘 모르겠어요. 왜냐고 물어도 나는 아마 대답하지 못할 거예요."

"흥, 왜 기쁜지 모르겠다고요?" 하고 라키친이 히죽 웃었다. "전에는 무엇 때문인지 이 친구를 데려와 달라고 나를 못살게 굴지 않았느냐 말이오. 필시 무슨 목적이 있었을 텐데?"

"전에는 다른 목적이 있었지만, 이젠 다 지나간 일이에요. 지금은 그럴 때가 아니거든요. 그럼 당신들에게 뭘 좀 대접해야겠군요. 라키트카, 나도 이젠 제법 좋은 사람이 되었답니다. 자, 어서 앉으세요, 라키트카, 왜 그렇게 멍청히 서 있죠? 아니, 벌써 앉아 있었군요? 하기는 라키트카가 자기 자신에 대해 잊을 리는 만무하니까. 저것 보세요, 알료샤. 잔뜩 화가 나서 우리 앞에 앉아 있는 저 사람의 꼴을. 내가 저 사람을 빼놓고 당신한테 먼저 앉으란 말을 했다 해서 그러는 거예요. 라키트카는 걸핏하면 저렇게 화를 내곤 해서 큰일이라니까!" 이렇게 말하고 그루셴카는 소리를 내어 웃었다. "그러니 라키트카, 화를 내지 마세요. 나는 오늘 착한 여자가 되었으니까요. 그런데 당신은 또 왜 그렇게 슬픈 얼굴을 하고 있죠, 알료셰치카? 내가 무서워서 그러는 건가요?" 명랑한 조소를 띠며 그녀는 알료샤의 두 눈을 들여다보았다.

"이 친구한텐 슬퍼할 까닭이 있죠. 승진을 못 했거든요."

"승진이라뇨?"

"이 친구의 장로가 이상한 냄새를 풍기기 시작했단 말이오."

"이상한 냄새를 풍기다니? 그런 쓸데없는 소리는 그만두세요. 또 무슨 추잡한 얘기를 하려는 거죠? 듣기도 싫어요, 바보 같은 소린! 그보다도 알료샤, 나를 당신 무릎 위에 앉혀 줘요, 이렇게!" 그녀는 발딱 일어나더니 재미있는 듯이 킬킬거리며, 마치 주인의 귀여움을 받으려는 고양이처럼 그의 무릎 위에 성큼 올라앉았다. 그러고는 오른팔을 뻗어 부드럽게 그의 몸을 감았다. "당신 마음을 좀 즐겁게 해 주려는 거예요. 신앙이 깊은 우리 도련님! 그렇지만 당신 무릎 위에 앉아도 정말 괜찮을까요? 화내지 않겠어요? 안 된다고 한마디만 하면 얼른 내리겠어요."

알료샤는 잠자코 있었다. 그는 몸을 움직거리는 것조차 두려운 듯이 꼼짝 않고 앉아 있었다. "안 된다고 한마디만 하면 얼른 내리겠어요"라는 말을 듣기는 했으나, 흡사 온몸이 마비된 사람처럼 아무 대답도 못 했다. 그러나 이때 그가 느낀 것은, 맞은편 자리에서 음탕한 눈으로 지켜보고 있는 라키친 따위가 기대하거나 상상할 수 있는 것과는 전혀 다른 것이었다. 너무나 큰 영혼의 슬픔이, 지금 그의 마음속에 일어날 가능성이 있는 모든 감각을 남김없이 삼켜 버렸기 때문에, 만일 이 순간 그가 자기 마음속을 충분히 자각할 만한 여유가 있었다면, 지금 자기는 모든 유혹을 막아 낼 수 있는 가장 튼튼한 갑옷으로 무장되고 있다는 것을 스스로 깨달았을 것이다. 그러나 뿌옇게 흐린 정신 상태와 그의 가슴을 압도하는 슬픔에도 불구하고, 그는 자기 마음속에 새로 생긴 어떤 기묘한 느낌에 놀라지 않을 수 없었다. 이 여자, 이 '무서운' 여자는 이전에 여자에 관한 상념이 그의 머릿속을 스칠 때마다 번번이 경험한 공포감을 전혀 일으키지 않는 것이었다. 오히려 그와는 반대로, 여태까지 그가 가장 두려워한 여자, 지금 그의 무릎 위에 그를 포옹하고 있는 이 여자는, 여태까지 예기치 못했던 전혀 다른 특이한 감정을 그의 마음속에 불러일으켰다. 그것은 이 여자에 대한 더없이 강하고도 순결한 호기심이었다. 거기에는 털끝만 한 의구심이나 공포감도 섞여 있지 않은 것이다—이것이 지금 그를 무의식중에 놀라게 한 주요한 원인이었다.

"그런 부질없는 소린 그만둬요" 하고 라키친이 소리쳤다. "그보다도 샴페인이라도 내놓는 게 좋을 거요. 당신에겐 그 의무가 있다는 건 잘 알 게 아니오!"

"정말 그럴 의무가 있군요. 실은 말이죠, 알료샤. 이 사람이 당신을 나한테 데려오면 두둑이 사례를 하고, 또 샴페인까지 한턱내겠다고 약속했거든요. 그럼 샴페인을 마십시다. 오늘은 나도 마시겠어요! 페냐, 페냐, 샴페인을 내온! 미챠가 두고 간 병 말이다. 빨리 가서 가져와! 나는 구두쇠지만 한 병 내겠어요. 그렇지만 라키친, 당신을 위한 건 아녜요. 당신은 버섯이지만 이분은 귀공자거든요! 지금 내 가슴은 다른 일로 꽉 차 있지만, 그런 건 아무래도 좋아요. 당신들과 함께 마시고 실컷 떠들어 대고 싶군요."

"그런데 대체 무슨 일이오? 그 기별이라는 건 뭐죠? 물어보고 싶군요. 혹시 비밀은 아닌가요?" 라키친은 끊임없이 자기에게 던져지는 모욕적인 말에는 아예 흥미도 없다는 듯한 태도를 취하려고 애쓰며, 호기심을 억제할 수 없어 다시 말을 건넸다.

"비밀은 무슨 비밀이에요, 당신도 알고 있는 일인데." 갑자기 그루셴카는 불안한 어조로 말했다. 그녀는 라키친 쪽으로 얼굴을 돌리며 알료샤에게서 조금 몸을 떼었으나 여전히 한 손으로 그의 목을 감은 채 그 무릎 위에 앉아 있었다. "다름 아니라, 장교님이 온다는 거예요, 라키친. 나의 그 장교님 말이에요!"

"그 사람이 올 거라는 얘긴 들었지만, 벌써 그렇게 가까운 곳에 와 있었소?"

"지금 모크로예에 있어요. 거기서 나한테 사람을 보내겠다고요. 아까 그이가 직접 써 보낸 편지를 받았는데 거기 그렇게 쓰여 있어요. 그래서 지금 그 심부름꾼을 기다리고 있는 중이랍니다."

"그래요? 모크로예엔 왜 왔지요?"

"얘기를 하자면 길어져요. 그리고 당신하곤 더 얘기하고 싶지도 않고요."

"그럼 미챠는 지금…… 이것 참 재미있게 돼 가는걸! 그때, 그 사람은 알고 있소, 모르고 있소?"

"알 리가 있나요! 아무것도 모르고 있죠! 만일 알았다가는 당장에 살인 사건이 일어날 판이죠. 그렇지만 나는 지금 그런 건 하나도 무섭지 않아요. 그이의 칼부림쯤 무서울 건 없어요. 그보다도 라키트카, 제발 내 앞에서 드미트리 표도로비치 얘기는 꺼내지 말아 주세요. 그이는 내 가슴에 쓰라린 상처만을 안겨 주었으니까요. 정말이지 나는 지금 그이 생각 같은 건 하고 싶지도 않아요. 그 대신 알료셰치카 생각은 할 수 있지요. 나는 이렇게 알료셰치카의 얼굴을 들여다보고 있고 싶어요……. 자, 나를 보고 어디 한번 웃어 보세요, 귀여운 나의 도련님! 어서 기운을 좀 내세요. 그리고 나의 어리석음을, 나의 기뻐하는 꼴을 웃어 주세요……. 아, 웃었군요, 웃어 주었군요! 어쩌면 눈길이 이렇게 금세 부드러울까! 나는 말이에요, 알료샤. 당신이 그저께 그 일 때문에, 즉 그 아가씨 일 때문에 나한테 몹시 화를 내고 있을 거라고 줄곧 그 생각만 하고 있었거든요. 나는 개였어요, 정말이지 개나 다를 게 없었어요. 그렇지만 그렇게 되길 잘했죠. 물론 좋은 일은 아니었지만 그래도 오히려 잘된 일이라고 할 수도 있는 거예요." 그루셴카는 생각에 잠기는 것 같은 얼굴로 히죽 웃었다. 그러나 그 웃음 속에는 어떤 잔인한 빛이 퍼뜩 나타났다가 사라졌다. "미챠의 얘길 들으니, 그 여자는 나를 '채찍으로 패 줘야 할 년'이라고 고함을 지르며 악을 썼다더군요. 그러고 보니 그때 내가 어지간히 그 여자를 모욕했던가 봐요. 하지만 그 여자는 초콜릿을 미끼로 해서 나를 꾀어넘기려고 불렀었단 말이에요……. 그러니 역시 그렇게 되길 잘했죠" 하고 그녀는 또 한 번 히죽 웃었다. "그렇지만, 그 일 때문에 당신이 화를 냈을 거라고, 나는 줄곧 그것만이 걱정이었답니다."

"음, 그건 정말이야." 갑자기 라키친이 진심으로 놀란 것 같은 어조로 끼어들었다. "여보게, 알료샤, 이 사람은 정말로 자네를 두렵게 여기고 있어, 자네 같은 햇병아리를 말이야."

"그야 물론 당신 눈에는 이분이 햇병아리로 보일 거예요. 라키친 도대체 당신에겐 양심이라는 게 없으니까요. 알겠어요? 나는 이분을 진심으로 사랑하고 있단 말이에요! 알료샤, 내가 진심으로 당신을 사랑한다는 걸 당신은 믿어 주겠죠?"

"내 참 뻔뻔스런 여자 다 보겠군! 이거 봐, 알료샤, 이 여자는 지금 자네한테 사랑을 고백하고 있는 거야!"

"그게 어쨌단 말이죠? 나는 이분을 사랑하고 있어요."

"그럼 그 장교는? 모크로예에서 올 거라는 좋은 기별은?"

"이것과 그것과는 전혀 다른 문제예요."

"여자의 논리에 의하면 바로 그렇게 되는군!"

"남의 약을 올리지 마세요, 라키친" 하고 그루센카는 발끈 화를 내며 그의 말을 막았다. "이건 전혀 다른 문제라니까요. 알료샤에 대한 사랑은 성질이 다르단 말이에요. 하기는 알료샤, 전에 내가 당신한테 짓궂은 속셈을 품고 있었던 건 사실이에요. 그야 물론 나는 비열하고 미치광이 같은 여자지만요, 그래도 어떤 때에는 당신을 내 양심의 거울처럼 바라볼 때가 있었답니다. '지금쯤 그 사람은 속으로 나를 더러운 여자라고 경멸하고 있을 거야' 하고 언제나 이런 생각만 하고 있어요. 그저께도 그 아가씨 집을 나와 이리로 달음질쳐 돌아오면서 역시 그런 생각을 했었죠. 알료샤, 나는 벌써 오래전부터 당신을 이런 식으로 생각해 왔답니다. 이건 미챠도 알고 있어요, 내가 말했으니까. 미챠 역시 나와 같은 식으로 생각하고 있죠. 이렇게 말하면 곧이들을지 어떨지 모르지만, 알료샤, 나는 당신을 보고 있노라면 정말 부끄러워질 때가 있어요. 나 자신이 부끄러워 견딜 수가 없다니까요……. 무슨 까닭으로, 언제부터 당신에 대해 이런 식으로 생각하게 되었는지는 나도 알 수 없어요. 생각이 나질 않는군요."

페냐가 들어와서, 마개를 뽑은 술병 하나와 술이 가득 부어진 잔 세 개가 담긴 쟁반을 탁자 위에 내려놓았다.

"샴페인이 나왔군!" 하고 라키친이 외쳤다. "아그라페나 알렉산드로브나, 보아하니 몹시 흥분해서 제정신이 아닌 모양인데, 이걸 한 잔 들이켜시오. 덩실덩실 춤이라도 추고 싶어질 테니. 어럽쇼, 이런 것 하나 제대로 못 한대서야 어디!" 그는 샴페인 병을 보면서 덧붙였다. "부엌에서 식모 노파가 미리 컵에 따라 내보냈군. 게다가 병엔 마개도 없이 뜨뜻미지근한 걸 그냥 내보내다니! 할 수 없지, 이거라도 마실 수밖에."

그는 탁자로 다가가더니 잔을 들어 단숨에 들이켜고는 제 손으로 또 한 잔 따랐다.

"샴페인이라면 좀처럼 구경하기 어려운 물건이거든" 하고 그는 입맛을 다시며 말했다. "어떤가, 알료샤, 잔을 들고 자네 용기를 보여 주지 않겠나? 헌데 무엇을 위해서 건배하지? 천당 문을 위해서 건배하기로 할까? 그루셴카, 당신도 잔을 드시오. 그리고 천당 문을 위해 건배합시다."

"천당 문을 위해서라니, 무슨 뜻이죠?"

그녀는 술잔을 들었다. 알료샤도 자기 앞의 잔을 들고 한 모금 마셨으나 다시 제자리에 잔을 내려놓았다.

"역시 안 마시는 게 좋겠어!" 그는 조용히 웃었다.

"아까는 큰소리치더니 어찌 된 거야!" 하고 라키친이 외쳤다.

"그럼 나도 그만두겠어요" 하고 그루셴카가 말을 받았다. "그렇잖아도 나는 별로 생각이 없어요. 라키트카, 당신 혼자서 다 드세요. 알료샤가 마신다면 나도 마시겠지만."

"흥, 굉장히 다정하시군!" 하고 라키친은 빈정거렸다. "게다가 남자의 무릎 위에 올라앉아 내려올 줄 모르니! 이 친구는 슬픈 일이 있어서 마시지 않는다는 거겠지만, 당신은 대체 무엇 때문에 안 마신다는 거요? 이 친구는 자기의 하느님께 모반을 일으켜 소시지를 먹겠다고 했지만 말이오."

"그건 무슨 뜻이죠?"

"이 친구의 스승인 장로가 오늘 죽었어요, 거룩하신 조시마 장로가."

"조시마 장로님이 돌아가셨다고요?" 하고 그루셴카가 외쳤다. "나는 그것도 모르고 있었군요. 글쎄!" 그녀는 경건하게 성호를 그었다. "그런데도 나는 이렇게 이분의 무릎 위에 올라앉아 있었으니 어쩌면 좋아요!" 그녀는 후딱 무릎에서 뛰어내려 소파에 옮아앉았다.

알료샤는 놀란 표정으로 한참 동안 여자의 얼굴을 바라보았다. 어쩐지 그의 얼굴은 갑자기 밝아진 것같이 보였다.

"라키친." 그는 느닷없이 단호하고도 커다란 목소리로 입을 열었다. "내가 하느님께 모반을 일으켰다느니 뭐니 하고 나를 놀리지 말아 주었으면 좋겠네. 나는 자네한테 악감을 품고 싶지는 않아. 그러니 자네도 좀 더 선량한 마음으로 대해 줄 수 없겠나. 나는 자네가 한 번도 가져 보지 못한 귀중한 보물을 잃었어. 따라서 자네는 지금 나를 보고 이러니저러니 할 자격이 없는 거야. 그보다도 여기 이분을 좀 보게. 이분은 나를 동경해 주었어, 그건 자네도 보았겠지? 나는 이리로 오면서 짓궂은 영혼을 보게 되리라 생각했었네—나 자신 그것에 마음이 끌렸던 거야. 무엇보다도 내가 비열하고 못된 인간이었기 때문이지. 그런데 뜻밖에도 나는 이곳에서 참된 누님을 한 분 발견했네. 사랑에 충만한 영혼을…… 귀중한 보배를 발견한 거야……. 이분은 나를 불쌍히 여겨 주었어……. 아그라페나 알렉산드로브나, 나는 당신 얘기를 하고 있는 겁니다. 당신은 지금 내 영혼을 소생시켜 주셨습니다."

알료샤는 입술이 떨리고 숨이 콱콱 막혔다. 그는 입을 다물었다.

"마치 목숨이라도 살려 준 것같이 말하는군그래!" 라키친이 독기 품은 웃음을 웃어댔다. "그렇지만 이 여자는 자네를 잡아먹으려 했다네, 자네 그걸 아나?"

"그만둬요, 라키트카!" 하고 그루셴카는 벌떡 일어났다. "두 분 다 잠자코 계세요. 지금 내가 모든 걸 얘기할 테니. 알료샤, 내가 왜 당신한테 잠자코 있으라고 했는지 아세요? 당신의 말을 듣고 있으면 부끄러워 견딜 수가 없기 때문이에요. 나는 당신이 말하는 것처럼 착한 여자가 아니라, 정말은 아주 못된 여자니까요. 나는 아주 나쁜 여자란 말이에요. 그리고 라키트카, 당신한테 잠자코 있으라고 한 건 당신이 거짓말쟁이이기 때문이죠. 사실 한때는 이분을 손아귀에 넣으려는 야비한 생각을 품었던 일도 있긴 하지만, 지금은 그게 아니에요. 지금은 아주 달라졌으니까요……. 이젠 당신 같은 사람 목소리도 듣기 싫어요, 라키트카!"

그루셴카는 몹시 흥분한 어조로 이렇게 말했다.

"둘이 다 미쳤군, 미쳤어!" 라키친은 어이없다는 듯이 두 사람의 얼굴을 번갈아 바라보며 씹어뱉듯 말했다. "아주 돌아 버렸다니까! 꼭 정신병원에 와 있는 것 같군그래. 그 맥 빠진 얼굴들을 보니 둘이 다 금세 울음이라도 터뜨리겠는 걸."

"정말 울겠어요, 울고말고요!" 하고 그루센카는 말했다. "이분은 나를 누님이라고 불러 주었어요. 나는 한평생 그 말을 잊지 않을 거예요! 그렇지만요, 라키트카, 나는 물론 못된 여자긴 하지만, 그래도 파를 준 일이 있답니다."

"느닷없이 파는 또 뭐야? 흥, 그러고 보니 정말 돌아 버린 모양이군!"

라키친은 그들의 열광적인 모습을 보고, 한편으로는 놀라고 또 한편으로는 모욕감을 느꼈다. 그러나 만일 그가 냉정히 생각해 보았다면, 짧은 일생 동안에 그리 흔하지 않은, 인간의 마음에 깊은 감동을 줄 만한 요소가, 지금 이 순간 두 사람의 가슴에 동시에 일어났다는 것을 그는 깨달았을 것이다. 그러나 자기 자신에 관계되는 일에는 민감한 이해력을 지닌 라키친도, 타인의 기분이나 감정을 이해하는 데는 지극히 둔감했다. 물론 나이가 젊고 경험이 적은 탓도 있겠지만, 그보다도 그의 극단적인 에고이즘Egoism[98*]이 그 중요한 원인이었다.

"그런데 알료셰치카." 그루센카는 그를 돌아보고 갑자기 깔깔거리며 웃어댔다. "지금 내가 파를 준 일이 있다고 한 말은 라키트카를 보고 자랑한 것이지 결코 당신한테 한 말은 아녜요. 당신한텐 다른 목적이 있어서 얘기하려는 거니까요. 이건 다만 비유에 지나지 않는 얘기지만, 그런 얘기치곤 썩 잘된 얘기예요. 내가 어릴 때 마트료나한테서—지금 우리 집 식모로 있는 할멈한테서 들은 얘기지만요. 그럼 들어보세요—옛날에 아주 심보가 고약한 노파가 있었답니다. 그런데 좋은 일이라곤 한 가지도 하지 않고 죽었기 때문에, 사탄이 노파를 잡아다가 불바다 속에 던져 넣었지요. 그러자 그 노파의 수호천사는 하느님께 말씀드릴 만한 좋은 일이 노파한테 없었을까 하고 곰곰이 생각했어요. 겨우 한 가지 생각나는 일이 있어서 하느님께 '이 노파는 살아 있을 때 밭에서 파를 한 뿌리 뽑아 거지한테 준 일이 있었습니다'라고 보고했지요. 그랬더니 하느님께서 하시는 말씀이 '그럼 그 파를 갖다가 불바다 속에 있는 노파에게 내밀어 그걸 붙

98* 철학적 용어로 자기 자신의 이익만을 꾀하고, 사회 일반의 이익은 염두에 두지 않으려는 태도.

잡고 나오도록 해라. 만일 그렇게 해서 밖으로 끌어내는 데 성공하면 그 노파는 천당으로 가게 해도 좋지만, 혹시 그 파가 끊어지면 노파는 지금 있는 그곳에 그냥 있을 수밖에 없다'고 하셨답니다. 그래서 천사는 노파에게로 달려가서 그 파를 내밀어 주며 '자, 이걸 꼭 붙잡고 올라오너라'라고 말하고는 조심조심 끌어올리기 시작했지요. 거의 다 끌어올렸을 때 불바다 속에 있는 다른 죄인들이 노파가 끌려 올라가는 것을 보고는 자기들도 함께 끌리어 나오려고 모두들 그 파에 매달리기 시작했답니다. 그런데 노파는 원래가 성미가 고약한 여자였으므로 '나를 끌어올려 주는 것이지 너희들은 아니야, 이게 내 파지 너희들 파냐'라고 큰 소리를 지르며 다른 죄인들을 발로 걷어차기 시작했지요. 그러나 노파가 이 말을 하기가 무섭게 파는 툭 끊어져 버렸어요. 결국 노파는 다시 불바다 속으로 빠져서 지금까지도 거기서 타고 있답니다. 천사는 하는 수 없이 울면서 돌아갔다는 얘기지요. 비유의 얘기란 바로 이것인데, 나는 이걸 외워 가지고 있어요. 나 자신이 그 심보 나쁜 노파와 같은 여자니까요. 라키트카한텐 나도 파를 준 일이 있다고 자랑했지만, 당신한텐 좀 다르게 말하겠어요. 나는 일생을 통해서 겨우 한 번 조그만 파를 한 뿌리 주었을 뿐이에요. 내가 한 좋은 일이란 이것밖엔 없거든요. 그러니까 알료샤, 이제부터는 나를 칭찬하지도 말고 착한 여자라 생각지도 말아 주세요. 나는 심보가 아주 고약한 여자인걸요. 당신한테 칭찬을 받으면 부끄러워 견딜 수가 없어요. 이렇게 된 이상 모든 걸 죄다 고백해야겠군요. 잘 들어보세요, 알료샤, 나는 당신을 이 집에 끌어들이고 싶어서 라키트카한테 신신당부했었답니다. 당신을 데리고 오기만 하면 25루블을 주겠다고까지 약속했으니까요. 잠깐만, 라키트카, 잠깐만 기다려요!"

그녀는 총총걸음으로 테이블로 달려가서 서랍을 열고 지갑을 꺼내더니, 거기서 25루블짜리 지폐 한 장을 뽑아냈다.

"저, 저, 저런 되지도 않은 소릴!" 라키친은 몹시 당황하여 이렇게 외쳤다.

"자 받으세요, 라키트카, 약속한 돈이니까. 자기 입으로 달라고 해 놓고서 이제 와서 설마 싫다고는 안 하겠죠." 그녀는 라키친에게 돈을 내던졌다.

"물론 싫다고 할 이유는 없지." 라키친은 몹시 낭패한 꼴이었으나, 그래도 겉으로는 태연을 가장하며 큰소리쳤다. "바보 덕택에 현명한 사람이 덕을 보는 건 당연한 일이니까."

"이젠 입을 좀 다물고 있어요, 라키트카! 지금부터 내가 하는 말은 당신 들으라고 하는 게 아니니까요. 저 구석에 가 앉아서 잠자코 있으란 말이에요. 당신은 우리를 사랑하지 않으니까 말참견을 할 필요는 없을 거예요."

"무슨 까닭에 내가 당신네들을 사랑해야 한다는 거야?" 라키친은 적의를 감추려고도 않고 벌컥 성을 냈다. 그는 25루블짜리 지폐를 호주머니에 집어넣기는 했지만, 아무래도 알료샤 앞에 부끄러움을 느끼지 않을 수 없었다. 실은 알료샤 모르게 나중에 그 돈을 받을 작정이었다. 그래서 지금 창피한 나머지 화를 냈던 것이다. 지금 이 순간까지는 그루셴카한테 아무리 핀잔을 받아도 너무 맞서지 않는 게 현명하다고 생각했었다. 그녀가 자기에 대해 일종의 권력을 갖고 있는 것같이 생각되었기 때문이다. 그러나 이번만은 끝내 참지를 못하고 벌컥 화를 내고 만 것이다.

"사람을 사랑하는 데는 무슨 이유가 있어야 하는 거야. 그런데 당신네들은 나를 위해 한 것이 뭐지?"

"이유가 없어도 사랑해야죠, 알료샤처럼."

"무얼 보고 이 친구가 당신을 사랑하고 있다고 단언하는 거야? 이 친구가 당신한테 무얼 보여 주었기에 그처럼 수선을 떠느냐 말이야?"

그루셴카는 방 한가운데에 서서 열띤 어조로 말하고 있었다. 그 음성에서는 히스테릭한 기색이 엿보였다.

"닥쳐요, 라키트카, 당신 따위가 우리들의 심정을 이해할 리는 만무하니까! 그리고 앞으로는 나한테 그따위 말투로 말하지 말아 주세요. 당신이 함부로 그런 투로 말하는 걸 나는 용서할 수 없어요. 도대체 어디서 그런 뻔뻔스러운 심장을 달고 왔을까! 내 하인처럼 구석에 물러앉아 잠자코 있으란 말이에요! 자, 그럼 알료샤, 이제부터 나는 모든 걸 숨김없이 당신에게만 말하겠어요. 내가 얼마나 더러운 계집인지 당신이 알 수 있도록 하기 위해서죠! 라키트카가 아니라 당신한테 말하는 거예요. 나는 당신을 파멸시키고 싶었어요. 알료샤, 이건 어디까지나 사실이에요. 정말 당신을 데려오라고 라키친을 돈으로 매수하기까지 했으니까요. 그런데 내가 왜 그런 짓을 하려 했는지 아세요? 알료샤, 당신은 아무것도 모르고 있었으니까 언제나 외면을 한 채 눈을 내리깔고 내 옆을 지나가곤 했죠. 그러나 나는 오늘까지 당신을 본 것이 아마 백 번은 될 거예요. 나는 만나는 사람마다 당신 얘기를 물어보았죠. 당신의 얼굴이 내 가슴속에서 한시도 떠나지 않는 거예요. '그 청년은 나를 멸시하고 있어. 그래서 나 같은 건 거들떠보려고도 하지 않는 거야' 하고 생각했죠. 그리고 나중에는 '무엇 때문에 내가 그까짓 애송이 때문에 이렇게 신경을 써야 하나?' 하고 나 자신 어이가 없을 만큼 이상한 심정이 되었어요. '어디 두고 보자, 꼼짝 못하게 휘어잡아 마음껏 웃어 줄 테니.' 난 앙심을 품고 때가 오길 기다렸죠. 이렇게 말하면 곧이들을지 모르겠지만, 이 고장에 사는 사람치고 이 아그라페나 알렉산드로브나한테 어떤 야비한 목적을 품고 접근해 보려고 생각하거나 그런 말을 떠벌리는 사람은 이젠 하나도 없어요. 내 옆에 붙어 있는 사람이라곤 그 영감님 하나밖엔 없죠. 나는 악마에게 붙잡혀 그 영감님에게 팔린 몸이니까 어쩔 수 없지만, 그 대신 다른 사내는 하나도 없어요. 그런데 당신을 보자, 저 애송이를 한입에 집어삼켜 버려야지 하고 결심했어요. 한입에 집어삼켜 버리고 마음껏 웃어 줘야겠다고 생각했단 말이에요. 내가 얼마나 앙큼한 암캐인지 이젠 아셨죠? 그런데도 당신은 나를 누님이라 불러 주시는군요! 그런데 예전에 나를 저버렸던 그 남자가 이번에 돌아왔기 때문에, 나는 지금 이렇게 앉아서 그 사람한테서 기별이 오기를 기다리고 있는 거예요. 나를 배반했던 그 남자가, 내게 어떤 의미를 지닌 사람이었는지 아세요? 5년 전에 쿠지마가 나를 이곳으로 데려왔을 때, 나는 남들이 내 얼굴을 보거나 목소리를 들을까 봐 언제나 방 안에 들어박혀 있었답니다. 나도 어지간히 바보였었죠. 며칠씩이나 밤새도록 자지를 않고 혼자 앉아서 울기만 했으니까요. 그리고 '나를 저버린 그 사람은 지금 어디 있을까? 아마 다른 여자와 함께 나를 비웃고 있을 거야. 어디 두고 보자. 언제든 만나기만 하면 반드시 앙갚음을 하고야 말 테니! 무슨 일이 있어도 앙갚음을 하고야 말 테다!' 하고 생각했죠. 밤중에 어둠 속에서 베개에 얼굴을 파묻고 흐느껴 울면서 그 생각만 되씹곤 했답니다. 이렇게 일부러 자기 가슴을 쥐어뜯으며 타오르는 복수심으로 스스로를 달랬던 거예요. '두고 보자, 반드시 앙갚음을 하고야 말 테니!' 하고 어떤 때는 어둠 속에서 혼자 부르짖기도 했죠. 그러다가 문득, 나는 그를 아무렇게도 할 수 없을 것이다, 지금쯤 그는 나를 비웃고 있겠지, 아니, 어쩌면 나 같은 건 벌써 잊은 지 오랠 것이다, 라는 생각이 떠올라 침대에서 마룻바닥에 몸을 내던지고 하염없이 눈물을 흘리며 새벽녘까지 몸부림치곤 했어요. 아침에 일어날 때는 개보다도 더 잔악한 마음이 되어, 능히 온 세계를 집어삼키기라도 할 것 같은 심정이었죠. 그래서 어떻게 되었는지 아세요? 돈을 모으기 시작한 거예요. 의리도 인정도 모르는 계집이 되었고, 몸에는 점점 살이 붙기 시작했고…… 그리고 조금은 영리해졌을 거라고 당신은 생각하겠죠, 그렇잖아요? 하지만 그게 아녜요. 이 넓은 세상에서 그것을 보거나 그것을 아는 사람은 아무도 없지만요, 밤이 찾아오고 주위에 어둠에 싸이면, 지금도 이따금 5년 전과 똑같은 소녀로 되돌아가 이를 악물고 밤새도록 울곤 한답니다. '두고 보자, 기어이 앙갚음을 하고야 말 테다'라고 마음속으로 다짐하죠. 내 얘기 들었어요? 그럼 내가 어떤 계집이라는 걸 이제는 똑똑히 알았겠죠. 한 달 전에 나는 갑자기 그 사람의 편지를 받았어요—그 사람은 얼마 전에 홀아비가 되었는데, 나를 만나고 싶다면서 곧 오겠다는 거예요. 나는 숨이 꽉 막히는 것 같은 기분이었어요. 어쩌면 좋을까 생각하는데, 문득 이런 생각이 떠오르지 않겠어요—'만약에 그 사람이 와서 휘파람을 불고 나를 부른다면, 나는 무슨 나쁜 짓을 해서 호되게 얻어맞은 개처럼 그 사람 곁으로 기어가는 거나 아닐까?' 이런 생각을 하니 나는 나 자신을 믿을 수가 없었어요—'나는 비굴한 계집인가 아닌가, 나는 그 사람 곁으로 달려갈 것인가 아닌가?' 그래서 나는 지난 한 달 동안 나 자신이 원망스러워 견딜 수가 없었어요. 결국 5년 전보다 더욱 곤경에 빠진 셈이죠. 그러니까 알료샤, 내가 얼마나 지독한 미치광이 같은 여자인지 이젠 잘 알겠죠? 나는 사실 그대로를 죄다 얘기한 거예요! 미챠를 희롱한 것도 실은 그 사람한테 달려가지 않기 위해서죠. 가만있어요, 라키친, 당신은 여기 대해 이러쿵저러쿵 말할 자격이 없어요. 당신한테 얘기한 게 아니니까요. 나는 당신들이 오기 전에 여기 누워서 기다리며 생각하고 있었죠. 앞으로의 나의 운명을 결정지으려 했던 거예요. 내가 무엇을 생각하고 있는지 당신들은 절대로 몰라요. 알료샤, 그 아가씨를 만나거든 그저께 일 때문에 너무 화를 내지 말아 달라고 전해 주세요. 아아, 지금 내 심정이 어떤지를 아는 사람은 이 세상에 하나도 없어요. 하긴 알 리가 없죠……. 나는 어쩌면 오늘 칼을 품고 그곳으로 갈지도 몰라요. 아직 확정적인 것은 아니지만."

이 '처량한 말'을 입 밖에 내자, 그루셴카는 더 이상 참지를 못하고, 말을 마치기도 전에 두 손으로 얼굴을 가리고는 소파 위의 베개에 쓰러져서 어린애처럼 흑흑 느껴 울기 시작했다.

알료샤는 자리에서 일어나 라키친에게 다가갔다.

"미샤(라키친의 애칭), 제발 화를 내지 말아 주게. 이분한테 모욕을 받았다고 해서 너무 나쁘게 생각지는 말게. 자네도 지금 이분의 얘기를 들었겠지? 인간의 영혼에 너무 많은 것을 요구할 수는 없지 않나. 좀 더 관대하게 대해야지."

알료샤는 억제할 길 없는 격정에 사로잡혀 이렇게 말했다. 그는 가슴속에 북받쳐 오르는 것을 말하지 않고는 견디어 낼 수가 없었기 때문에, 그것을 라키친에게 말한 것뿐이었다. 만일 라키친이 없었다면 혼자서 그렇게 외쳤을 것이다. 그러나 라키친이 냉소적인 시선을 던지는 바람에 알료샤는 갑자기 입을 다물고 말았다.

"그건 어젯밤에 가득 집어넣은, 장로의 설교라는 탄환을 지금 나한테 쏘아붙이는 셈이군그래. 알료셴카, 자넨 정말 하느님의 사도야." 라키친은 증오에 찬 미소를 띠며 이렇게 뇌까렸다.

"제발 그렇게 비웃지 말아 주게, 라키친. 죽은 사람 얘기는 하는 게 아니야. 그분은 이 세상의 누구보다도 훌륭한 사람이었어!" 알료샤는 울먹이는 소리로 외쳤다. "나는 심판자로서 이런 말을 하려고 일어선 건 아니야. 나 자신 심판을 받아야 할 인간 중에서도 가장 죄 많은 인간이니까. 나 같은 건 여기 이분과는 비교도 할 수 없는 인간이야. 나는 스스로를 파멸시키기 위해서 이리로 온 거야. '아무러면 어때, 될 대로 돼라!'고 마음속으로 뇌까렸었지. 이건 내 마음이 그만큼 약한 탓이었어. 그러나 여기 이분은 5년 동안이나 무서운 고통을 겪고서도, 어떤 인간이 처음으로 찾아와서 진심에서 우러난 말을 한마디 하자마자—모든 것을 용서하고, 모든 것을 잊고 이처럼 울고 있지 않나! 그리고, 자기를 배반한 남자가 돌아와서 자기를 부르니까, 이분은 그 남자의 모든 과거를 용서하고 기꺼이 그에게 달려가려 하고 있지 않나! 이분은 칼을 가지고 가지는 않을걸세. 암 가지고 갈 리가 없지! 그러나 나라면 그렇게 못 할 거야. 미샤, 자네는 어떨지 모르지만 나는 그렇게 못 해! 나는 오늘 여기 이 자리에서 좋은 교훈을 받은 셈이야. 이분은 사랑에 관해서는 우리보다 몇 배나 위에 있어……. 자네는 이분이 지금 한 얘기를 전에 들은 일이 있나? 없을 거야, 못 들었을 거야. 들은 일이 있었다면 이미 오래전에 모든 것을 깨달았을 테니까……. 그리고 또 한 사람, 그저께 이분한테 모욕을 당한 그 아가씨도 이분을 용서해야 할 거야! 사정을 알면 용서할 걸세……. 차차 사정을 알게 되겠지……. 이분의 영혼은 아직 평안함을 얻지 못하고 있으니까 우리는 관대하게 대해 줄 필요가 있어……. 그 영혼 속에는 아마 귀중한 보배가 간직되어 있을 걸세."

알료샤는 숨이 막혀 오는 것 같아서 입을 다물었다. 라키친은 증오심에 불타오르고 있었음에도 불구하고, 몹시 놀란 눈으로 상대방을 바라보고 있었다. 평소엔 조용하기만 하던 알료샤가 이런 열변을 토하리라고는 전혀 예기치 못했던 것이다.

"굉장한 변호사가 하나 나타났군! 그보다도 자넨 이 여자한테 반한 건 아닌가? 아그라페나 알렉산드로브나, 우리의 고행자께서는 당신한테 단단히 반한 모양이요. 당신은 기어이 이 사람을 정복하고야 말았소!" 하고 그는 뻔뻔스러운 웃음을 띠우며 외쳤다.

그루셴카는 베개에서 고개를 들고 알료샤를 바라보았다. 방금 흘린 눈물 때문인지 갑자기 부어오른 것같이 보이는 그 얼굴에는 감격 어린 미소가 환하게 빛나고 있었다.

"알료샤, 저런 사람은 상대하지도 마세요. 당신한테 그런 소릴 하다니 어디 그럴 수가 있겠어요!" 미하일 오시포비치(라키친의 정식 이름과 부칭)하고 그녀는 라키친을 돌아다보았다. "나는 당신한테 심하게 말한 것을 사과하려 했지만, 이젠 그러고 싶지가 않군요. 알료샤, 이리 와서 내 옆에 앉으세요." 그녀는 행복한 미소를 띠우며 알료샤를 손짓해 불렀다. "됐어요, 여기 이렇게 앉으세요. 당신한테 한 가지 묻고 싶은 게 있어요. (그녀는 알료샤의 손을 잡고 상냥하게 웃으며 그 얼굴을 들여다보았다)—나는 과연 그 남자를 사랑하고 있는 걸까요? 사랑하지 않는 걸까요? 나를 배반했던 그 사람 말이에요. 아까 당신이 들어올 때까지 나는 어두운 이 방 안에 혼자 누워서, 그 사람을 내가 사랑하고 있는지 어떤지를 내 가슴에 물어보고 있었던 거예요. 알료샤, 나를 위해 당신이 그 해답을 주시지 않겠어요. 이젠 결단을 내려야 할 때가 오고 말았어요. 나는 당신의 결정에 따를 생각이에요. 그 사람을 용서해야 할까요, 용서하지 말아야 할까요?"

"하지만 당신은 이미 용서한 게 아닙니까." 알료샤는 웃는 얼굴로 이렇게 말했다.

"하긴 벌써 용서한 거나 다름없군요." 그루셴카는 생각에 잠기는 얼굴로 말했다. "얼마나 비열한 근성일까요! 자, 그럼 나의 비열한 근성을 위해서!" 하며 그녀는 탁자 위의 술잔을 집어 들고 단숨에 마셔 버리더니, 빈 술잔을 높이 들었다가 방바닥에 홱 내동댕이쳤다. 술잔은 요란한 소리를 내며 박살이 나 버렸다. 그녀의 미소 속에는 어떤 잔인한 빛이 퍼뜩 스치고 지나갔다. "그렇지만 아직 용서하지 않았는지도 몰라요." 눈을 아래로 내리깔고 마치 혼잣소리를 하듯이 그녀는 위협적인 어조로 말했다. "아직은 내 마음이 그 사람을 용서하려 하고 있을 뿐인지도 모르죠. 좀 더 나 자신의 마음과 싸워 봐야겠어요. 나는 말이에요, 알료샤, 지난 5년 동안 나 자신의 눈물에 말할 수 없는 매력을 느껴 왔던 거예요……. 그러니까 나는 내가 받은 모욕을 사랑했을 뿐이지 결코 그 사람을 사랑한 건 아니었는지도 몰라요!"

"혹시 잘못해서 그런 남자가 될까 봐 걱정인걸!" 라키친이 빈정댔다.

"그런 걱정은 마세요, 라키트카, 되고 싶어도 못 될 테니까. 당신 같은 건 내 신발이나 꿰매세요, 라키트카, 나한테 당신이 소용된다면 기껏 그 정도겠죠. 당신 따위는 한평생 나 같은 여자 곁에는 얼씬도 못할 거예요……. 하긴 그 사람 역시 그렇게 되겠지만."

"뭐, 그 사람도? 그럼 뭣 때문에 옷은 그렇게 차려입고 있는 거요?" 하고 라키친은 짓궂게 물고 늘어졌다.

"옷차림 같은 걸 가지고 놀리진 마세요, 라키트카. 당신은 아직 내 마음을 잘 모른단 말이에요! 마음 내키면 나는 이따위 옷 같은 건 지금 당장에라도 찢어 버릴 수 있어요" 하고 그녀는 쨍쨍 울리는 소리로 외쳤다. "당신은 무엇 때문에 내가 이렇게 차려입었는지 모를 거예요, 라키트카. 어쩌면 그 사람한테 가서, '어때요, 내가 몰라보게 변했죠, 그렇지 않아요?'라고 말하기 위해서인지도 모르죠. 그 사람이 나를 버렸을 때만 해도 나는 빼빼 마른 열일곱 살짜리 울보였거든요. 나는 그 사람 옆에 바싹 붙어 앉아서 그를 유혹하여 잔뜩 마음이 달뜨게 해 놓고는 '내가 이젠 얼마나 매혹적인 여자가 되었는지 아셨죠? 그렇지만 맛있는 국물은 수염에 묻어 흘러내릴 뿐, 그 입 속엔 들어가지 않을걸요!' 하고 약을 올려 주려는 건지도 모르잖아요? 라키트카, 내가 이렇게 차려입은 데는 이런 속셈이 있기 때문이랍니다" 하고 그루셴카는 코웃음을 치며 말했다.

"그렇지만, 알료샤, 나는 성질이 난폭하고 지독한 여자거든요. 이따위 옷 같은 건 갈기갈기 찢어 버리고, 내 손으로 얼굴을 지지든지 칼로 상처를 만들든지 하여 그 아름다움을 망쳐 버리고, 거지가 되어 비럭질을 하러 나설지도 몰라요. 마음만 내키면 지금부터 아무한테도 가지 않을지도 모르죠. 내일이라도 쿠지마한테서 받은 물건이고 돈이고 할 것 없이 죄다 돌려보내고 일생 동안 식모살이를 나설 수도 있어요!…… 내가 그렇게 못할 것 같은가요, 라키트카? 그만한 용기가 없을 것같이 보이나요? 천만에, 지금 당장에라도 나는 그렇게 할 수 있어요. 그렇지만 제발 내 신경을 자극하지 말아 주세요……. 그따위 사내는 쫓아 버리고 말 테니. 얼굴에 침을 뱉어 주고 다시는 내 앞에 얼씬도 못 하게 할 테니 두고 보세요!"

이 마지막 말을 그녀는 거의 병적인 흥분 속에서 외쳤으나, 또다시 참지를 못하고 두 손으로 얼굴을 가린 채 베개 위에 쓰러져서 온몸을 떨며 흐느껴 우는 것이었다.

라키친은 자리에서 일어섰다.

"갈 시간이 됐어." 그는 말했다. "꽤 늦었는걸, 수도원 문이 닫혀서 들어갈 수 없게 되겠네."

이 말을 듣고 그루셴카는 벌떡 일어났다.

"설마 이대로 돌아가 버리는 건 아니겠죠, 알료샤!" 하고 그녀는 비통한 경악의 빛을 띠우며 소리쳤다. "대체 당신은 날 어떻게 할 작정이세요? 내 마음을 뒤흔들어 갈기갈기 찢어 놓고는 이 괴로운 밤에 나를 혼자 내버려 두고 돌아가 버릴 작정인가요?"

"그렇다고 이 친구가 당신 집에서 자고 갈 수는 없지 않소? 그야 물론 본인이 원한다면 무방하겠지! 나는 혼자 돌아가겠소!" 라키친은 독기 품은 어조로 빈정댔다.

"닥쳐요, 정말 악독한 인간이로군요!" 그루셴카는 벌컥 성을 내며 외쳤다. "당신은 이분이 오늘 나한테 해 준 것과 같은 말을 단 한 번이라도 해 준 일이 있느냐 말이에요."

"이 친구가 대체 당신한테 무슨 말을 했다는 거요?" 하고 라키친은 초조한 빛을 띠우며 중얼거렸다.

"이분이 무엇을 했는지 나는 모르겠어요. 하나도 모르겠어요. 짐작도 할 수 없고요. 그렇지만 내 마음에 와서 느껴지는 것이 있었어요. 이분은 내 마음을 송두리째 뒤엎어 버렸어요……. 나를 가엾이 여겨 준 것은 이분이 처음이에요. 그리고 이분 한 사람밖엔 없어요. 정말 그래요! 오오, 천사와도 같은 알료샤, 당신은 왜 진작 나한테 와 주지 않았죠?" 그녀는 거의 광적인 흥분 상태에 빠져 갑자기 그의 앞에 무릎을 꿇었다. "나는 여태까지 당신 같은 분이 와 주기를 기다리고 있었어요. 누구든, 당신 같은 분이 나타나서 나를 용서해 줄 거라고 생각하고 있었죠. 나 같은 더러운 여자라도 야비한 욕망 없이 진심으로 사랑해 줄 분이 반드시 나타날 거라고 믿고 있었어요!"

"내가 당신에게 무엇을 했다는 건가요?" 알료샤는 그녀에게 몸을 굽혀 상냥하게 손을 잡고 감격 어린 미소를 띠우며 대답했다. "나는 당신에게 파를 드렸을 뿐입니다. 아주 조그만 파 한 뿌리밖엔 드린 것이 없습니다. 그뿐이에요."

이렇게 말하고는 그 역시 눈물을 흘리기 시작했다. 이때 갑자기 현관 쪽에서 요란한 소리가 나면서 누군가 문간방으로 들어왔다. 그루셴카는 소스라치게 놀라 의자에서 펄쩍 튀어 일어났다. 페냐가 호들갑스럽게 소리를 지르며 응접실로 뛰어 들어왔다.

"아씨, 아씨, 사람이 왔어요, 마차를 몰고 왔어요!" 하녀는 숨을 헐떡이며 무슨 큰 경사나 난 것처럼 떠들었다. "모크로예에서 아씨를 모시러 멋진 트로이카가 왔다니까요! 치모페이라는 마부가 곧 말을 갈아대겠다고 하더군요……. 그리고 편지를, 편지를, 아씨, 이 편지를 보세요!"

하녀의 손에는 편지 한 통이 쥐여 있었다. 이렇게 떠들어 대는 동안 그녀는 그 편지를 공중에 휘두르고 있었다. 그루셴카는 페냐의 손에서 그것을 빼앗아 가지고 촛불 옆으로 가까이 갔다. 편지라고는 하지만, 두서너 줄밖엔 쓰여 있지 않은 종이쪽지에 불과했다. 그루셴카는 단숨에 그것을 읽었다.

"그 사람이 나를 부르고 있군요!" 창백한 얼굴을 병적인 미소로 일그러뜨리며 그녀는 외쳤다. "휘파람을 부는 거예요! 자, 그럼 꼬리를 흔들며 기어가야지, 가엾은 강아지야."

그녀는 망설이듯 그 자리에 서 있었으나, 그것은 한순간에 지나지 않았다. 갑자기 온몸의 피가 그녀의 머리로 솟구쳐 올라 양쪽 뺨이 불처럼 붉어졌다.

"가야겠어요!" 하고 그녀는 외쳤다. "아아, 눈물에 젖은 5년간의 생활과도 이것으로 이별이군요! 알료샤, 당신과도 이별이에요. 내 운명은 결정됐어요……. 어서 돌아가세요, 돌아들 가세요. 모두 내 옆에서 떠나가 버리세요! 그리고 다시는 내 눈앞에 나타나지 마세요! 그루셴카는 새로운 생활을 향해 달려가는 거예요…… 라키트카, 당신도 나를 나쁘게는 말하지 마세요. 어쩌면 죽으러 가는 건지도 모르니까요! 아아, 꼭 술에 취한 것 같군요!"

그녀는 갑자기 두 사람을 남겨 두고 자기 침실로 달려 들어갔다.

"저 여자는 지금 우리를 상대하고 있을 겨를이 없어!" 라키친이 투덜거렸다. "어서 가세. 꾸무럭거리다가는 또 그 빽빽거리는 소리를 들어야 할 거야. 눈물을 찔끔거리며 떠들어 대는 데는 정말 진저리가 난다니까."

알료샤는 기계적으로 밖으로 끌려 나왔다. 뜰 안에는 여행용 마차가 한 대 서 있었다. 마침 말을 갈아대고 있었다. 초롱을 든 사람들이 분주하게 움직이고 있었다. 활짝 열어 놓은 대문으로 세 필의 말이 끌려 들어오고 있었다. 라키친과 알료샤가 현관 층계를 내려섰을 때, 그루셴카의 침실 창문이 열리더니, 맑게 울리는 그녀의 음성이 알료샤를 불러 세웠다.

"알료셰치카, 미첸카 형님한테 인사 전해 주세요. 그리고 그이를 괴롭혀 드리기만 했지만, 그렇다고 나를 너무 나쁘게 생각지 말라고 여쭈어 주세요. 그리고 또, '그루셴카는 당신 같은 훌륭한 분을 버리고 비열한 사내의 손에 떨어져 들어갔습니다!'라고, 내 말을 그대로 전해 주세요. 그리고 또 한 가지…… 그루셴카는 한때, 전후를 통해서 오직 한때 미챠를 사랑한 일이 있었다고요. 그러니까 그 한때를 평생 잊지 말아 달란 말도 전해 주세요. 평생이라고 그루셴카가 다짐하더라고요."

그녀는 울먹이는 어조로 말을 맺었다. 창문이 덜컥 닫혔다.

"흥, 흥!" 라키친은 웃으며 괴상한 소리로 중얼거렸다. "결국 자네 형 미챠를 물어죽이고 말았군. 그러면서도 평생을 두고 잊지 말아 달라니 이건 너무 잔인하지 않나!"

알료샤는 그의 말을 듣지 못한 것처럼 아무 대꾸도 하지 않았다. 그는 굉장히 급한 일이라도 있는 사람처럼 라키친과 나란히 빠른 걸음으로 걸어갔다. 그것은 마치 의식을 잃은 사람 같은 기계적인 걸음걸이였다. 갑자기 라키친은 채 아물지 않은 상처를 손가락으로 건드리는 것같이, 찌르는 듯한 아픔을 느꼈다. 아까 알료샤를 그루셴카한테 데리고 갈 때 그는 전혀 다른 결과를 기대했었다. 그런데 실제는 예기했던 것과는 딴판인 달갑지 않은 결과가 나타난 것이다.

"그자는 폴란드인이라네, 그 여자의 장교라는 사내 말일세." 그는 스스로를 억제하며 다시 입을 열었다. "그런데 지금은 장교도 아무것도 아니라는군. 시베리아 중국 국경 지대의 어느 세관에 근무하고 있었다는 걸 보니 보잘것없는 거지 같은 폴란드인일 거야. 얘기를 들으니, 이번에 실직을 하고서, 그루셴카가 돈을 좀 모았다는 소문을 주워듣고 다시 돌아온 모양이야—이것이 바로 기적의 전부지."

이번에도 알료샤는 전혀 귀담아듣고 있지 않는 것 같았다. 라키친은 더 이상 참을 수가 없었다.

"그래 자네는 죄 많은 여인을 참된 인간으로 소생시키기라도 한 것같이 생각하고 있는 건가?" 그는 알료샤에게 독기 품은 조소를 던졌다. "타락한 여인을 진리의 길로 끌어올렸다고 생각하나? 일곱 놈의 악마를 쫓아 버렸다고 생각하느냔 말일세. 자네가 기다리고 기다리던 기적이 이제 여기서 실현되었다는 건가?"

"듣고 싶지 않네, 라키친" 알료샤는 가슴이 찢어질 것 같은 고통을 느끼며 이렇게 대답했다.

"그러고 보니 자넨 아까 그 25루블 때문에 나를 멸시하고 있는 모양이군? 내가 귀중한 친구를 팔아먹었다는 건가? 하지만 자네는 그리스도도 아니고 나는 유다도 아니잖나."

"그런 소리 말게, 라키친. 나는 그 일은 벌써 잊어버리고 있었어, 정말이야" 하고 알료샤는 외쳤다. "자네 말을 듣고서야 겨우 생각이 났다니까."

그러나 라키친은 이미 분통을 터뜨린 후였다.

"자네 같은 인간은 모조리 악마한테나 잡혀갔으면 시원하겠군!" 그는 버럭 고함을 쳤다. "내가 왜 자네 따위와 상종을 했을까! 자네 같은 건 이젠 얼굴도 보지 않겠네. 혼자서 가게. 그쪽이 자네 갈 길이야!"

어둠 속에 알료샤를 혼자 남겨 두고, 그는 홱 몸을 돌려 다른 길로 걸어가 버렸다. 알료샤는 교외로 빠져나와 들길을 걸어 수도원으로 향했다.

4. 갈릴리의 가나

알료샤가 암자에 돌아온 것은, 수도원의 관례로 보아 퍽 늦은 시각이었다. 문지기는 특별한 출입문으로 그를 넣어 주었다. 벌써 아홉 시가 되어 있었다—그것은 모든 사람에게 너무나 소란스러웠던 하루해가 지나간 후에 찾아온 휴식과 안정의 시간이었다. 알료샤는 조심스레 문을 열고 장로의 관이 안치된 암자 안으로 발을 들여놓았다. 암자 안에는 관 앞에서 복음서를 낭송하고 있는 파이시 신부와 젊은 견습 수도생 포르피리 이외에는 아무도 없었다. 포르피리는 전날 밤의 담화와 오늘 하루 동안의 혼잡 때문에 지쳐 떨어져, 옆방 마루 위에서, 젊은이들에게만 허용되는 깊은 잠에 빠져 있었다. 파이시 신부는 알료샤가 들어오는 소리를 듣고서도 그쪽을 돌아보려 하지도 않았다. 알료샤는 문을 들어서자 오른편 구석으로 가서 무릎을 꿇고 기도를 드리기 시작하였다.

그의 가슴은 무언가로 가득 차 있었으나, 그것은 어쩐지 몹시 흐리멍덩하여 어떤 뚜렷한 느낌은 한 가지도 떠오르지 않았다. 뿐만 아니라 여러 가지 느낌이 같은 속도로 빙글빙글 회전하면서 번갈아 가며 불쑥 얼굴을 내밀곤 하는 것이었다. 그러나 그의 마음은 일종의 유열愉悅을 느끼고 있었다. 그리고 이상하게도 알료샤는 이러한 사실에 놀라지 않았다. 그는 또다시 자기 앞의 관을 보았다. 자기에게 그처럼 귀중하던 사람의 가리어진 유체를 보았다. 그러나 오늘 아침에 느꼈던 것과 같은, 금세 울음이 터져 나올 듯하고 가슴을 쑤시는 듯한 비애는 이미 그의 마음에 없었다. 그는 방 안에 들어서자마자 성인의 유해 앞에서와 같이 장로의 관 앞에 꿇어 엎드렸으나, 그의 이성과 감정은 형언할 수 없는 희열로 환하게 빛나고 있었다. 암자의 창문 하나가 열려 있어서 공기는 신선하고 시원했다. '창문을 열어 놓기로 한 걸 보니, 냄새가 더 심해졌던가 보군' 하고 알료샤는 생각했다. 그러나 몇 시간 전까지만 해도 그처럼 불명예로 생각했던 부취腐臭에 대한 생각도, 이제는 아까와 같은 비애나 분노를 불러일으키지 않았다. 그는 조용히 기도를 시작했으나, 얼마 안 있어 그 기도가 거의 기계적인 것에 지나지 않는다는 것을 스스로 느끼었다. 단편적인 상념들이 그의 마음속에 떠올라 별처럼 반짝이다가는 곧 사라지고, 또 다른 상념이 나타나곤 하는 것이었다. 그러나 그 대신에 마음의 갈증을 없애 주는, 완전하고도 확고한 그 무엇이 그의 내부를 지배하고 있었다. 알료샤 자신도 그것을 자각하고 있었다. 이따금 그는 열렬히 기도를 올리기 시작했고, 무턱대고 사랑하고 싶은 충동을 느꼈다…….

그러나 기도를 시작하기가 무섭게 갑자기 다른 어떤 일로 생각이 옮아가서 그 생각에 잠겨 버리게 되어 기도 자체도, 기도를 방해하는 잡념도 모두 잊어버리고 마는 것이었다. 그래서 이번엔 파이시 신부의 복음서 낭송에 귀를 기울이기 시작했으나, 쌓이고 쌓인 피로 때문에 저도 모르게 꾸벅꾸벅 졸기 시작했다.

"사흘째 되던 날에 갈릴리의 가나에 혼인이 있어……." 파이시 신부는 낭송을 계속했다. "예수의 어머니도 거기 있었고, 예수와 그 제자들도 혼인에 청함을 받았더니……"[99]

'혼인이라고? 대체 무슨 말일까…… 혼인이라……' 하는 생각이 회오리바람처럼 알료샤의 머릿속을 스치고 지나갔다. '그 여자에게도 역시 행복이 찾아와서…… 축하연에 가 버렸다……. 아니, 그 여자는 칼 같은 걸 품고 갈 리가 없

99 《신약 성경》〈요한복음〉 2장 참고.

어, 암 없고말고……. 그건 다만 일종의 넋두리였을 뿐이야…… 그렇지……. 그런 종류의 넋두리는 허용되어야 해. 넋두리는 마음을 위로해 주니까……. 그것이나마 없다면 인간은 도저히 슬픔을 참아 낼 수 없을 거야. 라키친은 뒷골목으로 빠져 버렸어. 라키친은 자기가 받은 모욕을 생각하는 동안은 언제나 골목길만을 걷게 되겠지……. 그러나 대로大路는—인간이 걸어야 할 대로는 넓고 곧고 밝고 수정같이 맑고, 멀리에는 태양이 빛나고…… 그런데 지금 읽고 있는 건 어느 구절이지?'

"포도주가 모자란지라 예수의 어머니가 예수에게 이르되, 저희에게 포도주가 없다, 하니……"라는 구절이 알료샤의 귀에 들려왔다.

'아, 그렇군. 내가 그만 이 구절을 똑똑히 못 듣고 넘겨 버렸구나. 여긴 귀담아 들으려 했었는데. 나는 이 구절을 특히 좋아하지. 갈릴리의 가나, 첫 번째 기적…… 아아, 그 기적, 얼마나 고마운 기적이냐! 첫 번째 기적을 행함에 있어 그리스도가 찾아간 것은 인간의 슬픔이 아니라 기쁨이었다. 인간의 기쁨을 도와줬던 것이다……. '사람을 사랑하는 자는 그들의 기쁨도 사랑하느니라…….' 이것은 세상을 떠난 장로가 입버릇처럼 하시던 말씀이며, 또한 그분의 주요한 사상의 하나였다. 기쁨 없이 인간은 생존할 수 없다, 라고 미챠가 말했었지……. 맞았어, 미챠가 한 말이야……. '무릇 참되고 아름다운 것은 모든 것을 용서하는 마음으로 가득 차 있는 법이다.' 이것도 역시 그분이 하신 말씀이다.'

"예수께서 가라사대, 여자여, 나와 무슨 상관이 있나이까. 내 때가 아직 이르지 못하였나이다. 그 어머니가 하인들에게 이르되, 너희에게 무슨 말씀을 하시든지, 그대로 하라, 하니라."

'그대로 하라……. 그렇다, 기쁨이다. 어떤 가난한 사람들, 무척 가난한 사람들의 기쁨인 것이다……. 혼례식에 포도주가 모자란다고 했으니, 물론 가난한 사람들임이 틀림없다……. 역사가들의 기록에 의하면, 그 당시 게네사렛 호수[100]

100 《신약 성경》〈누가복음〉 5장 참고. 《신약 성경》〈마태복음〉〈요한복음〉 등에서 '갈릴리의 바다'라 불리고 있음.

주위와 그 근방 일대에는 상상도 할 수 없을 만큼 가난한 주민들이 살고 있었다고 한다……. 그런데 거기 또 하나의 위대한 존재, 즉 예수의 어머니의 위대한 영혼은, 예수가 지상에 온 목적이 굉장한 사업을 하기 위해서만은 아니라는 것을 잘 알고 있었다. 또한 예수를 자기들의 가난한 혼례식에 초청한, 무지하긴 해도 결코 교활하지 않은 비천한 사람들의 소박하고도 평범한 즐거움이 예수에게 감동을 느끼게 할 수 있다는 것도 잘 알고 있었던 것이다. '내 때가 아직 이르지 못하였나이다'라고 예수는 부드러운 미소를 띠우며 (필시 겸손한 미소를 지어 보였을 것이다) 말했다……. 실제에 있어 그는 가난한 사람들의 혼인 잔치에 포도주를 넉넉하게 해 주려고 일부러 이 지상에 내려왔을 리는 없지 않은가. 그러나 그는 기꺼이 어머니의 청을 받아들였던 것이다……. 아아, 그다음을 읽고 있군.'

"예수께서 저희에게 이르시되, 항아리에 물을 채우라 하신즉, 아귀까지 채우니, 이제는 떠서 연회장에게 갖다 주라 하시매, 갖다 주었더니, 연회장은 물로 된 포도주를 맛보고 어디서 났는지 알지 못하되 (물 떠 온 하인들은 알더라) 연회장이 신랑을 불러 말하되, 사람마다 먼저 좋은 포도주를 내고 취한 후에 낮은 것을 내거늘 그대는 지금까지 좋은 포도주를 두었도다, 하니라."

'그런데 대체 이게 어찌 된 일일까? 어째서 방이 점점 넓어지는 걸까……. 아 참, 그렇군…… 혼례식이니까, 결혼 잔치니까…… 물론 그렇지. 저기 손님들이 있고, 신랑 신부도 앉아 있구나. 군중들의 즐거운 얼굴들…… 그런데 현명한 연회장은 어디 있을까? 저건 또 누굴까? 뭣 하는 사람일까? 또다시 방이 넓어지는군…… 저 커다란 식탁에서 일어선 건 또 누구지? 아니, 저분이…… 저분이 어떻게 여기 오셨을까? 관 속에 누워 계실 텐데…… 그렇지만 여기 계신 건 분명히 그분이시다……. 일어서서 나를 보고 이쪽으로 오시는군……. 아아!'

그렇다. 그는 이쪽으로 걸어오고 있다. 얼굴에 잔주름이 가득한, 여윈 몸집의 자그마한 노인이 기쁜 듯이 조용히 웃고 있다. 관은 이미 그곳에 보이지 않는다. 그는 어제 손님들과 한자리에서 담화를 나누었을 때와 똑같은 옷을 입고 있다. 얼굴은 환한 표정을 띠우고 두 눈은 밝게 빛나고 있다. 이게 어찌 된 일일까? 그러고 보니 그도 역시 갈릴리의 가나의 혼례식에 초청을 받고 이 축연에 참석했음이 틀림없다.

"그렇다, 나도 초청을 받았다. 나도 여기 초청을 받고 온 거야." 부드러운 음성이 알료샤의 머리 위에 들려왔다. "왜 이런 데 숨어 있느냐……. 너도 같이 사람들이 있는 곳으로 가자."

그분의 목소리다. 조시마 장로의 목소리다……. 그분이 아니고서야 이렇게 자기를 부를 리가 없지 않은가?

장로는 알료샤의 손을 부드럽게 잡아 일으켰다. 알료샤는 무릎을 꿇었던 다리를 펴고 일어섰다.

"유쾌하게 놀기로 하자." 여윈 몸집의 자그마한 노인은 말을 이었다. "우리도 새 포도주를, 위대한 기쁨을 주는 새 포도주를 마시자. 봐라, 손님들이 꽤 많지? 저기 있는 게 신랑 신부, 그리고 또 저기서는 현명한 연회장이 새 술을 맛보고 있구나. 왜 그렇게 놀란 얼굴로 나를 보지? 나는 파를 주었기 때문에 여기 초청을 받은 거야. 여기 와 있는 대부분의 사람들은 파를 주었기 때문에, 그것도 겨우 한 뿌리의 파를 주었기 때문에 초청을 받은 사람들뿐이다……. 그런데 일은 잘되어 가니? 너도, 조용하고 상냥한 내 아들인 너도, 오늘 굶주린 어떤 여인에게 파 한 뿌리를 주었더구나. 시작하거라, 내 아들아, 너의 일을 시작하거라……. 그건 그렇고, 너는 우리들의 태양이 보이느냐? 그분의 모습이 보이느냐?"

"두렵습니다……. 쳐다볼 용기가 나지 않습니다" 하고 알료샤는 소곤거리듯 대답했다.

"그분을 두려워할 필요는 없느니라. 그 위대함이, 그 숭고함이 우리에겐 무섭게 보일 수도 있지만, 그분은 한량없는 자비심을 가지신 분이니까. 지금도 그분은 우리를 사랑하시는 마음에서 우리와 함께 즐기고 계신 거야. 그리고 손님들의 즐거움이 끊어지지 않도록 물을 포도주로 변하게 하여 새 손님들을 기다리고 계시다. 끊임없이 새 손님을 영원한 축연으로 부르고 계시지, 봐라, 저기 새 포도주를 날라 오고 있구나. 사람들이 새 그릇을 가져오고 있지 않니."

무언가 알료샤의 가슴속에 타오르는 것이 있어, 가슴이 벅찰 지경으로 꽉 차올랐다. 환희의 눈물이 마음속 깊은 곳에서 솟구쳐 올랐다……. 그는 두 손을 내밀고 외마디 소리를 지르는 것과 동시에 잠이 깼다…….

다시 눈앞에는 관, 열어 놓은 창문이 보이고, 복음서를 낭송하는 조용하고 엄숙하고 분명한 목소리가 들려왔다. 그러나 알료샤는 그것에 귀를 기울이려고도 하지 않았다. 그는 무릎을 꿇은 채 잠이 들었었는데, 이상하게도 지금은 두 다리를 뻗고 서 있는 것이었다. 그는 갑자기 무엇에 떠밀리기라도 한 것처럼 빠르고도 확고한 걸음걸이로 서너 걸음 앞으로 걸어 나가서 관 앞에 바싹 붙어 섰다. 이때 파이시 신부에게 어깨가 부딪혔으나, 그것도 그는 모르는 모양이었다. 파이시 신부는 잠깐 책에서 눈을 떼고 그를 돌아보았으나, 이 젊은이의 마음에 무언가 이상한 변화가 일어났다는 것을 깨닫고 곧 시선을 피해 버렸다. 알료샤는 삼십 초가량 관 속을 들여다보고 있었다. 장로는 가슴에 성상을 얹고, 머리엔 팔각 십자가가 달린 두건을 쓰고, 전신이 가리어진 채 꼼짝도 않고 누워 있었다. 알료샤는 방금 이 사람의 목소리를 들었으므로, 그 목소리가 아직도 귀에 쟁쟁했다. 그는 귀를 기울이고 또다시 그 음성이 들려오기를 기다렸다……. 그러다가 그는 홱 발길을 돌려 곧장 암자 밖으로 나가 버렸다.

현관 앞 층계 위에서도 그는 걸음을 멈추지 않고 빠른 걸음으로 계단을 내려갔다. 환희에 가득 찬 그의 마음은 자유와 공간과 개방을 원했던 것이다. 조용히 반짝이는 무수한 별들을 뿌려 놓은 창공이 넓고 끝없이 머리 위에 펼쳐져 있었다. 아직은 뚜렷하지 않은 두 줄기 은하수가 하늘 한가운데로부터 지평선을 향해 흐르고 있었다. 만물이 정지 상태에 있는 상쾌하고 고요한 밤이 대지를 뒤덮고, 수도원의 흰 탑이며 금빛 둥근 지붕이 청옥색 하늘을 배경으로 빛나고 있었다. 호화로운 가을꽃들은 건물 둘레의 화단에서 아침까지의 잠을 즐기고 있었다. 지상의 정적은 천상의 정적과 서로 용해되고, 지상의 신비는 별들의 신비와

서로 접촉하고 있는 것 같았다…….

알료샤는 걸음을 멈추고 바라보고 있다가 갑자기 발목을 잘리기라도 한 것처럼 대지 위에 몸을 던졌다. 그는 무엇 때문에 대지를 포옹했는지 자기 자신도 알 수 없었다. 그리고 왜 이 넓은 대지에 입 맞추고 싶은 억제할 수 없는 충동을 느꼈는지 그 까닭을 설명할 수 없었다. 그러나 그는 흑흑 느껴 울며 대지에 입을 맞췄고 자기의 눈물로 대지를 적셨다. 그리고 이 대지를 사랑하기를, 영원히 사랑하기를 열정적으로 맹세하는 것이었다. '너의 기쁨의 눈물로 대지를 적시고 그 눈물을 사랑하라'라는 말소리가 그의 영혼 속에 울려 퍼졌다. 대체 그는 무엇 때문에 울었을까? 오오, 그는 무한한 공간 속에서 자기를 향해 반짝이는 별들만 보아도 환희의 눈물이 절로 쏟아져 나왔던 것이다! 그는 이와 같은 광적인 흥분 상태를 조금도 부끄러워하지 않았다. 마치 하느님의 끝없는 세계로부터 던져진 실들이 일제히 그의 영혼에 집중된 것처럼 그 영혼은 타계他界와의 접촉 속에서 떨고 있었다. 그는 모든 일에 대하여 모든 사람을 용서하고, 동시에 자기 쪽에서도 용서를 빌고 싶었다. 오오! 그것은 결코 자기 자신을 위해서가 아니라, 모든 사람들, 모든 사물을 위해서였다. '나를 위해서는 다른 사람이 대신 용서를 빌어 줄 것이다'라는 소리가 다시 그의 마음속에서 울려 퍼졌다. 그러나 저 무한한 창공처럼 확고부동한 그 무엇이 그의 영혼 속으로 흘러들어 오고 있다는 것이 그는 시시각각으로 뚜렷하게 느껴지는 것만 같았다. 어떤 이념이 점차로 그의 두뇌를 지배하고 있는 듯싶었다—그리고 그것은 한평생, 아니 영원히 변함없는 것이었다. 대지에 몸을 던졌을 때 그는 한 사람의 연약한 청년에 지나지 않았으나, 땅에서 일어섰을 때는 한평생 꺾이지 않을 만큼 굳센 힘을 가진 투사가 되어 있었다. 이 환희의 순간에 그는 갑자기 그것을 직감하였고 그것을 자각한 것이다. 그 후에도 알료샤는 일생 동안 이 순간을 결코 잊을 수가 없었다.

'그때 누군가가 내 영혼의 문을 열어 준 것이다'라며 후에 그는 스스로 절대적인 신념을 품고 이렇게 말하곤 했다.

그로부터 사흘 후에 그는 수도원을 나왔다. 그것은 '속세에 나가서 살아야 한다'고 명한 장로의 말에 따르기 위해서였다.

2권에 계속

카라마조프네 형제들 1

개정판 인쇄 | 2024년 1월 3일
개정판 발행 | 2024년 1월 10일
펴낸이 | 홍정욱
기획 | 이상민 박단비
편집·교열 | 올재 편집팀
표지 제호 | 강병인
디자인 | 김희수
펴낸곳 | 사단법인 올재
출판등록 | 2011년 11월 4일 제2011-188호
주소 | 서울시 용산구 이태원로55가길 40 2층
전화 | 02-720-8278
홈페이지 | www.olje.or.kr
ISBN | 979-11-5993-295-3

Olje Selections

01 **한글논어** 이을호 역 | 현암학술문화연구소 보補
02 **국가** 플라톤 저 | 조우현 역
03 **조선경국전** 정도전 저 | 한영우 역
04 **햄릿** 윌리엄 셰익스피어 저 |최재서 역
05 **한글맹자** 이을호 역 | 현암학술문화연구소 보補
06 **훈민정음통사** 방종현 저 | 이상규 주해
07 **정치학** 아리스토텔레스 저 | 라종일 역
08 **도덕경** 노자 저 | 이석명 역
09~12 **수호지**1~4 시내암 저 | 연변대학 수호지 번역팀 역
13, 14 **열하일기**1, 2 박지원 저 | 이가원 역
15 **명상록** 마르쿠스 아우렐리우스 저 | 황문수 역
16 **젊은 베르테르의 슬픔** 요한 볼프강 폰 괴테 저 | 이인웅 역
17, 18 **국부론**1, 2 애덤 스미스 저 | 최임환 역
19 **손자병법** 손무 저 | 임용한 역
20 **햄릿**(개정판) 윌리엄 셰익스피어 저 |최재서 역
21 **맥베스** 윌리엄 셰익스피어 저 | 김우탁 역
22 **오셀로** 윌리엄 셰익스피어 저 | 김우탁 역
23 **리어왕** 윌리엄 셰익스피어 저 | 김우탁 역
24 **오자병법** 오기 저 | 임용한 역
25~29 **삼국지**1~5 나관중 저 | 연변인민출판사 번역팀 역
30 **한글논어**(개정증보판) 이을호 역 | 현암학술문화연구소 보補
31 **한글맹자**(개정증보판) 이을호 역 | 현암학술문화연구소 보補
32, 33 **카라마조프네 형제들**1, 2 도스토옙스키 저 | 이동현 역

Olje Classics

01 **한글논어** 이을호 역 | 현암학술문화연구소 보補
02 **국가** 플라톤 저 | 조우현 역
03 **정치학** 아리스토텔레스 저 | 라종일 역
04 **고운집** 최치원 저 | 이상현 역 | 한국고전번역원 기획
05 **한글맹자** 이을호 역 | 현암학술문화연구소 보補
06 **소크라테스의 변명 외** 플라톤 저 | 조우현 역
07 **유토피아** 토머스 모어 저 | 주요섭 역
08 **청성잡기** 성대중 저 | 한국고전번역원 기획·번역
09 **한글중용 · 대학** 이을호 역 | 현암학술문화연구소 보補
10 **팡세** 파스칼 저 | 정봉구 역
11 **군주론** 마키아벨리 저 | 임명방 역
12 **기측체의** 최한기 저 | 한국고전번역원 기획·번역
13 **우서** 유수원 저 | 한영구 역 | 한국고전번역원 기획
14 **채근담** 홍자성 저 | 송정희 역
15 **차라투스트라는 이렇게 말했다.** 프리드리히 니체 저 | 김정진 역
16 **천로역정** 존 버니언 저 | 주요섭 역
17 **조선경국전** 정도전 저 | 한영우 역
18, 19 **계원필경집**1, 2 최치원 저 | 이상현 역
20 **꿈의 해석** 지그문트 프로이트 저| 장병길 역
21 **명심보감** 추적 저 | 이민수 역
22 **서경** | 권덕주 역
23 **사회계약론** 장 자크 루소 저 | 박은수 역
24 **명상록** 마르쿠스 아우렐리우스 저 | 황문수 역
25 **택리지** 이중환 저| 이민수 역
26, 27 **열하일기**1, 2 박지원 저 |이가원 역
28 **햄릿** 윌리엄 셰익스피어 저 | 최재서 역
29 **유혹자의 일기** 쇠렌 키에르케고어 저 | 황문수 역
30 **에밀** 장 자크 루소 저 | 박은수 역
31 **땅의 양식** 앙드레 지드 저 | 박은수 역
32 **격몽요결** 이이 저 | 정후수 역
33 **훈민정음통사** 방종현 저 | 이상규 주해
34 **방법서설** 르네 데카르트 저 | 김형효 역
35 **리바이어던** 토머스 홉스 저 | 이정식 역
36 **역옹패설** 이제현 저 | 남만성 역
37 **유리알 유희** 헤르만 헤세 저 | 노태한 역
38, 39 **국부론**1, 2 애덤 스미스 저 | 최임환 역
40 **도덕경** 노자 저 | 이석명 역
41 **마음** 나쓰메 소세키 저 | 김성기 역
42~45 **수호지**1~4 시내암 저 | 연변대학 수호지 번역팀 역
46 **난중일기** 이순신 저 | 이은상 역
47 **징비록** 유성룡 저 | 구지현 역
48, 49 **쇄미록**1, 2 오희문 저 | 이민수 역
50 **장자** 장자 저 | 신동준 역
51 **열자** 열자 저 | 정창영 역
52 **바가바드 기타** | 정창영 역
53 **젊은 베르테르의 슬픔** 요한 볼프강 폰 괴테 저 | 이인웅 역
54 **산해경** | 장수철 역
55 **박물지** 쥘 르나르 저 | 손석린 역

56, 57 춘추좌전1, 2 좌구명 저 | 신동준 역
58~61 서유기1~4 오승은 저 | 연변인민출판사 번역팀 역
62 대당서역기 현장 저 | 권덕주 역
63 손자병법 손무 저 | 임용한 역
64 오자병법 오기 저 | 임용한 역
65 전술론 니콜로 마키아벨리 저 | 이영남 역
66 포화 앙리 바르뷔스 저 | 정봉구 역
67 시경 | 신동준 역
68 문심조룡 유협 저 | 김관웅·김정은 역
69 시학 · 데 아니마 아리스토텔레스 저 | 김완수 역
70 주홍 글씨 너대니얼 호손 저 | 최재서 역
71, 72 지봉유설1, 2 이수광 저 | 남만성 역
73 종의 기원 찰스 다윈 저 | 이민재 역
74 비글호 항해기
찰스 다윈 저 | 권혜련·김정석·박완신·이혜진 역
75~78 홍루몽1~4 조설근 저 | 연변인민출판사 번역팀 역
79~83 동주 열국지1~5 풍몽룡 저 | 신동준 역
84, 85 카라마조프네 형제들1, 2 도스토옙스키 저 | 이동현 역
86 고용, 이자 및 화폐의 일반이론 케인스 저 | 조순 역
87, 88 법, 입법 그리고 자유1, 2 하이에크 저 | 양승두 외 역
89~93 금병매1~5 난릉 소소생 저 | 김관웅·김정은 역
94, 95 한비자1, 2 한비 저 | 신동준 역
96 상군서 상앙 저 | 신동준 역
97, 98 회남자1, 2 유안 저 | 이석명 역
99 금강경 동봉 역해
100 동의수세보원 이제마 저 | 이을호·홍순용 역 | 주종천 보補
101, 102 르네상스 미술가 평전1, 2
조르조 바자리 저 | 이근배 역 | 최병진 감수
103, 104 삼국사기1, 2 김부식 저 | 허성도 역
105 크눌프 · 황야의 이리 헤르만 헤세 저 | 이인웅 역
106 최초의 모험 헤르만 헤세 저 | 이인웅 역
107 사기 본기 · 사기 서 사마천 저 | 신동준 역
108 사기 표 사마천 저 | 신동준 역
109 사기 세가 사마천 저 | 신동준 역
110, 111 사기 열전1, 2 사마천 저 | 신동준 역
112~116 삼국지1~5 나관중 저 | 연변인민출판사 번역팀 역
117, 118 황금가지1, 2 제임스 조지 프레이저 저 | 장병길 역
119 파워엘리트 찰스 라이트 밀스 저 | 진덕규 역
120 묵자 신동준 역
121, 122 십팔사략1, 2 증선지 저 | 신동준 역
123, 124 당시삼백수1, 2 손수 편 | 임동석 역
125 돈키호테 미겔 데 세르반테스 저 | 최민순 역
126~135 자치통감1~10 사마광 저 | 신동준 역
136~145 잃어버린 시간을 찾아서1~10
마르셀 프루스트 저 | 김창석 역
146, 147 관자1, 2 관중 저 | 신동준 역
148 순자 순자 저 | 신동준 역
149 주역 신원봉 역
150, 151 전국책1, 2 유향 저 | 임동석 역
152 맥베스 윌리엄 셰익스피어 저 | 김우탁 역
153 오셀로 윌리엄 셰익스피어 저 | 김우탁 역
154 리어왕 윌리엄 셰익스피어 저 | 김우탁 역
155, 156 데카메론1, 2 조반니 보카치오 저 | 허인 역
157, 158 유림외사1, 2 오경재 저 | 김관웅·김정은 역
159, 160 정관정요1, 2 오긍 저 | 임동석 역
161 안씨가훈 안지추 저 | 임동석 역
162 신기관 프랜시스 베이컨 저 | 김홍표 역
163, 164 고문진보 전집1, 2 황견 찬 | 임동석 역
165, 166 고문진보 후집1, 2 황견 찬 | 임동석 역
167 안데르센 자서전 한스 안데르센 저 | 이경식 역
168, 169 공자가어1, 2 왕숙 저 | 임동석 역
170 율곡어록 율곡 이이 저 | 한영우 역
171, 172 의지와 표상으로서의 세계
아르투어 쇼펜하우어 저 | 곽복록 역
173 구운몽 김만중 저 | 이가원 역
174 춘향전 이가원 역
175, 176 캔터베리 이야기1, 2 제프리 초서 저 | 김진만 역
177 소학 주희 저 | 임동석 역
178 천자문 주흥사 저 | 임동석 역
179, 180 괴테와의 대화 요한 페터 에커만 저 | 곽복록 역
181~184 풍운아 홍길동 신동우 저
185 제감도설 장거정 저 | 임동석 역
186, 187 나의 투쟁 아돌프 히틀러 저 | 황성모 역
188 독일 국민에게 고함 요한 고틀리프 피히테 저 | 곽복록 역
189 인간과 동물의 감정 표현 찰스 다윈 저 | 김홍표 역
190 인간적인 너무나 인간적인 프리드리히 니체 저 | 강두식 역
191 해동야언 허봉 저 | 이민수 역
192 어우야담 · 계서야담 유몽인·이희준 저 | 이민수 역
193~197 파브르 곤충기1~5
장 앙리 파브르 저 | 이근배·안응렬 역
198 이탈리아 기행 요한 볼프강 폰 괴테 저 | 곽복록 역
199 안톤 체호프 4대 희곡 안톤 체호프 저 | 홍기순 역
200 간양록 · 해동제국기 강항·신숙주 저 | 이을호 역
201 조선상식문답 최남선 저